Bogusław D.

Der deutsche Film
1938–1945

Ein Gesamtüberblick

Droste Verlag

Die in diesem Band aufgenommenen Abbildungen
geben überwiegend für die Filmwerbung der Jahre 1938–1945
veröffentlichte Szenenfotos wieder.
Sie stammen sämtlich aus polnischen Archivbeständen
bzw. aus Materialien des Autors.
Ausnahme »Die Feuerzangenbowle«: Archiv Rheinische Post.

CIP-Kurztitelaufnahme der Deutschen Bibliothek

Drewniak, Bogusław:
Der Deutsche Film 1938–1945: e. Gesamtüberblick /
B. Drewniak. – Düsseldorf: Droste. 1987.
ISBN 3-7700-0731-X

© 1987 Droste Verlag GmbH, Düsseldorf
Schutzumschlagentwurf: Helmut Schwanen
Gesamtherstellung: Clausen & Bosse, Leck
ISBN 3-7700-0731-X

Inhalt

tungen · Besitzverhältnisse · Wanderkinos der NSDAP ·
Die übrigen Filmvorführer · Die Theaterbühnen im
Dienste des Films · Degeto-Kulturfilm · Besucherzahlen · Der Kinobesuch im Spiegel der Statistik · Eintrittspreise, Eintrittskarten · Die Erfolgsfilme · Die
deutsche Filmproduktion in den Augen des obersten
Anführers · Einschränkungen im Kinobesuch · Wiederaufführungen · Die Werbung · Der Film und das Fernsehen

Einleitung

Dieses Buch schrieb der Historiker, und es ist eine geschichtswissen-
schaftliche Untersuchung: Die historisch-analytische Methode war
hier vor allem richtungweisend.

Auf das Thema dieser Bearbeitung weist bereits – ziemlich genau –
der Titel hin. Der Film ist in dieser Untersuchung im weiten Sinne
dieses Begriffes zu verstehen: Spiel-, Kultur- und Dokumentarfilm,
Gehalt und Gestalt des deutschen Films und sein Einsatz in Deutschland und im Ausland. Aber auch der fremde Film in Deutschland.
Ferner: die Menschen vom Film und nicht zuletzt die Charakteristik
der Produktions- und Vorführungsstätten. In der für die Menschheit
traurigen Zeit erlebte der deutsche Film seine heute nicht einfach zu
beurteilende Blütezeit, die deutschen Kinos hatten ihre besten Jahre.
Die chronologischen Zäsuren definieren sowohl die territoriale
Grundlage dieser Darstellung als auch ihre zeitlichen Grenzen. Es
geht nämlich um das Deutsche Reich in den Jahren 1938 bis 1945. Da
es sich aber auch um das Vorhergehende handelt (Menschen, Filme,
Produktionsbedingungen etc.), ist die Zäsur des Jahres als unverbindlich zu betrachten. Vielmehr ist das Buch der ganzen NS-Filmära
gewidmet: bis 1945, als der deutsche Film ins 50. Jahr ging. Aber auch
diese Grenze wird nicht selten in dem Buch überschritten. Man darf
nicht einen Teil aus der Gesamtheit, die Geschichte des deutschen
Films heißt, so einfach absondern.

Diese Darstellung ist ein Quellenwerk: Ungefähr drei Viertel des
Tatsachenmaterials sind den Quellen entnommen. Viele von ihnen
wurden zum ersten Male berücksichtigt. Zu erwähnen sind besonders: verschiedene Bestände (und Filme) im Bundesarchiv in Koblenz, die Akten des Politischen Archivs des Auswärtigen Amtes in
Bonn, die Akten in den Staatsarchiven in Hamburg, Bremen, im Geheimen Staatsarchiv Berlin-Dahlem (Mikrofilme) sowie Akten des
Reichspropagandaministeriums in Potsdam und anderen Staatsbe-
hörden im Staatsarchiv Magdeburg. In Polen wurden die Akten der
deutschen Besatzungsbehörden in den Staatsarchiven in Gdańsk

(Danzig), Poznań (Posen), Kraków (Krakau), Katowice (Kattowitz) und Warszawa (Warschau) untersucht. In Warszawa ging es um die Akten der deutschen Besatzungsbehörden nach 1939 und die früheren Akten der polnischen diplomatischen und konsularischen Vertretungen (Archiwum Akt Nowych) wie auch um die Akten der polnischen Untergrundbehörden (Archiv des Zentralkomitees der Polnischen Vereinigten Arbeiterpartei) und die Gerichtsakten aus der Zeit nach 1945 (Institut des Nationalen Gedenkens). Es wurden ferner Akten der deutschen Behörden in den Staatsarchiven Olsztyn (Allenstein) und Wroclaw (Breslau) berücksichtigt. In der Tschechoslowakei wurde vor allem das Pressearchiv des Staatsarchivs in Prag ausgewertet. In der Österreichischen Nationalbibliothek in Wien standen dem Verfasser die Materialien der Theatersammlung und in der Forschungsstelle für die Geschichte des Nationalsozialismus in Hamburg die Handschriftensammlung zur Verfügung. Wichtige Quellen und Materialien boten das Staatliche Filmarchiv der DDR (Berlin) und die Filmoteka Polska in Warszawa. Sehr wichtige Quellen – gedruckte oder in Maschinenschrift – bot die Deutsche Bücherei in Leipzig. Die Auswertung der zeitgenössischen Presse, Fachzeitschriften und sonstigen Veröffentlichungen erfolgte auch in anderen Bibliotheken: In der Bundesrepublik in München, Hamburg, Bremen, Frankfurt am Main (Deutsche Bibliothek, Institut für Filmkunde), in der DDR in Berlin (Staatsbibliothek, Zentrale Filmbibliothek), Magdeburg, Greifswald, in der Schweiz in Zürich, in der Tschechoslowakei in Prag, in Polen in Warszawa (Biblioteka Narodowa, Biblioteka Instytutu Sztuki PAN), in Gdańsk (Biblioteka PAN), in Kraków (Biblioteka Jagielońska), in Olsztyn (Ośrodek Badań Naukowych), in Poznań (Biblioteka Uniwersytecka, Instytut Zachodni), ferner in den Universitätsbibliotheken in Wroclaw und Szczecin (Stettin).

Die bestehenden Lücken in den Quellen werden nur geringfügig durch die autobiographische Literatur geschlossen. Die Memoirenwerke von Filmgrößen gehen leider auf die historisch-politische Mitteilung kaum ein, obwohl aus ihrem Lebensbereich besonders wichtige Aufschlüsse zu erwarten wären. Nicht selten dienen sie der Selbstverteidigung, auch nicht wenig Prahlerei ist dort zu finden. Im einzelnen ist diese Literatur sogar anziehend, eigenes Erleben vereint sich aber hier nur selten mit dem historisch-wissenschaftlichen Interesse. Einige von diesen Publikationen, wie z. B. die Herzensergüsse von Zarah Leander, sind zugleich Zeugnisse der politischen

Naivität. Es gibt aber auch Memoiren (wie von Rudolf Forster), in denen die Autoren sich weniger eitel oder naiv als die meisten der Kollegen erweisen. Gehaltvoller sind in dieser Hinsicht – was aber nicht immer Objektivität bedeutet – die autobiographischen Bücher von Arthur Maria Rabenalt, Veit Harlan, Geza von Cziffra und manche andere.

Die relativ beträchtliche Literatur über den Film im Dritten Reich, die sich in immer stärkerem Maße auch in methodisch-wissenschaftlicher Weise mit diesem Objekt beschäftigt, zerfällt neben den ausgesprochenen populärwissenschaftlichen Schriften in politisch-historische, soziologisch-psychologische, dramaturgisch-ästhetische und sogar pädagogische Untersuchungen. Wegen des politischen Gewichts ist es begreiflich, daß auch die Problematik des Films in Hitlers Deutschland mehrfach der untersuchenden Betrachtung unterzogen worden war. Es gab darüber mehrere Veröffentlichungen, Dissertationen etc. Es gab auch die erste Bibliographie der Bücher und Zeitschriften über das deutsche Filmwesen – sie umfaßt die Zeitspanne vom Beginn der Kinematographie bis Ende 1939 –, die ihr Erscheinen vor allem dem wissenschaftlichen Leiter der Ufa-Lehrschau, Hans Traub, verdankte. Nach dem Krieg schrieb man über den NS-Film in den beiden deutschen Staaten, in Frankreich, den USA, in England, Polen, in der UdSSR. Die Literatur zu diesem Thema stammt zumeist von (Film-)Wissenschaftlern, die eine große Erfahrung hinter sich haben und gewiß das Wertvolle wußten. Aber es gibt auch eine umfangreiche Publizistik darüber und eine beträchtliche Zahl von populärwissenschaftlichen Veröffentlichungen. Andere Facetten der kulturpolitischen Geschichte des NS-Films bringt die biographische Literatur zur Geltung, wenn auch jeweils nur in beiläufiger Form. Aus räumlichen Gründen darf man hier nur die wichtigsten Werke erwähnen, vor allem Gerd Albrechts umfangreiche soziologische Untersuchung über »Nationalsozialistische Filmpolitik«. Die ökonomischen Aspekte des NS-Films wurden gründlich von Wolfgang Becker und Jürgen Spicker untersucht. Dorothea Hollstein schuf ein sehr wichtiges Werk über die »Antisemitische Filmpropaganda«. Wissenschaftlich wichtig ist das Werk über die verbotenen deutschen Filme 1933–1945 von Kraft Wetzel und Peter Hagemann, mit Beiträgen von Friedrich P. Kahlenberg und Peter Pewas. Das Buch vermittelt erstmals eine schlüssige Vorstellung von den Verbotsmaßnahmen im Bereich des NS-Filmes. Eine populäre »Ufa-Geschichte« schrieb Curt Riess. Rein wissenschaftlich gesehen, bietet sein Buch nur eine oberflächliche Analyse, aber es wurde auch vor allem für den Laien geschrieben. Einen großen Leser- (und Zuschauer-)Kreis fand das Werk Erwin Leisers: »Deutschland erwache«.

Mit der Kulturpolitik des Dritten Reiches beschäftigt sich der Autor dieses Buches seit mehr als fünfzehn Jahren. Es entstand eine ganze Reihe von Studien und Artikeln, vornehmlich in polnischer Sprache, darunter auch Bücher: »Kultura w cieniu swastyki« (Kultur im Schatten des Hakenkreuzes – Poznań 1969), »Teatr i film Trzeciej Rzeszy w systemie hitlerowskiej propagandy« (Theater und Film des Dritten Reiches im System der NS-Propaganda – Gdańsk 1972) und »Das Theater im NS-Staat. Szenarium deutscher Zeitgeschichte 1933–1945« (Düsseldorf 1983). Absicht des Verfassers war es, die Gesamtheit der deutschen Filme aus der sogenannten großdeutschen Ära zu untersuchen und in ihren Eigentümlichkeiten darzustellen. Eine ganze Reihe von Filmen wird von ihm im einzelnen analysiert. Alle zu untersuchen war jedoch unmöglich. Im Dritten Reich entstanden etwa 27 000 Produktionen (bzw. Filmfassungen), die der Zensurbehörde zur Prüfung vorgestellt wurden. Selbst ein Verzeichnis dieser Bildstreifen wäre schon zu einem umfangreichen Buch geworden. Folglich will diese Darstellung nur anhand zahlreicher Beispiele versuchen, einen synthetischen Überblick über den Niederschlag des Universalfaktors Film als publizistisches Führungsmittel und kunstfähige Ausdrucksform zu präsentieren.

Die Universalität der Erscheinungsform Film mit ihren beiden Wurzeln »Kunst-Gattung« und »Publizistisches Führungsmittel« ermöglicht innerhalb einer historischen Bearbeitung eine unterschiedliche Behandlung. Die Vielfalt der gesamten Filmproduktion bringt eine weitere Verästelung in formaler, inhaltlicher und wertgemäßer Hinsicht mit sich.

Kunst und Film – immer wieder wurde vor und nach 1933 das Problem aufgeworfen und leidenschaftlich diskutiert. Die Diskussionen führten weit über das Gebiet des Filmischen hinaus. Zum kunstpolitischen Problem ersten Ranges wurden die Parallelen zwischen Theater und Film. Wie das Theater dem Film, so wurde in den Diskussionen auch dem »Kitsch« die »reine« Kunst gegenübergestellt, oder umgekehrt. Der Verfasser dieses Buches will diesem Thema – nach Bedürfnis und Möglichkeit – nicht ausweichen. Es stehen ihm hier sowohl eigene Urteile wie auch die Quellen verschiedener Provenienz zur Verfügung. Und unter den Quellen auch die zeitgenössi-

schen Filmkritiken. Nicht nur die des totalitären Systems. Als hoch-
interessant stellen sich z. B. die Kritiken der neutralen Schweiz
heraus.

Der Spielfilm, sehr oft auch der Kulturfilm, gehört grundsätzlich –
also auch der Film der NS-Ära – dem Reich der Kunst zu. Die hand-
werkliche Arbeit ist lediglich (auch unter bestimmten Vorbehalten)
das Technische der Aufnahme, alles andere ist mit dem Begriff Kunst
verknüpft. Obgleich nur bei wenigen Bildstreifen, verbinden die
künstlerischen Einzelleistungen der sichtbaren und unsichtbaren
Schöpfer den Film zu einem Gesamtkunstwerk. Gab es solche Werke
zwischen den Jahren 1933 und 1945? Deutschland, auch das Deutschland aus der Zeit nach 1933, war überreich an künstlerischen Begabungen. Und es bestanden die finanziellen, technischen und organisatorischen Voraussetzungen, die der Film benötigte, um sich zu entfalten. Was nimmt es wunder, daß auch im NS-Staat begabte (und
manchmal sogar wagemutige) Menschen echte Kunstwerke schufen,
die diese dunkle Zeit überdauerten und Marksteine in der Filmgeschichte setzten.

Viel entscheidender als andere Medien (die aber erst durch die
Fernsehtechnik zur Totalität gelangten) bestimmte der Film von damals die politische, soziale und moralische Haltung der Bevölkerung,
das allgemeine Lebensgefühl und den allgemeinen Lebensstil. Das
System der sogenannten Massenbeeinflussung zu untersuchen, wird
auch die Aufgabe dieses Buches sein: in den Grenzen, die den Rahmen einer historischen Untersuchung nicht überschreiten, und soweit die Quellen entsprechendes Material boten.

Die Grundlinie des Vortrags wurde im Buch in neun Kapitel unter-
teilt. Das erste charakterisiert, ohne auf weniger wichtige Einzelheiten einzugehen, den organisatorischen Rahmen des deutschen Film-
imperiums und beschreibt die Bedingungen und technischen Möglichkeiten in den Filmproduktionen bis in die letzten Tage des Dritten
Reiches. Ihm folgt eine ausführliche Besprechung über die »Menschen vom Film«. Der Verfasser versucht hier, über den traditionellen Rahmen hinauszugehen und außer den Regisseuren und Schauspielern auch andere Filmschöpfer (Drehbuchautoren, Filmkomponisten, Kameraleute u. a.) zu präsentieren. Den umfangreichsten
Teil des Buches nimmt das nächste Kapitel ein, in dem die Tendenzen
und Richtungen des deutschen Films jener Zeit und die thematische
Vielfalt der Filmproduktion erörtert werden. Eine sachliche Ergänzung stellen die Kapitel dar, die die beiderseitigen Beziehungen zwi-

schen dem Film und der verfilmten Literatur schildern, die das Thema Film und Jugend besprechen und die Aufmerksamkeit dem Farbfilm widmen. Der vielseitigen Problematik des Film-Verleihs, Film-Vertriebs und der Filmwerbung ist ein weiteres Kapitel gewidmet. Einen breiteren Raum nimmt die Erörterung der Expansion des deutschen Films außerhalb des Reiches ein: in den besetzten Gebieten, im unterjochten Europa, aber auch in der Welt – von New York und Buenos Aires bis nach Tokio und Shanghai. Das letzte Kapitel schildert die Problematik des ausländischen Films in Deutschland. Der Vortrag des Buches wird durch ein kommentiertes Personenregister ergänzt, in dem sich nicht wenige Angaben befinden, die man nicht einmal in Fachnachschlagwerken finden kann. Die Bibliographie umfaßt das Quellenverzeichnis und die wichtigste Fachliteratur. Der Publikationsteil, der die einzelnen Filme betrifft – viele von diesen Publikationen sind kaum bekannt oder unbekannt –, hat ebenfalls einen besonderen Informationswert für Interessierte. Das Register der Filmtitel spielt eine doppelte Rolle: Einerseits ist es ein Hilfsregister für den Leser, andererseits weist es auf die Existenz verschiedener Filmversionen (Schmal- bzw. auch Stummfassungen der Filme) hin.

Die herangezogenen Beispiele dieser Darstellung wurden so gewählt, daß sie trotz der unerläßlichen Auswahl aus der unabsehbaren Materialfülle der Geschichte des deutschen Films und trotz einiger Vereinfachungen als zusammenfassender Beitrag dienen können. Dieses Buch ist kein Buch für den Laien. Aber es ist auch kein Buch »nur für Historiker«. Das Buch will auch anderen Zweigen der historischen Wissenschaft Dienste leisten: der Geschichte der deutschen Literatur, der Geschichte der deutschen Musik, manchmal sogar der Geschichte der Technik. Der Autor, den deutschen Film der NS-Zeit beobachtend, beschreibend und bewertend, will seine Subjektivität nicht verleugnen. Er weiß, daß andere Wertungen möglich sind, und erwartet auch produktiven Widerspruch.

Der Verfasser dankt allen, die ihn bei der Vorbereitung und Abfassung der vorliegenden Untersuchung unterstützt haben: den Mitarbeitern der Archive und Bibliotheken, Frau Karin Eggeling, Düsseldorf, die die nicht leichte Aufgabe hatte, den Text zu überarbeiten, da die deutsche Sprache nicht die Muttersprache des Verfassers ist. Für vielseitige Hilfe bedankt sich der Autor bei Frau Staatsarchivdirektorin Dr. Brigitte Poschmann, Bückeburg, und bei Herrn Robert Graeff, Kadenbach. Sein Dank gilt außerdem all denen, die die

Ausgabe seines Buches ermöglicht haben. Der Deutsche Akademische Austauschdienst hat durch Stipendien die Vorbereitung dieser Untersuchung wesentlich erleichtert. Besonderer Dank gilt Herrn Dr. Manfred Lotsch, Düsseldorf, der das Projekt maßgeblich gefördert hat. Ihnen allen und insbesondere auch dem Droste Verlag gilt mein herzlicher Dank.

Gdańsk, Frühjahr 1987

Produktionsbedingungen

Die Tradition

Am Stammbaum des Films hängen die Porträts vieler Köpfe. In der Vor- bzw. Frühgeschichte des deutschen Films wurden die Gebrüder Skladanowsky mit ihrem »höchst amüsanten Schattenspiel« zum Symbol. Im Jahr 1895 begann die »offizielle« Geschichte des deutschen Kinos. Zur Zeit des Dritten Reiches ließ Goebbels am Portal des Berliner Wintergartens eine Tafel anbringen mit der Aufschrift: »In diesem Hause fanden am 1. November 1895 die ersten öffentlichen Filmvorführungen in Europa... statt mit Hilfe eigens aufgenommener Filme und selbsterfundener Apparate des Max Skladanowsky.« Blütezeit des deutschen Films nennt man oft jene Zeit, in der diese Tafel angebracht wurde. Sie endete im Jubiläumsjahr 1945. Feierlichkeiten anläßlich dieses 50jährigen Bestehens des deutschen Kinos konnten jedoch nicht stattfinden.

Die Neuregelung des deutschen Filmschaffens

Vor der »nationalen Revolution« war Deutschland im Bereich des Films eine Macht, und der deutsche Film war ein Begriff von Weltrang. Die große wirtschaftliche Krise, die damals die Welt erschütterte, warf freilich ihren Schatten auch auf die Filmwirtschaft. Die schwere Situation des deutschen Films gab den neuen Herren Argumente in die Hand. Sofort nach der »Machtübernahme« begann die erste Phase der »Neuordnung« des deutschen Filmwesens. Die größte Rolle spielte hier das am 13. 3. 1933 errichtete Reichsministerium für Volksaufklärung und Propaganda (ProMi), das erste dieser Art in Deutschland. Reichsminister wurde, laut Ernennungsurkunde, der Schriftsteller Dr. Paul Joseph Goebbels,[1] der bereits seit 1929 die Stelle des Reichsleiters der Reichspropagandaleitung der NSDAP (RPL) bekleidete und auch weiterhin bekleiden sollte. Am 30. 4. 1933 wurden die Zuständigkeiten des Ministeriums gere-

17

gelt, was manchmal gewisse, nicht immer konfliktlose Eingriffe in die Arbeitsgebiete anderer Reichs- oder Landesbehörden bedeutete.[2] Im Bereich der parteilichen Kompetenzen mußte Goebbels ständig Alfred Rosenberg als seinen Rivalen betrachten. Es ist kaum bekannt, daß Alfred Rosenberg nicht geringe Ambitionen auch im Bereich des Filmwesens hatte. 1933 ließ er »Deutscher Kampffilm – Offizieller Filmdienst des Kampfbundes für Deutsche Kultur e. V.« gründen (seit Januar 1934: »Deutscher Kampffilm GmbH«) und übernahm die Stelle des Ehrenvorsitzenden. Einen Kampf um den Film konnte Alfred Rosenberg mit Goebbels nicht gewinnen. Stören konnte er jedenfalls immer. Und für den Reichspropagandaminister blieb der Film (auch rein persönlich) stets das Problem ersten Ranges.

Die Angelegenheiten des deutschen Filmwesens wurden im ProMi, der Zentralbehörde des deutschen Kulturlebens, durch verschiedene Abteilungen bearbeitet: vor allem durch die Abteilung 10 (F), d. h. die Filmabteilung, aber auch von den Abteilungen Haushalt (H), Personal (Pers), Schrifttum (S), Musik (M) und Ausland (A). Vorläufig auch in der Abteilung »BeKa« (Besondere Kulturaufgabe). Maßgebend waren die Vorschriften eines einheitlichen Lichtspielgesetzes vom 16. 2. 1934 mit späteren Änderungen und Durchführungsverordnungen. Die Zuständigkeit der Filmabteilung war vor allem politischer Natur. Fast sämtliche Verwaltungsaufgaben wurden außerhalb des Ministeriums (von ihm aber gesteuert) durchgeführt, und sogar die Verwendung der in der Filmindustrie aufkommenden Gelder war einem eingeschalteten Treuhänder übertragen. In den Jahren seines Bestehens betrug der Geldverkehr des ProMi ca. 1,5 Mrd. RM. Unter den Etatausgaben in den Jahren 1933–1943 stand der Film mit 11,5 % der Gesamtausgaben an dritter Stelle (das Theater: 26,4 %, die »aktive Propaganda«: 21,8 %).[3] Selbstverständlich verfügte der Film über größere Geldmittel, die nicht direkt im Reichshaushalt verzeichnet wurden. Das Geld des sogenannten »Filmfonds« diente übrigens verschiedenen Zwecken. Die wirtschaftliche Förderung des Films übernahm die im Juni 1933 gegründete Filmkreditbank. Wirtschaftliche Förderung hieß aber damals auch: politische Steuerung. In den Jahren 1934 bis 1942 finanzierte die Filmkreditbank 441 verschiedene Filme, darunter 313 »Großfilme«, von 49 bis 87 % der kalkulierten Herstellungskosten.[4]

Am 14. 7. 1933 wurde die vorläufige Filmkammer gegründet. Sie trat an die Stelle der bisherigen Berufsverbände Spio und Dacho. Am 22. 9. 1933 wurde sie als Reichsfilmkammer (RFK) in die Reichskul-

turkammer, deren Vorsitzender Goebbels war, aufgenommen. Sie
»diente keineswegs, wie die berufsständischen Ideologen verkündeten, der Selbstverwaltung, dem Austrag branchenspezifischer Inter-
essenkonflikte und der Interessenvertretung nach außen, sondern in
erster Linie der kontrollierenden ›Erfassung der einzelnen‹«.[5]

Das Jahr 1937 leitete den Beginn des zweiten Abschnitts der nationalsozialistischen »Reform« des deutschen Filmschaffens ein. Das
Reich nahm nunmehr die großen Filmfirmen in staatsmittelbaren Besitz. Die Aktien des berühmten Großkonzerns Ufa »übergab« der
bekannte Nationalist Alfred Hugenberg, der Hauptaktionär dieser
Gesellschaft, dem Reich. Er legte auch sein Amt im Aufsichtsrat der
Ufa nieder. Generaldirektor der Ufa blieb Ludwig Klitzsch. Auch die
übrigen Großfirmen wurden in staatsmittelbaren Besitz übernommen. Die Wahrnehmung der wirtschaftlichen Belange der Filmfirmen übernahm, als Reichsbeauftragter für die deutsche Filmwirtschaft, Max Winkler, während die künstlerischen, d. h. auch die
politischen, bei den Dienststellen des ProMi oder der RFK blieben.
Allmählicher Aufkauf oder Liquidierung der Produktions- und Ver-
triebsgesellschaften, sehr oft im Rahmen der stark hervorgehobenen
»Arisierungsmaßnahmen«, führten dazu, daß 1937 die Fachgruppe
Filmproduktion nur 57 Firmen umfaßte (im Jahre 1933 waren es in
Deutschland, nach Angaben des Handelsregisters, 114 Filmherstel-
lungsfirmen). 1937 befanden sich 54 Spielfilmproduktionsfirmen in
Berlin und drei in München, mit Ufa, Tobis, Bavaria und Terra an der
Spitze. Von den kleineren Firmen gab es in Berlin noch Gesellschaf-
ten wie: ABC-Film, Aco-Film, Ariel-Film, Ondra-Lamac-Film,
Luis-Trenker-Film und in München Arya-Film und Cine-Allianz-
Tonfilm. Immer mehr wurden sie alle auf die staatliche Auftragspro-
duktion eingestellt.

Im Jahre 1938 wurden in Deutschland 99 lange Spielfilme hergestellt: Die Ufa lieferte 23, die Tobis 11, die Terra 12 und die Bavaria
einen Spielfilm. 52 weitere Filme kamen noch aus der Produktion von
29 kleineren Firmen.

Als ein deutsches Filmzentrum besaß Berlin die weitaus größte Bedeutung. An Alter und Namen stand hier an erster Stelle die Universum Film AG, kurz Ufa genannt. Sie verfügte auch über die größten
und am besten ausgestatteten Produktionsmittel. Ihr dienten bei der
Herstellung aller Arten von Filmen: Spielfilmen, Kulturfilmen, Wirtschaftsfilmen und Industrie-Lehrfilmen, Wochenschauen, Zeichenfilmen und Synchronisationen insgesamt 27 Aufnahmeräume. Zwei

davon, mit modernster Ausstattung, wurden erst 1940 der Produktion übergeben. Die meisten Filmproduktionsstellen, darunter neun Tonfilmateliers, befanden sich in der Ufa-Stadt Babelsberg. Vier Tonfilmateliers hatten ihren Sitz in Tempelhof, drei Tonfilmateliers in dem Studio von Carl Froelich. Zwei Ateliers und eine moderne Makrokinematographie dienten der Herstellung von Kultur- und Lehrfilmen. Die Ufa verfügte ferner über zwei Ateliers für Werbefilme und ein Zeichenfilmatelier, ein modernes Synchronisationsgebäude mit einem großen und einem kleinen Atelier (errichtet 1938) und ein Mischatelier, in der Nähe von Babelsberg untergebracht. Schließlich besaß die Ufa ein kleines Tonfilmatelier für die Ausbildung des Nachwuchses und zwei Ateliers für Trickaufnahmen. Ihr Fundus an Kulissen und Ausstattung suchte an anderen europäischen Filmbetrieben seinesgleichen. Die modernen handwerklichen Betriebe bildeten eine Ergänzung. Die technischen Einrichtungen der Ufa konnten noch am Anfang des Krieges weiter ausgestattet werden. Die Kopieranstalt Aktiengesellschaft für Filmfabrikation (Afifa) in Berlin-Tempelhof, die gleichfalls zur Ufa gehörte, steigerte ihre Leistungen von 41 Mio. Meter verarbeiteten Films im Jahre 1938/39 auf 83 Mio. Meter im Jahre 1941/42. Sie konnte fast bis zum vollautomatischen Entwicklungsverfahren fortschreiten. In Babelsberg war auch die zentrale Produktionsstätte für das Kulturfilmschaffen der Ufa untergebracht. Im Jahre 1936 wurde in Berlin die Ufa-Lehrschau der Öffentlichkeit übergeben, ein Novum als Einrichtung dieser Art. Der ständigen Ausstellung, der Fachbibliothek, den Sammlungen der Ufa-Lehrschau gliederten sich die Archive, darunter ein Filmauswertungsarchiv, an. Ihr Leiter wurde Dr. habil. Hans Traub. Die Ufa-Lehrschau gab 1940 eine Bibliographie des deutschen Filmschrifttums heraus – ein Ereignis – und begründete die Schriftenreihe »Filmschaffen–Filmforschung«. Sie gab eine fast lückenlose Zusammenstellung der Filmzensurkarten ab 1909 heraus.

Nach der Ufa gehörte die Tobis zu den führenden deutschen Filmmarken. Im Laufe der Zeit machte die Tobis fast die gleiche Anzahl Spielfilme wie die Ufa, obwohl ihre Atelier-Anlagen technisch nicht annähernd den Babelsberger Werkstätten nahekamen. Sie besaß Ateliers in Grunewald, die Johannisthaler-Ateliers, ferner das Ufa-Atelier am Kurfürstendamm, wo die Berliner Schauspieler am liebsten arbeiteten. Die Tobis-Marke war auch mit dem Besitz der wichtigen Tonfilmpatente verbunden.

Münchens Geschichte als Filmstadt begann bereits um 1907. Die

Bayerische Traumfabrik, die sich nach dem 2. Weltkrieg zu einer der bedeutendsten Produktionsstätten des europäischen Films entwickelt hat, spielte eine wichtige Rolle auch zur Zeit des Dritten Reiches. Die besonders schön gelegene, großangelegte Filmstadt in Geiselgasteig – ein landschaftlich und für Aufnahmezwecke ideal gelegenes Gelände, von Hochwald umgrenzt – hatte vor anderen einen bedeutenden Vorzug: Sie wuchs nicht Stück um Stück im Laufe der Jahre; sie wurde von vornherein nach einem großen Plan mit weiter Sicht in die Zukunft angelegt. Hitlers Anweisung gemäß, befand sich seit Anfang 1939 das Aufnahmegelände – es wurde um 25 ha Wald vergrößert – in einem großzügigen Ausbau, mit ständigen Schwierigkeiten übrigens, doch nach dem Kriegsausbruch wurden die meisten Bauarbeiten eingestellt. Bis 1944 bereitete man Pläne und Modelle für den weiteren Ausbau vor.[6] Die »Bavaria« erhielt eine neue Wirtschaftsform. Am 11.2.1938 erfolgte, unter Anteilnahme des Bayerischen Staates, die Umgründung der Bavaria Film GmbH, der ehemaligen Bavaria Film AG, in die Bavaria Filmkunst GmbH. Sie übernahm die Ateliers in Geiselgasteig und gliederte sich eine Kopieranstalt an: Seit 1935 in Betrieb, war sie eine der modernsten Anlagen Europas. Hier wurden mit den Bildnegativen auch die Tonnegative entwickelt und kopiert.

Produktionszentrum Wien

Vor dem »Anschluß« war die österreichische Filmproduktion sehr stark auf das gesamtdeutsche Sprachgebiet angewiesen. Die Amortisation der eigenen Filme auf dem Inlandsmarkt betrug – nach den Schätzungen im Dritten Reich – lediglich 10 bis 15 %. Die begrenzten Absatzmöglichkeiten im Ausland, bei der amerikanischen Konkurrenz, verstärkten die Abhängigkeit vom Deutschen Reich.

Das Filmwesen der Republik Österreich stand selbstverständlich auf einer völlig andersgearteten rechtlichen Grundlage. Daher war nach dem »Anschluß« das Streben der NS-Behörden zunächst darauf gerichtet, für das Arbeiten der RFK die notwendigen rechtlichen Voraussetzungen zu schaffen. Bereits zehn Tage nach der »Wiedervereinigung« errichtete die Reichsfilmkammer, zuerst in loser und provisorischer Form, die Außenstelle Wien. Durch die gemeinsame Verordnung des ProMi und des Reichsinnenministeriums vom 11.6.1938 wurde die Reichskulturkammergesetzgebung auf Österreich übergeleitet. Seit dem 15.6.1938 galt danach in Österreich das Reichskulturkammergesetz mit den maßgebenden Durchführungsverordnungen. Am selben Tage erging ferner eine gemeinsame Verordnung des Reichspropagandaministers, des Reichsministers des Innern und des Reichsministers der Finanzen, durch die das Lichtspielgesetz sowie das Gesetz und die Verordnung über die Vorführung ausländischer Filme (allgemein bekannt unter der Bezeichnung »Kontingentbestimmungen«) in Österreich eingeführt wurde. Eine einheitliche Filmzensur und eine einheitliche Regelung für die Vorführung ausländischer Filme wurden damit eingeführt. Eine große Reihe von Filmschaffenden und Filmfirmen Österreichs kam für den Erwerb der Mitgliedschaft der RFK nicht in Frage und mußte ihre Tätigkeit einstellen. Übrigens floh eine große Zahl von Filmleuten, um den Verfolgungen zu entgehen. Darunter waren auch deutsche Künstler, die hier nach 1933 Zuflucht gesucht hatten.

Der »Anschluß« schuf der Wiener Filmindustrie in finanzieller Hinsicht glänzende Möglichkeiten. Die Filmproduktion wurde aber von nun an ein Teil des gesamten, gesteuerten »großdeutschen« Filmschaffens. Die kulturelle Eigenständigkeit Wiens und Österreichs wurde zwar geduldet, aber alles, was den »großdeutschen« oder nationalsozialistischen Prinzipien nicht entsprach, wurde entfernt. Am 16.12.1938 wurde, als fünfter großer Filmkonzern, die Wien-Film gegründet: mit Paul Hack, Fritz Hirt, Karl Hartl – später einer der einflußreichsten Filmproduzenten der 2. Österreichischen Republik – in den leitenden Stellen. Sowohl in der Produktion als auch im Verleih wurde eine konsequente Konzentration durchgeführt. »Als erste Spielfilmproduktion wird Ende Februar 1939 unter der Spielleitung von E. W. Emo ein Film von der Familie Strauß am Rosenhügel ins Atelier gehen«, berichtete der »Film-Kurier« (12.1.1939). Auch die Kulturfilmherstellung wurde in die Planung der gesamten deutschen Filmwirtschaft eingebaut. An der Herstellung von Kulturfilmen waren u. a. Ulrich Kayser, Karl Leiter (zugleich als Chefs der Herstellungsgruppen), Leo de Laforgue und Bruno Wozak beteiligt. Die Wien-Film hat 1939/40 elf, 1940/41 zwölf Kulturfilme hergestellt. Der allererste hieß »Von Ohr zu Ohr«, mit eindeutigen propagandistischen Akzenten. Die Ateliers am Rosenhügel befanden sich in einem technischen Umbau, der zugleich zu einer Vergrößerung des Aufnahmeraumes führte. Auch nach dem Kriegsausbruch war die Wien-Film bestrebt, so weit und so modern wie möglich ihre Atelieranlagen auf- und auszubauen. Im Sommer

1940 wurde am Rosenhügel die große Synchronhalle im Rohbau fertiggestellt. Gegen Ende 1941 begann man mit der akustischen Auskleidung. Es war die modernste Anlage dieser Art in Europa. Nach Österreich kamen zahlreiche Filmleute, die früher ihr Brot in Deutschland verdient hatten. Bei der Besetzung der leitenden Stellen wurden allerdings die »bewährten Praktiker« aus dem »Altreich« bevorzugt.

Die kleineren und kleinen Spielfilmproduzenten
Stand vom Jahre 1939
Aco-Film GmbH[7]
Emo-Film GmbH (Wien)
Euphono-Film GmbH
Majestic-Film GmbH
Tonfilmstudio Carl Froelich (im Rahmen der Ufa)
Georg Witt Film GmbH (München)
Tonlicht Film GmbH P. Ostermayer (München)
Deutsche Forst Filmproduktion GmbH (Wien)
Germania Film GmbH (München)
Algefa Film GmbH (Wien)
Rolf Randolf Film GmbH
Cine-Allianz Tonfilm Produktion GmbH (München)
Itala-Film SA Rom–Berlin
Arnold & Richter KG (München)
Klagemann Film GmbH
Luis Trenker Film GmbH
Mondial-Film (Wien)
FDF (Fabrikation Deutscher Filme GmbH)
Fanal-Filmproduktion
Herbert Körösi / Bethke Filmproduktion
Styria Film GmbH (Wien)
Minerwa Film
Astra Film GmbH
Deka-Film GmbH[8]

Filmzensur

Zensur klassischen Zuschnitts, als Eingriff staatlicher Instanzen nach Fertigstellung eines Kunstwerkes,[9] sollte nach Ansicht des Reichspropagandaministers und RKK-Präsidenten überflüssig werden. Noch 1943 schrieb Goebbels in einem seiner merkwürdigsten Briefe: »... bin ich entschlossen, diese Beschränkung des deutschen Geisteslebens nach dem Kriege so bald wie möglich aufzuheben. Jede Zensur durch Beamte gefährdet die freie Entwicklung des kulturellen Lebens. Sie widerspricht auch dem Gedanken der Reichskulturkammer, die die Kulturschaffenden führen, aber nicht ihre Werke kleinlich kontrollieren will.«[10] Der klassischen »negativen« Filmzensur ging die politisch-ideologische, finanzielle und künstlerische Kontrolle des gesamten Filmherstellungsprozesses voran. Im Bereich der Soldaten- bzw. Kriegsfilme gab es zusätzlich – seit der Gründung der Wehrmacht – eine wehrpolitische Kontrolle. Sie wurde seit August 1939 obligatorisch. Bei der »neuen positiven Zensur« übernahm die Reichsfilmdramaturgie die Schlüsselrolle. Sie wurde – entsprechend dem Reichsdramaturgen auf dem Gebiet des Theaters – bereits Anfang 1934 eingerichtet. Am 2.2.1934 wurde Willi Krause, der Schriftleiter des »Angriff«, als Reichsfilmdramaturg berufen und machte am 6. Februar vor dem Deutschlandsender Ausführungen über seine Aufgaben. 1936 wurde er durch Hans Jürgen Nierentz ersetzt. Mit Personen änderte man auch die Vorschriften. Im April 1937 wurde der Journalist und Schriftsteller Ewald von Demandowsky mit der Wahrnehmung der Geschäfte des Reichsfilmdramaturgen beauftragt. Er trat in dieser Eigenschaft am 1. Mai des gleichen Jahres in das Ministerbüro des ProMi ein und war Goebbels für die Bearbeitung von Filmangelegenheiten persönlich zugeteilt. Schon im Februar 1939 meldete die Presse: Der bisherige Reichsfilmdramaturg Ewald von Demandowsky hat die Produktionsleitung der Tobis übernommen. Der Kriegsausbruch verschärfte die Kontrolle. Die neuen Namen tauchten auf.

Alle Filme, die öffentlich zur Vorführung gelangten, unterlagen der Zensurpflicht. Dazu gehörten nicht nur die Spielfilme und die Kulturfilme, sondern ebenso jeder Werbefilm und sogar jeder stumme Schmalfilm, den irgendwo ein Amateur von einer Veranstaltung hergestellt hatte und den er öffentlich zeigen wollte. Der Zensur unterlag auch die Filmreklame (Plakate, Photos, Handzettel). Nach der NS-Machtübernahme ging die Filmzensur vom Reichsministerium des Innern zum ProMi über. Eine neue, einheitliche, nach NS-

Grundsätzen gebildete Filmprüfstelle in Berlin wurde eingerichtet. Über Beschwerden gegen ihre Entschließungen entschied – mindestens theoretisch – die Filmoberprüfstelle. Die Leitung der Filmoberprüfstelle lag in den Händen des Filmabteilungsleiters im ProMi. Langjährig wurde die Filmprüfstelle von Regierungsrat Heinrich Zimmermann geleitet. Anfang 1939 übernahm Dr. Arnold Bacmeister[11] diese Stelle. Die Filmprüfstelle beschäftigte nach dem Stand vom 1. 9. 1939 24 Mitarbeiter (darunter 5 Beamte), genau zwei Jahre danach waren es nur noch insgesamt 18 Personen.[12]

Aus dem Reichslichtspielgesetz vom 16. 2. 1934
Aus § 7: »Die Zulassung ist zu versagen, wenn die Prüfung ergibt, daß die Vorführung geeignet ist, lebenswichtige Interessen des Staates oder die öffentliche Ordnung oder Sicherheit zu gefährden, das nationalsozialistische, religiöse, sittliche oder künstlerische Empfinden zu verletzen, verrohend oder entsittlichend zu wirken, das deutsche Ansehen oder die Beziehungen Deutschlands zu auswärtigen Staaten zu gefährden...«
Aus § 11: »Die Zulassung der Vorführung vor Kindern und Jugendlichen ist außer den in § 7 genannten Gründen dann zu versagen, wenn von dem Film eine schädliche Einwirkung auf die sittliche, geistige oder gesundheitliche Entwicklung oder auf die staatsbürgerliche Erziehung oder auf die Pflege des deutschbewußten Geistes der Jugendlichen oder eine Überreizung ihrer Phantasie zu besorgen ist.«

Die eigentlichen Entscheidungen, ob ein Film verboten wurde oder nicht, fielen bei höheren oder sogar höchsten Instanzen (Goebbels, Hitler). Im Krieg wurde der »Führer« als »Begutachter« fast vollständig ausgeschaltet. Selbstverständlich betraf die »hohe Kontrolle« vor allem die Spielfilme oder wichtige Dokumentarfilme. Goebbels war bei dieser Kontrolle immer stark engagiert. Nicht selten verlangte er Änderungen, Ergänzungen, Kürzungen usw. Es gab aber auch Fälle, wo ihm zur Kontrolle eine sogenannte »Ministerkopie« vorgelegt wurde, um sich mindestens einigen von diesen Forderungen zu entziehen. Man darf den Einfluß von solchen »Heldentaten« auf das Gesamtbild des deutschen Films nicht überschätzen. Für die Filmprüfstelle blieb vor allem die Begutachtung von verschiedenen Kurzfilmen, die eigentliche Vorzensur der ausländischen Produktionen, Jugend-Zulassungen oder -Verbote. Offiziell hieß es auch: Die Filmprüfstelle urteilt über die Anerkennung von Prädikaten. Die

Filmprüfstelle gab die »Entscheidungen der Film-Prüfstelle vom...«
heraus. Über die Zulassung von Filmen informierte auch die Film-
Fachpresse.

Prädikate

Die Anerkennung und die Verkündung des Prädikats für Filme wurden im Lichtspielgesetz von 1934 theoretisch in eine Hand gelegt
(Filmprüfstelle). Praktisch beantragte nur die Filmprüfstelle – für die
Spielfilme bzw. wichtige Dokumentarfilme – die entsprechenden
Prädikate bei dem Minister. Nicht selten erst nach der Uraufführung
bzw. nach der Berliner Premiere. Die Resonanz beim Publikum erwies sich auch als wichtig, und nicht selten war sie bei der Honorierung mit Prädikaten mitbestimmend.

Prädikate 1933–1945

ab 30. 1. 1933	–	–	–	–	–	kü	–	vb	kuw	–	–
ab 7. 6. 1933	–	bw	–	–	sw	kü	–	vb	kuw	–	–
ab 16. 2. 1934	–	bw	–	–	sw	kü	–	vb	kuw	–	–
ab 5. 11. 1934	skbw	–	–	–	sw	–	küw	vb	kuw	–	–
ab 1. 4. 1939	skbw	–	sbw	kbw	sw	–	küw	vb	kuw	vw	–
ab 1. 9. 1942	–	–	sbw	kbw	sw	–	küw	vb	kuw	vw	aw

kü   – künstlerisch
vb   – volksbildend
kuw – kulturell wertvoll
bw   – besonders wertvoll
sw   – staatspolitisch wertvoll
skbw – staatspolitisch und künstlerisch besonders wertvoll
küw – künstlerisch wertvoll
sbw – staatspolitisch besonders wertvoll
kbw – künstlerisch besonders wertvoll
vw   – volkstümlich wertvoll
aw   – anerkennenswert

Quelle: J. Spiker, Film und Kapital, S. 121.

Auch bei Filmen, die der Wirtschaftswerbung dienten, konnte die
Filmprüfstelle eine Anerkennung aussprechen. Prädikate bedeuteten »für den strebenden Künstler Ansporn und beglückendes Lob,
für die Filmproduzenten gute Reklame und bares Geld« (A. Bacmeister). Für die Gemeinden allerdings eine Verringerung des Aufkom-

26

mens aus der Vergnügungssteuer, da mit der »Prädikatisierung« ein Erlaß oder eine Ermäßigung dieser Steuer verbunden war: Eine Begünstigung, die allerdings in der Zeit des Krieges etwas an Bedeutung verlor, denn die Kulturfilme und obligatorischen Wochenschauen führten mit Prädikaten auch bei nicht anerkannten Hauptfilmen eine Steuerermäßigung herbei.

Nach der ab 1. 4. 1939 geltenden Regelung konnten acht verschiedene Anerkennungen ausgesprochen werden. Die erste Gruppe umfaßte die drei höchsten Prädikate: »staatspolitisch und künstlerisch besonders wertvoll«, »staatspolitisch besonders wertvoll« und »künstlerisch besonders wertvoll«. Derart ausgezeichnete Filme waren als Spitzenwerke der Filmkunst zu betrachten und genossen völlige Befreiung von der Vergnügungssteuer. Die zweite Gruppe enthielt die Prädikate »staatspolitisch wertvoll«, »künstlerisch wertvoll«, »kulturell wertvoll«, »volksbildend« und, als ganz neu, »volkstümlich wertvoll«.[13] Das letzte Prädikat wurde geschaffen, um auch »denjenigen Filmen, die wegen ihres volks- und zeitnahen Inhalts und ihrer lebendigen Gestaltung besonders förderungswert« erschienen, eine Anerkennung zu gewähren. Der erste Film, dem das Prädikat »volkstümlich wertvoll« verliehen wurde, war Roger Normanns »Spiel im Sommerwind« (1939). Bei diesen Prädikaten betrug die Vergnügungssteuer nur 4 %; war der Film dagegen nicht anerkannt, so betrug sie 12 %.

Durch die neunte Verordnung zur Durchführung des Lichtspielgesetzes vom 1. 9. 1942 war ein neues Prädikat »anerkennenswert«, eingeführt worden. Bei der Heranziehung von Lichtspielvorführungen zur Vergnügungssteuer wurden »anerkennenswerte« Filme wie Bildstreifen mit den Prädikaten »künstlerisch, kulturell, volkstümlich wertvoll« oder »volksbildend« betrachtet. Die Prädikate galten bei den Spielfilmen in der Regel drei Jahre, bei Wochenschauen ein Jahr. Diese Fristen rechneten vom Ablauf des Jahres an, in dem das Prädikat zugesprochen worden war. Die Gültigkeitsdauer der Prädikate konnte in Einzelfällen verlängert (oder abgekürzt) werden. Die Zahl der mit den Prädikaten honorierten Spielfilme betrug 1939 – 36, 1941 – 39, 1943 – 40. In den letzten Jahren des Krieges verminderte sie sich beträchtlich. So wurden von den 1943 uraufgeführten 73 abendfüllenden Spielfilmen rund 56 % mit Prädikaten honoriert, im Jahre 1944 dagegen von den neuen 63 Filmen nur 23 (ca. 36 %). Das Jahr 1944 brachte keinen Film, der als staatspolitisch und künstlerisch besonders wertvoll honoriert wurde. Diese abfallende Tendenz betrachtete Goebbels als eine beunruhigende Senkung des Niveaus.[14]

Das 1939 eingeführte Prädikat »jugendwert« hatte keine steuerlichen Auswirkungen, ebensowenig wie die Qualifikation »Lehrfilm«. Die Filme mit der Bezeichnung »feiertagsfrei« konnten an allen Tagen vorgeführt werden.

Die höchste Auszeichnung, »Pour le mérite« des deutschen Films, wie man sie manchmal genannt hat, wurde die Erklärung eines Films zum »Film der Nation«. 1939 geschaffen, wurde sie nur viermal zuerkannt.

Reichsfilmarchiv

In dem am 30. 1. 1934 errichteten und im Juli 1938 der Filmabteilung des ProMi angegliederten Reichsfilmarchiv wurden »alle für das Werden des Films wertvollen und interessanten Filme gesammelt und aufbewahrt«. Die deutschen Filmproduzenten wurden verpflichtet, je eine Kopie von den neuen Filmen mit Prädikaten dem Archiv zu übergeben. Das Reichsfilmarchiv sammelte auch ausländische Filme: nicht immer durch den Ankauf oder Austausch. So beschlagnahmte z. B. die Gestapo nach der Besetzung Prags zahlreiche Filme, die danach ins Reichsfilmarchiv kamen.[15] Seit September 1939 folgten weitere Filme als »Kriegsbeute«: aus Polen, sehr viele aus Holland, ferner aus Belgien, Frankreich und den später besetzten Gebieten. Manche Filme wurden als sog. »Hetzfilme« auf den Transitwegen von den deutschen Zollbehörden bzw. von der Wehrmacht beschlagnahmt. Außerdem beschäftigte sich im Auftrag des ProMi die deutsche Gesandtschaft in Stockholm mit der Beschaffung von »feindlichen Hetzfilmen«.[16] Im Jahre 1943 besaß das Reichsfilmarchiv ca. 29 000 Spiel- und Dokumentarfilme des In- und Auslandes. Rund 3500 abendfüllende Tonfilme (z. g. T. Spielfilme) wurden nach dem Stand Mitte 1942 katalogisiert und vorführungsbereit gemacht. Zum Teil waren auch Negative vorhanden. Ein großer Teil der Kopien lag aber weiterhin in den Lagern der Filmfirmen. Die Besichtigung von Filmen, die unter dem Verbot standen, war von der Genehmigung des Reichspropagandaministers abhängig.

Nach den im Juni 1939 veröffentlichten Zahlen umfaßte die Fachgruppe Filmateliers in der RFK zehn Atelier-Betriebe. In der Fachgruppe Filmtechnik waren unter »Patenthalter« sechs Firmen eingetragen. Es gab fünf Produktionskonzerne: Ufa, Tobis, Terra, Bavaria und Wien-Film, außerdem 30 Auftragshersteller – unbeschränkt zugelassen – und sieben weitere Firmen – zeitlich oder beschränkt zugelassen. Vier weitere Firmen wurden als Kurzfilmhersteller aufgeführt. Insgesamt beschäftigten sich mit der Herstellung von Kultur- und Werbefilmen 163 Firmen. 21 Kopieranstalten waren ferner Mitglieder der RFK.

Im Jahre 1939 stieg die Produktion auf 111 lange Spielfilme an, an denen die Ufa mit 28, die Terra mit 21, die Tobis mit 20, die Bavaria mit 12 und die Wien-Film mit 6 Filmen beteiligt waren; die kleineren Firmen stellten 24 Spielfilme her. Dank ihrer technischen Möglichkeiten stand die Ufa mit der Zahl der hergestellten Lang- und Kurz-Filme an der Spitze. In der Zeit vom 1.6.1938 bis 31.5.1939 brachte die Ufa heraus: 36 abendfüllende Spielfilme (darunter 6 in fremden Sprachen), 15 kurze Spielfilme, 156 Wochenschauen, 28 Kulturfilme mit deutscher und 32 mit fremdsprachiger Version, ferner 125 Industrie- und Werbefilme.

Über die künstlerische Qualität der Produktionen war stets die Rede. Die Spitzenkräfte des Theaters und des Films wurden nach Möglichkeit in den Filmherstellungsprozeß eingeschaltet. Doch die künstlerischen Ergebnisse waren nicht immer befriedigend: Die politischen bzw. die finanziellen Gründe schienen auch in solchen Fällen wichtiger zu sein.

Im Herbst 1938 vergrößerte sich der »großdeutsche Filmwirtschaftsraum«. Die Eingliederung des sudetendeutschen Filmwesens in die Organisation der RFK erfolgte ähnlich wie die von Österreich. Die »Eingliederungsarbeit« betreuten die angrenzenden Außenstellen: Wien, München, Leipzig und Breslau, wobei das Schwergewicht dieser Arbeit in Leipzig und Breslau lag. Im Gegensatz zu Österreich besaß das Sudetenland keine eigene Filmproduktion, so daß hier nur Maßnahmen für den Verleih und die Filmtheater in Frage kamen. Durch drei Reichsverordnungen wurde die Rechtsgrundlage für das Eingreifen der RFK geschaffen: vor allem durch die Verordnung über die Einführung der RKK in den sudetendeutschen Gebieten vom 19.10.1938. Mit der Anordnung der RFK vom 7.11.1938 wurden fast sämtliche Vorschriften des »Altreichs«, die von der RFK erlassen worden waren, im Sudetenland eingeführt. Durch Verordnung vom 9. 6. 1939 erfolgte auf dem Gebiet des Lichtspielrechts die Angleichung des Sudetengebietes an die Verhältnisse im »Altreich« (Lichtspielgesetz vom 16. 2. 1934 mit Durchführungsverordnungen und das Gesetz über die Vorführung ausländischer Filme vom 11. 7. 1936).

Wenn auch noch nicht so scharf wie im Kriege, so tauchte nun zum ersten Male das Problem der Filmversorgung auf. Nach der Meinung Max Winklers war der deutsche Atelierraum für die Herstellung der notwendigen und geplanten Filme überaus knapp und ließ die restlose Durchführung der Produktionspläne nicht zu. Zur terminmäßigen Durchführung der umfangreichen Produktionsvorhaben war es notwendig, den vorhandenen Atelierraum wesentlich zu erweitern. Die Tobis sah daher eine Lösung der Schwierigkeiten in der Pachtung der Deutschlandhalle während der produktionsreichen Sommermonate 1939. Die Pläne wegen des Neubaus von Ateliers in München und in Berlin stießen auf Schwierigkeiten bei der Beschaffung des Materials und der Arbeiter. Die Ausweichmöglichkeiten lagen nach März 1939 – so Max Winklers Meinung – in Prag.[17]

Die Auswirkungen des Krieges

»Wir haben niemals die Kunst nur für Friedenszeiten reserviert. Für uns hatte das Wort, daß im Waffenlärm die Musen schweigen, keine Berechtigung« (Goebbels am 27. 11. 1939). Die offiziellen Medien behaupteten, der Ausbruch des Krieges habe die Lage des deutschen Films in keiner Weise beeinträchtigt und die Filmproduktion werde im vollen Umfange fortgesetzt. Diese Behauptung entsprach nicht ganz den Tatsachen. Vor allem ging die Herstellung der Werbefilme, in Zusammenhang mit der allgemeinen Einschränkung der Werbetätigkeit, erheblich zurück. Aber auch eine verstärkte Nachfrage führte zu einer Verknappung des Angebots an langen Spielfilmen. Durch eine Verordnung der RFK (1. 11. 1939) über »Mindestspielzeit der Filmtheater« mußten die Kinos unter gewissen Voraussetzungen die geliehenen Filme länger als bisher auf dem Spielplan behalten.[18]

Die vordringliche Aufgabe der Produktion war es, den Bedarf an abendfüllenden Spielfilmen sicherzustellen. Diesen Hauptfilmen gehörten Atelierraum, Arbeitskräfte und Material. Die Produktion sank beträchtlich. Die Filmprüfstelle begutachtete im Jahre 1939 2697 Filme mit 1 370 000 m, dagegen im Jahre 1940 nur 1617 Filme mit 903 000 m.[19] Die Zahl der langen Spielfilme sank 1940 auf 85 (davon 17 von der Ufa geliefert), und 1941 wurde die Produktion weiter auf 67 Spielfilme herabgemindert (15 von der Ufa).

Der Kriegsausbruch verursachte Verluste, die durch das Abbrechen der sich in der Herstellung oder Vorbereitung befindenden Filmvorhaben entstanden. Nach einer Abrechnung der »Cautio« ging es insgesamt um 26 Filme (darunter einige Kurzfilme). Nur wenige von diesen zurückgestellten Filmen, wie z. B. »Achtung, Feind hört mit« oder »Mein Herz der Königin«, wurden später dennoch weitergedreht, fertiggestellt und auf die Leinwand hinausgebracht. Die Terra mußte jedoch endgültig auf solche Spielfilme wie »Gösta Berling« und »Der Kommandant« verzichten, die Tobis auf die Filme »Der letzte Appell«, »Legion Condor«, »Die scharlachrote Brigade« (die Handlung sollte in Kanada spielen) und die Robinsonade »Die Insel der verschollenen Schiffe«, die in Jugoslawien gedreht werden sollte und für die als Regisseur und Hauptdarsteller Harry Piel vorgesehen war, die Ufa auf den »Staatsfeind Nr. 1«, die Wien-Film auf »Summa cum laude«, »Das Wirtshaus zum roten Husaren«, »Radetzkymarsch« (unter der Regie von Willi Forst und mit Paula Wessely als Hauptdarstellerin). Aus den Plänen der Ufa strich man ferner den Zukunftsfilm »Weltraumschiff Nr. 18« (mit Willy Birgel) und »Mona Lisa« (mit Zarah Leander). Hans Steinhoff konnte nicht »Die siebente Großmacht« drehen, einen Film, der das Leben eines Pressemannes der Gegenwart schildern sollte, und Hans H. Zerlett mußte auf »Lord Burnleys Affäre« verzichten.

Über die Verluste oder entstandenen Schwierigkeiten sprach man offiziell kaum. Im Gegenteil. Nach der ersten Arbeitstagung der neuernannten Mitglieder des Präsidialrates der RFK im Januar 1940 erklärte Goebbels in einem Interview: »Mit Genugtuung dürften wir feststellen, daß sich der deutsche Film im ganzen gesehen im weiteren erfreulichen Aufstieg befindet. Seine künstlerische Weiterentwicklung hat immer größere Absatzgebiete auch im Auslande erobert, während die Filmproduktion in den feindlichen Weststaaten fast gänzlich eingestellt ist.«

Nach den Eingliederungen war es möglich geworden, selbst Filme größten materiellen Formates allein im »großdeutschen« Wirtschaftsraum zu amortisieren. Das blieb nicht ohne Einfluß auf die Qualität der Filmproduktionen. Mit der Quantität war es knapp, wie sich erwies, eine unheilbare Krankheit der deutschen Filmindustrie. Goebbels kämpfte hartnäckig um den Atelier-Neubau.[20] Am 16. 1. 1940 verordnete aber Dr. Todt, der Generalbevollmächtigte für die Regelung der Bauwirtschaft: »Bauvorhaben, die auf der Baustelle noch nicht in Angriff genommen sind, dürfen grundsätzlich nicht mehr begonnen werden.« Erst die Einschaltung der tschechischen Betriebe in den Filmherstellungsprozeß brachte eine Hilfe.

Auf dem Gebiet der Rohstoffproduktion schien keine Gefahr zu bestehen. Man dachte sogar daran, den sogenannten unentflammbaren Film anstelle des Nitrofilms in die Filmwirtschaft einzuführen. Im Laufe der Jahre war der Sicherheitsfilm von den maßgeblichen Rohfilmfabriken so weit verbessert worden, daß er für den Schmalfilm (d. h. schmaler als das Format von 35 mm), auch international Substandardfilm genannt, entsprechend den Empfehlungen des VII. Internationalen Kongresses für Photographie (London 1928) in der ganzen Welt eingeführt werden konnte. In den Jahren 1936 und 1937 wurde in Deutschland in Verbindung mit den drei Rohfilmfabriken Agfa, Kodak und Zeiß Ikon der erste Großversuch mit Sicherheitskinofilm im Normalformat durchgeführt. Im Jahr danach folgte ein zweiter Versuch mit denselben drei Fabriken. Auf der Jahrestagung der RFK in Berlin (März 1939) wurde bekanntgegeben, daß mit Wirkung vom 1. Januar 1940 Filmkopien auf Sicherheitsmaterial (Azetylozellulose) zu kopieren sind. Eine entsprechende Verordnung wurde mit Gesetzeskraft vom Ministerrat für die Reichsverteidigung am 30. 10. 1939 erlassen. § 1 bestimmte: »Filmkopien, die zur Vorführung im Gebiet des Deutschen Reiches bestimmt sind, dürfen vom 1. 4. 1940 ab nur noch auf Sicherheitsfilm hergestellt werden.« § 2 bestimmte ferner: »Filmkopien, die zur Vorführung im Gebiet des Deutschen Reiches bestimmt sind, dürfen in Filmverleihbetrieben vom 1. 10. 1942 ab nur noch bearbeitet und gelagert werden, wenn sie auf Sicherheitsfilm hergestellt sind.«[21] Von besonderer Bedeutung waren diese Bestimmungen für den Luftschutz.

Von diesen Beschlüssen konnte man letzthin nur wenig realisieren. In einem Erlaß vom 9. 12. 1940 an die Produktionschefs und verantwortlichen Produktionsleiter wurden die ersten größeren Sparmaßnahmen im Bereich der Arbeitskräfte, Rohstoffe und Finanzen angeordnet. So wurden u. a. Maximalsummen für Herstellungskosten festgesetzt, und die Spielfilme durften grundsätzlich eine Länge von 2500 m nicht mehr übersteigen.

Daß der Krieg noch ein paar Jahre dauern würde, dachte man

zwar, aber man wußte es nicht. Um so mehr dachte man an neue Einrichtungen, um die deutsche Filmproduktion zu steigern, aber auch daran, wie man sie um neue Formen bereichern könne.

Ein Exposé vom 12. 5. 1941 enthielt den Vorschlag für den Aufbau einer deutschen Zeichenfilm-Produktion mit dem Ziel der Herstellung abendfüllender Zeichenfilme. Auf diesem Filmgebiet blieb Deutschland – verglichen mit den USA – zurück. Die kurzen Zeichenfilme wurden bis jetzt von Werbe-Trickfilm-Herstellern produziert (die Zeichner gehörten sogar bei der RFK zu der Fachgruppe Werbefilm). Im Juni 1941 entstand auf Veranlassung des Reiches als Tochtergesellschaft der Ufa die Deutsche Zeichenfilm GmbH. In dem Gesellschaftsvertrag vom 7. 8. 1941 hieß es: »Gegenstand des Unternehmens ist die Herstellung und der Vertrieb von künstlerisch hochstehenden Zeichenfilmschöpfungen.«[23] Von Anfang an bestand ein Problem an fachlich geschulten Arbeitskräften. Für die fachliche Weiterbildung des zeichnerisch begabten Nachwuchses wurden in Berlin Abendkurse eingeführt. Produktionsbeginn des ersten abendfüllenden Zeichenfilms war – je nach der Zahl der beschäftigten Zeichner – für die Jahre 1947/48 oder sogar 1950 vorgesehen. Inzwischen wollte man jedes Jahr einen Kurzfilm (200–250 m) herstellen. Praktisch blieb es fast nur bei den Plänen.[24]

Deutsche Zeichenfilm GmbH, Schreiben vom 8. 2. 1945

[...] »Bei der Gesamtbeurteilung muß berücksichtigt werden, daß der Aufbau der Deutschen Zeichenfilm GmbH seinerzeit begonnen wurde, als auch die Auftraggeber glaubten, daß der Krieg bald zu Ende sein würde. Im Jahre 1943 wurde dann nochmals entschieden, daß weitergemacht werden sollte, obgleich die Schwierigkeiten schon sehr groß waren. Da die Deutsche Zeichenfilm GmbH im Gegensatz zu anderen Zeichenfilmunternehmen überwiegend mit Reichsdeutschen arbeitete (nur 16 % Ausländer), hatte sie besonders unter Auskämm-Aktionen, Wiedereinberufungen inzwischen ausgebildeter Kriegsversehrter, unter Ausfall weiblicher Zeichnerinnen infolge der Zeitumstände wie Evakuierung, Einberufung zum Arbeitsdienst usw. zu leiden. Dazu kam der Bombenterror, bei dem sie zweimal nicht unerheblich getroffen wurde, teilweise Verlagerung der Produktion und damit zusammenhängende Unterbrechung der Arbeit.[25] Als wesentlichster Faktor ist jedoch der April 1944 auf Veranlassung des Herrn Ministers erfolgte Wechsel in der künstlerischen Leitung zu nennen, der eine Umstellung der Produktion mit sich brachte. Als sich die

Überwindung aller dieser Schwierigkeiten unter der neuen künstlerischen Leitung abzuzeichnen begann, kam der totale Kriegseinsatz.«
Quelle: PA Koblenz, R 55 Nr. 505, S. 11

Die deutschen Zeichenfilme wurden woanders produziert. Im Auftrage der Sonderproduktion der Deutschen Wochenschau wurden Zeichenfilme in Paris, Prag, Amsterdam, Den Haag und vor allem im Atelier der Zeichenfilm-Produktion Fischerkösen in Potsdam hergestellt.[26] Nach den beiden (erfolgreichen – so die Kritik) deutschen Zeichenfilmen »Verwitterte Melodie« und »Der Schneemann« (beide »künstlerisch wertvoll«) arbeitete die Fischerkösen-Film-Produktion an dem Zeichenfilm »Das dumme Gänslein«. »Der Film, farbig, wurde kürzlich zensiert und erhielt das Prädikat künstlerisch wertvoll«, informierten die »Film-Nachrichten« am 24. Februar 1945.

Ein »Kriegskind« (Wehrwirtschaftsbetrieb 03 / II / 620) war auch die Berlin-Film, Nachkömmling unter den deutschen Staatsfirmen, eine Sammlung der »letzten« privaten Kräfte. Im Oktober 1941 gegründet, faßte sie einen Teil der früheren vom Staat wirtschaftlich unabhängigen Firmen zusammen. Sie bildeten die einzelnen Herstellungsgruppen.

Für die Aufgaben der Wehrmacht, aber auch für die geheimen Aufträge der SS und Polizei,[27] ließ Goebbels eine spezielle Produktionsgesellschaft gründen. So entstand am 22. 12. 1942 die Mars-Film GmbH.[28] Die Zusammenarbeit der Wehrmachtsteile mit der Mars-Film war – mit Ausnahme der Luftwaffe – relativ gut, aber erst gegen Ende des Krieges enger geworden. Vor allem mit dem Oberkommando des Heeres. Die Lehrfilmabteilung im OKH (mit Sitz in Schweidnitz) verlangte zunächst ständig eine bessere personelle Besetzung der Produktionsstäbe der Mars-Film, da verschiedene dringendste Vorhaben der Wehrmacht nicht durchgeführt werden konnten, weil die für diese Aufgaben benötigten Stäbe nicht immer vorhanden waren. Im Rahmen des totalen Krieges wurde auch die Mars-Film sehr scharf auf wehrdienstfähige Männer ausgekämmt. Als Ersatz dafür erhielt sie aber über ihre Aufgabe hinaus aus der Kultur- und Spielfilmproduktion technische Kräfte – Kameramänner, Assistenten, Aufnahmeleiter, Schnittmeister usw., die für den aktiven Wehrdienst überhaupt nicht und für die Rüstung nur bedingt in Frage kamen. So war die Mars-Film in der Lage, relativ schnell zu arbeiten. Ein Verdienst der beiden Geschäftsführer Hartmann und

Molitoris, meinte Hans Hinkel.[29] Die Gesellschaft mußte aber stets mit einem Mangel an Atelierraum kämpfen. Manche Filme realisierte sie sogar in Prag (Barrandov). Alle von der Wehrmacht neu in Angriff genommenen Filmvorhaben (die Pläne waren manchmal sehr »bunt«) standen unter Kontrolle des Reichsfilmintendanten, gegen Ende 1944 unter Anlegung der strengsten Maßstäbe des totalen Krieges. Es wurden Filme produziert, die nur innerhalb der Zuständigkeit der Wehrmacht lagen.[30] Fast jeder Film wurde vom Drehbuch bis zur Abnahme des Bild- und Tonstreifens erstellt. Und was die Zahl betrifft: Ab 1. 3. 1943 bis zum Oktober 1944 entstanden bei der Mars-Film insgesamt 106 größere und kleinere Filme.

Die Neuregelung von 1942/43

Was zunächst so schwungvoll begonnen hatte, sollte bald in ein anderes Fahrwasser geraten. Die Kluft zwischen Erwartungen und sichtbaren Produktionserfolgen blieb unverändert groß. Es zeigte sich, daß die deutsche Filmindustrie nicht in der Lage war, ihr Produktionsprogramm binnen kurzer Zeit durchzusetzen. Die finanziellen Sorgen wurden zwar ausgeräumt, statt dessen erhob sich aber die Sorge, wie die Produktion gesteigert werden konnte. Und der Krieg mit der UdSSR brachte immer wieder neue Probleme mit sich. Die größten Schwierigkeiten lagen einmal in dem Mangel an technischem Personal, dann in der großen Zahl der erforderlichen Filmkopien, von denen vor dem Kriege rund 70–80, manchmal auch mehr, nun jedoch infolge der Ausdehnung der Absatzgebiete 250 bis 300 – oder noch mehr – angefordert wurden. Nach dem Stand vom April 1941 wurden ferner für die Wehrmacht normalerweise 25 Kopien von jedem Film gezogen, von Groß- oder Spitzenfilmen etwa 40 Stück. Mit diesem Bestand mußte die Truppe auskommen.[31] Diese Zustände konnten nicht lange dauern. Die Zahl der Filmkopien sank ständig.

1942/43 erlebte der deutsche Film den dritten Abschnitt des »Gleichschaltungsprozesses«. Die Gesamtleitung der Filmherstellung, des Filmvertriebs und z. T. der Filmvorführung erhielt eine neue Form. Der maßgebende Gesichtspunkt war dabei nicht das Finanzgeschäft. Maßgebend war die straffste Ordnung in der technischen Herstellung von Filmen, vor allem von abendfüllenden Spielfilmen, weil der Verbrauch an Fachleuten, Material, an Atelierraum so knapp wie möglich gehalten werden sollte. Bei wirksamer Steuerung von oben her wollte man zugleich unter den Filmherstellern den Wettbewerb aufrechterhalten.

Der dritte Abschnitt in der Geschichte des NS-Films begann mit der Gründung einer staatlichen Führungsgesellschaft, die notwendig war, um die große Zahl der wirtschaftlichen, technischen und künstlerischen Zwecken mittelbar oder unmittelbar dienenden Filmgesellschaften zentral zusammenzufassen. Diese Dachgesellschaft erhielt im Hinblick auf die Geltung der Marke »Ufa« die Bezeichnung »Ufa-Film GmbH« und war mit einem Kapital von 65 Mio. RM ausgestattet. Insgesamt besaßen die 138 zusammengefaßten Betriebe 170 Mio. RM Kapital. In seiner Eigenschaft als Reichsbeauftragter für die deutsche Filmwirtschaft führte Max Winkler diese Gesellschaft. Die Herstellungsgesellschaften wurden von rein wirtschaftlichen Aufgaben »befreit«.

Die wirtschaftlichen und technischen Aufgaben waren grundsätzlich bei der Universum-Film AG (einige Anteile an dem Kapital besaß die IG Farbenindustrie) konzentriert, die aber gleichzeitig der Ufa-Film GmbH unterstand. Ihr verblieb die Produktion von Kultur- und Werbefilmen, der Wochenschauen und der Propagandafilme der Ufa-Sonderproduktion. Das Unternehmen, das nach wie vor von Ludwig Klitzsch geleitet wurde, verfügte auch über den größten Atelierbesitz, über die Kopieranstalten (Afifa) und den Deutschen Synchronfilm. Der Universum-Film AG wurde auch die Kontrolle der Vervielfältigung übertragen. Der Vertrieb aller Filme – auch der Filmexport – war grundsätzlich bei der Universum-Film AG und der ihr angeschlossenen Deutschen Film-Vertriebsgesellschaft monopolisiert. Das gleiche galt für den Schmalfilm-Vertrieb. Die alte Ufa umfaßte außerdem die großen Uraufführungstheater. Für die Leitung der repräsentativen Uraufführungsstätten war allerdings ein besonderes Organ geschaffen worden. Die Buch- und Verlagsaufgaben waren in einer Film-Buch-Verlagsgesellschaft zusammengefaßt. Außerdem unterstanden der Universum-Film AG die Musikverlaggesellschaften.

Die ausländischen Beteiligungsgesellschaften der neugestalteten Universum-Film AG befanden sich in den besetzten Gebieten: Belgien, Dänemark, Frankreich, Griechenland, Holland, Kroatien, Norwegen, Serbien, im Protektorat Böhmen und Mähren, ferner in Bulgarien, Italien, Rumänien, Schweden, der Schweiz und Ungarn. In einigen anderen europäischen Ländern, in denen die Ufa keine

Filialen besaß, wurden die Beziehungen im Rahmen der bestehenden Möglichkeiten gepflegt.

Im Endresultat wurde die Filmherstellung von elf reichseigenen Firmen (sog. Produktionssektor der Ufa-Film GmbH) getragen, und zwar von der aus der Universum-Film AG ausgegliederten und am 17. 1. 1942 neugegründeten Ufa-Filmkunst GmbH in Berlin, der Tobis Filmkunst GmbH in Berlin, der Terra Filmkunst GmbH in Potsdam, der Bavaria-Filmkunst GmbH in München, der Wien-Film GmbH in Wien, der Berlin-Film GmbH (mit dem Sitz der Hauptverwaltung in Potsdam), der Prag-Film GmbH in Prag, der Mars-Film GmbH in Berlin, der Deutschen Zeichenfilm GmbH in Berlin, der Continental-Film (mit Töchtern) in Paris und der Zentralfilm-Gesellschaft Ost (mit Töchtern) in Berlin. Die restlichen kleinen Privatfirmen arbeiteten im Auftrage der großen Staatsbetriebe.

Der deutsche Film in den Jahren des 2. Weltkriegs

	Im Jahre	
	1939	1943
Besuch in Millionen	624	1117
Besuch je Kopf der Gesamtbevölkerung	10,5	12,4
Besuch je Kopf der Bevölkerung in Gemeinden mit Filmtheatern	12,2	20,2
Brutto-Einnahmen (in Mill. RM)	477	959
Durchschnittlicher Eintrittspreis	0,77	0,86
Herstellungskosten der langen Spielfilme (in Mill. RM)	67,4	90,6
Durchschnittskosten je langen Spielfilm (in 1000 RM)	607,2	1161,6
Gesamtangebot an langen Spielfilmen		
aus eigener Produktion	111	78
aus fremder Produktion	33	23

Quelle: Zahlen zur deutschen Filmwirtschaft 1939–1944. Berlin (1945; Maschinenschr. autogr.)

Das zusammengefaßte Filmschaffen unterstand der »künstlerischen Leitung« des Reichsfilmintendanten. Ihm oblag »die allgemeine Produktionsplanung, die Ausrichtung der künstlerischen und geistigen Gesamthaltung der Produktion und endlich die Überwachung des künstlerischen Personaleinsatzes sowie der Nachwuchserziehung«. Der Reichsfilmintendant, der in der Geschäftsführung der Ufa-Film

GmbH arbeitete, der aber zugleich Leiter der Film-Abteilung im ProMi war, bestimmte auch über »die Genehmigung von Filmstoffen und Filmvorhaben, so daß der bisherige Reichsfilmdramaturg als ›Chefdramaturg‹ nun ebenfalls in die Ufa-Geschäftsleitung über- wechselte«.[32]

Die Filmkreditbank wurde zur »Hausbank« der Ufa-Film GmbH. Im Dezember 1944 wurde ihr Stammkapital von 3 Mio. RM auf 6 Mio. RM erhöht.[33]

Die leitenden und namhaften Betriebsangehörigen der Ufa
(Stand vom April 1944)

Firmenchef und Betriebsführer: Heinz Tackmann
Produktionschef: Wolfgang Liebeneiner
Leiter der Stoffredaktion: R. H. Düwell
Dramaturgen: Heinz Pauck, Peter-Paul Keimer
Produktionsleiter: Walter Bolz, Erich Holder, Friedrich Pflughaupt, Max Pfeiffer, Richard Riedel, Wilhelm Sperber, Eberhardt Schmidt, Hans Schönmetzler, Fritz Thiery, Walter Ulbrich, Georg Witt, Karl Ritter
Regisseure im Jahresvertrag:
 Josef von Baky, Alfred Braun, Harald Braun, Carl Froelich, Veit Harlan, Georg Jacoby, Herbert Maisch
Regisseure im Einzelvertrag:
 Carl Boese, Fritz Kirchhoff, Gerhard Lamprecht, Viktor Tour- jansky, Alfred Weidenmann, Ulrich Erfurth
Kameramänner im Jahresvertrag:
 Robert Baberske, Carl Hoffmann, Werner Krien, Reimar Kuntze, Ekkehard Kyrath, Alexander von Lagoric, Bruno Mondi, Kon- stantin Irmen-Tschet, Franz Weihmayr
Kameramänner im Einzelvertrag:
 Willy Bloch, Herbert Körner, Igor Oberberg, Claus von Rauten- feld, Karl Schröder
Architekten: Walter Haag, Emil Hasler, Erich Kettelhut, Karl Ma- chus, Walter Röhrig, Anton Weber, Erich Zander
Schnittmeister: Walter von Bonhorst, Hans Domnick, Milo Harbich, Erich Kobler, Marte Rau, Wolfgang Schleif, Wolfgang Wehrum, Walter Wischniewsky, Hildegard Tegener, Willy Zeunert
Komponisten: Hans O. Borgmann, Werner Eisbrenner, Franz

Grothe, Georg Haentzschel, Ludwig Schmidseder, Norbert Schultze, Wolfgang Zeller, Winfrid Zillig

Quelle: BA, R 55 Nr. 662, S. 48 f.

Die leitenden und namhaften Betriebsangehörigen der Tobis
(Stand vom April 1944)

Firmenchef und Betriebsführer: K. J. Fritzsche
Produktionschef: Ewald von Demandowsky
Dramaturgen: Horst Kerutt, Bastian Müller, Hubert Baumgärtel, Kurt Wortig
Produktionsleiter: Herbert Engelsing, Conrad Flockner, Hermann Grund, Fritz Klotzsch, Willi Reiber, Bernhard P. Schmidt, Rudolf Wuellner, Karl Anton, Heinrich George, Fritz Hoppe
Regisseure: Karl Anton, Erich Engel, Werner Klingler, Theo Lingen, Günther Rittau, Wolfgang Staudte, Paul Verhoeven
Kameramänner: Friedl Behn-Grund, Georg Bruckbauer, Eduard Hoesch, Eugen Klagemann, Eduard Meyer, Fritz Arno Wagner
Architekten: Otto Erdmann, Otto Hunte, Fritz Maurischat, Gabriel Pellon, Willy Schiller
Komponisten: Theo Mackeben, Werner Schmidt-Boelcke, Adolf Steimel, Wolfgang Zeller, Herbert Windt, Ernst Fischer, Alois Melichar

Quelle: BA, R 55 Nr. 662, S. 50 f.

Die leitenden und namhaften Betriebsangehörigen der Terra
(Stand vom April 1944)

Firmenchef und Betriebsführer: Rudolf Schmidt
Produktionschef: Alf Teichs
Leiter der Nachwuchs-Abteilung: Karl Peter Heyser
Dramaturgen: Wolff von Gordon, Ernst Hasselbach
Produktionsleiter: Adolf Hannemann, Hans Tost, Viktor von Struve, Otto Lehmann, E. G. Techow, Robert Leistenschneider, Eduard Kubat, Günther Regenberg, Helmut Beck
Regisseure im Jahresvertrag:
Heinz Rühmann, Arthur Maria Rabenalt, Helmut Käutner, Boleslaw Barlog, Walter Pewas-Schulz

Regisseure im Einzelvertrag:
Erich Engels, Hans Steinhoff, Geza von Bolvary, Helmut Weiss
Kameramänner im Jahresvertrag:
Albert Benitz, Ewald Daub, E. W. Fiedler, Willy Winterstein, Richard Angst, Willi Kuhle
Kameramann im Einzelvertrag:
Georg Krause
Architekten: Ernst Albrecht, Robert Herlth, W. A. Herrmann, Max Mellin, Erich Grave
Komponisten: Franz Grothe, Werner Bochmann
Quelle: BA, R 55 Nr. 662, S. 52f.

Die leitenden und namhaften Betriebsangehörigen der Bavaria
(Stand vom April 1944)

Firmenchef und Betriebsführer: Erich Walter Herbell
Produktionschef: Helmut Schreiber
Dramaturgen: Ernst Laurenze, Gunther Groll, Friedrich Kobbe, Hartwig von Behr, Erika Beyfuss
Produktionsleiter: Martin Pichert, Georg Fiebiger, Fred Lyssa, Fritz Koch-Neusser, Oskar Marion, Walter Lehmann, Ottmar Ostermayr, Ernst Rechenmacher
Regisseure im Jahresvertrag:
Erich Engel, Joe Stöckel, Hans Schweikart, Hans H. Zerlett, Robert A. Stemmle
Regisseur im Einzelvertrag: Viktor Tourjansky
Kameramänner: Erich Claunigk, Franz Koch, Heinrich Schnackertz, Bruno Stephan, Andor von Barey
Kameramänner (Kulturfilme):
Albert Höcht, Eugen Schumacher, Gustav Weiss
Architekten: Kurt Dürnhöfer, Ludwig Reiber, Hans Sohnle, Max Seefelder, Heinrich Weidemann
Schnittmeister: Ludolf Grisebach, Werner Jacobs, Gottlieb Madl, Friedl Buckow
Komponisten: Oskar Wagner, Leo Leux
Quelle: BA, R 55 Nr. 662 S. 55f.

Die leitenden und namhaften Betriebsangehörigen der Wien-Film
(Stand vom April 1944)

Firmenchef und Betriebsführer: Fritz Hirt
Produktionschef: Karl Hartl
stellv. Produktionschef: C. W. Tetting
Dramaturgen: Bernd Lürgen, E. Strzygowski, R. Oertel
Produktionsleiter: Karl Künzel, Hans Lehmann, Fritz Podehl, Hans
Somborn
Regisseure: Geza von Bolvary, Eduard von Borsody, Geza von Czif-
fra, Willy Forst, M. W. Kimmich, Gerhard Menzel, Hans Thimig,
Gustav Ucicky
Regisseure (Kulturfilm):
Ernst Hullub, M. Kayser, K. von Landau, Peter Steigerwald, Karl
von Zigelmayer
Kameramänner: Günther Anders, Hans Schneeberger, Jan Stallich,
Herbert Thallmeyer
Kameramänner (Kulturfilm):
Karl Kurtzmayer, Walter Lach, Josef Putzek, B. Vich
Architekten: Gustav Abel, Julius von Borsody, Fritz Juptner, Alfred
Kunz, O. Niedermoser, Werner Schlichting
Komponisten: Nico Dostal, Michael Jary, Karl von Pauspertl, Anton
Profes, Willi Schmidt-Gentner
Quelle: BA, R 55, Nr. 662, S. 57 f.

Die Wochenschau

Die Filmwochenschau drängte sich unaufhörlich in die vorderste
Linie des NS-Propagandakampfes. Die 1925 ins Leben gerufene
Ufa-Woche (am 3.9.1930 als erste deutsche Wochenschau auf den
Tonfilm umgestellt) spielte hier die wichtigste Rolle. Die Zahl ihrer
Kopien wuchs ständig. Vor dem Kriegsausbruch gab es fast keinen
wichtigen Staat der Erde, mit dem die Ufa-Redaktion nicht in Verbindung gestanden hatte. Entweder waren es feste Vereinbarungen
über den Materialaustausch (USA, England, Frankreich, Italien,
Japan, Australien, Polen, Rumänien, Schweden, Ungarn), oder es
bestanden Verbindungen zu einzelnen Filmleuten im Ausland, die
ihre Aufnahmen der Ufa anboten. Ebenso gab die Ufa ihr Material
zum Tausch an die Vertragspartner. So liefen die Ufa-Bilder in vielen
Ländern der Welt über die Leinwand.

Zielstrebig bemühte sich die Ufa, verschiedene Wochenschauen des Deutschen Reiches unter ihrem Namen zusammenzufassen. Die Vollendung dieses Prozesses fand jedoch erst im Krieg statt. Vor Kriegsausbruch erschienen nämlich, außer der Ufa-Tonwoche, die etwas unterhaltsamere Deulig-Tonwoche, die kürzere Auslandswoche, ferner die Wochenschau der Tobis, der Bavaria (bis 1938) und die Fox Tönende Wochenschau, »die zwar im ausländischen Besitz war, aber als deutsche Wochenschau selbständig erschien«.[34] Die Zahl der laufenden Kopien war zunächst nicht imposant. Im Geschäftsjahr 1937/38 liefen die Ufa-Wochenschau mit 195 Kopien und Deulig-Ton mit 80 Kopien in ca. 60 % der Wochenschauen spielenden Kinotheater des Reiches. Die Auslandswoche begnügte sich mit lediglich 30 Exemplaren. Es gab auch (seit 1937) in einer stummen und einer tönenden Fassung das Ufa-Schmalfilm-Magazin. Sonderausgaben schuf die Ufa für die Reedereien: »Lloyd Magazin« für die Bremer Lloyd und »Hapag-Magazin« für die »Hamburg-Amerikanische Packetfahrt-Actien-Gesellschaft«. Seit Februar 1939 erschien monatlich in einer Normal- und Schmalfassung ein Auszug aus dem umfangreichen Material der Ufa-Wochenschauen des letzten Monats: »Deutsche Monatsschau«. Der Verleiher war die RPL.[35] Im Mai 1939 erschien die erste Folge und dann, in ungefähr monatlichen Folgen, Degeto-Weltspiegel (Schmalfilm). Die Bilder vom Zeitgeschehen waren hier »unter dem Gesichtspunkt einer höheren Aktualität« ausgewertet worden.

Das Problem der Leihmiete wurde im Oktober 1938 gesetzlich geregelt. Die Filmtheaterbesitzer mußten als Entgelt für die Überlassung von Aufführungsrechten an Filmwochenschauen für jede Vorstellung 3 % der nach dem Abzug der Vergnügungssteuer verbleibenden Einnahmen aus Eintrittskarten entrichten.[36]

Die volle »Gleichschaltung« der Wochenschauen erfolgte im Kriege. Am 7. 9. 1939 erschien schon als die einzige Wochenschau die »Ufa-Tonwoche«. Sie wurde bald in die »Deutsche Wochenschau« umgestaltet. Die letzte Ufa-Tonwoche (Nr. 510) erschien mit dem Zensurdatum 12. 6. 1940, die erste »Deutsche Wochenschau« erschien mit dem Zensurdatum 20. 6. 1940 und mit der laufenden Nummer 511. Seit dem 21. 11. 1940 erschien die »Deutsche Wochenschau« in der »Deutschen Wochenschau GmbH«, einer späteren Tochtergesellschaft der Ufa.

Die Kriegswochenschau war mit den bisher bekannten Wochenschauen der Friedenszeit kaum noch zu vergleichen. Sie erhielt nach

DIE DEUTSCHE WOCHENSCHAU

Siegesfahnen über Deutschland!

Die siegreichen Operationen unserer Kriegsmarine im Nordmeer
Die Schlachtschiffe „Gneisenau" und „Scharnhorst" unterwegs — Flakbeschuß auf Treibminen — Aufklärer starten — Der englische Flugzeugträger „Glorious" wird vernichtet — Kampf mit feindlichen Zerstörern — Angriff auf den Marinetanker „Oilpioneer" — Ein wohlgezielter Torpedoschuß bringt das Ende des Dampfers — Jagd auf den Truppentransporter „Orama" — Brennend sinkt die „Orama" in die Tiefe

Die Schlacht von Elsaß-Lothringen
Trommelfeuer eröffnet den Frontalangriff auf die Maginot-Linie — Luftgeschwader greifen in den Kampf ein — Volltreffer neben Volltreffer — Stoßtrupps gehen über den Rhein — Flammenwerfer gegen Bunker — Pioniere schlagen im feindlichen Feuer eine Brücke — Messerschmitt-Jäger decken den Übergang — Luftkampf — Der Gegner ist getroffen und stürzt in die Tiefe

Straßburg — Colmar — Metz — Verdun
Die Reichskriegsflagge auf dem Straßburger Münster — Colmar entgegen — Einmarsch in Metz — Immer wieder muß stärkster Widerstand gebrochen werden — Angriff auf Verdun — Ein Ruhmesblatt der deutschen Infanterie — Fort Marre nach der Eroberung — Die deutschen Truppen in Verdun

Der Gegner überall in die Flucht geschlagen
Verfolgungskämpfe an der Loire — Panzerwagenabteilungen sammeln sich zu neuem Einsatz — Im feindlichen Artilleriefeuer — Sturmbatterien stoßen vor — Panzer im Angriff — Das Schicksal des Gegners ist besiegelt

Im Hauptquartier des Führers
Der Führer mit seinen Generälen — Generalfeldmarschall Hermann Göring — Nach der Waffenstillstands-Erklärung Marschall Pétains — Frankreichs Armeen sind zerschlagen — Der erste Gruß gilt den Verwundeten

Der Führer und der Duce in München
Reichsstatthalter Ritter v. Epp begrüßt den Führer in der Hauptstadt der Bewegung — Der Duce trifft ein — Fahrt durch das jubelnde München — Die historische Aussprache im Führerbau

Die Tapfersten der Tapferen
Am Grabmal des unbekannten Soldaten in Paris — Auszeichnung der tapfersten Kämpfer vor dem Arc de Triomphe — Vorbeimarsch auf der Avenue Foch

Der Tag von Compiègne
Der Führer im Wald von Compiègne — Die französische Delegation erscheint — Im Verhandlungswagen — Deutschland, Deutschland über alles! — Unterzeichnung des deutsch-französischen Waffenstillstandsvertrages

Der Krieg im Westen ist siegreich beendet!

T/27-1940

1. Die Deutsche Wochenschau

Inhalt, Form und Erscheinungsweise ein völlig anderes Gesicht. Ihre Gestalter, die Kameramänner, Kopierer, die Mitarbeiter in den Zentralredaktionen und Versandabteilungen, hatten, als der Krieg begann, eine entsprechende Schulung hinter sich. Die Kameramänner und ihre Helfer für die ersten fünf bereits 1938 gegründeten Propagandakompanien (PK) der Wehrmacht standen beim Kriegsausbruch bereit. Die Filmberichterstatter begleiteten mit ihren motorisierten Filmaufnahme-Kübelwagen überall die Truppe und waren mit der Reporter-Handkamera an der vordersten Front. Manche bezahlten ihren Einsatz mit dem Leben.

Laut Statut trug der Hauptschriftleiter der Deutschen Wochenschau gegenüber dem ProMi die Verantwortung für die redaktionelle Gestaltung der Inlandswoche.[37] In den meisten Fällen hatte jedoch Goebbels die letzte Entscheidung, »was die Zuschauer in den Wochenschauen sehen durften und was nicht«.[38]

Die Wochenschau stellte die höchsten Ansprüche an die Leistungen der Kopieranstalten. Jede 600 bis 800 Meter lange Deutsche Wochenschau – betonte 1940 die Presse – wäre nur ein Ausschnitt aus etwa 150 Kilometern wöchentlichem Bildmaterial. Die Durchschnittslänge war auf das Dreifache und noch mehr gestiegen, so daß jährlich mit einem Rohfilmverbrauch von 90–100 Millionen Metern zu rechnen war. Am 21. 5. 1940 kündigte der »Film-Kurier« an: Die kommende Wochenschau mit Frontberichten aus Holland, Belgien und Frankreich wird 1049 Meter lang sein, eine erstmalig zu verzeichnende Rekordleistung (Ufa-Tonwoche Nr. 507). Die in Deutschland 1940 hergestellten Wochenschau-Kopien, rühmte man sich, könnten zweieinhalbmal den Erdball umspannen. 1942 erschien die Deutsche Wochenschau mit rund 1900 Kopien (gegenüber 865 am 15. 9. 1939) vor wöchentlich 20 Millionen Menschen. Die Deutsche Auslandswoche kam in rund 1400 (im Jahre 1940: 1000) Kopien heraus und wurde in 34 verschiedenen Sprachen vor wöchentlich 30 Millionen Zuschauern in Europa gezeigt. Das Filmmaterial der deutschen Auslandswochenschau fand außerdem Verwendung in Frankreich (in allen Kinotheatern, auch als Schmalfilm), in Italien (Luca), Rumänien (ONC), der Slowakei (Nastup) und in Spanien (No-Do). Ausgewählte Teile der Wochenschau gingen bei sich bietender Gelegenheit nach Japan und wurden von der japanischen Wochenschau übernommen.[39]

Das nicht leichte Problem des Versands wurde, mindestens in den ersten Kriegsjahren, mit einem gewissen Erfolg gelöst. Die Aktualität erfuhr eine bisher unbekannte Steigerung. Nach der von Goebbels an jedem Sonnabend durchgeführten Zensur ging die Wochenschau in der von ihm gebilligten Fassung ins Führerhauptquartier. Hier fand, grundsätzlich am Montagabend, die Zensur der Wochenschau durch den »Führer« statt. Die Wochenschau lief tonlos, und nur ein Ordonnanzoffizier verlas den vorgesehenen Text. Hitler ließ sich den Film einmal, bisweilen zweimal vorspielen, übte Kritik, gab Anregungen, diktierte neue Begleittexte, ordnete die Herausnahme einzelner Sujets an oder genehmigte den Streifen ohne Beanstandungen.[40] Im Spätherbst 1944 stellte die Reichsfilmintendanz fest, daß sich Hitler in letzter Zeit die Wochenschau nicht mehr regelmäßig ansah. Sie erfuhr auch, daß sehr oft die Änderungswünsche keineswegs Meinungsäußerungen des »Führers« waren, sondern von irgendwelchen Mitarbeitern, die bei der Abwesenheit Hitlers an der Zensur teilnahmen, ausgesprochen wurden. Es kam zu Kompetenzstreitigkeiten. Ein »Führer«-Entscheid blieb indiskutabel, jedoch irgendwelche Bedenken des Gremiums – in Abwesenheit Hitlers – konnten nur als Wünsche dem Propagandaminister vorgelegt werden.[41] Alle Bildberichte über den Einsatz von »V 1-Raketen« wurden von Hitler persönlich zensiert.[42] Die Gestaltung des Filmmaterials in den einzelnen Wochenschauen verursachte stets verschiedene Probleme. Auch Proteste. Nach der Landung der Alliierten in Frankreich protestierte z. B. der Chef der Wehrmachtspropaganda beim OKW, Gen. von Wedel, daß in der Wochenschau das Heer im Vergleich zu den SS-Einheiten zuwenig exponiert sei.[43]

Die im Bereich der Rohfilm-Herstellung und Produktionskapazitäten der Kopier-Werke verschärfte Lage schuf größere Probleme. Die Zahl der Kopien verminderte sich ständig, die Länge mußte man auch kürzen. Im Sommer 1944 führten die Schwierigkeiten erneut zu der dringenden Frage, die Länge der jeweiligen Wochenschauen von durchschnittlich 500 m auf 400 m zu kürzen. In einem entsprechenden Vorschlag an Goebbels kalkulierte der Reichsfilmintendant: »Bei 1200 Kopien werden dadurch wöchentlich 120000 m, im Monat 480000 m, also rund ½ Million Meter Rohfilm eingespart. Da die Wochenschau der Vorkriegszeit durchschnittlich nur rund 300 m und in den ersten Kriegsjahren durchschnittlich nur rund 370 m lang war, glaube ich, es verantworten zu können, daß bei schärfster Konzentration der Sujets-Schriftleitung eine Ersparung von wöchentlich 100 m je ›Woche‹ vertretbar ist.«[44]

Die Einschränkungen umfaßten auch den Wochenschau-Einsatz

Wochenschau-Einsatz im Ausland
(Stand per Ende April 1944)

Land	Anzahl der Kopien pro Nummer	Fassung	Anzahl der belieferten Theater	Kino-Anzahl im Lande
Belgien	123	60 franz. 63 dt.	783	788
Bulgarien	14	14 bulg.	215	260
Dänemark	18	18 dän.	84	355
Finnland	10	10 fin.	105	437
GG	53	22 dt. ausl. 27 poln. 4 ukrain.	184	200
Griechenland	7	7 griech.	55	138
Holland	49	49 holl.	400	403*
Kroatien	14	13 kroat. 1 dt.	108	171
Norwegen	6	6 norw.	40	270
Ostgebiete (UdSSR)	26	6 dt. inl. 5 lett. 5 lit. 4 estn. 3 weißruth. 3 russ.	200	200
Portugal	4	4 port.	18	226
Protektorat (Böhmen u. Mähren)	71	16 dt. inl. 55 dt. ausl.	574	1183**
Serbien	11	4 dt. ausl. 7 serb.	121	155
Schweden	10	10 schwed.	261	2177
Schweiz	19	13 dt. ausl. 6 franz.	112	321
Türkei	2	2 türk.	5	157
Ungarn	38	3 dt. ausl. 35 ungar.	617	764

* Außerdem lief in den gleichen Theatern mit derselben Kopienanzahl die Tobis-Hollandsch-Nieuws-Wochenschau.
** Außerdem lief in 610 Theatern die Aktualita
Quelle: BA R 109 II Vorl. 48

im Ausland. Nach dem Verteilungsplan erhielt die Inlandswochen-schau pro Monat: Ende 1943 – 3,84 Mio., im September 1944 – 3,0 Mio. und im Januar 1945 – 2,1 Mio. Meter des Positivrohfilms. Für die Filme, die für das Ausland bestimmt waren, also auch für die Auslandswochenschau, betrugen die Zahlen entsprechend: 3,85, 1,72 und 1,55 Mio. Meter Positivrohfilm.[45]

Die Deutsche Wochenschau mußte mit ständig wachsenden Schwierigkeiten kämpfen. Ende Januar 1945 richtete sie, im Einver-nehmen mit der Abteilung Film im ProMi, folgenden Vorschlag an den Staatssekretär Dr. Naumann: Die Deutsche Wochenschau für eine Woche ausfallen zu lassen aus nachstehenden Gründen:

»1. Verursacht durch die Transportlage, verfügen wir im Augen-blick nur noch über Rohfilm, der für knappe zwei Wochenschauen ausreichen würde.

2. Der Eingang des Materials ist bis zur Stunde, vor allem aus den Frontgebieten, so gering, daß es nicht angängig erscheint, bei der angespannten Rohmateriallage eine laufende Wochenschau herzu-stellen, die nicht den Anforderungen genügen könnte und kaum aus-reichen dürfte, bildmäßig den Geschehnissen an den Fronten gerecht zu werden.

3. Die Kopieranstalt Tesch, bei der sämtliches Material entwickelt und kopiert wird, hat zur Zeit nur noch für vier Tage Kohlen. Ähnlich ist die Lage bei den übrigen Kopieranstalten.

4. Wie der Vertrieb mitteilt, ist in diesen Tagen durch die Trans-portschwierigkeiten eine rechtzeitige Übersendung der neuen Ko-pien an die Theater im Reich nicht gewährleistet, so daß die jetzt fertiggestellte Wochenschau ohnehin wesentlich länger als vorgese-hen in den Theatern laufen würde.«

Was der Staatssekretär dazu meinte, ist unbekannt. Jedenfalls ist bekannt, daß diese Folge der Wochenschau ausfiel. Die Wochen-schau wollte ferner entweder drei- oder nur zweimal monatlich er-scheinen.[47] Man kann vermuten, daß der Minister dazu keine Zu-stimmung gegeben hat. Auf dem Gebiet des Einsatzes der Wochen-schau kam es immer häufiger zu großen Verspätungen. In Süd- und insbesondere Südostdeutschland gab es nicht selten vier- bis fünfwö-chige Verspätungen. So z. B. waren die Wochenschauen, die vor Weihnachten 1944 zum Einsatz gelangen sollten, zum großen Teil erst Anfang Februar 1945 bei den Kinobesitzern.[48]

In der Nacht des 17./18. März 1945 wurde durch einen Minenvoll-treffer in den Betriebsanlagen der Afifa u. a. das Gebäude mit der

Negativ-Abzieherei zerstört. Der Maschinenpark war fast restlos erhalten geblieben, und die Negative wurden nicht vernichtet. Die Afifa begann unverzüglich mit den Aufräumungs- und Wiederherstellungsarbeiten, und man rechnete, in vier bis sechs Wochen mit der Bearbeitung der Negative und der Herstellung von Positivkopien anfangen zu können. Die Wochenschau-Aufträge wurden auf andere Kopieranstalten verteilt, so daß eine Stockung in der Herstellung von Wochenschaukopien nicht eintreten sollte.[49] Am 22. März 1945 wurde die letzte Deutsche Wochenschau, Nr. 755, Nr. 10 im Jahre 1945, zensiert.

Die Deutsche Wochenschau war stets ein eifriger Produzent von Kurz-(Kultur-)Filmen. Einige von ihnen lebten ihr eigenes, selbständiges Kinoleben, andere dagegen waren als Serie von »Aufklärungs«-Filmen gedacht und wurden als Beiprogramm der Wochenschau aufgeführt. Eine große Popularität gewann der Zyklus »Tran und Helle«, die kleinen Filmchen, die, rund fünfzig Meter lang, allwöchentlich – der früheste vorhandene Streifen lief am 27. 9. 1939 mit der Ufa-Woche Nr. 473[50] – vor der Wochenschau gezeigt wurden. Der Erfinder, geistige Vater und Betreuer war der alte Ufa-Hase Johannes Guter. Diese heiteren Zeitfilme behandelten im Telegrammstil irgendwelche Tagesfragen, die gerade besonders aktuell waren. Die beiden Darsteller dieser Zeitbilder, die rheinischen Komiker Ludwig Schmitz und Jupp Hussels, taten sich zusammen, um die unpolitischen Deutschen zu politischem Denken zu erziehen. Ludwig, der gemütliche Sünder, verkörperte das negative Element, Jupp, sein Freund, war gleichsam sein besseres Gewissen. Sie führten ihre »erbaulichen« Gespräche miteinander über verschiedene Themen, wie z. B. »Hamsterfragen«, »törichte Klatschereien«, »englische Flugblätter«, »Umgang mit den Kriegsgefangenen« usw. usw. Ludwig war nach jeder Filmlektion klüger als vorher. Der Zuschauer sollte auch. Am 9. 3. 1940 meldete der »Film-Kurier«: Die Hauptdarsteller der lustigen Wochenschauszenen, Ludwig Schmitz und Jupp Hussels, werden sich zukünftig auch beweibt vor der Kamera treffen. Lotte Werkmeister spielt Schmitzens Gattin, Fita Benkhoff wird als Braut zu sehen sein. Für Hillgers Deutsche Bücherei bereitete Jupp Hussels eine Reihe von durchschnittlich 50seitigen Heften vor, in denen seine aktuellen politischen Kurzfilme in kleinen Verstexten und Bildern festgehalten werden, informierte die Presse. Ende August 1940 gaben die NDK bekannt: Das erste Heft erscheint in Kürze. Bald danach ordnete Goebbels an, den Zyklus einzustellen. Der letzte vorhandene Streifen dieser Serie war vom 18. 9. 1940 datiert.[51] 1943 lief mit der Wochenschau die Serie »Ludwig Schmitz plaudert«[52] – 1943/ 44, im Rahmen einer neuen Propagandaaktion bei den Frauen, die Serie »Liese und Miese«. Es gab monatliche Serien wie »Potpourri«[53] oder »Sport-Sport«.[54] 1942 fing die Deutsche Wochenschau mit dem »Zeitspiegel« an, unter dem Motto: »12 Minuten... am, bei oder mit«. Der »Zeitspiegel Nr. 1« – »12 Minuten am laufenden Band« – gab einen Rückblick auf die Entwicklung des Films. Ihn kommentierte Oskar Meßter, der seit 1895 selbst an der Entwicklung des Lichtspielwesens durch Bau von Aufnahme- und Vorführungsgeräten beteiligt war. Es war wohl die letzte öffentliche Begegnung mit dem Meister. In diese Serie kamen u. a. Paul Lincke, Heinrich George, Barnabas von Geczy, Carl Froelich; eine Nummer wurde dem Ufa-Gelände in Babelsberg gewidmet. Die Serie endete mit Nummer 18 im Jahre 1945: »12 Minuten bei Sarrasani« (349 m; P : vb). In den Jahren 1942–1944 wurde die Serie »Zeit im Bild«herausgebracht, weniger auf die Persönlichkeiten, mehr dagegen auf das Zeitgeschehen eingestellt.

Eine Attraktion, weil in Farbe, bildete die 1944 herausgegebene »Panorama«. Es waren rund 400 m lange Streifen, die jedoch mit großer Unregelmäßigkeit erschienen und in den Kinos eine Rarität darstellten. »Panorama« zeigte viel von der Front, schilderte aber auch das Leben in der »Heimat«, nicht nur auf reine Kriegsstimmung begrenzt. So konnte man z. B. in der »Panorama Nr. 1« einen Sonntag in Berlin erleben (Strandbad Wannsee, Weiße Flotte, Sportveranstaltungen, Zoo), die Nummer 3 zeigte u. a. die Weinlese am Rhein und die Nummer 4 einen Besuch im Zirkus Busch. Zwar war Schokolade eine Seltenheit, aber der Soldat konnte sich mit einer Tobler-Schokoladentafel zeigen. Die Farbe der »Panorama« (Agfa-Color) war gut.

Eine Ergänzung der Wochenschau bildete die »Tobis-Trichter«, eine reportageartige Kurzfilmform (ca. 350 m). Sie wurde Anfang 1939 ins Leben gerufen, ihr verantwortlicher Redakteur war Werner Malbran. Sie enthielt in unterhaltsamer Auseinandersetzung heitere Szenen, vor allem aus Kabarett und Varieté, von witziger Conférence (Werner Malbran, Jupp Hussels) begleitet. Selbstverständlich diente sie auch politischen Zwecken. Sie erschien nur in langsamer Folge, weil Humor in einem totalitären System eine wichtige politische Angelegenheit ist und streng überwacht wird.[55] Die Nummer 1 war von Jupp Hussels beherrscht, die Nummer 2 stand im Zeichen des Parodisten Werner Kroll (Parodien von Z. Leander und B. Gigli), in der Nummer 3 waren Jupp Hussels, Emil Jannings, Kirsten Heiberg und Franz Grothe bei bunten Plaudereien zu verschiedenen Themen zu sehen. Die Nummer 10 bot Erinnerungen an Adele Sandrock, Renate Müller und Ralph Arthur Roberts, mit begleitenden Worten, die Max Bing sprach. Der Zyklus »Tobis-Trichter« überdauerte nicht das Jahr 1941.[56]

Gegen Ende des Krieges bildete die Sparsamkeit an Rohstoffen und Energie ein sehr wichtiges Propaganda-Thema. »Fett-ige Probleme« (615 m; P : vb) und »Alles verwenden – nichts verschwenden« (534 m; P : vb) gehörten zu den Streifen, die sehr oft mit der Wochenschau gekoppelt wurden.

Der letzte Zyklus war der Kohlenklau-Vorspann. Sogar in der Wochenschau-Zentrale war man Ende Januar 1945 nicht überzeugt, ob bei den eingeführten scharfen Maßnahmen zur Gas- und Stromersparnis die Herstellung von solchen Streifen irgendwelchen Zweck hatte.[57]

Um den Kulturfilm

Alle Filme, denen keine Spielhandlung zugrunde liegt, lassen sich, unter Vorbehalten, in die große Familie des Kulturfilms einreihen. Um die Definierung des Begriffes »Kulturfilm« bemühten sich zahlreiche Theoretiker seit je, aber der endgültige Bescheid blieb weiterhin aus. Es steht dem Kulturfilm vom Thema her die ganze Welt offen: Natur und Wissenschaft, Kunst und Volkstum, Handwerk und Technik, Militaria und Politik und auch die – nicht immer hochwillkommene – Aufklärung. Der Kamera des Kulturfilms stehen unendlich vielfältige Mittel zu Gebote. Der Kulturfilm hat einen ebenso künstlerischen Anspruch, wie ihn der Spielfilm hat. Dem Kulturfilm ist aber ein im weitesten Sinne des Wortes belehrendes Element schon im Thema gegeben. Und in der schrankenlosen Wahl des Themas liegt eine Gefahr, die aus dem Kulturfilm ein Unterrichtsmaterial machen kann. Kulturfilme sollen, zum großen Teil wenigstens, in einer unterhaltsamen Form belehren. Es gab jedoch nicht wenige Beispiele dafür, daß das Lehrhafte zu stark betont war. In vielen Fällen war der Kulturfilm eine kleine Unterrichtsstunde über das behandelte Thema. Lehrfilme, die nur eine durch die bewegte Fotografie intensivierte Anschauung darstellen – meinten manche Theoretiker –, gehören nicht unter die doch anspruchsvollere Gattung des Kulturfilms, ebensowenig wie die Werbefilme. Der kürzeste Streifen war hier 38 Meter lang, während der längste 570 Meter hatte und damit schon an das Genre der Kulturfilme heranreichte. Seine künstlerische Berechtigung gewinnt der Kulturfilm erst aus der bildmäßigen Gestaltung eines Themas, die dann alle Spannungen, alle optischen Reize, Nuancierungen und Details bewirkt, so las man in theoretischen Aufsätzen zum Thema Kulturfilm.

In Deutschland entstanden allmählich Hunderte von Kulturfilmen. Viele von ihnen eroberten sich die Welt und sind Allgemeingut geworden. Mit der Einführung des Tonfilms hat der Kulturfilm erstaunlich gewonnen (1930), aber bereits seit 1918 bot die Kulturfilmabteilung der Ufa zahlreiche Filme aus verschiedenen Gebieten der Wissenschaft an. Der Kulturfilm arbeitete auf dem Sektor der Mathematik, Physik, Chemie, Botanik, Zoologie, der Länder- und Völkerkunde, der Land- und Forstwirtschaft, der Kunstgeschichte, der Psychologie, der Geburtshilfe. Neben einem Vortrag, der den Filmen beigegeben wurde, machte man den Versuch, durch das Bild dem Laien sonst nur mit wissenschaftlicher Schulung erfaßbare Vorgänge begreiflich zu machen. Dazu kamen fachwissenschaftliche Filme. Hier wurden die medizinischen Filme weltberühmt. Den ersten gewaltigen Fortschritt in der Entwicklung medizinischer Filme brachte die Zeitlupe, danach Zeitraffer in Verbindung mit der Mikrokamera, danach die Röntgen-Kinematographie. Ihre Vervollkommnung gelang erst in den dreißiger Jahren, besonders durch die Arbeiten des Bonner Universitätsprofessors Dr. Jonker. In Kulturfilmarchiven harrte ein kaum übersehbarer Reichtum wertvoller Filme. Die neuen Bestimmungen der Jahre 1933/34 über den Spielzwang von Kulturfilmen zu jedem deutschen Filmtheaterprogramm wurden ein Ansporn zum weiteren Aufbau der Kulturfilmproduktion. Da es nicht selten nur um Quantität ging, gab es natürlich auch Filme, die die Qualitätsansprüche nicht erfüllten. Das war vor allem mit den finanziellen Grundlagen der Kulturfilmproduktion verbunden. Während die Großfirmen für Kulturfilme zwischen 15000–20000 RM pro Film vorsahen, wurde bei den Kleinproduzenten der Kulturfilm teilweise auf einen Meterpreis von 10 Mark herabgedrückt. Erst im März 1939 wurde der Mindestpreis für Kulturfilme auf 8000 RM festgesetzt. Außerdem wurde jeder Filmverleiher verpflichtet, für ⅔ der von ihm zu vermietenden neuen abendfüllenden Filme Kulturfilme zu erwerben.

In der Kultur- und Propagandafilm-Produktion entstand nicht selten durch Doppelplanungen ein unerwünschter Leerlauf. Um diesen Praktiken entgegenzuwirken, führte die RFK durch ihre Anordnung vom 27. 3. 1939 eine Meldepflicht zur Regelung des Kulturfilmschaffens ein. Anträge auf Genehmigung mußte man mit Entwürfen für solche Filmvorhaben bei der RFK vorlegen. Diese Anordnung betraf auch die Herstellung von Filmen zu Zwecken der Wirtschaftswerbung. Bei einer späteren Vorprüfung der Kultur- und Propagandafilm-Produktion zeigte es sich, daß eine Anzahl von Vorhaben doppelt geplant und zum Teil bereits in Angriff genommen worden war. Die damit verbundene Vergeudung von Rohstoffen und Arbeitskraft war gerade nach dem Kriegsausbruch nicht zu verantworten. Mit Hilfe des Reichsinnenministeriums beabsichtigte Goebbels, die Kultur- und Propagandafilmplanung zu zentralisieren. In einem Erlaß des Reichsministeriums an die Obersten Reichsbehörden vom 30. 4. 1940 ergingen entsprechende Anweisungen. Empfohlen wurde für diese Vorhaben die Deutsche Wochenschau.[58]

Zum Zweck planmäßiger Lenkung der Herstellung und des Einsatzes der Kulturfilme sowie zur Sicherung der wirtschaftlichen Grundlagen des deutschen Kulturfilmschaffens wurde im August 1940 die Deutsche Kulturfilmzentrale errichtet. Sie stellte jährlich den Gesamtplan für die Kulturfilm-Herstellung erwünschter Kulturfilme auf, eventuell durch Gewährung von Beihilfen. Die deutschen Filmtheater brachten die dafür erforderlichen Mittel durch Förderungsbeiträge in Höhe von 1–2% auf. Nur die kleinen Filmtheater sowie die Filmtheater in den Gebieten, die sich erst oder noch »im Aufbau« befanden (Österreich, Sudetenland, die eingegliederten polnischen und französischen Gebiete), waren zunächst von dieser Aufgabe befreit. Die Filmverleiher verpflichtete man, nicht mehr wie bisher nur 8000 RM für jeden Kulturfilm, sondern im Jahresdurchschnitt mindestens 20000 RM für jeden Kulturfilm aufzuwenden. In jeder Vorstellung eines Filmtheaters mußte man – nach wie vor – mit dem Hauptfilm einen Kulturfilm zeigen, der unter Angabe des Titels und des Stoffes sowie des Herstellers mitanzukündigen war.

Diese Maßnahmen blieben nicht ohne Wirkung. In den Jahren 1939, 1940 und 1941 hat der deutsche Kulturfilm einen starken Auftrieb erfahren. Die große Propaganda um den Kulturfilm hatte ihren politischen und wirtschaftlichen Grund. Es ging um die »Volksaufklärung«, aber es ging auch ganz normal um Kinoprogramme: Der Mangel an neuen Spielfilmproduktionen war fühlbar, und der Kulturfilm sollte da Hilfe leisten: nicht nur mit neuen Produktionen. Mit

Unterstützung der Deutschen Kulturfilm-Zentrale der Filmprüf-stelle, der Reichsbahnzentrale für den deutschen Reiseverkehr und der Verleihstellen bestimmte man 400 Kulturfilme, die seit 1933 zensiert wurden, für den weiteren Einsatz. Auch einige berühmte Filme, die vor 1933 entstanden, wurden in dieser Reprisen-Aktion eingesetzt. Hier kann man Murnaus (und Robert Flahertys) Südsee-Film »Tabu – die Insel der Seligen« (1931) erwähnen.

Auch losgelöst vom Spielfilm, sollten diese Dokumente aus Natur und Wissenschaft, aus Kunst und Volkstum, aus Handwerk und Technik, aber auch Streifen über militärische und nationalpolitische Dinge, je vier oder fünf zu einem abwechslungsreichen Programm zusammengestellt, dem breiten Publikum zugänglich gemacht werden. Am 28. 1. 1940 nahm im Ufa-Pavillon am Nollendorfplatz in Berlin eine Serie von Kulturfilm-Matineen ihren Anfang. Diese Veranstaltungen fanden in den größeren Städten des Reiches eine Nachahmung. Kulturfilmeinsatz unternahmen auch verschiedene Gliederungen der Partei und Organisationen. Zwischen der RFK und der DAF (NSG »KdF«, Amt Deutsches Volksbildungswerk) bestand eine besondere Vereinbarung über den Einsatz von Kulturfilmen bei der Erwachsenenbildungsarbeit. Das Amt Volksbildungswerk veranstaltete auch Kulturfilm-Matineen für die breitere Öffentlichkeit. In Berlin wurde bereits vor dem Krieg ein Kulturfilmtheater im »Haus der Länder« (am U-Bahnhof Klosterstraße) gegründet. Anfang Dezember 1944 erhielt die Reichshauptstadt ein neues Kulturfilm-Theater »Franziskaner« (unter den Stadtbahnbogen in den Räumen der ehemaligen »Franziskaner-Lichtspiele«), mit Filmvorführungen ab 9 Uhr morgens. In anderen Großstädten entstanden ebenfalls solche Einrichtungen, wie z. B. in Hamburg die Kulturfilmbühne »Urania«. Kulturfilm- und Wochenschau-Theater gründete man auch in den besetzten Gebieten, z. B. in Oslo, Litzmannstadt (1941), Belgrad oder noch im Frühjahr 1944 in Straßburg, »Theater der Zeit«.

Die wichtigsten Produzenten von Kulturfilmen waren selbstverständlich die großen Filmkonzerne sowie mit der Herstellung beauftragte Firmen, deren Filme von den Konzernen übernommen wurden. Für die Ufa arbeiteten z. B. 1943/44 folgende Kulturfilmhersteller: Th. N. Blomberg-Kulturfilmproduktion, Deutsches Kulturfilminstitut Dr. Hans Cürlis, Dreyer-Film, Lex-Film, Mars-Film, Riefenstahl GmbH, Roto-Film Siem & Co. in Hamburg und Tiller-Film. Für die Wien-Film oder Bavaria arbeitete auch eine Reihe von kleinen Filmherstellern. Die Kultur- (und Propaganda-)Filme wurden durch eine ganze Reihe von Staats- und Parteiinstitutionen herausgebracht.

Eine sehr wichtige Rolle spielte im Bereich des Kulturfilms die Deutsche Reichsbahn. Neben den rein technischen Bildstreifen, die nur zur Schulung der Spezialisten der Reichsbahn vorgesehen waren, bediente sich die Deutsche Reichsbahn weitgehend des Films als Aufklärungs- und Werbemittel. Die amtliche Stelle der DR für die Herstellung und Verbreitung von Filmen aus ihrem Arbeitsgebiet war die Reichsbahn-Filmstelle. Sie wurde bereits im November 1925 ins Leben gerufen. Danach hat sie ihren Arbeitsbereich stark erweitert. 1934 war auch die filmische Bearbeitung der Reichsautobahnen dieser Filmstelle übertragen worden. Nachdem die DR die unmittelbare Reichsverwaltung als Glied des Reichsverkehrsministeriums geworden war, hat die Reichsbahn-Filmstelle auch die Betreuung der Filmaufgaben für die Reichswasserstraßen übernommen. Bis zum Ende 1938 hat die Reichsbahn-Filmstelle 84 Filme in eigener Bearbeitung hergestellt, 10 Filme in Gemeinschaftsarbeit bei gewerblichen Filmherstellern in Auftrag gegeben. Hinzu kam noch eine Reihe ausländischer Unterrichtsfilme, so daß im Archiv der Reichsbahn-Filmstelle am Ende des Jahres 1938 430 Bildstreifen vorhanden waren, die stets (unentgeltlich) den Lichtspielhäusern, Schulen und anderen Stellen zur Verfügung gestellt wurden. Einige liefen als Kulturfilme in den Kinos, aber doch nicht alle. Der Dokumentarspielfilm »Das Stahltier« (Produktion, Idee, Regie, Kamera von Willy Zielke), ein Beitrag zur Hundertjahrfeier der Eröffnung der ersten deutschen Eisenbahnlinie, wurde von der Zensur verboten.[59] Mit Wirkung vom 1.7.1941 wurde die Reichsbahn-Filmstelle in das Reichsverkehrsministerium eingegliedert.

1939 entstand eine eigene Reichspost-Filmstelle. Die Filmsammlung dieser Stelle diente in erster Linie den inneren Bedürfnissen der DRP. Es gab hier Filme über Postangelegenheiten, aber auch aus anderen Bereichen (vor allem Sport).

Einige Großfirmen richteten eigene Filmproduktionsabteilungen ein, so die IG-Farbenindustrie oder die Friedrich Krupp AG.

Viele Faktoren wirkten bei der Förderung des Kulturfilms mit. Auch die Reichswochen für den Kulturfilm, die man in München zu organisieren begann: die erste im September 1941. Staatssekretär Gutterer sprach über die großen Aufgaben des deutschen Kulturfilms. Man zeigte hier u. a. die ersten deutschen Kulturfilme nach dem Agfacolor-Verfahren: »Thüringen« (Z: 16.9.1940) und »Bunte

Kriechtierwelt« (Z: 25.9.1940). Die zweite Reichswoche für den deutschen Kulturfilm (15.–22.11.1942) stand stark im Schatten des Propagandafilms. Die dritte Reichswoche wurde am 12.11.1943 im Münchener Künstlerhaus am Lenbachplatz eingeleitet. 120 Filme wurden diesmal vorgeführt. Der Leiter des Sonderreferats Kulturfilm, Heinrich Roellenbleg (im Rahmen der Sparmaßnahmen wurde im Februar 1941 die Kulturfilmzentrale aufgelöst, und die Geschäfte übernahm das »Sonderreferat Kulturfilm« beim Reichsfilmintendanten), nahm im Auftrag Goebbels die Preisverteilung vor, durch welche die Gestalter von neun Kulturfilmen ausgezeichnet wurden. Auch die »Hauptstadt der Bewegung« hatte eine besondere Prämiierung vorgesehen in Gestalt einer Plakette für besondere Verdienste um das Kulturfilmschaffen, die nun, zusammen mit Diplomen vom Münchener Oberbürgermeister, an elf Kulturfilmschaffende verliehen wurde. Zu den vom ProMi ausgezeichneten Filmen gehörten: »Asse zur See« (Mars-Film), »Künstler bei der Arbeit« (Bavaria), »Kopernikus« (Prag-Film), »Dämmerung über dem Teufelsmoor« (Ufa), »Welt im Kleinsten« (Ufa), »Fischerparadies Donaudelta« (Wien-Film), »Netz aus Seide« (Bavaria), ferner farbige Zeichenfilme wie »Verwitterte Melodie« und »Armer Hansi« (Dt. Zeichenfilm). Alle diese Filme erhielten auch die Plaketten des Oberbürgermeisters. Diese Plakette bekamen ferner: »Im Land der wilden Stiere« (Deutsche Wochenschau) und »Kriegslokomotiven« (Lex-Film).[60]

Trotz der aufgenommenen Vorbereitungen fand die vierte Reichswoche für den Deutschen Kulturfilm nicht mehr statt. Für den Kurzfilm, der nicht direkt im Dienst des Krieges stand, kam eine wenig günstige Zeit. Im August 1944 wurde im Zeichen des totalen Kriegseinsatzes die Herstellung von Werbe- und Wirtschaftsfilmen, ohne Rücksicht auf ihre Länge, völlig eingestellt. Auch jegliche Vorführung dieser Filme wurde »bis auf weiteres« untersagt. Denselben Beschränkungen unterlag auch die Herstellung von Lehrfilmen. Die Mitglieder der Fachgruppe Kultur- und Werbefilm bei der RFK wurden vorsorglich darauf hingewiesen, daß die Firmen zum überwiegenden Teil stillgelegt würden.[61] Als Leiter des Exekutivstabes Filmorganisation hatte der Leiter Film im ProMi die Ufa-Sonderproduktion, den Ufa-Wirtschaftsfilm, die Sonderproduktion der Wochenschau und die Ufa-Kulturfilmabteilung zusammengelegt, wobei die drei ersten Einrichtungen völlig stillgelegt wurden. Ein kleiner Apparat zur Durchführung wichtigster Vorhaben bestand in der Ufa-Kulturfilmabteilung.[62]

Noch ganz zu Ende des Krieges gab es Pläne. Der bekannte Spezialist biologischer Filme, Dr. Ulrich K. T. Schulz, wandte sich am 15. 1. 1945 an Goebbels: »Für dieses Produktionsjahr habe ich eine Reihe besonders glücklicher Einfälle für neuartige biologische Filme gehabt... Leider mußte mir vor drei Monaten mein langjähriger Kameramann Walter Suchner durch Einberufung genommen werden, der bei der Ufa der einzige Spezialist für Teleaufnahmen ist.« Schulz bat um einen Arbeitsurlaub für Suchner »für zwei bis drei besonders reizvolle und neuartige biologische Filme«. Die Sache wurde im ProMi ganz seriös betrachtet, aber es erwies sich als unmöglich, sie positiv zu erledigen.[63] Vielleicht wollte Dr. Schulz nur seinem Mitarbeiter Hilfe leisten?

Traditionsgemäß erhielten die besten Kulturfilmschaffenden vom ProMi Anerkennungsprämien. Sie galten dem Autor, Regisseur, Kameramann und dem Komponisten des jeweiligen Films. Die Titel der letzten mit diesen Anerkennungsprämien ausgezeichneten Kulturfilme wurden noch Ende März 1945 bekanntgegeben.[64] Es ging um folgende, meist im Dezember 1944 zensierte Filme: »Männer gegen Panzer« (Mars-Film), »In sicherer Hut«, »Im Reich des Wichtelmännchen« (P: küw), eine für 53500 RM hergestellte Geschichte aus der Welt der Murmeltiere, der Bavaria-Film »Kraniche ziehen gegen Süden« (313 m; P: 313 m), »Hochzeit im Korallenmeer«, der erste (und letzte) farbige Zeichenfilm der Prag-Film, »Glas« – ein Film aus der Welt der Glashütten,[65] »Warnfarben-Tarnfarben« (P: küw), »Kamerad Sanitätshund«, die Ufa-Filme »Kunst der Maske« und »Meisterturner« (395 m; P: küw), »Der letzte Einbaum« und zwei Filme aus Wien: »Weinhauer unter dem Hüterstern« und »Im Tal der hundert Mühlen«.

Nach den Angaben von Anfang März 1945 befanden sich in der Arbeit: 27 schwarz-weiße und drei farbige Filme, mit durchschnittlichem Fertigstellungsprozentsatz von 60 %.[66]

Die Endphase

Die Stalingrad-Wende brachte neue Zeit auch beim Film. Das bedeutete auch: neue Menschen. Bisher galt Dr. Fritz Hippler als ein bequemer Filmabteilungsleiter im ProMi. Sobald aber die Lage sich anspannte und die kleine Filmpolitik nicht mehr mit Hilfe von Verhandlungen und gewissen Kompromissen betrieben werden konnte,

56

sondern nur noch mit rigorosem Druck, begann sein Stern zu sinken. Mitte Juni 1943 kam die offizielle Meldung: Fritz Hippler erhielt einen »Sonderauftrag auf dem Gebiet Wissenschaft und Kultur«. Als neuer Leiter der Filmabteilung wurde der Ministerialrat Dr. Peter Gast ernannt. Der bisherige Reichsfilmdramaturg wurde einberufen, und seinen Posten übernahm Kurt Frowein.[67] Die wichtigsten Änderungen sollte aber erst das nächste Jahr bringen.

Mit dem 25.6.1944 übernahm der Reichspropagandaminister Goebbels zusätzlich die Funktionen eines Reichsbevollmächtigten für den totalen Kriegseinsatz. Bereits im Frühjahr 1944 wurde zum neuen Reichsfilmintendanten, unter Entbindung von seinem Amt als Generalsekretär der RKK, Hans Hinkel ernannt. Er übernahm selbstverständlich auch die Stelle des Leiters der Film-Abteilung im ProMi und erhielt den Posten eines Vizepräsidenten der RKK.[68] SS-Gruppenführer Hinkel gehörte zu der »Alten Garde der NSDAP« und hatte hinter sich wenig rühmliche Erfahrungen bei der Arbeit im Kultursektor. In einer Aussage des neuen Reichsfilmintendanten zum Thema »Filmarbeit und totaler Kriegseinsatz« hieß es: »Es sei nicht eine Frage, wieviel Filme gemacht werden, wohl aber ist es unser Ziel: so viel Filme wie nur möglich – unter Anspannung aller Kräfte und vor allen Dingen mit einem vorbildlichen Fleiß aller! Die Zeiten für langatmige Debatten und unproduktives Theoretisieren sind vorbei.«[69]

In Zusammenarbeit mit Max Winkler schuf Hinkel einen neuen Organisationsplan für das deutsche Filmwesen. Goebbels hatte sich selbst (bzw. dem Staatssekretär) die grundsätzliche Lenkung des deutschen Filmwesens, der Filmpolitik, der Filmkunst und der Filmwirtschaft – nach wie vor – vorbehalten. Insbesondere ging es um die Weisungen für die Gesamtplanung der Filmproduktion und für die Gestaltung der deutschen und ausländischen Wochenschau, die Entscheidungen über die Führung der deutschen Filmgesellschaften und die Grundsätze ihrer Finanzierung, sowie um die Zusammensetzung ihrer Gremien (Vorstands- und Aufsichtsratsmitglieder) und über deren Bezüge, ferner um die Gagengestaltung der qualifizierten Filmschaffenden, um grundsätzliche Weisungen für die Haltung von Filmbetrieben im In- und Ausland und die Entscheidungen über den Einsatz von Apparaturen und Geräten (insbesondere im Ausland). Die Vorbereitung erfolgte grundsätzlich unter Führung des Film-Abteilungs-Leiters in Sachen der Filmpolitik, des Reichsintendanten für die Belange der Filmkunst und des Reichsbeauftragten in Fragen der Filmwirtschaft. Vertretung der Belange der Filmpolitik (gegebenenfalls mit den Haushalts- oder Personal-Abteilungen des ProMi), soweit sie nicht dem unmittelbaren Entscheidungsbereich des Ministers angehörte, übernahm Hans Hinkel als Leiter der Filmabteilung. Hinkel, diesmal als Reichsfilmintendant, übernahm die Wahrung der Belange der Filmkunst und die Leitung der gesamten Filmproduktion. Der Reichsbeauftragte Max Winkler vertrat die Belange der Filmwirtschaft.[70] So wurde Hinkel – nach Goebbels – die wichtigste Persönlichkeit im Bereich des deutschen Filmwesens.

Im November 1944 unternahm man Schritte über weitere Reduzierung der Filmproduktion mit dem 1.1.1945.[71] Auf Anordnung Goebbels' sollten in der Zeit vom 1.1. bis 31.12.1945 46 deutsche Spielfilme hergestellt werden.[72] Auf nachstehende Firmen entfiel folgendes Film-Soll: Ufa – 10 Filme, Tobis – 8, Bavaria und Terra je 7, Wien-Film – 6, Prag-Film – 4 und Berlin-Film ebenfalls 4. Irgendwelche Veröffentlichungen über Einzelheiten galten in jeder Beziehung als unerwünscht.[73]

Die kriegswirtschaftliche Mangelsituation, die fehlenden Arbeitskräfte, bombengefährdete Fertigungsstätten, zahlreiche Rohstoffprobleme usw. usw. stellten das Vorhaben – abgesehen von der militärischen Lage – von vornherein in Frage.

Große Probleme verursachten die Bombenschäden in den Kopierwerken, die bei der Filmherstellung eine Schlüsselstellung innehatten. Nach dem Stand von 1943 verteilte sich die Herstellung der Schwarz-Weiß-Kopien auf: Afifa Tempelhof (34 % der Gesamtkapazität), Dröge u. Siebert (23 %), Geyer (22 %), Tesch – wo das gesamte PK-Material für die Wehrmacht bearbeitet wurde (7,5 %) und auf die Gruppe der kleinen Kopieranstalten, nämlich Feka, Kosmos und Fikopa. Farbfilmkopien wurden im Kopierwerk der Afifa in Berlin-Köpenick hergestellt.[74] Bei Beeinträchtigungen ihrer Arbeitsfähigkeit machten sich sofort beim Einsatz der Wochenschau und der Spielfilme Schwierigkeiten bemerkbar. Beim Luftangriff vom 30. auf den 31.1.1944 erlitt ein großer Teil der Kopierwerke Beschädigungen. Die größte Produktionsstätte, Afifa Tempelhof, war, ohne selbst schwere direkte Schäden zu erleiden, dadurch vollkommen aus dem Filmherstellungsprozeß ausgefallen, da sie kein Gas und keinen Kraftstrom hatte. Der Strom konnte jedoch schon wenige Tage später im Betrieb wieder benutzt werden, wodurch ein Drittel der Kapazität gewonnen wurde. Erst in der Nacht des 11./12.2.1944 konnte der Betrieb bei Afifa wieder voll aufgenommen werden. Die Kopieranstalten Geyer und Dröge u. Siebert, zwar beschädigt, hatten keine wesentliche Beeinträchtigung erlitten. Die Aufgaben des erheblich beschädigten Kopierwerkes der Afifa in Köpenick (Farbfilm) übernahmen, durch Verlagerung, die Afifa Babelsberg und eine Kopieranstalt in Paris. Die Wiederherstellungsarbeiten in Köpenick erhielten eine Dringlichkeitsstufe.[75]

Bei den Luftangriffen fielen einige von den Befehlszentralen den Bomben zum Opfer. Erhebliche Schäden verursachte in dem Ufa-Gebäude-Komplex am Dönhoffplatz der Luftangriff am Mittwoch, 21. 6. 1944. Zwar hielten die sämtlichen Luftschutzräume stand, und von den rund 1200 Belegschaftsmitgliedern wurde niemand verletzt, doch entstanden erhebliche Sachschäden. »Völlig ausgebombt wurden: die Zentrale des Deutschen Filmvertriebs, die Auslands-Abteilung, die Pressedienststelle, die Bau-Abteilung, die technische Abteilung, die Musik- und Tonverlage und die Postzentrale, zum erheblichen Teil beschädigt: die Zentrale der Deutschen Wochenschau, die Ufa-Wirtschaftsfilm-Abteilung« u. a. Die eingeleiteten Sofort-Maßnahmen ermöglichten bereits am Tage nach dem Angriff einen Notbetrieb aller Abteilungen des Betriebs. Da die Durchführung der Wiederaufbau-Arbeiten unmöglich war, nahm man Verlagerungen in vorbereitete Ausweichquartiere vor, und zwar übersiedelten: die Deutsche Wochenschau nach Alt-Buchhorst, die Kulturfilm-Produktion nach Babelsberg und Schloß Glienicke, die Wirtschaftsfilm-Abteilung nach Groß-Schönbeck und der Ufa-Handel teilweise nach Forst (Lausitz). Die genannten Abteilungen behielten lediglich eine Verbindungsstelle im Hause.[76] Am 20. 10. 1944 wurden die neuen Räume (Schlüterstraße 45) von der Reichsfilmintendanz bezogen. Tragisch wurde es mit der Berliner Tobis-Zentrale (Friedrichstraße 100): Anfang Februar 1945 wurde sie vollständig vernichtet. Viele Menschen fanden den Tod.[77]

Für die eingeschränkte Filmproduktion erwies sich der bestehende Atelierraum als fast ausreichend. In Bad Ischl wurden von der Bavaria und der Terra Notateliers eingerichtet, ebenfalls in Salzburg (Festspielhaus) von der Bavaria. Carl Froelich, der als Produzent eine gewisse Selbständigkeit behielt, wollte sein Atelier nach Breslau verlagern, wo er für sein Vorhaben eine Unterstützung bei dem Gauleiter Hanke fand. Der Ufa-Vorstand ließ das Projekt fallen.[78]

Der Luftkrieg brachte immer neue Zerstörungen. Anfang Februar

1945 meldete der Film-Abteilungsleiter dem Minister: In den Berliner Filmateliers hatte sich beinahe nicht mehr arbeiten lassen. Einige sind bereits Bombenschutt, in den anderen muß wegen der Fliegeralarme so oft abgebrochen werden, daß die Produktion dem befohlenen Endtermin um Wochen hinterherhinkt.[79]

Probleme verursachte auch die Versorgung der Filmindustrie mit den Rohstoffen.

Atelierraum der deutschen Filmindustrie
(Stand Oktober 1944)

	Hallen	Fläche qm	in % der Gesamtfläche
Berlin:			
Ufa-Filmkunst	8	7120	23,7
Terra-Filmkunst	3	3030	10,1
Tobis	6	3215	10,7
Althoff-K.G. und Berlin-Film	4	2390	8,0
München:			
Bavaria-Filmkunst	3	1555	5,2
Wien:			
Wien-Film	6	3085	10,3
Prag:			
Barrandov	7	6980	23,2
Hostivar	4	2630	8,8

Quelle: BA Koblenz, R 109 II, vorl. 30; Schreiben der Ufa-Film GmbH vom 28. 10. 1944

Bereits im November 1944 teilte die Reichsstelle Chemie dem ProMi mit, daß im Januar 1945 nur 7 Mio. m Positiv-Rohfilm anstelle der im Dezember 1944 verteilten 12 Mio. m erteilt werden würden und daß in den folgenden Monaten mit einer Erhöhung der Rohfilm-Erzeugung nicht zu rechnen sei. Im Januar 1945 legte die Reichsstelle Chemie die Haupt-Rohfilm-Kontingente auf den Vorschlag des ProMi wie folgt fest (in Mio. m):[80]

Mit den ihm zugebilligten 500000 m sollte das OKW lediglich die militärischen Lehrfilme bestreiten. Geringe Rohfilmmengen für die

	Sept. 1944	Ende 1943	Jan. 1945
Reichsfilmkammer	5,35	7,8	12,8
Reichspropagandaleitung	0,65	0,7	0,6
OKW	0,50	2,0	3,5
Rohfilm-Export	0,50	1,5	2,3

Truppenbetreuung sollten aus dem RFK-Kontingent entnommen werden. Das eigentliche Kontingent der RPL von 0,65 Mio. m setzte sich aus 0,5 Mio. m für die Betreuung der Bevölkerung in kinolosen Orten und 0,15 Mio. m für die Betreuung der ausländischen Arbeiter und der Kriegsgefangenen zusammen.

Der Rohfilm-Export wurde drastisch herabgesetzt. Dabei handelte es sich jedoch nicht um reine Ersparnisse zugunsten der deutschen Filmproduktion, da ein Teil der von der Agfa exportierten Rohfilme von den Filialen und Kaufkunden des deutschen Films für das Kopieren der aus Deutschland exportierten Filme im Ausland verwandt war (Spanien). Der zugeteilte Monatskontingent von 500000 m reichte lediglich für die Deckung des schwedischen Rohfilm-Bedarfs. Soweit aus Devisen- oder sonstigen Gründen mehr Rohfilm nach einzelnen Ländern ausgeführt werden mußte, war die RFK verpflichtet, aus ihrem Kontingent der Agfa auszuhelfen. Bis zum Ende 1944 bestimmte den Umfang des Rohfilm-Exports das Reichswirtschaftsministerium, während in den letzten Monaten des Dritten Reiches das ProMi für diese Angelegenheit maßgebend war.[81]

Seit 1944 mußte man ständig das Positivrohfilm-Kontingent für die Herstellung von Spielfilmen kürzen. Ende 1943 betrug es noch 4,817 Mio. m pro Monat (bei etwa 20 Mio. m insgesamt), im September 1944 2,94 und im Januar 1945 lediglich 1,03 Mio. m.[82] Die Gründe lagen weniger bei der Industrie selbst, als bei der Versorgung mit den Rohstoffen (Salpetersäure, Azetatwolle, Lösungsmittel wie Äther, Alkohol u. a.).[82] Im Dezember 1944 wurde angeordnet, daß Spielfilme nur noch eine Länge bis zu 2200 m haben dürften. Sollte es aus künstlerischen (oder politischen) Gründen notwendig sein, einen Film länger zu gestalten, mußte man vorher eine Genehmigung der Reichsfilmintendanz haben. Ende Januar 1945 wurden für den Versuch von Filmmaterial folgende drastisch verminderte Höchstsätze je Spielfilm festgesetzt: Negativ-Bild – 20 000, Negativ-Ton – 30 000 und Positiv-Material – 40 000 Meter.[83] Anfang Februar 1945 kam die Hiobsbotschaft: »Die Negativ-Rohfilmherstellung fällt im Monat Februar völlig aus. Die monatlichen Anlieferungen an Positiv-Material werden ab März voraussichtlich ganz ausfallen.«[84] Für die Filmherstellung bedeutete das allerdings noch nicht die äußerste Katastrophe. Das ProMi besaß Reserven.

Der Leiter Film / Reichsfilmintendant   *Berlin, den 20. Dezember 44.*
Herrn
Reichsminister
... Zu der Vorlage hat mir der Herr Minister seine Auffassung übermitteln lassen, daß zuerst das dringendste Spielfilmprogramm und darüber hinaus auch die Herstellung der Wochenschau gesichert sein müßten. Nach genauer Kenntnis der Rohfilmsituation, die in den letzten Wochen Gegenstand laufender Besprechungen war, kann ich die Versicherung geben, daß auch in Zukunft die Herstellung der Wochenschau, die unser größter Rohfilmverbraucher ist, und die Herstellung der Massenkopien von mindestens drei Filmen im Monat bei der augenblicklichen Rohfilm-Situation, bei der schon die Senkung von 12 auf 7 Millionen Meter berücksichtigt ist, absolut gesichert sind.
   Im Gegensatz zur Filmwirtschaft, die bedauerlicherweise nichts zur Schaffung von Reserven tat, hat die Filmabteilung das auch dem Herrn Minister bekannte Notlager geschaffen, in dem sich z. Z. 100 Millionen Meter Kinofilm befinden. Aus diesem Lager können wir selbst bei ungünstigen Voraussetzungen – weiteres Absinken der Produktion und Zerstörung der Rohfilmfabrik Agfa in Wolffen – weit über ein halbes Jahr leben.
...   *Heil Hitler!*
                                               Hinkel
Quelle: BA, R 55, Nr. 663, S. 25 f.

Am 3. 4. 1945 hatte der Abteilungsleiter Film & Reichsfilmintendant Hans Hinkel »die Absicht, wertvollste Produktionsmittel der deutschen Filmindustrie zusammen mit einem kleinen Arbeitsstab nach einem weniger bombengefährdeten Ausweichort zu verlegen. Zu diesem Zweck« hatte er ihm »angebotene Räumlichkeiten in Füssen im Allgäu in Anspruch genommen«.[85] Die Reichshauptstadt verließ er aber noch nicht. Im Gegenteil: Weiterhin hielt er Wache. »Vom

Vizepräsidenten Melzer angefangen über seinen Vertreter Dr. Stumm bis zu den wesentlichen Referenten ist die Reichsfilmkammer zum Teil bereits vor Ostern auf Dienstreise gegangen. Um den Restkopf nicht auch in alle Winde zerflattern zu lassen, habe ich bereits eine Dienstreisesperre für alle Angehörigen der RFK verhängt«, berichtete er am 12. April dem Staatssekretär.[86] Noch am 17. April hatte Goebbels seine um ihn versammelten Mitarbeiter aufgefordert, standfest zu bleiben und auszuhalten, damit sie dereinst vor der Geschichte eine würdige Rolle würden spielen können. Die Reichsfilmintendanz hatte weiterhin zu tun. Am 18. 4. 1945 schrieb sie z. B. an die Märkische Filmgesellschaft, die die festgesetzte Spielfilmlänge von 2200 m überschritten hatte, daß sie ausnahmsweise eine Genehmigung erhalte – aber mit einer Mahnung: In Zukunft kämen solche Genehmigungen nicht mehr in Frage.[87] Auch die Schauspieler waren beschäftigt: In Babelsberg bis zum 21. 4. 1945. An demselben Tag erreichte die Rote Armee über Oranienburg und den Spreewald Vororte von Berlin. Ende April wurden die sich im Zuchthaus Bautzen befindenden Häftlinge plötzlich mobilisiert, in eine Kaserne in der Nähe geführt, militärisch notdürftig eingekleidet und bewaffnet. Sie sollten als letztes Aufgebot gegen die vorrückenden sowjetischen Truppen kämpfen. Der Häftling, nun jetzt Soldat, Hans Meyer-Hanno versuchte, über die Mauer zu klettern und fiel unter den Kugeln der SS.[88]

Hans Hinkel weilte inzwischen in München. Am 2. 5. 1945 übergab er die Bavaria den Amerikanern. Drei Tage später wurde er in Mittenwald verhaftet. Am 3. 2. 1947 wurde er den polnischen Justizbehörden überliefert. In Warschau verbrachte er vier Jahre im Gefängnis.[89]

Menschen vom Film

»Filmschöpfung ist im entscheidenden Punkt nicht Persönlichkeitsmanifestation, sondern im eigentlichen Sinne Kollektivproduktion, die Gemeinschaftstat vieler für die vielen. Ein großer Teil des geistigen Wertes eines Films hat anonym bleibende Urheber.«
Quelle: Curt Wesse: Großmacht Film. Das Geschöpf von Kunst und Technik. Berlin 1928, S. 23.

Die Filmkritik würdigt gewöhnlich nur die Leistung der Schauspieler, des Regisseurs und allenfalls des Drehbuchautors. Manchmal bekam auch der Kameramann sein Lob ab. Und im Atelier kann man z. B. die Stimmung einfangen, die erst der Filmarchitekt schafft. Sogar die Art, wie die Kamera durch den Raum gleitet, wird durch die Vorarbeit des Architekten bestimmt. Eine historische Bearbeitung muß sich, nach Möglichkeit, mit allen Menschen, die am Zustandekommen des Films mitwirken, beschäftigen: den sichtbaren und den unsichtbaren, die weniger ins Bewußtsein des Kinobesuchers rücken.

Die »Säuberung« des deutschen Films nach dem 30. 1. 1933

In den ersten Monaten nach der NS-Machtergreifung, im »Zeitalter der Säuberung«, war die allgemeine Lage für die Künstler wenig übersichtlich. Immer wieder wurden die als Juden, Marxisten oder unerwünschte Ausländer bezeichneten Regisseure, Schauspieler, Schriftsteller etc. etc. aus ihren Stellen »herausgeschossen«. Nicht wenige wurden verhaftet, einige sogar ermordet (um die Beispiele des Schriftstellers Erich Mühsam und des Schauspielers Hans Otto zu erwähnen), andere mußten emigrieren. Kulturschaffende, die als Juden galten, sich bewußt in Opposition zum Nationalsozialismus gestellt hatten oder stellten und ebenfalls Gefahr liefen, verfolgt zu werden, emigrierten in mehreren Wellen. Die erste Welle begann bereits nach dem Tage der NS-Machtübernahme, die nächste nach dem

Reichstagsbrand vom 27. 2. 1933, dann nach Verkündigung des »Gesetzes zur Wiederherstellung des Berufsbeamtentums« vom 7. 4. 1933. Die grundsätzliche Bestimmung über die Ausschaltung der Juden und der Ausländer aus dem Film wurde durch eine Verordnung des ProMi vom 28. 6. 1933 getroffen: Jeder, der »am Kulturgut Film mitarbeiten« wollte, mußte »deutscher Staatsangehöriger und deutschstämmig« sein. Die ausländischen Künstler konnten im deutschen Film nur dann noch mitwirken, wenn besondere Gründe dafür mitsprachen. In diesem Falle bedurfte es einer besonderen Genehmigung. Die Verkündigung der »Nürnberger Gesetze« (1935) und die »Reichskristallnacht« (1938) verursachten weitere Exil-Wellen. Mit diesen Ereignissen waren auch eng die »Säuberungen« in der RKK verbunden. Im Vergleich zu den Emigranten (Geflohenen oder Ausgestoßenen) jüdischer Abstammung war die Anzahl derer, die aus rein politischen Gründen emigrierten, gering.

Die vom Nationalsozialismus »geschaffenen Emigranten stellten die größte Ansammlung von umgesiedelter Intelligenz, Begabung und Gelehrsamkeit dar, welche die Welt jemals gesehen hat« (Peter Gay). Die glanzvolle Reihe der Emigranten umfaßte auch Filmleute. Einige von ihnen machten als Vertreter der sogenannten »deutschen Schule« im amerikanischen Film Karriere. Das tragische Schicksal der meisten Emigranten ist allgemein bekannt.[1]

Der prominenteste – aber auch von der Filmpublizistik am meisten überschätzte – Film-Emigrant, Fritz Lang, drehte auf dem Weg ins amerikanische Exil in Paris »Liliom« (1934). Erst 50 Jahre später kam der Film erstmals in deutsche Kinos. 1933 verließ Robert Siodmak Deutschland. Sein letzter Film »Brennendes Geheimnis«, nach S. Zweigs Novelle, ging noch in die Kinos (U: 20. 3. 1933), wurde aber bald nach dem »geheimnisvollen Reichstagsbrand« zurückgezogen.[2] In Frankreich inszenierte er mehrere Filme. Ab 1941 wirkte er in den USA weiterhin mit seinen Filmen erfolgreich. Ins Exil gingen Hermann Kosterlitz, als Autor und Regisseur in den USA ebenfalls erfolgreich, und Kurt Bernhardt. »Der Tunnel« (nach dem gleichnamigen Roman von Bernhard Kellermann) war sein letzter Film im Deutschen Reich (U: 3. 11. 1933; P: kw). Später verließen das braune Reich Fritz Wendhausen, Reinhold Schünzel und viele andere. Aus der österreichischen Exil-Welle sind vor allem die Namen von Otto Preminger (in den USA Theaterregisseur, Schauspieler, dann Filmregisseur), Fred Zinnemann und Billy Wilder zu nennen. Wilder arbeitete bereits von 1934 an als Drehbuchautor in Hollywood und hatte sich als Ernst Lubitschs Autor (u. a. »Ninotschka«) einen Namen gemacht. Später erwies er sich auch als ein talentierter Regisseur. Gleich nach der NS-Machtübernahme mußte auch der Bulgare Slatan Dudow sein Wahl-Vaterland verlassen. Er nahm eine Kopie seines ersten eigenen Films »Kuhle Wampe« (1932) ins Exil mit.

Frank Wysbar blieb im Dritten Reich fünf Jahre hindurch. Immer vollbeschäftigt: Aus den Jahren 1933–1937 stammen acht seiner Filme. Der letzte, die »KdF«-Komödie »Petermann ist dagegen«, war sogar ganz im Sinne der NS-Propaganda. Danach ging er in die USA. Obwohl er als Emigrant galt, meldete erst am 13. 2. 1940 offiziell der Filmkurier: »Der Präsident der RFK teilt mit, daß die Mitgliedschaft des Filmregisseurs Frank Wysbar bei der Fachschaft Film mangels Ausübung einer organisationspflichtigen Tätigkeit (...) gestrichen worden ist.«

Detlef Sierck, zunächst ein Mann des Theaters (Hamburg, Bremen, Chemnitz und vor allem Leipzig, wo er das Alte Theater leitete), wechselte einige Male zwischen Deutschland und Amerika. Seine Zusammenarbeit mit dem deutschen Film fing er 1934 mit den Texten an, danach inszenierte er bis 1937 sieben abendfüllende Spielfilme. Er wirkte »exotisch«, man erzählte (und schrieb), daß der Regisseur in Kopenhagen geboren sei. Die Reihe der von ihm inszenierten Filme endete mit den gefühlvoll-tragischen Werken »Zu neuen Ufern« und »La Habañera«, mit denen er Zarah Leander zum Star der Ufa machte – und sich selbst aus Babelsberg verabschiedete (Rainer Nolden, »Die Welt«). Sein Sohn, Klaus Detlef Sierck, blieb in Deutschland, wirkte in Theater und Film. Seine Jungenrollen in »Streit um den Knaben Jo«, »Serenade«, »Der große König«, »Aus erster Ehe«, »Kadetten«, »Kopf hoch, Johannes« waren die bekanntesten. 1942 ging er als Schauspieler nach Kattowitz, aber kurz darauf wurde er einberufen. Der noch nicht Zwanzigjährige fiel als Angehöriger des Regiments »Großdeutschland« an der Ostfront.

Es gab auch ein Problem des Rückkehrens. Die berühmteste Nicht-Rückkehrerin war Marlene Dietrich. Der prominenteste »Heimkehrer« war der Österreicher Georg Wilhelm Pabst, der Regisseur des Films »Westfront 1918«, eines Kriegsfilmes mit pazifistischen Tendenzen, auch der Regisseur der umstrittenen B.-Brecht-Verfilmung »Dreigroschenoper«. Nach der Rückkehr Pabsts war die Öffentlichkeit erstaunt. Jeder Leser des »Philo Lexikons« (Berlin 1935) wußte, daß der Regisseur Pabst rein jüdischer Abstammung war.

66

Von diesem Exodus an Talent konnte sich der deutsche Film schnell erholen. Weniger Mangel – wenn überhaupt – an Talenten als das neue politische Klima sollten das Bild des deutschen Films bestimmen. Tausende von Schauspielern und Schauspielerinnen, Hunderte von Regisseuren, viele Verfasser von Manuskripten, Komponisten und Spezialisten aller Art stellten sich dem Film zur Verfügung. Auch der »braune Film« lockte. Mit Ruhm und – zu dieser Zeit sogar reichlich – mit Geld. Immer öfter und stärker waren die besten schauspielerischen Kräfte in den Film hineingewachsen, wobei sie durchaus nicht etwa dem Theater Lebewohl gesagt haben. Es gab gute und sehr gute Regisseure, es gab eine Menge von begabten Filmkomponisten und viele ausgezeichnete Kameramänner. Es gab auch begabte Filmautoren, aber immerhin Probleme mit den Texten: Probleme, die vor allem das totalitäre System schufen.

»Der deutsche Film ist überaus reich an ausgezeichneten Darstellern im Komiker- und Charakterfach, so daß selbst Nebenrollen hervorragend besetzt werden können... Es ist nun oft davor gewarnt worden, das Können und die Namen guter und beliebter Schauspieler insofern zu mißbrauchen, als man sie zur Aufbesserung von schwachen Drehbüchern benutzt und ihnen Rollen gibt, in denen auch der beste Schauspieler auf verlorenem Posten steht.«
Quelle: »Film-Kurier«, vom 29. 11. 1939

Filmakademie

Angesichts der glänzenden deutschen Theatertradition war es nur allzu verständlich, daß sich sowohl bei Regisseuren als auch bei Schauspielern die Elemente der Theaterkunst mit denen der Filmkunst mischten. Oft brachte Goebbels in Erinnerung, daß sich der Stil des Films grundlegend von dem des Theaters unterscheiden müsse: »Der Primat der Bühne über den Film muß gebrochen werden. Die Bühne spricht ihre Sprache, der Film spricht seine Sprache.« Die Lösung dieses Problems sollte eine auf weite Sicht berechnete Menschenführung in bezug auf die Künstlerschaft und die zweckmäßige Nachwuchspflege bringen.

Auf der Jahrestagung der RFK (4.3.1938) in der Berliner Krolloper behandelte Goebbels das Problem des Nachwuchses für den Film. Die Findung junger Talente, führte er aus, könne man nicht dem Zufall überlassen, und darum habe man den Entschluß gefaßt, eine Film-Akademie zu gründen. Am gleichen Tage vollzog Goebbels in der Ufa-Stadt Babelsberg die Grundsteinlegung für die Akademie. Sie wurde als Anstalt des Reiches durch den Erlaß des »Führers und Reichskanzlers« (18.3.1938) ins Leben gerufen. Die »Deutsche Film-Akademie mit dem Arbeitsinstitut für Kulturfilmschaffen« unterstand der Aufsicht des Propagandaministers. Für ihre Zeit war die Akademie etwas radikal Neues.[3] Es war kein Kreis mächtiger Intellektueller. Die Praktiker lehrten am Institut. Der Unterricht, laut Goebbels' Erklärung, »wird sich nicht so sehr in den Hörsälen als in den Ateliers selbst abspielen«. Der Lehrplan der Akademie war nach allgemeinen Fächern wie Filmkunde, Literatur, Musik, Baukunde, Sport, Filmwirtschaft und nach speziellen Fächern wie Aufnahmetechnik, Sprechkunst, Schminktechnik, Bildschnitt und dergl. eingeteilt. Auf eine entscheidende Abgrenzung der einzelnen Fächer hatte man sich nicht festgelegt, wenn auch die Grundeinteilung in die filmkünstlerische Fakultät (Leiter Wolfgang Liebeneiner), in die filmtechnische Fakultät (Rudolf Thun) und die filmwirtschaftliche Fakultät (Günther Schwarz) feststand. Zwei Jahre sollte das Studium dauern. Jeder, der irgendein Gebiet des Films sich zum Studium erwählte, sollte sich auch mit den Gesetzen und Eigenarten aller anderen Gebiete des Films vertraut machen. Die Akademie unterschied Schüler und Hörer. Unter den Hörern, den nichtordentlichen Studierenden, wollte die Akademie nach Möglichkeit bereits in der Praxis stehende Filmschaffende erfassen, um ihnen eine Fortbildung zu sichern. Der Besuch der Akademie vermittelte niemandem einen rechtmäßigen Anspruch auf Anstellung. Zum Präsidenten der Akademie ernannte Hitler den früheren Leiter des RPA-Hessen-Nassau, Wilhelm Müller-Scheld. Kurator der Akademie wurde Max Winkler.

An der Filmkünstlerischen Fakultät bestand die Lehrgruppe Dramaturgie (Filmdramaturgen, Filmautoren, Filmspielleiter, Filmkomponisten und Schnittmeister). Die Lehrgruppe Darstellung sollte die Filmdarsteller bilden und die Lehrgruppe Bildende Künste die Filmbildner, Filmgraphiker, Trickzeichner und Filmkostüm-Zeichner. In der Lehrgruppe Dramaturgie waren u. a. engagiert: Fritz Hippler, der Regisseur Werner Hochbaum, der Regisseur und Kameramann Carl Hoffmann, der GMD Julius Kopsch und der Komponist Wolfgang Zeller. In der Gruppe Darstellung u. a. Paul Hörbiger. Es wurde zugleich eine lange Liste mit Namen von Spezialisten veröffentlicht, die ihre Mitarbeit an der Akademie zugesagt hatten. Auf dieser Liste befanden sich die berühmten Theater- bzw. Filmleute, u. a. der Produktionschef der Ufa, Ernst Hugo Corell, die Regisseure Willi Forst, Carl Froelich, Herbert H. Fredersdorf, Veit Harlan, Karl Wüstenhagen, Luis Trenker, Herbert Selpin, die Schauspieler René Deltgen und Heinrich George, die Drehbuchautorin Thea von Harbou, der Komponist Theo Mackeben, der Bühnenbildner Traugott Müller, der Kameramann Bruno Mondi, der Maler und Graphiker Peter Pewas, der Schriftsteller Eberhard Frowein und sogar (!) der Regisseur Frank Wysbar. Am 1. 10. 1938 wurde mit der praktischen Arbeit begonnen – zunächst in einem bescheidenen Gebäude in Potsdam. Nach dem Kriegsausbruch wurde ein großer Teil von den Dozenten und Studierenden der Akademie zum Kriegsdienst eingezogen. Sogar der Präsident Müller-Scheld ging als Leiter der Hauptabteilung für Volksaufklärung und Propaganda nach Oslo. Dennoch gelang es in den ersten Kriegsjahren, den Unterrichtsbetrieb aufrechtzuerhalten. Vor allem durch verschiedene Fach- und Orientierungskurse.

Die Filmakademie stand im Dienste der praktischen Kenntnisse. Für die Theorie waren die Hochschulen zuständig. An 27 Hochschulen des Reiches, davon an 13 Universitäten, 8 Technischen Hochschulen, 6 besonderen Hoch- und Fachschulen (Musik, Technik usw.) wurden im Jahre 1943 filmkundliche Arbeiten geleistet. An diesen Arbeiten waren 52 Dozenten beteiligt. Davon waren 37 Naturwissenschaftler und 15 Geisteswissenschaftler. An den Universitäten lehrten 25 Dozenten, darunter 13 Geisteswissenschaftler und 12 Naturwissenschaftler. Im Sommersemester 1944 war die Filmwissenschaft im naturwissenschaftlichen Bereich an den Hochschulen in Berlin, Braunschweig, Breslau, Darmstadt, Dresden, Hannover, Karlsruhe, München, Prag, Wien, Bonn, Halle, Jena und in den Fachschulen in Dresden, Jena und Wien vertreten. Im geisteswissenschaftlichen Bereich an den Universitäten in Berlin, Gießen, Hamburg, Marburg, München und Frankfurt a. M. Zu Ende des Krieges hatte auch das Zentralinstitut für Theaterwissenschaft an der Universität Wien die Filmwissenschaft, soweit sie den Spielfilm betraf, in ihr Lehr- und Forschungsgebiet einbezogen.

Die Mitgliedschaft in der RKK war für die sogenannten Filmschaffenden nicht nur Pflicht; sie allein gab ihnen das Recht zur Ausübung ihres Berufs. Dennoch war nur ein Teil der Filmschaffenden in der RFK zusammengefaßt. Es gab sehr viele Mitwirkende im Film, die Mitglieder anderer Kammern der RKK bzw. von der DAF erfaßt waren. Diese Regelung hatte allerdings nur rein organisatorische Bedeutung innerhalb der RKK. So wurde z. B. bereits 1933 klargestellt, daß die Filmautoren (Manuskriptverfasser einschließlich der Drehbuchautoren) und Filmkomponisten, die nur selten in einem Anstellungsverhältnis zu einer Produktionsfirma standen, nicht Mitglieder der RFK sein konnten, um Doppelmitgliedschaft zur RKK zu vermeiden. Alle diese Personen waren in der Regel Mitglieder einer anderen Kammer der RKK.[4] Da der deutsche Film vom Theater profitierte, ging es hier vor allem um die Reichstheaterkammer.

Eine außerordentliche Anzahl von Theatern im Deutschen Reich[5] beschäftigte 1939/40 insgesamt 38400 Personen. Aber nur 17700 von ihnen blieben Mitglieder der RTK. Weitere 7240 Theaterschaffende entfielen auf die Orchestermitglieder, die, mit Ausnahme der Dirigenten, der Reichsmusikkammer angehörten. 13400 Theaterschaffende (die Bühnenarbeiter, das Verwaltungspersonal sowie Platzanweiser, Garderobenfrauen usw.) waren Mitglieder der DAF. Nach den verschiedenen Berufsgruppen teilte sich die Zahl der RTK-Mitglieder wie folgt auf: 230 Intendanten und Direktoren, 790 künstlerische Bühnenvorstände, 830 Musikvorstände, 2730 Schauspieler, 1560 Schauspielerinnen, 1600 Sänger, 1140 Sängerinnen, 870 Spielwarte und Einhelfer, 4260 Chormitglieder, 1800 Tanzmitglieder und 1900 Mitglieder des technischen Personals.

Da der gesamte Mitgliederstand der RTK (Fachschaft Bühne) 24000 betrug, ergab sich 1939/40 eine Zahl von 6300 Engagementslosen. Eine überwiegende Anzahl von ihnen drängte sich in Berlin, München und Wien zusammen, was seine Ursache darin hatte, daß diese Städte gleichzeitig Zentren der Filmproduktion waren. Gelegentlich am Theater, fallweise im Film oder Rundfunk beschäftigt, warteten sie, meistens vergeblich, auf eine Filmkarriere.[6]

Für einen bestimmten Film, der meistens zwanzig bis dreißig Drehtage hatte, wurden die Darsteller in der Regel nur tageweise (manchmal wochenweise) engagiert.[7] Um einen festen Stamm von Darstellern zu haben, auf die man jederzeit zurückgreifen konnte, hatten die

2. Aus dem Film »SA-Mann Brand«

3. Carl Froehlich

4. Gustav Fröhlich

71

Filmfirmen selbstverständlich auch Schauspieler in Jahresabschlüssen. Nur in ganz seltenen Fällen war ein Darsteller länger als ein Jahr von einer Filmfirma verpflichtet. So hatten z. B. Lilian Harvey und Zarah Leander Verträge, die sich über ein paar Jahre erstreckten.[8] Die Regisseure wurden oft filmweise engagiert, aber hier kam öfter als bei den Schauspielern die Möglichkeit eines Jahresabschlusses vor. Es gab auch zahlreiche andere Berufssparten, die im festen Verhältnis zu einer Produktionsfirma standen und die der Fachschaft Film in der RFK angehören mußten.

Der Mitgliederbestand der Fachschaft Film
nach den einzelnen Berufsgruppen (per 28. 2. 1939)

Berufsgruppe	Mitglieder insgesamt	Davon männlich	weiblich
Fachdarsteller	3371	1682	1689
Komparsen	1172	630	542
Sondergruppe	85	80	5
Produktionsleiter	85	84	1
Produktionsleiter-Anwärter	17	15	2
Filmbildner	76	76	–
Kunstmaler	37	37	–
Bildhauer	4	4	–
Tonmeister	66	66	–
Tonmeister-Anwärter	6	6	–
Garderobiers	99	43	56
Requisiteure	51	51	–
Maskenbildner	126	87	39
Maskenbildner-Anwärter	28	18	10
Aufnahmeleiter	118	118	–
Schnittmeister	107	76	31
Schnittmeister-Anwärter	18	13	5
Kameramänner	503	497	6
Trickfilmzeichner	87	63	24
Standphotographen	49	46	3
Spielleiter (Regisseure)	168	167	1
Spielleiter-Assistenten	96	86	10
Spielleiter-Anwärter	66	65	1
Zusammen	6435	4010	2425

Die in der Tabelle verzeichneten Komparsen (Kleindarsteller) wurden bald, durch eine Verordnung des ProMi (3. 2. 1940), aus der RFK ausgegliedert und von der DAF übernommen. 1942 wurde für sie in Berlin eine »Einsatzstelle für Kleindarsteller e. V.« gegründet. Mitglieder dieses Vereins waren die Berliner Produktionsfirmen.

Zu dem »festen Stamm« gehörten (vor den totalen Kriegsmaßnahmen) die Produktionsleiter, als Vertrauensmänner der Produktionsfirma und Bindeglieder »zwischen dem Unternehmer und den übrigen an der Herstellung des Films beteiligten Personen«.[9] Ihre Stellung war vergleichbar mit der des Bühnenintendanten, allerdings mit einem Unterschied: Sie blieben nur Realisatoren. In der Regel waren Treatment, Manuskript, Regie, Schauspieler bereits vorher festgelegt, ehe der Produktionsleiter seine Arbeit begann. Festangestellt waren auch die Dramaturgen. Sie hatten im allgemeinen die Aufgabe, an Drehbüchern in der Form mitzuarbeiten, daß sie den Autor berieten und führten, ohne aber einen selbstschöpferischen Anteil zu haben.

Die großen Filmgesellschaften schufen auch die Produktions- bzw. Herstellungsgruppen, an deren Spitze ein Produktionsgruppenleiter stand. Diese Herstellungsgruppen unterschieden sich von den »normalen« Produktionen dadurch, daß sie mit größerer Selbständigkeit ausgestattet wurden. Diese Selbständigkeit betraf sowohl Manuskript und Treatment wie auch Darsteller. Das letzte Wort hatte aber der Produktionschef der Firma. Die Produktionsgruppenleiter standen im festen Arbeitsverhältnis. Sie bekamen den Auftrag, im Jahr eine bestimmte Anzahl von Filmen herzustellen.

Einige Produktionsgruppen waren mit den prominenten Künstlern verbunden. So gab es z. B. die »Heinz-Rühmann-Produktion«, die »Gustaf-Gründgens-Produktion« oder die »Emil-Jannings-Produktion«.

Nach einem Bericht des Reichsbeauftragten für die deutsche Filmwirtschaft vom Juli 1944 wies die deutsche Filmwirtschaft einen »Bestand an reichsdeutschen Gefolgschaftsmitgliedern« »von rund 13 500, und zwar Männer rund 6450 und Frauen rund 7050« auf. Dazu kamen »die Ausländer (überwiegend Arbeiter), etwa 2250, und der wesentliche Bestandteil der Gefolgschaft der Prag-Film mit rund 2000 Protektoratsangehörigen«. Da bislang »rund 4100 Männer einberufen« wurden, »hat die Filmwirtschaft bereits 40 % ihrer reichsdeutschen männlichen Gefolgschaft zur Wehrmacht abgestellt«.[10]

Die in der Zeit des Krieges ursprünglich dem Film zur Verfügung stehenden 2500 Schauspieler standen (ähnlich wie die Regisseure, Autoren, Komponisten) auf verschiedenen, manchmal sogar geheimen Listen, gegliedert nach der Dringlichkeit ihres erwünschten Einsatzes. Ein Teil der Listen ist bis heute in den erhalten gebliebenen Akten des ProMi bzw. der Filmindustrie vorhanden. Der totale Kriegseinsatz schuf eine andere Art von Listen. Es gab zunächst eine Künstler-Kriegseinsatzliste, die sogenannte »Rainer-Schlösser-Liste«, danach die »Gottbegnadeten-Liste«, Film-Listen und die Rundfunk-Liste. Die Film-Besetzungsliste für das Produktionsjahr 1944/ 45, die im Oktober 1944 von der Reichsfilmintendanz genehmigt wurde – Antragsteller waren vor allem die Produktionsfirmen –, umfaßte insgesamt 783 Namen.[11] Später wurde sie noch durch einige andere Namen ergänzt.[12] Auf der Liste befanden sich die Namen von 314 Schauspielern, 246 Schauspielerinnen, 58 Regisseuren, 28 Komponisten, 96 Autoren und 41 Kameramännern. Die Besetzungsdisziplin schien in dieser Hinsicht nicht die beste zu sein. Mitte Dezember 1944 mahnte die Reichsfilmintendanz: »Es sind in letzter Zeit verschiedentlich Fälle vorgekommen, in denen die Produktionsgesellschaften Schauspieler eingesetzt hatten, obwohl diese nicht auf der Film-Liste oder der Reserve-Liste standen.« Man sollte »nur solche Darsteller und Darstellerinnen einsetzen, die sich auf den Listen« befanden. »Geschieht dies nicht«, hieß es, »bin ich gezwungen, die hierfür Verantwortlichen zur Rechenschaft zu ziehen.«[13]

Filmregisseure

Im allgemeinen nennt man und feiert man als den verantwortlichen Gestalter eines Films den Regisseur. Bei den großen, berühmten Filmen weiß fast ein jeder, daß ein Ernst Lubitsch, ein Sergej Eisenstein, ein Fritz Lang, ein Orson Welles die Regie führte. Und obwohl ein großer Teil des geistigen Wertes eines Films anonym bleibende Urheber hat, kann man bei der Tradition bleiben und hier an erster Stelle die Gestalten der Regisseure dem Leser vorstellen.

In den zwölf Jahren des Dritten Reiches entstanden rund 1100 abendfüllende Spielfilme unter mehr als 200 Regisseuren. Die Liste der nur wenig bekannten Schöpfer von Dokumentar- und Kulturfilmen ist nicht kürzer. Es ist daher hier unmöglich, einen erschöpfenden Überblick über alle diese Regisseure zu geben: Man muß sich hier nur auf die wichtigsten beschränken. Und in einer historischen

Bearbeitung bedeutet der Begriff »Wichtigkeit« nicht nur Qualität, sondern auch Quantität. Zugleich aber, da es sich um einen wichtigen politischen Zeitraum handelt, muß man die politischen Eigenschaften der Regisseure stets im Auge behalten. Institutionell war der Regisseur nur zum Teil in der Lage, seine eigene Intention bei den Dreharbeiten völlig zu realisieren. Schließlich war am Anfang das Manuskript, während des Filmentstehens der breit ausgebaute Kontrollapparat, am Ende die Zensurbehörde und die zu erwartenden Sanktionen. Dennoch bestand die Möglichkeit, sich mindestens einigen Forderungen des NS-Lenkungsapparates zu entziehen. Es gab in den Jahren 1933–1945 Beispiele dafür.[14] Nicht zu vergessen, daß einige von den Regisseuren – manchmal auch Schauspielern – an dem Filmmanuskript – sogar vertraglich! – als Mitautoren arbeiteten. Die politischen Eigenschaften der Filmemacher waren also nicht ohne Bedeutung. Nicht ohne Bedeutung waren auch die Eigenschaften, die in rein menschlichen Kategorien zu messen wären.

Fachmännisch sehr gut, filmhistorisch mehr als erwähnenswert, zur Zeit des braunen Reiches nicht ohne politische Bedeutung war Carl Froelich – der Senior-Regisseur. Schon die Zeit vor dem 1. Weltkrieg sah ihn als Regisseur, während des Krieges war er für die Oberste Heeresleitung auf dem Gebiete der Flugzeugkinematographie tätig. Im Rahmen seiner eigenen Filmgesellschaft schuf er als Produzent und Regisseur viele Erfolge des stummen Films. Lange Zeit hindurch inszenierte er die Henny-Porten-Filme. Er schuf den Film »Die Nacht gehört uns«, der zu den ersten drei 100 %igen abendfüllenden deutschen Ton-Spielfilmen gehört: Hans Albers, Charlotte Ander und Otto Wallburg spielten die Hauptrollen (U: 23.12.1929). Stark nationalistisch (sogar revanchelustig) klang sein Film »Königin Luise«, mit Henny Porten in der Hauptrolle, im Jahre 1931 aus. Froelich ordnete sich willig dem politischen Trend der neuen Machthaber unter. Aber auch in den Kreisen um Hitler und Goebbels sprach man mit Respekt von ihm. Nach 1933 filmte Carl Froelich viel. Anfang 1937 wurde ein Vertrag zwischen ihm und der Ufa geschlossen. Er sah vor, daß die Filme des Tonfilm-Studio Carl Froelich im Rahmen der Ufa erscheinen und von dieser vertrieben werden. Froelich wurde zum Vorsitzenden des Kunstausschusses der Ufa berufen und erhielt Gewinnanteile.[15] »Heimat« mit Zarah Leander war der erste Film, den Carl Froelich im Rahmen seines Vertragsverhältnisses mit der Ufa inszenierte. Mit Datum vom 1.7.1939 wurde er von Goebbels zum Präsidenten der Reichsfilmkammer ernannt. Die Übernahme des Amtes war nicht einfach Servilität, sie war die logische Frucht seiner politischen Haltung.

Zu den alten Pionieren im Filmschaffen gehörte Dr. Johannes Gutter, ein gemütlicher Herr von weit über zwei Zentnern Lebendgewicht. Er kam 1917 als Autor zum Film, schrieb eine Kurzfilmserie und fand auch schnell den Weg zur Regie. Das beginnende Tonfilmzeitalter sah ihn unter den ersten Regisseuren. Er hat den ersten Tonfilm mit Lilian Harvey gemacht: »Wenn Du einmal Dein Herz verschenkst« (U: 17.1.1930). Spielfilme waren dennoch nicht seine Spezialität. Er war vor allem dem Werbefilm und den propagandistischen Kurzfilmen zugewandt.

Eine ganze Reihe von Regisseuren gehörte zu den Pionieren des deutschen Kulturfilms. Dr. Nicholas Kaufmann, langjähriger Leiter der Kulturfilmabteilung bei der Ufa, war ein bewährter Praktiker und zugleich ein Theoretiker. Dr. Ulrich K. T. Schulz schuf zahlreiche Kurzfilme aus dem Bereich der Biologie. Einige von ihnen wurden sogar am Lido präsentiert. Weltberühmt war Walter Ruttmann, nach 1933 weiterhin beruflich sehr aktiv. Berlin als Thema übernahm von ihm Leo de Laforgue, ein sehr wichtiger Name in der Geschichte des deutschen Kulturfilms. In die – zur Zeit des Dritten Reiches äußerst winzige – Sparte des phantastischen Filmes muß man Anton Kutters »Weltraumschiff I startet« einreihen. Dieser Bavaria-Film (1940) gab einen Einblick in das Problem des Raketenfluges in das Weltall und beschrieb den Start des Schiffes von einer gewaltigen Betonbrücke am Bodensee und seine Fahrt zum Mond. Unter dem Rückstoß seiner Raketenexplosionen richtete sich das Schiff auf und umflog in weitem Bogen die Kugel des Mondes. Nach achtzig Stunden kehrte das Schiff zur Erde zurück. So nur im Film, natürlich. Mit dem beruflich überaus aktiven Meisterregisseur von Kurzfilmen kann man im gewissen Grade einen anderen Filmschöpfer vergleichen: Svend Noldan.

Svend Noldan gewann internationales Renommee. Der Berliner Kameramann, Regisseur und (seit 1922) auch Filmproduzent war vor allem durch seinen Bildstreifen »Was ist die Welt?« bekannt, einen abendfüllenden Kulturfilm, an dem er bis 1933 fünf Jahre arbeitete. Die Darstellungen aus der Erdgeschichte, die Bilder aus der Natur ergaben insgesamt eine Komposition von Problemen, die den Zuschauer zum Nachdenken stimulierte. Nach seiner Berliner Uraufführung (14.1.1934; P: vb) blieb der Film nicht im Archiv. Oft in Deutschland gezeigt (zunächst in den RPL-Vorführungen, danach im Degeto-Kulturfilm-Verleih), wurde er auch im Ausland zur Visitenkarte des deutschen Kulturfilms. 1937 erhielt er beim Pariser Film-Festival den »Grand Prix«. In seinem Atelier und unter seiner Mitarbeit entstand der Filmbericht aus der letzten Grönland-Filmexpedition von Prof. Alfred Wegener, »Das große Eis«, auch ein abendfüllender Kulturfilm (U: 23. 8. 1936 in Hamburg; P: sw, vb). Im Kriege stand Svend Noldan, wie viele andere Kulturfilmhersteller, im Dienste der Mars.

Max Planck:
»Noldans Film ›Was ist die Welt?‹ hat mich vor allem so stark gepackt, weil er jene große Ehrfurcht vor den Gesetzen der Natur zum Ausdruck bringt, die jeder hat, der sich als Forscher mit all diesen Problemen gründlich beschäftigt… Svend Noldan hat es verstanden, gleichzeitig das viele Schöne und Erhabene in eindringlichen Bildern zu gestalten, das die Welt als Erlebnis für die Menschlichkeit bereit hält.«
Quelle: »Der Film Heute und Morgen«, Folge 31 (Hamburg, 17. 12. 1939)

Schon vor 1933 hat sich Luis Trenker als Filmproduzent, Regisseur, Autor und vor allem als richtiger Darstellertyp für Bergfilme einen Namen gemacht. Seine Filme »Berge in Flammen« (Regie gemeinsam mit K. Hartl) und »Der Rebell«, in denen das kontroverse Problem Südtirols auftauchte, wurden in Italien aus politischen Gründen verboten. Nach 1933 sprengte er den Rahmen des reinen Bergfilms in den Bildstreifen »Der verlorene Sohn« (1934), »Der Kaiser von Kalifornien« oder – für die Kinobesucher war es eine Überraschung – im Lustspielfilm »Liebesbriefe aus dem Engadin«, worin er, neben Carla Rust, auch die Hauptrolle spielte (1938). Im Jahre 1940 schuf er das historische Drama »Der Feuerteufel«. Seine Erfahrungen als Regisseur bewies er in »Hinter den Kulissen der Filmregie« (München 1938). Auch als Verfasser einer Reihe vielgelesener Bergbücher machte er sich einen Namen. In »Berge und Heimat« (Berlin 1939) begrüßte er »das große Geschehen vom 13. März 1938 unter unserem großen Führer Adolf Hitler«. Mitte 1939 wurde Trenker von Mussolini empfangen. Er machte dem Duce bei dieser Gelegenheit Mitteilungen über das Drehbuch zu seinem neuen Film »Ein Stück Land«.[16] Fast die ganze Zeit des Krieges überlebte Trenker in Italien: Zunächst in Rom (1941–1943), danach in der Republik Salo. Im März 1944 sprach er im deutschen Soldatensender in Mailand über seine nächsten Filmpläne: »In den neuen Produktionsstätten der ›Cines‹

wird jetzt mein Film ›Berge und Männer‹ (Arbeitstitel) fertiggestellt, zu dem Giuseppe Becce die Musik geschrieben hat.« Trenker befand sich in Mailand auf der Suche nach Motiven für einen weiteren neuen Film »Die Sonne geht nicht unter«, der gleichfalls in den Ateliers der »Cines« gedreht werden sollte.[17] Sein letzter Film »Im Bann des Monte Miracolo«, eine deutsch-italienische Zusammenarbeit, wurde erst nach dem Kriege beendet und 1948 in Österreich erstaufgeführt.

An das Geheime Staatspolizeiamt Berlin
»(...) L. Trenker ist ohne Zweifel einer der originellsten und begabtesten unserer Filmleute. Seine Themen standen außerhalb der üblichen Filmthemen der Verfallszeit und zeichneten sich durch eine große Naturbegeisterung und Heimatliebe aus. Wenn T. trotzdem auch damals Erfolg hatte, so hat er zweifelsohne mit der jüdischen Welt der Filmbeherrscher sich gut gestanden. Als der Plan zu seinem neuesten Film »Der Kaiser von Kalifornien« in der Filmpresse auftauchte und der Inhalt bekannt wurde, erhielten wir eine Meldung, wonach das Textbuch Trenkers sich stütze auf eine Novelle des Juden Stefan Zweig... ›Die Entdeckung Eldorados‹... Das Archiv machte seinerzeit der Filmkontingentstelle vertraulich von dieser Beobachtung Mitteilung, konnte aber schließlich nichts unternehmen, da trotz der auffälligen Übereinstimmung sich die direkte Abhängigkeit wohl kaum nachweisen lassen dürfte...«
Quelle: BA NS 15, Nr. 69; Amt für Kunstpflege, Schreiben v. 6. 8. 1936

1914 im Film, 1920 (mit 22 Jahren!) Filmregisseur, war Gerhard Lamprecht noch nicht dreißig, als er mit der »Buddenbrooks«-Inszenierung einen Erfolg errang. Sein Film, nach einem Erlebnis von Heinrich Zille, »Die Verrufenen« (1925), war der erste Film, der versuchte, soziale Gegensätze zu beleuchten. Auch in anderen seiner Filme traten die sozialen Probleme auf, aber die »patriotische Thematik« (Friedrich II.) war ihm nicht fremd und verursachte Angriffe seitens der Kommunisten. Überaus bekannt wurde Lamprecht durch seinen – besten – Jugendfilm »Emil und die Detektive« (1931) nach E. Kästner. Nach 1933 weiterhin bei der Ufa oder für die Ufa, filmte Gerhard Lamprecht relativ viel. Wenige von diesen Produktionen sind von filmhistorischer Bedeutung.
Seit 1915 wirkte im Film der Regisseur Freu Sauer, mit Werkchen leichten Genres bis 1937 beschäftigt; seit 1923 filmte bei der Ufa Johannes Meyer; in der Stummfilmära begannen ihre Regiearbeit

Heinz Paul (1930 wurde sein »imperialistischer Kriegsfilm des Young-Plans ›Die Sonne‹« von den deutschen Kommunisten scharf angegriffen) und der aus der Ukraine stammende Viktor Tourjansky. Im NS-Imperium war Tourjansky kein Dirigent. Doch als Soldat von hohen Graden war er nicht nur anerkannt und geschätzt, sondern auch unentbehrlich. Seine Regisseurkarriere beendete in der NS-Ära Arnold Fanck, promovierter Geologe. Er galt nicht nur als »Vater des Bergfilms«, sondern auch als einer der besten Meister der Kamera (Freiburger Kameraschule).

Der fruchtbarste Filmemacher zur Zeit des Dritten Reiches war der Routinier Carl Boese, seit 1919 im Film. Vor und nach 1933 filmte er sehr viel. Unter seinen früheren Werken gab es Filme mit Ambitionen (»Kinder der Straße«, »Das edle Blut«, 1927). Das, was er nach 1933 schuf, waren vor allem Lustspiele, Schwänke ohne direkte politische Tendenz, aber im Rahmen der zugelassenen, erwünschten oder geförderten Stoffe. Die zwischen 1933 und 1945 unter Carl Boese gedrehten 45 abendfüllenden Spielfilme wurden – ebenso wie der Regisseur selbst – auch in der Fachliteratur über den Film im Dritten Reich kaum erwähnt. Und seine Filme machten zusammen fast 4 % der gesamten deutschen Spielfilmproduktion aus, die zu dieser Zeit zur Vorführung gelangte.

Der Generation der Pioniere des Films gehörte der Schauspieler, Regisseur und Pädagoge Viktor Janson an. Aktiv im Berliner Theaterleben, filmte er nur gelegentlich. In die Tonfilmzeit von 1931 bis 1939 fielen die Inszenierungen von 18 Lustspielen und Operettenfilmen. Seine letzte Filmregie war die Terra-Komödie »Wer küßt Madeleine« mit Magda Schneider und Albert Matterstock (U: 24. 8. 1939).

Über die Laufbahn Erich Waschnecks informierte einst die Presse ungefähr folgendermaßen: Er besuchte die Malerakademie und beschäftigte sich zugleich als Graphiker. Plakate von ihm gingen durch die ganze Welt. Zunächst mit dem Kulturfilm beschäftigt, war er sein eigener Kameramann, Regisseur und Vorführer in einer Person. Er war es, der in Leipzig das erste deutsche Kulturfilmarchiv anlegte. Nach dem Weltkrieg begann er in Berlin als Kameramann (sein Meister war F. A. Wagner). Die Regie begann er 1924 mit »Kampf um die Scholle«. In »Acht Mädel in einem Boot« (1932) entdeckte er Karin Hardt und Sabine Peters, und in »Abel mit der Mundharmonika« (1933) bewährte sich erneut seine Kunst, jungen Darstellern ein guter Regisseur zu sein.

Sein Leben lang Meister der leichten Muse, war Georg Jacoby schon kurz nach dem 1. Weltkrieg im Film. Seine Produktionen waren keine weltbewegenden Werke, aber immerhin schön verrückte Lustspiele, Krimis, Operetten und vor allem Revuen. Die größten Erfolge erzielte er mit seiner Gattin Marika Rökk. Es entstand sogar der Begriff »Jacoby-Rökk-Filme«. Unter großen technischen Schwierigkeiten drehte er den ersten abendfüllenden Farbspielfilm »Frauen sind doch bessere Diplomaten« (1941). Bei den beruflichen Kontakten mit der Ufa und in der sonst so harmonischen Zusammenarbeit des Paares Jacoby-Rökk gab es auch Wolken. Georg Jacobys letztes Opus aus der Zeit des Dritten Reiches, »Die Frau meiner Träume« (1944), war wohl zugleich sein größter Regieerfolg.

»Spielleiter Georg Jacoby...
Herr Dr. Jonen teilt mit, daß die Verfügung, daß Herr Jacoby nicht mehr Regie führen sollte, auf Intervention von Herrn Professor Liebeneiner dahin gelockert sei, daß Herr Jacoby nur für bestimmte Arten von Filmen Regie führen darf. Zwar sei eine zwingende Anordnung dahin ergangen, daß das Ehepaar Jacoby/Rökk nicht mehr zusammen im gleichen Film tätig sein dürfte...«
Quelle: BA, R 109 I Nr. 1735; Gedächtnisvermerk vom 7. 3. 1944

Die ersten Spuren von Hans Steinhoffs Regietätigkeit führten, ebenfalls wie bei Georg Jacoby, fast bis in die ersten Anfänge des Films zurück. Seinen ersten Film »Kleider machen Leute« drehte er bereits im Jahre 1923. Vorher war er schon als Schauspieler und Regisseur am Theater tätig gewesen. Weitreichende Pläne führten ihn auch nach London, Paris und Rom. Zwei wichtigere Filmwerke, die beide in der Arbeitsgemeinschaft mit Emil Jannings entstanden, bildeten die Höhepunkte seines filmischen Schaffens zur Zeit des Dritten Reiches: »Robert Koch« und »Ohm Krüger«, Filme von geradezu monumentalen Ausmaßen. Die höchste künstlerische Auszeichnung, »Film der Nation« für »Ohm Krüger«, war nicht die erste NS-Ehrung, die Steinhoff zuteil geworden ist: Für den Film »Hitlerjunge Quex« wurde ihm von der Reichsjugendführung das goldene Ehrenzeichen der Hitlerjugend bereits 1933 zuerkannt.

Lang war die Liste von österreichischen Künstlern, die in der Weimarer Republik, am liebsten in Berlin, nach Brot und Ruhm suchten. Darunter gab es auch Filmleute. Der Wiener Gustav Ucicky, der sein Glück an der Spree versuchte, erwies sich bald als ein kommendes

Talent. Seine Filmkarriere begann er als Kameraassistent, danach war er Kameramann und, seit 1927, Filmregisseur. Von den zahlreichen Filmen, die er bis zu seiner Rückkehr im Jahre 1939 nach Wien in Deutschland inszenierte, waren die bekanntesten: »York« aus dem Jahre 1931, mit Werner Krauss in der Titelrolle, »Morgenrot« und »Flüchtlinge«, beide aus dem Jahre 1933 und beide – wie »York« – stark politisch, »Das Mädchen Johanna«, ein Jeanne-d'Arc-Film aus dem Jahre 1935 (auch hier war eine ideologische Ausrichtung dieses Werkes unverkennbar), die berühmte Kleist-Verfilmung »Der zerbrochene Krug« (1937) und aus dem Jahre 1939 »Der Aufruhr in Damaskus«, wiederum ein politisches Werk. Danach folgten die weiteren sieben bei der Wien-Film inszenierten Werke, die auch im Dienste der politischen Propaganda standen. Der berüchtigte Film »Heimkehr« aus dem Jahre 1942, mit Paula Wessely als Hauptheldin, bedeckte ihn mit Schande. Ucickys Werk konnte im Dritten Reich immer mit wohlwollender, wenn nicht enthusiasmierter Kritik rechnen. Über den fachmännisch begabten Regisseur urteilte der Film-Kurier (8.8.1944): »Er ist nicht nur Künstler, der dichterisch ein Manuskript zu bewerten weiß, sondern es auch mit dem Auge des Regisseurs und Kameramanns erfaßt.«

Karl Hartl (seit 1917/18 im Film) begann in Wien als Hilfsoperateur. Von der Kamera kam er zur Regie, assistierte verschiedenen Meistern (u. a. Alexander Korda) und führte seit 1930 selbständig Filmregie. 1930 kam er nach Deutschland, und erst 1938 kehrte er nach Wien zurück, um die Stelle des Produktionschefs bei der Wien-Film zu übernehmen. Ohne Sensationserfolge zu erreichen, war er, da seine Filme mit guten Schauspielern besetzt waren, fast immer erfolgreich. Über den späteren Mitgestalter des berühmten österreichischen »Abrechnungs«-Films »Der Engel mit der Posaune«, worin die hundertprozentig nazistische Lehrerin Marie Thomas aus »Heimkehr«, Paula Wessely, die erschütternde Rolle der Henriette Alt spielte (1948), äußerte das RSHA: »Er ist nationalsozialistisch eingestellt, erfreut sich eines guten Rufes und wird charakterlich günstig beurteilt.«[18] Hartl war übrigens kein Mitglied der NSDAP.

Nach Theaterengagements an den verschiedenen Bühnen, vor allem in Wien und Berlin, und nach einigen Stummfilmrollen begann im Jahre 1929 Willi Forst seine eigentliche Filmkarriere in »Atlantik«. Es war eine englisch-deutsche Gemeinschaftsproduktion, in der er neben Fritz Kortner, Elsa Wagner, Lucie Mannheim, Hermann Vallentin u. a. seine erste Rolle in einem Tonfilm spielte. 1933 begann seine zweite Karriere, die des Film-Regisseurs und -Produzenten. Forst-Filme waren ein Genre für sich. Seine erste Regiearbeit war die Schubert-Biographie »Leise flehen meine Lieder« (»Schuberts unvollendete Symphonie«), eine österreichisch-deutsche Gemeinschaftsproduktion, mit Hans Jaray und Martha Eggert in den Hauptrollen. Der Film erlebte seine glänzende Uraufführung im Berliner Gloria-Palast (8.9.1933). Er erhielt bald eine englische Version »The Unfinished Symphony« (1934), und als »Symphonie inachévée« eroberte er auch ein breites Publikum in Frankreich. Es folgten andere Länder, darunter sogar exotische, wie damals noch Persien. Auch einige weitere Filme von ihm, wie sein Meisterwerk »Maskerade« (1934), in dem Paula Wessely debütierte, »Mazurka« (1935) mit Pola Negri, »Burgtheater« (1936), einer der berühmtesten Filme Österreichs, der sogar den Japanern gefiel, die Maupassant-Verfilmung »Bel ami« (1939), worin er auch »die Rolle seines Lebens« spielte, die »Operette« (1940) und »Wiener Mädeln« (1945/1949) bewegten sich nicht nur über dem Niveau des Unterhaltungsfilms im Dritten Reich, sondern zählen zu den Film-Klassikern. Nicht zu Unrecht bezeichnete man ihn als den René Clair des Wiener Films.

Auf der Liste der bewährten Filmemacher aus Österreich befanden sich E. W. Emo und die Brüder Hubert und Ernst Marischka. Hubert, im Wiener Kulturleben eine Institution, auch ein Pionier des Films (im Stummfilm arbeitete er mit dem berühmten Wiener Schauspieler Alexander Girardi zusammen), realisierte 1939–1945 dreizehn Unterhaltungsfilme und schrieb Drehbücher. Sein Bruder Ernst, auch schon seit 1912 beim Stummfilm, war vor allem als Drehbuchautor bekannt. Mit dem M.-Eggert-Film »Immer wenn ich glücklich bin« betrat er zum erstenmal das Arbeitsfeld des Regisseurs. 1940 drehte er das erfolgreiche Lustspiel (mit Hans Moser) »Sieben Jahre Pech« und setzte das Thema mit dem Bavaria-Film »Sieben Jahre Glück« (1942) fort. Erfolg brachte ihm auch die musikalische Komödie »Abenteuer im Grandhotel«. Er war verantwortlich für Buch und Regie, Theo Mackeben für die Musik, Carola Höhn, Maria Andergast, Wolf Albach-Retty und Hans Moser waren die Hauptdarsteller dieses Styria-Films (U: 16.4.1943).

Aus Ungarn stammte Geza von Bolvary, der sich rasch den Gesetzen des deutschen Films anpaßte und sich ihm verschrieb. Bolvary, der besonders auf den heiteren Unterhaltungsfilm erfolgreich eingestellte Regisseur, schuf eine Reihe von Filmen mit österreichischer Thematik und bewährte sich in Österreich ebenso wie in Italien. Als

Regisseur machte er sich einen Namen mit der ersten Filmoperette »Zwei Herzen im Dreivierteltakt« mit Willi Forst (1930). Seine in Budapest gedrehte deutsch-österreichisch-ungarische Produktion »Frühjahrsparade«, eine Operette nach Robert Stolz, erhielt in Venedig die Goldene Medaille für den besten musikalischen Film (1935). Seine späteren Filme brachten ihm weitere Erfolge ein, vor allem das historische Drama mit P. Wessely »Maria Ilona«, die Operettenfilme »Opernball« und »Rosen in Tirol«. Vielleicht sein größter Erfolg aus der Kriegszeit: »Schrammeln«.

War der Autor-Regisseur Hans H. Zerlett besonders auf dem Gebiet der Komödie heimisch, so konnte er jedoch auch auf eine stattliche Reihe von Filmen verweisen, die anderen Stoffgebieten angehörten. Bereits 1930 lenkte Curt Oertel die Aufmerksamkeit auf sich mit seinem Kulturfilm »Wunder von Naumburg«. Sein Kontakt mit dem Spielfilm war vorübergehend (vor allem ist hier seine »avantgardistische« Mitwirkung an der T.-Storm-Verfilmung »Der Schimmelreiter« zu erwähnen). Seine filmische Erschließung der Kunst Michelangelos machte ihn weltberühmt.

Früher noch weltberühmt wurde Leni Riefenstahl, in Friedensjahren des Dritten Reiches eine der wichtigsten Persönlichkeiten der deutschen Filmszene. Im Krieg stand ihre weitere Filmarbeit ziemlich im Schatten. Am 12. 4. 1944 (Film-Kurier) gaben ihre Kriegstrauung bekannt: Major Peter Jacob, Träger des Ritterkreuzes zum Eisernen Kreuz, und Leni Riefenstahl.

Der »jüdisch versippte« Theaterregisseur Karl Heinz Martin hatte nur begrenzte Arbeitsmöglichkeiten am Theater.[19] Rund ein Dutzend von Spielfilmen schuf er in den braunen Jahren, Filme, die der Unterhaltung dienten. Der Hamburger Erich Engel dagegen arbeitete vor 1933 mit Bertolt Brecht zusammen, was ihm auch die Theaterarbeit zur Zeit des Dritten Reiches nicht erleichterte. Als er zum Film stieß, war er bereits ein berühmter Theaterregisseur. Die Filmregie begann er 1931 mit dem Jenny-Jugo-Film »Wer nimmt die Liebe ernst?«. Seine Filmarbeit nach 1933 stand im Dienste der leichten Muse. Auch sein Chef, der große Zauberer des Deutschen Theaters, Heinz Hilpert, war gelegentlich (bis 1939) mit der Filmregie beschäftigt. Auf den Unterhaltungsfilm war besonders Erich Engel eingestellt, seit 1932 im Fach Filmregie, zugleich aber auch ein Drehbuchautor und Filmproduzent.

Das Wirken von Franz Seitz, einem Regisseur der alten Schule, war besonders mit München verbunden, wo er zeitweise eine eigene

Filmfirma hatte. Er kam vom Theater zum Film, und zwar zunächst als Verfasser von Drehbüchern sensationeller Art. Den entscheidenden Durchbruch als Autor seiner Filme erzielte er nie, statt dessen jedoch die Geltung eines Filmers, der ein guter Fachmann in der Herstellung von bayerischen Schwänken und Lustspielen sei. Seitz schuf zwar 1933 den kitschigen Propagandafilm »SA-Mann Brand«, blieb aber sonst in den weiteren Jahren der vorsichtigen Routinearbeit im leichteren Genre treu. 1940 feierte er sein 25jähriges Filmjubiläum.

Vor der NS-Machtübernahme begann der spätere Routinier Herbert Selpin mit der Filmregie, ferner Werner Hochbaum, dessen Filmkarriere nicht lange dauerte, und Paul Martin. Nach 1933 tauchten neue Namen auf: Hans Deppe (auch als Filmschauspieler bekannt), Robert A. Stemmle, Arthur Maria Rabenalt, Fritz Peter Buch und Herbert Maisch, Regisseure, die dem Publikum bald von ihren Filmen her sehr bekannt wurden.

1934 wandte sich Professor Walter Hege erstmalig dem Film zu, der Weimarer kunstwissenschaftliche Fotograf, ein international anerkannter Meister der Lichtbildkunst. Nach eigenen Ideen schuf er einige Kulturfilme, sowohl aus dem Bereich der Architektur als auch des Tierlebens. Sein erstes bekanntes (politisch tadelloses) Werk war der historische Streifen »Auf den Spuren der Hanse« (U: 7.9.1934; P: vb, Lehrfilm). Der Film war aus zahlreichen Vorführungen in Deutschland bekannt. Zu seinen weiteren bekannten Werken gehörte der Kurzfilm von den Bildwerken des Bamberger Doms »Das steinerne Buch«. Dieser Film, mit Spielhandlung (u. a. trat hier Karl Platen als Küster auf), entstand in Zusammenarbeit mit Curt Wesse (Regie) und Wolfgang Zeller (Musik). In »Riemenschneider – der Meister von Würzburg« wandte sich Hege erneut der alten Kunst zu. Inzwischen stand aber auch die »neue Kunst« des Dritten Reiches im Programm seiner Filmarbeit. Seinen bekanntesten Film aus dem Bereich der Biologie, »Kor-Lu, der Kranich«, gestaltete Hege 1941 in Zusammenarbeit mit seiner Mitarbeiterin Ursula von Loewenstein (504 m; P: küw, vb).

Ein Kapitel für sich bildete Karl Ritter. Ursprünglich Produktionsleiter, ging er 1936 mit den Erfahrungen, die er bei der Herstellung von Filmen erworben hatte, zur Regie über. Der stark politisch engagierte Filmemacher, nicht theaterhaft und unkonventionell, in der Schauspielerführung und in aller Feinarbeit routiniert, wurde bald zum Star-Regisseur. In »Verräter« (U: 9.9.1936 in Nürnberg) hatte er seinen ersten politischen Erfolg auf der Leinwand, dem sich noch mehrere anschlossen. Der ehemalige Flugpionier, Major der Luftwaffe und ein überzeugter Militarist, machte selbstverständlich auch soldatische Filme, die zu den bekanntesten Kriegsfilmen gehörten. Sein Film »Patrioten« (1937) gelangte sogar aus Anlaß der Weltausstellung in Paris zur Vorführung. Der Film, mit einkopierten deutschen Titeln, unter dem Titel »Est-ce un espion« erhielt die Goldene Medaille (die Goldene Medaille erhielt nota bene auch eine »Mein Kampf«-Prachtausgabe), aber 1938 wurde er schon von der französischen Zensur verboten.[20] »Pour le mérite« brachte ihm zahlreiche Ehrungen ein, u. a. ein Glückwunschtelegramm vom »Führer«. Von den 16 Spielfilmen aus den Jahren 1936–1944 standen die meisten im Dienste der Kriegspropaganda.

»Karl Ritter   *Berlin, 1. Dez. 1938*
Mein Führer!
Für das anerkennende Telegramm nach der Besichtigung meines Filmes
›Pour le Mérite‹ sage ich meinen herzlichsten Dank! Ich kann es kaum
ausdrücken, wie glücklich und freudig mich Ihr Glückwunsch gemacht
hat. Ich kann versichern, daß ich diesmal in gleicher Weise wie bei
meinem bisherigen Filmschaffen während Planung und Ausführung
nur immer um Ihr gedacht habe… Es gibt für den künstlerisch Schaf
fenden keinen heißeren Ansporn zu neuen Arbeiten als Ihr Lob…«
Quelle: BA, NS 10, Nr. 111

1936 führte Jürgen von Alten bei der Minerva-Tonfilm zum erstenmal Regie: »Stärker als Paragraphen« und »Susanne im Bad« hießen seine ersten Spielfilme. Von Alten volontierte als Schauspieler am Hoftheater seiner Heimatstadt Hannover. Seine erste Tonfilmrolle spielte er in Ucickiys »York« (1931). Im gleichen Jahr debütierte er erfolgreich als Filmautor: Drehbuchidee für den Film »Blinde Passagiere«, in Pat und Patachon. Den kleineren Filmproduktionsfirmen (Germania, Aco, Astra, Minerva, Deka, Algefa) blieb er treu. Sein Metier war die (gehobene) Unterhaltung, mit zwei oder drei Ausnahmen, wo es nicht nur um »reine« Unterhaltung ging. 1936 debütierte Josef von Bakky, ein Ungar. Die Tonfilmentwicklung in Deutschland hat er als Regieassistent seines Landsmannes Geza von Bolvary mitbewirkt. Lange Jahre hindurch blieb er bei Geza von Bolvary, bis er 1936 sein erstes Werk, den Sänger-Film »Intermezzo«, selbständig inszenierte. Danach kamen unbestrittene Erfolge.

Wie viele andere kam Veit Harlan vom Theater zum Film. Mit

Ausnahme von zwei Jahren, während er am Meininger Theater und in Bad Pyrmont tätig war, war Veit Harlan immer Mitglied einer Berliner Bühne gewesen: Er begann am Rose-Theater und kam über das Trianon-Theater und die Volksbühnen an das Staatliche Schauspielhaus. 1934 war er kurz Intendant des Theaters am Schiffbauerdamm. 1931–1935 wirkte er auch als Schauspieler im Film mit. Darauf folgte die Filmregie. Er hatte nicht nur Begabung zum Filmen, er hatte auch die Begabung, sich durchzusetzen. Den ersten Schritt als Filmregisseur machte er mit dem Berliner Volksstück »Krach im Hinterhaus« (U: 2.1.1936), das er bereits auf der Bühne in Szene gesetzt hatte. Rasch hintereinander folgten weitere Filme. Im Dritten Reich galt er als einer der begabtesten Filmregisseure. Superlative und Ehrungen haben ihn begleitet. Die Anpassung an das braune Regime fiel ihm außerordentlich leicht. In der Geschichte des deutschen Films wurde er zum Symbol des NS-Propagandafilms.

Reichsminister Goebbels auf dem Ufa-Betriebsappell am 4.3.1943 im Berliner Ufa-Palast am Zoo:
»Sie, Herr Harlan, wirken seit Jahren als Regisseur mit überragender künstlerischer Meisterschaft und bemühen sich in besonderem Maße um die filmische Auswertung der durch die technische Entwicklung gegebenen Möglichkeiten. Ihre hervorragenden Leistungen stehen im Zeichen Ihres deutschen Ringens um den Stoff. In Ihren besten Filmen haben Sie besonders während des Krieges das deutsche Volk beim Portepee gefaßt und es dadurch in seiner moralischen Widerstandskraft gestärkt.«
»Sie, Herr Liebeneiner, haben sich neben Veit Harlan ebenfalls zu einem wahren Meister der Filmregiekunst entwickelt. Die künstlerische Ausgewogenheit Ihrer Filme und Ihr zuchtvolles Maß bei der Anwendung aller Wirkungsmittel haben wesentlich dazu beigetragen, den deutschen Film zu einem Kunstwerk deutschester Art zu stempeln. Ihre hervorragende Begabung für die Darstellung politisch-historischer Stoffe hat Ihnen in diesem Krieg die größten Erfolge gebracht und dem deutschen Volke eindrucksvollste Ausschnitte aus seiner politischen Geschichte vor Augen geführt.«
Quelle: »Film-Kurier« vom 5.3.1943

Wolfgang Liebeneiner wird in der einschlägigen Fachliteratur gemeinhin als NS-Filmpropagandist eingeordnet. Dennoch erwies er sich in der Beherrschung der unterschiedlichsten Fachgebiete –

5. *Aribert Wäscher in »Das andere Ich«*

6. *Karl Ludwig Diehl*   7. *Werner Krauss*

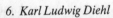

ästhetisch-theoretisch, künstlerisch-praktisch – als wahrer Fachmann von Rang. Er machte eine ungewöhnliche Karriere und blieb eine der größten Hoffnungen für den deutschen Film. In Liebau (Schlesien) geboren, nahm er Schauspielunterricht bei dem Meister Otto Falckenberg in München. In den Münchener Kammerspielen war er von 1928 bis 1932 Schauspieler, Regie-Assistent und Regisseur. Danach in Berlin, zunächst am Deutschen Theater und seit 1936 im Ensemble des Staatstheaters. Erfolgreich als Schauspieler und Regisseur. Aber der Film verschloß sich ihm – was die Regie betrifft – noch lange. Sein Debüt als Filmschauspieler gab er 1930 in dem psychologischen Kriegsdrama »Die andere Seite« (Regie: Heinz Paul). Als er 1937 die vortrefflich durchkomponierten Lustspiele »Versprich mir nichts« und »Der Mustergatte« gedreht hatte, stand sein Name in der ersten Reihe der jungen Filmregisseure. Vom burlesken Lustspiel bis zum historischen Film hat er sich in verschiedensten Formen versucht und eine starke Wandlungsfähigkeit bewiesen. Der Vielseitige und Vielbeschäftigte übernahm 1938 die künstlerische Leitung der Deutschen Filmakademie, und im April 1943 ernannte ihn Goebbels zum Produktionschef der Ufa. Hier war er nicht autoritär, sondern eine Autorität. Daß ein so renommierter Regisseur nicht wenige Propagandafilme inszenierte, war traurig aber wahr. Irgendwelcher Servilismus war ihm jedenfalls fremd. Man kann auch der Behauptung, daß Liebeneiner »mit viel rhetorischem Geschick und riskanter Initiative manches Schlimme verhindert und manches bitter Notwendige gegen den Widerstand der braunen Obrigkeit durchgesetzt« habe (ganz abgesehen von der Diskussion um seine moralische Position), im Prinzip zustimmen.

Regie-Debüts des Jahres 1937 umfaßten Namen wie Paul Verhoeven, Alois J. Lippl, Eduard von Borsody und Fritz Kirchoff. Paul Verhoeven war ein bekannter Mann vom Theater; ebenso bekannt als Schauspieler oder durch manche originellen Inszenierungen wie auch als erfolgreicher Bühnenautor. A. J. Lippl, bekannt als Filmautor, zugleich aber auch mit Erfolgen im Theater, blieb vor allem den bayerischen Themen treu. Kirchoff ging auch mit Theatererfahrungen zum Film über. Der Österreicher Eduard von Borsody war dagegen schon seit 1919 beim Film, bis 1932 als Kameramann und danach als Regie-Assistent. Er debütierte bei der Ufa mit dem Krimi »Brillanten«, sein größter Publikumserfolg war »Wunschkonzert«.

1937/1938 begann im Fach der Filmregie Hans Schweikart, der ehemalige Schauspieler an Reinhardts Deutschem Theater, der erfolgreiche Bühnen- (und Film-) Autor. Sein Debüt war »Das Mädchen mit dem guten Ruf«, eine Komödie mit Olga Tschechowa (U: 25.2.1938 in Kassel). 1939 gelang ihm der Sprung in die Chefetage: Am 15. Februar wurde er zum Produktionsleiter der Bavaria-Filmkunst ernannt. Diese leitende Stelle bekleidete er bis Mai 1942; bis 1945 blieb er bei der Bavaria als Hausregisseur. 1938 debütierte als selbständiger Regisseur Herbert B. Fredersdorf. Bei der Ufa inszenierte er »Nordlicht«, einen Film um norwegische Pelzjäger.

Nach fünfjährigem Aufenthalt in Hollywood kehrte kurz vor dem Kriege Max W. Kimmich nach Deutschland zurück. Seine früheren Verbindungen mit »Nichtariern« und sein Eintreten für die »kulturbolschewistische Avantgarde« machten ihn zunächst zur »persona non grata«. Der ehemalige Offizier und Führer einer Batterie im 1. Weltkrieg, Mitverfasser des Drehbuches für den Propagandafilm »Henker, Frauen und Soldaten« (1935), drehte schnell den Mantel nach dem Wind: Bald wurde er Schwager von Josef Goebbels. Der »Film-Kurier« konnte danach die Öffentlichkeit informieren: »Der Regisseur Kimmich (der schon seit 20 Jahren filmtätig ist, in Hollywood bereits 16 Filme inszeniert hat und nach seiner Rückkehr einige Drehbücher für deutsche Filme schrieb) legt mit der Regie des Kriminalfilms der Tobis ›Der Vierte kommt nicht‹ sein deutsches Debüt ab.« Seine »anglo-sächsischen Erfahrungen« nutzte Kimmich später in drei antienglischen Spielfilmen aus.

Kurt Hoffmann, Meister der heiteren Muse, durch seinen Vater, den Kamera-Altmeister Karl Hoffmann, filmisch »erblich belastet«, inszenierte seinen ersten eigenen Spielfilm »Paradies der Junggesellen« (1939) mit 29 Jahren. Schon 1931 folgte er seinem Vater in die Filmateliers und war Regie-Assistent bei Ucicky, Schünzel, Liebeneiner und Steinhoff. Der Krieg blieb nicht ohne Folgen auf die Regiekarriere des begabten Filmemachers. Als Soldat kämpfte er zunächst in Polen, von Februar 1940 an war er an der Westfront (hier auch verwundet). 1942 drehte er als Kriegsurlauber drei Filme für die Tobis, die sich bemühte, ihn, als »den letzten Sohn der Familie« (sein Bruder war gefallen) aus dem aktiven Soldatendienst zu entlassen.[21]

Aus dem Fach des Kameramanns kam der Oberschlesier Günther Rittau. Seinen ersten Spielfilm »Brand im Ozean« realisierte er als Regisseur bei der Terra noch im Rahmen seines Kameravertrages.[22] Bis zum Ende des Krieges folgten sechs weitere Regieaufträge. Hermann Pfeiffer kam 1936 nach Berlin. Bis dahin arbeitete er an verschiedenen Bühnen, anfangs als Schauspieler, später als Regisseur.

Im Film spielte er zuerst alles, was ihm in die Quere kam. In »Schluß-akkord« begann er bei Detlef Sierck, und seitdem sah man ihn in ein paar Dutzenden von Filmen (nervöse und aufgeregte Menschen waren seine Spezialität). In die Reichshauptstadt kam Pfeiffer, um Filmregisseur zu werden. Und so stieg er konsequent die Leiter zum ersten Regieauftrag hinauf. Er begann als Assistent, wurde Dialogregisseur in einem Film, drehte Kurzfilme und betrat eines Tages das Atelier als Regisseur seines ersten abendfüllenden Spielfilmes: »Kornblumen-blau« (1939).

1939 ging der Wiener Leopold Hainisch vom Berliner Rundfunk und Fernsehen zum Fach Filmregie über. Das Wienerische bzw. Österreichische war in Inhalt, Form und Stil seiner Filme zu sehen. Auch die starken Bühnengewohnheiten.

Starke politische Akzente kennzeichneten die Mitarbeit des be-kannten »Australienfliegers« Hans Bertram mit dem Film (Buch und Regie). Seine 1938 begonnene Mitwirkung beim NS-Film dauerte nicht lange. Zunächst gab man bekannt, daß ein »Ehrenrat für den deutschen Film« durch einen Erlaß von Goebbels (23. 9. 1942) errich-tet wurde. Zum Vorsitzenden wurde Fritz Hippler ernannt, und unter den Mitgliedern befanden sich Generaldirektor Klitzsch, Herbert Maisch, Wolfgang Liebeneiner, Gustav Ucicky, Hans Schweikart, Heinrich George, K. L. Diehl, W. Fritsch, M. Wieman u. a. Danach kam die Nachricht an die Öffentlichkeit (»Film-Kurier«v. 14. 10. 1942), daß dieser Ehrenrat einstimmig am 25. 9. 1942 den Ausschluß Hans Bertrams aus der RFK vorgeschlagen habe, mit folgender Begrün-dung: »Der Spielleiter Hans Bertram hat sich unter anderem schwere Verfehlungen bei Angabe falscher ehrenwörtlicher Erklärungen zu-schulden kommen lassen.« Goebbels hat in seiner Eigenschaft als Präsident der RKK mit sofortiger Wirkung den Ausschluß Bertrams verfügt.

Schon ehe Helmut Käutner seinen Erstlingsfilm »Kitty und die Weltkonferenz« drehte, war er in Künstlerkreisen kein Unbekannter mehr: als Kabarettist (Mitbegründer der »Vier Nachrichter«), als Schauspieler und Regisseur an den Bühnen in Leipzig und München, weniger als Darsteller im Film (seit 1932). Nebenher schriftstellerte er ein wenig. Dem Theater und dem Kabarett (»Kabarett der Komi-ker«) blieb er treu (seit 1942 in Berlin), auch in der Zeit einer intensi-ven Filmarbeit. Als Filmregisseur zeigte er, daß ein künstlerischer Stil nicht unbedingt vom »NS-Geist« geprägt sein muß. Beim Film war er in seinem regielichen Instrumentarium ein guter Psychologe und Physiognomiker. Die überhöhte Form des Ausdrucks blieb ihm fremd. Die Verbindung von Filmszenen machte er – besser als viele andere Regisseure – zu einem richtigen Regler des Rhythmus' der Handlung. Die außerordentliche Begabung des Künstlers wurde bald im ProMi bemerkt. Goebbels sprach den Wunsch aus, von Fall zu Fall über den Einsatz Helmut Käutners unterrichtet zu werden. Weisungsgemäß schrieb Anfang Januar 1945 der Reichsfilmdramaturg dem Minister: »Nach Fertigstellung des Ufa-Films ›Unter den Brükken‹ beabsichtigt der Produktionschef der Terra, Käutner die Regie des Artistenfilms ›Der Griff nach den Sternen‹ zu geben... Im Fall Käutner schlage ich vor: Käutner, der zugleich ja auch Autor ist, wird nicht mit der Regie des Films ›Griff nach den Sternen‹ beauftragt, sondern wendet sich der Vorbereitung eines der zahlreichen zeitnahen Terra-Vorhaben zu...«[23] Das blieb dem Künstler erspart.

Harald Braun, der promovierte Journalist und Regieassistent, begann 1941 selbständig Filme zu drehen. Für den ersten Film, den er selbst inszenierte, nahm sich Braun ein romanhaftes Geschehen vor, das schon einmal einem Tonfilm zugrundegelegt worden war: Die Verfilmung des Romans »Zwischen Himmel und Erde« von Otto Ludwig. Dieser Film und sein nächstes Regiewerk, der Revuefilm »Hab mich lieb«, wurden beide 1942 beendet und uraufgeführt. Bis 1945 kamen drei weitere Regieaufträge hinzu. Dem erfahrenen Rundfunk- und Theatermann Alfred Braun dagegen war in der Filmregie kein Glück beschieden. Sein 1942/44 bei der Ufa hergestelltes psychologisches Drama um einen erblindeten Bildhauer »Zwischen Nacht und Morgen« (zunächst unter dem Titel »Augen der Liebe«) gehörte zu den Filmen ohne Premiere, obwohl, nach Änderungen, die Zensur ihn freigegeben hatte. Der Film, u. a. bei Garmisch gedreht, brachte sehr schöne Aufnahmen und wurde mit erstklassigen Darstellern gedreht (Käthe Gold, René Deltgen, Paul Wegener, Albert Florath, Mady Rahl, Maria Koppenhöfer), aber nicht das Anliegen der reinen Kunst wirkte hier entscheidend mit (Goebbels: »Der Film ist scheußlich und spielt zu drei Vierteln in Krankenhäusern und Operationssälen«). Der Regisseur Braun und Veit Harlan – zugleich der Herstellungsgruppenleiter – hatten das Drehbuch geschrieben.

Die Nachricht von der »Heimkehr« des Regisseurs Georg W. Pabst und seiner schöpferischen Anpassung an den Geist des NS-Staates erschütterte viele Menschen. Am 14.10.1940 brachten die NDK die Nachricht, daß Pabst von der Terra als Spielleiter des Films »Die große Entscheidung« verpflichtet wurde. Seinen ersten Spielfilm im

»Großdeutschen Reich« drehte Pabst bei der Bavaria: »Komödianten« hieß das Werk (1941). Danach war Pabst mit der Bavaria in Zwist geraten. Das »Verhalten des Regisseurs G. W. Pabst im Falle Bavaria« ist »mit den heutigen Pflichten eines Filmschaffenden nicht vereinbar«, urteilte Fritz Hippler im ProMi. »Die Firmen werden nachdrücklich angehalten, mit Herrn Pabst solange nicht in Verbindung zu treten, als dieser sich nicht mit der Bavaria geeinigt hat«, ordnete er an.[24] Die Einigung kam zustande, und Pabst realisierte bei der Bavaria sein nächstes Filmwerk »Paracelsus«. Nach diesem Film hatte die Bavaria, »entsprechend einer Anordnung« von Goebbels, Pabst »der Berlin-Film GmbH als Spitzenregisseur für einen Film dieser Gesellschaft zur Verfügung gestellt«.[25] Es kam aber zu einem neuen Vertrag mit der Bavaria. Pabst sollte für diese Firma den Film »Regimentsmusik« inszenieren.[26] Diese Regieaufgabe wurde jedoch einem anderen Regisseur übergeben, und Pabst verhandelte mit der Prag-Film über das Filmvorhaben »Theresa Lasotta«. Mit H. Hatheyer (oder L. Koch bzw. A. Seeck) in der Titelrolle, wollte die Prag-Film im Januar 1944 mit dem Film beginnen. Dieses Vorhaben wurde aber auch nicht realisiert, und schließlich ging Pabst zur Terra-Film über, um dort den Kriminalfilm »Der Fall Molander« zu drehen. Der Film blieb unvollendet.

1943 wurde Johannes Fethke als Regisseur verpflichtet. Dem deutschen Publikum wurde er in folgender Weise vorgestellt: »So wird mit dem neuen Bavaria-Film ›Bravo, kleiner Thomas!‹ ein Name auftauchen, der den Filmbesuchern bisher gänzlich unbekannt war: Johannes Fethke. Er führt erstmalig Regie und hat sich für sein Debüt einen Stoff ausgewählt, der außerhalb der üblichen Filmthemen liegt, einen Kinderfilm, der einen eigenen Stil und eine dafür eigene Begabung der Inszenierung verlangt. Woher kommt Johannes Fethke? Man könnte nun erzählen, daß eines Tages ein junger Mann von Oberschlesien nach Berlin fuhr... Er betätigte sich zunächst als Schriftsteller und Journalist, fand dann den ersten Anschluß an den Film als Regieassistent und Drehbuchautor; und in dem stetigen Bestreben, Neues und Positives zu leisten, ging er späterhin nach Warschau, um dort eine deutsche Filmproduktion ins Leben zu rufen. Der Krieg zerschlug alle Pläne, alle Hoffnungen und die schon geleistete Arbeit. Fast wie durch ein Wunder entkam er, schon zum Tode verurteilt, aus einem polnischen Gefängnis und kehrte auf abenteuerlichen Fluchtwegen nach Berlin zurück, um von neuem dem deutschen Film seine Kräfte zur Verfügung zu stellen.«[27] Diese Behauptungen waren nicht exakt. Es gab damals in Warschau nur Gefängnisse, die unter deutscher Verwaltung standen. Als Kollaborateur mußte Fethke jedenfalls aus Warschau fliehen. Vor 1939 war er als Drehbuchautor und Regisseur sehr aktiv im polnischen Film tätig gewesen, nach 1945 gehörte er dagegen, auch in Warschau, zu den namhaftesten Filmschöpfern der sogenannten »sozial-realistischen« Richtung.

Wolfgang Staudte aus Saarbrücken, der sich als Schüler Brechts und Piscators empfand, wirkte im Film als Schauspieler schon 1931 mit. In den NS-Jahren spielte er u. a. in den Propagandafilmen wie »Pour le mérite«, »Das Gewehr über«, »Legion Condor«, »Drei Unteroffiziere«, »Jud Süß« und »Blutsbruderschaft«. 1943 ging er als Regisseur zur Tobis. Seinem ersten (gelungenen) Film um den Akrobatik-Clown Charlie Rivel »Akrobat schö-ö-ön« (1943) folgten drei weitere Filmkomödien – die letzten zwei aus dem Jahr 1945 blieben unvollendet. Erst nach dem Krieg eroberte sich Wolfgang Staudte als ein militanter »Antinazi« (aber auch als ein nicht immer bequemer Moralist) eine größere Publizität.

1943 debütierte als Regisseur der vielseitig begabte Peter Pewas mit dem Film »Der verzauberte Tag«. Im Sommer war der Film fertiggestellt, stieß aber bei der Zensurprüfung auf Ablehnung. Über die künstlerischen Werte dieses Films (das betrifft sowohl die Regie als auch das Spiel der Darsteller) sprach man ebenso negativ wie positiv. Zur öffentlichen Vorführung in den Kinos wurde der Film nicht freigegeben.

»Erzieherin gesucht«		
Originalverfilmungsrechte	Thea von Harbou	25 000 RM
Bearbeitung	Ulrich Erfurth	5 000 RM
Drehbuch	Thea von Harbou	25 000 RM
Regisseur	Ulrich Erfurth	10 000 RM
Herstellungsgruppenleiter	Karl Ritter	20 000 RM

Quelle: BA R 109 II, vor. 50; Schlußbericht vom 12. 10. 1944

Zu Ende des Krieges wurde einigen anderen jungen Regisseuren eine Chance gegeben, sich an einer Spielfilmregie zu versuchen. Als selbständiger Regisseur, der seine Sporen im Film als Kameramann und Regieassistent erworben hatte, trat Hans Müller auf. Für die Terra drehte er das Drama »Aufruhr der Herzen« in der Tiroler Umgebung, mit Lotte Koch und Rudolf Prack. Der 1944 bei der Ufa entstandene Filmregie-Erstling »Erzieherin gesucht« von Ulrich Erfurth hatte bei den Vorarbeiten eine große Reklame, aber danach erhielt er, trotz vorgenommener Änderungen, kein grünes Licht im Dritten Reich. Karl Ritter meinte (nach dem Kriege), daß die Ursache des Mißerfolges in dem »wertlosen Stoffe« lag.[28] Der Stoff war übrigens nicht billig.

1944 debütierte bei der Berlin-Film der Hamburger Hans Robert Bortfeldt mit der Liebeskomödie »Frühlingsmelodie«. Mit nur elf Darstellern (Hansi Knoteck und Albert Matterstock in den Hauptrollen) drehte er den Film 1944/45. Bei Kriegsende befand sich der Film erst im Schnitt und blieb unvollendet. Kurt Werthers Debüt war der Film »Vierte Treppe rechts«. Goebbels gab dem jungen Regisseur die Erlaubnis aufgrund seines Studio-Films »Die Hasenpfote«. Unvollendet blieb das Regie-Debüt im Bereich des Spielfilms des bewährten Kurzfilmregisseurs Eugen York: Sein bei der Berlin-Film gedrehter Streifen »Heidesommer« kam nicht zum Abschluß.

Dem Jugend- (bzw. Kinder-) Spielfilm war Fritz Genschow völlig verschrieben. Noch im alten Stil, aber schon der neuen Zeit angepaßt. Neu in dieser Sparte (im Empfinden, im Stil aber auch in den Methoden) war der vielseitig hochbegabte Alfred Weidenmann. Von der Malerei und Graphik kommend, interessierte er sich bereits in seinen jungen Jahren für das Jugendbuch und das Filmen, hier, zunächst, als Amateur. 1935 wurde sein Buch »Jugendzug II« als Filmarbeit der Hitler-Jugend verfilmt. 1936 erhielt er einen Preis für seinen eigenen Amateur-Kinderfilm. Kurz danach machte sein Jugendroman »Jakko« Schlagzeilen. Nach diesen Erfolgen tat sich ihm die Pforte der Anerkennung und beinahe des Ruhmes auf, nicht nur im Rahmen der HJ-Bewegung. Im Krieg drehte er verschiedene Dokumentarfilme aus der Welt der Jugend, 1942 entstand sein erster Spielfilm »Junge Adler«. Bis zum Ende des Dritten Reiches war sein Name mit zwei weiteren Spielfilmen verknüpft.

Aus einer Liste der prominenten Kameramänner:
Sepp Algeier
Günther Anders
Richard Angst
Robert Baberske
Friedl Behn-Grund

Eduard Hoesch
Carl Hoffmann
Konstantin Irmen-Tschet
Bruno Mondi
Walter Suchner
Fritz Arno Wagner
Willy Winterstein

Darstellerpersönlichkeiten

Hier kommt die Rede auf die Schauspieler und Schauspielerinnen, und das ist wohl die schwierigste Aufgabe des Verfassers in dem ganzen Buch, da es hier um keine lexikale Aufzählung gehen darf. Und »nirgends herrscht vielleicht soviel Ichsucht, soviel zum Vordergrund drängende Eitelkeit, soviel lächerlicher Namen- und Rangkult wie beim Film«, schrieb bereits 1928 ein Fachmann, Curt Wesse.[29] Für den damaligen Weg des Films war dessen Annäherung an die Bühne bestimmend, weil das Vorbild der theatralischen Form sich aufdrängte. Der Film beschäftigte zwei Kategorien von Darstellern: solche, deren persönliche Begabung ihnen im Film unbestreitbare und einmalige Erfolge bescherte, die auf der Bühne nicht selten leer wirkten –, und andere Darsteller, deren menschliche Ausdruckskraft auf der Bühne die höchsten Trimphe feierte, die aber im Film nicht immer die gleiche Stärke ihrer Persönlichkeit zu entfalten vermochten. Seltener waren die Darsteller, die das Talent für Bühne und Film in sich vereinigten, indem sie sowohl den Brettern wie der Leinwand das ihnen Gebührende zu geben wußten. Es gab eine ganze Reihe von Männern und Frauen, die am deutschen Theater talentierte Darsteller bzw. Darstellerinnen waren, obwohl sie vor allem zu den Spitzen der Filmwelt (was nicht immer mit Filmkunst gleichbedeutend war) gehörten. Auf diese Persönlichkeiten möchten wir zunächst unsere Aufmerksamkeit lenken.

Helmut Käutner:
»In diesen Monaten, wo das deutsche Theater seinen Vorhang für mehr als eine Nacht und einen Tag zwischen Bühne und Zuschauerraum senkte und das Wort der Zeit allein überläßt, empfindet jeder neben der Trauer einen tiefen Dank, der die Hoffnung zur Gefährtin hat. Nicht von diesem Dank soll hier die Rede sein. Es soll die Rede sein von dem

95

Dank, den unabhängig von jedem Zeitgeschehen die junge Kunst des
Films der alten Kunst des Theaters zu sagen hat.«
Quelle: Film-Nachrichten vom 17. 3. 1945

Die Darsteller

Die erwähnten Voraussetzungen erlauben an erster Stelle Emil Jannings zu nennen. In den Strömungen von Naturalismus und Expressionismus aufgewachsen, fand er sein schauspielerisches Profil in
der Phase der »Neuen Sachlichkeit«. Jannings war ein in Deutschland und im Ausland berühmt gewordener Filmstar, der bereits 1928
die goldene Statuette der amerikanischen »Akademie der Filmkün-
ste und Wissenschaften« mit einer Urkunde erhielt, die als Präsident
der Akademie Douglas Fairbanks unterzeichnet hatte. Eine langjährige Zusammenarbeit verband ihn mit Friedrich Wilhelm Murnau. »In Jannings ist (schrieb Herbert Ihering) wie selten in einem
Künstler Instinkt und Klugheit, Naivität und Bewußtsein harmonisch ausgeglichen. Mit dieser Begabung hat er sein Leben und
seine Kunst aufgebaut.«[30] Gab es bei Jannings eine hervorragende
Darstellungskunst für Bühne und Film in Personalunion? Nach
A. Bronnen litten alle Theaterleistungen Jannings' am Mangel an
Intellekt. »Mangel an Geist aber ist Mangel an echter, innerster
Menschensubstanz, und so war auch der Neue-Sachlichkeitsstil von
Jannings das Kaschieren eines Mangels, eines Mangels, der sowohl
seine politische Haltung bestimmte wie auch sein Versagen verursachte.«[31] Im Dritten Reich gehörte der Bewohner eines herrlichen
Landsitzes am Wolfgangsee im Salzkammergut zu der kleinen Zahl
»verantwortungsbewußter Künstler«, die aus sachlichen oder persönlichen Gründen sich »rar machten«. Er spielte relativ wenig,
meistens mit hervorragenden Partnern, oft war er zugleich der
künstlerische Oberleiter des Films. Der erwähnte Ihering bemerkte:
»... wir erkennen das Ensemble der Janningsfilme als ein Elite-
ensemble der deutschen Bühnen: von Paul Dahlke bis Werner Hinz
und Bernhard Minetti, von Paul Bildt bis Paul Otto, von Theodor
Loos über Walter Werner und Max Gülstorff bis zu Friedrich Kayßler... von Hannes Stelzer bis Winterstein und Jacob Tiedtke, von
Josef Sieber bis Harald Paulsen, und von Lucie Höflich über Helene
Fehdmer, Hilde Weißner, Elisabeth Flickenschildt, Lina Carstens,
Hilde Körber, Maria Koppenhöfer bis Marianne Hoppe, Viktoria

von Ballasco und Angela Salloker.«[32] Jannings' Tätigkeit hatte einen großen propagandistischen, zugleich aber auch kulturellen Wert, für die Wiedererstarkung der Filmbeziehungen zwischen NS-Deutschland und dem Ausland.

Unter Emil Jannings' lebenden »Rivalen« gab es nur einen Schauspieler, der es an Einfluß – in der Welt des Films – im Vergleich mit ihm aufnehmen konnte: Hans Albers. Der ungemein populäre »blonde Hans« aus Hamburg brauchte – auch nach 1933 – keine Angst zu haben, nicht wieder engagiert zu werden. Beim breiten Kinopublikum war er »die absolute Nr. 1«. Stark in artistischen und musikalischen Mitteln, hervorragend im Komischen, spielte er vor allem männlich-kraftvolle Helden, Abenteurer oder »Draufgänger, die nichts erschüttern kann«. Später gelang Albers ein erfolgreicher Wechsel ins Charakterfach. Um den Künstler war wirklich ein ganzer Kranz märchenhafter Begebnisse gewoben worden.[33]

Harry Piel, der »deutsche Douglas Fairbanks«, der »Tarzan vom Rhein«, war eines der Kindheitsideale der noch vor 1914 geborenen Generation: Sensationsdarsteller, Darsteller des kühnen Abenteuers, der »Mann ohne Nerven«, der mit wilden Tieren umzugehen verstand. Er war oft Regisseur, Mitverfasser, zeitweise auch Produzent seiner Filme (Ariel-Film). Nach 1938 filmte er wenig. Seine früheren Filme liefen aber in den Kinos noch spät im Kriege, oft in den Jugendvorstellungen.

In ungezählten Stummfilmen demonstrierte auf eine charmante, melancholische Art Harry Liedtke immer wieder, wie sich die Film-Regisseure und -Autoren einen hübschen Mann beschäftigt denken. Der ehemalige Publikumsliebling und »Star Nummer eins« des Stummfilms spielte nur selten in den Tonfilmen der dreißiger und vierziger Jahre mit.

Schon in der Stummfilmzeit schwärmten die Backfische für den »schönen Willy«, aber erst in der Tonfilmära gewann Willy Fritsch für mindestens ein Dutzend von Jahren eine große Popularität. Der aus Kattowitz stammende Held des Films leichteren Genres galt als Johannes Gutters Entdeckung. Als lebensfroher, lächelnder Beau begeisterte Willy Fritsch nicht nur die Damenwelt. Viele Kinofans waren ihm beinahe ernstlich böse, als er statt seiner langjährigen ständigen Partnerin Lilian Harvey die Tänzerin Dinah Grace heiratete. Sie selbst war weniger vom Film bekannt: Ihre erste große Filmrolle spielte sie in dem Schwank »Spaßvögel« (1939). Später wurde sie vor allem in akrobatischen Tanzstudien im Rahmen der Berliner

Künstlerfahrt von den deutschen Zuschauern in den besetzten Gebieten bewundert.

Der Film war es, der Gustav Fröhlich eine enorme Popularität schuf. Nach den ersten bescheidenen Anfängen seit 1925 kam der Durchbruch bei Fritz Lang in »Metropolis« (1927). Fröhlich trat vor allem in (oft seichten) Unterhaltungsfilmen auf, und hier gewann er das sogenannte breite Publikum und Verehrer. Seine ungarische nicht arische Lebensgefährtin, die schöne Schauspielerin Gita Alpar, verließ er für die junge arische Tschechin Lida Baarova. Das Verhältnis endete mit einem Skandal, der damals zwar nicht öffentlich ausgetragen wurde, jedoch nicht wenige Mitwisser hatte – auch im Ausland. »Jupp, Lida und ich«, schrieb Fröhlich zu diesem Thema 1953. Damals warf der Zwischenfall keinen Schatten auf die weitere Karriere des Filmstars. Nach zehnjähriger Pause (1934: »Abenteuer eines jungen Herrn in Polen«) arbeitete Gustav Fröhlich als Regisseur (und Co-Autor), uk-gestellt, an einem Liebesfilm für die Tobis: »Leb' wohl, Christine.« Der Film wurde am Bodensee gedreht in der Zeit, als der Krieg bald zu Ende war. Das neutrale Land der Eidgenossen war ganz in der Nähe. Fröhlichs Regie-Werk blieb unvollendet.

Gita Alpar berichtet:
...
»In Cannes, Gustav, he tell me that he found Goebbels in Goebbels' automobile parked in his garden. He said he hit him. He said that he hit him only once, but that it was hard. You see he found Goebbels there with Lida Baarova. Lida and Gustav are not married, no? They are sweethearts.«
...
»That Goebbels«, she added with a slight laugh. »Always he likes to have around him the young and beautiful girls. In the beginning, before the situation became really bad, he flirted with me, too. He tried very hard, very hard. He was always in the theater. He doesn't mind the young ladies, no?«
...
»Gustav and Goebbels must have both kept silent about it«, she said. »Nothing ever came to the light. So, when I read last winter that again was Goebbels attacked I knew it could not be Gustav again. Once he escaped punishment, but he would not try again.«
...
Quelle: »New-York World-Telegraph« vom 6. 7. 1939

98

Die oben erwähnten Schauspieler, obwohl sie auch Theater spielten, verdankten ihren Star-Status vor allem, um nicht »nur« zu sagen, dem Film. Mit der ersten Epoche der deutschen Filmgeschichte, und danach mit den Tonfilmen der dreißiger und vierziger Jahre, sind aber auch zahlreiche Namen von Theater-Großen verbunden. Und da alle Wege in Deutschland (oder genauer gesagt, im deutschen Sprachbereich) nach Berlin führten, war das zugleich ein Stück der Geschichte des geistigen und kulturellen Lebens der Reichshauptstadt. Hier sind an allererster Stelle zwei Namen von den markantesten Persönlichkeiten in der Geschichte des deutschen Theaters zu erwähnen: Werner Krauss und Heinrich George.

Werner Krauss war am wenigsten das, was man einen »populären Schauspieler« nennt. Das Geheimnis seines Darstellungstalents lag in der Weite der Aufnahmefähigkeit, in dem fast magischen Verwandlungsgenie. In seiner reichen schauspielerischen Laufbahn gab es kaum ein Werk der großen Theaterliteratur, in dem er nicht auf der Bühne stand. Er arbeitete mit den größten Regisseuren seiner Zeit: Reinhardt, Jessner, Kortner, Gründgens, Fehling, Stroux. Seit 1916 im Stummfilm, spielte er in bekanntesten Filmen dieser Ära (u. a. »Das Kabinett des Dr. Caligari « – 1919, »Die Brüder Karamasow« – 1920, »Danton« – 1921, »Nathan der Weise« – 1922, »Die freudlose Gasse« – 1925, »Der Student von Prag« – 1926), danach kamen noch die bekannten Rollen in den Tonfilmen. In der Lebensgemeinschaft mit der eleganten Maria Bard, einer dunkeläugigen Schauspielerin von katzenhafter Vitalität und graziler Beweglichkeit, erfüllte sich für Krauss auch ein Stück künstlerischen Strebens. Mit ihr gemeinsam hat er 1935 eine Südamerika-Tournee unternommen, mit ihr zusammen hat er oft auf der Bühne gestanden und später auch im Film gespielt: nur zu einem gewissen Zeitpunkt, als sich ihre Wege auch im Leben trennten. Einige von seinen Filmrollen in der NS-Zeit haben sein Leben nach 1945 stark überschattet.

So war es auch bei Heinrich George, obwohl bei ihm die Motive (die Zusammenarbeit mit dem NS-Regime) anders zu beurteilen sind: Heinrich George, privat ein herzensguter Mensch, war nie Zyniker gewesen. Der gebürtige Stettiner begann seine Laufbahn im Kolberger »Kurtheater« (seit 1935 zum »Stadttheater« mit ganzjähriger Spielzeit ausgebaut), anschließend spielte er in Bromberg, Neustrelitz, Dresden, Frankfurt a. M. und Darmstadt. 1922 kam er nach Berlin. Zunächst spielte er hier bei Max Reinhardt am Deutschen Theater, danach in der Volksbühne und im Staatstheater. 1938 übernahm er die Intendanz des Berliner Schiller-Theaters und machte es zu einem Spitzeninstitut des deutschen Theaters. George galt als einer der größten Helden- und Charakterdarsteller seiner Zeit. »Sie sind unvergeßlich«, sagte ihm 1937 Gerhart Hauptmann. Der leidenschaftliche Gigant wies eine erstaunliche Arbeitskraft und Vielseitigkeit auf. Jede einzelne seiner Tätigkeiten könnte einen Menschen mehr als ausfüllen: das Wirken als Darsteller in immer neuen Rollen, die Leitung einer der angesehensten Schauspielbühnen Berlins, seine unzähligen Gastspiel-Reisen in Deutschland und im Ausland, seine Regietätigkeit. In Berlin fand er bereits 1921 Anschluß an den Film, dem er fest verbunden blieb. Der große Solist war in der Tat einer der wertvollsten Mitwirkenden im Filmgewerbe. Die besten Regisseure des Reiches wählten ihn zu ihrem Darsteller. Seine Filmrollen waren immer so vielschichtig wie seine Persönlichkeit. »Kean« (1921), »Lucrezia Borgia« (1922), »Metropolis« (1926), danach die Tonfilme »Affäre Dreyfus« (1930) und »Berlin-Alexanderplatz« (1931) waren die wichtigsten Werke, in denen er vor 1933 auftrat. In Amerika spielte er zusammen mit Norma Shearer (»Wir schalten um auf Hollywood«, 1931). In der Zeit der Weimarer Republik hat sich George für links entschieden. Für eine linke Position allerdings, die sehr individuell war. Nach 1933 war er dem Nationalsozialismus zugewandt. Auch diesmal individuell. Im Dritten Reich spielte er im Film relativ viel: zu Ende des Krieges in dem Durchhalte-Opus »Kolberg« den Bürgermeister Nettelbeck. Es war die Rolle, die er bereits in zahlreichen Naturtheatern, u. a. auf der Waldenfels-Schanze der alten Festung Kolberg, vor Jahren verkörpert hatte.

Im Jahre 1943, zum 50. Geburtstag, erhielt der Schauspieler den Titel eines Generalintendanten. Hitler ließ ihm ein Bild mit persönlicher Widmung übergeben. Im Rahmen eines Betriebsappells des Schiller- und Renaissance-Theaters würdigte der Reichspropagandaminister in einer Ansprache das Lebenswerk dieses großen Darstellers. Als Ehrengabe der Stadt Berlin erhielt George drei Briefe Goethes. Und der Vertreter der Stadt Stettin überreichte ihm als erstem die Carl-Loewe-Plakette, die die Oder-Stadt für gebürtige Stettiner gestiftet hatte, die sich in der deutschen Kunst einen Namen und damit ihrer Vaterstadt Ehre gemacht haben. 1945 wurde George verhaftet und in das Internierungslager Sachsenhausen gebracht, wo er 1946 starb.

Von den prominentesten Berliner Künstlern aus der »Alten

Garde« sind hier vor allem Paul Wegener, Friedrich Kayßler und Eduard von Winterstein zu erwähnen.

Der hartgesichtige, massig gestaltete Ostpreuße Paul Wegener, ein vielseitiger und hochgebildeter Schauspieler, war seit 1906 bei Max Reinhardt am Deutschen Theater. Fünf Jahrzehnte danach gab er an den Bühnen Berlins den großen klassischen Gestalten, wie den Helden der Stücke der Zeit – auch den expressionistischen – das überzeugende Profil. Als Schauspieler und Regisseur verhalf er bereits vor dem 1. Weltkrieg der Filmkunst zum Durchbruch. Mit seinem Namen sind die bekanntesten Stummfilme verbunden, wie »Der Student von Prag« (1913), »Der Golem« (1920), »Vanina, Vanini« (1922) und »Die Weber« (1927). Nach 1933 war Paul Wegener, weniger mit Taten, mehr dagegen mit Worten – bei aller, was menschlich verständlich, Vorsicht – unter den Feinden Hitlers. Mit nicht wenigen Konzessionen. Mit eigenem Ensemble fuhr er durch Deutschland. Seine Gastspiele mit Strindbergs »Totentanz« und Hauptmanns »Kollege Crampton« fanden besonderen Anklang. 1938 etablierte er sich am Berliner Schiller-Theater. Im Dritten Reich kreierte Paul Wegener wichtige Rollen in 21 abendfüllenden Spielfilmen (zwei blieben unvollendet), von denen jeder vierte der direkten Propaganda diente. In den Jahren 1934–1937 führte er ferner Regie an sieben politisch mehr oder weniger neutralen Spielfilmen.

Wegener stammte aus Ostpreußen, Friedrich Kayßler war ein Schlesier. Vor den Toren Berlins, am Waldrand von Klein Machnow, hat er sich selbst eine Welt geschaffen. Bis zum 1. Weltkrieg gehörte er zum Stammensemble Max Reinhardts, 1918–1925 leitete er die Volksbühne (Theater am Bülowplatz). Als Heldendarsteller, danach Charakterspieler, hatte er Erfolg und gewann Ruhm. Weniger erfolgreich war seine regieliche Tätigkeit. Er schrieb auch viel. Seine Schriften umfaßten Märchen, Sagen, Aphorismen, Bühnenbearbeitungen, Vorträge über Schauspielkunst, Memoiren und sogar Theaterstücke. Seine Komödie »Jan der Wunderbare« wurde 1941 festlich in Berlin uraufgeführt. Im Tonfilm wirkte Kayßler seit 1930 mit. Während der ganzen NS-Zeit war er vor allem mit dem Berliner Staatstheater verbunden. Sein Sohn Christian Friedrich Kayßler gehörte zu den bekannten Berliner Schauspielern, die auch von der Leinwand her wohlbekannt waren.

Auch Eduard von Wintersteins Leben gehörte von Jugend an der Bühne. Bereits 1894 war er mit dem Theaterleben Berlins verbunden.

Im Schiller-Theater begann seine künstlerische Laufbahn in der Reichshauptstadt, im Schiller-Theater erlebte er das Ende des Dritten Reiches. Inzwischen waren auch andere Bühnen und eine enge Zusammenarbeit mit Max Reinhardt hinzugekommen. Als einer der ersten – bedeutenden – Schauspieler Berlins stellte er sich der jungen Filmkunst bereits 1910 zur Verfügung. Später filmte er zusammen mit vielen Größen des deutschen Stumm- und Tonfilms.

Das Jahr 1933 führte zu bedrückenden Veränderungen im Leben des Künstlers. Sein Sohn, Gustav von Wangenheim, verließ als Kommunist Deutschland und ging über Paris nach Moskau, seine Frau, die Schauspielerin Hedwig Pauly, war nicht-»arischen« Geblüts. Eduard von Winterstein, so in Herbert Iherings und Eva Wistens Buch, »machte aus seiner antifaschistischen Haltung keinen Hehl und war durch die faschistische Propaganda nicht einzuschüchtern«. Die NS-Behörden, so auch bei den erwähnten Autoren, »hatten die Weisung erteilt, daß Eduard von Winterstein nur kleinere Rollen zu übertragen seien. So mußte er froh sein, künstlerische Arbeitsmöglichkeiten – wenn auch nur beschränkte – zu haben«. Der Film gab ihm bessere Möglichkeiten. Der Filmkurier vom 20. 6. 1940 informierte mit besten Gründen: »Es ist bis heute noch nicht festgestellt worden, welcher Schauspieler nun eigentlich in den meisten deutschen Spielfilmen mitgewirkt hat. Wer sich aber einmal in dieser Aufgabe unterrichtet, der wird Eduard von Winterstein bestimmt unter den Meistbeschäftigten finden.« In den Jahren 1933 bis 1945 trat Eduard von Winterstein in 65 abendfüllenden Spielfilmen auf. Die Liste umfaßte Filme verschiedenster Provenienz und verschiedensten Charakters. Nicht alle standen im Dienste der »reinen« Kunst. »Morgenrot« eröffnete das Jahr 1933, es gab auch Filme wie »D III 88«, »Die Reise nach Tilsit« und »Robert Koch« (1939), »Bismarck« (1940), »Annelie«, »Kopf hoch, Johannes«, »Ohm Krüger« und »Stukas«, ein Rekord in Propagandafilmrollen im Jahre 1941. Der Künstler spielte im NS-Film ungestört bis zum Ende des Dritten Reiches. 1944 erschien der erste Band seiner Memoiren. Kurz danach, bereits nach dem Kriegsende, wurde diese Edition durch andere Erinnerungen ersetzt, die nicht mehr unter dem Druck der Atmosphäre des NS-Staates standen.

Die Art Kayßlers und Wintersteins setzte auf eigene Weise Ewald Balser fort. Mit Wien (hier wohnte der Rheinländer und war sozusagen am Theater beamtet) und Berlin teilte er seine künstlerische Tätigkeit. Auf der Leinwand war er noch eine ziemlich neue Erschei-

8. *Mathias Wieman*　　　　9. *Paul Kemp*

10. *Paul Hörbiger*　　　　11. *René Deltgen*

nung. Nach dem Debüt im Jahre 1935 in der österreichisch-tschechischen Co-Produktion »Jana« folgten weitere Filmrollen erst 1938/1939. Es war bei ihm (fast) nichts von Pathos oder sonstiger Veräußerlichung zu spüren, sondern verhaltene Leidenschaft, sichere Ruhe, die Zeichen einer geistig-seelischen Versenkung, dazu das kantige, männliche Antlitz und die männliche Knappheit und Würde. Vom Publikum wurde er geschätzt, manchmal sogar verehrt, aber mit Distanz betrachtet. Durch seine Hauptrollen hat er sich in den Vordergrund der Menschengestalter des deutschen Films gestellt. Seine Rolle »Befreite Hände« (1939) nannte einer der Kritiker »eine der reifsten Leistungen darstellerischer Art, die der deutsche Film in den letzten Jahren sah«. Und es war in diesen Worten keine allzugroße Übertreibung. Der frühere Schüler der Kunstgewerbeschule in seiner Heimatstadt Elberfeld spielte hier die Rolle des Professors Wolfram, eines bekannten Bildhauers.

Einer von Deutschlands besten, gefragtesten, attraktivsten Schauspielern zu sein, genügte Gustaf Gründgens nicht. Vor und nach 1933 trat er auch als Schauspieler im Film auf. Er befaßte sich auch mit der Filmregie. 1938 wurde bei der Terra sogar eine »Gründgens-Produktion« geschaffen.

Der männlich gefestigte Paul Hartmann, ausgeprägt für Heldenrollen, gehörte in der NS-Zeit zu dem besonders gefragten Typ eines Theater- und Filmkünstlers. Von 1934–1944 gehörte er zu den Spitzenkräften der Gründgens-Bühne in Berlin und zu den bekanntesten Interpreten der Gestalten aus den klassischen Bühnenwerken. Seine Filmrollen wirkten ebenfalls »stark« und pathetisch.

Bei Karl Ludwig Diehl und Aribert Wäscher lockte nicht nur die Publizität ihrer Namen, sondern auch eine gewisse Vorstellung, die sich mit diesen Namen verband. Karl Ludwig Diehl (»Falten-Karl«), eine echte Künstlernatur, war der unübertreffliche Darsteller des eleganten Gentlemans, mit selbstsicherem Auftreten, untadeliger Haltung und männlicher Beherrschtheit. Er hatte langjährige Erfahrungen – auch ausländische – im Film. Im Tonfilm gelang es ihm, die Position eines Stars und eine große Schar von Verehrern und Verehrerinnen zu erobern. Mit verbissener Hartnäckigkeit (so die Pressenachrichten) hat das Gerücht, K. L. Diehl sei im September 1939 in Polen gefallen, in ganz Deutschland seine Verehrer und Verehrerinnen alarmiert. Viele Tränen wurden vergossen. Und der Künstler war zwar eingezogen, stand aber unverletzt als Rittmeister d. R. seit Anfang des Krieges bei seiner Truppe an der Westfront. Aribert Wäscher dagegen, ein ebenbürtiger Charakterdarsteller, spielte meistens bösartige Figuren und verkörperte listenreiche, brutale und gewissenlose Schurken, Schieber usw. Auf dem Bildschirm begegnete man ihm oft, immer als eine gewichtige, aber nicht dominierende Figur.

Im ersten Rang der Berliner Theaterkünstler, die auch aktiv im Film wirkten, befanden sich Otto Wernicke (auf der Leinwand untheatralisch), Mathias Wieman und Theodor Loos. Wieman, ein herber, männlich-ernster Kraftmensch, der aber nicht durch Mittel äußerer Gewalt wirkte, sondern mehr durch die inneren, seelischen Spannungen, war ein typischer Intellektueller. Obwohl kein großer Freund von Publizität, war er doch allgemein bekannt. Nicht nur durch seine Filmrollen – in seinen 24 abendfüllenden Filmen aus den Jahren 1933–45 spielte er fast immer die Hauptrollen – sondern auch durch den Rundfunk: Jahrelang hatte er seine sonntägliche Märchenstunde für jung und alt. Theodor Loos' Name war schon seit Jahren jedem Kinobesucher aus ungezählten Stumm- und Tonfilmen geläufig. Loos stellte fast immer Menschen dar, denen das Leben ein hartes Schicksal bereitet hatte. Seine schöne Stimme war auch vom Rundfunk bekannt. Seit 1912 im Film – Komik in allen ihren Schattierungen – gehörte Hans Junkermann zugleich zu den populärsten Bühnendarstellern der Reichshauptstadt. Bis kurz vor seinem Tode trat er in Rollen freundlicher alter Herren auf. Neben seinen vielfältigen Aufgaben im Theater, im Bereich des Films, neben seinen Betätigungen als Jäger und Sportler, war er auch führend in der »Kameradschaft der deutschen Künstler« am Werk. Als er 1943 starb, organisierte der Reichsdramaturg Schlösser eine festliche Trauerfeier im Theater in der Saarlandstraße. Die langjährigen Mitglieder der Bühne am Gendarmenmarkt und ihre künstlerischen Säulen wie Albert Florath, Erich Dunskus, Paul Bildt, Franz Weber und Hans Leibelt (die verkörperte männliche Zuverlässigkeit) waren auch aus zahlreichen Filmproduktionen dieser Ära allgemein bekannt. An diese Reihe schloß sich allmählich Bernhard Minetti, die Idealbesetzung für »Kalte Schurken«, an (in den siebziger Jahren wurde er erneut zur Mode und zum Mythos zugleich).

Bekannt als Schauspieler der Bühnen Berlins wie als Geizhals aus zahlreichen Anekdoten war Max Gülstorff. Seit Jahrzehnten trat er in ungezählten Stumm- und (ab 1930) Tonfilmen als Charakterdarsteller auf, verschiedenste Drehbuchfiguren, oft komische, kreierend.

Paul Westermeier und Paul Henckels traten auch schon im Stummfilm auf, aber erst der Tonfilm trug ihre Namen bis ins kleinste Kinodorf. Obwohl »Halbjude« und mit »Volljüdin« verheiratet, gehörte Paul Henckels zu den meistbeschäftigten Schauspielern im Film der Jahre 1933–1945. Die ältere Generation vertraten ferner der im Dritten Reich hochprominente Eugen Klöpfer, Jakob Tiedtke und Ernst Legal (Reichsdramaturg Schlösser: »Der beste Chargenspieler Berlins«), ferner Ernst Dumcke, mit immer liebenswürdiger Vornehmheit, Fritz Rasp (unzählige klassische Bühnengestalten), im Film seit 1926. Paul Otto, von der Bühne her vor allem als Typ des schmalen, gern mit sanfter Ironie spielenden Herrn bekannt, war im Film, wo er seit seinen stummen Anfängen mitspielte, ein Darsteller alter Offiziere und Diplomaten. Er blieb beim Film bis 1940. Allgemein bekannt als Star seiner Kurzlustspiele und als Kabarettist war Leo Peukert. Das Kurzlustspiel hatte sich in den letzten Stummfilmjahren überlebt, und Leo Peukert stieg zum Tonfilm empor. Nach 1933 stand er oft vor der Kamera, obwohl er nie eigentliche Hauptrollen gespielt hat. So auch Walter Steinbeck mit seinen zahlreichen Rollen, zumeist von gut situierten, selbstbewußten Herren. Zu den meistbeschäftigten Darstellern kleiner Rollen wie Leute aus dem Volk, biedere, ältere Herren, Portiers, Droschkenkutscher, Amtsdiener, Kleinbürger usw. gehörte Gerhard Dammann, auch schon in früher Stummfilmzeit auf der Leinwand. Der in Dortmund-Hörde geborene Wahlberliner Rudolf Platte erlebte sein schauspielerisches Debüt 1925 in Düsseldorf (Freilichtbühne) mit 19 Jahren. 1927 holte Barnowsky den jungen Schauspieler nach Berlin. Hier spielte er an verschiedenen Bühnen, mit zahlreichen Regisseuren, auch bei Werner Finck in seinem »Katakomben«-Kabarett. Sein Humor wirkte volkstümlich, beim Theater nannte man ihn »Langspiel-Platte«. 1931 kam die erste Filmrolle: »Drei Tage Liebe« hieß der Film. Heinz Hilpert war der Regisseur, und Hans Albers und Käthe Dorsch spielten die Hauptrollen. Erfolg brachte ihm die Rolle in dem Jacoby-Film »Gasparone« (1937), wo er neben Marika Rökk, Johannes Heesters, Leo Slezak und Oskar Sima spielte. Der hochgewachsene, hagere Mann mit dem Pferdegesicht spielte oft kleine Ganoven, Diener, Postboten. Mit Erfolg trat er aber auch in anderen Rollen auf. Eugen Rex war par excellence Volksschauspieler. Seine Stärke war die Beherrschung fast aller deutschen Dialekte. Film – schon 1917 stand er vor der Kamera – und Funk haben ihn in ganz Deutschland bekanntgemacht. Freilich wirkte er auch im Theater: 1939 feierte er in Berlin sein 25jähriges Bühnenjubiläum. Er betätigte sich auch schriftstellerisch. Sein Berliner Volksstück »Aufruhr in Spatzenwerder« (am 24.1.1939 im Berliner Rose-Theater uraufgeführt) war ein ausgesprochener Erfolg. Eugen Rex's zweideutige Haltung im NS-Staat gehört hier nicht zum Thema. Er stand selbstverständlich »auf dem Boden des neuen Staates«. 1939 überreichte ihm Benno von Arent in seiner Eigenschaft als Präsident der Kameradschaft der Deutschen Künstler ein Bild des Führers mit Widmung. Die Bemühungen, für ihn auch den Titel Staatsschauspieler zu erwerben, blieben allerdings erfolglos. Ralph Arthur Roberts, der liebenswürdige Mann mit dem Monokel, dem lachenden Gesicht und ebensolcher Stimme, war auf der Leinwand seit den Anfangszeiten der Filmkunst zu sehen. Seine letzte Filmrolle war der Bankdirektor Torwald in der Filmkomödie »Wie konntest Du, Veronika« (1940). Wirklich bis zu seinem Lebensabend hat er gespielt; im Theater in der Behrenstraße in Berlin, in dem er als Chef, Regisseur und Hauptdarsteller wirkte, starb er ganz plötzlich an einem Herzschlag. Auf die optimistischen Rollen im Film war ebenfalls Johannes Riemann eingestellt, einst Partner von Henny Porten. Auch als Drehbuchautor und Regisseur konnte er sich mit einem gewissen Erfolg durchsetzen. Mit seinem Humor wurde Paul Kemp, der erst 1930 Kontakt zum Film fand, zum Publikumsliebling. Seit Beginn der Tonfilmära gehörte Harald Paulsen zu den bedeutenden schauspielerischen Persönlichkeiten, ein Meister der angedeuteten Pointe. Auch bei Viktor de Kowa war nicht allein die Person, die man im Film (seit 1930) verkaufte, sondern die Persönlichkeit, der Lebensstil, von Wichtigkeit. Als ein gutaussehender Liebhaber mit unverkennbarer Neigung zu ironischer Interpunktion gewann er sehr schnell die Position eines Stars. Nach zahlreichen Theater- und Filmrollen, nach einigen Theaterinszenierungen in Berlin, war Viktor de Kowa 1939 auch unter die Filmregisseure gegangen und zeichnete verantwortlich für die Filme »Schneider Wibbel«, »Casanova heiratet« und »Kopf hoch, Johannes«. Alle waren weniger oder mehr politische Filme. In die Reihe der charaktervollsten Vertreter im deutschen Film dieser Zeit gehörte auch der Schauspieler und Maler Gustav Diessl. Zehn Jahre hindurch, bis zum Kriegsausbruch, war Hermann Speelmans mit den Berliner Bühnen leichteren Genres verknüpft, noch mehr vom Rundfunk bekannt. Im Tonfilm hat er, seit 1930, Naturburschen und Draufgänger, Entgleiste und Kriminalisten gespielt. Seine Robustheit und Derbheit waren (fast) nie vulgär oder primitiv. Hans Hermann Schaufuss verkörperte im Film die schwer zu behandelnden Zeitgenossen. Der Künstler war seit 1922 an den Bühnen der Reichshauptstadt tätig, und von 1930 an wirkte er auch im Tonfilm mit. Der Name Schaufuss bedeutete eine Schauspielerdynastie. Zu den meistbeschäftigten Filmschauspielern, denen fast keine Zeit für das Theater blieb, gehörte Hubert von Meyerinck (»Hubsi«). Sein Genre war der gesungene Unterhaltungsfilm.

1930 wurde Heinz Rühmann für den Film gewonnen, dessen Stern bald auch im Ausland hell strahlte. Der Künstler begann nach seiner Schauspielerausbildung in München seine Laufbahn am Theater in Breslau. Über Hannover, Bremen, München (Kammerspiele) führte sein Weg nach Berlin an Max Reinhardts Deutsches Theater. Im Film verkörperte Rühmann den »kleinen Mann«, oft komisch und bemitleidenswert. Geschätzt war er ebenso als Meister der Komik wie als Volksschauspieler und Charakterdarsteller. 1938 gab das Lustspiel »Lauter Lügen« (gerade ein Dialogstück) Heinz Rühmann Gelegenheit zum Start als Regisseur. Als Regisseur feierte er auch Erfolge. Der bekannte Kabarettist Werner Finck, seit 1932 auch im Film, hatte weniger Glück. Die Politik stand im Hintergrund.

Ohne Zweifel waren in Berlin zu dieser Zeit die bedeutendsten Regisseure und Schauspieler des Reiches versammelt. Die ton- und richtungangebende Metropole hatte starke Anziehungskraft. Aber es gab auch Künstler, die ihren Städten treu blieben. Zum Beispiel der schönen Stadt an der Isar. In zahlreichen Kurzspielen (insgesamt 43 Stumm- und Tonfilme, darunter die konventionellen Lederhosen-Schwänke) ließ sich der berühmte Münchner Volkskomiker Karl Valentin abfilmen. Ende der dreißiger Jahre belegte die NS-Zensur dann Valentin-Produkte mit Verboten. Lediglich in drei abendfüllenden Filmen aus den Jahren 1935–1936 trat der Mensch, der keine Witze machte, da er selbst ein Witz war, auf. Die bayerische Folklore (und Humor) vertraten im Film der NS-Zeit vor allem Weiß-Ferdl, Adolf Gondrell, Josef Eichheim (ehemaliges Mitglied der Münchener Gastspiele) und Joe Stöckel. Er hatte schon 1914 erstmalig gefilmt, jahrelang auch als Filmproduzent gewirkt und war 1944 in zahlreichen bayerischen Lustspielen oder Schwänken als Schauspieler aufgetreten. 1936 kehrte er auch zur Filmregie zurück. Unter den nicht wenigen anderen Theater- und Filmschauspielern der Isar-Stadt ist hier noch Gustav Waldau, Münchens »lustigster Fähnrich«, zu erwähnen. Der beliebte Schauspieler war, wie Karl Valentin, ein Herzstück von München. Und immer hoch im Kurs. Jahrzehnte gehörte er dem Münchner (Hof-) Staatstheater an. Zunächst als ein gefeierter Bonvivant und später als ein vielseitiger Charakterdarsteller mit leisem Humor, Optimismus, menschlicher Güte, immer ein Stück der alten Welt. Der aktive Bühnenschauspieler verschrieb sich früh dem Film, dennoch kamen zahlreiche Filmverpflichtungen erst nach 1933. Übrigens machten ihn seine interessante Persönlichkeit und seine Schauspielkunst für Filmrollen sehr geeignet. 1941 war Gustav Waldaus Geburtstagsjubiläum, und es gab zahlreiche Ehrungen vom Staat und von der Stadt. So auch errichtete München ein Gustav-Waldau-Stipendium in der Gesamthöhe von 10 000 RM jährlich für Schüler der Schauspielberufe. Und was Schauspielunterricht betrifft, spielte die Isar-Metropole immer eine große Rolle. In der Münchner Theatergeschichte (was nicht ohne Einfluß auf den Film blieb) stellt ein wichtiges Kapitel die Schauspielschule unter dem Namen Otto Falckenberg dar. Eine nicht geringe Anzahl von Falckenbergs berühmtesten Künstlern, die unter ihm groß wurden – wie Marianne Hoppe, Käthe Gold, Heli Finkenzeller, Dorothea Wieck, Wolfgang Liebeneiner, Ferdinand Marian, Ewald Balser, Heinz Rühmann, Karl Ludwig Diehl, Axel von Ambesser, um einige wenige für noch viele andere zu nennen –, gehören heute in die Geschichte der deutschen Kultur. Anfang 1940 gab sogar die Direktion der Münchener Kammerspiele folgende Erklärung heraus: »Jedesmal, wenn Otto Falckenberg einen bedeutenden Darsteller entdeckt oder entscheidend durchgesetzt hat, ist Berlin in der Lage, ihn einfach wegzuengagieren, ein Zustand, der auf die Dauer für das Theaterleben der Hauptstadt der deutschen Kunst untragbar ist.«

Den vielseitig begabten Künstler Theo Lingen (seit 1929 in Berlin) muß man in der Geschichte des deutschsprachigen Theaters und Films als eine Institution betrachten. Der Film legte ihn auf den Komiker fest, und er war als solcher, oft mit Hans Moser als Partner, eine der wichtigsten Säulen deutscher Heiterkeit. In den Jahren 1933–1945 trat er in 96 abendfüllenden Spielfilmen auf. Es gab aber auch andere Filmrollen mit ihm, um den Kulturfilm »Till Eulenspiegel« zu erwähnen. Sein angeblich »wenig arisches Aussehen« bemängelte bereits 1937 die Dienststelle Alfred Rosenberg.[34] Theo Lingen war auch ein erfolgreicher Bühnenschriftsteller. Zwei von seinen Theaterstücken wurden in der NS-Zeit verfilmt. Einer von Deutschlands gefragtesten Schauspielern zu sein, genügte ihm nicht: 1939 strebte Theo Lingen ins Regiefach. »Marguerite: 3« (»Eine Frau für Drei« mit Gusti Huber in der Hauptrolle) hieß sein erster Film (U: 22.5.1939). In seiner kriminell angehauchten zweiten Regieschöpfung »Was wird hier gespielt« (1940) zeigte er, daß er mit Erfolg neue Wege der Filmkunst zu beschreiten verstand. Bis 1945 war Theo Lingen als Regisseur an insgesamt dreizehn Spielfilmen beteiligt.

Die Liste der in Österreich geborenen und im deutschen Film (wie auch im Theater) wirkenden Künstler war überaus lang. Die kleine Republik hatte Überschüsse an ausgebildeten Künstlern, und die kulturelle Zugehörigkeit zum Deutschen bot zahlreiche Möglichkeiten. Die ältere Generation der österreichischen Künstler, die in den deutschen Filmen zu sehen war, vertraten Otto Tressler, der bewährte und beliebte Komiker Richard Romanowsky und die äußerst viel beschäftigten Oskar Sima, Oskar Sabo und Klaus Pohl. Mit seinen 115 Rollen stand übrigens Klaus Pohl an erster Stelle auf der Liste der meistbeschäftigten Filmdarsteller im Deutschland der NS-Zeit. Oskar Sima spielte in 85, Oskar Sabo in 66 abendfüllenden Filmen, und sie gehörten ebenfalls zu den Rekordmännern.

Der Gestalt des kleinen Wiener Volksschauspielers Hans Moser, der einst als Filmkomiker fast weltberühmt war, sind bereits, was verständlich ist, nicht wenige biographische Bücher gewidmet: angcfangen, selbstverständlich, in Wien, von seinem Drehbuchautor Fritz Koselka (1946) und dem bekannten Schriftsteller und Kritiker Oskar Maurus Fontana (1965). Im Jahre 1943 hatte Hans Moser allerdings bei den Exil-Kritikern nicht eine so gute Presse. Friedrich Porges schrieb damals ironisch:[35] »Hans Moser! Ha, ha! Und er spielt immer noch den biederen Dienstmann oder Gastwirt oder wie in ›Einmal der liebe Herrgott sein‹ einen ›väterlichen Hotelportier‹, der von komischer Güte überfließt! (Wie lebensnah!)[36] Er ist derzeit in mindestens 12 Filmschwänken per Jahr beschäftigt und muß somit das Jubiläum von 100 Nazifilmen längst überschritten haben.« Hans Moser spielte wirklich nicht selten, gehörte zu den höchstbezahlten Darstellern (er war sogar in den Geruch gekommen, auf das Geld fast krankhaft versessen zu sein) und war stets zu politischen Konzessionen bereit; und zwar schon vor 1938, als seiner jüdischen Gattin keine Gefahr drohte, also fürs Geld. Die Anfänge des Ruhms von Hans Moser lagen immerhin an der Donau. An der Spree gewann Paul Hörbiger seinen Ruhm, »der alte Sünder«, später Wiener Institution und Original. 1926 kam er nach Berlin, spielte zunächst bei Reinhardt, danach bei Barnowsky. Nach 1933 gab es nur Gastrollen im Theater, dafür aber eine intensive Tätigkeit beim Film. Er galt als »Fritz Langs Entdeckung« und erlebte sein Filmdebüt bereits 1928. Jedoch erst der Tonfilm erschloß ihm die vollen Möglichkeiten. Die ganze lange

Zeit seiner filmischen Tätigkeit hat Paul Hörbiger nur Erfolge gebracht. Und die überaus große Symphatie des Publikums gewann er sowohl mit seinem Wiener Charme als auch mit dem Spiel eines großen Menschendarstellers. Nachdem seine Ehe in die Brüche gegangen war, blieb er unverheiratet. Im März 1940 meldeten die Berliner Zeitungen: Nachdem Paul Hörbiger seit längerer Zeit ausschließlich für den Film tätig gewesen sei, werde er jetzt zur Bühne zurückkehren. Lothar Müthel verpflichtete ihn auf drei Jahre an das Burgtheater. Und die NDK kommentierten (6. 3. 1940): »Es ist zu begrüßen, daß ein so guter Schauspieler vom Film endlich zur Bühne zurückkehrt, auf die er seinem ganzen Können nach als Menschendarsteller gehört.« In dem seit 1901 in Wien nicht mehr gespielten Schauspiel »Der Franzl«, das dem österreichischen Volksdichter Franz Stolzhammer von Hermann Bahr gewidmet war, begann der unvergessene Paul Hörbiger seine künstlerische Tätigkeit – die Premiere fand am 25. 10. 1940 statt – am Burgtheater. Er blieb danach in Wien, auf der Bühne des Burgtheaters (bis 1946) und in weiteren, erfolgreichen Filmen.

Sowohl auf der Bühne als auch auf der Leinwand fast ein Star, teilte Attila Hörbiger seine künstlerische Tätigkeit zwischen Hilpert-Bühnen in Berlin und Wien. Er »hat ein sympathisches, ausdrucksvolles, aufgeschlossenes, herzensgutes Gesicht, dabei recht markant, nicht so sanft wie dasjenige seines größeren Bruders Paul, sondern stolz und entschlossen«, schrieb über den Künstler ein italienischer Zeitgenosse.[37] Attila Hörbiger wurde nie zum Massen-Darling wie sein Bruder Paul. Von 1933–1945 spielte er in fast 30 abendfüllenden deutschen (bzw. österreichischen) Filmen mit. Diese Filme hatten eine gute Presse, und A. Hörbigers Spiel wurde gelobt (im Film »Späte Liebe« sogar sehr), aber kein einziger von diesen Filmen (war das eine Sache des Stoffes oder der Regie?) wurde zum Ereignis. Nach Jahren der Abwesenheit kehrte aus Amerika Rudolf Forster zurück. Der Künstler kam nicht wie bis zum Kriegsausbruch üblich über den »großen Teich«, sondern durch Japan, Moskau und Wilna. Forster, auf der Bühne und im Film ein Begriff des Herrn, einst Filmpartner von Elisabeth Bergner, war mehr in Deutschland als in seiner Heimat berühmt. Goebbels versprach sich viel von seiner Rückkehr. Bis 1945 gab es aber nur vier Filmrollen dieses berühmten Künstlers. Die Liste der in Wien (bzw. in Österreich) geborenen Darsteller des deutschen Films umfaßte selbstverständlich auch weitere Namen. Und es ging nicht selten um bekannte oder sogar sehr bekannte Künstler. Unter ihnen waren Michael von Newlinski, ein in verschiedenen Künsten geschickter Schauspieler (1940–1944 vor allem bei der Truppenbetreuung), seit 1929 im Film; Wolf Albach-Retty (1931), Ferdinand Marian und der Urwiener Fritz Imhoff (1933), seit 1934 der bekannte Spaßmacher Rudolf Carl und ferner Karl Skraup: Im Film waren seine Spezialitäten die Dickschädel und die streitsüchtigen, von sich selbst sehr eingenommenen Männergestalten; seit 1935 Hans Holt, Rolf Wanka und Theodor Danegger. 1943 wurde Danegger aus dem Film »Glück bei Frauen« »herausgezogen« und verhaftet. Gegen ihn schwebte ein Verfahren wegen Vergehens gegen § 175 StGb. 1937 begann Rudolf Prack, der Kavalier der alten Schule, der sehr schnell zum Star wuchs, seine Karriere. 1939 kehrte der verwöhnte Siegfried Breuer zum Film zurück. Weder auf der Bühne noch auf der Leinwand je ein Star, teilte Anton Edthofer seine künstlerische Tätigkeit zwischen Hilpert-Bühnen in Wien und Berlin. In immer neuen Abwandlungen des Typus' des »Schwierigen« war er im Film ziemlich oft hervorgetreten.

»Leiter Film, vom 15. 6. 1943. Vertraulich
Der Schauspieler Theodor Danegger wurde in Wien wegen eines Verstoßes gegen den § 175 des StGb. verhaftet. Ihm wird zur Last gelegt, sich mit ungefähr 40 bis 50 jungen Burschen in unsittlicher Weise eingelassen zu haben... Mit Rücksicht auf die Produktionssituation bitte ich im Einvernehmen mit Herrn Leiter Pers. dafür Sorge zu tragen, daß Veröffentlichungen über eine eventuelle Verurteilung von Danegger bis auf weiteres gesperrt werden. Sollte es zu einer im übrigen wahrscheinlichen Verurteilung Daneggers kommen, wird sein Name aus den Filmen, in denen er mitwirkte, entfernt werden.«
Quelle: BA, R 55 Nr. 125

Ein Kapitel für sich bildete die künstlerische Tätigkeit der »Schauspieler-Dynastie« Thimig.

Die Zahl der bekannten Filmnamen aus dem »Altreich« wuchs nach der NS-Machtübernahme ständig. Im Jahre 1933 waren es Paul Klinger, der aus Thorn stammende Ernst Rotmund, Karl Dannemann (bis in das Jahr 1943 verkörperte er Gestalten ruhiger und vertrauenerweckender Männer), und vor allem Hans Söhnker. Er spielte fast immer Boulevardtheater, und das färbte auf seine Filmrollen ab. Im »Zarewitsch« hatte Söhnker seine erste Filmrolle und seinen ersten Erfolg auf der Leinwand. In der von Viktor Janson verfilmten Lehár-Operette spielte er den Titelhelden als Partner Martha Eggerths. Auch 1933 spielte er die Hauptrolle – mit Maria Belling – im »Schwarzwaldmädel«, danach folgten weitere Gesangfilme wie »Czardasfürstin« (wiederum mit M. Eggerth), »Eva«, »Wo die Lerche singt«, »Die Fledermaus« und viele andere. In den »Vier Gesellen« war Ingrid Bergman seine Partnerin. Später gab es auch die ersten »seriösen« Rollen. Während der ganzen NS-Zeit stand er hoch im Kurs, vor allem bei jenem Publikum, das zwar eine leichtere Unterhaltung, aber zugleich mit einem gewissen Niveau suchte. 1934 stand in »Rivalen der Luft« der naturburschenhaft wirkende Volker von Collande, hochbegabter Darsteller des Berliner Staatstheaters, zum erstenmal vor der Kamera. Im selben Jahre debütierten Albrecht Schoenhals und Hans Meyer-Hanno. Der junge, sehr begabte Schauspieler hatte persönlich eine ungünstige Position nach 1933. Er wirkte seit 1931 im revolutionären Berufstheater »Truppe 1931« unter der Leitung von Gustav von Wangenheim mit und lebte in einer Mischehe.

Schon als »König« zog Willy Birgel an die Spree. Im 1. Weltkrieg war er ein Kavallerist. Auch danach fühlte er sich auf dem Rücken der Pferde wohl. In einigen Filmen, wie »Schwarze Rosen« (1935), »Ritt in die Freiheit« 1936 und »...reitet für Deutschland (1941), hatte er Gelegenheit, sich auch beruflich seinem geliebten Sport zu widmen. 1936 debütierten Josef Sieber und Kurt Seifert, der mit seiner massiven Gestalt und seiner gewaltigen Stimme zu den Bühnenlieblingen der Berliner gehörte, ferner Paul Dahlke. Dahlke (aus der Reinhardt-Schule) debütierte in »Lady Windermeres Fächer«, einer O.-Wilde-Verfilmung, die Heinz Hilpert regielich gestaltete, der »Durchbruch« kam aber erst in Karl Ritters »Verräter«, der ihm 1937 (als dem jüngsten Darsteller) den Titel Staatsschauspieler verschaffte. Auf der Bühne wie auch im Film kreierte Paul Dahlke scharf gezeichnete Gestalten. Er besaß eine große Verwandlungskraft, sowohl im Sprachlichen als auch mimisch. Erst 1935 ging der nicht mehr so junge, aus einer Berliner Theaterfamilie stammende Ernst Waldow zum Film. Im »Grünen Domino« debütierte er bei H. Selpin, danach folgte eine Fülle von Filmrollen bis in die Nachkriegszeit. Als Partner von Emil Jannings debütierte 1935 Werner Hinz in dem bekannten Film »Der alte und der junge König«. In Berlin geboren, nahm er bei Max Reinhardt den ersten Schauspielunterricht und hat danach mit einigen großen Regisseuren gearbeitet (Fehling, Kortner, Gründgens). Der hochbegabte Schauspieler konnte fast jede Figur spielen: Er war nicht nur ein großer tragischer Schauspieler – Pathos war ihm fremd – sondern stand auch im leichteren Genre seinen Mann. 1932 bis 1939 gehörte er zu den beliebtesten Schauspielern Hamburgs, danach kehrte er in seine Heimatstadt zurück. Hier gehörte er zu den Hauptstützen des Volksbühne-Ensembles und war zugleich in der Nähe des Films.

Gustav Knuth, der einst an der Drehbank stand und zu den bedeutendsten Charakterliebhabern des deutschen Films und des deutschen Theaters zählte – seit 1938 bei Gründgens am Staatstheater Berlin, früher in Hamburg, als einer der besten Schauspieler der Hansestadt – begann seine künstlerische Laufbahn im Film ebenfalls im Jahre 1935. Auch er mußte zunächst zwischen Berlin und Hamburg zu Filmaufnahmen hin- und herpendeln. 1935 hatten Alexander Golling und der dämonische René Deltgen ihre ersten Filmrollen (seine Spezialität wurden Zirkus- und Varieté-Filme). Nicht nur dank der imposanten Männlichkeit seiner Erscheinung, sondern vor allem dank seiner wirklichen Begabung machte sich Curd Jürgens einen Namen. Der bewährte Theater- und Filmmann Walter Jansen galt als sein Lehrer im Fach. Als singender Bonvivant debütierte Jürgens 1936 am Metropol-Theater in Berlin. Ebenfalls 1936 bekam er seine erste Filmrolle. In dem Forst-Film »Der Königswalzer« stand er als eine wichtige Persönlichkeit vor der Kamera, und zwar als Kaiser Franz Josef I. In dem Mozart-Film »Wen die Götter lieben« war er der musikliebende Josef II. Erst danach wurde er auch ein Star des Theaters. Theater am Kurfürstendamm und Komödie in Berlin, Volkstheater in Wien und bereits 1941 das Wiener Burgtheater waren die nächsten Stätten seiner Bühnenlaufbahn. Von den Filmregisseuren wurde er gern engagiert, die Weltkarriere sollte aber erst nach dem Kriege beginnen. Eine überaus große Popularität als »Liebhaber des deutschen Kinos« gewann Viktor Staal. Seine Kinokarriere begann 1936 bei der Ufa mit den Filmen »Donogoo Tonga« (Regie: Reinhold Schünzel) und »Ein Mädel vom Ballett« (Regie Carl Lamac), in beiden als Partner von Anny Ondra. Hansi Knoteck, seine Partnerin in späteren Filmen, wurde seine Frau. In »Verräter« debütierte 1936 Rudolf Fernau, seit 1930 über lange Jahre hindurch einer der bedeutendsten Schauspieler des Württembergischen Staatstheaters in Stuttgart. Im Film Vertreter der »Geheimnisvollen«, spielte er oft Typen aus der eleganten Unterwelt, obwohl – so die Pressestimmen – er auch den Wunsch hatte, nicht nur Erzschelme und Bösewichter darzustellen. Das Jahr 1936 gab der deutschen Leinwand

114

auch andere Filmhelden wie Hannes Stelzer, Karl Schönböck (oft als leichtsinniger Frauenheld), den viel zu früh verstorbenen jugendlichen Komiker und Publikumsliebling Rudi Godden und den Operettentenor Johannes Heesters, unter Freunden und Verehrern »Jopi« genannt. Heesters, ein gutaussehender, posierter Bonvivant mit viel Sentimentalität, gehörte sowohl am Theater wie im Kino zu den wirklich beliebten Darstellern. In Berlin spielte er in der »Komischen Oper«, im »Metropol-Theater« und »Admiralspalast«, und zeitweise gehörte er auch zu den Solisten Peter Kreuders. Seine ersten Rollen spielte er in der Georg-Jacoby-Operette »Der Bettelstudent« (mit Marika Rökk) und in Detlef Siercks »Hofkonzert«, (mit Martha Eggerth). Nach der Premiere des Operetten-Films »Das Land der Liebe« feierte die Presse den eleganten jungen Leipziger Albert Matterstock als neuen Star am deutschen Filmhimmel. Es war die letzte deutsche Inszenierung Reinhold Schünzels (1937). In seiner kurzen Filmkarriere blieb Matterstock dem leichten Genre treu. Carl Raddatz, kein Schönling, kein Beau, sondern der ernste Liebhaber und Charakterdarsteller, galt als Willy Birgels Schüler und begann seine Kinokarriere ebenfalls im Jahre 1937. In seinen vielseitigen Filmproduktionen befanden sich nicht wenige Propagandafilme. Im Zeichen der politischen Propaganda stand auch die kurze Filmkarriere Christian Friedrich Kayßlers, die ebenfalls 1937 begann. Der junge, schöne Darsteller aus dem Theater der Jugend der Reichshauptstadt, Will Quadflieg, ein brillanter Sprecher (Hamlet-Monolog), und Viktor Afritsch begannen beim Film im Jahre 1938. 1939 kam Ernst von Klipstein zum erstenmal auf die Leinwand. Der gebürtige Posener wirkte bis zum Kriegsende in 23 Spielfilmen mit, ständig in eine höhere Position aufsteigend. Kurz vor Kriegsausbruch wurde der erste junge Held des Städtischen Schauspielhauses Hannover, Wolfgang Lukschy, für zwei Jahre an das Berliner Schiller-Theater, wo er als Statist einst begann, von Heinrich George verpflichtet. 1940 begann er im Film, ebenso wie Horst Caspar. Horst Caspar galt als Otto Falckenbergs Entdeckung. Der außergewöhnliche Erfolgsweg Caspars führte ihn von Bochum (Saladin Schmitt) über München (Otto Falckenberg) in die »erste Garnitur« der Berliner Schauspielerschaft. Als jugendlicher Held des Schiller-Theaters machte er sich einen glanzvollen Namen im Theaterleben der Reichshauptstadt und Wiens (Burgtheater). Die künstlerische Begabung dieses Darstellers wurde bis zum Kriegsende nur zweimal vom Film ausgewertet.

Bereits in den Tonbildern von Oskar Meßter und seinem ersten größeren Stummfilm »Das Liebesglück einer Blinden« (1910) wirkte Henny Porten mit. Obwohl sie schauspielerisch (im Theater) nicht ausgebildet war, entwickelte sie sich in ihrer umfangreichen Filmarbeit zu der populärsten deutschen Filmschauspielerin ihrer Zeit. Als der Film den Ton fand, schwand allmählich ihr Zauber. Da ihr Mann Jude war, kamen nach 1933 neue Probleme dazu. Die neuen Herren legten ihr nahe, sich von ihrem Mann scheiden zu lassen; sie tat es jedoch nicht. Dennoch folgte kein Berufsverbot. Mit ihrem eigenen Ensemble gab Henny Porten 1934 Gastspiele in zahlreichen Orten des Reiches. 1935 bekam sie die Filmrolle in »Krach im Hinterhaus« (Regie Harlan). Erst im Jahre 1938 erhielt sie zwei weitere Filmrollen. »Die gütige Hilfe des Reichsmarschalls«[38] war hier nicht ohne Bedeutung. Laut »Film-Kurier« (8.11.1939) verpflichtete die Tobis Henny Porten für einen Film, obwohl der Filmstoff noch nicht festgelegt war. Und er wurde auch nicht festgelegt. Erst 1941 erhielt sie bei der Bavaria die Rolle im Film »Komödianten« (Regie Pabst). Die Krise schien vorbei zu sein. Wie Hans Hinkel an Goebbels 1944 berichtete, wurde Henny Porten »in den letzten Jahren in dem Maße beschäftigt«, daß sie »jährlich durchschnittlich RM 40000 verdiente«. Für sie war auch ein weiterer Vertrag für die Zeit vom 1.10.1944 bis 30.9.1945 in Höhe von 60000 RM für zwei Film-Hauptrollen vorgesehen.[39] Ihr Einsatz im Film wurde bevorzugt. Bei einer Unterredung mit W. Liebeneiner teilte die Künstlerin ihm mit, daß sie »aus gesundheitlichen Gründen eine Pause in ihrer Filmarbeit einlegen« müsse.[40] Es war die Zeit der größten Bombenangriffe auf die Reichshauptstadt.

Ohne je Schauspielunterricht genommen zu haben, machte Lil Dagover eine große Karriere im deutschen Stummfilm, in fast allen Filmen die verwöhnte, aber auch kluge Frau. Durch ihre Schönheit und ihre künstlerische Begabung wurde L. Dagover, von jeher überzeugt, vom Schicksal auserwählt zu sein, zur Dame des deutschen Films. Sie filmte auch in Hollywood und in Frankreich, gastierte ebenfalls am Theater und war oft und gern als Gast an der Front. Bei ihren zahlreichen Tourneen für die Truppenbetreuung, auch an der Ostfront, ließ Lil Dagover es sich nicht nehmen, soweit es aus Sicherheitsgründen möglich war, die Soldaten vorn in den Stellungen aufzusuchen.[41] War Lil Dagover »die Dame des deutschen Films«, so war Olga Tschechowa, die an der Schauspielschule des Moskauer Künstlertheaters ausgebildete Nichte des russischen Dramatikers Anton Tschechow – so mindestens in manchen Quellen – die »Aristokratin des deutschen Films«, was manche Kritiker nicht störte, sie zugleich ganz einfach »Sex-Appeal-Olga« zu nennen. Wie bei Lil Dagover vergaß man es, die Jahre zu zählen, die sie schon beim Film war. 1933–1945 filmte sie viel. Seit 1935 stand sie manchmal mit ihrer Tochter Ada vor der Kamera. Wie Lil Dagover gehörte Olga Tschechowa zu den vom »Führer« geschätzten »Tischdamen« bei den Empfängen in der Reichskanzlei.[42] Noch im Kriege gehörte sie zu den beneidenswerten Besitzern eines PKW (nebst Benzinscheinen), um dessen Erhaltung sie später hart kämpfen mußte.[43]

»... da Frau Agnes Straub jüdisch versippt ist. Ob sie mit dem Juden Leo Reuss standesamtlich verheiratet ist oder nur mit ihm zusammenlebt, ist für die Beurteilung dieser Tatsache nebensächlich. Weiter steht fest, daß sie sich in früheren Jahren aktiv kommunistisch betätigt hat.« Quelle: BA, NS 15, Nr. 90; Kulturpolitisches Archiv v. 7.8.1935

Es gab mehrere sehr bekannten Schauspielerinnen vom Theater, die auch im Film seit der Stummfilmära Erfolge erzielten: Adele Sandrock, die bärbeißige komische Alte in mehreren Unterhaltungsfilmen, Jeanette Bethge und, nicht ohne Probleme, Agnes Straub. Vor allem auch Lucie Höflich. Sie gehörte einst zu den ersten Kräften Max Reinhardts, in einigen Filmen trat sie mit Emil Jannings auf (der damals ihr Mann gewesen war). 1933–43 spielte sie in zwanzig abendfüllenden Filmen, bis 1940 war sie aktiv im Theater in Rollen des sogenannten großen Repertoires, danach war sie vor allem eine erfolgreiche Pädagogin. Im Frühjahr 1944 meldete die Presse: Die Staatsschauspielerin Lucie Höflich werde die Leitung der Schauspielerabteilung des Konservatoriums der Seestadt Rostock übernehmen. Ihr Berliner Heim wurde durch Bomben zerstört. Eine enorme Anziehungskraft übte Ida Wüst, »Hans Moser im Rock«, wie man sie manchmal nannte, auf das Publikum aus. Nachdem Adele Sandrock ihre Laufbahn beendet hatte, war Ida Wüst die allseits (vielleicht nur mit Ausnahme der mit ihr zusammenarbeitenden Kollegen) umjubelte komische Alte, die nicht nur natürlichen Humor, sondern auch eine nicht geringe Verwandlungsfähigkeit besaß. Käthe Dorsch, eine der größten Bühnenpersönlichkeiten des deutschen Sprachraums[44], war zwar mit dem Stummfilm mehrfach in Berührung gekommen, dennoch ohne Erfolg. Als man sie aber später im Tonfilm vor Aufgaben stellte, da spielte sie sich sehr bald in die vorderste Reihe der Filmkünstler. Die prominente Künstlerin trat im Film nicht oft auf – wenn aber schon, dann in den tragenden Rollen. Zu den vielbeschäftigten Berliner Schauspielerinnen – jedenfalls in Nebenrollen – gehörten Margarete Kupfer und Gertrud Wolle. Hilde Hildebrand, der Star der Nelson-Revuen Anfang der dreißiger Jahre, im Kabarett der Reichshauptstadt oft Partnerin von Margo Lion und Marlene Dietrich, tendierte durch ihre vordergründige Sinnlichkeit und Sentimentalität als Chanson-Interpretin zu einer Art, die später bei Kirsten Heiberg oder Zarah Leander zu finden war. Die »femme fatale« der Bühne und des Films hatte auf der Leinwand ihre beste Zeit in den dreißiger Jahren. Im Krieg kam noch die schöne Rolle in der »Großen Freiheit« hinzu, einem Film, der zur Vorführung im Reich nicht zugelassen wurde. In der Stummfilmzeit begann die Karriere der in Hannover geborenen Wahl-Berlinerin Grethe Weiser. Sie spielte oft die sogenannten »dummen« Rollen und war als Vortragskünstlerin oder im Theater beim Publikum – insbesondere in Berlin – sehr beliebt.

Seit der Stummfilmära wirkte im deutschen Film Jenny Jugo mit, und die meisten Kinobesucher ahnten nicht, daß die begabte und beliebte deutsche Schauspielerin von Geburt aus eine Österreicherin ist: In Sakrow an der Havel lag das Landhaus, wo der (fast immer) charmante weibliche Komiker wohnte. Von 1933–1939 spielte sie in 14 abendfüllenden Filmen. 1933 gab es zwei wichtige Rollen in musikalischen Filmen: »Ein Lied für Dich« (mit Jan Kiepura) und »Es gibt nur eine Liebe« (mit Louis Graveure). Carl Boese und später Erich Engel waren ihre Regisseure. Die Liste ihrer Erfolgsrollen war lang, zu den besten zählten die Filme »Fräulein-Frau« (mit Paul Hörbiger) aus dem Jahre 1934, »Pygmalion« (sie spielte hier mit Gustaf Gründgens) aus dem Jahre 1935, »Mädchenjahre einer Königin« (1936) und das moderne Alt-Heidelberg-Märchen mit happy-end (d. h. mit einer Verheiratung) »Die kleine und die große Liebe«, ein Film, der z. T. an der italienischen Riviera gedreht wurde. Ihr Partner war hier Gustav Fröhlich, in seiner prinzlichen Rolle schauspielerisch nicht so gut wie sie. »Nanette« war ihr nächster Erfolg, und dann kam der erste Film, der in Wien gedreht wurde: »Ein hoffnungsloser Fall«, ein Lustspiel (mit einem »etwas gehaltvolleren Kern«), der erste Film, in dem sie eine ganz moderne Mädchenrolle spielte. Im Krieg gab es nur vier Rollen. Die bekannteste war in »Viel Lärm um Nixi«; Jenny Jugo spielte ein verwöhntes Millionärstöchterlein und Hans Leibelt ihren jovialen Plutokraten-Papa. Erich Engels Regie gab der tragenden Rolle alle Chancen, so daß ein unbeschwerter Film entstand.

Der Regisseur Richard Eichberg »entdeckte« für den Film die hübsche Revue-Darstellerin Lilian Harvey. Sie und Willy Fritsch bildeten jahrelang das populärste Liebespaar im deutschen Film: Zwölfmal stand sie mit ihm zusammen vor der Kamera. Den Tango »Heute sollte Sonntag sein für meine Liebe« sang sie zusammen mit Fritsch sehr oft von Platten im Rundfunk; »Das gibt's nur einmal...« (»Der Kongreß tanzt«, 1931) blieb bis heute die Visitenkarte ihrer vokalischen Kunst. Ihre letzten Filme kamen 1939 in die Kinos, danach verließ die Künstlerin Deutschland. Der Regisseur Murnau gewann dagegen für den Film eine andere Revue-Darstellerin: Camilla Horn. Auf dem Bildschirm begegnete man ihr bis 1940 ziemlich oft, in den späteren Jahren des Krieges filmte sie wenig. Ein durchaus anderes Genre vertrat die Münchnerin Elise Aulinger. In und um die Isar-Stadt spielte sich ihr Leben ab. Sie wurde u. a. in mehreren ernsten und heiteren Bauernfilmen eingesetzt. In ungezählten Stumm- und Tonfilmen hat Käthe Haack einfach alles gespielt. Die erste Rolle war im Ufa-Stummfilm »Der Katzensteg«, der nach Sudermanns bekanntem Roman gedreht wurde. Die aus Stuttgart kommende Schwäbin Maria Koppenhöfer debütierte im Stummfilm schon in ihrer Münchener Zeit. Als sie in Berlin war, meldete sich bei ihr der Tonfilm. Allerdings stand sie vor 1938 nicht oft vor der Kamera. Die bedeutende Charakterdarstellerin war in ihrer scharfen Diktion und ihrer naturhaften Härte nicht geschaffen für Lieblichkeitsrollen. Sie spielte oft harte, verbitterte und ungerechte Frauen.

Vor der NS-Machtübernahme begann eine ganze Reihe von bedeutenden Theaterschauspielerinnen ihre Mitarbeit beim Tonfilm: Die ständig vielbeschäftigte (im Film mit Nebenrollen) Olga Limburg, die Danzigerin Else Elster und die prominente Kabarettistin (»Wilde Bühne«) Trude Hesterberg. Die leichte Muse vertraten ferner Else Reval und Lizzi Waldmüller, Publikumsliebling der Berliner. In dem malerischen Unterstein-Schönau bei Berchtesgaden wohnte in einem schönen Eigenheim mit Almhütte, eigenem Schwimmbad und einem Steingarten Magda Schneider, Joe May-»Entdeckung«. Wie ihr Mann, der Liebling des Filmpublikums aus Wien, Wolf Albach-Retty, genoß auch sie als Filmstar die besondere Gunst des Publikums. Im schönen Babelsberger Landhaus wohnte Brigitte Horney (ihre Freunde nannten sie Biggi). Stets in den Hauptrollen und in

Filmen, die nicht immer im Dienste der reinen Unterhaltung standen. Eine leidenschaftliche Schwimmerin, zeigte sie ihre diesbezüglichen Künste auch im Film. Groß und gar nicht besonders hübsch war Sybille Schmitz. Ihre Stimme, ihr Gesicht, wie überschattet von der Schwere menschlichen Erlebens, waren ihr das fügsamste Instrument: Sie konnte mit einem Blick alles ausdrücken. Auf den (fast immer) ersten Plätzen der Besetzungslisten stand die Hamburgerin Karin Hardt. Die Palette ihrer Filmrollen war breit, es gab auch Filme mit größeren Ambitionen, wie z. B. »Abel mit der Mundharmonika« aus dem Jahre 1933 und »Via mala«, am Ende des Krieges gedreht. In Kurzfilmen hatte sie angefangen und machte rasch Kinokarriere: die blonde, temperamentvolle, schelmische Westfälin Fita Benkhoff. Sie, eine bedeutende Darstellerin der Sprechbühne, war als Künstlerin nicht nur eine Spaßmacherin. Der Film hat sie jedoch zu einem komischen Typ abgestempelt: Sie spielte Frauen – ob mit mondänem oder spießbürgerlichem Anstrich, die den Mund nicht halten können, ob klug oder dumm. Bis 1945 gehörte sie zu den vielbeschäftigten Filmdarstellerinnen.

In den Spielfilmen des Jahres 1933 gab es neue Gesichter von Darstellerinnen. Einige von ihnen gehören heute auf wichtige Positionen in der Geschichte der deutschen Darstellungskunst: wie zum Beispiel Marianne Hoppe. Aus München (Kammerspiele) holte Gründgens die »große Dame« der deutschen Szene nach Berlin. Hier war sie einst eine begabte Schülerin von Lucie Höflich gewesen. Seit 1935 zählte sie zehn Jahre lang zu den ersten Künstlern am Preußischen Staatstheater. Dramatische Figuren lagen ihr mehr als heitere. Die Hoppe, eins der schönsten Gesichter im deutschen Film, eroberte sich eine qualitativ führende Position. In »Capriolen« (1937) spielte sie mit Gründgens, der zugleich die Regie führte, ein liebendes Paar. Im ständigen Zusammensein mit einem Theater-Riesen, Heinrich George, blieb Berta Drews. 1933 stand sie mit ihm für den Film »Schleppzug M 17« erstmals vor der Kamera: Bis 1945 folgten weitere acht Nebenrollen in Filmen, von denen die meisten »im Geiste der Zeit« gedreht wurden. Die akademisch ausgebildete Schauspielerin war mehr, und mit Erfolg, dem Theater ergeben. Carsta Löck vertrat ein anderes Genre; sie stellte sich in Berlin als Magd in Hinrichs »Krach um Jolanthe« vor, – und damals wurde ihr großes, komisches Talent entdeckt. Von 1933 bis zum Ende des Dritten Reiches gehörte sie zu den vielbeschäftigten Schauspielerinnen im Film. Unter den Namen, die 1934 zum erstenmal auf den Filmplakaten auftauchten, waren Hansi Knoteck (mit den Rollen des unerfahrenen jungen Mädchens) und Charlotte Daudert, die zunächst Popularität an den Kleinkunstbühnen Berlins gewann und danach nicht selten im Film auftrat. »Charlott, Charlott, man sieht von dir so viel...«, scherzten die Boulevard-Zeitungen über die leichtbekleidete Varietékünstlerin. Zum Star erwuchs allmählich die intelligente Carola Höhn, auch musikalisch talentiert. Die bekannten Solotänzerinnen der Opernbühnen der Reichshauptstadt, Hedi (die hellere) und Margot (die dunklere) Höpfner wurden bald auch zu Filmstars. Ein eigenes Filmballett entstand viel später.[45]

Spät, erst 1935, kam Lina Carstens zum Film, die bewährte Bühnenschauspielerin. Meist in anspruchslosen Unterhaltungsstreifen engagiert, im Gegensatz zu den belangvollen Theaterrollen. Übrigens war das Jahr 1935 überaus reich an neuen Namen im Spielfilm. Heli Finkenzeller, bis 1940 in München, im Film vor allem für komische Aufgaben eingesetzt: In diesen Rollen gewann sie eine große Popularität, in diesen Rollen war sie auch sehr gut. Aber es gab bei ihr fast nur solche Rollen. Leny Marenbach war auch vor allem von den Unterhaltungsstreifen leichteren Genres bekannt. Nicht selten trat sie mit H. Rühmann auf.

Aus Hamburg kam 1936, via München, Elisabeth Flickenschildt (Freunde nannten sie »Flicki«) nach Berlin. Sie spielte an den zwei allerbesten Bühnen der Reichshauptstadt: Am Deutschen Theater bei Hilpert und danach bei Gründgens im Staatlichen Schauspielhaus. Nicht schön im landläufigen Sinne, war sie eine starke schauspielerische Persönlichkeit. Ihre darstellerische Reichweite war imposant. Erst in ihrer Berliner Zeit spielte sie mehr im Film. Oft kreierte sie »Frauen, mit denen man nicht verheiratet sein möchte. Außenseiterinnen der menschlichen Gesellschaft, skurrile, exzentrische Weibsbilder mit böser Zunge und mit Haaren auf den Zähnen, leichte Mädchen und arrogant-launenhafte ›große Damen‹, wahre Prachtexemplare weiblicher Untugend«, summierte der Film-Kurier (9.5.1944) ihre Filmarbeit. Beruf und Berufung sind bekanntlich zwei durchaus verschiedene Begriffe, die nicht notwendig auf das gleiche hinauslaufen müssen. Bei Elisabeth Flickenschildt aber war dies der Fall.

Bis Kriegsausbruch gab es noch einige mehr oder weniger interessante »Entdeckungen«. 1936 debütierten Mady Rahl und Carla Rust – das leichte Genre stellte sich bei der künstlerischen Tätigkeit dieser Schauspielerinnen in den Vordergrund – ferner die von Natur so damenhaft (aber auch kalt) wirkende Irene von Meyendorff. 1936 stieg Gisela Uhlen mit »Annemarie« (Regie Fritz Peter Buch) zum Ufa-Star auf. Mit 16 drehte sie ihren ersten Film. Sie war bekannt aus ihrem Wirken in Bochum und in den Festspielen in Heidelberg, aber erst durch den Film wurde sie zum Idol von Millionen. 1937 trat Anneliese Uhlig in Erscheinung. Es gab im Krieg einige interessante Filme mit ihr in den Hauptrollen, sie filmte auch am Tiber. In »Spiel im Sommerwind« (Regie Roger von Normann) debütierte 1938 Hannelore Schroth, die Tochter von Käthe Haack und ihre Schülerin. Für ein Wunderkind, obwohl erst sechzehn/siebzehn Jahre, war sie schon zu alt, für einen Filmstar noch zu jung. Bald wurde sie zum Publikumsliebling. Erst nach den Filmen kamen die ersten, bescheidenen Theaterrollen. 1938 hieß das neue Fräuleinwunder des deutschen Films Ilse Werner. In dem in Wien gedrehten Film »Unruhige Mädchen« (Regie Geza von Bolvary) spielte sie neben Käthe von Nagy eine der Hauptrollen, in »Frau Sixta« (Regie Gustav Ucicky) stand sie mit Franziska Kinz und Gustav Fröhlich vor der Kamera. Im gleichen Jahr 1938 spielte sie – Rudi Godden war ihr Partner – die weibliche Hauptrolle in dem Film »Das Leben kann so schön sein«. Während der Dreharbeiten zu diesem Film vollendete sie erst ihr 17. Lebensjahr. Der Film kam nicht auf die Leinwand. Später gab es weitere Rollen, die ihr große Sympathie des Kinopublikums einbrachten. Die in Hamburg-Altona geborene Anna Dammann, aus der Schule Erich Ziegels in Hamburg, war bei ihrem Filmdebüt in Berlin keine Unbekannte mehr: Heinz Hilpert holte sie 1937 an das Deutsche Theater. Der Schritt vom Theater zum Film geschah ohne Zutun der Schauspielerin. Für seinen Film »Die Reise nach Tilsit« suchte Veit Harlan eine Gegenspielerin für Kristina Söderbaum. Die schmale, dunkle Frau mit dem herben, ausdrucksvollen, noch »unverbrauchten« Frauenantlitz und den geheimnisvollen Augen wurde für die Rolle der Polin Madlyn verpflichtet. Rein künstlerisch gesehen, war ihr Filmdebüt ein Erfolg, zugleich aber auch die »hohe Schule« der Politik. Übrigens sahen die Berliner den aufgehenden Film-Star zum erstenmal als Marikke (Anna Dammans zweite Filmrolle) in »Johannisfeuer«, der in der Reichshauptstadt früher in die Kinos gelangte. Ihre Filmkarriere im Dritten Reich zeichnete sich durch Qualität, nicht durch Quantität aus. Kurz vor Kriegsausbruch konnte Elisabeth Reich vom Stadttheater Frankfurt an der Oder den glücklichen Sprung nach Berlin machen. Sie bekam die weibliche Hauptrolle in »Die fremde Frau« (1939, Regie Roger von Normann).

Ein Sprung nach Berlin – manchmal mit Zwischenstationen – gelang einer ganzen Reihe von Darstellerinnen, die aus Wien bzw. Österreich stammten. Es ist eine erstaunlich lange Liste von wichtigen oder sehr wichtigen Namen, die einen großen oder sehr großen Einfluß auf die Geschichte des deutschen Films (und Theaters) hatten. Einige von ihnen fanden in Deutschland ein neues Heimatland für immer, andere blieben kürzere oder längere Zeit, um hier Brot zu finden und womöglich Ruhm zu gewinnen; es gab auch viele, die ihre künstlerische Tätigkeit zwischen Wien und Berlin teilten. Die Anziehungskraft Berlins als Hauptstadt des deutschsprachigen Theaters war immer groß. In Deutschland konnte man auch viel mehr Geld verdienen, was ebenfalls nicht ohne Bedeutung war. 1938–1945 gab es keine Staatsgrenzen mehr, was weitere Möglichkeiten schuf.

Mit Deutschland verband Lucie Englisch ihre künstlerische Karriere, eine typische Soubrette. Bereits 1928 gelang es ihr, nach Berlin zu kommen, und ein Jahr später begann mit der episodischen Rolle in Carl Froelichs Film »Die Nacht gehört uns« ihre lange filmische Karriere. La Jana, »die schönste Frau Europas«, »Deutschlands schönste Tänzerin«, wie man die gebürtige Wienerin auf Film- und Varieté-Plakaten nannte, hatte vor allem viele Männer angelockt. Bereits mit acht Jahren begann sie in Frankfurt am Main im Kinderballett der Oper ihre Laufbahn. Ihre Figur war von einem Nimbus umgeben. 1934 erhielt sie ein Varieté-Engagement nach London, wo sie zwei Jahre blieb. Der Tobis-Film »Truxa« (Regie H. H. Zerlett), für den sie nach mehrjähriger Filmpause 1936 »überraschend« wieder verpflichtet wurde, eröffnete ihr neue Möglichkeiten im deutschen Film. Es folgten die außerordentlich publikumswirksamen Filme aus dem Jahr 1938: »Der Tiger von Eschnapur« und »Das indische Grabmal«, die zwei letzten Verfilmungen von Richard Eichberg, und »Es leuchten die Sterne« (Regie H. H. Zerlett). 1939 folgten »Menschen vom Varieté« (Regie J. v. Baky). Ihr letzter Film, »Der Stern von Rio«, war schon vorführungsbereit, als die erst dreißigjährige Schauspielerin vor der Premiere plötzlich starb. Die schöne, vokalisch (Alt) talentierte Wienerin Christl Mardayn gastierte auf der Leinwand seit 1930 in den Filmen, worin Musik – die sogenannte seriöse und die sogenannte populäre – eine wichtige Rolle spielte. Typisch wienerisch, jedoch auf andere Weise, war die später so berühmt gewordene Volksschauspielerin Annie Rosar. Zu den »menschlich tiefsten und schlichtesten Schauspielerinnen« – so damals die Kritiken – gehörte Franziska Kinz. Sie spielte vor und nach 1933 in verschiedenen Filmen mit, u. a. in »Hitlerjunge Quex«. Als ihr größter Erfolg in der NS-Ära galt die Titelrolle in G. Ucickys Film »Frau Sixta« (1938). »Sixta« hieß danach ihr Landhaus in Tirol. In ihrer besten Theaterzeit (1926–1935) war Luise Ullrich eine überzeugende Gestalterin heranreifender Mädchen, »mit Genauigkeit und Frische und Treffsicherheit, wie sie nur das große Talent hat« (H. Ihering), später wandelte sie sich zur Gestalterin warmherziger Frauen im bürgerlichen Milieu. So auch im Film. 1932 verpflichtete Luis Trenker sie für seinen Film »Der Rebell«. Es folgten mehrere Rollen in mehr oder weniger bekannten Filmen, aber immer die Hauptrollen. Im Theater spielte sie in der NS-Zeit relativ wenig, dagegen trat sie gern in Hörspielen des Rundfunks auf.

»Obwohl ich in München geboren bin«, berichtete Maria Andergast, gelte ich doch als Wienerin, denn als ich zwei Jahre alt war, starben die Eltern und ich kam zu Verwandten nach Wien, die meine Pflegeeltern wurden und mich dort großzogen.«[46] So wie Luise Ullrich, so wurde auch sie von Luis Trenker für den Film »entdeckt«. Die erste Rolle spielte sie im »Verlorenen Sohn« (1934). Bis 1945 filmte sie viel, sehr oft als Hauptheldin des Films, meistens in der Komödie, dem schwersten aller Genres. Erfolgreich war sie sowohl bei der Kritik als auch an der Kinokasse. In ihre aktive Bühnentätigkeit war seit 1936 auch Berlin einbezogen. Beinahe die ganze NS-Zeit verbrachte die äußerst begabte Wienerin Angela Salloker bei Hilpert am Deutschen Theater. 1934 bis 1939 spielte sie in sechs Filmen, die nicht in die leichte Unterhaltung gehörten. Im »Schwarzen Walfisch« (1934) war ihr Partner E. Jannings, in dem Film »Das Mädchen Johanna« (1935) spielte sie mit H. George und G. Gründgens, und im »Zerbrochenen Krug« (1937) war ebenfalls Jannings ihr Partner (oder diesmal, genauer gesagt, umgekehrt).

Trude Marlen, Gusti Huber und Friedl Czepa vertraten das Wiener Kolorit in österreichischen und deutschen Unterhaltungsstreifen, sonst – was Theater betrifft – fast vollständig treu der Donau-Metropole. Dagegen kamen aus Wien nach Berlin jene drei akademisch ausgebildeten Schauspielerinnen, deren Namen schon heute in der Geschichte des deutschsprachigen Theaters etwas Besonderes bedeuten: Viktoria von Ballasco, Käthe Gold und Paula Wessely. Viktoria von Ballasco spielte ab 1935 im Theater am Schiffbauerdamm und begann 1936 ihre Filmkarriere. Ihr »Fach« im Film waren Frauen (Hausfrauen und junge Mütter), denen das Schicksal ein wenig mehr aufgepackt hatte, als sie tragen konnten. Die subtile Käthe Gold

12. Ilse Werner

13. Käthe von Nagy

14. Brigitte Horney

15. Zarah Leander

(einst das berühmteste Theaterkind in Wien) gewann fast sofort das Entrée-Billett in den ersten Rang der Berliner Theaterkünstler. Auch im Film wurde sie zum Star, obwohl sie wenig filmte. Erst durch ihre Berliner »Rose Bernd« öffnete sich für Paula Wessely der Weg zur großen tragischen Menschendarstellerin, so meinte der berühmte Wiener Kritiker Oskar Maurus Fontana. Später gelangen ihr immer wieder eindrucksvolle Verkörperungen historischer oder bürgerlicher Gestalten. Die Rolle der Leopoldine in ihrem Film-Debüt »Maskerade« (1934), Regie Willi Forst) machte sie weltberühmt: Aus Hollywood kam ein Angebot. Sie schlug die Einladung aus. Für ihren Film »Episode« erhielt sie in Venedig 1935 den Volpi-Pokal für die schauspielerische Leistung. In den Jahren 1934 bis 1943 spielte sie in elf Filmen, darunter vier österreichischen: immer nur in den Hauptrollen. Die Kritik schrieb über ihre »wunderbare Fraulichkeit«, über den »Zauber ihrer Persönlichkeit«. Sie gefiel den Zuschauern, da auch Filme, in denen sie spielte, auf das breiteste Publikum gezielt waren. 1936 entdeckte Willi Forst die charmante Wienerin Maria Holst für den Film. Sie debütierte in »Burgtheater«, aber der erste Filmerfolg kam erst 1940 in »Operette«.

In Wien wuchs Hilde Körber auf, hier auch unternahm sie, noch als Kind, die ersten Schritte auf der Bühne. 1924 kam sie nach Berlin, und an den Sprechbühnen der Reichshauptstadt gewann sie als Interpretin der Rollen der Agnes Bernauer, Lady Macbeth oder Lulu (Wedekind) einen hohen künstlerischen Rang. Beim Film hatte sie weniger Glück. Ihr Filmdebüt fiel erst auf das Jahr 1936: Sie spielte die Wilhelmine – neben Otto Gebühr – in »Fridericus« (Regie Johannes Meyer). Im selben Jahr engagierte Veit Harlan, ihr späterer zweiter Mann, sie zu seinem Film »Maria, die Magd«. Gut auf der Bühne, gab Hilde Körber im Film nur Durchschnittliches. Hilde Krahl wurde zwar in Brod an der Save geboren, aber schon als kleines Kind wohnte sie in Wien. 1935 debütierte sie an einem Wiener Kabarett, und seit 1936 wurde sie für lange Zeit Schauspielerin im Wiener Theater in der Josefstadt. Nach dem »Anschluß« bedeutete das zugleich eine künstlerische Tätigkeit an der Hilpert Bühne in Berlin. In kleinen Filmrollen trat sie bereits 1936 auf. Die erste Hauptrolle erhielt sie bei Willi Forst in dem Film »Serenade« (1937). Danach kamen in weiteren Filmen nur die Hauptrollen, aber den ersten wirklichen Filmerfolg erzielte sie im »Postmeister« (1940). Erst nach ihren Filmerfolgen gewann sie auch eine höhere Position auf der Bühne: Als ihre Erfolgsrollen galten Klara in »Maria Magdalena«

von Hebbel (1942), Luise in »Kabale und Liebe« (1943) oder Nora (1943).

Ein Kind der Berge, hat die in Villach geborene Heidemarie Hatheyer schon in ihrem ersten Film »Der Berg ruft« (Regie Luis Trenker, 1937) das Kinopublikum gefesselt. Nach dem Film »Die Geierwally« wurde sie schon im ganzen »Großdeutschen Reich« bekannt, und nach dem »Euthanasie-Film« »Ich klage an« (1941) sprach über sie die Welt. Nach dem »Anschluß« wirkte sie auch als Schauspielerin an den Bühnen in München und Berlin. Die junge Wienerin Herta Feiler schenkte dem deutschen Film ihr Talent und Heinz Rühmann ihr Herz. Im Jahr des Kriegsausbruchs nahmen Kontakte mit dem deutschen Film auf: die bekannte Tänzerin und Eiskunstläuferin Olly Holzmann, die elegante Marte Harell, die im Kino sofort den Status eines Stars erreichte, und die junge, in Prag geborene Wienerin Winnie Markus, eine der letzten Schülerinnen Max Reinhardts. In »Mutterliebe« stand sie das erste Mal vor der Kamera. 1940 wurde für den Film »Falschmünzer« Karin Himboldt verpflichtet, die ihre Laufbahn im Stadttheater Kiel begann. Zu dem Filmnachwuchs der ersten Kriegszeit gehörten Lotte Koch und die Berlinerin Adelheid Seeck, die A. M. Rabenalt in der weiblichen Hauptrolle des Terra-Films »Leichte Muse« herausstellte: Eine Darstellerin, die auf dem Umweg über den Bühnentanz zur Schauspielkunst kam und zum Ensemble des Staatlichen Schauspielhauses in Berlin gehörte. In zwei Filmen, die 1941 herauskamen, debütierte Gerhild Weber. Heinz Hilpert holte sie vom Stadttheater Greifswald zum Berliner Deutschen Theater. Als Partnerin Willy Birgels trat sie in »... reitet für Deutschland« zum erstenmal vor die Kamera. Danach sah man sie in »Heimkehr«. Eva Immermann, die als junge Gutstochter im Zarah-Leander-Film »Der Weg ins Freie« die Aufmerksamkeit auf sich lenkte, kam vom Stadttheater Aachen. Sie wurde nach ihrem Filmdebüt für »Geheimakte WB 1« verpflichtet. Liselotte Schreiner stand in der »Goldenen Stadt« in der Rolle einer bäuerlichen Wirtschafterin erstmalig vor der Kamera. In diesem Film debütierte auch Inge Drexler, die erst kurz zuvor als Schauspielerin in Graz begonnen hatte. Ende 1942 wurde Sonja Ziemann für Kinderrollen bei der Prag-Film verpflichtet.[47] 1942 begann Suse Graff ihre Filmkarriere – nach den Probeaufnahmen bei Karl Ritter. Nach dem Stand von Ende 1942 befanden sich als Nachwuchsdarstellerinnen in Fortbildung: bei der Ufa Käthe Dyckhoff[48], die ihre Theaterarbeit in Elbing begann, bei der Tobis Margit Debar und im dauernden Filmeinsatz die Nachwuchsschauspielerinnen Monika Burg, Charlotte Thiele (seit Frühjahr 1940 im Komödienhaus in Berlin) und Marianne Simson, bei der Tobis ferner Karin Himboldt und bei der Terra Margot Hielscher.[49] Im Ausbildungsvertrag bei der Berlin-Film (1942) befand sich Hildegard Knef.[50] Es gab noch andere talentierte Nachwuchsschauspielerinnen, aber auch jene Evastöchter, die wußten, daß sie hübsch waren und nur aus diesem Grunde eine kritische Bilanz ihrer Geistesgaben nicht für unbedingt nötig hielten.

Im Auftrage der Lehrstelle für Filmnachwuchs drehte H. F. Köllner 1944 bei der Terra den Film »Schauspielschule« (800 m), wo im Rahmen einer Spielhandlung – mit eingebauten Szenen des Miteinanderlebens – der Tagesablauf in einer Schauspielschule dargestellt war. Im Film traten u. a. Doris Helve, Anneliese Römer und Hildegard Knef auf. Der nichtzensierte Streifen wurde offiziell nicht aufgeführt.

Kinder als Filmdarsteller

Die Mitwirkung der Kinder im Film war im Reich nicht nur gestattet, sondern sogar erwünscht. Freilich in solchen Filmen, die der Propaganda der Ehe- und Kinderfreudigkeit dienten. Man betonte stets, daß die deutschen Filmkinder – das Gegenteil war natürlich Hollywood – ohne Starallüren seien. Jedes Kind mußte, bevor die Dreharbeit begann, vorher polizeilich wegen seiner Filmtätigkeit angemeldet werden. Seine Arbeitszeit durfte vier Stunden am Tage nicht übersteigen, wobei auch die Vorbereitungen in diese Zeit eingeschlossen waren. Kinder unter drei Jahren durften überhaupt nur bei Außenaufnahmen beschäftigt werden.

Darstellerpersönlichkeiten aus dem Ausland

Die Zahl der Ausländer im deutschen Film der NS-Zeit war nicht hoch. Das war die Konsequenz der Personalpolitik des totalitären Staates. Ausländische Künstler weilten in Deutschland als Gäste – seit 1933 nur mit der Genehmigung des ProMi. Einige von ihnen wollten das Deutsche Reich als ihr neues Heimatland betrachten, andere dagegen, z. B. die Frauen, wurden durch Heirat zu deutschen Staatsbürgern. Bei den Österreichern war nie eine klare Unterscheidung möglich.

Für Anny Ondra war Deutschland die neue Heimat. Nach dem ersten Weltkrieg gehörte Anny Ondra zur ersten Garnitur tschechischer Schauspieler. Vor allem drehte sie Lustspielfilme mit Carl Lamač. Wien wurde zu ihrer nächsten Station und verhalf ihren Filmen zum Absatz im Deutschen Reich. 1930 gründete sie mit Lamač in Berlin eine eigene Gesellschaft, die sie – mit ihrem bewährten Regisseur – in mehreren Filmen herausstellte. Ihre Heirat mit Max Schmeling wurde zum Ereignis. 1938 siedelten sie von Berlin nach ihrem Gut in Ostpommern (Ponickel) über. Für eine andere bekannte Tschechin, Lida Baarova, war Berlin nur eine Station. Hier drehte man 1935–1938 mit ihr neun Filme. Die wohlbekannte Liaison, die sie und Goebbels verband, endete mit der Ausweisung der Schauspielerin aus Deutschland.

Als Gast weilte von Zeit zu Zeit die Polin Apolonia Chalupiec in Deutschland, die als Pola Negri weltberühmt wurde. Dem deutschen Kinopublikum war sie schon in der Stummfilmära bekannt. Zu ihren deutschen Partnern in der Frühzeit gehörte auch Harry Liedtke, Wunschtraum ganzer Frauengenerationen. 1935–1938 trat die Schauspielerin in sechs deutschen Tonfilmen auf. Das Melodrama »Mazurka« aus dem Jahre 1935, das Willi Forst regielich gestaltete (mit Außenaufnahmen in Polen, vor allem in Warschau), war ein Erfolg. Albrecht Schoenhals, Paul Hartmann, Friedrich Kayßler und Franziska Kinz spielten mit, und musikalisch betreute Peter Kreuder den Film. Die Kritik betonte: Mit der Musik zu »Mazurka« gelang dem Komponisten der große Durchbruch. (U: 14.11.1935; P: kw). Zu einem gewissen Erfolg wurde »Tango Notturno« (1937) in der Regie von Fritz Kirchoff und mit Musik von H. O. Borgmann, wo Pola Negri ebenfalls Albrecht Schoenhals als Partner hatte. Die letzte Produktion, »Die Nacht der Entscheidung«, auch ein Melodrama, nach einem konventionellen Drehbuch (Die Ehe und die aufgetauchte Jugendliebe, aber ohne Ehebruch!) war vielleicht der am wenigsten gelungene von der ganzen Serie. Die pathetisch-theatralische Art des Spiels von Pola Negri wirkte wenig überzeugend. Nach dem Kriegsausbruch begab sich die Schauspielerin in die USA.

Nach der Olympiade erhielt die Reichshauptstadt eine neue Attraktion: Rosita Serrano (La Chilenita), die temperamentvolle Chilenin, die sich während ihres Berliner Aufenthaltes zum »Star« entwickelte, über Rundfunk, Revue (»TiPi-Tin«), Theater (Komödienhaus), Film und vor allem über die Schallplatte weiten Kreisen bekannt. Sie war eine Chansonette, die ihr gesanglich nicht geringes

Können mit Humor ans Kabarettistische heranführte. So hatte Berlin seine »eigene« Lucienne Boyer, »ähnlich, doch nicht so elegant« und nicht mit »bis ins Feinste« kultiviertem Charme, wie die große Französin, so urteilte – vor dem Kriegsausbruch! – der Film-Kurier (31.5.1939). Mitten im Kriege verließ Rosita Serrano plötzlich Deutschland und begab sich nach Schweden. Eine vertrauliche Notiz des ProMi informierte: »Falls sie in das Reichsgebiet zurückkehrt, hat sie allerdings ein Untersuchungsverfahren zu gewärtigen, da Spionageverdacht gegeben ist.«[51]

Imperio Argentina hieß der spanische Star, dem deutschen Kinopublikum durch »Andalusische Nächte« bekannt. Für den 28.8.1939 – drei Tage vor Kriegsausbruch – war ihre Reise nach Berlin geplant: Sie sollte bei der Hispano-Film eine Rolle im neuen Filmvorhaben »Sarasate« übernehmen.[52] Der Film wurde erst später und unter anderen Umständen gedreht.

Seit den ersten Anfängen des Tonfilms standen die Sängerfilme hoch im Kurs. Bekannte Sänger mit schauspielerischen Kenntnissen waren gefragt. Die Rassengesetze versperrten jedoch nicht wenigen talentierten Sängern den Weg zum Film wie auch zum Theater. Der Schlager »Ein Lied geht um die Welt« aus dem gleichnamigen Film (Regie Richard Oswald) erklang 1933 von der Leinwand nur einige Male. Josef Schmidt sang ihn. Ein anderer prominenter Tenor, Richard Tauber, erhielt auch Berufsverbot. Diese Verluste glichen zum Teil die Ausländer aus. An dieser Stelle möchten wir nur die drei bekanntesten Namen erwähnen: Jan Kiepura, Louis Graveure und Benjamino Gigli.

Von Konzerten, Theateraufführungen (Oper, Operette), von zahlreichen Schallplatten, vor allem aber aus Sängerfilmen war der Name Jan Kiepura im Deutschland der dreißiger Jahre sehr bekannt. Dem berühmten Tenor aus Polen wendete auch Hermann Göring seine Gunst zu. Nicht ohne Interesse. Der ämterreichste Paladin des »Führers« war nämlich auch der »Oberste Herr« der berühmten Berliner Lindenoper. Alfred Bauers Spielfilm-Almanach wies nur auf fünf deutsche bzw. österreichische Filme hin, in denen Jan Kiepura nach 1933 gespielt hat. Der letzte von diesen entstand 1937 in Wien unter der Regie von Geza von Bolvary: »Zauber der Bohème«, nach Puccinis Oper. Die Partnerin Kiepuras war Martha Eggerth (seit 1936 seine Ehefrau), und der Film war von A bis Z eine Hitparade. Der Meister Robert Stolz betreute das Werk musikalisch. Ernst Marischka schrieb den Text, und die prominenten Darsteller Paul

Kemp, Oskar Sima, Theo Lingen, Richard Romanowsky und Lizzi Holzschuh spielten mit (U: 8.10.1937 in Bochum). Im Herbst des Jahres 1937 »trafen Terra und Tobis mit der Ufa eine Absprache, nach der sich die Gesellschaften verabredeten, keinen Vertrag mehr mit Jan Kiepura und Martha Eggerth zu schließen, wenn beide in ein und demselben Film spielen wollten, da die außerordentlich hohe Gage beider Künstler für einen Film untragbar ist« (Friedrich P. Kahlenberg). Untragbar war aber auch, daß Jan Kiepura »Halb«-Jude war. Und es war die Zeit, als in der RKK eine neue »Säuberungs-Welle« angeordnet wurde. Jan Kiepuras Bruder, ein äußerst begabter Tenor, wurde zur selben Zeit von einem Festvertrag an der Hamburger Staatsoper entbunden. Durch ihre Ehe mit Jan Kiepura erwies sich auch Martha Eggerth als wenig erwünscht. »Immer wenn ich glücklich bin«, ein Film mit, um und für Martha Eggerth, eine österreichische Produktion aus den letzten Monaten vor dem Anschluß, war der letzte Film mit der Künstlerin, der im Reich lief (U: 20.1.1938). Ernst Marischka war der Regisseur, Franz Grothe der Komponist und Paul Hörbiger, Fritz van Dongen, Theo Lingen, Hans Moser, Lucie Englisch, Rudolf Carl und Annie Rosar waren die wichtigsten Mitspieler der Filmheldin. Die letzte Kritik, die die bekannte Künstlerin in einer deutschen Filmzeitschrift erntete, klang eher frivol als fachmännisch. Die »Film-Rundschau« (26.1.1938) berichtete nach der Premiere: »Martha Eggerth singt und tanzt ausgiebig, und recht ausgiebig stellt sie auch ihre körperlichen Reize zur Schau, die ein kleines Tanzhöschen und ein noch kleinerer Büstenhalter mehr enthüllen statt verhüllen.« Im April 1939 ging die NS-Presse zu Angriffen über. Jan Kiepura hatte nämlich dem polnischen Staatspräsidenten in einem Brief 100000 Zloty und zwei große Autos für Verteidigungszwecke angeboten, und im Falle einer unmittelbaren Bedrohung Polens wollte er sogar sein gesamtes Vermögen zur Verfügung stellen. Die deutsche Presse hob hervor, daß der Sänger das erwähnte Vermögen »zum großen Teil in Deutschland erworben hat«, was in Wirklichkeit eine viel zu weitgehende Übertreibung war. Am 2.10.1939 spottete der »Film-Kurier«: »Der glühende polnische Nationalist Kiepura hat sich ins Ausland ›gerettet‹.«

Mit dem gefeierten Sänger Louis Graveure wurde eine Reihe von musikalischen Filmkomödien gedreht: »Es gibt nur eine Liebe« (1933), in der Regie von J. Meyer und mit J. Jugo, H. Rühmann und R. A. Roberts, »Ein Walzer für Dich« (1934) in der Regie von G. Zoch und mit C. Horn, H. Rühmann, T. Lingen und A. Sandrock,

»Ich sehne mich nach Dir« (1934) in der Regie von J. Riemann und mit C. Horn, T. Lingen und A. Sandrock, ferner »Ein Lied klingt an« (1936, Buch und Regie von G. Zoch) mit Gina Falckenberg. Die Mitarbeit mit dem Sänger wurde plötzlich unterbrochen. Anlaß dazu: eine Denunziation. Im Sommer 1938 ist L. Graveure »auf ärztlichen Rat ins Ausland gereist«.[53]

Leiter der Abteilung II A Hans Hinkel meldet:
(»...) Der Sänger und Filmschauspieler Louis Graveure, Berlin-Charlottenburg, Wielandstr. 13, dessen Abstammung nicht einwandfrei geklärt werden konnte und dem zum Vorwurf gemacht wurde, daß er sich während des Krieges in Amerika als ›verlassener armer Belgier‹ propagieren ließ, hatte, da beide Tatsachen nicht einwandfrei nachgewiesen werden konnten, eine jederzeit widerrufliche Sondergenehmigung zur weiteren Betätigung erhalten. Zwischenzeitlich ist Graveure in Deutschland im Film und in Konzerten tätig gewesen, und eine ganze Anzahl deutscher Künstler hat sich über die Konkurrenzmanöver des Graveure beklagt... Graveure selbst in seiner ganzen Art als undeutscher Künstler bezeichnet werden muß. Am 25. Februar 1938 erhielt ich von der Geheimen Staatspolizei die Mitteilung, daß Louis Graveure sich am 28. August 1937 im Anschluß an ein Konzert im Hotel Bellevue in Dresden in abfälliger Weise über Deutschland ausgelassen hat und im Beisein von (...) unter anderem geäußert hat: ›Deutschland müßte vor England auf die Knie fallen und ihm danken, daß es überhaupt noch bestehe. Die Angaben sind von (...) , der zu der Angelegenheit geraume Zeit später nochmals vernommen wurde und die Beschuldigungen erneut bestätigte, gemacht worden...«
Quelle: BA, R 55 Nr. 124 S. 143 ff; Schreiben vom 30.9.1938

Benjamino Giglis Weltruhm war schon besiegelt, ehe er zum Spielfilm kam. Gigli war nicht nur als Sänger zu bewerten, an ihm war auch die Vielseitigkeit seiner künstlerischen Ausdrucksweise zu bewundern. In den deutschen Kinos der NS-Zeit war Gigli viel öfter als die anderen ausländischen Star-Sänger zu sehen und zu hören. 1935–1943 trat er in elf deutschen oder deutsch-italienischen Produktionen auf. Das deutsche Publikum sah ihn auch in anderen, im Reich vorgeführten Filmen. Zweimal – 1937 und 1941 – weilte der Künstler im NS-Deutschland. Nicht nur künstlerisch, sondern auch propagandistisch waren die Besuche vom besonderen Gewicht. Die Filme mit Gigli waren keine weltbewegenden Werke, allein Giglis wegen

16. Rudolf Fernau

17. Heli Finkenzeller

18. Lil Dagover

19. Jenny Jugo

lohnte sich der Besuch. 1942 machte in Deutschland der Gigli-Film »Tragödie einer Liebe« Schlagzeilen, in dem die Musik von R. Wagner und G. Puccini gekoppelt wurde. »Lache Bajazzo« aus dem Jahre 1943 war das letzte Zeichen der Zusammenarbeit Giglis mit dem Film des Dritten Reiches.

In den Musiktheatern des Reiches konnte man nicht wenige Sänger aus Skandinavien hören. Im deutschen Film dagegen waren vor allem berühmte Schauspielerinnen aus diesen nordischen Ländern zu sehen. Mit Schweden an erster Stelle. Die NS-Presse kommentierte diesen Zustand ungefähr wie folgt: Daß gerade viele schwedische Schauspieler ins Ausland gingen, sei kein Zufall. Die konservative Disziplin im Künstlerischen lasse es einfach nicht zu, daß sich eigenwillige Temperamente frei entfalten könnten. – Da es im nationalsozialistischen Deutschland eine sehr strenge Disziplin, zwar anderer Art, gab, konnte man die Gründe auch woanders suchen. Der Weg zu den erträumten Erfolgen führte nun einmal durch die tonangebenden Metropolen.

Die berühmteste melodramatische Schauspielerin des deutschen Films der NS-Ära war die Schwedin Zarah Leander. Weder eine zweite Garbo oder Dietrich, noch eine Negri oder Crawford – sie war eine Künstlerin von durchaus eigenem Stil. Dem ersten Erscheinen der Skandinavierin auf der Leinwand ging ein großer Reklame-Feldzug voraus. Am 15. 3. 1937 betrat sie zum erstenmal die Babelsberger Ateliers. Zwar hatte sie schon einmal in Wien gefilmt: In Geza von Bolvarys Revue-Film »Premiere« (1937). »Zu neuen Ufern« hieß, mit symbolischem Unterton, der Titel ihres ersten deutschen Films, den Detlef Sierck inszenierte. Der Schlager, den sie in diesem Film sang: »Ich habe geliebt, und ich habe geküßt« war rasch bekannt geworden. »Habañera«, unter der Spielleitung desselben Regisseurs, war der zweite Film. Hier bewunderten die Zuschauer den schwingenden Celloton ihrer dunklen Stimme, als sie die wild-traurige Weise der Habañera sang. »Heimat«, unter Carl Froelichs künstlerischer Führung, war der dritte Film.

»Die rotgelockte, grünäugige Schönheit«, las man in zahlreichen Werbetexten, die auch Zarah Leanders weibliche Schönheit preisen wollten. Das Haar war ein ganz klein wenig rötlich, und was überhaupt ihre Schönheit betrifft... Der Kulturjournalist von der »Preußischen Zeitung« aus Königsberg (Ostpr.) schrieb darüber anläßlich eines Atelier-Besuches in Babelsberg während der Aufnahmen zu dem Film »Es war eine rauschende Ballnacht« (28. 1. 1939), daß:

»Zarah Leander auch neben dem Riesen Leo Slezak mit seinem gewaltigen Haupt noch als eine sehr große Frau erscheint und daß sie im übrigen ein weibliches Aussehen hat, wie es bei einer Mutter von Kindern natürlich ist.«

Die Schallplatten mit Zarah Leander verkauften sich sehr gut. So 1939 das Lied: »Ein kleiner Akkord auf meinem Klavier« mit Musik von Peter Igelhoff. 1940 gab der Ufaton-Verlag in Berlin die tausendmal gehörten Schlager aus den Leander-Filmen heraus. Es waren zwölf an der Zahl: »Lieder, die Zarah Leander singt.« Die Musik stammte von den erprobten Meistern: T. Mackeben, L. Brühne, R. Benatzky, die Texte waren meistens höchst naiv. Musikalisch und im Geschmack hoben sich diese Schlager aus der Reihe ähnlicher Produktionen nicht heraus. Nur die tiefe Stimme, das sonderbare Timbre einschließlich der notenlang betonten Konsonanten waren das Geheimnis der Erfolge von Frau, Film und Schlager.

Über die Mitarbeit Zarah Leanders mit dem NS-Film schrieb man viel: im Reich und im Ausland. Kurz vor Kriegsausbruch, als der Tschaikowsky-Film schon beendet war, informierte die Presse: Zarah Leander wird bei der Ufa in drei Filmen erscheinen, und zwar in »Lied der Wüste« und in zwei historischen Filmen: »Das Herz der Königin« und »Mona Lisa«. Das Drehbuch zu dem großen Kostümfilm »Mona Lisa« schrieb Gerhard Menzel bereits im Jahre 1938 (15 500 RM). Im Krieg erwies sich das Filmvorhaben als kaum durchführbar.[54] Und der Krieg erschreckte zunächst die Künstlerin. Der »Film-Kurier« (8.9.1939) gab bekannt, daß Zarah Leander vorige Woche »ihren schon längst geplanten Heimaturlaub angetreten« habe, aber die »Vorarbeiten für die weiteren Zarah-Leander-Filme der Ufa in vollem Gange« seien. Erst am 6. November traf die Künstlerin wieder in Berlin ein. Bald meldete sie sich im Wunschkonzert.

Zweimal wurde die Künstlerin vom ProMi zum Titel Staatsschauspielerin vorgeschlagen. Nachdem sie 1941, obgleich in vorderster Reihe der Vorschlagliste plaziert, abgelehnt worden war, erfolgte ein Jahr später, nach dem Erfolg der »Großen Liebe«, ein neuer Antrag. Darin hieß es, diese Auszeichnung würde »dazu beitragen, sie noch fester mit dem deutschen Filmschaffen zu verbinden.«[55] Eine Ernennungsurkunde war schon beim Staatssekretär Meißner ausgestellt, doch Hitler weigerte sich, sie zu unterschreiben. Das ProMi erhielt aus dem Hauptquartier nur die Nachricht, daß »der Führer nicht wünscht, daß Zarah Leander den Titel ›Staatsschauspielerin‹ erhält.«[56]

Während eines Luftangriffes fiel eine Bombe auf die Villa der Künstlerin in Berlin-Grunewald. Die Parties mit den damals unerreichbaren Leckerbissen und Unmengen von Alkohol gingen zu Ende. Zarah Leander bezog danach ein Landhaus in Miłobadź, einem bis September 1939 polnischen Ort, direkt an der Grenze nahe der Freien Stadt Danzig. Kurz darauf fuhr sie nach Schweden und kehrte dem NS-Film den Rücken. Ihr Klavier blieb in Miłobadź.

Im Juli 1944 beschäftigte sich die deutsche Presse mit dem Schicksal der Künstlerin nach ihrer Heimkehr. Die Nachricht lautete: »Die Stockholmer Zeitung ›Ny Dag‹ veröffentlichte vor kurzem ein ›Interview‹ mit Zarah Leander, das Behauptungen enthielt, die dem Ansehen der bekannten Schauspielerin abträglich waren. Es hat sich inzwischen schon herausgestellt, daß diese Veröffentlichung gefälscht ist und ihr Inhalt nicht den Tatsachen entspricht.« Jedenfalls schimpfte die schwedische Presse – mit guten Gründen – auf die Künstlerin. Das war die Quittung für Schwächen im Umgang mit den NS-Gewalthabern. Diese interessierten sich weiterhin für das Verhalten der Künstlerin. So z. B. berichtete Hans Hinkel seinem Chef Goebbels: »Zarah Leander hat durch Unterzeichnung des Vertrages mit dem für seine antideutsche Tätigkeit bekannten Revuedirektor Karl Gerhard zweifellos eine unfreundliche Haltung gegenüber dem Reich eingenommen.« Die Künstlerin trat aber nicht in der am 15. 9. 1944 in Stockholm anlaufenden Karl-Gerhard-Revue »Die alten Griechen leben noch« auf. Anlaß zu der Absage gaben die Proteste des norwegischen Theatermannes Knud Hergel und des dänischen Schriftstellers Ebbe Nergaard (beide im Exil) an Karl Gerhard, in denen sie den Boykott seiner Revue für den Fall des Auftretens der Leander androhten.[57] Für die deutsche Öffentlichkeit war diese Nachricht nicht bestimmt. Die Reichsfilmintendanz zeigte allerdings eine gewisse Vorsichtigkeit. Die Filme mit Z. Leander liefen zwar weiterhin in Deutschland, jedoch waren »sämtliche Meldungen über Frau Leander in der deutschen Presse gesperrt.«[58] Anläßlich eines Auftretens Z. Leanders im schwedischen Rundfunk schrieb die Zeitung »Goeteborgs Handels – och Sjöfartstidning« (23. 10. 1944): »Die frühere Propaganda-Diva von Herrn Goebbels durfte ihre Nummer ungestört durchführen. (...) Keine faulen Eier wurden auf sie geworfen. (...) Sie hat – soweit ihre Gaben es erlauben – Glanz über das Vergnügungsleben im Dritten Reich verbreitet. Sie hat es nicht ohne Entgelt getan. Wieviel ihr Auftreten ihr eingebracht hat, ist ziemlich gleichgültig. Das Entscheidende ist, daß sie sich dem deutschen Nazismus zur Verfügung gestellt hat. (...) Frau Leander begreift anscheinend selbst gar nichts. Ob sie singt ›Im Schatten eines Stiefels‹ oder für die Stiefelknechte gefällige Weisen singt, ist für sie dasselbe.« Nach dem Krieg setzte Zarah Leander sich selbst ein Denkmal in ihrem Buch »Es war so wunderbar«.

Die spätere »Oscar«-Preis-Trägerin (1941) Ingrid Bergman spielte ihren deutschen Film unter Carl Froelich und in seinem Filmstudio. Es ging in der Handlung um eine Jungmädchengeschichte in Berlin – und Froelich war sozusagen für Berliner Stoffe zuständig – nach dem Theaterstück »Die 4 Gesellen« von Jochen Huth. In dem gleichnamigen Film spielten mit I. Bergman die jungen Darsteller Sabine Peters und Hans Söhnker und von der »Alten Garde« Erich Ponto und Leo Slezak (U: 1.10.1938 in Hamburg). Ingrid Bergman fuhr danach nach Hollywood, und nach Berlin kam inzwischen eine andere Schwedin, die einen breiteren Platz in der Geschichte des deutschen Films einnehmen sollte.

»Einst war Kristina Söderbaum die blondeste aller nach Deutschland importierten Schwedinnen – und die erfolgreichste: Sie war der größte Kassenmagnet der deutschen Filmgeschichte. Ihre Filme spielten mehr als 200 Millionen Mark ein, ›Die goldene Stadt‹ allein 43 Millionen.«[59] Damals hat man das große Gestaltungstalent der jungen Schwedin oft mit dem etwas vagen Begriff »Naturtalent« charakterisiert. Das Mädchen aus Stockholm, mit den veilchenblauen Augen und dem Blondhaar (das Ideal einer »nordischen Schönheit«) wurde gern für propagandistische Zwecke eingespannt. Ihr Vater war ein namhafter Gelehrter, aber, zugleich, ein Freund Knut Hamsuns, betonten die NS-Medien. Und erst der deutsche Film hat sie entdeckt. Zwar hatte sie früher versucht, sich in Schweden durchzusetzen. Eine schwedische Filmfirma engagierte sie schließlich – so schrieb man in Deutschland – aber nicht um der darstellerischen Qualitäten willen, sondern weil sie einen entzückenden Scotch-Terrier besaß, den man unbedingt im Film haben wollte.[60] De facto wurde sie von dem »eifrigen Förderer junger Begabungen«, Veit Harlan, entdeckt. Er vertraute der damals fast Namenlosen als erste Rolle das Ännchen in M. Halbes »Jugend« (1938) an. Es war die erste Hauptrolle – die begabte Schwedin debütierte 1936 in »Onkel Brosig« bei Erich Waschneck – und danach folgten die Hauptrollen in den Filmen: »Verwehte Spuren« (1938), »Die Reise nach Tilsit« (1939), »Jud Süß« (1940), »Der große König« und »Die goldene Stadt« (1942), »Immensee« (1943), »Opfergang« (1944) und »Kolberg«

(1945). Harlan, dessen Frau sie wurde, hat sie in fast bestürzendem Rhythmus hochgerissen und von Erfolg zu Erfolg geführt. »Mein Leben änderte sich von Grund auf mit dem Tage meiner Heirat«, äußerte sich Kristina Söderbaum in einem Interview aus dem Jahre 1941.[61] Diese Heirat änderte aber zugleich das Leben einer anderen Künstlerin, von der sich Veit Harlan scheiden ließ. Zu diesem Thema äußerte sich Kristina Söderbaum ebenfalls, Jahrzehnte später: »Ich wollte nicht der letzte Anlaß sein, daß seine brüchige Ehe mit Hilde Körber zu Ende ging. Ich war es auch nicht. Aber ich wurde dazu gemacht. Zu diesem Zeitpunkt waren sie beide über die Scheidung bereits einig.«[62] Hilde Körber, Veit Harlans Gattin, war darüber anderer Meinung.

»Mein Führer!   14.3.39
Seit einem halben Jahr ertrage ich jede Ungerechtigkeit. Das ist nur möglich, weil ich ein Mensch bin, der Kampf und Leid gewohnt ist hinzunehmen. Ich bin seit fünf Monaten unschuldig geschieden und lebe nur für meine drei Kinder. Ich bin Deutsche von Geburt und mit ganzem Herzen. Trotz aller Schmerzen, die ich als Frau durchleben mußte, bin ich nicht bitter geworden und habe versucht, mein Glück darin zu finden, zu helfen dort wo Not ist... Dafür werde ich ausgestoßen und beleidigt, meine berufliche Existenz ist schwer gefährdet und somit auch die meiner Kinder. Was habe ich getan, mein Führer, daß sie mich ausschließen aus jeder Gemeinschaft der Künstler, daß ich zu keinem Empfang mehr eingeladen werden darf und alle Gerüchte, Beschämungen und Schädigungen, die dadurch entstehen, aushalten muß? Ich habe einem jungen, verirrten Menschenleben versucht Richtung zu geben nicht als Freundin, nur als mütterlich reife Frau, die selbst genug gelitten hat, um alles begreifen zu können. (...)

Hilde Körber-Harlan
Quelle: BA, NS 10, Nr. 111 S. 11

In den NS-Medien kam Kristina Söderbaum oft vor. 1940 widmete man ihr einen Kurzfilm. Die begabte Künstlerin (Lale Andersen: »menschlich ein Schatz«) wurde ein Stern erster Größe. Der Film, und nur der Film, war es, der ihr eine enorme Popularität schuf. Da in ihren Filmen die Handlung sie mit gewisser Regelmäßigkeit ins Wasser trieb, nannte das Kinopublikum sie halbironisch (und die Ironie war nicht auf sie gezielt) – »die Reichswasserleiche«. Und der Film-Kurier (22. 9. 1944) schrieb über sie: »Sie gehört in unsere Gegenwart, ohne im üblichen Sinne modern zu sein... Was aber ihre Besonderheit ausmacht: Sie erscheint in keiner der vielfältigen Spiegelungen komödiantisch oder bloß-sentimental. Aus ihrem leidenschaftlichen Herzen strömt unmittelbar jedes Gefühl, und sie gehört zu den wenigen Frauen, die im Film ein weinendes-zuckendes Gesicht zeigen können, ohne daß auch nur einem Zuschauer der Gedanke käme, diese Tränen seien nur gespielter Schmerz.«

»In der ersten Hälfte unseres gemeinsamen Lebens«, so nach Jahren Kristina Söderbaum, »als Veit auf dem Höhepunkt seines Schaffens stand und mich hinaufzog, war ich das kleine Mädchen – oft schwach, unwissend und dumm. Die Tragweite unseres künstlerischen Schaffens, im guten wie im schlechten Sinn, habe ich erst nach dem Kriege begriffen.« (»Stern«, 44/1969)

Es gab noch andere, weniger bekannte Namen von Schwedinnen im deutschen Film jener Zeit, es gab aber auch einen wichtigen Namen, den der Norwegerin Kirsten Heiberg. Mit dem Lied »Ja und nein« (von Franz Grothe, ihrem Ehemann und Klavierbegleiter) wurde ihre Stimme überall bekannt. Lale Andersen urteilte: »... ihr Pech war es, daß Zarah Leander mit gleichtiefer Stimme, gleichem Akzent und gleicher Begabung zwei Jahre vor ihr nach Deutschland gekommen war.« Kirsten Heibergs Stimme hatte wirklich viel Ähnlichkeit mit der der Leander, vielleicht war sie nur ein bißchen kühler. 1938 war sie in ihren ersten deutschen Filmen zu sehen, 1939, noch vor Kriegsausbruch, lieferte der Tobistrichter ein reizendes Spiel um das Ehepaar Grothe-Heiberg. Bis 1945 trat sie in dreizehn abendfüllenden Filmen auf.

Eine große Karriere machte im deutschen Film die Ungarin Marika Rökk. Von der Ufa für den Film »Leichte Kavallerie« engagiert (1935, Regie: Werner Hochbaum), spielte sie danach, bis 1944, in dreizehn weiteren Filmen. Sie tanzte großartig, sang, und stand immer im Vordergrund ihrer Filme. Seit 1936 filmte sie vor allem mit ihrem späteren Mann, dem Regisseur Georg Jacoby. Die Filme Rökk-Jacoby wurden zum Begriff. Ihr feuriges Temperament im Spielen gefiel fast allen Zuschauern, selbst dem »Führer«.

Woher die Stoffe nehmen, derer man zu Hunderten alljährlich bedurfte, um daraus das zu schneidern, was als Film das breite Kinopublikum erobern sollte? Rein quantitativ gesehen, mangelte es nicht an Stoffen. Umgekehrt. Die Firmen erhielten ständig eine Menge von Filmmanuskripten. Während ihres einjährigen Bestehens wurden allein der Wien-Film 2900 Filmstoffe eingereicht: Sie alle waren gesichtet, geprüft und, fast ausnahmslos, abgelehnt. Ein wirklich drehfertiges Drehbuch, das seine künstlerische, produktionstechnische – und, was im totalitären Staat von größter Wichtigkeit war – politische Aufgabe erfüllen soll, kann nur von einem Autor geschrieben werden, der weiß was für eine Vorarbeit geleistet hat, die die Mitwirkenden einer Filmproduktion von ihm erwarten.

Die Aufgabe des Staates war es auch, die brauchbaren Autoren zu fördern. Der Film braucht Dichter, schrieb die NS-Presse anläßlich der Arbeitstagung der Filmautoren, die im Januar 1940 von der Schrifttumsabteilung des ProMi in Berlin veranstaltet wurde. Der Kriegsausbruch stellte die Filmautoren vor neue Aufgaben. Am Anfang des Krieges stellte die RSK eine Liste auf, die eine kleine Auswahl von Bearbeitern enthielt, die künstlerisch und technisch mit den Vorgängen bei der Verfilmung völlig vertraut waren und denen »die künstlerisch einwandfreie Gestaltung eines Filmes gelingen dürfte«. Auf dieser Liste befanden sich die Namen von Fred Angermayer, Josef Martin Bauer, Erich Ebermayer, Wolfgang Goetz, Otto Ernst Hesse, Kurt Heynicke, Fred Hildebrandt, Rolf Lauckner, Gerhard Menzel, Richard Schneider-Edenkoben und Heinrich Spoerl.[63] Das waren Namen, die wirklich von verschiedenen Filmen bekannt waren. Dagegen hatte der Präsident der RSK Hanns Johst sowohl vor 1939 als auch nach dem Kriegsausbruch Pech mit Filmprojekten. Im Oktober 1942 wandte sich der Produktionschef der Tobis an ihn mit der Bitte, einen Stoff für einen Jannings-Film zu entwerfen. Das Thema konnte »einen politischen, aber auch einen rein menschlichen Charakter haben und in der Historie oder in der heutigen Zeit liegen.« Voraussetzung jedoch war, daß dieser Stoff »ausschließlich für Emil Jannings erdacht und geschrieben« würde.[64] Nach Erhalt des Treatments von Johst für einen Film »Ich komme wieder« (Europa) hatte die Tobis von der Verfilmung abgesehen.

Hunderte von Autoren schrieben ihre Manuskripte für die Filme, die in der NS-Zeit gedreht wurden. Dutzende von ihnen gewannen

Popularität, einige wurden sogar berühmt. Walter Wassermann, Bobby E. Lüthge und Philipp L. Mayring gehörten seit je zu den erprobten Meistern im Fach und waren stets gesuchte Filmautoren. Berühmt wurde Thea von Harbou, die in ihrem Leben über dreißig Jahre lang die Drehbücher schrieb, »die zum Teil die Filmgeschichte maßgeblich prägten, zum Teil aber auch als durchschnittliche ›Konfektionsware‹ nur für anspruchslose Kinounterhaltung genügten.«[65] Noch zu Zeiten des NS-Reiches schrieb H. Ihering über ihre Verdienste im deutschen Film: »So blumig manchmal die Ausdrucksweise Thea von Harbou sein mag, man darf ihr Verdienst nicht verkleinern, in entscheidenden Zeiten des deutschen Films die Technik des Drehbuches mit entwickelt und bedeutende Stoffe mit gestaltet zu haben. Das ist eine filmgeschichtliche Leistung.«[66] Gemeint war die gemeinsame Arbeit mit ihrem Mann Fritz Lang. Für die Dienststelle Rosenberg blieb Thea von Harbou – obwohl seit 1940 bei der NSDAP – stets fragwürdig.

Nach 1933 tauchten neue Namen auf: Robert A. Stemmle, Kurt Heuser, seit 1936 Felix von Eckardt. Die Drehbucharbeiten Bernd Hofmanns führten über sein Debüt mit »Lady Windermeres Fächer« (1935) und weitere Unterhaltungsfilme zu dem Film »Irrtum des Herzens« (1939), in dem er zum erstenmal auch Regie führte; »Florentiner Hut« (1939), »Alles Schwindel« (1940) und »Fahrt ins Leben« waren seine weiteren Arbeiten. Langsam hat sich der Sachse Jochen Huth durchgepaukt. Erst als Bühnenschriftsteller mit ein paar heiterernsten Komödien, danach von Willi Forst zur Filmarbeit herangezogen. Im Theater war er bemüht, den Typ des normalen Durchschnittsmenschen mit seinen kleinen Leiden und Freuden auf die Bühne zu bringen. Im Film hatte er denselben Ehrgeiz. Sein Theaterstück »Ultimo«, das er für den Ufa-Film »Das Leben kann so schön sein« verarbeitete, wurde jedoch als ein Vorstoß gegen die Populationspolitik des Dritten Reiches empfunden, und der Film erhielt nicht die Genehmigung der Zensur. Zu den erfolgreichen Bühnenautoren (beim unpolitischen Film) gehörte Axel Eggebrecht, sehr erfolgreich war Gerhard Menzel, der sich nicht selten bei den stark politischen Filmen engagierte. Die Liste der »Vielschreibenden« umfaßte ferner Namen wie Curt J. Braun, Hans H. Zerlett, Georg C. Klaren, Karl Georg Külb, Jacob Geis, aus der großen Reihe der Österreicher waren vor allem die Namen Fritz Koselka und Franz Gribitz bekannt, die Brüder Marischka, ferner die bekannten Schriftsteller wie Richard Billinger, Friedrich Schreyvogl, Alexander Lernet-Holenia, Juliane Kay u. a. Von den Drehbuchautoren mit den ungarischen Pässen war Geza von Cziffra der bekannteste. Von Zeit zu Zeit schrieben die bedeutenden Vertreter der schönen Literatur die Drehbücher. Aber auch die Anfänger. Der Deutsch-Norweger (so vor dem Kriege die deutsche Presse) Per Schwenzen war vor 1939 mit seinen eigenen Theaterstücken über die meisten Bühnen des Reiches gegangen. Seine Komödie »Jan und die Schwindlerin« bereitete er im Krieg für einen Film als Drehbuchautor vor. Der Film wurde nicht zensiert.

Die Bemühungen um die Mitarbeit der deutschen Schriftsteller am Filmschaffen wurden nicht nur zum kleinen Teil mit Erfolg gekrönt. »Nicht lockerlassen, sondern unermüdlich auf die geringe Zahl geeigneter Autoren und Dramaturgen einwirken und diese Kreise schärfstens sieben« – war die Politik der Filmabteilung des ProMi, und das waren Worte seines Leiters Hans Hinkel, Ende 1944 an Goebbels gerichtet.[67] Eine Liste der »geeigneten« Filmautoren aus dem Jahre 1944 war allerdings nicht so kurz: Sie umfaßte 77 Autoren und 18 Autorinnen, die vom ProMi für die Filmarbeit zugelassen wurden.

Die zugelassenen Film-Autoren (Stand von 1944)

Vera von Albert	Felix von Eckardt
F. D. Andam	Axel Eggebrecht
Fred Andreas	Walter Forster
Bruno Balz	Peter Francke
Josef Martin Bauer	Josef Maria Frank
Stefanie von Below	Hedwig Falk
H. Rudolf Berndorf	Ellen Fechner
Conrad Beste	Else Feldbinder
Roland Betsch	Erna Fentsch
Hans Joachim Beyer	Herta von Gebhardt
Otto Bielen	Jacob Geis
Helmut Brandis	Franz Gribitz
Kurt J. Braun	Peter Groll
Gerhard T. Buchholz	Elisabeth Gürt
Herbert Burgmüller	Erich Hampel Conradi
Dr. Emil Burri-Hesse	Christian Max Feiler
Heinz Coubier	Gertrud Hackebell
H. C. Diller	Thea von Harbou
Georg Döring	Paul Helwig
Dr. Erich Ebermayer	Otto Ernst Hesse

Kurt Heuser	Wolf Neumeister
Walter von Hollander	Richard Nicolas
Toni Huppertz	Marie von der Osten-Sacken
Georg Hurdaleck	Erich Paetzmann
Stephan von Kamare	Eva Patzig
Dr. Gustav Kampendonk	Ludwig Metzger
Juliane Kay	Harold Petterson-Giertz
Ernst Keienburg	Johannes Rösler
Eberhard Keindorff	Albert Roth
H. G. Kernmayr	Martin Rube
Georg C. Klaren	Ernst von Salomon
Gert von Klass	Johanna Sibelius
Fritz Köllner	Käte Schubrig
Fritz Koselka	Dr. Friedrich Schreyvogel
Hermann Krause	Per Schwenzen
Hugo Maria Kritz	Fritz Schwiefert
Wilhelm Krug	Dr. Heinrich Spoerl
Jochen Kuhlmey	Dr. Frank Thiess
A. Kuhnert	Walter Ullrich
Walter Lieck	Walter Wassermann
Alexander Lix	Kurt Wesse
Ernst Marischka	Eduard Wieser
Philipp L. Mayring	Herbert Witt
Dr. Max Mell	Fr. von Woedtke
Gerhard Menzel	Renate Uhl
Gerhard Metzner	Walter Zerlett-Olfenius
Rolf Meyer	Philipp von Zeska
Eckart von Naso	Quelle: R 109 II vorl. 67 o. S.

Filmkomponisten

Fast hundert Komponisten lieferten ihre Musiken zu den deutschen Spielfilmen in den Jahren 1939–1945. Eine hohe, heute nur noch schwer festzustellende Zahl von Tonsetzern illustrierte musikalisch zahlreiche Kultur- bzw. Dokumentarfilme. Unter ihnen befanden sich Namen, die unbestreitbar einen wichtigen Teil der Filmgeschichte bilden.

Nestor der deutschen Filmkomponisten, Giuseppe Becce, Maestro mit schauspielerischen Erfahrungen (1913 spielte er in der raren

Stummfilm-Biographie Richard Wagner), war Pionier der Stumm-
film-Musik und später Komponist vieler Tonfilme. Zur Zeit des Dritten Reiches komponierte er viel, galt als besonders guter Spezialist
für Bergfilme. Zu seinen letzten Aufträgen am Ende des Krieges gehörten Filme wie »Im Banne des Monte Miracolo« von Luis Trenker
und »Tiefland« von Leni Riefenstahl. Begleitmusiken zu den Stummfilmen schrieb Willy Schmidt-Gentner, zeitweilig der musikalische
Chef der Ufa. Eine reiche Erfahrung als Komponist hatte Wolfgang
Zeller. Längere Zeit war er Bühnenkomponist an der Berliner Volksbühne. Sein Filmdebüt fiel auf das Jahr 1926. 1929 fand Zeller Gelegenheit, einen Spieltonfilm zu illustrieren (»Das Land der Frauen«,
Regie C. Gallone). Bekannte Spiel- und Kulturfilme – darunter NS-
Propagandawerke – sind mit W. Zellers Namen verknüpft. Hans-
Otto Borgmann sammelte seine Erfahrungen mit der Filmmusik
schon 1926–1931 als Kapellmeister im Berliner Ufa-Theater. Hansom Milde-Meißner schuf die Musik zu »Die Nacht gehört uns«
(1929), einem der allerersten Tonspielfilme. Harald Böhmelt, mit 21
Jahren Kapellmeister, war seit 1933 auch erfolgreicher Filmkompo-
nist. »Ein Lied geht um die Welt«, interpretiert von Josef Schmidt,
stammte von ihm. Bis 1945 brachte er es auf insgesamt 33 Filme. Von
»Morgenrot« (1933) bis zu den »Degenhardts« (1944) schuf Herbert
Windt die Musik zu den »heroischen« Filmen der NS-Ära, als der
beste Spezialist in dieser Gattung. Richard Wagner und Richard
Strauss waren ihm die Vorbilder. Wie bei Zeller war sein Name mit
den bekanntesten NS-Propagandafilmen verknüpft.
   Alois Melichar, ein Wiener, ging 1920 nach Berlin, wo er mit den
Philharmonikern lange Jahre und in vielen Konzerten zusammenar-
beitete. Mit guten Mikrophonerfahrungen war er seit 1933 ein willkommener Mitarbeiter des Films. Seine Musik galt bei einigen
»Kunstbetrachtern« als umstritten. So z. B. hat die ausschließliche
Verwendung von Bach-Musik und ihre Bearbeitung in V. Harlans
Film »Das unsterbliche Herz« (1939) ein lebhaftes Für und Wider
ausgelöst. Der Komponist schuf Musik zu dem weltbekannten Kulturfilm »Michelangelo« (1940) und zu dem großen Expeditionsfilm
der Ufa »Geheimnis Tibet« (1942).
   Lang war die Reihe der Filme, für die Norbert Schultze die Musik
schrieb. Auf dem Terrain zwischen »seriöser« und »leichter« Musik
beheimatet, gehörte der begabte Komponist zu den gefragten Mitarbeitern beim Film. Der Komponist Hans Ebert war den »Säuberern«
verhaßt, weil er mit einer Jüdin verheiratet war und blieb. Nach der

NS-Machtübernahme aus seiner Stellung als Hauskomponist des Kölner Senders entfernt, arbeitete er danach nicht nur als freischaffender Komponist, sondern erhielt auch Aufträge von der Ufa, Terra, Prag-Film und anderen Filmproduzenten. Auch durch seine Musiken zu größeren Kulturfilmen machte er sich einen Namen. Ernst Erich Buder hatte keine Probleme: Seine Kapelle spielte schon zu Anfang des Dritten Reiches SA-Lieder und Märsche. Hans Carste wurde dagegen bekannt durch seine Musik zu dem Lied der Propaganda-Kompanien »Lebe wohl, du kleine Monika«.

Bei den in großen Spielfilmen hervorgetretenen Komponisten bestand nicht selten eine gewisse Abneigung, sich dem Kulturfilm zuzuwenden. G. Becce, W. Zeller, W. Zillig, F. Wenneis, W. Eisbrenner und noch einige andere bildeten Ausnahmen. Auch Norbert Schultze. Es gab Komponisten, die besonders große Erfahrungen mit den Kurzfilmen hatten. So Walter Winnig, der 1929 die erste Musik zu Wochenschauen schuf; später wandte er sich der musikalischen Betreuung von Kulturfilmen zu. Mitte 1942 waren es schon 300.

Komponisten und ihre Musiken zu den abendfüllenden deutschen Spielfilmen aus den Jahren 1939 bis 1945 (von drei Filmmusikaufträgen an)

Name des Komponisten	Zahl der Filme nach Jahren							ins-gesamt
	1939	1940	1941	1942	1943	1944	1945	
Werner Bochmann	8	5	3	5	6	7	8	42
Michael Jary	4	4	4	3	6	4	2	27
Franz Grothe	5	3	4	2	3	4	3	24
Lothar Brühne	4	3	2	2	5	3	4	23
Werner Eisbrenner	4	3	1	–	5	3	7	23
Willy Schmidt-Gentner	3	5	3	2	3	4	1	21
Leo Leux	2	3	3	3	4	2	3	20
Alois Melichar	3	3	3	3	–	4	3	19
Hans-Otto Borgmann	2	1	2	4	–	5	4	18
Theo Mackeben	4	2	2	1	6	1	2	18
Anton Profes	2	1	4	3	3	4	1	18
Wolfgang Zeller	4	1	3	1	2	4	3	18
Norbert Schultze	3	3	2	2	–	2	3	15
Herbert Windt	3	2	4	2	2	2	–	15
Peter Kreuder	4	4	–	–	1	3	2	14
Friedrich Schröder	1	4	2	4	1	–	1	13
Franz Doelle	1	2	1	2	4	2	–	12*

| Name des Komponisten | Zahl der Filme nach Jahren | | | | | | | ins- |
	1939	1940	1941	1942	1943	1944	1945	gesamt
Harald Böhmelt	2	2	2	1	2	2	1	12
Frank Fux	–	2	2	2	2	1	2	11
Hans Ebert	5	2	–	1	2	–	–	10
Ludwig Schmidseder	1	4	–	–	2	3	–	10
Oskar Wagner	–	–	–	1	2	5	1	9
Giuseppe Becce	2	1	1	2	1	–	2	9
Ernst Erich Buder	2	–	–	1	3	1	2	9
Kurt Schröder	1	3	1	1	–	–	1	7
Bernhard Eichhorn	–	1	–	2	2	–	1	6
Georg Haentzschel	1	1	1	1	1	–	1	6
Adolf Steimel	–	–	–	2	1	–	3	6
Hanson Milde-Meissner	3	–	2	–	1	–	–	6
Hans Carste	4	1	–	–	–	–	–	5
Nico Dostal	2	1	–	–	1	1	–	5
Peter Igelhoff	2	2	–	1	–	–	–	5
Willi Kollo	1	–	2	1	–	–	–	4
Franz Marszalek	–	–	–	–	3	1	–	4**
Edmund Nick	–	1	2	–	–	1	–	4
Heinz Sandauer	2	–	–	–	2	–	–	4
Winfried Zillig	–	–	–	2	1	1	–	4
Hans Diernhammer	–	–	–	–	2	1	–	3
Albert Fischer	–	–	–	–	–	2	1	3
Franz R. Friedl	2	–	–	–	–	–	1	3
Mark Lothar	1	–	1	–	–	1	–	3
Willi Meisel	–	2	1	–	–	–	–	3
Willy Richartz	1	2	–	–	–	–	–	3
Clemens Schmalstich	2	–	–	–	1	–	–	3
Werner Schmidt-Boelcke	–	–	–	–	–	1	2	3
Toni Thoms	–	1	1	1	–	–	–	3

*   Vier Filme zusammen mit F. Marszalek
** Vier Filme zusammen mit F. Doelle

In fast jedem Unterhaltungsfilm »rechtfertigte« eine Tanzbar, ein Varieté, ein Rummelplatz, eine Matrosenkneipe usw. den Einsatz der Schlagermusik. Und im allgemeinen verstand das Gros der Kinobesucher unter Filmmelodie immer noch den Schlager. Er gewann eine charakterisierende Berechtigung im Gesellschaftsfilm. Den Rang eines Schlagers erreichten aber durch den Film auch manche Soldatenlieder. Herms Niels bekanntes Lied »Erika« sollte sogar die Grundlage für einen Spielfilm bilden.

Dr. Hermann Wanderscheck berichtet
(...) *»Zwei Filmkomponisten haben das Soldatenlied künstlerisch neu
gestaltet: Herbert Windt und Norbert Schultze. In dem Film flammten
zwei Lieder Herbert Windts auf, das Marschlied ›Auf der Straße des
Sieges‹ und das lustige Lied ›Hundert Mann und Lieselotte‹. Beide
haben sich in die Herzen unserer Soldaten geschlichen. Ebenso wie
Norbert Schultzes wuchtiges Lied ›Bomben auf Engelland‹ aus dem
Film ›Feuertaufe‹ längst den Höchstgrad der Volkstümlichkeit erreicht
hat. ... Herbert Windt hat nach dem ... Text von Geno Ohlischlager
das zündende Fliegermarschlied ›Wir sind die schwarzen Husaren der
Luft‹ komponiert, in dem Film ›Stukas‹ brauste es auf... Zwei Soldatenlieder von Harald Böhmelt aus dem Film ›Unterseeboote westwärts‹
sind... volkstümlich geworden ›Warte, mein Mädel‹ und ›Irgendwo in
weiter Ferne‹... Daß sie von den Komponisten des Films geschaffen
wurden, beweist, wie klar die Forderung an die Filmmusik verstanden
wurde.«*
Quelle: »Film-Kurier« vom 2. 1. 1942

Zahlreiche Unterhaltungsfilme kamen alljährlich mit Standardkom-
ponisten zu Ton, und der sanktionierte Schlager hat auf diese Weise
ganze Dynastien begründet, die Dynastien Kreuder, Grothe, Mackeben, Jary, Bochmann, Leux, Brühne, Doelle, Fux. Beständig war die
Liste der beliebten und erfolgreichen Film- und Rundfunkkomponi-
sten der 30er und 40er Jahre. Unter ihnen nahm Peter Kreuder allmählich einen ersten Platz ein. Nicht nur als Komponist war er eine
bemerkenswerte Erscheinung, sondern auch als Pianist: Seine Technik war, so in den Kommentaren, unübertrefflich und seine Interpretation voller Dynamik. Sein großer Verehrerkreis bereitete ihm und
seinem Ensemble immer einen begeisterten Empfang: in Deutschland und im Ausland (sogar in Japan und Brasilien). Bis zum Kriegsausbruch erschienen rund 300 Schallplatten. Seine Melodien wurden
auf der Straße gepfiffen oder von Show-Größen wie Zarah Leander,
Marika Rökk, Rosita Serrano, Hans Albers und Johannes Heesters
gesungen. Der überaus populäre Mann schrieb die Musik zu zahllosen Filmen. Sowohl vor dem Kriege als auch nach 1939 wirkte er auch
bei den stark politisch engagierten Filmen mit. Franz Grothe, mit
einer soliden Musikausbildung, hatte sich sehr schnell als Pianist, Ar-
rangeur und Dirigent einen Namen gemacht. Nach Einführung des
Tonfilms gelang ihm auch als Komponist der Durchbruch. Er schrieb
Filmmelodien, die heute zu Klassikern geworden sind (»Einen Wal-

zer für Dich und für mich«). Auch nach 1945 bewahrte er seine Popularität und die seiner Melodien. Auf seiner Werkliste standen die Partituren zu zahlreichen Spielfilmen, aber auch Bühnenkompositionen.[68] Als künstlerischer Leiter und Dirigent des »Deutschen Tanz- und Unterhaltungsorchesters«, das Goebbels und Hans Hinkel im Herbst 1941 als Repräsentationsorchester gegründet hatten, gewann Franz Grothe durch den Rundfunk im ganzen »großdeutschen« Raum (aber auch über dessen Grenzen hinaus) eine außerordentliche Popularität. Theo Mackeben (Bel-ami-Chanson) war im Film seit 1930, Michael Jary wurde seit 1935 Filmkomponist. Der akademisch ausgebildete Oberschlesier (in Laurahütte bei Kattowitz wurde er geboren) arbeitete 1939–1941 und 1943 für die Terra, sonst in anderen Filmfirmen. Der Schöpfer des weitbekannten Schlagers vom unerschütterlichen Seemann schuf seine Schlager in Mitarbeit mit seinem Freund Bruno Balz (Texte). Zu seinen Interpreten gehörten R. Serrano, Z. Leander, M. Rökk, E. Künneke, J. Heesters und natürlich H. Rühmann. Auch nach 1945 blieb Jary der Erfolg als Film- und Schlagerkomponist treu.

Werner Bochmann, seit 1931 beim Film, hatte eine Begabung für die musikalische Komödie, die Palette seiner Filmmusiken war allerdings viel breiter. Im Krieg war er der meistbeschäftigte Spielfilmkomponist. Bereits 1930 schrieb Leo Leux Musik für den Film »Susanne macht Ordnung«, danach, bis 1951, kamen zahlreiche weitere Filmmusiken. Am bekanntesten wohl war seine Musik zu dem Revuefilm »Es leuchten die Sterne«, die er zusammen mit Franz R. Friedl komponierte. Das impulsiv gestaltete Marschlied gewann eine breite Popularität. Wertvolle Partituren zu heiteren Filmen verdankte der deutsche Film Lothar Brühne. Schon zur Stummfilmzeit leitete er in Lichtspielhäusern Orchester. Als Assistent von Alois Melichar studierte er die Praxis der Filmkomposition. Als er die »Habañera« für den gleichnamigen Zarah-Leander-Film schrieb, wurde er über Nacht bekannt. Das blieb nicht ohne Einfluß auf weitere Filmaufträge. Für Z. Leander schuf er weitere Lieder. Seine Musik war sehr melodiös. Franz Doelle, seit 1914 Kapellmeister in Berlin am Apollotheater, am Metropoltheater und an der Komischen Oper, war der Komponist vieler, noch heute gern gehörter Evergreens (»Wenn der weiße Flieder wieder blüht«). Eine viel jüngere Filmvergangenheit hatte Frank Fux, ein wendiger Rhythmiker, der die moderne Tanz-Instrumentationskunst fehlerlos beherrschte. Von der Bühne und vom Film war sehr bekannt die Musik Friedrich Schrö-

148

20. Pola Negri und Albert Schoenhals in »Mazurka«

21. Heinz Rühmann und Ewald Wenck in Heinrich Spoerls
«Die Feuerzangenbowle«

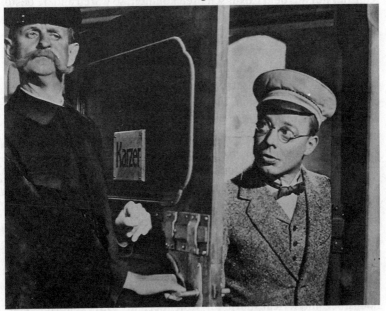

ders. Seine Tanzlieder »Ich tanze mit Dir in den Himmel hinein«, »Die ganze Welt dreht sich um Dich«, »Liebling, was wird nun aus uns beiden« und »Man müßte Klavier spielen können« erklangen ungezählte Male im Lautsprecher. Fast ganz den unterhaltenden Bildstreifen war die Filmmusik von Will Meisel gewidmet.

Gagen

Nicht das geringste soziale, aber, weil es um ein totalitäres System geht, auch streng politische Problem war die finanzielle Existenz der Menschen vom Film. Die finanzielle Existenz der Filmkünstler war zum größten Teil zugleich die Sache der wirtschaftlichen Lage der Theaterleute. Wenn auch die künstlerische Tätigkeit beim Theater nur einen Bruchteil dessen an Gagen einbringen konnte, was oft ein einziges Filmengagement ergab, so dachten die meisten Schauspieler nicht daran, von der Bühne abzugehen. Denn das Theater sicherte eine beständigere Existenz – seit dem Jahre 1938 auch die Altersversorgung – vor allem aber sicherte es die künstlerisch befriedigendste Tätigkeit.

Auch damals mußte Kunst nach Brot gehen, und während manche Künstler nur aus dem Luxus schaffen konnten, so waren andere desto produktiver, je schlechter es ihnen ging. Daß die Gagen der Prominenten zu den Utilités im Mißverhältnis stehen konnten, war auch nichts sonderlich Filmisches. Liebhaberpreise sind überall nötig, wo Konkurrenz ausschlaggebend ist. Zwar griff der Staat regelnd ein, dennoch war der Grundsatz des Nationalsozialismus' – der Lohn soll ein gerechtes Entgelt sein, die Arbeit darf nicht zur Ware herabgewürdigt, den Zufälligkeiten der Marktbildung unterworfen werden – insbesondere im Bereich des Filmschaffens außer Kraft gesetzt. Zahlreiche Schauspieler, Regisseure und in vielen Fällen Bühnen- bzw. Filmautoren, die materielle Sicherheit politischer Unabhängigkeit vorzogen, konnten sich einen vorher nicht vorauszusehenden Lebensstandard schaffen. Diese Zeit haben (bzw. hatten) viele Filmkünstler in besonders angenehmer Erinnerung. Nach wie vor gehörten zu den Großverdienern die erprobten, bedeutenden Künstler. Aus den für die Finanzämter abgefaßten Steuererklärungen der Künstler geht hervor, daß z. B. die Jahreseinnahmen (brutto) im Kalenderjahr 1936 von Käthe Dorsch 152 700 RM betrugen. Zu den höchstbezahlten Künstlern im Kalenderjahr 1937 gehörten z. B.

Hans Albers (562 000 RM), Gustav Fröhlich (178 118 RM), Albrecht Schoenhals (162 720 RM), Paul Hartmann (113 490 RM) und Karl Ludwig Diehl (173 107 RM).[69] Es gab freilich auch relativ niedrigere Gagen. So verdiente Carola Höhn im Jahre 1936: 21 150 RM, 1937: 49 100 RM und 1938: 45 000 RM.[70] Fritz Kampers erhielt 1936: 71 839, 1937: 47 600 und 1938: 63 950 RM.[71] Das Jahreseinkommen von Marieluise Claudius betrug 1936 – 34 450, 1937 – 44 333 und 1938 – 42 960 RM.[72] Der Filmkomponist Theo Mackeben hatte im Jahre 1936 – 34 035, 1937 – 33 030 und 1938 – 54 465 RM Bruttoeinkommen.[73] Der Schrifsteller Heinrich Spoerl hatte 1939 ein Bruttoeinkommen von 124 276 RM, davon vom Film 50 719 RM.[74] Leny Marenbach verdiente im Jahre 1939: 83 000 RM. Ein Staatssekretär im Reichsministerium erhielt damals rund 20 000 RM, ein Facharbeiter um 2500 RM jährlich. 1 kg Mischbrot kostete damals um 30 Pf, eine 4türige Limousine Mercedes-Benz 3850 RM (1937).

1938 wünschte Hitler 40 % der Einnahmen bedeutender Künstler einkommensteuerlich als Werbungskosten anzuerkennen.[75] Diese Forderung zog die Klärung der Frage nach sich, wer als prominent anzusehen sei und wer nicht.[76] Nicht ohne Schwierigkeiten wurde im ProMi eine Liste derjenigen Künstler aufgestellt, die für eine Steuerermäßigung in der vom »Führer« festgesetzten Höhe vorgeschlagen wurden. Sie umfaßte Namen von 109 weiblichen und 145 männlichen Personen, darunter auch einige ausländische Künstler (u. a. Imperio Argentina, Zarah Leander, Pola Negri, Bejamino Gigli, Jan Kiepura und – vorübergehend – Lida Baarova).[77]

Die Antwort auf die Frage, wo die Grenze zum »Prominentsein« zu ziehen sei, lieferte (!) das Reichsfinanzministerium. In einem einzigartigen Dokument, das »zur Veröffentlichung, auch in Fachblättern nicht geeignet« erschien[78] – hieß es: »Ein Filmkünstler (Regisseur und Filmschauspieler) ist prominent, wenn er eine besondere künstlerische Bedeutung hat und einen besonderen künstlerischen Ruf genießt. Eine Anerkennung als prominenter Filmkünstler kann immer dann erfolgen, wenn die Einnahmen aus der künstlerischen Tätigkeit mehr als 100 000 RM im Kalenderjahr betragen. Es ist jedoch nicht ausgeschlossen, daß auch schon bei geringeren Einnahmen die Eigenschaft als prominenter Filmkünstler bejaht werden kann. In Zweifelsfällen ist meine Entscheidung einzuholen, die ich im Benehmen mit dem Herrn Reichsminister für Volksaufklärung und Propaganda treffen werde...« Diese Anordnung galt auch für die Besteuerung anderer prominenter Künstler des Theaters, der

Musik, der Malerei, der Bildhauerei und der Baukunst.[79] Diese Bestimmung gelangte wegen des Kriegsausbruchs nicht zur praktischen Ausführung. Bereits im September 1939 ordnete man an, sofort die Arbeitsverdienste den durch den Krieg bedingten Verhältnissen anzupassen. Es kam sogar zur kriegsmäßigen Herabsetzung der Künstlergagen.[80] Auf Vorschlag des ProMi setzte der Reichsfinanzminister »den 40%igen Werbungskostenpauschalsatz für die prominenten Künstler ab 1. 10. 1939 bis auf weiteres außer Kraft.«[81] Doch noch bis 1940 liefen Anträge von Künstlern auf Prominenterklärung, u. a. von den Schauspielerinnen Marie-Luise Claudius, Carola Höhn, Hilde Weißner und Ruth Hellberg, dem Schauspieler Fritz Kampers, den Regisseuren Karl Hartl und E. W. Emo, dem Kameramann Fritzarno Wagner und dem Filmautor Heinrich Spoerl.[82]

Vor 1939 und in den ersten Jahren des Krieges wurde in den deutschen Filmfirmen das System der Tagesgagen bevorzugt. Von seltenen Ausnahmen abgesehen, pendelten sie zwischen hundert und tausend Mark. Für den Außenstehenden klangen sie grandios. Aber nur gesuchte Darsteller erreichten viele Drehtage im Jahr. Es war Überangebot an Schauspielern. Für den Produktionsleiter des Films war es auch bequem, die amtlich festgesetzten Tagespreise seiner Darsteller schon vor dem Beginn der Dreharbeiten zu kennen. Ihm blieb nur zu überlegen, ob die Rolle der Tagesgage entspreche. Aber auch, ob dem betreffenden Darsteller die Rolle – nach der Zahl der Drehtage – künstlerisch und finanziell verlockend erschiene. Neben den festgesetzten Tagesgagen hatten einige öfter im Film beschäftigte Künstler eine entsprechend hoch verrechnete Pauschale.

Eine höhere Gage (im Kriege n. b. war dieses Thema ein Tabu) bedeutete für die Außenstehenden nicht selten zugleich eine gewisse Bewertung der künstlerischen Position des Darstellers. Und das war nicht immer der Fall. Es standen sehr oft für den Film typische rein kommerzielle Gründe dahinter, und das war nicht selten die Politik des totalitären Staates. Es gab aber auch Darsteller, die sich benachteiligt fühlten, wie z. B. das »Fräulein von Bernburg«, die verständnisvolle Lehrerin aus dem berühmten Film »Mädchen in Uniform« (1931), Dorothea Wieck. Die Paramount hat sie – wie der Ausdruck sagte – »gestart«, aber die Boykottbewegung zwang sie, Amerika zu verlassen. In Deutschland kämpfte sie hart um ihre Anerkennung, die ganze Angelegenheit gelangte sogar an Goebbels.

Dorothea Wieck, 16. 6. 1939

»(...) Ich hatte aus authentischer Quelle zu meiner allergrößten Überraschung vernommen, welche Tagesgagen an Darstellerinnen gezahlt
werden, vor denen ich nach meinen bisherigen Leistungen auch in der
allerletzten Zeit und dem einstimmigen Urteil der Presse über meine
Arbeit nicht glaube zurückstehen zu müssen. Mir ist bekannt, daß
Frau Karin Hardt im gleichen Film, in dem ich jetzt arbeite (›Dein
Leben gehört mir‹, B. D.) eine Tagesgage von RM 800,– erhält und
daß Frau Flickenschildt mit einer Gage von RM 750,– eingesetzt ist.
Ich glaube ohne Anmaßung sagen zu dürfen, daß gemessen an solchen
Maßstäben eine Gage von RM 350,– eine unverdiente starke Zurück-
setzung und Ungerechtigkeit für mich bedeutet.«
Quelle: BA, R 55 Nr. 127 S. 46 ff.

Es gab auch eine Reihe von Prominenten, für die keine Tagesgagen-
sätze eingesetzt waren. Sie erhielten nur Pauschalgagen und standen
im allgemeinen im freien Vertragsverhältnis zu einer Firma. Vor dem
Kriegsausbruch ging es um folgende Künstler: [83]

Zarah Leander	150 000 RM	Gustav Fröhlich	30–50 000 RM
Benjamino Gigli	132 000 RM	Viktor de Kowa	30–50 000 RM
Emil Jannings	125 000 RM	Olga Tschechowa	40 000 RM
Paula Wessely	120 000 RM	Gusti Huber	30 000 RM
Hans Albers	120 000 RM	Hans Söhnker	30 000 RM
Gustaf Gründgens	80 000 RM	Paul Javor	25 000 RM
Jenny Jugo	80 000 RM	Hilde Krahl	25 000 RM
Heinz Rühmann	80 000 RM	Ferdinand Marian	25 000 RM
Pola Negri	75 000 RM	Frits van Dongen	20 000 RM
Willi Forst	70 000 RM	Herta Feiler	20 000 RM
Luis Trenker	60 000 RM	Kristina Söderbaum	20 000 RM
Willy Birgel	50 000 RM	Mathias Wieman	20 000 RM
Karl Ludwig Diehl	50 000 RM	Albert Matterstock	15 000 RM
Willy Fritsch	50 000 RM	Ilse Werner	15 000 RM
Brigitte Horney	30–50 000 RM	Albert Hehn	10 000 RM
Ingrid Bergman	30–50 000 RM		

Nach einem von der Ufa mit Zarah Leander am 28. 10. 1936 abge-
schlossenen Vertrag belief sich ihre Gage auf monatlich 10 909,09 RM
und 40 727,20 schwedische Kronen. Noch vor Kriegsausbruch wurde
für die Zeit von 1. 4. 1940 bis 31. 5. 1942 ein neuer Vertrag vorberei-

tet. Die Schwedin verpflichtete sich, in dieser Zeit in bis zu sechs, mindestens aber fünf Filmen als Darstellerin mitzuwirken für ein Gesamtpauschalhonorar in einer Höhe von 1 000 000 RM, zahlbar monatlich mit 38 461,50 RM. Von diesem Betrag sollten 13 006,95 RM in Reichsmark und 25 454,55 RM in schwedischen Kronen ausgezahlt werden. Während des Devisengenehmigungsverfahrens brach der Krieg aus, und die Genehmigung konnte daher von der Devisenbehörde nicht mehr erteilt werden, so daß der Vertrag nicht wirksam werden konnte. Zarah Leander hat sich daher entgegenkommenderweise (nach einem kurzen Aufenthalt in Schweden) damit einverstanden erklärt, daß sie ihre gesamte Gage nur in Reichsmark erhielt.[84]

Nach den Durchführungsbestimmungen der Kriegswirtschaftsverordnung vom 2. 10. 1939 durften Löhne, Gehälter und sonstige laufende Zuwendungen der Betriebsdirektion an die Gefolgschaftsmitglieder gegenüber dem Stande vom 16. 10. 1939 nicht erhöht werden. Ausnahmen waren nur soweit zugelassen, als sich die erhöhten Bezüge aus zwingenden Vorschriften ergaben oder der zuständige Reichstreuhändcr der Arbeit einer anderweitigen Regelung ausdrücklich zugestimmt hatte. Laut Anordnung des Sondertreuhänders der Arbeit für die kulturschaffenden Berufe vom 1. 3. 1940 bedurften alle Verträge mit Filmschaffenden (Schauspieler, Regisseure, Operateure, Architekten, Tonmeister und Personen in ähnlichen Beschäftigungsverhältnissen) zu ihrer Rechtswirksamkeit der Genehmigung des Sondertreuhänders. Den geschlossenen Vertrag mußte die vertragschließende Firma innerhalb von drei Tagen beim Filmnachweis der RFK vorlegen. Von einer Vorlage konnte nur dann abgesehen werden, wenn der neue Vertrag lediglich eine unveränderte Verlängerung eines bereits bestehenden Vertragsverhältnisses darstellte und dieses bereits vor dem 16. 10. 1939 eingegangen worden war.[85] Praktisch aber blieb die Entscheidung über Gagenerhöhungen dem ProMi (bei Monatsgagen über 1000 RM dem Minister selbst) vorbehalten. Im August 1941 bestellte der Reichsarbeitsminister Hans Hinkel zum Sondertreuhänder der Arbeit für die kulturschaffenden Berufe.[86] So blieben auch formell alle Angelegenheiten der Künstler beim ProMi bzw. bei der Reichsfilmintendanz. Der immer fühlbarer werdende Mangel an Künstlern nahm nicht geringe Ausmaße an. Man hat daher im Film immer öfter von dem Pauschalgagen-System Gebrauch gemacht. Es kam auch – trotz Gagenstopmaßnahmen – zu den nicht wenigen Erhöhungen der Bezüge. Im Mai 1944 wurde je-

doch beschlossen, daß die Pauschalgagen in jedem Fall für eine Drehdauer des betreffenden Films bis zu sechs Monaten gelten sollten.
Erst nach Ablauf von sechs Monaten Drehdauer konnten die noch
notwendig werdenden tatsächlichen Drehtage des betreffenden Darstellers durch die festgelegte Tagesgage honoriert werden.[87]

Tagesgagen der Filmkünstler – Damen
(in Reichsmark)

	Stand vor Kriegsausbruch	Stand im Sommer 1944
Käthe Dorsch	1500	
Marianne Hoppe	1500	1500
Hermine Körner		1500
Maria Cebotari	1200	1200
Erna Sack	1200	
Ida Wüst	1200	1200
Lilian Harvey	1000	
Käthe Gold	1000	1000
Marika Rökk	1000	
Sybille Schmitz	1000	1000
Agnes Straub	1000	
Luise Ullrich	1000	1000
Fita Benkhoff	900	900
Lil Dagover	900	1500
Karin Hardt	900	900
Lucie Höflich	900	900
Franziska Kinz	900	900
Anny Ondra	900	
Grethe Weiser	900	900
Anna Dammann		800
Lucie Englisch	800	800
Heli Finkenzeller	800	800
Hilde Hildebrand		800
Hilde Körber	800	800
Gisela Uhlen		800
Hilde Weißner	800	900
Hedwig Bleibtreu	750	1000
Elisabeth Flickenschildt	750	750

Hansi Knoteck	750	
Olly Holzmann		700
Camilla Horn	700	700
Magda Schneider	700	700
Friedl Czepa	600	700
Käthe Haack	600	900
Trude Hesterberg		600
Carola Höhn		600
Leny Marenbach	600	600
Anni Rosar		600
Angela Salloker	600	600
Hannelore Schroth		600
Gretl Theimer	600	
Erika von Thellmann	600	600
Rosa Albach-Retty		500
Viktoria von Ballasko	500	600
Marie-Luise Claudius	500	
Berta Drews		500
Else Elster	500	500
Ursula Grabley	500	500
Kirsten Heiberg	500	600
Ruth Hellberg	500	600
La Jana	500	
Dorit Kreysler	500	
Maria Landrock		500
Carsta Löck	500	
Elfie Mayerhofer		500
Henny Porten	500	
Dagny Servaes	500	500
Marianne Simson		500
Hilde von Stolz	500	500
Margit Symo		500
Elisabeth Wendt	450	450
Maria Andergast	400	600
Lina Carstens	400	400
Gisela von Collande		400
Elfriede Datzig		400
Marina von Ditmar		400
Jutta Freybe	400	
Heidemarie Hatheyer	400	

Carola Höhn	400	
Lizzi Holzschuh		400
Liesl Karlstadt		400
Inge List		400
Christl Mardayn	400	600
Sabine Peters	400	500
Flockina von Platen		400
Mady Rahl	400	600
Carla Rust	400	600
Charlotte Susa	400	
Jane Tilden	400	
Alice Treff		400
Dorothea Wieck	400	500
Elise Aulinger		350
Maria Bard	350	
Charlott Daudert	450	400
Ingeborg von Kusserow		400
Anna Exl		350
Ilse Exl		350
Liane Haid	350	350
Ursula Herking		350
Trude Marlen	350	350
Gerda Maurus	350	500
Susi Nicoletti		350
Charlotte Thiele		350
Hilde Sessak	350	
Anneliese Uhlig	350	600
Elsa Wagner	350	
Jutta von Alpen		300
Dinah Grace	300	
Geraldine Katt	300	400
Susi Lanner	300	300
Olga Limburg	300	
Maria Paudler	300	400
Maria von Tasnady	300	500
Jessie Vihrog	300	
Lotte Werkmeister	300	400
Gusti Wolf	300	400
Charlotte Ander		250
Else Reval		250

Hilde Schneider	250	
Gerda Maria Terno	250	250
Lola Müthel	200	400
Ilse Stobrawa		200
Gisela Wurm		200
Edith Oss	150	

Quellen: BA R 55, Nr. 949, S. 56 ff; R 109 II, vorl. 12, Schreiben der RFK vom 3. 8. 1944; R 109 II, vorl. 24, Schreiben Hinkels vom 12. 7. 1944.

Tagesgagen der Filmkünstler – Herren
(in Reichsmark)

	Stand vor Kriegsausbruch	Stand im Sommer 1944
Heinrich George	2000	2000
Eugen Klöpfer	2000	2000
Hans Moser	2000	2000
Paul Hartmann	1500	2000
Paul Hörbiger	1500	1500
Ewald Balser		1200
Helge Rosvaenge	1200	
Paul Wegener	1200	2000
Werner Hinz	1000	1000
Attila Hörbiger	1000	1000
Friedrich Kayßler	1000	1000
Werner Krauss	1000	
Harald Paulsen	1000	1000
Johannes Riemann	1000	1000
Richard Romanowsky	1000	1000
Ralph Arthur Roberts	1000	
Theo Lingen	1000	1000
Otto Tressler	1000	1250
Georg Alexander	900	900
Siegfried Breuer		900
Will Dohm		900
Anton Edthofer		900
Joachim Gottschalk	900	
Paul Henckels	900	900
Paul Kemp	900	900

Peter Petersen	900	900
Erich Ponto	900	900
Heinz Salfner	900	
Albrecht Schoenhals	900	900
Oskar Sima	900	900
Leo Slezak	900	1000
Ernst Waldow	900	900
Horst Caspar		800
Paul Dahlke	800	900
Max Gülstorff		800
Paul Hubschmid		800
Hans Leibelt	800	800
Karl Martell	800	800
Hans Olden	800	800
Rudolf Prack		800
Josef Sieber	800	800
Hermann Thimig	800	900
Otto Wernicke		800
Aribert Wäscher		800
René Deltgen	750	900
Otto Gebühr	750	750
Rudi Godden	750	
Theodor Loos	750	900
Johannes Heesters	750	
Walter Franck		700
Herbert Hübner		700
Ernst von Klipstein		700
Harry Liedtke	700	700
Hans Nielsen		700
Fritz Odemar		700
Hannes Stelzer	700	700
Will Quadflieg		700
Weiß-Ferdl	700	700
Rudolf Carl		650
Rudolf Platte		650
Wolf Albach-Retty	600	600
Axel von Ambesser	600	700
Paul Bildt		600
Michael Bohnen	600	
Gustav Diessl	600	600

Friedrich Domin	600	600
Rudolf Fernau	600	600
Werner Fütterer		600
Alexander Golling	600	
Richard Häussler		600
Fritz Imhoff		600
Walter Jansen	600	
Viktor Janson	600	600
Fritz Kampers	600	850
Ernst Karchow		600
Paul Klinger	600	
Gustav Knuth	600	800
Carl Kuhlmann	600	
Ernst Legal		600
Kurt Meisel		600
Fritz Rasp	600	600
Hermann Speelmans	600	700
Joe Stöckel	600	800
Gustav Waldau	600	600
Otto Wernicke	600	
Eduard von Winterstein		600
Claus Clausen		500
Josef Eichheim		500
Andrews Engelmann		500
Erich Fiedler	500	500
Otto Wilhelm Fischer		500
Albert Florath	500	600
Emil Hess	500	500
Hans Holt	500	700
Christian Kayssler	500	
Wolfgang Lukschy		500
Hubert von Meyerinck		500
Bernhard Minetti	500	600
Paul Richter	500	700
Sepp Rist	500	500
Franz Schafheitlin	500	600
Ludwig Schmitz	500	
Karl Schönböck	500	800
Hans Stüwe	500	800
Jakob Tiedtke	500	800

160

Carl Valentin	500	600
Kurt Vespermann		500
Rolf Wanka	500	500
Hans Zesch-Balott	500	500
Ernst Stahl-Nachbaur		450
Herbert Wilk		450
Joachim Brennecke		400
Hans Fidesser		400
Otto Ernst Hasse		400
Paul Heidemann	400	400
Hans Hotter		400
Curd Jürgens		400
Alfred Neugebauer		400
Ivan Petrovich	400	500
Ludwig Schmidt-Wildy		400
Paul Westermeier	400	600
Erich Dunskus	300	350
Fritz Genschow	350	400
Hans Richter	350	350
Volker von Collande	300	500
Karl Raddatz	300	700
Leopold von Ledebur		300
Walter Lieck		300
Jaspar von Oertzen		300
Willi Rose	300	400
Oskar Sabo	300	350
Willi Schäffers		300
Eduard Wenck		300
Eduard Wesener		300
Erich Ziegel		300
Robert Dorsay		250
Jupp Hussels	250	400
Hans Meyer-Hanno		350
Norbert Rohringer		200
Michael von Newlinsky		150

Quellen: BA R 55, Nr. 949 S. 56 ff; R 109 II, vorl. 12, Schreiben der RFK vom 3. 8. 1944; R 109 II, vorl. 24, Schreiben Hinkels vom 12. 7. 1944.

Pauschalhonorare der Darsteller
(Stand vom August 1944)

	RM		RM
Paula Wessely	120 000	Carl Raddatz	35 000
Gustaf Gründgens	80 000	Viktor Staal	35 000
Jenny Jugo	80 000	Paul Wegener	35 000
Heinz Rühmann	80 000	Wolf Albach-Retty	30 000
Otto Wernicke	75 000	Marte Harell	30 000
Paul Hartmann	70 000	Marie Holst	30 000
Heinrich George	70 000	Paul Hubschmid	30 000
Ferdinand Marian	70 000	Gustav Knuth	30 000
Marika Rökk	70 000	Albert Matterstock	30 000
Willy Birgel	60 000	Johannes Riemann	30 000
Rudolf Forster	60 000	Hans Stüwe	30 000
Brigitte Horney	60 000	Herta Feiler	25 000
Viktor de Kowa	60 000	Olly Holzmann	25 000
Kristina Söderbaum	60 000	Paul Kemp	25 000
Karl Ludwig Diehl	50 000	Ernst von Klipstein	25 000
Willy Fritsch	50 000	Leny Marenbach	25 000
Gustav Fröhlich	50 000	Winnie Markus	25 000
Marianne Hoppe	50 000	Magda Schneider	25 000
Hilde Krahl	50 000	Theo Lingen	22 000
Hans Söhnker	45 000	Viktoria von Ballasko	20 000
Heidemarie Hatheyer	40 000	Jutta Freybe	20 000
Johannes Heesters	40 000	Kirsten Heiberg	20 000
Attila Hörbiger	40 000	Carola Höhn	20 000
Elfie Mayerhofer	40 000	Lotte Koch	20 000
Sybille Schmitz	40 000	Christel Mardayn	20 000
Olga Tschechowa	40 000	Hans Nielsen	20 000
Ilse Werner	40 000	Hannelore Schroth	20 000
Mathias Wieman	40 000	Hannes Stelzer	20 000
Ewald Balser	35 000	Irene von Meyendorff	15 000
Fita Benkhoff	35 000	Monika Burg	12 000
René Deltgen	35 000	Elfriede Datzig	10 000
Gusti Huber	35 000		

Quelle: BA R 109 III, vorl. 12; Schreiben der RFK (Fachschaft Film) vom 3. 8. 1944

Die Pauschalhonorare der Regisseure beliefen sich während des Krieges auf 10- bis 80tausend Mark. Einige von den Regisseuren erhielten zusätzlich – laut Vertrag – Honorare für die Mitgestaltung des Drehbuches. Die Diskrepanzen führten nicht selten zu Zwistigkeiten. Wie z. B. in der Angelegenheit Harlan/Liebeneiner. Prof. Liebeneiner erhielt das erträumte Regiehonorar in der Höhe von 80 000 RM, wie es der Fall bei Harlan war.

Gehaltserhöhungswünsche von Prof. W. Liebeneiner

»Herr Staatssekretär Gutterer berichtet von einem Besuch von Prof. Liebeneiner. Dieser habe auf die Diskrepanz zwischen seinem Gehalt und dem Jahreseinkommen von Prof. Harlan hingewiesen. Anläßlich der Ernennung zum Professor sei ihm die Erhöhung seiner Regiegage auf den gleichen Satz von 80000, wie bei Harlan zugesagt. Lege er 2 Regiegagen und 2 Honorare für Drehbuch von je 25 000 zu Grunde, so komme er zur Forderung eines Jahresgehaltes von RM 210000,–. Herr Dr. Winkler stellt fest, daß bei der Festsetzung des Gehaltes für Prof. Liebeneiner ausdrücklich von dem bisherigen Einkommen, das nicht habe geschmälert werden sollen, ausgegangen sei... Da Prof. Liebeneiner Filme machen solle, schlage er vor, eine anderweitige Gehaltsberechnung vorzunehmen unter Einsatz einer Regiegage von RM 80000,–, aber unter entsprechender Minderung der Produktionschefsbezüge, da diese Tätigkeit durch die Regieführung notwendig geschmälert werde.«
Quelle: BA R 109 III vorl. 5; Niederschrift v. 12. 6. 1944

Ähnlich war es bei den Drehbuchautoren. Hier gab es jedenfalls überhaupt keine festgesetzten Honorare – sie waren stets in der Bearbeitung – was oft zu Unstimmigkeiten führte. Praktisch betrug das höchste Honorar (ausschließlich Verfilmungsrechte) 35 000 RM.

»Jakob Geis ist einer der ganz seltenen Autoren des deutschen Films, der uns stets Geld und Zeit spart, weil wir mit Sicherheit von ihm eine brauchbare Unterlage für die Dreharbeit bekommen. Bei seinem Antrag auf Erhöhung seiner Gage von 25 000 RM auf 35 000, von der er den Abschluß neuer Verträge abhängig machen will, interessiert ihn nicht so sehr das Geld als die Gleichsetzung mit einer ganzen Reihe von Autoren, denen er leistungsmäßig mindestens ebenbürtig ist.«
Quelle: BA R 109 II vorl. 28; Schreiben der Berlin-Film v. 8. 7. 1944

Die Spanne bei den Gagen von Filmkomponisten war ebenfalls breit, was die folgenden Beispiele illustrieren. Willy Schmidt-Gentner erhielt für »Mutterliebe« und »Postmeister« je 10000 RM, für »Brüderlein fein« 13500 RM, für »Operette« 15000 RM, für »Wien 1910«, »Späte Liebe«, »Heimkehr« und »Am Ende der Welt« je 17500 RM, aber für »Schrammeln« 25000 und für »Wiener Mädeln« 40000 RM. Alois Melichar erhielt für seine Filmmusiken (im Kriege) je 20000 RM. Harald Böhmelt kassierte bei der Terra für »Moselfahrt mit Monika« 10000 und für »U-Boote westwärts« bei der Ufa 8500 RM. Wolfgang Zeller bekam für die Musik zu »Immensee« 10000 RM, H. O. Borgmann für »Opfergang« ebenfalls 10000 RM. Das Komponistenhonorar von Franz Grothe betrug im Kriege durchschnittlich 15000 RM pro Film. Bei seiner letzten Arbeit, dem Film »Die Puppe«, sollte er jedenfalls »da der Film besondere Anforderungen an den Komponisten stellte« 20000 RM erhalten.[88]

Die Spanne der Gagen bei den Kameramännern war zwar nicht so breit, jedoch wurden auch hier die Honorare ganz unterschiedlich betrachtet: Es gab Pauschalen und Monatsgehälter. Durchschnittlich 40000 RM im Jahr. Der Meister der Kameraarbeit, Günther Anders, verdiente im Jahr 1944 50000 RM. Ein bewährter Filmarchitekt erhielt bis 3000 RM Monatsgage, ein Dramaturg verdiente 1200–1400 RM monatlich. Die Maskenbildner erhielten bei monatlicher Verpflichtung ein Honorar bis zu 800 RM zuzüglich Überstunden. Bei wochenweiser Verpflichtung erhielten sie ein Honorar bis zu 162 RM (1944).

Der Präsident der RFK, Dr. Lehnich, erhielt 1939 2270 RM + 300 RM Aufwandsentschädigung monatlich, der Leiter der Filmabteilung im ProMi, Hans Hinkel, 1500 RM (1944). Die Managerbezüge waren – vergleichsweise – hoch. Nach dem Stand vom September 1939 erhielt Generaldirektor Ludwig Klitzsch 10000 RM monatlich, Generaldirektor Fritz Kaelber (1944) 100000 RM jährlich. Fritz Hirt, der Chef der Wien-Film, erhielt 6000 RM, sein Produktionschef Karl Hartl ebenfalls 6000 RM monatlich. Die Reihe von Mitarbeitern, die monatlich 2000 RM und mehr erhielten, war sehr groß.

Pauschalhonorare der Regisseure – in Reichsmark
(nach dem Stand vom August 1944)

Willy Forst	80 000	(100 000 mit Drehbuch, 120 000 mit Rolle)
Carl Froehlich	80 000	(Stand: 31. 5. 1944) + Gewinnanteile
Gustaf Gründgens	80 000	
Veit Harlan	80 000	(+ 25 000 für das Drehbuch)
Karl Hartl	80 000	
Heinz Rühmann	80 000	
Gustav Ucicky	80 000	(+ 7 500)
Carl Ritter	70 000	(31. 5. 1944)
Hans Steinhoff	70 000	
Jürgen Fehling	60 000	(31. 5. 1944)
Hans Schweikart	60 000	(31. 5. 1944)
Viktor Tourjansky	60 000	(+ 10 000)
Karl Anton	50 000	(+ 7 500)
Geza von Bolvary	50 000	(+ 7 500)
Erich Engel	50 000	(+ 7 500)
Wolfgang Liebeneiner	50 000	(31. 5. 1944)
Paul Martin	50 000	(+ 10 000)
Josef von Baky	40 000	(+ 7 500)
Max W. Kimmich	40 000	
Herbert Maisch	40 000	
Harry Piel	40 000	
Arthur Maria Rabenalt	40 000	(31. 5. 1944: 30 000)
Paul Verhoeven	40 000	(31. 5. 1944: 30 000)
Erich Waschneck	40 000	
Hans Helmut Zerlett	40 000	
E. W. Emo	35 000	
Georg Jacoby	35 000	(+ 7 500)
Helmut Käutner	35 000	
Theo Lingen	35 000	(+ 7 000)
Gerhard Lamprecht	32 500	(+ 7 500)
Johannes Meyer	30 000	(+ 7 500)
Georg W. Papst	30 000	
Robert A. Stemmle	27 000	(+ 8 000)
Carl Boese	25 000	
Eduard von Borsody	25 000	(+ 7 500)

Fritz Peter Buch	25 000	(+ 7 500)
Hans Deppe	25 000	
Erich Engels	25 000	(+ 7 000)
Fritz Kirchoff	25 000	
Hubert Marischka	25 000	
Philipp Lothar Mayring	25 000	
Joe Stöckl	25 000	(+ 7 500)
Jürgen von Alten	22 000	(+ 5 000)
Boleslaw Barlog	20 000	(+ 7 500)
Harald Braun	20 000	(+ 5 000)
Geza von Cziffra	20 000	
Leopold Hainisch	20 000	(+ 5 000)
Rolf Hansen	20 000	(+ 7 500)
Paul Heidemann	20 000	(+ 5 000)
Werner Klingler	20 000	
Paul May (Ostermayr)	15 000	
Roger von Normann	15 000	
Helmut Weiß	15 000	
Ullrich Erfurth	10 000	(+ 5 000)
Herbert Fredersdorf	10 000	

Quelle: BA, R 109 I, Nr. 1735 Verzeichnis vom 31. 5. 1944; R. 109 II, vorl. 24, Schreiben H. Hinkels vom 12. 1. 1944; R 109 II, vorl. 50, Bericht vom 12. 10. 1944

Es gab freilich in der Filmbranche Menschen, die bescheidene Gehälter bezogen. Zu diesen zählte das Personal der Lichtspieltheater. Nach der Tarifordnung für die Filmtheater Mecklenburgs hat der Reichstreuhänder der Arbeit im Oktober 1938 nachstehende Wochenlöhne (bei einer Arbeitszeit von 42 bis einschließlich 48 Stunden) nach Ortsklassen »A« und »B« festgestellt:

	Ortsklasse (in RM)	
	A	B
Erster Vorführer	50,–	40,–
Zweiter Vorführer	40,–	35,–
Kassiererin	24,–	22,–
Platzanweiser, Garderobenfrau	20,–	16,–
Kontrolleure und Portiers	26,–	22,–

Putzfrauen 50 bzw. 40 Pf für die Stunde.

166

Die festgesetzten Gagen geben selbstverständlich nur zum Teil die Antwort auf die Frage nach eigentlichen Einkünften der Regisseure und Schauspieler. Es gab Konjunkturflauten bei der Beschäftigung, sogenannte gute oder schlechte Jahre. Einige Beispiele können das beweisen. Die Bruttoeinnahmen Karl Hartls betrugen im Jahre 1940 160407 RM, Gustav Ucicky verdiente im selben Jahre 112032 RM und sein Drehbuchautor Gerhard Menzel 117421 RM. Im Jahr danach erhielt aber Menzel »nur« 48799 RM.[89] Bei der Ufa erhielt Willy Birgel im Jahre 1940 116666 RM, ein Jahr später 60000 RM. Zarah Leander kassierte 1940 262937 RM und im Jahre 1941 461538 RM. Marika Rökk verdiente 1940 86000 RM und 1941 116000 RM. Luise Ullrich bekam 1940 74887 RM und ein Jahr später 83330 RM. Ilse Werner erhielt 1940 61900 RM und ein Jahr später 32000 RM. Die mit der Ufa vertraglich gebundenen Regisseure erhielten 1941: Josef von Baky 57500, Rolf Hansen 43333, Veit Harlan 122500 und Karl Ritter 155000 RM.[90]

Auf Goebbels' Vorstellung hin gab Hitler die Weisung, daß ihm ein Fonds zur Verfügung gestellt werde, aus dem er aufgrund der vom ProMi gemachten Vorschläge die Dotationen an Künstler verleihen solle. Der Grundgedanke war also, daß nunmehr der »Führer« als Schenkender erschien (nach den bestehenden Bestimmungen war nur das Staatsoberhaupt ermächtigt, steuerfreie Dotationen auszustellen), während Goebbels nur das Vorschlagsrecht hatte. Das Geld kam aus dem »Film-Förderungsfonds«.[91] Von den Filmleuten erhielten solche steuerfreie Geldgeschenke Carl Froelich, Fritz Hippler,

Wochenlöhne der Lichtspieltheater-Angestellten laut der Tarifordnung für Westfalen-Niederrhein (15. 6. 1940) (Nach erhobenen Eintrittspreisen in 4 Gruppen gestaffelt)

Eintrittspreise:	über 70 Rpf	60 bis 70 Rpf	45 bis 55 Rpf	unter 45 Rpf
1. Vorführer	60,–	50,–	42,–	38,–
Kontrolleur, Portier	35,–	31,–	27,–	23,–
Platzanweiser	30,–	27,–	24,–	22,–
Kassierer	35,–	31,–	27,–	23,–
Putzfrauen	50 Rpf pro Stunde			

Weibliche Gefolgschaftsmitglieder erhielten 80 % der oben aufgeführten Bezüge.

167

Emil Jannings, Karl Ritter und Gustav Ucicky (je 60000 RM), Karl Hartl und Veit Harlan (je 50000 RM), Heinz Rühmann und Hans Schweikart (je 40000 RM), Hans H. Zerlett, Wolfgang Liebeneiner und Ewald von Demandowsky (je 30000 RM) und Ferdinand Marian 20000 RM.[92] Die Zuwendung solcher Geschenke wurde nicht bekanntgemacht. Es ist nicht ausgeschlossen, daß auch andere Filmleute solche Geldgeschenke erhalten haben.

Die von Zeit zu Zeit verordneten Gagenstops verhinderten nicht die ständigen Bemühungen um höhere Honorare. Auf Antrag Wolfgang Liebeneiners erhielt die von Goebbels höchst protegierte Käthe Dyckhof im Sommer 1944 bei der Ufa einen Jahresvertrag bei einer Pauschale von 18000 RM + 2000 RM Spielprämie.[93] Da es um eine Nachwuchsschauspielerin ging, war das viel. Im Juni 1944 schlug die Ufa vor, die Tagesgage für die Schloßbesitzerin Käthe Dorsch bis auf 2500 RM zu erhöhen und für Hilde Krahl einen Jahresvertrag in einer Höhe von 150000 RM abzuschließen.[94] Bei den bald angeordneten großen Sparsamkeitsmaßnahmen war es nicht mehr möglich, diese Wünsche zu erfüllen. Für Emil Jannings wurde trotzdem beim Film »Wo ist Herr Belling« die Pauschale auf 225000 RM festgesetzt.[95] Es gab weiterhin Fälle, wo die prominenten Schauspieler großes Geld kassierten. Hans Albers erhielt 1941 von der Ufa 266000 RM[96] und bekam weiterhin glänzende Aufträge.

Was geschieht in Frankreich mit den Honoraren der Filmgrößen? *»Nach der Niederlage von 1940 hatten sich die Filmgrößen entschlossen, eine Verminderung ihrer Bezüge auf die Hälfte zu akzeptieren. Das ›Opfer‹ wurde damals als ›vaterländischer Beweis für nationale Einmütigkeit‹ gepriesen. Als das Trommelgerassel über diese Angelegenheit verstummt war, ging alles wieder genauso wie früher. Es muß sogar gesagt werden, daß es noch erheblich schlimmer damit bestellt war... Arletty hatte einen Kontrakt über 400000 Francs für ihre Rolle in ›Les visiteurs du soir‹ in der Tasche. Durch vorgesetzte Vertagungen wurden aber schließlich 900000 daraus. Ein weitaus bezeichnenderer Fall jedoch ist unbestreitbar derjenige von Fernand Gravey. Der Star hatte gnädigst zugestimmt, gemeinschaftlich mit unserer Assia Noris in ›Le Capitaine Francassa‹ für ein Milliönchen Francs zu spielen. Sein Kontrakt lief natürlich vor Beendigung des Films ab, und so ließ sich der Künstler dazu bewegen, tageweise zu arbeiten. Aber als diese Tage sich mehrten, ohne daß der Film auch nur Miene machte, zu Ende zu kommen, und als Gravey dank diesem System 400000 einkassierte,* *machten die bestürzten Produzenten lieber einen neuen Kontrakt mit ihm, der auf sechs Wochen lautete und ihm ein neuerliches Honorar von 1 200 000 Francs zusprach.«*

Quelle: »Film« (Rom), vom 1.7.1943; Pariser Neuigkeiten.

Goebbels war besonders darüber verärgert, daß Hans Albers an dem Film »Große Freiheit Nr. 7« die enorme Summe von 460 000 RM verdient hatte, die dadurch zustande kam, daß sich die Dreharbeiten zu dem Film wegen der schweren Luftangriffe auf Hamburg... so lange hingezogen hatten. Und zwar hatte Hans Albers einen Vertrag abgeschlossen, der ihm 40 000 RM monatlich bis zur Fertigstellung des Films garantierte. Dieser Vertrag enthielt jedoch nicht die sogenannte Katastrophen-Klausel, so daß Albers auf Zahlung der gesamten Summe bestehen konnte. In den Augen Goebbels' hatte sich Albers jedoch »an einem nationalen Unglück ... in hemmungsloser Weise bereichert.« Völlig verderblich sei aber das weitere Verhalten Albers', der nun statt »von dem Geld eine Stiftung für die Opfer seiner schwer getroffenen Vaterstadt zu machen«, das Geld auf den schwarzen Markt trug und sich »zunächst einmal 150 Flaschen Kognak zu einem Stückpreis von 120 RM beschaffte.«[97] Der Reichspropagandaminister zog die Konsequenzen daraus: jedoch nur die finanziellen.

»Der Reichsfilmintendant   *Prag, den 4. April 1945*
An die Prag-Film A. G.
Herrn Direktor Hein
...

»Um jeden Irrtum zu vermeiden, gebe ich Ihnen zur entsprechenden Veranlassung die Entscheidung des Herrn Reichsministers für Volksaufklärung und Propaganda bekannt, wonach Herr Albers zur Abgeltung seines Vertrages mit der Ufa / ›Der tolle Bomberg‹ / bezw. mit der Wien-Film / ›Die ewigen Jagdgründe‹ / je Vertrag RM 50 000,– beanspruchen kann. Ich bitte Sie, diesen Betrag an Herrn Albers auszuzahlen und die Konten der Ufa bezw. Wien-Film entsprechend zu belasten.

Heil Hitler«
gez. Hinkel

Quelle: R 109 II vorl. 38 o. S.

Mit Wirkung ab 1.1.1945 wurden die noch für den Filmeinsatz bestimmten etwa 500 Darsteller auf Antrag des Präsidenten der RKK dienstverpflichtet. Diese Kriegsdienstverpflichtung bedeutete, daß ein förmlicher Vertragsabschluß nicht mehr erforderlich war. Die Honorierung erfolgte nach einer Jahrespauschalgage in monatlichen Teilen nachträglich. Die Höchstjahresgage wurde auf 96 000 RM festgesetzt. Das bedeutete für eine beträchtliche Anzahl von Filmdarstellern einen erheblichen Rückgang der Einnahmen.[98] Am 16.1.1945 wurde (rückwirkend ab 1.1.1945) festgelegt, daß von den Firmen keine Darstellergagen mehr direkt bezahlt werden durften, sondern die Verrechnung über die RFK erfolgen sollte. Jede Auszahlung von Kriegsdienstverpflichtungsgagen erfolgte durch die Reichsfilmintendanz: Ihr stellte die Ufa die notwendigen Beträge zur Verfügung. Die Mitteilung an alle Künstler über die neue Gagenregelung erfolgte erst nach den Feiertagen, also im Januar 1945. Die Gagen sollten mit ihren monatlichen Zwölfteln jeweils postnumerando gezahlt werden.[99] Die Konsequenzen der Kriegslage erschwerten die Regelung dieses Problems. Doch noch am 17.2.1945 wurde vom Reichsfinanzministerium der einheitliche 20%-Pauschalsatz beim Steuerzahlen eingeführt. Diese Bestimmung veröffentlichten die »Film-Nachrichten« am 10.3.1945.

Versicherung der Kulturschaffenden

In der Zeit der Weimarer Republik und in den ersten Jahren der NS-Regierung wurde das Problem der Kranken- und Altersversicherung unterschiedlich betrachtet, im allgemeinen aber unbefriedigend. Da es im Theaterwesen eine gesetzliche Versorgung nicht gab, hatten einige wenige Bühnen wie z.B. das Deutsche Opernhaus in Berlin, die Wiener Staatsoper, das Theater in Bremen u.a. eigene Versorgungskassen gegründet. In München bestand seit 1925 die Versorgungsanstalt der deutschen Bühnen, aber es gab bei ihr sehr wenig Versicherte. Aus verschiedenen Gründen – sehr oft war das ganz einfach ein Leichtsinn – waren die meisten Bühnenschaffenden keine begeisterten Anhänger der Versicherung.

Reichsdramaturg Dr. Rainer Schlösser:
»Wenn die Schauspieler zwangsweise zur Versicherung herangezogen werden sollen – und ohne Zwang wird es nicht gehen, geschieht es am besten im Wege einer Tarifordnung.«
Quelle: BA R 55, Nr. 124, S. 12; Notiz v. 6.11.1936

Durch die Tarifordnung vom 21.10.1937 wurde eine Pflichtversorgung eingeführt. Die Versorgungsanstalt der deutschen Bühnen in München (VddB) galt seit dem 1.3.1938 als Pflichtversicherungsanstalt für alle deutschen Bühnen. Alle Bühnenschaffenden, die am 1.3.1938 nach der Tarifordnung unter die Pflichtversicherung fielen, am 1.3.1938 das 18. Lebensjahr vollendeten und am 1.9.1937 das 55. Lebensjahr nicht überschritten hatten, wurden ab 1.3.1938 Pflichtversicherte der VddB. Die Versorgung der Bühnenschaffenden durch die VddB konnte trotz ihrer günstigen Leistungen nicht mit einer Pension verglichen werden, weil sie im Vergleich zu den in Einzelverträgen zugesicherten Pensionen geringer war. Aber Künstler, die wie Beamte durch Pensionen gesichert waren, gab es nicht mehr, bzw. sie starben aus. Es gab noch eine Zahl von beamteten Musikern, aber seit Jahren war bestimmt, daß kein Musiker mehr Beamter werden konnte.

Filmkünstler waren von dieser gesetzlichen Versorgung bereits soweit erfaßt, als sie der RTK angehörten und keine Mitglieder der RFK waren. Eine Doppelmitgliedschaft war ausgeschlossen. Die Mitglieder der RFK – die vorwiegend im Film beschäftigten Künstler – hatten also keine gesetzliche Altersversorgung. Im Jahre 1943 schlug Max Winkler vor, den Filmkünstlern (und zwar zunächst 100) eine vertragliche Altersversorgung zuzusichern. In Anbetracht der im allgemeinen hohen Einkünfte der Filmschaffenden hielt jedoch das ProMi diese Regelung nicht für gegeben.[100] Die Schauspielerprominenz des deutschen Films blieb also nicht versichert. Aus der langen Liste dieser Künstler sind bei den Darstellerinnen Namen wie Lil Dagover, Lucie Höflich, Jenny Jugo, Marika Rökk, Olga Tschechowa, Anny Ondra, Luise Ullrich, Franziska Kinz, Kristina Söderbaum, Sybille Schmitz und Magda Schneider zu nennen. Von den Darstellern waren es u. a. Emil Jannings, Willy Birgel, Carl Ludwig Diehl, Attila Hörbiger, Hans Söhnker, Luis Trenker, Paul Kemp, Hans Albers, Willi Forst, Harry Liedtke, Werner Hinz und Willy Fritsch.[101] Es gab selbstverständlich auch verschiedene Einzelvereinbarungen in der Angelegenheit der Altersversorgung. So waren z. B.

Ewald Balser oder Maria Holst nach der Wiener Bundestheater-Pensionsverordnung zu einer Altersversorgung in Wien berechtigt.[102]
Mit Werner Krauss wurde, auch in Wien, wie folgend vereinbart: Für den Fall der Dienstunfähigkeit sollte ihm eine Versorgung, gegebenenfalls Hinterbliebenenversorgung – bis 15. 8. 1940 8000 RM jährlich, nach 16. 4. 1944 10000 RM jährlich – zugesichert werden. Mit der Vollendung des 60. Lebensjahres (23. 6. 1944) war er berechtigt, zu einem von ihm gewünschten Zeitpunkt in den Ruhestand zu treten und die Versorgung in Anspruch zu nehmen.[103]

Das Problem der Versorgung der überalterten Künstler wird noch geraume Zeit bis zu seiner definitiven Klärung brauchen, hieß es im Sommer 1944 im ProMi. Die zur Zeit des Dritten Reiches ins Leben gerufenen Einrichtungen wie »Goebbels-Stiftung für Kulturschaffende« oder »Künstlerdank«, wie auch die »Emmy-Göring-Stiftung« wirkten nur zum Ausgleich von Härten in Einzelfällen.[104] Die im Jahre 1936 von Goebbels geschaffene »Spende Künstlerdank« war im Sommer 1944 ein selbständig arbeitender Teil der Goebbels-Stiftung geworden: Diese Einrichtung, die in jedem Jahr ungefähr 2,5 Mio RM an bewährte und unterstützungsbedürftige Kulturschaffende verteilte.

So waren weiterhin zahlreiche Bühnen- bzw. Filmkünstler krampfhaft auf der Suche nach einem Engagement, da ihr Lebensabend durch keine Renten oder andere Einkünfte genügend gesichert war und sie daher gezwungen waren, immer wieder zu versuchen, ihren Lebensunterhalt in ihrem Beruf zu verdienen. Als die älteste aktive Filmdarstellerin (87 Jahre) spielte Betty Wald noch 1944 in Harlans Film »Kolberg« ihre letzte Rolle.

Auszeichnungen

Ein wichtiges Mittel des NS-Staates, die Künstler an sich zu binden, war die Verleihung von besonderen Auszeichnungen: dekorative Titel, Orden, Preise, die der Eitelkeit schmeichelten, Geldgeschenke (steuerfreie Zuwendungen, Ehrengaben, Ehrensolde), Berufung in verantwortungsvolle Positionen, besonders innerhalb der RKK.

Im Gesetz der Regierung des Deutschen Reiches über Titel, Orden und Ehrenzeichen vom 1. 7. 1937 war Hitler persönlich die Verleihung von Titeln vorbehalten, auf Anträge der zuständigen Ministerien.[105] Für Theater- und Film-Künstler waren zuständig der Reichspropagandaminister, für den Bereich des Preußischen Staatstheaters der preußische Ministerpräsident. Die Anträge gingen über den Chef der Präsidialkanzlei, Staatssekretär Meißner, an den »Führer«. In manchen Fällen fanden die Bewerber einen weniger formellen Weg zum »Führer«. Eine Auszeichnung konnte Hitler auch persönlich anordnen.

Eine erste Durchführungsverordnung bezog sich auf die Verleihung des Professorentitels für diejenigen, »die sich auf ihren Fachgebieten besonders hervorgetan« hatten.[106] Eine zweite Verordnung betraf die Verleihung von Titeln »für Bühnen-, Film- und Tonkünstler«[107], die die führenden Stellen im Bereich des Theater- und Musiklebens bekleideten. Für die Darsteller war hier der Titel »Staatsschauspieler« von größter Wichtigkeit. Alle diese Titel galten lebenslänglich, waren also nicht mehr wie bisher an eine bestimmte Kunststätte gebunden. Sie waren fortan Ehrenbezeichnung für die Besten ihres Fachs.

Die ersten Staatsschauspieler wurden vom »Führer« bereits 1937 ernannt: Heinrich George, Lucie Höflich, Ernst Karchow, Theodor Loos, Paul Otto, Jakob Tiedtke und Mathias Wieman. 1938 folgten u. a. die ersten »ostmärkischen« Künstler. Im Jahre des Kriegsausbruchs wurde von dieser Auszeichnung ein besonders starker Gebrauch gemacht (u. a. H. Brausewetter, R. Deltgen, A. Florath, A. Golling, K. Haack, H. Junkermann, F. Kampers, H. Albers und P. Wessely).

Als weitere besondere Ehrung konnte auch an Künstler die 1932 vom Reichspräsidenten gestiftete »Goethe-Medaille für Kunst und Wissenschaft« verliehen werden. Sie sollte weniger der Anerkennung der Einzelleistung als vielmehr der Krönung des Lebenswerkes eines Künstlers, Schriftstellers bzw. Wissenschaftlers dienen. Vor der NS-Machtübernahme waren mit der »Goethe-Medaille« G. Hauptmann, W. Furtwängler, F. Ulbrich, M. Halbe, E. G. Kolbenheyer, W. v. Scholz, O. Klemperer und als einziger Ausländer Knut Hamsun ausgezeichnet worden. Nach der Machtübernahme erhielten diese Auszeichnung folgende Schriftsteller und Künstler von Bühne und Film: Hans Pfitzner (1934); Emil Nikolaus von Reznicek (1935); Emil Strauß (1936); Eberhard König, Karl Schönherr (1937); Werner Krauss, Hans Friedrich Blunck (1938); Emil Jannings (Goebbels überreichte ihm die Auszeichnung auf einem Empfang, der für den hervorragenden Künstler aus Anlaß seines 25jährigen Jubiläums im Berliner »Kaiserhof« stattfand), Otto Falckenberg, Hermann Burte,

August Hinrichs, Rudolf Herzog – in der Stummfilmzeit wurden seine zahlreichen Romane verfilmt (1939); Hanns Johst, Franz Lehár, Carl Froelich – Goebbels überreichte die Auszeichnung persönlich, im Rahmen einer Feierstunde im Carl-Froelich-Studio (1940); Paul Graener, Paul Lincke, Hermann Zilcher, Heinz Tiethen, Otto Tressler, Gustav Waldau, Oskar Meßter (1941); Ludwig Klitzach, Max Winkler, Max Dreyer, Hugo Thimig, Anna Bahr-Mildenburg (1942); Hedwig Bleibtreu, Heinrich Schlusnus, Emil Pretorius (1943) und im Jahre 1944 Friedrich Kayßler. Unter den Anträgen auf Verleihung der Goethe-Medaille befanden sich u. a. Maximilian Böttcher und Paul Hartmann. Der bekannte Charakterdarsteller Paul Hartmann beging am 1. 10. 1940 sein 25jähriges Filmjubiläum. Statt der Goethe-Medaille erhielt er ein Glückwunschschreiben und ein Bild mit Widmung.[108]

»Der Leiter der Personalabteilung im ProMi
an den Herrn Minister
*Am 1. Oktober 1940 kann der bekannte Schauspieler Paul Hartmann auf eine 25jährige Tätigkeit im deutschen Film zurückblicken. Als Emil Jannings vor 1½ Jahren sein 25jähriges Filmjubiläum feierte, wurde ihm die Goethe-Medaille verliehen, die Sie ihm seinerzeit persönlich in einer kleinen Feierstunde übergeben haben. Da die Bedeutung Hartmanns doch wesentlich hinter derjenigen von Jannings zurückbleibt, glaube ich im Einvernehmen mit Leiter F nicht bei ihm ebenfalls eine Auszeichnung durch den Führer vorschlagen zu sollen. Es steht auch zu erwarten, daß in den nächsten Jahren eine weitere große Zahl von Filmschaffenden ihre 25jährige Filmtätigkeit vollenden, so daß wir mit erheblichen Auswirkungen für die Zukunft rechnen müssen. Es ist eben Hartmann ein Schauspieler von starker Persönlichkeit, der eine angemessene Ehrung wohl verdient. Im Einvernehmen mit Leiter F schlage ich daher vor, ihm zu seinem Ehrentag das nachstehende persönliche Handschreiben zugehen zu lassen:
Herrn Paul Hartmann, Berlin-Wilmersdorf, Brandenburgische Str. 16.
Sehr geehrter Herr Hartmann!
Zur Wiederkehr des Tages, an dem Sie zum ersten Male Ihr Können dem deutschen Film zur Verfügung stellten, spreche ich Ihnen meine herzlichsten Glückwünsche aus. Möge Ihr künstlerisches Schaffen dem deutschen Volk noch viele Stunden der Erhebung und inneren Bereicherung schenken. Heil Hitler! Ihr Reichsminister Dr. Goebbels.
Im Einvernehmen mit Leiter F darf ich noch zur Erwägung stellen,*

ob ihm nicht gleichzeitig ein Bild mit Widmung oder ein ähnliches Ge-
schenk überreicht werden soll.«
Quelle: BA Koblenz, R 55, Nr. 118, S. 143

Der »Adlerschild des Deutschen Reiches«, die seit 1922 vom Reichspräsidenten verliehene Ehrengabe für Verdienste um Wissenschaft
und Kunst, galt im Reich nach dem »Deutschen Nationalpreis« als
nächsthöchste Auszeichnung. Aus dem Bereich des künstlerischen
Lebens erhielten diese Auszeichnung nur ganz wenige Personen.[109]

Von den Personen, die in näherer Beziehung zum Film standen, eigentlich nur der frühere Ufa-Besitzer Alfred Hugenberg, beim Ufa-
Jubiläum im Jahre 1942. Mit der Widmung: »Dem Bahnbrecher des
deutschen Films«.

Unter den vom »Führer« mit dem Professorentitel Ausgezeichneten sind vor dem Kriegsausbruch u. a. Benno von Arent, Saladin
Schmitt (1938), Karl Ritter und Carl Froelich (1939) zu erwähnen.
1943 erhielten diesen Titel die Regisseure Veit Harlan und Wolfgang
Liebeneiner.

1935 berief Goebbels einen »Reichskultursenat«. In ihm sollten
»die wirklich führenden Köpfe des deutschen Kulturlebens vereinigt
werden«, und er sollte sich »mit den aktuellen und grundsätzlichen
Fragen des deutschen Kulturlebens« befassen. Dieses Gremium übte
jedoch, wie in einem totalitären System nicht anders zu erwarten war,
keine aktiven Funktionen aus. Erwünscht war dagegen eine allgemeine staatspolitische Betätigung im Sinne der NS-Propaganda. Der
Titel »Reichskultursenator« blieb bis zum Ende des Dritten Reiches
nur eine Auszeichnung für ausgewählte Personen bzw. für die Institutionen, die die Ausgezeichneten vertraten. Mit dem Titel waren auch
keine besonderen Vergünstigungen verbunden. Zu »Reichskulturse-
natoren« wurden u. a. ernannt: die Dirigenten Wilhelm Furtwängler
und Clemens Krauss, der Komponist Hans Pfitzner, die Theaterin-
tendanten Heinz Hilpert, Wilhelm Rode, Heinz Tietjen, Oskar Walleck, Eugen Klöpfer und Gustaf Gründgens, der Bühnenbildner
Benno von Arent, die Schriftsteller Hanns Johst, Friedrich Bethge,
Eberhard Wolfgang Möller, Richard Euringer, Gerhard Schumann,
die Schauspieler Emil Jannings, Theodor Loos und Friedrich Kayßler, der Kameramann Sepp Algeier, ferner Hans Hinkel und Generaldirektor Klitzsch.

Der Krieg brachte auch andere Orden und Ehrenzeichen für die

Filmleute mit sich. Durch eine Verordnung vom 18. 10. 1939 stiftete der »Führer« für Verdienste im Krieg, die keine Würdigung durch das Eiserne Kreuz bekommen konnten, den Orden des Kriegsverdienstkreuzes (I. und II. Klasse): mit Schwertern für besondere Verdienste beim Einsatz unter feindlicher Waffenwirkung, ohne Schwerter für besondere Verdienste bei Durchführung von sonstigen Kriegsaufgaben, bei denen ein Einsatz unter feindlicher Waffenwirkung nicht vorlag. Obwohl kein Massenerinnerungzeichen, devaluierte sich der Orden: Im Dezember 1944 übertrug Hitler das Recht zur Verleihung des KVK II. Klasse mit und ohne Schwerter den Reichsverteidigungskommissaren.

Zum 1. 9. 1942 verlieh der »Führer« aus der Vorschlagsliste der RSK das Kriegsverdienstkreuz II. Klasse ohne Schwerter rund 50 ausgewählten Schriftstellern. Es waren die auch vom Film (oder von Filmprojekten) bekannten Hans Leip, der promovierte Studienrat Franz Lüdtke (»Seit Beginn des Krieges unermüdlich im besetzten Gebiet und im Frontbreich als Werber der großen Ostidee des Reiches tätig«), Friedrich-Wilhelm Hymmen, August Hinrichs, Fritz Helke, Rolf Lauckner (»wesentliche Mitarbeit am neuen deutschen politisch ausgerichteten Film während des Krieges«), Felix Lützkendorf (»Mitarbeit am neuen, politisch ausgerichteten Film«), Hans Friedrich Blunck, Wilhelm Pleyer (»Trug sowohl als Schriftsteller wie als Vortragender wesentlich zum Aufbau des Ostraumes und zur Stärkung der Heimatfront bei«), Henrik Herse und Carl Bunje (»Etappenhase«).[110] Diese Auszeichnungen erhielten auch Regisseure und Schauspieler: so am 30. 1. 1944 Emil Jannings das Kriegsverdienstkreuz II. Klasse ohne Schwerter.

Bei der Verleihung von Kunstpreisen wurden die Filmleute ziemlich oft berücksichtigt.[111] Es gab auch den nationalen Filmpreis, einen hochwertigen Wanderpreis, der in künstlerischer Form Sinn und Wesen der Lichtspielkunst darstellte. In den Wettbewerb für den Filmpreis waren alle von deutschen Verfassern, Regisseuren und Firmen hergestellten Filme einbezogen. Es bedurfte keiner Bewerbung um den Preis. Das Preisgericht machte die gesamte Filmproduktion zur Grundlage seiner Entscheidung. Dieser Preis – so wie auch der nationale Buchpreis – wurde jedes Jahr am 1. Mai verliehen. Unter den Kandidaten zu dem 1937 gestifteten »Deutschen Nationalpreis für Kunst und Wissenschaft« befanden sich auch die Regisseure Carl Froelich und Karl Ritter, vorgeschlagen von Goebbels bzw. Himmler.[112]

176

Der Präsident der RFK vermochte dagegen keine Vorschläge zum Deutschen Nationalpreis 1939 für Kunst und Wissenschaft aus dem Bereich des Filmschaffens zu machen.

»Der Reichsführer SS... 17.5.1939
(...) Prof. *Karl Ritter hat eine Reihe von Filmen herausgebracht, die eine wirklich nationalsozialistische Filmgestaltung erkennen lassen und geeignet sind, richtungsweisend für das zukünftige Filmschaffen zu sein... Erwähnt seien z. B. die Filme ›Verräter‹, ›Patrioten‹, ›Unternehmen Michael‹, ›Urlaub auf Ehrenwort‹ und ›Pour le mérite‹«.*
Quelle: BA, R55 Nr. 1017, S. 42 f.

Übrigens: Nach Tagebuchaufzeichnung Alfred Rosenbergs hielt der »Führer« die Filme von Karl Ritter zwar für patriotisch, aber keinesfalls für nationalsozialistisch.

Gegen die »Drückebergerei« und »Zersetzungserscheinungen«

Für die Beeinflussung der Volksstimmung waren die Film- und Theaterleute außerordentlich wichtig. Im Krieg hatte die NS-Führung zunächst kein Interesse daran, das »Künstlervölkchen« zu erschrecken. Die Ausweitung der Bombenangriffe ließ aber mehrere Künstler stark um ihr persönliches Wohlergehen fürchten. Goebbels und sein Lenkungsapparat (hier war insbesondere SS-Gruppenführer Hinkel aktiv) waren nun der Meinung, es sei unerhört, daß einzelne Künstler, besonders die prominenten, sich das Recht anmaßten, »am nationalen Risiko unbeteiligt zu bleiben« und sich »dem nationalen Pflichtenkreise zu entziehen«. Der Propagandaminister hatte sich bereits 1940 gegen die Ausreise von Künstlern aus luftgefährdeten Gebieten ausgesprochen. Später mehrten sich die Mahnungen, erste Drohungen setzten ein. Im September 1943 veröffentlichte der Generalsekretär der RKK folgende Erklärung:»Kulturschaffende, die sich ihren Verpflichtungen in luftgefährdeten Gebieten entziehen, haben schärfste Maßnahmen der zuständigen Dienststellen zu erwarten«.

»Mein Leben ist mir mehr wert, als eine Vertragsstrafe«, erklärte der auch von der Leinwand her bekannte Komponist Peter Kreuder, und weigerte sich, in den bombengefährdeten Gebieten mit seinem Ensemble aufzutreten. »Seine feige Haltung... läßt es nach Auffassung von Abteilung M (Musikabteilung im ProMi, B. D.) untragbar

erscheinen, seine UK-Stellung noch aufrecht zu erhalten, die zur
Voraussetzung hat, daß die Betreffenden moralisch einwandfrei sind
und ihre Herauslösung aus dem Militärverhältnis der Stärkung der
Widerstandskraft der Heimat dienstbar machen. Beide Voraussetzungen erfüllt Kreuder nicht. Abteilung M beabsichtigt daher, ihn
den Militärbehörden zur Verfügung zu stellen.« Goebbels, wie es in
vielen Fällen war, wenn es um sehr prominente Künstler ging, zeigte
mehr Versöhnlichkeit. Den Komponisten schickte man in besonders
bombengefährdete Gebiete, und der Propagandaminister wünschte
»erst in Erfahrung zu bringen, wie sich Kreuder bei seinem neuen
Einsatz benimmt.«[113]

Die ausländischen Vorführer
*»Wegen der Einberufung zahlreicher Filmvorführer zum Wehrdienst
ist mangels geeigneter Ersatzkräfte die Schließung von Lichtspieltheatern zu befürchten. Um einer Stillegung von Lichtspieltheatern nach
Möglichkeit vorzubeugen, erkläre ich mich ausnahmsweise damit einverstanden, daß holländische, dänische und italienische sowie protektoratsangehörige Filmvorführer nachsuchen, nach entsprechender
Ausbildung und Prüfung als Vorführer in deutschen Lichtspieltheatern während der Kriegszeit tätig sein zu dürfen. Voraussetzung hierfür
ist, daß sie der deutschen Sprache mächtig sind...*
Quelle: RMBliV; Runderlaß d. RFSS u. Ch.d.Dt.Pol. im RMdI v.
6.10.1941.

Die Künstler waren mit Beginn des Krieges generell auch zum Wehrdienst verpflichtet. Um jedoch die Aufrechterhaltung des Spielbetriebes der einzelnen kulturellen Institute zu gewährleisten, wurden
die dazu benötigten Künstler zum Zweck der UK-Stellung auf eine
»Reichsliste« gesetzt. Dementsprechend wurde im ProMi eine Liste
der Künstler vorbereitet, die von der Einberufung befreit waren.
Goebbels hatte eine generelle UK-Stellung der Künstler abgelehnt.
Man konnte sie somit bequem in Schach halten. Am 28.4.1942 erhielt Goebbels von Hitler die »Führerermächtigung« für die UK-Stellung. Die »Auskämmungen« in den Filmbetrieben wurden praktisch
durch einen Exekutiv-Stab unter der Leitung des Reichsfilmdramaturgen (1944: Frowein) durchgeführt. Die Liste der Schauspieler
bzw. Regisseure, die als Soldaten an den Kriegsfronten fielen, war
jedenfalls nicht lang.

»Abteilungsleiter Pro, v. 25. 10. 1939
Dem Herrn Minister
Oberregierungsrat Dr. Schrötter vom Stabsamt Göring teilt soeben te-
lefonisch mit, daß der Führer angeordnet habe, daß die fähigsten
Künstler, auf die man in Kriegszeiten nicht verzichten wolle, rekla-
miert werden sollen. Der Führer habe mit der Durchführung den
Vorsitzenden des Ministerrates für die Reichsverteidigung, General-
feldmarschall [Göring] beauftragt. Dementsprechend wurde ich auf-
gefordert, möglichst bald eine Liste der Künstler von Theater, Film,
Musik, bildende Kunst und Schrifttum einzureichen, und zwar solche,
die über Durchschnitt stehen...«
gez. Gutterer
Quelle: BA R 55, Nr. 124, S. 293

Unerwartet kam die Nachricht, daß der erste Schauspieler hingerichtet wurde. Am 31. 10. 1943 teilte der Reichsführer SS und Innenmini-
ster Himmler mit, daß der Schauspieler Robert Stampa, genannt
Dorsay, »wegen fortgesetzter reichsfeindlicher Tätigkeit im Zusammenhang mit schwerster Zersetzung der deutschen Wehrmacht« zum
Tode verurteilt und hingerichtet worden sei. Es handelte sich um
einen weniger bekannten Künstler. Die Betonung seines Berufes in
der amtlichen Bekanntmachung und die Behauptung, daß er besonders in Kreisen seiner Kollegen »die Stimmung untergraben habe«,
ließen den Schluß zu, daß unter den Künstlern eine Stimmungskrise
ausgebrochen sei. Wenn Goebbels und Himmler so starkes Geschütz
aufführen, so müßten sie der Ansicht sein, daß mit dem Zuckerbrot
nichts mehr auszurichten sei und nur noch die Peitsche wirken könne,
kommentierte diesen Fall (mit Übertreibung) die ausländische
Presse.

Seit den großen Luftangriffen häuften sich immer mehr die
»Absetzbewegungen« der Künstler durch »Engagementswechsel-
anträge«, »Ausreisegesuche«, »Krankmeldungen«, schließlich auch
ganz einfach durch Flucht. Der Staatsschauspieler Jakob Tiedtke von
der Berliner Volksbühne hatte sich im Februar 1944 nach einem Luftangriff infolge eines Nervenzusammenbruchs ohne Erlaubnis nach
Prag begeben. Von schärferen Maßnahmen wurde mit Rücksicht auf
sein Alter und seinen Gesundheitszustand – dank der Bemühungen
des Generalintendanten Eugen Klöpfer – abgesehen.[114] Ende Mai
1944 ließ sich Werner Krauss krankschreiben. Gründgens' telegra-
phische Aufforderungen, ihn zur Rückkehr nach Berlin zu zwingen,

fruchteten nicht.[115] Nach dem großen Luftangriff vom 21. 6. 1944, der erhebliche Schäden in dem Ufa-Gebäude-Komplex am Dönhoffplatz verursachte, verließ der Generaldirektor Klitzsch mit einem Nervenzusammenbruch die Reichshauptstadt. In die Angelegenheit der »Drückebergerei« von Emil Jannings griff Goebbels persönlich ein. Wegen der »allem Anschein nach unüberwindlichen Abneigung des Staatsschauspielers Emil Jannings, im bombengefährdeten Berlin seine Filmtätigkeit wieder aufzunehmen«, verlangte er von der Filmabteilung seines Ministeriums, ihm »so schnell wie möglich« alle Personaldaten Jannings' vorzulegen.[116] Es war viel Geschrei um nichts. Gegen die »kleinen« Künstler, die ihre Arbeitsstelle verlassen hatten, gab es verschiedene Maßnahmen. Meistens wurden sie, soweit Frauen, dem Arbeitsamt, soweit Männer, der W. U.-Einheit oder der Organisation Todt überwiesen. Für die »politische Zersetzungsarbeit« wurden die Beschuldigten schwer bestraft. Der Filmjournalist und Autor Richard Düwel wurde dem berüchtigten Volksgerichtshof überwiesen und dort zum Tode verurteilt. Wolfgang Liebeneiner versuchte viel, um ihn, seinen engen Mitarbeiter, zu retten. Goebbels blieb unversöhnlich.

Der Krieg ließ nicht wenige Menschen, die besonders durch hohe Einkünfte begünstigt wurden, zu Kunden des Schwarzen Marktes werden. Bei der Aufdeckung dieser Tatbestände drohten auf Grund von Kriegswirtschaftsverordnungen hohe Strafen. Daß man sich für seinen persönlichen Bedarf etwas beschaffte, wurde jedenfalls, auch von oben herab, stillschweigend geduldet. Die prominenten Filmschauspieler, die durch die hohen Gagen begünstigt waren, konnten selbstverständlich den Versuchungen des Schwarzmarktes nicht immer widerstehen. Manchmal ging es um »Schiebereien« größeren Ausmaßes und um weitbekannte Namen. »Im Falle der Schauspielerin Jenny Jugo, bei der... ein umfangreiches Hamsterlager entdeckt wurde, wollte Goebbels im ersten Aufwallen ein Exempel statuieren und die Angelegenheit dem Gericht übergeben; nach einiger Überlegung wollte er die Schauspielerin schließlich nur aus der RKK ausschließen; letzten Endes kam sie jedoch mit nur 4000 RM Strafe davon, die sie auf Goebbels' Geheiß zugunsten der Unterstützungskasse für alte Künstler zahlen mußte.«[117] Schließlich war Jenny Jugo ein Publikumsliebling und stand in Gunst beim »Führer«, der ihr noch vor vier, fünf Jahren Blumen und Kaffee schicken ließ.[118] In den letzten Wochen des Krieges wurden einige Filmschaffende in Prag festgenommen und vor ein Sondergericht gestellt. Unter ihnen befand sich sogar der neue Produktionschef der Prag-Film, E. W. Emo. Man warf ihm u. a. vor: »Ankauf von Genußmitteln (Spirituosen, Kaffee, Zigaretten) über den Schleichhandel zum persönlichen Verbrauch«, »Ankauf gleicher Waren auf dem gleichen Wege zum Verbrauch im Dienstbereich der Prag-Film«, »Anschaffungen für die Prag-Film über den Schleichhandel PKW«. »Emo wird die Möglichkeit gegeben werden, Bewährungsfrist zu erreichen, um dann seiner Militärpflicht zu genügen...«, notierte Hans Hinkel nach seiner Inspektionsreise nach Prag.[119]

Die Arbeitsbedingungen wurden ständig immer schwieriger. Nach der »Tarifordnung der Filmschaffenden« aus dem Jahre 1943 betrug die regelmäßige Arbeitszeit 10 Stunden, die Zeit von 9 Uhr bis 19 Uhr umfassend. Überschreitungen der 10stündigen Arbeitszeit, sowie Arbeit an Sonn- und Feiertagen waren zulässig. Die hochbezahlten Filmschaffenden (mit Pauschalhonorar, mit Wochenhonorar von 250 RM, Tageshonorar mit 50 RM und Filmdarsteller mit einem Tageshonorar von mehr als 200 RM) hatten keinen Anspruch auf besondere Abgeltung von Mehrarbeit. Durch eine Verordnung des Generalbevollmächtigten für den Arbeitseinsatz vom 31. 8. 1944 wurde eine allgemeine 60-Stunden-Woche eingeführt und eine Urlaubssperre verhängt. Im Kinobetrieb mußte seit September 1944 jeder Betriebsführer ein bzw. sein Filmtheater selbst führen. Männer durften als Platzanweiser und Kontrolleure nicht mehr beschäftigt werden. Frauen in dieser Tätigkeit mußten über 50 Jahre alt sein.

Die Produktionschefs erhielten die Vollmacht, ihre Gefolgschaftsmitglieder und alle freien Filmschaffenden auch außerhalb ihrer Berufssparten so einzusetzen, wie es für die Durchführung der Produktion erforderlich war. Die gleiche Vollmacht erhielten die Regisseure im Rahmen des einzelnen Filmvorhabens. Um die Produktion in ihrem neuen, eingeschränkten Umfang ohne Reibungen arbeitsfähig zu erhalten, wurde den Regisseuren »kein definitives Einspruchsrecht hinsichtlich Stoff, Besetzung und Stab mehr zugebilligt«.[120] Auch das Einspruchsrecht der Darsteller wurde jetzt offiziell aufgelöst. Scheinarbeitsverhältnisse sollten bestraft werden.

Eugen Klöpfer:
»Mit Freude nimmt auch der Schauspieler das Mehr an Arbeit im Filmatelier auf sich, das das Gebot der Stunde ihm wie allen Schaffenden auferlegt.«
Viktoria von Ballasko:

»Die Bestimmungen über den Wegfall eines Einspruchsrechtes der Darsteller hinsichtlich Stoff, Regisseur, Kameramann, Partner usw. auf sich zu nehmen, die im Rahmen der Rationalisierung der Filmherstellung erlassen worden sind, ist wohl das Wenigste, was man von uns im Hinblick auf das große Ganze verlangen kann. Es wird wohl keinen geben, der nicht zu diesen Maßnahmen voll und ganz ja sagt.«
Quelle: Film-Kurier v. 26. 9. 1944

Die Verkehrsbeschränkungen blieben nicht ohne Einfluß auf die Arbeitsbedingungen derjenigen Künstler, die zwischen den Filmproduktionszentren pendeln mußten. Die während des Krieges ständig schwierige Lage im Bereich des Personenverkehrs verschärfte sich erheblich im Herbst 1944. Und auf eine ungezwungene Opferwilligkeit der Darsteller konnte man nicht immer rechnen.

Prag-Film A. G. Berliner Büro   *Berlin, 12. 12. 1944*
An den
Produktionschef Herrn Emo
Prag-Barrandow
(...) »Es häufen sich die Fälle, wo Filmschaffende es ablehnen, eine Rolle zu übernehmen bezw. nach Prag zu reisen, wenn keine Bettkarten zur Verfügung gestellt werden. Soweit es in meiner Möglichkeit liegt, bin ich selbstverständlich stets bereit, Bettkarten zu beschaffen, jedoch ist für die kommende Zeit mit Wahrscheinlichkeit damit zu rechnen, daß die Bettkartenbeschaffung noch schwieriger, in vielen Fällen vielleicht unmöglich wird. Weiterhin ist damit zu rechnen, daß in Zukunft vorübergehend Schlafwagen ganz ausfallen... Im Hinblick auf diese Sachlage scheint mir die Notwendigkeit gegeben zu sein, daß einmal in der nächsten Produktionschef-Sitzung darüber gesprochen wird, welche Maßnahmen ergriffen werden könnten, damit den Filmschaffenden klar gemacht wird, daß die Ablehnung einer Rolle nicht infrage kommt, nur weil etwa eine Bettkarte nicht beschafft werden kann.« (...)
Quelle: BA, R 109 II vorl. 38 o. S.

Im Oktober 1944 erließ der Reichsfilmintendant: Jeder Filmschaffende, der sich auf der Filmliste befinde, müsse in der drehfreien Zeit Arbeit für die Rüstung leisten. Es wurden Arbeitsblätter eingeführt für die Eintragungen über die geleistete Film- bzw. Rüstungsarbeit. Frauen im Alter über 50 Jahre und Männer von über 60 Jahren waren nur zu halbtägiger Rüstungsarbeit in der drehfreien Zeit verpflichtet. Keine von dem Produktionschef zugewiesene künstlerische Aufgabe dürfe man ablehnen, die Produktionschefs genehmigten auch Urlaubstage.[121] In der Hochschule für Bildende Künste errichtete man nach Beseitigung von Bombenschäden eine Kriegsheimarbeitswerkstatt für vorübergehend aufnahmefreie Film- (und Funk-)Schaffende aus Berlin. Am 5. 10. 1944 um 12 Uhr wurde sie feierlich eröffnet: 85 Künstler erschienen, u. a. H. George, M. Hoppe, P. Henckels, G. Knuth, K. Meisel und A. Wäscher. Der laufende Betrieb fing am nächsten Tag um 8 Uhr an.[122] In Wien wurden für diese Zwecke in den bisherigen Nachwuchs-Ateliers maschinell ausgestattete Nähstuben eingerichtet.[123] In Prag wurden die deutschen Filmschaffenden in den drehfreien Tagen auch in den Werkstätten zur Arbeitsleistung eingesetzt, die Zeichner im Junkers-Werk. Die tschechischen Filmschaffenden mußten ebenfalls solche Arbeit leisten: in den gesonderten Werkstätten. In den letzten Wochen des Krieges ließ die Disziplin der in den Werkstätten tätigen Filmschaffenden nach, und in manchen Fällen wurde das Fernbleiben und Zuspätkommen zur Regel. Noch im April 1945 versuchte die Reichsfilmintendanz entsprechende Schritte zu unternehmen, um diesem Zustand mindestens in den Charlottenburger Werkstätten entgegenzuwirken.[124]

Im März 1945 erschienen in den amerikanischen Zeitungen Informationen über die angeblichen scharfen Polizeimaßnahmen gegen die Filmkünstler. Laut diesen Nachrichten wurden Carl Ludwig Diehl[125] und Paul Hörbiger[126] zum Tode verurteilt. Als Grund wurden die Kontakte mit dem Generalfeldmarschall von Witzleben angegeben. Andere Pressenotizen berichteten über die angebliche Verhaftungswelle, die Gustav Fröhlich, Willy Fritsch, Georg Jacoby und Marika Rökk erfaßte, ferner über die Verhaftungen von Emil Jannings, Veit Harlan, Hans Moser, Rudolf Forster und Karl Ritter.[127] Diese Nachrichten stimmten selbstverständlich nicht.[128]

Themen, Tendenzen, Richtungen

Statt einer Einführung...

Die Quantität mag überraschen: Um 27000 Produktionen wurden zwischen 1933 und 1945 der NS-Zensurbehörde zur Prüfung vorgelegt. Freilich enthielt diese Zahl auch verschiedene Fassungen (kurz, stumm, schmal) von denselben Filmen. Man darf aber auch nicht vergessen: Mitten im Krieg lieferten alle PKs jede Woche 40000 bis 50000 Meter Kinoaufnahmen. In der Wochenschau wurden durchschnittlich lediglich 1,5 bis 2,0 % von diesen Aufnahmen gezeigt. Weitere Meter bildeten die Grundlage für verschiedene Dokumentar- bzw. Lehrfilme, der gesamte Rest – das heißt die Mehrheit – ging ins Reichsfilmarchiv als unzensiertes Filmmaterial.

Im ersten Kriegsjahr betrug der Rückgang der zensierten Filme rund 30 %. Gemäß Prüfbuch wurden zensiert (Spielfilme, Kultur-, Werbe-, Schmal-, Industrie- und Amateurfilme, sowie die Wochenschauen):[1]

1939 – 2697 Filme mit 136966 Metern
1940 – 1617 Filme mit   903332 Metern
1941 – 1609 Filme mit   967000 Metern

1942 und 1943 war die Zahl weiterhin relativ hoch. Erst im Jahre 1944 verminderte sich die Gesamtzahl von Produktionen beträchtlich. Neben der Wochenschau und kriegsbedingten Dokumentar- und Lehrfilmen hatten die abendfüllenden Spielfilme – hier herrschte stets ein Mangel – die absolute Priorität.

Zur Zeit des Dritten Reiches wurden rund 1150 abendfüllende Spielfilme hergestellt. Etwa 450 weitere Spielfilme (35 mm) wurden in der Länge bis 1500 m hergestellt.[2] Das Gesamtangebot an abendfüllenden deutschen Spielfilmen, mit Ausnahme der Co-Produktionen,[3] die zwischen dem 30.1.1933 und dem 8.5.1945 im »Großdeutschen Reich« uraufgeführt wurden (1094 Filme), ist in Gerd Albrechts bekanntem Werk über die NS-Filmpolitik in vier Gruppen eingeteilt: 1. Filme aktionsbetonender Grundhaltung mit nur latenter politischer Funktion (A-Filme), 2. Filme ernster Grundhaltung

184

mit nur latenter politischer Funktion (E-Filme), 3. Filme heiterer Grundhaltung mit nur latenter politischer Funktion (H-Filme) und 4. Filme mit manifester politischer Funktion ohne Rücksicht auf ihren sonstigen Inhalt und ihre Grundhaltung (P-Filme). Die Produktion der H-Filme stand mit 47,8 % an der Spitze, »gefolgt von den E-Filmen (27 %), den P-Filmen (14 %) und den A-Filmen (11,2 %). Untersucht man die Anteile der vier Gattungen am Jahresangebot, ergibt sich eine relative Konstanz für die H-Filme um die 50 % und für die P-Filme um die 10 %.«[4] Der Kriegsbeginn markierte zunächst einen bedeutenden Rückgang auf 36,1 % an H-Filmen der Jahresproduktion.

»Ohne Optimismus ist kein Krieg zu gewinnen: Er ist genauso wichtig wie die Kanonen und die Gewehre«, instruierte Goebbels Anfang des Krieges die Kulturschaffenden (27. 11. 1939), und, was Film betraf, sagte er im Januar 1940 während der Arbeitstagung des Präsidialrates der RFK folgendes: »Auch das heitere Lustspiel könne tiefere Bedeutung haben, während mancher sogenannte ›ernsthafte‹ Film mit abwegiger Problemstellung und unnatürlichen Dialogen völlig bedeutungslos wirken könne.« Diese Weisung war für die erste Zeit des Krieges bestimmt. Die politische und militärische Situation änderte später z. T. die Prioritäten. Jedenfalls gehörte stets der »leichtere« Unterhaltungsfilm zu der bevorzugten Gruppe. Auf breitester Basis. Der Film kannte zwar eine einschränkende Stoffauswahl, viel mehr aber griff er alle möglichen (zugelassenen oder geförderten) Themen auf und realisierte sie mit mehr oder weniger ernsthaftem Kunstanspruch.

Unstreitig ist, daß der Film mit seinen Themen und seinen Ausdrucksmitteln im Dienste der NS-Gegenwart stand. Unstreitig ist ferner, daß die stoffliche Substanz eines Films weitgehend seine künstlerisch-formale Lösung mitbestimmt, und daß gewisse Inhalte a priori festgelegte Darstellungsformen voraussetzen. Über die Kunstausdrucksfähigkeiten eines Films fachwissenschaftlich zu sprechen, ist, in einer kurzen Zusammenfassung, wo Hunderte von Filmen verschiedenster Art auftreten, nicht immer leicht, aber auch nicht in jedem Einzelfall nötig. In einer geschichtswissenschaftlichen Bearbeitung wichtig ist vor allem, sich auf eine Kritik der Programmierung der Filmproduktion zu konzentrieren und den Inhalt der für die Besprechung wichtigen Filme und die dazu gehörende Problematik in einem Vergleich mit den zu erwartenden Auffassungen und Forderungen der Gegenwart zu stellen. Damals, vor der Fernseh-Ära, war doch der Film (nicht nur als journalistischer Begriff) ein äußerst wirksames Mittel der publizistischen Führung. Da er aber seinen Schöpfern auch die künstlerische Ausdrucksmöglichkeit gab, blieb er, sogar wenn es sich um einen »reinen« Propagandastreifen handelte, zugleich ein Element in der Geschichte der deutschen Filmkunst.

Für die breiteste Öffentlichkeit war der Film (d. h. vor allem der Spielfilm) in seiner Hauptanziehungskraft ein Instrument der Unterhaltung. Dieser vorwiegende Charakter der Unterhaltung übertrug sich auch auf die Behandlung des Filmes in den Produktionsplänen. Der Begriff »Unterhaltungsfilm« schien – auch in Beziehung auf die Zustände im Dritten Reich – eine verwirrende Vielfalt an Angeboten zu sein. Beim näheren Hinsehen reduziert sich der Eindruck. Summa summarum behauptete damals der lustige Film die erste Position. Nach der Berechnung des Verfassers bildeten die Komödien, Lustspiele oder Schwänke ungefähr die Hälfte der gesamten Spielfilmproduktionen der Jahre 1933 bis 1945 (es geht um die abendfüllenden Filme). Das musikalische Lustspiel gehörte im Prinzip zu der beliebtesten Gattung. Die zweite Position hatten die sentimentalen Stücke, die Melodramen, die nicht selten beim Kitsch siedelten. Die weiteren Modelle des beim Publikum beliebten Unterhaltungsfilms, der Abenteuer- oder Kriminal-Film, waren im Repertoire fast ständig stark vertreten. Der »Krimi« unterlag bereits nach 1933 der Veränderung, die größten kamen aber erst nach dem Kriegsausbruch. Der Phantasiefilm war eine Seltenheit[5], der Gruselfilm absolut rar.

Eine fehlende Auseinandersetzung mit Problemen der Gegenwart kann man den deutschen Unterhaltungsfilmen nicht vorwerfen. Deutlich wird das (zum Beispiel!) in den Bildstreifen des bekannten Klassikers des Filmhumors – Heinz Rühmann. So kreierte der einstige »Mustergatte« in »Hurra, ich bin Papa« die Rolle eines glücklichen Vaters. Vordergründig ein Unterhaltungsstreifen, diente dieser Film der Bekämpfung von Vorurteilen gegen uneheliche Kinder und der Propagierung verstärkter »Kinderfreudigkeit« (damals ein vielgebrauchtes, heute fast unbekanntes Wort). Zusammen mit »Paradies der Junggesellen« (Propaganda für die Ehe) diente er der Bevölkerungspolitik des Dritten Reiches. Als Quax stand dagegen Rühmann im Dienste des politisch bevorzugten Themas »Fliegerei«, letzthin auch der Idee des Heldentums. Übrigens enthielt im Krieg fast jeder Unterhaltungsfilm mehr oder weniger subtile Steuerungsabsichten. Auch Spielfilme ganz leichteren Zuschnitts, wie »Operette«, »Schrammeln«, »Der weiße Traum«, »Seine beste Rolle«

oder »Es lebe die Liebe«, entstanden unter dem Zeichen: Die Schaffenswelt seiner Helden ist vom Privaten nicht mehr zu trennen. Die Lenkungsabsichten lagen hier bei der Propagierung der guten Arbeit. Nicht selten ging es lediglich um die Vorbereitung einer bestimmten Atmosphäre, um ein erwünschtes Klima. Im Januar 1941 verfügte das ProMi: »Es soll hierdurch vermieden werden, daß der für die allgemeine Volksgesundheit schädliche Tabakgenuß durch das Rauchen der Darsteller in den Filmen noch einen besonderen Anreiz erfährt.«[6] Freilich ging es hier nicht nur um die Gesundheit, sondern auch um die Produktionskapazitäten der Tabakindustrie. Bis zum Herbst 1941 war die Ernährung der deutschen Bevölkerung im Reich noch relativ gut. Allein Quantität und Qualität der Nahrungsmittel verschlechterten sich merklich nach dem Ausbruch des Krieges mit der UdSSR. Im Winter 1941/42 fühlte man sich wie im »Kohlrübenwinter« anno 1917. Das Erscheinen einer fetten Sau (»Krach um Jolanthe«) oder einer Gans auf der Filmleinwand wurde immer öfter in Kinos mit einem einstimmigen Aach! begrüßt. Zwar berichteten die Zeitungen, daß das Bild einer gut besetzten Tafel auf der Leinwand keineswegs eine unerträgliche Zumutung für das Publikum bedeutete, daß es aber geschmacklos gewesen wäre, heutigentags ein üppiges Gelage zu zeigen.

Die historisch-analytische Methode läßt unterschiedliche Möglichkeiten der Systematisierung des Untersuchungsgegenstandes zu. Der Verfasser gliedert hier seine Besprechung nach den Themen, gleichzeitig aber auch die Tendenzen und Richtungen der Filmpolitik zeigend. Eine Besprechung nach diesen Aspekten schien einen breiteren Rahmen zur Darstellung des Untersuchungsstoffes zu bieten. Dennoch ist sich der Verfasser bewußt, daß auch andere Gliederungen – wie auch andere Wertungen – möglich sind.

»Wenn in der zeitgeschichtlichen Forschung des Quellenwerts von Spielfilmen überhaupt gedacht wird, so geschieht dies in der Regel am Beispiel solcher Titel, die wegen ihrer ideologisch gebundenen Botschaft und wegen ihrer expliziten politischen Tendenz aus der zeitgenössischen Produktion herausragen. (...) Auch die Autoren allgemeiner filmgeschichtlicher Darstellungen beachten neben den ästhetisch und künstlerisch herausragenden Titeln sehr viel eher Filme mit explizitem politischen Bezug denn die große Zahl der kleinen oder mittleren »Durchschnittsfilme« eines bestimmten Produktionsjahres. In dieser Konzentration des Interesses auf bestimmte, aus der Gesamtproduk-

tion der Spielfilmindustrie einer definierten Zeitspanne herausragende Einzelbeispiele liegt jedoch die Gefahr der Fehleinschätzung des Stellenwerts wie der potentiellen mittel- und langfristigen Wirkung von Spielfilmen als zeitgenössisches Medium. Denn das Kinopublikum der Zeit vor Einführung des Fernsehens sah nicht nur die wenigen Spitzenprodukte der Filmindustrie, sondern bei häufig wöchentlichem Besuch der Lichtspieltheater vor allem den ›Durchschnittsfilm‹, die zahlreichen kleinen Komödien, Militärlustspiele, Musik- oder Sängerfilme, Kriminal- bzw. Polizeifilme, um nur die wichtigsten Genres zu nennen. (...) Doch in der Wiederholung der scheinbar gleichen Aussagen in zahlreichen Kinofilmen einer Zeitspanne entstand beim Zuschauer eine Summe bildhafter Erinnerungen an Wertvorstellungen, an Orientierungen oder auch nur an Verhaltensweisen, die eine fortdauernde, ständig erneuerte Bekräftigung und Bestätigung erfuhren. Aus diesem Vorgang aber formierten sich die Elemente mittel- und langfristiger Wirkungen einzelner Medien, so auch die Wirkungen des Spielfilms.«

Quelle: Friedrich P. Kahlenberg: »Die vom Niederrhein« – ein Spielfilm aus dem Jahre 1933. In: K. F. Reimers/H. Friedrich, Hg. Zeitgeschichte in Film und Fernsehen, München 1982, S. 263 f.

Geschichte im Film
Die Voraussetzungen des historischen Films

»In den dreißiger Jahren und dann bis 1945« waren »der historische Film auf der einen Seite und der unverbindlich zeitlose Unterhaltungsfilm auf der anderen Seite geradezu das Signum der Produktion« (Ekkehard Böhm). Die Zahl der historischen Filme (die Grenze zwischen historischem und nichthistorischem Film ist begrifflich nicht genau festzulegen) wuchs in der Tat mit dem »nationalen Umbruch«. »Diese ›Geschichtsschreibung‹ des Films wird mehr und mehr zu einer Notwendigkeit für das Volk und vor allem für die Jugend. Unsere Weltanschauung ist ohne Geschichte nicht denkbar«, konstatierte damals ein junger Doktorand aus Hamburg.[7]

Der Ablauf geschichtlicher Ereignisse und Entwicklungen wurde vor allem auf das Wirken hervorragender Persönlichkeiten reduziert. Was an Lebensbildern großer Gestalten (Monarchen, Heerführer, Politiker, Wirtschaftsmagnaten, Künstler, Gelehrten, Erfinder usw.) auf das Kinopublikum einströmte, war dank der intensiven Geschichtspropaganda nicht unbekannt, so daß der Film auf Vorkennt-

22. Aus dem Tobis-Film »Der große König«

nissen aufbauen konnte. Die historischen Filme überschritten (meistens) nicht eine gewisse untere Grenze, so daß auch der sprichwörtliche kleine Mann dem Filmgeschehen folgen konnte. Manchmal aber setzten die Filmemacher nicht geringe Geschichtskenntnisse voraus. Der Kerngedanke dieser Filme war damals (z. T. bis heute) nicht immer leicht zu enthüllen.

Der historische Film aus der Zeit des Dritten Reiches war in allen möglichen Einzelheiten auf die Zeit bezogen, in der seine Zuschauer lebten und wirkten. In seiner Eigenschaft als NS-Film-Theoretiker schrieb der Leiter Film im ProMi, Dr. Fritz Hippler: »Dies ist das einzige, worauf es beim historischen Film ankommt: auf die Gültigkeit im Großen. Personen oder Ereignisse aus der Vergangenheit, welche heute vom Volk gekannt oder nachempfunden werden und es interessieren oder für es von Wert sind, können allein Vorwurf eines erfolgreichen historischen Films sein.«[8]

Die deutsche Geschichte lieferte vor allem den Stoff für die historischen Filme. Es gab aber auch Fälle, wo sich der historische Stoff aus der Geschichte anderer Völker als (politisch) brauchbar erwies.

Preußens Gloria

Der Nationalsozialismus nahm im vollen Umfang für sich in Anspruch (in Schrifttum, Theater und Film) den Geist des preußischen Staates – Preußentum, preußischer Staatsgedanke, preußischer Militarismus, die patriotischen Reden über die preußische Zucht und Ordnung, Untertanentreue, Fleiß und Gehorsam. Filme über Friedrich II. oder über andere Persönlichkeiten bzw. Ereignisse aus Preußens Geschichte sind markante Beispiele hierfür. Schon vor 1933 hatte man solche Filme hergestellt. Erst aber zur Zeit des Dritten Reiches war der Zusammenhang zwischen preußischem Militarismus und nationalsozialistischen Eroberungskriegen völlig evident.

Aus dem Reservoir preußischer Geschichte wurden zwei Themenkreise besonders exponiert: Der eine ist mit der Person Friedrichs II. und seiner Epoche, der andere mit der Zeit der Befreiungskriege, der sogenannten französischen Zeit, verbunden. Die Filmproduktionen mit preußischen Themen berücksichtigten in erster Linie gerade diese beiden Strömungen. Es ist kennzeichnend, daß im Prinzip weder auf die früheste Epoche des brandenburgisch-preußischen Staates (eine der wenigen Ausnahmen bildete »Andreas Schlüter«) noch auf die Geschichte des Deutschen Ordens zurückgegriffen wurde. Mit dieser Periode und diesen Ereignissen hat sich lieber die Sprechbühne beschäftigt.[9]

Der bekannte Streifen »Preußische Liebesgeschichte« gehörte freilich auch zu den Preußen-Filmen. Dieser Ufa-Film (Regie Paul Martin) mit Lida Baarova als Prinzessin Radziwill wurde allerdings 1938 und 1939 von der Zensur verboten. Zunächst, weil es um die Liaison Baarova-Goebbels ging – die Filme mit ihr wurden im Reich vorübergehend verboten –, danach stand schon die Politik im Hintergrund. Das Zeitalter des Königs Friedrich Wilhelm III., mit den Kontakten mit dem litauisch-polnisch-»deutschen« Fürstengeschlecht Radziwill, mit dem jungen Chopin (von Claus Detlef Sierck gespielt) auf dem Plan usw. usw. paßte nicht in die Zeit, in der das einstige

Großherzogtum Posen in einen Reichsgau Wartheland mit allen politischen Konsequenzen umgewandelt wurde.

»Der Choral von Leuthen« (1933) von Carl Froelich, Hans Steinhoffs »Der alte und der junge König« (1935) mit Emil Jannings, ferner Johannes Meyers »Fridericus« (1936) waren die bekannten »Fridericus-Filme« aus der Zeit vor Kriegsausbruch. Im Sommer 1939 wollte die Tobis im Rahmen der Emil-Jannings-Produktion den Film »Der Vater« drehen, über die konfliktschweren Beziehungen Friedrichs II. zu seinem strengen Vater, dem Soldatenkönig Friedrich Wilhelm I. Das bekannteste Beispiel des Konflikts Vater-Sohn der preußischen Geschichte sollte eine neue, weiß der Himmel welche, filmische Gestaltung erhalten. Infolge des Kriegsausbruchs kam es nicht mehr dazu.

Der ehrgeizigste Film über König Friedrich II. entstand mitten im Krieg. Veit Harlan wurde verpflichtet, ihn zu gestalten, als Regisseur und als Autor. So entstand bei der Tobis »Der große König«. Der Film war bereits im Sommer 1940 im Plan. In einem Sonderheft zu diesem Film wurde der Preußenkönig wie folgt zitiert: »Es wird dies Jahr stark und scharf hergehen, aber man muß die Ohren steif halten, und jeder, der Ehr' und Liebe für das Vaterland hat, muß alles dransetzen.«

In drei Abschnitten zeigte der Film das Geschehene, das sich in seinem äußerlichen Ablauf mit den Namen der Schlachten von Kunersdorf, Torgau und Schweidnitz verband. Diese Ereignisse spannten einen Bogen von der erdrückenden Niederlage bei Kunersdorf (1759) und dem fanatischen Willen Friedrichs II., sie zu überwinden, zu der Anspannung aller Kräfte und den militärischen Siegen, denen der endgültige Triumph über die Feinde und der beglückende Frieden (1763) folgte. Es fehlte in dem Film nicht an »Beweisen« für die Kriegsschuld der Gegner. So wurden sie bei der Königin von Polen und Kurfürstin von Sachsen gefunden. Das seit dem Ersten Weltkrieg in Deutschland bekannte Wort »Einkreisung« fand hier eine Anwendung auf das Preußen des 18. Jahrhunderts. Die mächtige Koalition der Höfe von Wien, Petersburg, Paris, Stockholm und London war angetreten, um das kleine, um seine Existenz ringende Königreich Preußen zu vernichten. Selbstverständlich wurde die verräterische Haltung des russischen Hofes erwähnt, der zunächst auf Seiten Preußens stand, um später zum Feind überzulaufen. Auch England war bereit, Preußen an seine Feinde zu verraten. Die plötzliche Ausweitung des Krieges im Jahre 1941 brachte neue »erzieherische« Probleme mit sich. Man wollte den deutschen Volksmassen die Überzeugung von der Notwendigkeit und Rechtmäßigkeit der neuen Kriegsmaßnahmen beibringen, um von ihnen die höchste Opferbereitschaft verlangen zu können. Das erforderte nicht wenige Änderungen im Film. Den russischen Faden des Films mußte man auch »aktualisieren«. Die Zeit, zu der der fertiggestellte Film auftauchte, war für Deutschland besonders schwer. Die von Hitler bereits als besiegt bezeichnete Rote Armee setzte völlig überraschend zum Gegenangriff an und erzielte tiefe Einbrüche in die deutsche Front. Hitler widersetzte sich allen Forderungen der Generäle nach einem Rückzug. Er befahl den Widerstand um jeden Preis. In dem Film »Der große König« nahm Friedrich den Oberbefehl aus den Händen des Grafen Fink, im Dezember 1941 übernahm Hitler aus den Händen des Generalfeldmarschalls von Brauchitsch den Oberbefehl im OKH. Der Bezug zur Gegenwart ging noch einen Schritt weiter. Der Film wurde probeweise vor verschiedenen Gremien vorgeführt. Der Film-Kurier veröffentlichte am 27. 1. 1942 einen großen Leitartikel: »Historischer Film – geschichtliche Wahrheit«. Es folgten weitere Änderungen. Zum zweitenmal wurde der Film im Führerhauptquartier vorgeführt. Goebbels notierte (2. 3. 1942): »Ein Teil der Generalität hat dagegen Einspruch erhoben, daß in den entscheidenden Stunden Friedrich der Große auch von seinen Generälen im Stich gelassen wird.« Generalfeldmarschall Keitel setzte sich aber für den Film energisch ein. In den Weisungen, die die Medien erhielten (2. 3. 1942), hieß es: In dem Film »ergeben sich so viele verblüffende Parallelen zur heutigen Zeit, daß der Minister für die deutsche Presse und Rundfunk eine umfangreiche Aufklärung anordnet, aus der hervorgeht, daß der Film sich streng an die geschichtliche Wahrheit hält.«[10] Die öffentliche Uraufführung fand am 4. März 1942 in Berlin statt. Als Ehrengäste saßen im Parkett die verwundeten Soldaten und Rüstungsarbeiter. Am nächsten Tage schrieb Veit Harlan im »Völkischen Beobachter« über die historische Wahrheit der Filmhandlung. Angeblich war von ihm nur das Liebespaar Feldwebel Treskow und Müllerstochter Luise erfunden worden, die das Heer und das Volk verkörpern sollten. Der Film erhielt die höchsten Prädikate.[11] Es wurde ihm auch der Titel »Film der Nation« zuerkannt. Am Lido wurde er mit dem Mussolini-Pokal geehrt. Das gar nicht bescheidene Budget des Films betrug rund 4,8 Mio RM. Das Darstellerverzeichnis war sehr umfangreich, die Zahl der Statisten riesig: Manchmal standen vor der Kamera bis zu 15 000 Mann. Eine ganze Generation konnte sich Friedrich II. nur

in der Maske Otto Gebührs vorstellen. Auch diesmal spielte er den
»großen König«, jedoch im neuen Stil: Er zeigte den König unver-
hüllt in seiner Härte. Kristina Söderbaum war die Luise, und den
Feldwebel Treskow spielte Gustav Fröhlich. Veit Harlans ehemalige
Gattin Hilde Körber war im Film die Königin Elisabeth. Exzellente
darstellerische Leistungen boten Otto Wernicke (Oberst Rockow)
und Paul Wegener (der russische General Tschernitscheff). Die Musik des Films war gut angepaßt. H. O. Borgmann griff die geläufigen
Marschmotive auf und gestaltete das Thema in heroischer Weise. Die
Filmbetrachtung kannte kaum Grenzen in der enthusiastischen,
meist aber recht nichtssagenden Beschreibung. »Der große König«
fand ein relativ breites Kinopublikum. Weniger Glück hatte er bei
den weiblichen Zuschauern. Auch für viele Österreicher war er »zu
preußisch«. Einige Kopien gingen ins Ausland. Die französische Synchronisierung war erst in der Zeit fertig, als die Alliierten vor den
Toren von Paris standen.

Das letzte Werk aus dem Zyklus der Fridericus-Filme war unmittelbar mit dem tragischen Leben des Generalmajors Dietrich von
Roedern verknüpft. Für seine kühnen Pläne des Ausbaus der Befestigungsanlagen in Schweidnitz (Niederschlesien) erhielt er, der Fe-
stungsbaumeister Friedrichs II., höchste Ehrungen, aber durch die
Verkettung unglücklicher Umstände war er »schuldlos-schuldig« geworden. Solche Situationen liebten die Filmemacher der »Preußen-
filme«, um nur den Fall Feldwebel Treskow im »Großen König« zu
erwähnen. Im Spielfilm »Die Affäre Roedern« (Berlin-Film) verkörperte Paul Hartmann die mit allen preußisch-soldatischen Tugenden
versehene Gestalt des Filmhelden (Regie Erich Waschneck). Die
feierlichen Ur-Aufführungen veranstaltete man gleichzeitig in Breslau und Braunschweig (14. 7. 1944). Zwei Wochen danach beantragte
die Filmabteilung des ProMi für den Film das Prädikat »staatspolitisch wertvoll«.[12] Goebbels stimmte zu. Den Frauen, die zu dieser
Zeit im Reich den Hauptteil der Kinobesucher stellten, lag das betont
militärische Thema nicht, die Jugend war dagegen unter den Zuschauern stark vertreten. Für die Österreicher war der Film »zu preußisch«, aber auch in Hamburg wurde er »leider nicht entsprechend
aufgenommen.«[13] Im September 1944 wurde »Die Affäre Roedern«
in die Jugendfilmstunden-Aktion einbezogen.

Den Themen aus der Zeit der Befreiungskriege wandte sich der
deutsche Tonfilm bereits vor 1933 zu. Gerhard Lamprecht realisierte
die Komödie »Der schwarze Husar« (U: 12. 10. 1932) und Rudolf

Meinert (Buch und Regie) »Die elf Schill'schen Offiziere« mit Friedrich Kayßler in der Hauptrolle (U: 15. 8. 1932). In den Vorkriegsjahren wurden weitere Filme mit diesen Themen gedreht. Bereits 1933 entstand »Der Judas von Tirol« und 1934 der bekannte Streifen »Schwarzer Jäger Johanna« nach dem Roman von Georg von der Vring. Marianne Hoppe, Paul Hartmann und Gustaf Gründgens spielten die Hauptrollen in diesem Freikorpsfilm, der unter der Regie von Johannes Meyer entstand (U: 6. 9. 1934 in Mainz). Dasselbe Jahr brachte auch »Das unsterbliche Herz«, diesmal eine deutsch-schweizerische Co-Produktion, mit Hans Marr als Regisseur (U: 1. 12. 1934 in München). Im folgenden Jahr kam der durch die große Propaganda sehr bekannte Film »Der höhere Befehl« heraus, den G. Lamprecht bei der Ufa realisierte (U: 30. 12. 1935; P: skbw). 1937 wurde der düstere Roman »Der Katzensteg« von Sudermann verfilmt.[14]

Den geschichtlichen Hintergrund des Bavaria-Films »Kameraden« bildete wiederum das Schicksal der elf Schill'schen Offiziere. Der Angelpunkt und darum auch der Mittelpunkt der Handlung war der kühne Versuch des Majors von Schill, mit seinem brandenburgischen Husarenregiment die napoleonische Herrschaft plötzlich zu attackieren. Diese Tat Schills, zwar verfrüht, weil falsch unterrichtet, geschehen, aber dennoch aus patriotischem Geist heraus geboren, verursachte politische Komplikationen. Peter Francke und Emil Burri verfaßten das Drehbuch zu dem Film, Hans Schweikart hatte die Regie.[15] Die Wehrmacht-Zensur verlangte kleine Änderungen. So auch betonte sie: »Der Major v. Schill gilt dem deutschen Volk als nationaler Heros, als ein Held der Befreiungskriege. Der Gegensatz, in dem sich der König und die Offiziere der ›Kgl. Militär-Reorganisations-Commission‹ zu Schill und seinem Unternehmen befinden, darf in der heutigen Zeit nicht so scharf herausgearbeitet werden, wie es in dem Drehbuch geschieht.«[16] »Kameraden« war vor allem ein Soldatenfilm, der die Kameradschaft pries. Im festlichen Rahmen und im Beisein Willy Birgels, der die Hauptrolle spielte, und des Regisseurs fand im Breslauer Ufa-Palast die Uraufführung des Films statt (26. 9. 1941; P: sw, kw, vb).

Mitte 1943 beauftragte Goebbels Veit Harlan, das ehrgeizigste Projekt der NS-Filmgeschichte zu realisieren: den Farbfilm »Kolberg«. Und in sein Tagebuch ließ er notieren: »Ich verspreche mir von diesem Harlan-Film außerordentlich viel. Er paßt genau in die militärisch-politische Landschaft, die wir wahrscheinlich zu der Zeit zu verzeichnen haben werden, wenn dieser Film erscheint.« In seinem Film sollte sich Harlan – nach einer Sequenz, die das folgenschwere Gespräch zwischen König Friedrich Wilhelm III. und General von Gneisenau am Anfang des Jahres 1813 zeigte – an die historischen Ereignisse in der belagerten Stadt Kolberg, vom Sommer 1806 bis zum Sommer 1807, halten und dazu eine Liebesgeschichte erfinden. Jedenfalls nicht buchstabengetreu. Die Präparation der geschichtlichen Vorlage unternahm Harlan mit Alfred Braun als Co-Autor. Eine große Zahl von erstrangigen Schauspielern wurde verpflichtet. Tausende von Statisten (Angehörige der Wehrmacht und der Wlassow-Armee) wirkten im Film mit. Die Dreharbeiten (Chefkameramann Bruno Mondi) begannen im Oktober 1943. Heinrich George übernahm die männliche Hauptrolle und spielte den Bürgermeister Nettelbeck. Horst Caspar verkörperte die Gestalt des Generals von Gneisenau, und Kristina Söderbaum war in der weiblichen Hauptrolle zu sehen. Die Komposition der Musik übernahm Norbert Schultze. Die musikalischen Themen reichten vom Volks- und Kirchenlied bis zum Furioso der kampferfüllten Massenszenen. 8,8 Millionen Reichsmark teuer war die Produktion. Sie war erst nach eineinhalb Jahren fertiggestellt. Ausnahmsweise wurde für den Film ein Plakat mit der Aufschrift »Pro Gloria und Patria« gedruckt. Die Stadt Schneidemühl bemühte sich, den Film bei sich uraufführen zu können. »Wegen der politischen Bedeutung dieses Filmes«, meinte Hans Hinkel, sei »aber eine Reichsuraufführung in Schneidemühl schlecht denkbar.«[17] Am zehnten Jahrestag der NS-Machtübernahme erlebte der Film in der Ruinenstadt Berlin (Tauentzien-Palast und Ufa-Theater am Alexanderplatz) seine Reichsuraufführung. Die Presse schrieb über einen außerordentlichen Erfolg. Hans Hinkel schlug vor (1. Februar), dem Werk das Prädikat »Film der Nation« zu erteilen.[18] Eine Kopie des Films wurde von einem Flugzeug über der Atlantik-Festung La Rochelle, wo noch deutsche Soldaten auf verlorenem Posten ausharrten, am Fallschirm abgeworfen, eine andere Kopie ging hin mittels U-Boot. Nach seiner Uraufführung in Berlin und La Rochelle wurde »Kolberg« zunächst nur in Breslau und Danzig gezeigt. Es kam auch zu einer Sondervorstellung für die deutschen Soldaten in der »Festung Marienburg«. Für den Einsatz im Ausland wurden – so meldete am 25. Februar Hans Hinkel – »zunächst fünf Kopien vorgesehen, und zwar für Schweden, die Schweiz, Spanien, Portugal und Oberitalien.«[19] Der Schöpfer dieses Films, Veit Harlan, nahm mit Kristina Söderbaum an der Hamburger Premiere teil. Sie fand erst am 15. 3. 1945 im großen Sitzungssaal des Stellvertretenden Generalkommandos X. A. K. statt. In der Reichshauptstadt wurde »Kolberg« wochenlang gespielt. Aber immer weniger Berliner gingen in den Tauentzien-Palast (1052 Plätze), um den Film zu sehen. Am 31. Spieltag des Films waren zur Vorstellung um 11 Uhr nur 95 Besucher im Hause, und in der Nachmittagsvorstellung gab es nicht viel mehr – 204.[20]

Bismarck-Filme

Die Leitbilder der Zeit ließen sich getreu ebenfalls an den Filmen um den »Eisernen Kanzler« ablesen, für die Wolfgang Liebenciners »Bismarck« (abgesehen von den Bismarck-Szenen in anderen Filmen, wie z. B. in »Robert Koch«), den Anfang machte: im Jahre 1940, als sich Bismarcks Geburtstag zum 125. Male jährte. Liebeneiners »Bismarck« stellte eine äußerst spezifische Interpretation der preußisch-deutschen Geschichte dar. Grundlage war Rolf Lauckners Filmroman »Bismarck«. Für 10 Jahre verkaufte der Autor die Verfilmungsrechte und erhielt dafür 35000 RM.[21] Lauckner und Liebeneiner schufen zusammen das Drehbuch. Der Film zeigte eine Fülle von Personen, eine Fülle von wichtigen Namen. Allerdings dominierten zwei Gestalten, und um sie herum gruppierte sich alles andere: Bismarck (von Paul Hartmann gespielt) und König Wilhelm I. (Friedrich Kayßler war der Interpret). 1862 im Babelsberger Schloßpark beginnend, wo Bismarck dem König seine Gedanken entwickelte, ging die Handlung weiter über den Krieg 1866 um die Vorherrschaft in Deutschland (ein Krieg, in dem nur die hohen Herren und kein Soldat gezeigt waren), bis zur Gründung des 2. Kaiserreiches (1871). Bismarcks Unternehmungen wurden im Film als gradlinig und widerspruchlos dargestellt, alles lief mit beinah automatischer Folgerichtigkeit ab: Von der Entwicklung des Regierungsprogramms im Jahre 1862 über die Auseinandersetzungen mit der liberalen Opposition, selbstverständlich mit Hieben gegen den Parlamentarismus, zur Überwindung der preußisch-österreichischen Rivalität (der Film mußte in der »Ostmark« mit geteilten Gefühlen empfunden werden), bis zur Reichsgründung vollzog sich der Weg eines Heroen. Frühzeitig, bereits im Jahre 1863, begann er seine »große Politik« zielbewußt, indem er aus Anlaß des Polenaufstandes die russische Regierung gegen englisch-österreichisch-französische »Einmi-

196

schungsversuche« unterstützte und mit ihr darüber hinaus in uneigen-
nütziger Weise eine Militärabmachung gegen die Polen vorschlug –
ein Angebot, das (wenn auch kein praktischer Gebrauch davon
gemacht werden mußte) eine über den normalen Stand gutnachbar-
licher Verhältnisse hinausreichende politische Verbundenheit der beiden Staaten zur Folge hatte. Nicht zu vergessen, daß der Film in einer
Zeit gedreht wurde, in der eine neue deutsch-russische »Regulierung«
des polnischen Problems zustande kam. Zu dieser Zeit wurde auch in
der UdSSR der »Eiserne Kanzler« zum Symbol der guten Beziehungen auf der politischen Linie Moskau-Berlin. Die deutsche Presse
konnte mit Zufriedenheit berichten: »Das Interesse der russischen
Öffentlichkeit für die geschichtliche Entwicklung der deutsch-russi-
schen Beziehungen geht aus der Mitteilung hervor, daß der erste Band
von Bismarcks ›Gedanken und Erinnerungen‹, der kürzlich vom sowjetischen Staatsverlag in einer Auflage von 100 000 Exemplaren in
russischer Sprache herausgebracht wurde, bereits vergriffen ist«. Historische Aufsätze zum Thema Bismarck-Rußland waren auch in der
sowjetischen Presse zu finden, u. a. in den führenden Organen wie
»Prawda«, »Komsomolskaja Prawda« und »Wetschernaja Moskwa«.

Im Berliner Ufa-Palast am Zoo wurde der Film festlich uraufge-
führt. Das Große Orchester des Deutschlandsenders unter Robert
Heger gab mit dem ersten Satz der 5. Sinfonie Beethovens den Auftakt. Der Vorstellung wohnten Goebbels, Lammers, Gürtner, Kerrl,
Ohnesorge, Meißner und weitere Prominente bei. Wolfgang Liebeneiner, Paul Hartmann und Friedrich Kayßler gehörten auch zu den
Ehrengästen der Premiere (U: 6. 12. 1940; P: skbw). Der offiziellen
Premiere gingen die Pressevorführungen voraus. Über die Wiener
Vorführung schrieb ein Berichterstatter: »Ich halte mich für verpflichtet, auf die außerordentlich geteilte, zum Teil sogar völlig ab-
lehnende Aufnahme, die der neue ›Bismarck‹-Film auf einer Presse-
vorführung in Wien erfahren hat, aufmerksam zu machen.«[22] Der
Film löste bei der Presse Begeisterung aus. Werbung, Vertrieb und
das Thema selbst taten ihre Wirkung. Der Film brachte dem Produzenten keine Verluste. Doch ein rauschender Erfolg war er jedenfalls
nicht.

Der Film »Bismarck« endete zu dem Zeitpunkt, als sein Held nicht
mehr als der preußische Junker und Staatsminister, sondern als der
Heros und Schmied des Reiches in der mythischen Gestalt des Eisernen Kanzlers in Erscheinung trat. Der zweite Liebeneiner-Film über
Bismarck schilderte dagegen seine Entlassung aus dem Amt des

Reichskanzlers. Eine geschichtlich unterbaute Unterrichtsstunde für den deutschen, vom Krieg müde gewordenen Zeitgenossen zum Thema: die Notwendigkeit und Gerechtigkeit der Maßnahmen Adolf Hitlers. Das Thema war noch vor dem Film durch das Theater kolportiert worden. Walter Lange schrieb »Bismarcks Sturz«, eine Hörfolge für die Bühne, die aus Bismarcks Reden, Gedanken und Erinnerungen im Plakatstil und mit aktueller Zuspitzung die Geschehnisse um die wenig rühmliche Verabschiedung des »Eisernen Kanzlers« schilderte. Hitler hat angeordnet – so mindestens Goebbels' Tagebuch-Aufzeichnung vom 21. 8. 1942 –, daß der Film »in einer neutralen deutschen Stadt ausprobiert wird. Nach der Meldung über die Aufnahme des Films wird der Führer dann weiter entscheiden, ob er in anderen deutschen Städten noch gezeigt werden darf.« Hinter den Kulissen dieser Vorsichtigkeit stand, wie das die Archivquellen beweisen, Alfred Rosenberg und sein Amt. Für die »stille« Uraufführung des Films bestimmte Goebbels Stettin. Und am 12./13. September 1942 informierte der Stettiner General Anzeiger: »Emil Jannings kommt nach Stettin. Am Dienstag (15. 9., B. D.) findet im Ufa-Palast die Erstaufführung des Films ›Bismarcks Entlassung‹ statt. Aus Anlaß dieser Erstaufführung hat Gauleiter Schwede-Coburg den großen Künstler zu einem Besuch der pommerschen Gauhauptstadt eingeladen«. Dieselbe Zeitung berichtete am Tag darauf nach der Premiere über einen durchschlagenden künstlerischen Erfolg des Films »Die Entlassung« und erwähnte nur ganz kurz die Tragik des kaiserlichen Hauses. Jannings war anwesend, auch Fritz Hippler und eine Reihe anderer, im deutschen Film führender Persönlichkeiten. Es gab, so die Zeitung, eine lange Beifallskundgebung für den Film und Jannings persönlich. Die Meinungen über die Brauchbarkeit dieses Films für die Kriegspropaganda gingen weiterhin – wie die Aufzeichnungen und vertrauliche Korrespondenz der höchsten Parteiprominenz beweisen – auseinander. Goebbels notierte (23. 9. 1942): »Die weiteren Aufführungen des Films ›Die Entlassung‹ in Stettin sind immer noch von einem glänzenden Erfolg begleitet. Ich bin mit dem Widerhall, den der Film in der Stettiner Öffentlichkeit gefunden hat, außerordentlich zufrieden. Ich werde demnächst an den Führer herantreten und ihn um Freigabe des Films für das ganze Reich bitten.« Reichsleiter Rosenberg schrieb dagegen an Martin Bormann: »Schauspielerisch erscheint mir der Film bis auf wenige hervorragend... Geschichtlich und politisch gesehen aber eine Veröffentlichung dieses Filmes als ganz außerordentlich bedenklich. (...) Es fragt sich ferner, ob die jetzige Zeit geeignet ist, das ganze deutsche Volk mit dem Problem des Rückversicherungsvertrages mit der Unglückspolitik Kaiser Wilhelms und schließlich erneut mit dem Kriegsausbruch von 1914 zu beschäftigen ... Heute glaube ich, daß es richtig ist, den Film auch nicht einmal versuchsweise an die Öffentlichkeit zu bringen. Falls dem Führer der Fall vorgetragen werden sollte, bitte ich, wie gesagt, dem Führer auch diese Stellungnahme zu unterbreiten.«[23] Bedenken äußerte auch das Auswärtige Amt. Am 5. 10. 1942 meldete Walter Stang von dem Rosenbergschen Amt über die Entscheidung des »Führers«: der Film soll »zur öffentlichen Aufführung in der uns bekannten Form« kommen, aber Goebbels habe »die Anweisung gegeben, daß der Film nicht vom Politischen her, sondern ausschließlich vom Künstlerischen her gesprochen werden soll.«[24] Am 6. 10. 1942 fand die Berliner Premiere des Films statt, und tags darauf berichtete die Presse: Goebbels hat dem Film das höchste deutsche Filmprädikat »Film der Nation« zuerkannt.

Schauspielerisch war »Die Entlassung« weitgehend eine Hitparade. Jannings spielte den »Eisernen Kanzler«; die »graue Eminenz«, den Geheimrat des Auswärtigen Amtes, von Holstein, verkörperte Werner Krauss, Theodor Loos war der sterbende alte Kaiser, und der junge Kaiser hatte in Werner Hinz seinen Interpreten gefunden. Das Darstellerverzeichnis enthielt weitere bekannte Namen wie die von Karl Ludwig Diehl, Christian Kayßler, Paul Bildt u. a. Die berühmten Darsteller, die große Reklame und vielleicht auch ganz einfach die Neugier brachten dem Film in Deutschland volle Häuser. Kein Lob war einigen Kritikern zu hoch gegriffen, kein Adjektiv zu blumig, um diesen Film zu preisen. Aber z. B. der Hamburger Oberbürgermeister notierte anläßlich der Premiere dieses Films in der Hanse-Stadt (am 2. 11. 1942 im Ufa-Palast): »Ich finde den Film reichlich grob. Vielleicht ist es aber für die große Masse des Publikums das richtige.«[25] Auch bei Goebbels merkte man später eine gewisse Enttäuschung. Er ließ in seinem Tagebuch notieren (13. 12. 1942): »Ich bekomme Nachrichten aus verschiedenen Städten, daß der Film ... doch in gewissen Volkskreisen nicht den Erfolg erringt, den man sich davon erwartet hatte. Er ist ein typischer Männerfilm und wird, weil er keine richtigen Frauenkonflikte darstellt, von der Frauenwelt im allgemeinen abgelehnt ... Trotzdem aber steht der Film auch in seinem Erfolg weit über allen normalen Unterhaltungsfilmen. Aber wenn man den letzten Maßstab anlegt, dann scheint er die Erwartungen nicht ganz zu erfüllen, die man zuerst an ihn geknüpft hatte.«

Die beiden Bismarck-Filme Wolfgang Liebeneiners waren nicht als Exportware gedacht. Otto Kriegk schrieb 1943 darüber: »Hier sind deutsche Probleme angeschnitten, die zwar für uns gelöst sind, deren Lösung aber im Rahmen des gewählten Stoffes nicht ohne weiteres dem Verständnis aller in Europa näher gebracht werden kann. Solche Filme sind für uns notwendig. Sie sind aber nicht in dem Sinne europäische Filme, wie sie nach Ausweis vieler Zeugnisse in ganz Europa von uns gewünscht werden.«[26]

Aus dem Weltgeschehen

Die Weltgeltung der deutschen Kultur und Deutschlands internationales Prestige erlaubten nicht, die »Ausländerei« allzu rigoros aus dem deutschen Kulturleben der NS-Zeit zu verbannen. Übrigens ließen sich verschiedene Themen aus dem Geschehen der Weltgeschichte für die politischen Ziele des Nationalsozialismus einspannen. Das kinoträchtige Potential des Stoffes, der zugleich politisch brauchbar sein konnte, umfaßte z. B. die historischen Gestalten, wie Jeanne d'Arc oder Napoleon I. aus Frankreichs Geschichte, dagegen Maria Stuart und ihre große Rivalin Elisabeth I. oder Heinrich VIII. vertraten oftmals England. Rußlands Geschichte bot ständig zahlreiche Möglichkeiten: Die zaristischen Themen (politische Aktualität bestimmte, wie sie »gefärbt« werden sollten) und die antibolschewistische Thematik, hier mit einer Pause vom Sommer 1939 bis Sommer 1941. Filme dieser Art werden an verschiedenen Stellen dieses Buches erwähnt bzw. besprochen.

Hier möchten wir unsere Aufmerksamkeit auf zwei bekannte historische Bildstreifen lenken, um zugleich zwei verschiedene Tendenzen in Gestaltung des historischen Stoffes zu zeigen, beide in Beziehung auf die Geschichte des »Nachbarn zur Linken«.

Einen Ausschnitt aus der Lebensgeschichte der resoluten pfälzischen Prinzessin Liselotte (dargestellt von Renate Müller), die aus Gründen der Staatsraison mit dem Bruder des Königs Ludwig XIV. vermählt worden war, schilderte das historische Drama »Liselotte von der Pfalz«. Ihre Kämpfe am französischen Hof gegen Intrigen bildeten den politisch wichtigen Teil dieses Films. Er gehörte noch zu Ende des Krieges zu den propagandistisch brauchbaren Filmen, obwohl zehn Jahre vorher von Carl Froelich (Regie, Co-Autor und Produktion) geschaffen. (U: 8.8.1935; P: sw, kw) Dagegen wurden im

Krieg die Napoleon-Filme aus dem Vertrieb zurückgezogen. Nicht nur Curt Goetz' turbulente Komödie über einen spleenigen Lord, der in jeder Hinsicht seinem Vorbild Napoleon Bonaparte nacheiferte, sondern sogar auch der »Mussolini«-Film über den großen Korsen, »Hundert Tage«.

Mit der post-napoleonischen Ära war der bekannte Gustaf-Gründgens-Film »Tanz auf dem Vulkan« verknüpft. Der Vulkan war in diesem Film Paris, der Ausbruch der Julirevolution, und was den Tanz betraf, so war hier der Schauspieler Deburau derjenige, der dazu aufspielte. Deburau, eine der großen, legendenumwitterten Persönlichkeiten der Theatergeschichte, und hier, in der Filmhandlung, der Geschichte überhaupt. Von der Bühne auf die Guillotine führte der abenteuerliche Weg des großen Schauspielers, der, ein Liebling des unterdrückten Pariser Volkes, den eitlen König Karl X. mit Spottversen verhöhnte und als Liebhaber einer schönen Gräfin zum Rivalen des Herrschers wurde. Gustaf Gründgens – in seinem Spiel steckte etwas Hamletisches – spielte den großen Mimen. Sein Gegenspieler, der König, war R. A. Roberts, die schöne Gräfin Sibylle Schmitz. Der Film war in seiner Aussage gegen die Verfolgung und Unterdrückung, gegen die Polizeimethoden des Staates. Der »Führer« sah das Werk vor der öffentlichen Uraufführung. Ihm mißfiel der Film, und trotzdem erhielt »Tanz auf dem Vulkan« das Prädikat »künstlerisch wertvoll« (U: 30. 11. 1938 in Stuttgart). Hans Steinhoff inszenierte diesen Film, er schrieb auch, zusammen mit den NS-engagierten Autoren wie Hans Rehberg und Peter Hagen, »das Libretto«. Ob es möglich wäre, daß das NS-Trio einen Film schaffen wollte, in dem die Polizeimethoden eines totalitären Staates absichtlich an den Pranger gestellt wurden, ist heute schwer zu beurteilen.

Die großen Gestalten der deutschen Wissenschaft und Kultur

Auch hier verbanden sich Vergangenheit und Gegenwart so eng, daß im Grunde nur noch aktuelle Leitbilder in die Geschichte zurückprojiziert wurden.

Im Frühjahr 1939 wurden in den Grunewald-Ateliers Interieurs der Wohnung Robert Kochs in der Zeit seines Wirkens als Kreisphysikus in Wollstein (vor dem Ersten Weltkrieg die preußische Provinz Posen) für die ersten Filmaufnahmen von dem Architekten Emil Hasler aufgebaut. Die Tobis drehte den Film: »Robert Koch, der

Bekämpfer des Todes«. Das ständig vielbeschäftigte Autorenpaar Walter Wassermann & C. H. Diller schrieb nach einer Idee von Paul Joseph Cremers (der zum erstenmal ein Manuskript für einen Film schuf) und mit Gerhard Menzel ein Drehbuch, in enger Zusammenarbeit mit Emil Jannings, der die Titelgestalt verkörperte. Jannings studierte vorher genau das medizinische Milieu. Robert Koch sei Emil Jannings' reifstes Werk, beurteilte später Herbert Ihering. Der Arzt und der Autor eines Romans über Robert Koch, Dr. Hellmuth Unger, stand ihm als Berater zur Verfügung. Dieses Robert-Koch-Memorial war aus kniender Haltung gefilmt: Pflicht, Opferbereitschaft, der absolute Glauben eines Forschers an seine Sendung, das politisch richtige (Bismarck-Anhänger-)Handeln und kaum eine Liebesszene. Der Film verzichtete auf alles, was dem Auge und Ohr allzu leicht und gefällig einging. Hans Steinhoff besorgte die Regie: mit guten Sachkenntnissen des Filmhandwerks. Von Wolfgang Zeller stammte die musikalische Untermalung, die in diesem Film eine wichtige Rolle spielte. Exzellente darstellerische Leistung bot Kochs Gegenspieler, der liberale Gelehrte Virchow, von Werner Krauss gespielt. Krauss zeichnete Virchow als den Medizinpapst, als den in sein eigenes Dogma verrannten Gelehrten, den ehrgeizigen, im Licht des Hofes stehenden Greis, der nur mit innerstem Widerstreben die neue Epoche medizinischer Erkenntnis anerkennt. »Die eindrucksvollste künstlerische Leistung der letzten Spielzeit«, schrieb über Werner Krauss' Spiel »Der Film heute und morgen« aus Hamburg.

Neben den männlichen Darstellern spielten Viktoria von Ballasko, Hilde Körber und Elisabeth Flickenschildt die weiblichen Hauptrollen. Die Liste ergänzten andere bekannte Namen wie Eduard von Winterstein, Paul Bildt und Bernhard Minetti. Sogar Lucie Höflich war auf der Leinwand zu sehen. Der Film erlebte seine deutsche Premiere während des Polen-Feldzuges (U: 26. 9. 1939). Vorher wurde er in Venedig gezeigt. Dort auch erhielt er (obwohl mit großer Verspätung) den ersten Preis der Biennale für einen ausländischen Film. In Deutschland wurde er mit den höchsten Prädikaten honoriert.[27] »Ein Hohelied deutschen Forschungsgeistes«, »das Heldenleben eines Wissenschaftlers« – in solchen und ähnlichen Tönen lobte die Presse den Film und das Spiel der Darsteller, vor allem Emil Jannings' und Werner Krauss'. Der Film verursachte in Deutschland eine Robert-Koch-Welle, die auch andere Bereiche des Lebens umfaßte. Man schrieb über die Personalakten von Robert Koch, »welche die Polen aus dem Dienstgebäude der Preußischen Regierung in

Posen als Beute in das Warschauer Staatliche Hygienische Institut verschleppt hatten«, die »jetzt wiedergefunden und sichergestellt« wurden. Sie erhielten »im Robert-Koch-Museum in Berlin einen Ehrenplatz«.[28] Hellmuth Ungers Roman »Robert Koch« erreichte im Herbst 1940 das 100. Tausend. Ein anderer Mitarbeiter an dem Film, Gerhard Menzel, schrieb das Theaterstück: »Der Unsterbliche«. Es wurde am Staatlichen Schauspielhaus in Hamburg uraufgeführt (5.9.1940). Im Deutschlandsender und in den Reichssendern Berlin und Breslau wurden einige Hörspiele über Robert Koch gesendet, von denen eines nach Günther Weissenborns Schauspiel »Die guten Feinde« ausgearbeitet worden war.

Nach »Robert Koch« und »Bismarck« hat die deutsche Filmindustrie zum dritten Male innerhalb kurzer Zeit den Versuch unternommen, das Leben und Wirken eines berühmten Deutschen darzustellen. Der dritte große Deutsche war der Weimarer Dichterfürst Friedrich Schiller. Über Schiller oder die Ausdeutung seiner Werke wurde im Dritten Reich viel gesprochen und geschrieben. Das Wichtigste, was damals zu sagen war, stammte von Adolf Hitler: »Erst dem Nationalsozialismus blieb es vorbehalten, den wahren Friedrich von Schiller dem deutschen Volk wiederzugeben und ihn als das zu zeigen, was er wirklich ist: der Vorläufer des Nationalsozialismus.«[29] Der Spielfilm »Friedrich Schiller« mit dem Untertitel »Der Triumph eines Genies« entstand in der Tobis im Jahre 1940. Der Dramatiker Dr. Paul Joseph Cremers, der literarische Schöpfer dieses Films, war bereits in den Gesetzen des Polit-Films zu Hause, und so wußte er, daß nur ein Ausschnitt aus diesem Leben für den Film nutzbar zu machen war. Das Drehbuch schrieben Wassermann & Diller. Die Handlung reichte vom Eintritt Schillers in die herzögliche Militärakademie bis zur Mannheimer Uraufführung der »Räuber« und der Flucht Schillers aus Stuttgart. Er verließ die Heimat, »die ihm soviel Glück und Qual bereitete und die ihn vielleicht gerade dadurch schneller zu seinem Genius emporwachsen ließ, dessen Stimme er jetzt mit übermenschlicher Gewalt in sich erklingen hört«, schrieb man damals. Da alle überlieferten Bilder des Dichters so verschieden aussehen, wollte der Regisseur Herbert Maisch, so äußerte er sich, nicht einen »Konterfei-Schiller«, sondern das Ideelle selbst geben, einen Film um Schiller machen. Der Film war eine Plattform für den begabten Schauspieler Horst Caspar, der den Titelhelden spielte. Übrigens war es seine erste Begegnung mit der Filmkamera. Er wirkte auch in seinem Spiel ein bißchen zu theatralisch. Heinrich

George spielte den Herzog mit der ganzen Wucht des cholerischen Machtmenschen. Lil Dagover erschien auf der Leinwand als die Geliebte des Herzogs, Schillers fürsorgliche Beschützerin, und Friedrich Kayßler als Vater des Dichters. Im Film wirkten zahlreiche andere bekannte Schauspieler mit. Eine »starke« musikalische Untermalung, voller Pathos, schuf der erprobte Meister dieses Stils in der Filmmusik, Herbert Windt. Neben der feierlichen Uraufführung des Films in Stuttgart (13. 11. 1940) gab es noch eine besondere Festaufführung im »befreiten« Straßburg mit Heinrich George, Lil Dagover, Friedrich Kayßler, Herbert Maisch, Paul Josef Cremers und Herbert Windt im Parkett. Der Film wurde mit den Prädikaten »staatspolitisch wertvoll«, »künstlerisch wertvoll« und »jugendwert« honoriert.

Die 400. Wiederkehr des Todestages von Paracelsus inspirierte im Reich und in den besetzten Gebieten oder befreundeten Staaten[30] verschiedene kulturpolitische Veranstaltungen – im Bereich der Literatur, der bildenden Künste und endlich auch, obwohl mit Verspätung, des Films. Rein politisch gesehen, war das für den NS-Film ein bequemes Thema: die Gültigkeit im Großen, Führerideale und nicht zuletzt der auch aufs Land der Eidgenossen ausgestreckte »großdeutsche« Gedanke. Kurt Heuser (der vom »Rembrandt«-Film) skizzierte in seinem Drehbuch die Gestalt des berühmten »Bahnbrechers deutschen medizinischen Wissens« in Zusammenarbeit mit G. W. Pabst, dem Regisseur des Films (der zusätzlich für diese Arbeit 12000 RM erhielt[31]), keine historisch getreue Biographie: Diese große filmische Schau der Bavaria stand stark im Episodischen und war streckenweise langweilig. Eigentlich rettete den Film die schauspielerische Darstellungskraft Werner Krauss', der den Titelhelden spielte. Neben Mathias Wieman (er trat als Ulrich von Hutten auf) erschien ebenfalls im Vordergrund die individuelle Künstlerpersönlichkeit des bekannten Tänzers Harald Kreutzberg (als Gaukler), hier zum ersten Male im Film. Herbert Windts Musik war ein wichtiges Element des Films. In Salzburg starb Paracelsus, in dem traditionsreichen Saal des Salzburger Festspielhauses fand am 12. März 1943 die feierliche Uraufführung des »Paracelsus« statt. Das Mozarteum-Orchester spielte die Ouvertüre zum »Fliegenden Holländer«. Der Regisseur G. W. Pabst und von den Hauptdarstellern Werner Krauss, Annelies Reinhold und Herbert Hübner waren als Ehrengäste anwesend. Die Salzburger Feierlichkeiten standen unter der Schirmherrschaft des Reichspropagandaamtes in Salzburg und der Paracelsus-Gesellschaft. Der Film erhielt die Prädikate »staatspolitisch und künstlerisch wertvoll« und wurde auch von der gesteuerten Kritik als empfehlungswürdiges Werk betrachtet. Der Erfolg war jedenfalls mäßig. Im Ausland fiel »Paracelsus« beim Kinopublikum fast durch.

Bereits 1939 feierte man in Deutschland den 150. Geburtstag des großen deutschen Nationalökonomen Friedrich List. Erst 1943 kam aber auf die Leinwand ein Film über diesen großen Deutschen: »Der unendliche Weg«. Es war ein Loblied auf die Opferbereitschaft, zugleich aber eine »Erziehungs-Etüde« aus anderen Bereichen der politischen Bildung. Etwas andere Töne klangen in dem 1944 in Wien gedrehten Film »Das Herz muß schweigen« an, der in seiner Idee dem Entdecker der Röntgenstrahlen und den zahllosen unbekannten Wissenschaftlern, die ihr Leben für die Erforschung und Anwendung der Strahlen hingaben, ein »würdiges Denkmal« setzen sollte. Der Film (Hans Hinkel: »der sich im übertragenen Sinne so direkt der Gegenwart zuwende« und »der gerade in den kommenden Wochen und Monaten die Herzen von Millionen und Abermillionen unserer opferfreudigen Volksgenossen in stolzem Erleben dieser Handlung und ihrer einmaligen Darstellung erheben und begeistern wird«[32]) gestaltete das Duo: Gustav Ucicky (Regie) und Gerhard Menzel (Buch), mit Paula Wessely, Mathias Wieman und Werner Hinz in den Hauptrollen. Der Film wurde Goebbels an seinem Geburtstag (29.10.1944) vorgelegt und vor der Geburtstagsfamilie aufgeführt. Der Minister ließ eine besondere Anerkennung dem Direktor Hartl überweisen, ordnete aber einige Änderungen an. Der Film wurde zunächst in Wien erstaufgeführt (19.12.1944), und eine geänderte Fassung kam erst am 23.2.1945 in Berlin zur Erstaufführung. Am 7. März 1945 schlug der Leiter Film dem Minister vor, den Film mit den Prädikaten »künstlerisch wertvoll«, »staatspolitisch wertvoll« und »kulturell wertvoll« zu honorieren.[33] Die Entscheidung lautete: »künstlerisch besonders wertvoll«. Und noch im März 1945 ordnete das ProMi an, durch Nachbestellung die Kopienauflage des Films auf 140 zu erhöhen.[34]

Zu den politisch gut orientierten Themen gehörten Schicksale der großen deutschen Baumeister. Bereits 1939 plante Veit Harlan einen Film über Erwin von Steinbach, der den großartigen Plan des gotischen Münsters von Straßburg entwarf. Auch geopolitisch war damals das Thema untadelhaft, wissenschaftlich dagegen weniger. Letzthin verzichtete man jedoch auf das Filmvorhaben. Und nicht Veit Harlan, sondern Herbert Maisch, der bereits mit »Friedrich

Schiller« ein – politisch – gelungenes Künstlerporträt im Film gestaltet hatte, erhielt die Aufgabe, einen Film über einen anderen Baumeister zu drehen. Der Baumeister hieß Andreas Schlüter, einst von Leibniz zum »deutschen Michelangelo« erklärt.

Der große Bildhauer und Baumeister Andreas Schlüter, »ein faustisch ringender Mensch«, baute einst »ein neues Berlin, wie Hitler das neue Deutschland entwirft« (Erwin Leiser). Heinrich George, nach den Worten des Regisseurs Maisch der »barockeste Schauspieler«, verkörperte – weniger durch mimische und maskische Künste – den Andreas Schlüter. Tragisch wird die Handlung, als der nach seinen Erfolgen selbstbewußter gewordene Schlüter unter dem Einfluß seiner am Hofe abenteuernden Jugendgeliebten – die auch sein früheres Modell gewesen war, derentwegen sich der Künstler vorübergehend von seiner Gattin trennte und die inzwischen durch Heirat eine polnische Gräfin geworden war – einen königlichen Auftrag übernimmt: den Münzturm, der Berlins Wahrzeichen und der Welt größter Turm werden sollte, zu bauen. Sein Einsturz bildete den dramatischen Höhepunkt. Schlüters zwölfjähriges Wirken als gefeierter Künstler endete mit der Verhaftung des Meisters. Der Filmschluß wird allerdings versöhnender dargestellt als die wahre Geschichte von Schlüters Ende. Olga Tschechowa war im Film die polnische (!) Gräfin Orlewska, eine Abenteurerin der Liebe, die Schlüters Neigung zu einer Übersteigerung seiner Ziele und Kräfte förderte und so zu der größten Katastrophe seines Lebens beitrug. Sie riß den Künstler aus seiner Bahn, um ihn dann unbedenklich zu verlassen. Mila Kopp – die bewährte George-Partnerin von der Bühne – spielte die treue Ehegefährtin, und ihre Tochter war Marianne Simson. Den Kurfürsten, später Preußens ersten König Friedrich I., gestaltete Theodor Loos, die Kurfürstin (Königin) Sofie Dorothea Wieck. Eduard von Winterstein war der gute Freund des Hauses Schlüter, der treue Neumann. Und trotzdem konnte man, bei insgesamt guter Rollenbesetzung, von einer Überlegenheit des Dekorativen gegenüber dem Menschlichen sprechen. Das Monumentalwerk strahlte zugleich eine gewisse »Kälte« aus. Der Film wurde am 5. 9. 1942 in Venedig im Rahmen der internationalen Filmkunstschau uraufgeführt. In Deutschland honorierte man ihn mit den Prädikaten »staatspolitisch und künstlerisch besonders wertvoll« sowie »jugendwert«. Die deutsche Erstaufführung fand am 19. 11. 1942 statt.

23. *Heinrich George und Eduard v. Winterstein in »Andreas Schlüter«*

24. Werner Krauss und Emil Jannings als Virchow und Koch in
«Robert Koch»

25. Szene aus dem Film »Tanz auf dem Vulkan«

26. König Wilhelm von Preußen (Friedrich Kayßler) und Bismarck
(Paul Hartmann) in »Bismarck«

27. Napoleon III. (Walter Franck) und Bismarck (Paul Hartmann) im Film
»Bismarck«

»Andreas Schlüter«

Eine Filmkritik aus der Schweiz

»Künstlerbiographien beginnen Schule zu machen. Noch ist der große Rembrandtfilm in frischer Erinnerung, wird uns schon wieder ein Künstlerleben, diesmal ist es ein großer Bildhauer aus der Barockzeit, auf der Leinwand erzählt. Der Vergleich mit Rembrandt drängt sich geradezu auf. Beide wurden ihr Leben lang in ihrem künstlerischen Schaffen durch Neid, Mißgunst und Böswilligkeit behindert. Rembrandt litt besonders unter der Engherzigkeit seiner kleindenkenden Mitbürger, während Schlüter im Getriebe des schranzenhaften Hoflebens zermalmt wurde. Der beliebte, wohlbeleibte Heinrich George spielt mit sichtlicher Begeisterung die Rolle des ›deutschen Michelangelos‹, Andreas Schlüter. Er füllt buchstäblich jedes Bild, in dem er auftritt, mit seiner Gestalt und mit seiner Stimme so vollkommen aus, daß alle anderen Darsteller neben ihm verblassen. Wir begegnen neben ihm als Elisabeth Schlüter einer Schauspielerin, Mila Kopp, die vom Theater kommt, und die wir hier zum ersten Mal im Filme sehen. Der Film, den Herbert Maisch gestaltete, wirkt ohne Zweifel glaubhaft und hinterläßt einen starken künstlerischen Eindruck. Die Schilderung der Zustände am Hofe des ersten Preußenkönigs scheinen uns allerdings karikiert, übertrieben, besonders dann, wenn sie zur biederen, natürlichen Art des großen Bildhauers, auf den Perücke und Puder offenbar wenig Eindruck machen, in Gegensatz gebracht werden. Eine Szene wird auf jeden Zuschauer tiefen Eindruck machen: der spannende Augenblick, da Schlüter gegen den ausdrücklichen Befehl seines Herrschers den Guß der monumentalen Reiterstatue wagt und dadurch beim König in Ungnade fällt. Wie weit die privaten Verhältnisse im Leben des Bildhauers, namentlich die zeitweiligen Zerwürfnisse mit seiner Gattin und seine wenig erbauliche Freundschaft mit einem früheren, unterdessen durch Heirat zur Gräfin avancierten Modell der historischen Wahrheit entsprechen, entzieht sich unserer Kenntnis. (...)«

Quelle: Der Filmberater, Luzern, Nr. 13, November 1942.

Dem bekannten Berliner (aus Breslau stammenden) Maler, Graphiker und Zeichner Adolph von Menzel wurde ein »Denkmal« in dem »volkstümlich wertvollen«, auf ein Melodrama gestimmten Film »Die beiden Schwestern« gesetzt. Diesen Streifen realisierte Erich Waschneck mit Erich Ponto in der Rolle dieses großen preußischen Künstlers. Zu den Mitwirkenden im Film gehörten u. a. Gisela Uhlen, Marina von Ditmar, Ida Wüst und Elisabeth Flickenschildt. Musik, Wort und Bild verschmolz Werner Eisbrenner zu einer Einheit. Die Premiere fand in Berlin (»Capitol«) am 27. 10. 1943 statt.

Eine ganze Reihe von Spielfilmen wandte ihre Aufmerksamkeit auf die großen Gestalten des Musiklebens. Diese Bildstreifen finden wir auf den nächsten Seiten dieses Buches, da sie in eine andere Sparte gehören. Es gab aber auch eine nicht geringe Zahl von Kulturfilmen, die sich mit den großen Gestalten der Vergangenheit aus verschiedenen Bereichen der Kultur oder Wissenschaft beschäftigten. Einige von ihnen erwähnen wir hier.

Den 1940 von der Tobis-Degeto herausgebrachten Michelangelo-Film (er entstand in Co-Produktion mit der Schweiz) kann man als den hervorragendsten Kulturfilm der ganzen NS-Zeit betrachten. Über zwei Jahre lang hat Curt Oertel (einen maßgeblichen Anteil hatten auch sein Bruder Franz Oertel und der junge Schweizer Kameramann Harry Ringger) an ihm gearbeitet. Aus der Landschaft Italiens und der Peterskirche in Rom, aus Marmorbrüchen und den Grabmälern der Medici erhob sich der Lebensweg eines der größten Künstler. Zugleich entstand das kulturelle Bild jener Zeit, in der der Meister arbeitete. Wo sich nur irgendwie wertvolles Gut befand: Curt Oertel vermittelte es in prächtigen Aufnahmen. Der Zuschauer stand nicht vor leblosen Plastiken, den Statuen und Bildnissen war eine lebendige Wirkung eigen. Die steinernen Hände schienen sich zu regen, die Augenlider sich zu erheben, bis das Gesamtbild auftauchte und alles wieder in seine steinerne Ruhe zurückkam. Von großer Eindringlichkeit war die musikalische Umrahmung, für die Alois Melichar sorgte. Der ausgezeichnete Rhetoriker Mathias Wieman war der Sprecher. So entstand eine neue filmische Kunstform. In diesem Bildstreifen wurde Leben und Werk Michelangelos gezeigt »mit ganz neuen Ausdrucksmitteln, oder wenigstens solchen, die auf uns ganz neuartig wirken. Für die Anwendung dieser Mittel gibt es nur eine Bezeichnung: genial«, unterstrich eine Schweizer Filmkritik.[35] Im Reich war die Presse zurückhaltend, weisungsgemäß.

Aus den Presseanweisungen (20. 3. 1940)
»Für die kritische Würdigung des am kommenden Freitag in Hamburg und Berlin zur Uraufführung gelangenden ›Michelangelo‹-Films wird folgende Sprachregelung gegeben: Wenn dieser Film, der als ein interessanter Versuch zu betrachten ist, auch keine filmische Spitzenleistung darstellt, so kann die fotografische Leistung des reichsdeutschen

Kameramannes Kurt Oertel lobend erwähnt werden, der sich um die Gestaltung eines ernsten abendfüllenden Kulturfilms bemühte. Im übrigen steht es der Kunstbetrachtung frei, die in Erscheinung tretenden Mängel hervorzuheben. Der Film hat das Prädikat ›volksbildend‹ erhalten.«

Quelle: J. Wulf, Theater und Film im Dritten Reich, S. 312

Die gleichzeitigen Uraufführungen des »Michelangelo«-Films fanden am Karfreitag, 22.3.1940, in der Reichshauptstadt und in Hamburg statt: die Berliner Premiere im Ufa-Palast am Zoo. Das große Orchester des Deutschlandsenders spielte unter der Leitung von Alois Melichar, und Theodor Loos sprach »Prometheus« von Goethe. In Hamburg stand die Premiere im Waterloo-Theater unter der Schirmherrschaft der Deutsch-Italienischen Gesellschaft und der Hamburger Arbeitsgemeinschaft »Film« (Volkshochschule). Mathias Wieman sprach Sonette von Michelangelo. Im »Film-Kurier« (23.3.1940) schrieb Günther Schwark zurückhaltend: »So bleibt Curt Oertels Arbeit ein Experiment, dessen künstlerischer Mut anerkannt werden muß. Manches Schöne und Gelungene aus diesem Film wird fruchtbringend fortwirken«. Der Michelangelo-Film erhielt bescheidene Prädikate: »volksbildend« und »Lehrfilm«. Erst später sollte der Oscar-Preis kommen und die in memoriam gestiftete »Curt-Oertel-Medaille« in der Bundesrepublik Deutschland.

Bereits Mitte 1938 begann Curt Oertel, wieder für die Rechnung der Pandora-Film (Zürich), mit den Aufnahmen zu einer neuen verfilmten Biographie: Diesmal beschäftigte ihn die Gestalt Leonardo da Vincis. Die Arbeiten an dem Film mußte man im Krieg unterbrechen.

Für drei biographische Kurzfilme, die im Krieg gestaltet wurden, zeichnete Kurt Rupli verantwortlich. Die Bedeutung der Erfindung der Buchdruckerkunst für die ganze Welt, ausgehend von den ersten Bemühungen der Menschheit, sich durch Schriftzeichen verständlich zu machen, betonte der »echt volkstümliche Kulturfilm« (so die Betrachtung) – »Die schwarze Kunst Johannes Gutenbergs« war allerdings zuerst als Spielfilm geplant. Dieser Ufa-Film wurde während der Mainzer Gutenberg-Festwoche uraufgeführt (24.6.1940). Zum 400. Todesjahr des großen Astronomen Nikolaus Kopernikus gab es 1943 im Reich und in den besetzten Gebieten zahlreiche kulturpolitische Veranstaltungen. Für das Thema engagierte sich in bescheidener Weise auch der Film. Kurt Ruplis »Kopernikus«, mit Winfried

Zilligs Musik, entstand 1943 bei der Prag-Film. Die Außenaufnahmen drehte man in Orten, die wichtigste Stationen im Leben des Astronomen waren (Krakau, Thorn, Allenstein). Für Propagandazwecke fanden die gleichzeitigen Uraufführungen des Films »in verschiedenen Städten des Deutschen Ostens« statt, u. a. in Königsberg und Danzig (23. 5. 1943). K. Ruplis Farbfilm »Johann Gregor Mendel« (um 370 m) entstand auch bei der Prag-Film (mit Herbert Thallmayer an der Kamera) zu Ende des Krieges. Der Film wurde wahrscheinlich nicht mehr zensiert.

Heimat im Film

Der sogenannte Heimatfilm bedeutete in seinen Aussagen nicht immer einen Fortschritt. Auch die künstlerischen Ambitionen schienen oft in dieser Sparte nicht allzu hoch zu sein. Auf verschiedenen Seiten dieses Buches findet der Leser nicht wenige kommentierte Beispiele der Heimatfilm-Produktionen. Dem Historiker geht es aber weniger um die rein filmtheoretischen Erwägungen als um eine den geschichtswissenschaftlichen Zwecken dienende Präsentation von Filmwerken, die zum Stoff die Bilder der Heimat hatten. Heimat ist kein fest umrissener Begriff. Der Verfasser sieht ihn nicht einzig als das Elternhaus (nach den Traditionen der alemannischen Mundart), sondern als ein umgrenztes Gebiet, einen Ort, eine Verwaltungseinheit oder eine Kulturlandschaft mit eigenen Traditionen und von der Arbeit der Menschen geprägt. Es bleibt also hier auch Platz für die landschaftlichen Kulturfilme, also auch für jene Filme, die das Bauernleben zum Thema hatten. Verschiedene Bildstreifen: Spiel-, Dokumentar- und Werbe-Filme. Und da es über Hunderte von solchen Filmen gab, mußte man hier eine Auswahl treffen. Den Filmen über die Stadt Berlin oder über die Länder wie Bayern, Rheinland und Ostpreußen wurde eine größere Aufmerksamkeit gewidmet. Vor allem ging es um solche Beispiele, die einen maßgebenden Überblick ermöglichten.

Das fesselnde Thema reizte und traf fast immer genau den Geschmack des großen Publikums. Darum gab es seit je viele Berlin-Filme. Die Betonung des Bäuerlichen und der Kampf gegen den »Geist« der Großstädte in der NS-Ära schienen im Falle der Reichshauptstadt nur eine begrenzte Anwendung zu haben.

Eine kritische Schilderung der Berliner Welt trat oft in den Spielfilmen aus der Zeit vor 1933 auf. Es waren darunter berühmte Werke, so zum Beispiel die Verfilmungen aus dem Jahre 1931: »Der Hauptmann von Köpenick« und »Berlin-Alexanderplatz«.

Als Gegenstück zu diesen seriösen Filmen war das Lustspiel »Hallo Hallo! Hier spricht Berlin!« (U: 15.3.1932) gedreht worden, eine deutsch-französisch-amerikanische Gemeinschaftsproduktion.

Nach 1933 erhielten die sozial-kritischen und politischen Tendenzen eine neue Prägung. Urecht berlinisch und zugleich im neuen Stil war der Erich-Engel-Film »Inge und die Millionen«, mit Brigitte Helm und Paul Wegener, der mit Meisterschaft die Rolle eines Schiebers aus den Jahren der Weltwirtschaftskrise spielte (U: 15.12.1933). Es folgte eine ganze Reihe von Berliner Themen. Das humorvolle Theaterstück aus dem Jahre 1934 »Krach im Hinterhaus« von Maximilian Böttcher (Goebbels: Das »nicht sehr sympathische Bild von Bewohnern der Reichshauptstadt«) übertrug bereits 1935 Veit Harlan ins Filmische. Henny Porten spielte die Hauptrolle, Will Meisel und Fritz Domina schufen die musikalische Untermalung (U: 2.1.1936). Ein Wiedersehen mit Urberliner Typen aus »Krach im Hinterhaus« (allerdings meistens schon mit anderen Darstellern) gab es nach Jahren in »Krach im Vorderhaus«, einer Verfilmung des gleichnamigen Romans von demselben Autor. Diesmal spielte Mady Rahl die Hauptrolle, Paul Heidemann führte Regie, und die Musik, mit einigen eingängigen Melodien, stammte vom Meister Walter Kollo (U: 19.8.1941). Carl Froelich war seit Jahren ein Spezialist (als Regisseur und Produzent) von Spielfilmen mit Berliner Themen. 1935 realisierte er den Berliner Krimi »Oberwachtmeister Schwenke«, worin Gustav Fröhlich einen tüchtigen Polizeibeamten spielte. Die Berliner Folklore schilderte »Das Veilchen«, von J. A. Hübler-Kahla gestaltet (U: 16.11.1936). Ida Wüst und Paul Henckels erheiterten das Kinopublikum in dem Schwank »Der lustige Witwenball«, den Alwin Elling drehte (U: 21.12.1936). »Wie einst im Mai« hieß das Volksstück mit Musik von Walter Kollo, das R. Schneider-Edenkoben 1937 realisierte.

28. *Aus dem Film »Großstadtmelodie«*

Die lustspielhaft verlaufende Schicksalskurve einer der Berliner Volkshumoristinnen von den »Spezialitätenbühnen« der Alt-Berliner Vorstädte (mit Grethe Weiser) schilderte der Erich-Waschneck-Film »Die göttliche Jette«. Zahlreiche bekannte Schauspieler der Berliner Bühnen spielten in dieser musikalischen Komödie mit, u. a.: Viktor de Kowa, Elsa Wagner, Ernst Waldow, Oskar Sabo, Jakob Tiedtke (U: 18.3.1937). Offiziersmilieu Berlins in jener Zeit, als es einem Offizier nicht gestattet war, eine Verkäuferin zu heiraten, zeigte die Ufa-Produktion »Die Geliebte«. Willy Fritsch, voll der Männlichkeit, war der Oberleutnant von Warp, und Viktoria von Ballasko spielte die junge Verkäuferin Therese. Den Film, mit einem starken Schuß von Sentimentalität (nach einer Idee von Eva Leidmann) inszenierte Gerhard Lamprecht (U: 28.7.1939). Das Alltagsmilieu von Alt-Berlin schilderte die Terra-Produktion »Hochzeit mit Hindernissen« (Arbeitstitel: »Der Millionenschuster«). Das heitere Volksstück realisierte Franz Seitz (auch Co-Autor des Drehbuches) nach Motiven des Romans »Der selige Rogge« von Ernst Grau (U: 4.8.1939 in Wien). Das Berlin der achtziger Jahre des vorigen Jahrhunderts schilderte der schon erwähnte A.-v.-Menzel-Gedächtnisfilm »Die beiden Schwestern«. Ein Bild von Alt-Berlin brachten die Verfilmungen »Das alte Lied« (nach Theodor Fontane) und »Familie Buchholz« in Erinnerung. Im Krieg beabsichtigte die Tobis, einen großen Kostümfilm »Der Roland von Berlin« zu drehen. Harald Bratt schrieb ein Drehbuch (30000 RM). Das Vorhaben erwies sich »als zur Zeit nicht durchführbar«.[36] Durchführbar wurde dagegen die Verfilmung der Paul-Lincke-Operette »Frau Luna« oder die erfundene Geschichte des Komponisten Peter Paul Müller (Pepe) »Leichte Muse«, in der auch das Berlin von einst, diesmal unter der Begleitung von Walter Kollos beliebtesten Schlagern, gezeigt wurde. Kurt Heuser schrieb die Geschichte nach dem Roman »Viva la musica« von M. F. Köllner. Die Kamera (Willy Winterstein) fand sehr oft Gelegenheit, durch das singende und tanzende Alt-Berlin zu wandern. In der bunten Gesellschaft bildete der Komponist Pepe (Willy Fritsch) den Mittelpunkt der Handlung, und um ihn herum agierten seine tapfere Frau (Adelheid Seeck), ein greiser Dirigent (Erich Ponto), ein biederer Baumeister (Jakob Tiedtke), der skrupellose Unternehmer (Paul Hoffmann) und noch manche anderen bekannten Schauspieler der Berliner Bühnen (Willy Rose, Paul Bildt, Fritz Odemar, Oscar Sabo, Gerhard Dammann). Dem bald strahlenden, bald düsteren Komponisten Pepe purzelten die Kollo'schen Schlager nur so aus dem Ärmel. Der Regisseur des Films, A. M. Rabenalt, schuf durch sein Werk dem kurz zuvor (1940) verstorbenen, berühmten Berliner Chanson-, Couplets- und Operettenkomponisten Walter Kollo ein Filmdenkmal (U: 10.10.1941 in Köln; Berliner E: 24.11.1941; P: vw).

In einem durchaus anderen Stil und in einer anderen Zeit wurden zwei weitere Berlin-Filme gestaltet. Noch vor Kriegsausbruch entstand bei der Tobis »Silvesternacht am Alexanderplatz«. Das Buch stammte von Richard Schneider-Edenkoben, er hatte auch die Regie. Der Film zeigte den Berliner Alltag im Blickpunkt eines Arztes der Rettungsstelle, mit Hannes Stelzer in der Hauptrolle. Das Werk hatte einen guten Architekten (Emil Hasler), einen guten Kameramann (Friedl Behn-Grund) und eine gute Besetzung, und trotzdem fehlte ihm ein bißchen an Unterhaltungswert (U: 3.3.1939 in Königsberg). Wolfgang Liebeneiners »Großstadtmelodie« zeigte zwar auch die Stadt Berlin in der Vorkriegszeit, wurde jedoch schon im Krieg gedreht. Hier stürmte beherzt auf und durch Berlin eine junge Berichterstatterin aus der Provinz, um »groß« zu werden. Die Rolle dieses tapferen, tüchtigen Mädels übernahm Hilde Krahl, ihr Partner, der auch einen Journalisten spielte, war Werner Hinz. Es war nicht leicht, Berlin bis zum Jahre 1939 lebendig zu machen, da der Krieg einen unretuschierbaren Stempel aufgedrückt hatte. Der Film bot Aufnahmen von der Reichshauptstadt, die einige Wochen später nicht mehr möglich gewesen wären (daher besaß er auch einen dokumentarischen Wert). Die Uraufführung – in zwei Kinos zugleich: Gloria-Palast und Palladium – am 4.10.1943 war für die Berliner Zuschauer ein Ereignis (P: küw).

Dem Berliner Alltag in den ersten Monaten nach dem Kriegsausbruch 1939 – also noch nicht in der Zeit der schrecklichen Bombenangriffe – war Georg Zochs (Buch und Regie) Lustspiel »Der dunkle Punkt« gewidmet. Es war ein Film, der für Ludwig Schmitz geschaffen war, in dem er sich so geben konnte, wie ihn alle (vor allem aus den »Tran und Helle«-Streifen) kannten: verschmitzt und überschlau, stets auf seinen Vorteil bedacht. Der ehrbare Hausvater hatte aber einen dunklen Punkt in seiner Vergangenheit... Lina Carstens spielte seine Frau, und Jupp Hussels – der geborene Partner von Ludwig Schmitz – trat als Maler, Mieter und Liebhaber in einer Person auf. Mady Rahl, Albert Florath und andere bekannte Berliner Schauspieler ergänzten die Liste der Darsteller. Der Film schilderte – manchmal bis in die kleinsten (vom Reichsdramaturgen genehmigten) Einzelheiten das Alltagsleben: mit Kohlensorgen, Lebensmittel-karten, verbotenen Taxi-Fahrten. Er zeigte sogar das aufgeregte Durcheinander in einem Mietshaus während eines Luftschutz-Pro-bealarms (U: 26. 10. 1940 in Wuppertal).

Auch das Bild Berlins der späteren Kriegsjahre wurde in einigen Spielfilmen behandelt. So in den Filmen aus dem Zyklus »Heimat und Front«, der noch vor Kriegsausbruch mit dem bekannten Strei-fen »Urlaub auf Ehrenwort« angefangen wurde.

Mit den Berlin-Themen befaßte sich eine nicht geringe Zahl von Kurzfilmen aus der Sparte Kultur- bzw. Dokumentarfilm. Bereits 1927 wurde ein Werk geschaffen, das mit allem brach, was der Film bisher gezeigt hatte: »Berlin, die Sinfonie der Großstadt«, nach einer Idee von Carl Mayer, und von Walther Ruttmann regielich gestaltet (1466 m). Ein Film ohne Schauspieler und ohne Spielhandlung, der eine Weltkarriere machte. Es folgten weitere Filmdokumente. Einige von ihnen, wie z. B. »Berliner Luft« (um 150 m), worin ein echter Berliner Droschkenkutscher die Stadtführung übernahm, gin-gen als Degeto-Schmalfilm in die weite Welt. Die sich nach dem Stand vom 15. 11. 1941 im Verleih des Fremdenverkehrs befindenden Kurzfilme über die Reichshauptstadt umfaßten rund 15 Bildstreifen in verschiedenen Fassungen und Ausgaben: Keinesfalls eine kom-plette Liste. Einige von den älteren Streifen wurden aus verschiede-nen Gründen ausgesondert. So wie z. B. »Bauch der Großstadt« (314 m), eine statistische Plauderei aus dem Jahre 1935 über die Le-bensmittelversorgung Berlins. Bevorzugt wurden Filme mit Sehens-würdigkeiten. Diese aber auch nur bis zu einer bestimmten Zeit. »Kleine Weltreise durch Berlin« (350 m), in den Fassungen aus den Jahren 1936–1940, zeigte ausländische Baustile in der Architektur Berlins (die Bauten in Potsdam waren auch mit einbezogen). Diesen Streifen gestaltete H. Barkhausen bei der Beyfuß-Film. Die Brük-ken, Bauten an der Spree, am Landwehrkanal und an der Havel wur-den in dem Paramount-Film »An den Wassern von Berlin« präsen-tiert, einem Film aus dem Jahre 1937.[37] »Durch Berlin fließt immer noch die Spree« (385 m) war ein Tobis-Film mit verschiedenen Fas-sungen aus den Jahren 1937–1941. Er zeigte den Spreelauf von der Quelle bis zur Mündung, mit Bildern von Bautzen, Spremberg, Cott-bus, dem Spreewald und Berlin mit Schloß, Dom und Reichstag. Die klassizistischen Bauten von Knobelsdorff und Schinkel behandelte der Film »Das klassische Berlin« (418 m), 1937 bei der Schneider-Film in Berlin hergestellt. Die bekanntesten Berliner Denkmäler schilderte, mit humoristischem Begleittext, »Kleiner Bummel durch Berlin« (289 m), 1938 von Franz Fiedler bei der Sonne-Film hergestellt. »Berlin mal ganz anders« hieß der 1939 entstandene Kurzfilm, der den Stadtteil Weißensee zeigte, der aus einem Dorf erwuchs (Wohnteile, Industrie, Gewerbe). Nach einer Idee und dem Manuskript von Paul Hans Henke, mit der Musik von Hanns Sieber, schuf diesen Streifen (Gestaltung, Kamera, Schnitt) Alfred Wäsch.

Von der Reichsbahnfilmstelle wurde anläßlich der Hundert-Jahr-Feier der Eisenbahnstrecke Berlin–Potsdam der Streifen »100 Jahre Berlin–Potsdam« (290 m) im Jahre 1938 gedreht. Dem Berliner Verkehrswesen war der Ufa-Film »Schnelles, sicheres, sauberes Berlin« (423 m) gewidmet (1938, 1940). Noch im Februar 1942 wurde »Der Tunnel unter Berlin« (512 m) zensiert, ein Streifen der Filmstelle des Reichsverkehrsministeriums, der den Bau des S-Bahn-Tunnels zwischen Anhalter Bahnhof im Süden und dem Stettiner Bahnhof im Norden zeigte. Der Film benutzte Real- und Zeichentrickaufnahmen. Den regen Hafenverkehr, Spreefischerei und den Stralauer Fischzug nahm der Film »Spreehafen Berlin« (344 m) zum Thema.

Einige Filme wurden den neuen Bauten der Reichshauptstadt gewidmet. So auch der Entstehung und Vollendung des Reichssportfeldes. Die I. G. Farben hatte bereits 1937 einen Schmalstummfilm »Das Reichssportfeld Berlin« (120 m) in Farbe hergestellt. Das Reichssportfeld in Betrieb zeigte dagegen der Farbfilm »Unsere sonnige Welt« (1940).

Einen farbigen Landschaftsfilm, vornehmlich auf dem Wasser gedreht: Oderniederung bis Berlin, Spree und Havel, »Märkische Fahrt«, stellte man 1942 bei der Ufa im Agfa-Color-Verfahren her. N. Kaufmann und K. Rupli gestalteten diesen Streifen.

Der Reichshauptstadt widmete selbstverständlich die Deutsche Wochenschau stets ihre Aufmerksamkeit. In ihren wöchentlichen Kinoberichten wie auch in eigenen Sonderproduktionen.

Goebbels (28. 11. 1943)
»Die Wochenschaubilder, die mir von Berlin gezeigt werden, sind unter aller Kritik. (...) Ich habe aber die Absicht, aus der Schlacht um Berlin ein Heldenlied zu machen. Die Berliner verdienen das auch. Das ganze Reich schaut heute mit einer verhaltenen Spannung auf die Reichshauptstadt, immer in der geheimen Befürchtung, daß sie den Belastungen nicht gewachsen wäre. Wir werden beweisen, daß diese Befürchtungen keine Begründung haben.«

Ein Kapitel für sich bildete bei den Berlin-Filmen Leo de Laforgue, Jahre hindurch mit seiner Kamera auf den Straßen der Reichshauptstadt unterwegs. Sein »Berliner Bilderbogen« (485 m) wurde 1937/39 bei der Tobis hergestellt, ein Film »auf der Suche nach kleinen, unbekannten Dingen«, ein Vorbote der weiteren Filmwerke. Kurz vor Kriegsausbruch äußerte er sich über Kulturfilme mit Berlin als Stoffthema: »Gewiß sind in den letzten Jahren, nachdem ich mit meinem ersten Versuchsfilm ›Berliner Bilderbogen‹ den Anfang machte, einige Kurzfilme über Berlin gedreht worden, die alle nach einer Schablone abgezogen schienen... Da mein Film über Berlin eine Synthese von optischer und musikalischer Sinfonie werden sollte, war diese schöpferische Vereinigung von Bildregisseur und Tondichter zu einem in sich ausgeglichenen Ganzen eine ideale Lösung.«[38] Der erwähnte Tondichter hieß Walter Gronostay, und er starb unerwartet. Aus den tausenden Metern Film, die die Unterlage zu einem Filmquerschnitt mit dem Thema »Gigant Berlin« bildeten, entstand daher zunächst ein weiterer Kurzfilm »Großstadttypen« – Ein Streifzug durch die Straßen Berlins (350 m), 1938 bei der Ufa hergestellt und mit dem Prädikat »volksbildend« honoriert. Es war ein amüsanter Film mit Stiefelputzer, Zeitungshändler, Wurstmaxe, Straßenkehrer, Salzstangenverkäufer usw. Fritz Steinmann schrieb die Musik, in der viele populäre Weisen aufklangen. Einige Monate später kam der Krieg, und für Leo de Laforgue kamen neue Aufträge. Inzwischen wurde für den Berlin-Großfilm ein Komponist in Wien gefunden: Rudolf Kattnig. Unter Verwendung von Berliner Melodien (Paul Lincke, Walter Kollo, Otto Teich, Leo Leux) schuf der Österreicher eine entsprechende musikalische Untermalung für den Großdokumentarfilm, der den Titel »Symphonie einer Weltstadt« erhielt. Im März 1943 wurde der fertiggestellte Film verboten. Die Präsentation des unzerstörten Berlin erwies sich als unerwünscht. Peter A. Hagemann behauptet mit guten Gründen, »daß ein Verbot der Überlegung folgte, während des vierten Kriegsjahres könnten bei den Kinobesuchern durch die Präsentation des unzerstörten Berlin der Friedenszeit gewisse Sehnsüchte geweckt werden.«[39] Zum Glück überstand diese wichtige dokumentarische Quelle den großen Krieg. Mit einem von dem bekannten Kritiker Friedrich Luft geschriebenen neuen Kommentar versehen (der auch seine Stimme für den Film gab), erlebte »Symphonie einer Weltstadt« (»Berlin, wie es war«) ihre Weltpremiere am 1. 10. 1950 im Berliner Marmorhaus.

Bayern zum Beispiel

In der Produktion des »typischen Heimatfilmes« war zweifellos Bayern bevorzugt. Das oberbayerische Bauernleben schien ständig ein dankbares Gebiet für den Filmhumor zu sein. Das bayerische Dialekttheater, im ganzen Reich ein Begriff, lieferte den kinoträchtigen Stoff. Die Ganghofer-Filme erfreuten sich, so wie die Romane dieses Massenschriftstellers selbst, großer Beliebtheit: auch wegen ihrer herrlichen Naturaufnahmen. Die bayerischen Themen lieferten nicht nur einen Filmstoff par excellence: Sie lieferten auch ein brauchbares Material für die politische »Erziehung« des Volkes. Während des Krieges kamen – was die Bevorzugung betrifft – neue Gründe hinzu. Im Norden, insbesondere an der Nordsee-Küste, war das militärische Operationsgebiet ersten Ranges, im Norden fielen vom Himmel schon am Anfang des Krieges die Bomben. Dennoch ging es für die Filmleute bei den Dreharbeiten weniger um die gefährlichen Situationen. Damals wollte man bei den Zuschauern absichtlich nicht z. B. eine Sehnsucht nach dem Urlaub – freilich nur bis zu dieser Zeit, wo die Möglichkeiten einer Urlaubsreise überhaupt noch bestanden – an der Nordsee wecken. Bayern bot – mindestens eine längere Zeit hindurch – die persönliche Sicherheit und wirkte beruhigend. Hier wurden deswegen gern die Filme mit Kinderferien bzw. KLV-Lagern zum Thema gedreht. Selbstverständlich weckte auch, ähnlich wie die Reichshauptstadt, die bayerische Landeshauptstadt ein lebhaftes Interesse im Reich, nicht nur als »Hauptstadt der Bewegung«, sondern auch als eine Metropole mit kulturellen Traditionen von Weltrang, als »Stadt der deutschen Kunst«. Diese Themen wurden ebenfalls – übrigens vorübergehend – bevorzugt.

In die ersten Monate des Krieges fielen drei Premieren von Filmen, in denen das künstlerische Milieu der Isarstadt stark gezeichnet wurde, mit Szenen aus dem Münchner Fasching. Schon der Anfang der »Goldenen Maske« von H. H. Zerlett zeigte das Faschingsfest im Münchner Künstlerviertel. Dieser Euphono-Film der Tobis schilderte zwar viele Episoden aus dem Münchner Künstlerleben, aber das Wesentlichste und das Beste an ihm war das Spiel der Darsteller: die sentimentale Hilde Weißner, der liebende Albert Matterstock als der Maler Alexander, das Pärchen Fita Benkhoff und Rudi Godden, der blasierte Karl Schönböck und Fritz Kampers in der auch sehr gut gespielten Rolle des brutalen Geschäftemachers (U: 15. 9. 1939). Zu gleicher Zeit erschien in den Kinos H. Schweikarts Ehekomödie »Fasching«, zu der Jochen Huth (mit dem Regisseur) ein lustiges, gut pointiertes Drehbuch schrieb. Karin Hardt, Hans Nielsen und Hilde Körber spielten die Hauptrollen. Ferner traten im Film die bekannten Künstler der Münchner Bühnen auf. Noch am 25. 1. 1939 informierte der Film-Kurier: »Karl Valentin und Liesl Karlstadt wurden für den Film verpflichtet.« Im Darstellerverzeichnis fehlte aber später der Name des berühmten Münchner Humor-Poeten. Vor der deutschen Uraufführung wurde der Film bei großer Reklame (u. a. mit mehrsprachigen Sonderheften) in Venedig präsentiert (U: 14. 9. 1939 in München; P: kw, vw). Der unterhaltende, musikalische Film, eine Jungmädchengeschichte »Bal paré« bedeutete im Schaffen Karl Ritters eine Abschweifung. Der Regisseur begab sich jedoch hier auf ein Feld, wo er nicht viel zu sagen hatte. Das Drehbuch (vom Regisseur und Felix Lützkendorf), die Musik (Theo Mackeben) mit dem Schlager »Münchner G'schichten« retteten z. T. das Werk. Historische Reminiszenzen brachten vor allem die zeitechten Szenen im »Simplizissimus«: Pamela Wedekind sang Lieder ihres Vaters Frank Wedekind. Ilse Werner und neben ihr Hannes Stelzer, Paul Hartmann und Käthe Haack spielten die Hauptrollen, Ursula Deinert hatte die tänzerische Leitung. Die Filmbetrachtung schrieb über den Ufa-Spielfilm Nr. 1000 ohne Begeisterung (U: 22. 5. 1940).

Unterhaltung und Erziehung besonderer Prägung bot »Links der Isar, rechts der Spree«, ein Heimatlustspiel, das Paul Ostermayr bei der Peter-Ostermayr-Film für die Ufa drehte, wo München und Berlin einen ergötzlichen Kampf miteinander ausfochten: Ein Bayer war entsetzt, daß ihm sein Töchterchen einen Herrn aus Berlin als Verlobten präsentierte. Selbstverständlich diente der Film als »erzieherisches Mittel« zur Überwindung der Animositäten, die (damals) noch zum Vorschein kamen (U: 5. 9. 1940 in München). Im Zeichen der bayerisch-preußischen Einheit bewegte sich die Handlung des Films »Ein Zug fährt ab«, nach dem gleichnamigen Roman von Felicitas von Reznicek. Wassermann & Diller schrieben das Drehbuch, in seiner Gestaltung eine gewisse Schablone. Auch Johannes Meyers Regie hatte keine besonderen Momente aufzuzeigen. Diese Liebeskomödie mit Leny Marenbach und Ferdinand Marian (die Besetzung war ebenfalls nicht sehr glücklich) war fast ein Langweiler (U: 22. 11. 1942 in München; P: aw).

Die übrigen »Bayern-Filme« stellten eine bunte Palette von Themen und eine Vielfalt von Genres vor. Dramatisch gestimmt war »Das Recht auf Liebe«, 1939 in den bayerischen Bergen gedreht;

»Herz geht vor Anker« (1940) war eine Posse; voll epischer Breite und Wucht wurde der Kampf um den Geliebten im Film »Die Geierwally« geschildert. Hier bildeten die groß gesehenen Aufnahmen der Bergwelt eine gelungene Untermalung der Seelenkonflikte (1940). Humor (und »Erziehung«) lieferte das bayerisch gefärbte Volksstück »Der siebente Junge« (1941). Der politischen Erziehung diente der Spionage- und Abenteuerfilm »Alarmstufe V« von Alois J. Lippl (Regie und Co-Autor). Die Filmhandlung spielte im Münchener Milieu (U: 22. 12. 1941 in Dresden), in den Bayerischen Alpen (mit Zugspitze) der Filmroman »Im Schatten des Berges« (mit H. Knoteck, A. Hörbiger, W. Markus, V. v. Ballasko und F. Kinz), ebenfalls von Alois J. Lippl gedreht (U: 18. 12. 1940 in München). Nach einem Singspiel von Georg Queri gestaltete Franz Seitz in München (Germania-Film) den Liebesroman aus dem Alpenland »Die Erbin vom Rosenhof«. H. Knoteck, P. Klinger, G. Waldau und S. Rist standen vor der Kamera (U: 24. 4. 1942). Als einen bayerischen Schwank drehte Joe Stöckel (Regie und mit P. L. Mayring Buch) mit Josef Eichheim, Winnie Markus, Erna Pentsch und Elise Aulinger den »Verkauften Großvater« (U: 26. 3. 1942 in Wien; P: vw). Der Schwank war auch in der Gestalt des Theaterstückes sehr erfolgreich. »Der Hochtourist« war ein Schwank, Joe Stöckel (auch Mitautor des Drehbuches) der Held des Films. Auch hier bildete ein Theaterlustspiel die Unterlage (U: 21. 12. 1942 in München).

Joe Stöckel (Regie und Hauptdarsteller) schuf auch die rührende Geschichte um einen Münchner Bierkutscher und sein Pflegekind »Peterle« (U: 27. 8. 1943; P: vw).

Hochdramatisch war »Der ewige Klang« (1943), Schauplatz das berühmte Geigenbauerdorf in den bayerischen Alpen – Mittenwald. 1944 wurde bei der Bavaria (in Hostivar-Prag gedreht) der Schwank »Ich bitte um Vollmacht«, nach dem Bühnenstück »Der Ehrenbürger« von Johannes Freiner, (Buch von Fritz Koselka und Lilian Belmont) hergestellt, unter Karl Leiters Regie agierten Josef Eichheim und Hilde Hildebrandt (U: 21. 7. 1944). Diese Bauerngroteske löste keine Begeisterung aus, im Gau München-Oberbayern wurde sie sogar verboten. Der letzte aus der Reihe der Filme mit bayerischem Humor war das Lustspiel um eine Erbschaft »Geld ins Haus« (diesmal war der Schauplatz der Filmhandlung eine kleine Stadt um 1910), das für die Bavaria ihr Hausregisseur Robert A. Stemmle 1944/45 in Prag drehte. Die prominenten Österreicher (kein Zufall) Hans Moser, Annie Rosar, Hans Holt, Alfred Neugebauer und Oskar Sima spielten die tragenden Rollen, der Österreicher Adolf Steimel schuf die Musik. Bei Kriegsende in Musiksynchronisation, wurde der Film erst 1947 unter dem Titel »Der Millionär« uraufgeführt.

Als »Hauptstadt der Bewegung« bzw. als »Stadt der Deutschen Kunst« wurde München mehrmals zum Objekt von Dokumentaraufnahmen – insbesondere der Deutschen Wochenschau. Mit dem Land Bayern wurden auch zahlreiche Kurzfilme verschiedenster Themen verknüpft. Die Arbeiten an dem ersten offiziellen Film der Isar-Stadt, den die Bavaria im Auftrag des Städtischen Kulturamts herstellte, dem Film »München«, wurden im Frühjahr 1939 beendet (U: 25.5.1939).[40] Der Bildstreifen, für den U. Kayser verantwortlich zeichnete, zeigte das alte und das neue München, seine Bauten, schilderte seine Geschichte, sein politisches Leben, seine Kultur und seine Feste – so mindestens die schriftlichen Quellen.[41] In einem Bühnen-Querschnitt spielte Alexander Golling die Sterbeszene des »Florian Geyer«, und Arnulf Schröder trat als Shakespeare-Narr auf. Die Staatsoper war mit einer Szene aus »Eugen Onegin« und »Rosenkavalier« (mit Adele Kern) vertreten, die Kammerspiele mit einem Auftritt aus »Minna von Barnhelm«. Die Philharmoniker musizierten unter Oswald Kabasta (das Finale der Dritten Sinfonie von Bruckner). Dem Münchner Humor liehen Weiß-Ferdl, Karl Valentin und Adolf Gondrell ihre Züge. Auch dem Fasching war ein breiter Raum gewidmet. Richard Strauss hat zu dem Film einen Walzer, Karl Ehrenberg eine umrahmende Musik geschrieben.

Mit besonderer Vorliebe wurden von den Kulturfilmherstellern die Alpengebiete behandelt. Als Beispiel ist hier der Landschaftsfilm rund um Garmisch-Partenkirchen »Verwandlungskunst der Natur« (609 m; P: küw) zu erwähnen. Den Film gestaltete Dr. Manfred Curry aus München im Jahr 1939.

Am Rhein

Das Rheinland, sowohl mit seiner überaus schönen Landschaft als auch mit der breiten Problematik eines Industriegebietes, bildete im Vergleich zu Berlin und Bayern eher selten einen Hintergrund für die Spielfilmproduktionen, und wenn schon, dann vor allem für den »Durchschnittsfilm«: für einen Durchschnittsfilm jedenfalls, der fast immer auf einen Publikumserfolg rechnen konnte. Zu Ende der Weimarer Zeit machte »Der tolle Bomberg« eine Runde durch die deutschen Kinos, ein rheinischer Schwank nach dem gleichnamigen Roman von Josef Winckler, mit Hans Adalbert Schlettow in der Hauptrolle (U: 29.3.1932). Zu diesem Thema kehrte der deutsche Film nach 1933 noch zurück. Das Jahr 1933 brachte den Problemfilm »Die vom Niederrhein«. Diesmal ging es um die Verfilmung des gleichnamigen Romans von Rudolf Herzog.[42] Max Obal gestaltete diesen Film von der Regie her, Lien Deyers, Albert Lieven und Fritz Kampers standen auf den ersten Stellen des Darstellerverzeichnisses. Düsseldorf bildete den wichtigsten Schauplatz der Spielhandlung. Noch drei weitere Rheinland-Filme wurden um diese Zeit hergestellt, davon zwei Lustspiele: Max Ophüls drehte mit Lien Deyers, Lizzi Waldmüller und Heinz Rühmann »Lachende Erben« (U: 6.3.1933), das aber bald verboten wurde, und Fred Sauer gestaltete »Heimat am Rhein«, mit Lucie Englisch, Werner Fuetterer und Maly Delschaft (U: 25.8.1933). Dagegen war »Der Traum vom Rhein«, als ein Heimat- und Auswandererroman gedreht, für die Zeit der großen Exil-Welle aus dem braunen Reich ein politisch wichtiges Instrument der Propaganda. Herbert Selpin gestaltete diesen Streifen mit Gay Christie, Eduard Wesener und Peter Erkelenz (U: 18.10.1933).

Das Jahr 1936 brachte drei rheinische Lustspiele: »Das Hermännchen«, Regisseur Heinz Paul (U: 5.6.1936), »Drei tolle Tage« von Hans Deppe mit Jupp Hussels und Trude Hesterberg und mit Szenen aus dem Karneval in Köln (U: 4.9.1936 in Dessau), und, als einen Schlager der Saison – »Wenn wir alle Engel wären«. Carl Froelich (Regie und Produktion) schuf den Film mit Heinz Rühmann und Leny Marenbach, nach dem Roman von Heinrich Spoerl. Goebbels äußerte sich in Worten höchsten Lobes über diesen Film. Er hat auch dieses Werk anderen Regisseuren und Autoren als Muster eines Unterhaltungsfilms hingestellt (U: 9.10.1936; P: skbw). Ein lustiges Gasthaus und die Mosellandschaft zeigte in seinem (Buch und Regie) Film »Spaßvögel« Fritz Peter Buch, bei dem Fritz Kampers und Fita Benkhoff vor der Kamera standen (U: 11.1.1939 in Koblenz). Wein und Liebe spielten die Hauptrollen in der heiteren Schau »Rheinische Brautfahrt«. Bereits das erste Bild war kennzeichnend: Die Namen aller Mitwirkenden gruppierten sich um unterschiedliche Flaschen und Pokale, in denen der Rheinwein funkelte. Und da ein junges Mädchen unerwartet auftauchte, das von den Beteiligten – nicht vom Kinopublikum – für die erwartete Olympiasiegerin gehalten wurde, ergab sich eine humorvolle Mischung von allerlei Verwechslungen und Verdrehungen in einem rheinischen Wirtshaus, das den

Mittelpunkt des von Alois J. Lippl (nach einem Theaterstück) inszenierten Schwanks bildete. Der altbewährte rheinische Humor, das lustige Völkchen (mit Lucie Englisch und Jupp Hussels an erster Stelle) und die gute Fotografie gaben vor allem dem Film seine Anziehungskraft (U: 24. 11. 1939).

Am Anfang war der Schlager von dem kornblumenblauen Himmel am Rhein. Die vielgesungene und -gespielte Schunkelweise, die so leicht ins Ohr geht, daß man sie nicht mehr loswerden kann, stand im Mittelpunkt des Films, der in einer bewegten, lustigen Handlung die Entstehung des kornblumenblauen Liedes darstellte. Freilich mußte die Terra, die den Streifen »Kornblumenblau« drehte, die Verfilmungsrechte von dem Komponisten (Gerhard Jussenhoven) erwerben. Wein, Weib und Gesang spielten eine bestimmende Rolle darin, und das gemütliche, heitere Leben der Kleinstadt gab den Rahmen für die Ereignisse dieses Films. Ein sehr hübsches Mädchen weigerte sich standhaft, den Vater des soeben zur Welt gebrachten Kindes anzugeben: weil es seiner Karriere als ernster Musiker nicht im Wege stehen wollte. Leny Marenbach war das hübsche Mädchen, Axel Monjé der junge Komponist, und ein halbes Dutzend rheinischer Komiker kam noch hinzu. In dem harmlosen Filmspielchen waren das Lied und die Darsteller das Netteste. Hermann Pfeiffer war hier zum ersten Male Regisseur eines Spielfilms. Durch den Film gewann das kornblumenblaue Lied auch das ausländische Publikum, und der Text selbst erhielt mehrere »Nachdichtungen« (U: 15. 12. 1939 in Wien).

Ein lustiges Rheinland zeigten zu Anfang des Krieges die Spielfilme »Weltrekord im Seitensprung«, mit den beiden Zeitgenossen aus der Wochenschau – Tran und Helle – zum erstenmal in einem Lustspiel (1940), und das heiter verfilmte Theaterstück »Familienanschluß« (1941).

Die beiden weltbekannten rheinischen Volkstypen Tünnes und Schääl standen im Mittelpunkt der Handlung des kurzen Spielfilms »Arena Humsti-Bumsti«, den der Kurzfilmregisseur Kurt Rupli mit Paul Henckels, Hermann Job, Ines Kampi und Peter Erkelenz gestaltete.

So wie alle Länder des Reiches, besaß auch das Rheinland »seine« Kulturfilme. Ein paar Streifen konnte man als Rhein-Filme bezeichnen, so die »Rheinische Fastnacht«, ein Film der Terra aus dem Jahr 1936 (573 m; P: vb), »Der Rhein von Köln bis Mainz« (314 m; P: vb), 1936 bis 1940 in verschiedenen Fassungen bei der O. Trippel in München hergestellt, ferner die »Kleine Rheinfahrt« (339 m; P: vb), 1938/39 bei der Mai-Rodegg-Film gestaltet. Der Film zeigte u. a. die nach bestimmtem System angelegten Rheinburgen, was in Trickzeichnungen klargemacht wurde. Im Frühjahr 1939 entstand bei der Ufa (unter Mitarbeit des Landes-Fremdenverkehrsverbandes Rheinland) »Rheinland« (536 m)[43], ein Streifzug durch die ganze vielgestaltige Landschaft, der den Strom, Städte wie Düsseldorf, Köln, Bonn, Bad Godesberg (»wo der Führer den Frieden gerettet hat« und von wo man »die wunderbare Aussicht von Godesberg auf das Siebengebirge, beziehungsweise den ›Chamberlain-Blick‹« hat) zeigte – und nach einem »Sprung an die deutsche Saar« auch das Deutsche Eck in Koblenz. »Rheinland« »mag der Beginn ernsterer und intensiverer Beschäftigung des Films mit dem Rheinland sein«, konstatierte eine Betrachtung.[44] Seit 1935 bzw. 1937 befanden sich im öffentlichen Verleih die von Karl Reingen (Köln-Deutz) hergestellten Filme: »Ferienfahrt auf Saar und Mosel« – mit den schönsten Sehenswürdigkeiten, vom Faltboot aus gesehen – ein dreiteiliger Schmalstummfilm (380 m; P: vb), und »Faltboote auf der Ruhr«, der eine Wildwasserfahrt in der Eifel schilderte, ein preisgekrönter BDFA-Film (P: vb, küw). Die Ahr wurde gezeigt in »Kleiner Fluß am großen Strom« (490 m; P: vb), ein Streifen aus dem Jahre 1939 mit Bildern von Landschaft, Industrie und Weinbau. Bei der Beyfuß-Film entstand (1936/1937) »Die Seidenweber im Bergischen Land« (369 m; P: kw, vb).

Eine Reihe von Kurzfilmen zeigte die Städte und ihre Sehenswürdigkeiten. Die Metropole des Rheins, Köln, wurde in verschiedenen Dokumentarstreifen geschildert, die, z. T. bis heute erhalten, damals in den Kinos öffentlich nicht vorgeführt wurden.[45] Der erste Kulturfilm aus der NS-Zeit über die Hansestadt am Rhein »Deutsche Glokken am Rhein« (497 m) wurde im September 1933 zensiert. Zum Thema hatte er die Baustruktur und Geschichte des Kölner Doms und die Stadtbilder. Mitten im Krieg (1942/1943) entstand »Das deutsche Lied«, anläßlich des 100jährigen Jubiläums des Kölner Männergesangvereins (P: sw, vb). Der Kölner Dom und sein Chor (er sang »Mein Vaterland« von Werner Egk und »Die Himmel rühmen« von Beethoven) standen im Vordergrund der Filmhandlung. Als Produktion der Deutschen Wochenschau entstand in den letzten Monaten des Krieges »Köln vor Kriegsende 1945« (Archivtitel). Der Streifen zeigte die Stadt der Ruinen, weiterhin jedoch mit den NS-Parolen im Stil »Mit dem Führer zum Sieg« und mit dem Kommentar: Das Leben ist verändert, geht aber geordnet weiter. Der Film wurde nicht mehr zensiert, also auch nicht öffentlich vorgeführt.

Mit Düsseldorf als Thema waren zwei Filme im Verleih, die im Auftrag des Städtischen Verkehrsamtes dieser Stadt entstanden: »Kleiner Film einer großen Stadt« (394 m), 1935 von der Ufa hergestellt, und »Düsseldorfer Karneval 1939«, ein Schmalstummfilm (150 m), bei der Leistenschneider-Film in Düsseldorf gestaltet. Das eigenartige Nebeneinander von Industrie, Großstadt und Wald schilderte der Ufa-Film »Große Stadt im einen Tal – Wuppertal« (401 m).[46] Die 600jährige Solinger Arbeitsbruderschaft der Schwertfeger, Härter und Schleifer wurde zum Thema des Films »Bruderschaft der Arbeit« (»Solinger Klingen«), 1938 bei der Berliner Canis-Film in verschiedenen Fassungen hergestellt (P: küw, vb, Lehrfilm). Der Film paßte genau in die politische Landschaft der Zeit. Dieselbe Firma drehte 1937 drei Aachen-Filme: »Aachens Kunstschätze«[47], »Aachens Wirtschaft damals und jetzt« und »Schatzkammer von tausend Jahren«, wo Kunstschätze der Stadt, wie auch ihre Entwicklung bis in die neueste Zeit geschildert wurden.[48] Die Filme befanden sich im Verleih bis 1943 bzw. 1944.

Ostpreußen

Ostpreußen, »im fernen Paradies seiner Einsamkeit« (Josef Nadler), blieb vor dem Krieg eine der umkämpftesten deutschen Grenzprovinzen. Mit der Abwanderung von einer Million Menschen in 50 Jahren, mit der »seelischen« Abwanderung, war sie zugleich wirtschaftlich und kulturell in ihrer Entwicklung gehemmt. So kommentierte die deutsche Presse die ostpreußischen Zustände gleich zu Anfang des Dritten Reiches. Doch mit der Bemerkung: Der Nationalsozialismus werde hier völligen Wandel schaffen.

Die einsame ostpreußische Landschaft bot einen wundervollen Hintergrund für einen Spiel- bzw. Landschaftsfilm. Sie war selbstverständlich vor allem in den Sudermann-Verfilmungen zu finden: »Der Katzensteg«, »Heimat«, »Die Reise nach Tilsit«. Veit Harlan, der vorher noch nicht Ostpreußen gesehen hatte, fand am Kurischen Haff die Szenerie für den letzterwähnten Film. Diese Szenerie nutzte man auch für den Australienfilm »Frauen für Golden Hill« (1938, Regie Erich Waschneck), um die devisenfressende Reise nach dem fünften Erdteil zu sparen. Kein australischer Busch hätte auf der

Leinwand echter wirken können. In dem schönen, kleinen Fischerdorf Pillkoppen »arbeiteten« sogar die dortigen Fischer vor der Kamera als Statisten am »Claim«, dem Bach der rauhen Goldgräber. Im ostpreußischen Milieu spielte das Fischerdrama »Liebe geht – wohin sie will«, von Kurt Skalden gestaltet (U: 14. 8. 1935; P: küw, vb). Kurt Skaldens filmisches Werk (Produktion, Regie, schauspielerische Mitwirkung) »Junges Blut« war auch ein typischer Heimatfilm, sogar mit masurischen Bewohnern gedreht, aber auch mit politischen Akzenten (U: 24. 1. 1936 in Königsberg; P: küw, vb). »Heimweh« hieß die Verfilmung des Romans »Winke, bunter Wimpel« von Alfred Karrasch, mit einem Fischerdorf an der Kurischen Nehrung und Menschen aus dem Schiffermilieu. Jürgen von Alten drehte diesen Film mit Gustav Knuth und Carsta Löck (U: 3. 9. 1937 in Königsberg). Einen eindrucksvollen Hintergrund für menschliche Geschehnisse von tragischer Tiefe lieferte die masurische Landschaft in dem Film »Stärker als die Liebe«. Das spannungsreiche Schicksal einer ostpreußischen Försterfamilie inszenierte Joe Stöckel in der Rolf-Randolf-Filmproduktion nach dem Roman »Die beiden Wildtauben« von Richard Skowronnen. Der Regisseur des Films war ein Süddeutscher, die meisten Hauptdarsteller kamen ebenfalls, außer Paul Wegener, aus ganz anderen Gegenden (Karin Hardt, Leny Marenbach, Paul Richter). Der »gelernte« Dialekt oder die Art, Kleidung und Wesensdeutung der Menschen waren in diesem Heimatfilm nicht immer ostpreußisch (U: 23. 9. 1938). R. Skowronnek war bereits früher mit seinem Ortelsbürger Jägerroman (»Das Bataillon Sporck«) auf der Leinwand zu sehen. Der Roman sicherte ihm eine große Volkstümlichkeit und eröffnete die Reihe der ostpreußischen Weltkriegsromane. Der Wildererfilm aus Masuren, »Die Sporckschen Jäger«, entstand noch zu Anfang der braunen Jahre bei Rolf Randolf (Regie und Produktion), mit Fritz Genschow, Werner Schott, Erich Fiedler und Theodor Loos (U: 30. 8. 1934; P: küw).

Mit ostpreußischem Milieu war auch die Handlung von einigen anderen Spielfilmen aus den Jahren 1938–1944 verknüpft. Auf lustig war »Steputat & Co« gestimmt, ein Werkchen, das Carl Boese bei der Terra realisierte.[49] Mit guten Darstellern (u. a. H. Brausewetter, K. Haack, A. Florath, E. v. Winterstein, H. Meyer-Hanno), aber mit mittelmäßigen Resultaten (U: 21. 10. 1938 in Chemnitz). Ernst nahm der Roman »Heimaterde« sein ostpreußisches Thema, ein Werk des Regisseurs Hans Deppe. Der Film entstand bei der Rolf-Randolf-Filmproduktion, einer für die Ostpreußenfilme verdienstvollen

Firma. Bewährte Schauspieler wie Viktoria von Ballasko, Viktor Staal, Käthe Haack, Theodor Loos und Paul Dahlke wirkten in diesem Film mit (U: 23. 12. 1941 in Stralsund). Das Ferienland Masuren (Niedersee, Sorquitten, Krutinnen) zeigte die Liebeskomödie »Sommernächte« (während der Dreharbeiten zeitweilig unter dem Titel »Ihr heimlicher Gatte«), die Karl Ritter mit René Deltgen, Suse Graf und Ernst von Klipstein tief im Krieg drehte. Grundlage bildete eine »Sommernovelle« von Gustav Kampendonck und Vera Bern (U: 26. 6. 1944). Bilder von der Kurischen Nehrung, aus Memel und Nidden erschienen in dem Film »Jan und die Schwindlerin« (Kamera: Franz Weihmayr), obwohl das verfilmte Theaterstück auf einer kleinen friesischen Nordseeinsel spielt. Der 1944 hergestellte Film, ein Erstlingswerk des Regisseurs Hans Weißbach, wurde jedoch für die öffentlichen Vorführungen von der Zensur nicht freigegeben.

Noch zu Anfang des Krieges erwarb die Bavaria die Verfilmungsrechte des Romans »Der Fischermeister« von Erich Karschies. Dieser literarische Erstling schilderte »das schwere Schicksal des Memellandes in den Jahren bis zur Heimkehr«. Der »Film-Kurier« (11. 3. 1942) schrieb über den Soldatentod des Autors an der Ostfront, nichts mehr dagegen über das Filmvorhaben.

Dem schönen Land war eine nicht geringe Anzahl von Kultur- bzw. Werbefilmen gewidmet. Es gab unter ihnen auch Streifen, die in mehr oder weniger verhüllter Weise der politischen Propaganda einen Dienst leisteten, und deswegen mit »entsprechenden« Kommentaren versehen waren. Im Verleih befanden sich auch Filme aus der Zeit vor 1933. Nicht selten erhielten sie nach der NS-Machtergreifung neue Fassungen. Die Schönheiten Ostpreußens und das Leben seiner Bewohner zeigte eine Filmreihe der Deutschen Reichsbahn-Filmstelle. Die vier Gruppen dieser Reihe, nämlich: »Königsberg und das Samland«, »Westpreußen und das Ermland«, »Masuren« und »Das nördliche Ostpreußen«, die 1930 bis 1935 gedreht waren, warben bei den öffentlichen Vorführungen im Reich für eine Ostpreußen-Reise. Sogar den Stapellauf und die Jungfernfahrt des Turbinen-Schnelldampfers »Tannenberg« hat die Reichsbahn-Filmstelle festgehalten: »Die Seefahrt in dem deutschen Osten«. Bei der DRB entstand auch der Film »Eisbrecher arbeiten an der Ostsee«.

Weit und breit war der Ufa-Film »Gold des Nordens« (302 m) bekannt, eine Reportage über Bernstein, seine Gewinnung und Verarbeitung. Seit 1931 war der Film in immer neuen Fassungen gestaltet worden. 1938 entstand bei der Ufa – Manuskript und Regie Paul Engelmann, heimatkundliche Beratung durch die Dichterin Agnes Miegel – der Stadtfilm »Königsberg« (387 m).[50] Auch dieser Streifen, mit zahlreichen Stadtbildern, dem Königsberger Hafen und verschiedenen Ausflugszielen, wurde oft in die Kinoprogramme eingesetzt. Nicht so große Resonanz fanden dagegen die sonst sehr interessanten Kulturfilme, die in den kleinen Auftragsfirmen entstanden.

Einige Ostpreußen-Kurzfilme drehte seit 1936 die Schneider-Film in Berlin: »Im Fluge durch Ostpreußen« (443 m), ein von Fred Schlick-Manz gestaltetes Panorama von der Samlandküste, mit Wanderdünen, der berühmten Königin-Luise-Brücke bei Tilsit, mit Stimmungsbildern aus den Wäldern, dem polnischen Grenzposten und den Luftaufnahmen des Tannenbergdenkmals;[51] »Ostpreußen – das deutsche Ordensland« (378 m), ein Film mit den Baudenkmälern dieser preußischen Provinz; »Ostpreußen – Heimat und Volkskunst« (351 m), mit Aufnahmen über Bernsteingewinnung und -verwertung, Holzdrechslerei, Majolikaherstellung, Teppichknüpferei u. a.[53]; »Ostpreußen – das Land am Meer« (372 m), mit Küstenlandschaften[54]; »Ostpreußen – Masuren – deutsches Grenzland im Osten« (387 m), ein Film, in dem die Schlachtfelder des Ersten Weltkrieges, die Seen, Fischerei und Handwerk, ferner das Tannenbergdenkmal präsentiert wurden[55]; »Ostpreußen – Mensch und Scholle« (445 m), wo insbesondere die Landwirtschaft und Pferdezucht in Erscheinung traten.[56] Bei der Dreyer-Film (Berlin) entstanden die »Kurenfischer« (462 m), ein Bildstreifen, der einen Arbeitstag auf der Kurischen Nehrung schilderte. Auf der 1. Reichswoche für den deutschen Kulturfilm in München (1941) wurde er als der beste Volkstums- und Landschaftsfilm des Jahres preisgekrönt.[57] Die Berliner Firma »Naturfilm Hubert Schonger« hat bereits 1934 zwei Schmalfilme hergestellt: der eine mit den Bildern von den Wanderdünen der Kurischen Nehrung »Im Lande des Vogelzuges« (139 m; P: vb) und der andere über die ornithologische Beobachtungsstation der Kaiser-Wilhelm-Gesellschaft im Seebad Rossitten am Kurischen Haff auf der Nehrung, »Vogelwarte Rossitten« (112 m; P: vb). Bei der Lex-Film (auch in Berlin) wurde der Streifen »Deutsche Steilküsten« (408 m) gedreht, wo neben dem Naturschutzgebiet Halbinsel Jassmund auf Rügen auch ein samländischer Küstenhain in Ostpreußen gezeigt wurde.[58] Für die Terra drehte die Lex-Film den Film »Wandernde Dünen« (350 m), mit Aufnahmen von der Kurischen Nehrung und Ostpommern.[59] Noch 1941 drehte die Lex-Film »Wald am Meer« (298 m), einen Film, der die Meeresküste mit Buhnen und Dünen zeigte.[60] Der bekannte Kulturfilmhersteller Paul Lieberenz gestaltete im Jahre 1938 (eine zweite Fassung im Jahre 1941) »Kunst aus Erde« (265 m), worin neben zahlreichen Landschaftsbildern auch die bekannten Majolika-Erzeugnisse aus Cadinen (nördlich von Elbing) präsentiert wurden.

Dem bekannten Staatsgestüt Trakehnen (mit Tradition seit 1732), dem Mittelpunkt der ostpreußischen Pferdezucht, widmete die Ufa zwei ihrer Kulturfilme: die gut fotografierte Reportage »Das Paradies der Pferd« (»Frühling in Trakehnen«) (375 m)[61] und »Jagd in Trakehnen« (415 m), worin eine Übungsschleppjagd des Trakehner Gestüts mit Hundemeute, wie auch das Hauptgestüt (Gelände, der Hof mit Pferdestatue) präsentiert wurden.[62] Den Streifen gestaltete ein bewährter Spezialist von Pferdeaufnahmen, Wilhelm Prager (Buch und Regie), mit Musik von Hans Ebert. Der Film weckte ein besonderes Interesse nach der Berliner Olympiade 1936: Bei den Reiterspielen entfielen von sechs verteilten Goldmedaillen fünf auf die Pferde Trakehner Abstammung. »Pferde im Hauptgestüt Trakehnen« hieß ein Sportfilm der RWU, 1940 gedreht (F 244).

1942 gestaltete bei der Ufa (Buch und Regie) Dr. Ulrich K. T. Schulz den schönen Farbfilm »Wüste am Meer« (»Ostpreußens Wüste am Meer«). Der Streifen (366 m) zeigte die Kurische Nehrung, dabei nicht nur die Tier- und Pflanzenwelt dieser »nordischen Wüste«, sondern auch das Land vom ostpreußischen Badeort Cranz bis zum Memeler Tief. Noch 1944 entstand bei der Berliner Firma Erich Doerk der Kulturfilm »Ostpreußisches Oberland« (»Wo Schiffe über Berge fahren«) (361 m). Der Film enthielt Stadtbilder von Allenstein, Osterode, Elbinger Niederung, zeigte den Dutzkanal auf Buchwalde und die masurischen Landschaften (P: vb).

Nach 1939 zeigte man gern diese preußische Provinz als einen Teil des einstigen »Ordenslandes«. So schilderte z. B. »Ordensland und Hansehafen« (»Ein Film vom deutschen Osten«), 1941 bei der Reichsbahn-Filmstelle entstanden, Marienburg, Danzig, Elbing, Königsberg, die Samlandküste, das Elchrevier, Trakehner Pferdezucht, Masuren und Tannenberg.

Das Land der tausend Seen lieferte reichlich Filmstoff für die Liebhaber-Schmalfilmer. Nur wenige von diesen Schmalfilmen waren der breiteren Öffentlichkeit bekannt, nur einige von ihnen kann man hier erwähnen. Der Ostpreuße Adolf Paul Kallweit aus Königsberg, einer der bekannten deutschen Filmamateure, schuf sowohl technisch als auch künstlerisch die Voraussetzungen für den Kant-Kulturfilm. Der

1939 vom BDFA preisgekrönte, 1938 in den Mauern Königsbergs gedrehte Film »Immanuel Kant und Königsberg« (145 m), zeigte die Gedenkstätten wie Geburtshaus, Universität, Kantmuseum, die Umgebung von Königsberg sowie das traditionelle Bohnenmahl der »Gesellschaft der Freunde Kants«.[63] Der Film wurde mehrmals öffentlich vorgeführt. Im Verleih A. P. Kallweits befanden sich noch zwei weitere seiner Ostpreußen-Filme: »Schiffe fahren über Seen und Berge« (232 m), ein Streifen über das ostpreußische Oberland mit Aufnahmen vom Frischen Haff und seinen Städten und Dörfern,[64] und ein Film, der das Strandleben im Ostseebad Cranz, am Südwestrand der Kurischen Nehrung, zum Thema hatte – »Treffpunkt Cranz« (115 m).[65] Von Filmamateuren – Edith und Erich Schau aus Braunschweig – stammte der Film »Nidden« (242 m), mit Aufnahmen von der Arbeit der Fischer, von Wanderdünen und Elchen. 1940 wurde der Film mit einem BDFA-Preis honoriert.

Es gab auch Ostpreußen-Filme rein wissenschaftlichen Charakters. Der Zoologe Heinz Stelmann belauschte und filmte das Vogelleben am Haff, und so entstand ein abendfüllender Kulturfilm. In der neuen Aula der Königsberger Universität erlebte er am 26. 2. 1939 seine Uraufführung.

Das »übrige« Deutschland

Freilich hatten die Landschaften anderer Länder und Städte ihre eigene Filmdokumentation: in Spielfilmen, in Kurzfilmen, die für Werbezwecke hergestellt waren, oder in den Dokumentarstreifen. So gehörten zu den bekanntesten Spielfilmen, die das Milieu von Hamburg schilderten, zwei Hans-Albers-Filme: »Der Draufgänger«, 1931 von Richard Eichberg gedreht, worin M. Eggerth Albers' Partnerin war (der Film wurde im Krieg nicht mehr vorgeführt), und der bekannte Farbfilm »Große Freiheit Nr. 7«, der zu Ende des Krieges entstand und nicht mehr für die öffentliche Vorführung zugelassen wurde. Den Hamburger Hafen und das Alltagsmilieu der Hansestadt schilderte Werner Hochbaum in dem Film »Ein Mädchen geht an Land«. Darin spielte eine andere Berühmtheit der deutschen Film- und Theatergeschichte die Hauptrolle als Schifferstochter: Elisabeth Flickenschildt (U: 10. 9. 1938 in Hamburg). Das Reedermilieu Hamburgs war Thema in »Fracht von Baltimore«, von Hans Hinrich mit Hilde Weißner und Attila Hörbiger bei der Terra gestaltet (U:

14. 10. 1938 in Braunschweig), der Hamburger Hafen tauchte auch in E. Waschnecks Film »Zwischen Hamburg und Haïti« auf (U: 29. 11. 1940 in Hamburg). Bis zum Anfang des Krieges sehr oft in der Wochenschau vertreten, hatte Hamburg seine Dokumentarfilme, um nur »Weltstraße See – Welthafen Hamburg« (P: küw, vb) als ein Beispiel zu erwähnen. Die Werft-Arbeiten, und insbesondere die Stapelläufe, wurden oftmals im Film dokumentiert. Die beiden Hansestädte Hamburg und Bremen, eigentlich die Hapag und der Norddeutsche Lloyd, verfügten über Werbefilme für die Seereisen. Die Landschaft Bremens hatte ihre Visitenkarte mit dem Filmepos »Abel mit der Mundharmonika«, 1933 auf der Weser bei Vegesack gedreht, mit Karin Hardt, Hans Brausewetter und Karl Ludwig Schreiber. Die Verfilmung des bekannten Romans von Manfred Hausmann realisierte Erich Waschneck bei der Ufa (U: 16. 11. 1933; P: künstlerisch). Den ersten Werbefilm über Bremen schuf die Ufa noch in der Stummfilmära (1926). 1936 entstand der Streifen »Bremen« (um 300 m), mit Luftbildern der Stadt und Einzelaufnahmen von Gebäuden, Hafen, Werft und Verkehr. Den Film gestalteten Otto von Bothmer (Regie), Erich Menzel (Kamera) und Walter Gronostay (Musik). O. v. Bothmer und E. Menzel schufen auch den Streifen »Bremen, Bahnhof am Meer« (328 m; P: vb, Lehrfilm). Der Film zeigte die schöne Weserstadt, exponierte sie als Umschlagplatz, dann schilderte er die Reise an Bord der »Europa« von New York nach Bremerhaven. Man sah hier auch das Schulschiff »Deutschland« am Kai und das weltbekannte Passagierschiff »Bremen« mit erleuchteten Kajütenfenstern. Der Streifen wurde zwei Tage vor Kriegsausbruch zensiert, und kurz danach begann die »Bremen« ihre abenteuerliche Rückfahrt nach Deutschland.

Norddeutschland war in den Filmen »Mecklenburg, Land der Wälder und Seen« (P: küw, vb), »Auf Deutschlands größter Insel« (372 m), einem Rügen-Film aus dem Jahr 1939, oder »Pommerland-Ostseestrand« – mit Bildern aus Vergangenheit und Gegenwart (1943) vertreten. Es geht selbstverständlich um Beispiele. Eigene Kulturfilme hatte Leipzig: »Leipzig, die Stadt mit dem Weltruf«, womit die Aufmerksamkeit auf die Leipziger Messe gelenkt wurde, und »Leipzig als Musikstadt« (421 m; P: vb), noch 1944 bei den Döring-Filmwerken hergestellt. Von W. Ruttman (Regie) und W. Zeller (Musik) stammte »Stuttgart, eine deutsche Großstadt zwischen Wald und Reben« (404 m), 1934 bei der Ufa hergestellt; erweitert wurde das Thema durch »Bilder aus Württemberg« (P: küw, vb).

Niederschlesien, sehr selten im Spielfilm, war Thema mehrerer Kulturfilme. Noch vor dem Krieg entstanden »Bäderland Schlesien«, »Winterzauber im Schlesierland« (P: küw, vb), ein Film, so damals die Betrachtung, der »Heimatgefühl und Freude an der schönen Natur gleichmaßen weckt.« Über die Kunst- und Kulturstätten der Provinzhauptstadt informierte, politisch gestimmt, »Breslau, Bollwerk im Deutschen Osten«. Noch tief im Krieg wurden Filme über Niederschlesien gedreht. Aus den Naturerscheinungen des Riesengebirges im Wechsel der Jahreszeiten wurde die Entstehung der Rübezahl-Sagen in dem Streifen »Rübezahls Reich« (386 m; P: küw, kw, vb) erklärt. Der Film wurde unter der künstlerischen Leitung von Kurt Rupli bei der Prag-Film hergestellt und noch 1945 zensiert.[66]

In mehreren Filmen wurde Bayreuth geschildert oder die schöne Landschaft des Schwarzwaldes. Den bekanntesten Streifen schuf hier Sepp Allgeier 1941 bei der Bavaria: »Schwarzwaldzauber« (386 m; P: kw). »Heimatland« (1939) war dagegen der bekannteste Spielfilm der NS-Zeit, mit schönen winterlichen und sommerlichen Naturaufnahmen aus dem Schwarzwald.

Die Welt der Bauern

Es besteht kein Zweifel darüber, daß die weitaus meisten Stoffe damaliger Spielfilme den Bezirken der Großstadt entnommen waren. Der tiefere und eigentliche Grund lag darin, daß das Leben des Städters nun einmal reicher an kinoträchtigen Konflikten ist als das Landleben. Andererseits lehrte die Statistik, daß der größte Teil des deutschen Filmpublikums nicht in den Großstädten, sondern auf dem Lande und in den kleinen Städten zu suchen war. Die Intensität und Unzweideutigkeit des Film-Erlebnisses waren beim bäuerlichen Publikum, vor allem bei der bäuerlichen Jugend, stark genug, um die Neigung zur »Landflucht« nicht etwa nur zu verstärken, sondern sehr oft überhaupt erst hervorzurufen. Mit verschiedenen Maßnahmen, propagandistisch auch vom Film unterstützt, setzte sich der NS-Staat diesen Erscheinungen entgegen. Für die Arbeit auf dem Lande warben sowohl Kulturfilme (Jugendfilme) als auch, mit ihren Themen, einige Spielfilme. Im Krieg verlor die »Landflucht«, einst die Schlüsselfrage, ihre besondere Bedeutung. Auch die ökonomische Bedeutung der Landwirtschaft verminderte sich systematisch. Zwar entsprach dem Postulat der »Blu-Bo«-Ideologie das Bauerntum als wichtigster »Stand« in der deutschen Volksgemeinschaft, und die Landwirtschaft wurde immer wieder als Grundlage der Volkswirtschaft beschworen. Doch entsprach das nicht der Realität. Deutschland wurde schließlich immer mehr zum hochentwickelten Industriestaat.

Nach 1933 wurden allerdings ein paar Ansätze zur Gestaltung von »ernsten« Bauernfilmen im Sinne des Nationalsozialismus unternommen. Das Bauerntum aus den Notjahren 1928–1932 zeigte der Streifen »Unter der schwarzen Sturmfahne« (U: 26. 4. 1933), ein Quasi-Dokumentarfilm, der kein breites Publikum finden konnte. Im Auftrag des Reichsbauernführers schuf der Meister Walter Ruttmann sein wenig erbauliches Werk »Altgermanische Bauernkultur«, ein Kulturfilm mit Spielhandlung und bekannten Schauspielern wie Ernst Legal, Fritz Rasp, Rudolf Biebrach, Hans Stiebner. Im Film trat auch die SA auf. Zensiert am 9. 4. 1934 (500 m), blieb das primitive Propaganda-Werk nach dem »Röhm-Putsch« vorübergehend ein nutzloses Instrument der politischen »Erziehung«. Erst 1939 erhielt er eine kürzere Fassung und wurde neu zensiert (479 m). Im Dienste der »Blu-Bo«-Propaganda stand der »Erbhofgesetz«-Film »Das alte Recht«. Oldenburg war der Schauplatz der Handlung dieses Spielfilms (U: 27. 1. 1934).

Sehr schnell verloren die düsteren Bauernthemen an Interesse. Man begnügte sich damit in Lustspielen oder Schwänken, die meistens in Oberbayern oder Niederdeutschland spielten und das Bauerntum von der humorvollen, politisch quasi konfliktfreien Seite sahen. Dieser Zustand wurde oftmals bemängelt. Im Januar 1939 erfolgte sogar ein Angriff im »Schwarzen Korps«, dem Presseorgan der SS. Wir haben bis heute keinen abendfüllenden, regelrechten Bauernfilm – donnerte die Zeitung –, denn es wird niemandem im Ernst einfallen, die oberbayerischen Kirchweihfilme oder sonstige Streifen mit bäuerlichem Hintergrund – im Vordergrund natürlich die originelle Liebe – als Film bäuerlicher Arbeit zu bezeichnen.

Die Mahnungen und Angriffe, die sich gegen die Einstellung des deutschen Films zum Bauerntum richteten, blieben nicht ohne Einfluß. Die zu beobachtenden Änderungen bezogen sich sowohl auf die Auswahl von Themen wie auch auf ihre »weltanschauliche« Interpretation. Hier stand das deutsche Schrifttum zur Verfügung, reich an Werken, die im dörflichen Milieu spielen, nicht nur Humoresken und derbe Schwänke, sondern auch Stoffe mit ausgesprochen dramatischem Akzent. Es gab im Krieg neue Filmproduktionen, die den Tendenzen der »Blu-Bo«-Politik entsprachen, die aber bei den Zuständen, die eben der Krieg schuf, rein propagandistisch gesehen auf das Publikum matt wirkten. Allmählich sogar grotesk. Inzwischen gab es noch die »besseren«, hoffnungsvollen Jahre.

»Drei Väter um Anna«, das bayerische Lustspiel aus dem Jahr 1939 hat zwar noch einen heiteren Unterton – deutete der Film-Kurier (16. 2. 1940) an –, es wurde aber darin der Gemeinschaftsgedanke der Ausbeutung eines Graphitlagers durch das ganze Dorf angeschnitten, der von weltanschaulich tieferem Wert ist. »Ein ganzer Kerl«, ein Film aus demselben Jahr, in dem es um die Erhaltung des Hofes und die Bindung des Menschen an die Scholle ging, bedeutete »einen schönen Fortschritt«. Die Tendenz des Films »Das Recht auf Liebe« gipfelte »trotz psychologischer und dramaturgischer Fehler – in der gesunden Idee«, daß die Erhaltung eines heruntergewirtschafteten Hofes nicht durch eine reiche Heirat, sondern nur durch harte Arbeit möglich sei (aus den damaligen Film-Kritiken). »Der ewige Quell«, der rein dramaturgisch nicht wenige Schwächen aufzuweisen hatte, verschaffte dem Gedanken Geltung, »daß das Gold des Bauern sein Boden« sei.

In dem Genre eines Bauernfilms stand die Verfilmung der Prosa Wilhelmine von Hillerns. Ihr bekannter Roman »Die Geierwally« (1875, 1880 auch als Drama) wurde von der Tobis verfilmt: im Zeichen der Einheit des »Altreichs« mit der »Ostmark«, Oberbayerns mit Tirol. Schon die Dreharbeiten für den Film waren von einer großen Reklame (auch fürs Ausland) begleitet. Der ganze Film wurde »vom ersten bis zum letzten Meter« außerhalb des Ateliers gedreht. Er wurde in der Landschaft bei Sölden im Ötztal (Tirol) aufgenommen, die Innenaufnahmen dagegen in echten Bauernstuben. Es waren Bauerngehöfte, die teilweise bis in das 13. und 14. Jahrhundert zurückgingen, mit starken Holzbalkenwänden und kleinen Butzenscheiben-Fenstern. Diese Bauernhöfe bildeten den Schauplatz des Films. Es war nicht die erste (und nicht die letzte) Verfilmung des kinoträchtigen Unterhaltungsromans der Münchnerin von Hillern. In der Stummfilmzeit spielte Henny Porten die Geierwally, diesmal, in den ersten Monaten des Krieges, Heidemarie Hatheyer, ein Kind der Berge. Eduard Köck von der Exlbühne hatte eine tragende Rolle als Vater der Geierwally, Winnie Markus spielte die uneheliche Tochter des Jägers (Sepp Rist), Leopold Esterle von der Tegernseer Schultes-Truppe (zum erstenmal im Film) den Bauernjungen, den die Geierwally heiraten sollte. Es gab keine Berliner oder Münchner

Komparserie, man zog die Bauern und Bäuerinnen des Ötztales, ferner Darsteller von der Exl-Bühne wie Ludwig Auer und Anna Exl, hinzu. Für die Musik sorgte der österreichische Komponist Nico Dostal, die oberste Leitung hielt der Regisseur Hans Steinhoff in seinen harten Händen. Der Film erhielt die Prädikate »künstlerisch wertvoll« und »volkstümlich wertvoll«, und Heidemarie Hatheyer bekam das Entrée-Billett in den ersten Rang der jungen Filmschauspielerinnen (U: 13. 8. 1940 in München).

Es gab Spielfilme, die sich mit der »psychologischen Herausarbeitung« der bäuerlichen und städtischen Typen beschäftigten. Eine moralisierende »Bekehrung« sollte »Gefährtin meines Sommers« (1943) verdeutlichen, worin eine junge Frau aus dem Leben einer gefeierten Pianistin erst auf Umwegen den Weg zu der Harmonie findet, die ihre ländliche Heimat ausstrahlt. In anderen Filmen wurde dagegen das Großstadttreiben dämonisiert, um die Werke »Der Weg ins Freie« und »Die goldene Stadt« als Beispiele zu erwähnen. Verbundenheit mit dem Kreislauf bäuerlichen Lebens zeigten auch Filme wie z. B. »Wenn die Sonne wieder scheint« (1943). Gegen die Industrialisierung des Handwerks im Dorfmilieu wandte sich der Terra-Film »Aufruhr des Herzens« von Hans Müller, der mit diesem Streifen nach einem Drehbuch von A. Artur Kuhnert zum ersten Male Regie führte. In unmittelbarer Nähe seiner filmischen Heimat erlebte er seine Uraufführung (U: 8. 9. 1944 in Innsbruck). Auch die verfilmte Erzählung »'s Reis am Weg« (Wilhelme von Hillern) war dem Bauernmilieu und dem Alpenland gewidmet. Alois J. Lippl schrieb das Drehbuch, und am 7. 8. 1944 begannen die Arbeiten an dem Film. Die Außenaufnahmen drehte man u. a. in Kitzbühl. »Ein Herz schlägt für Dich«, hieß der Film. Joe Stöckel hatte die Regie, Rudolf Prack und Anneliese Reinhold spielten die tragenden Rollen, Oskar Wagner schrieb die Musik. Erst bei Kriegsende wurde sie mit der Filmhandlung synchronisiert. Die Uraufführung fand erst nach dem Krieg statt (12. 4. 1949).

Ein Bauernfilm, »wie er sein soll«, versprach der Wien-Film »Ulli und Marei« zu werden. Fast das gesamte Ensemble der Exl-Bühne, mit der jugendlichen Charakterdarstellerin Ilse Exl, der blonden Tochter Ferdinand und Anna Exls, und Eduard Köck, dem geschätzten Charakterdarsteller, der der Exl-Bühne seit ihrem Bestehen angehörte, trat in dem Film auf. Köck schrieb auch mit dem Regisseur Leopold Hainisch das Drehbuch: eine Liebesgeschichte des Knechts Ulli, dem der alte Marktbauer seinen Hof verschreiben wollte. Den alten Bauern spielte Eduard Köck. Ulli verliebte sich aber in die junge Marei und verließ den Hof. Schließlich siegte doch die Jugend, und das Alter leistete Verzicht. Ilse Exl spielte die Marei, den Ulli Attila Hörbiger, der einzige Hauptdarsteller außerhalb der Exl-Bühne. Ein stattlicher Bauernsitz aus dem 16. Jahrhundert, an die 1800 m hoch gelegen, bildete den Schauplatz von Außenaufnahmen. Die Kameraarbeit leistete Richard Angst. Der Film befand sich seit dem 12. 6. 1944 in Arbeit und wurde am 20. 11. 1944 abgedreht. Und trotzdem gelang es nicht, den Film bis Kriegsende zum Abschluß zu bringen. Erst nach dem Krieg wurde er in Österreich beendet und dort auch uraufgeführt.

Für das Wachstum der deutschen Nation

Die Liebe bildet zwar nicht die unentbehrliche, dennoch immer die beste Voraussetzung für eine Ehe. Und was das Thema Liebe überhaupt anbetraf, so pflegte sich, mehr oder weniger, fast jeder Spielfilm der NS-Ära darum zu drehen. Wie schwierig war es aber, immer wieder die nötigen Hinweise dazu in Titeln zu geben, ohne sich zu wiederholen. Jedenfalls gab man sich auch damals die größte Mühe, immer neue Varianten zu finden. Der Verfasser will hier nur einige nennen, angefangen bei »Liebe«, »Junge Liebe, »Späte Liebe«, »Liebesleute«, »Liebe geht seltsame Wege«, »Liebesschule«, »Liebe kann lügen«, »Die kleine und die große Liebe«, »Ich liebe Dich«, »Sommerliebe«, »Jugendliebe« bis zu der »Großen Liebe« und dem Mann, dem alles »Lauter Liebe« war. Diesem Bemühen standen Begriffe wie »Heirat«, »Hochzeit«, »Ehe« usw., mit verschiedenen Abwandlungen helfend zur Seite. Ein Titel ist – und damals war er viel mehr als heute – ein wichtiges Instrument, das Erfolg oder Nichterfolg zu einem Teil entscheiden kann. Ein guter Titel verlockte zum Ins-Kino-Gehen, und das bedeutete das große Publikum, zugleich aber die beste Möglichkeit einer Beeinflussung der breiten Volksmassen. Und es ging auch bei den »einfachen« Liebesfilmen um eine Beeinflussung, im Rahmen der propagandistischen Linie, eine der wichtigsten, die auf die Ehe- und Kinder-»Freudigkeit« zielte.

Für die NS-Bevölkerungspolitik lag der tiefste Sinn der Ehe fast vollständig außerhalb der Individualinteressen der Ehegatten. Ehe und Familie bildeten die »Grundlagen des völkischen Gemeinschaftslebens«. Ehe wurde »zum Hort des Kinderreichtums und zur unersetzlichen Voraussetzung einer gesunden und geordneten Erziehung der Nachkommenschaft«. Das Zwei-Kinder-System, »jene mörderische Erfindung des Liberalismus', muß überwunden werden«, lautete die stets wiederholte Parole. Im Dienste dieser Politik stand die Gesetzgebung, auch das neue deutsche Ehegesetz aus dem Jahr 1938; ferner die Sozialpolitik. Gab es Erfolge? Die Zahl der Eheschließungen und die Geburtenziffern waren im Adolf-Hitler-Deutschland bedeutend gestiegen. Von 1933 bis 1937 wurden insgesamt 460000 Ehen mehr geschlossen als in den vorangegangenen fünf Jahren 1928 bis 1932. Im Jahre 1933 wurden auf tausend Einwohner in Deutschland 14,7 Lebendgeborene gezählt, im Jahr 1934 bereits 18 und im Jahr 1937 rund 19. Die erhöhten Geburtenziffern blieben zwar immer noch unter der Geburtenzahl zurück, die zum vollen Ersatz der lebenden Elterngeneration erforderlich gewesen wäre. Erst 1939 entsprach zum erstenmal seit der Zeit des Ersten Weltkrieges die Zahl der Wiegen der Anzahl der Särge. Die Hundertsätze deutscher Geburtenziffern überwogen bei weitem die der Franzosen und Engländer, »der sterbenden Demokratien«. Also wirkten sich nicht nur die Überwindung der Folgen der Weltwirtschaftskrise und die günstigere Konjunktur auf dem Arbeitsmarkt bestimmend auf die Geburtenzahl aus: Die Medien, unter ihnen der Film, schufen ein günstiges Klima für die staatlichen Maßnahmen im Bereich der Bevölkerungspolitik.

Über die Hunderte von Spielfilmen der NS-Ära, die, mehr oder weniger, der Propagierung des Eheglücks Hilfe leisteten, meistens ohne »Propagandafilme« zu sein, könnte man ein ganzes Buch schreiben. In unserem Buch können wir nur einige von diesen Filmen erwähnen bzw. besprechen. Jedenfalls mit einem Hinweis: Bis in die erste Kriegszeit galt es auch als eine wichtige Aufgabe, die (übrigens hochbesteuerten) Junggesellen für die Ehe zu gewinnen. Mitten im Krieg stand die propagandistische Beeinflussung vor neuen Aufgaben. Das kriegsbedingte Pflichtgefühl wurde der Ehelust vorangesetzt, auch wenn es um eine »große Liebe« ging.

Sehr gern benutzte der Film die erfolgreichen Romane, Bühnenstücke etc. als Stoff, zumal auch die schöngeistige Literatur und das Theater nach Möglichkeit im Dienst derselben propagandistischen Ziele standen. Es gab aber auch die »freierfundenen« Themen wie z. B. »Sommer, Sonne, Erika«. So wie der Titel, war auch der Film – schon durch die blonde Jugend Karin Hardts und Paul Klingers – hell.

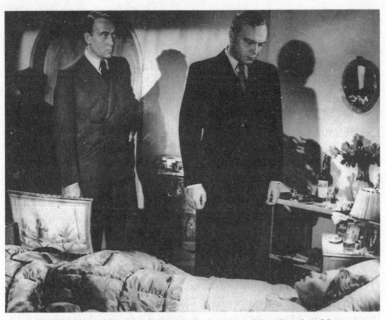

29. Prof. Thomas Heyt (Paul Hartmann) und Dr. Bernhard Lang
(Mathias Wieman) im Film »Ich klage an«

30. Aus dem RAB-Film »Mann für Mann«

Ein Paddlerpaar, das seine Sportkameradschaft zur Lebensgemeinschaft wandeln wollte. Nur die Zeit, in der es zur Uraufführung dieses Films kam, war nicht mehr hell (U: 22.12.1939; P: vw). Mehr auf politische Qualität war das musikalische Lustspiel »Casanova heiratet« eingestellt, am Anfang des Krieges gedreht, über die turbulenten und erheiternden, zugleich aber gesinnungsrichtigen Erlebnisse eines »Zuvielgeliebten«, der endlich vor den Frauen Ruhe haben wollte. Der Film basierte auf dem Bühnenstück »Ein großer Mann privat« von Harald Bratt, der zugleich mit dem erfahrenen Filmautor B. E. Lüthge das Drehbuch schrieb. Die Gestaltung besorgte der frischgebackene Filmregisseur Viktor de Kowa. Die Story erzählte von einem Schauspieler, der seinen Künstlernamen, seinen Frack und das Spitzenjabot ablegte, aufs Land (!) ging und bald mit einem »Landjahrmädel« (!) verheiratet war (!). Der für die männliche Hauptrolle gut ausgesuchte Karl Schönböck stand vor der Kamera mit Lizzi Waldmüller, Fita Benkhoff und Irene von Meyendorff. Vom Meister Harald Böhmelt stammte die Musik, die auch eine wichtige Rolle im Film spielte. Die Presse schrieb: »Der Film wurde irgendwo an der Westfront im März 1940 in einem Schloß vor Zuschauern im feldgrauen Rock uraufgeführt, Viktor de Kowa und Fita Benkhoff waren anwesend«.[67] Auf (»erzieherische«) Quantität, da sogar mit drei Hochzeitspaaren am Ende, war die Posse »Herz geht vor Anker« gezielt. Der Film entstand 1940 in der Regie von Joe Stöckel, der zugleich als bajuwarischer Schiffskoch ins Bild kam. Außer ihm spielten mit: Gustav Fröhlich, als ein leichtfüßiger Herzensbrecher, sein Film-Freund, der Münchner »Heinz Rühmann« – Heini Handschumacher – und die Damen: Winnie Markus, Gusti Wolf, Viktoria von Ballasko. Die schauspielerische Darstellungskraft war vielleicht das wichtigste Element, das diesen Film, trotz sparsamer äußerer Mittel, aus einer Reihe ähnlicher Produktionen heraushob. Von dieser Strömung wurde auch Helmut Käutner fortgerissen. Sein Film aus dem Jahr 1940 »Frau nach Maß« (hier liebt ein junges Mädchen einen Operettenregisseur und will ihn zur Ehe gewinnen) war allerdings eine geschmackvolle Mischung von Eleganz und Witz.

In einem anderen Stil (Kriegssituation) entstand Willi Forsts und seines Texters Geza von Cziffra satirische Liebeskomödie »Frauen sind keine Engel«. Doch trotz des aufrüttelnden Filmtitels wird alles beim alten bleiben. Zwar wurden die Frauen nicht als Engel gezeichnet, doch aber als begehrenswerte Produkte der Schöpfung, mit denen die Männer eine so lebenslängliche Angelegenheit wie die Ehe

242

anstrebten. Forst ging in diesem Film andere Wege als bisher. Nichts von Revue, von tausend schönen Beinen. Er machte einen Film vom Film. Marte Harell, Axel von Ambesser und Curd Jürgens spielten die Hauptrollen, es traten auch andere Wiener Prominente auf: der beliebte Komiker Richard Romanowsky, Hedwig Bleibtreu und Alfred Neugebauer. Theo Mackeben sorgte für die musikalische Umrahmung – die Melodie von »Bel ami« klang erneut auf. Das Publikum schenkte diesem Lustspiel großes Interesse (U : 23. 3. 1943 in Wien; P : kw).

Die ordnende Hand einer Hausfrau war auch ein Argument bei der Ehe-Werbung. Dem Titel zuwider, waren der Roman »Paradies der Junggesellen« (1938) von Johannes Boldt und die gleichnamige Verfilmung von Kurt Hoffmann ein Lobeslied auf die Institution der Ehe. Es handelte sich um einen Standesbeamten, der zum zweiten Male geschieden war und der nun mit zwei weiteren Junggesellen ein Paradies der Junggesellen gründete. Es war ein wirklich gelungenes Lustspiel der Heinz-Rühmann-Produktion der Terra. Rühmann war im Film der schon zweimal geschiedene Standesbeamte Hugo Bartels, und wie er zur dritten Ehefrau kam, erzählte der Film. Gerda Maurus Terno und Hilde Schneider spielten die ersten Frauen, während die dritte Frauenrolle mit Trude Marlen besetzt war. Hans Brausewetter, ein dichtender Lehrer, und Josef Sieber, der Apotheker und »Bierologe«, waren die Genossen von Rühmanns Leiden und Freuden. Das Chanson, »Das kann doch einen Seemann nicht erschüttern«, von Rühmannn Brausewetter und Sieber am Biertisch gesungen, eroberte wenige Wochen nach der Premiere ganz Deutschland und machte beinahe eine Weltkarriere. Die Musik stammte von Michael Jary, und die Schlagerzeile hatte Bruno Balz erfunden (U: 1. 8. 1939 in Hamburg).

Im Frühjahr 1948, im Hotel an der Gorkistraße
»Ein fernes Geräusch drang in meinen Schlaf, schwoll in einer langsamen, unaufhaltsamen Steigerung lärmend an, der Hagelschlag der Trommeln, die Stringenz der Querpfeifen gingen einem eher als vernommenen, fernen, dann näherrückenden Singen voraus, dessen wüstes Staccato schließlich krachend über mich hereinbrach: Das kann doch einen Seemann nicht erschüttern, keine Angst, keine Angst, Rosmarie... ich war in meinem Hotelzimmer, Mitternacht war längst vorüber, ich taumelte auf den Balkon, über meinem Kopf versicherte aus einem Lautsprecher auf dem Dach des Hotels immer noch der brül-

lende Chor, daß ein Seemann nicht zu erschüttern sei, ähnlich Gearte-
tes schmetterte über den weiten Platz hinüber bis an die Mauern des
Kreml, darunter eben diese Schallplatte, irgendeine Kriegsbeute,
durch Zufall ins Programm geraten...«
Quelle: Stephan Hermlin: Mein Friede, Berlin und Weimar 1985, S. 7ff.

Dasselbe Grundthema, in der Verpackung eines niederdeutschen
Lustspiels, kam in dem Ufa-Film »Männerwirtschaft« vor. Mit Volker von Collande, Karin Hardt, Paul Henckels, Carsta Löck und Josef Sieber drehte ihn Johannes Meyer (U: 21. 3. 1941 in Herford).
Bevorzugt war freilich zu jener Zeit die kinderreiche Familie.
Selbstverständlich auch in den Filmthemen. Kinderlosigkeit wurde
fast wie ein Verbrechen am deutschen Volk beurteilt. »Das Leben
kann so schön sein«, ein Film aus dem Jahre 1938, mit Rudi Godden
und Ilse Werner als junges Ehepaar (das nicht überzeugt ist, ob es
sich ein Kind leisten kann), den Rolf Hansen (Tonfilmstudio Carl
Froelich & Co) gedreht hatte, wurde, da er den »bevölkerungspoliti-
schen Grundsätzen des Nationalsozialismus widersprach«, nicht zugelassen.[68] »Kinder, Kinder über alles«, also auch die unehelichen
Kinder.
Dutzende von Filmen bemühten sich, die positive Einstellung des
Nationalsozialismus zur unehelichen Mutterschaft zu beweisen.
Nicht nur mit den einheimischen deutschen Stoffen. »Das Mädchen
vom Moorhof«, nach Selma Lagerlöfs vielgelesenem Roman, ein
Film aus dem Jahre 1935 mit Hansi Knoteck als Titelheldin und in der
Regie von Detlef Sierck, lief noch 1940 als Reprise, obwohl der Re-
gisseur schon seit zwei Jahren als Emigrant in den USA wirkte. Ita-
lien lieferte einen entsprechenden Stoff mit dem Film »Premiere der
Butterfly«, Dänemark mit »Aufruhr im Damenstift«. Die meisten
Themen lieferte die deutsche Wirklichkeit. Im allgemeinen pflegt
sich eine Frau ja nicht zu freuen, wenn sie von den Jugendsünden
ihres Mannes erfährt. Doch in dem Ufa-Film »Das Verlegenheitskind«, den 1938 Peter Paul Brauer nach dem Bühnenstück von Franz
Streicher drehte, tat dies das tüchtige Eheweib des Küfermeisters
Vierköttel, Anna (Ida Wüst), nun einmal. Eine wohl nicht beabsichtigte Fortsetzung des Rühmann-»Junggesellen«-Films trat als eine
Folge der Junggesellenzeit in »Hurra! Ich bin Papa« auf. Thea von
Harbou war die Autorin des Drehbuchs. »Junge gesucht« stand zunächst an den Litfaßsäulen. Der zweieinhalbjährige Walter Schuller,
unter 500 Kindern ausgewählt (man sprach auch von 2000), fand sei-

nen Vater – im Film natürlich – in der Person Heinz Rühmanns. Mit glücklicher Hand steuerte Kurt Hoffmanns Regie diesen Film (U: 16. 11. 1939). Das bereits erwähnte Lustspiel der Ufa »Drei Väter und Anna«, mit prächtigen Naturaufnahmen und charakteristischen Szenen aus dem Leben eines Gebirgsdorfes, erzählte von drei braven Bayern, die während des Krieges im Feindesland einmal Unterkunft bei einer Frau gefunden hatten, und diesem gemeinsamen Haushalt entstammte das Mädchen Anna. Nach Jahren galt es unter diesen Männern – es waren ein Bauer (Beppo Brehm), ein Gastwirt (Georg Vogelsang) und ein Posthilfsstellenvorsteher (Theodor Danegger) – den Vater der jungen Anna (Ilse Werner) zu finden (U: 14. 9. 1939).[69] Hinter dem viel und gar nichts sagenden Titel »Das Recht auf Liebe« um die Sennerin Vroni Mareiter verbarg sich die idealisierte Geschichte von einem braven Mädchen, das ein Kind bekam. Als die ländliche Schönheit trat Magda Schneider auf, Joe Stöckel, der Spezialist von bayerischen Stoffen, hatte die Regie (1939). Eine lange Reihe von weiteren Spielfilmen – einige von ihnen finden hier noch ihre Besprechung – nahm ebenfalls das Problem des unehelichen Kindes mit positiver Einstellung zur Sache zum Thema. Das Kuriosum lag in der Verpackung eines Lustspiels. Da gab es »Der Stammbaum des Dr. Pistorius«, das nette Lustspiel »Kornblumenblau«, »Das sündige Dorf« (1940), die Liebeskomödie aus der Ufa-Produktion 1940 »Wie konntest Du, Veronika?«, zunächst unter dem Titel »Jugend siegt« nach dem Drehbuch von Thea von Harbou[70], oder die »seriösen« Streifen wie der antienglische »Robinson«, das orientalisch wirkende Drama »Die barmherzige Lüge« (am Rande der Zivilisation, in einer mongolischen Siedlung – faktisch nicht so weit von Berlin – begann das dramatische Geschehen) aus dem Jahre 1939, »Auf Wiedersehen, Franziska«. Der Spielfilm wendete sich »fast so ausschließlich dem unehelichen Kind« zu, »daß man meinen möchte, er betrachte die ehelichen als unrühmliche Ausnahmeerscheinung, die man besser verschweigt«, äußerte sich ironisch, zugleich aber richtungweisend, Dr. Fritz Hippler.[71] In die Kriegslandschaft paßten die Geschichten mit den unehelichen Kindern weniger. Diese Themen wurden auch nicht mehr gefördert. Die Verfilmungen »Der Meineidbauer« (1941) und »Der Engel mit dem Saitenspiel« gehörten zu den wenigen Ausnahmen.

Das geordnete Familienleben, ohne Ehebruch – bei der durch den Krieg verursachten Trennung der Eheleute ein Problem von Rang – erhielt jetzt als Thema grünes Licht. Freilich gab es solche Filme auch früher. Ihren Mann wirklich betrügen, das kann ja keine Frau, betonte die nett gespielte, belustigende Komödie »Lauter Lügen« (1938). Und schon früher noch gelang es in den Filmehen meistens der Frau, ihren seitensprungfreudigen Mann zur ehelichen Treue zu bekehren. Hier nicht zu vergessen: die Lebensform des deutschen Volkes war durch das Bestehen von 20,937 Mio Familienhaushalten gekennzeichnet, wie die Volks- und Berufszählung im Jahre 1939 bestätigte. Nur 3 % der Bevölkerung lebten alleinstehend und 4,2 % in Anstaltshaushaltungen.

Um das Eheglück kämpften (mit amerikanischen Texten) die Filme »Der Mustergatte« (1937), ein Riesenerfolg Heinz Rühmanns, der für seine Rolle sogar in Venedig eine Medaille erhielt (1938), und sein Pendant, »Unsere kleine Frau«, dessen literarische Vorlage von dem Verfasser des »Mustergatten«, A. Hopwood, stammte. Die »Mustergattin« in diesem Film, Käthe von Nagy, verursachte ein lustig-verzwicktes Durcheinander. Insgesamt aber war der Film eine vergnügliche Lektion für nachlässige Ehemänner und flirtende Ehefrauen (1938). In dem Lustspiel »Wer küßt Madeleine?« küßte natürlich die Titelheldin (Magda Schneider) ihren Mann (Albert Matterstock), wenn es zeitweise auch so aussah, als ob es noch andere Teilhaber an dieser beneidenswerten Tätigkeit gebe. Ernst Waldow und Herti Kirchner (zum letzten Male erschien die verunglückte Schauspielerin hier auf der Leinwand) waren das zweite Liebespaar. Viktor Janson (Regie) und Edgar Kahn (Buch) schufen das Werkchen, das bald vom Auge und Ohr des Zuschauers vergessen war. Es erntete auch eher mittelmäßig zu nennende Kritiken. Und da es mit Frankreich zu dieser Zeit nicht so gut stand, fragten bissig manche von den Betrachtern: Klingt »Madeleine« schöner als ein deutscher Mädchenname? (U: 24.8.1939). Adalbert Alexander Zinns Komödie um und für die gute Ehe, »Die gute Sieben«, wurde zum Erfolg im Frühjahr 1939, als man sie am Deutschen Theater in Berlin mit Elisabeth Flickenschildt, Theodor Loos und Marte Harell herausgebracht hatte. Ein Jahr später erlebte sie schon als ein Terra-Film ihre Premicre. Diesmal spielten die Hauptrollen Johannes Riemann, Käthe Haack und Carola Höhn unter der Regie Wolfgang Liebeneiners (U: 27.3.1940). Wer nach dem Titel »Weltrekord im Seitensprung« irgendwelche Pikanterien erwartete, war arg enttäuscht: Diese Komödie, eine Verfilmung des gleichnamigen Theaterstücks von Josef Geißler, machte ebenfalls Propaganda für eine anständige Ehe. Mit Else Elster in der Hauptrolle, und, da es sich um ein rheinisches

Lustspiel handelte, selbstverständlich mit Jupp Hussels und Ludwig Schmitz, dem »Seitenspringer«, ferner mit Lucie Englisch, dem Ziel des »Seitensprungs«. Georg Zoch gestaltete diesen Film (U: 30. 1. 1940 in Stuttgart). Wie in der von Ellen Fechner stammenden Originalvorlage, war der Titel eines Buches »Meine Frau Teresa« zugleich das Thema der Handlung eines gleichnamigen Films. A. M. Rabenalt drehte ihn bei der Tobis, die Romanautorin stand ihm zur Hilfe. Es war ein federleichtes Lustspiel, das mit einer an französische Filme erinnernde Spritzigkeit verfilmt wurde. Die Handlung erzählte von einem glücklichen Schriftstellerehepaar. Hans Söhnker und Elfie Mayerhofer konnten mit ihrem Spiel gefallen. Die Presse war wohlwollend, verfehlte (manchmal) aber nicht, auf die Anspruchslosigkeit des Films hinzuweisen. Nicht alle von den geistreichen Pointen und Dialogen wurden vom einfachen Zuschauer verstanden.[72] Im Ausland war der Film in geschäftlicher Beziehung ein Mißerfolg (U: 4. 12. 1942 in Prag; P : kw). Thematisch und als Filmgattung stand ihm »Sophienlund« nah, eine Geschichte, die rund um den ziemlich feudalen Schriftstellerbesitz Sophienlund spielte, mit Harry Liedtke und Käthe Haack. Deren Tochter, Hannelore Schroth, spielte mit. Auch dieser Film war nur für die Anspruchlosen ausreichend unterhaltsam, aber dennoch ein Publikumserfolg, der fast restlos Heinz Rühmanns Regie – so manche Kritiker – zu verdanken war. In den Kinos – in Deutschland und im Ausland – brach in regelmäßigen Intervallen spontanes Gelächter (1943) aus.

Auch andere große Persönlichkeiten der Darstellungskunst engagierte man für die Filme, die, ob Lustspiel oder seriöses Drama, ein Loblied auf die Familie als Lebensform sein sollten. Zu diesen Streifen gehörte u. a. der lange gedrehte, »herzerfrischende« Jannings-Film »Altes Herz wird wieder jung«, der vorübergehend während der Dreharbeiten sogar »Die liebe Familie« hieß. Erich Engel drehte ihn nach einem Drehbuch von Wassermann & Diller. Das zügige Tempo und die gute Fotografie (Fritz Arno Wagner) wurden von der Kritik besonders erwähnt. Jannings' Partnerin war Maria Landrock; es gab im Film auch eine weitere Reihe von bekannten Schauspielern, darunter, in den Opernpartien, Tiana Lemnitz und Max Lorenz. Durch die Ausmerzung der Badeszene wurde der Film für die Sparte »jugendfrei ab 14 Jahre« gewonnen (U: 2. 4. 1943; P:kbw). Eine Nachahmung jener amerikanischen Ehekomödien, in denen sich ein junges Paar während des ganzen Filmes munter streitet, um erst in den letzten Metern zur glücklichen Eintracht zu gelangen, war der E. W.

Emo-Film »Zwei glückliche Menschen« mit Magda Schneider und Wolf Albach-Retty. Diese »volkstümlich wertvolle« Produktion aus dem Jahre 1943 sprang in gröblich Schwankhaftes hinaus und litt an einem Mangel an Tempo und... Eleganz. (U: 15. 1. 1943 in Wien).

Filme, die die propagandistisch gewünschte Linie überschritten, wurden bemängelt – hier waren sowohl das Amt Rosenberg als auch, im Kriege, der SD sehr aktiv, aber auch nicht wenige »Volksgenossen« – manchmal auch von der Leinwand entfernt. Noch 1940 bemängelte der Sicherheitsdienst die Ausstattungsrevue »Eine Nacht im Mai«, die G. Jacoby noch 1938 bei der Ufa mit M. Rökk, V. Staal und K. Schönböck gedreht hatte (U: 14. 9. 1938 in Wiesbaden). Auch Walter Janssens Film »Leidenschaft« fand beim SD keinen Applaus. Hier waren Olga Tschechowa (Gräfin) und Hans Stüwe (Förster) das »auf unerlaubte Weise« zueinanderstrebende Paar. Der Film war übrigens sehr naiv und zeichnete sich nur durch die filmwirksame Spannung der Handlung und die schönen Aufnahmen von der Jagd aus (U: 21. 2. 1940).

»Filmehen.
(...) Filmehen scheinen überhaupt eine wenig haltbare Angelegenheit zu sein. Jedenfalls kommt man zu dieser Ansicht, wenn man die augenblicklich in den vier großen Filmtheatern Berlins laufenden Filme (»Nacht der Entscheidung«, »Blaufuchs«, »Das unsterbliche Herz«, »Der Schritt vom Wege«) gesehen hat. In allen vier Filmen kommt der Ehe im Handlungsverlauf eine entscheidende Rolle zu. Zweimal erleidet sie vollständig Schiffbruch, und zweimal ist sie nahe dabei. (...) Angesichts... ist wohl die Frage erlaubt: ›Filmehen, woher bezieht ihr eure Vorbilder?‹«
Quelle: NSMH, März 1939, S. 280.

Für den Kampf um eine harmonische, kinderreiche, und, was äußerst wichtig war, »rassisch-einwandfreie« Familie, den der Film im Dritten Reich ständig – mit wenigen »Seitensprüngen« führte, wurden auch die Filmamateure engagiert. Im Sommer 1938 stellte das Rassenpolitische Amt NSDAP dem Bund Deutscher Film-Amateure einen Wanderpreis – eine holzgeschnitzte Familiengruppe – zur Verfügung, der alljährlich dem Amateur zuerkannt werden sollte, der in seinem Film am besten folgende Gesichtspunkte herausstellt:
1. Wert der deutschen Sippe, 2. Freude an gesunden Kindern und 3. Glück und Wert einer großen Geschwistergemeinschaft. Diesen

Wanderpreis erhielt als erster Filmamateur (und einziger?) Hermann Rossmann aus Berlin für seinen Film »Vorher«.[73]

Um eine gesunde Familie

Die deutsche Zukunft erwartet nicht nur viele Kinder: sie erwartet nicht nur Quantität, sie erwartet Qualität, dies brachten unaufhörlich die Medien des NS-Staates den »Volksgenossen« in Erinnerung. Bildstreifen über die »Verhütung erbkranken Nachwuchses« gehörten der Sphäre des Kurzfilmes an und entstanden um 1936. Vielleicht der erste aus dieser Reihe war der schmalstumme Streifen der Reichsstelle für den Unterrichtsfilm »Sterilisation beim Manne durch Vasoresektion« (43 m). Der Film zeigte die Operation an den Hoden. Zu dieser Zeit brachte auch das Rassenpolitische Amt der NSDAP drei kürzere Filme heraus, die das Thema behandelten: »Abseits vom Wege«, »Erbkrank« und »Sünden der Väter«. Diese Filme wurden in geschlossenen Veranstaltungen den NS-Funktionären vorgeführt. Der erste Film für die breite Öffentlichkeit, der sich mit der Frage »Verhütung erbkranken Nachwuchses« befaßte und die Sterilisation von Erbkranken als »sittliches Gebot« und »natürliche Auslese« empfahl, wurde im März 1937 zensiert. »Opfer der Vergangenheit« (726 m; P:sw, vb) hieß das Auftragswerk der RPL, das Gernot Bock-Stieber (Regie und Co-Autor des Drehbuches) mit den Darstellern Kurt Mühlhardt, Trude Haefelin und Max Lohmann gestaltete. Der Film ging in die sämtlichen Kinos des Reiches in einer kurzen Fassung: Die Sequenzen, die die Sterilisation schilderten, wurden öffentlich nicht gezeigt. Die Pflege der geistig minderwertigen Kranken in einer Anstalt wurde vom Filmkommentar als »Raubbau an deutschem Volksvermögen« bezeichnet. Die »gesunden deutschen Volksgenossen« müssen auch für die Unterbringung jüdischer Geisteskranker arbeiten. Der Film bedeutete also eine fast unverhüllte Propaganda für das spätere Programm für den Euthanasie-Tod.

Von dem Euthanasie-Bevollmächtigten Karl Brandt wurde im Krieg der Spielfilm »Ich klage an« angeregt. Er sollte als Test für die öffentliche Meinung über die Frage der »Tötung auf Verlangen« dienen. »Das, was unter normalen Umständen ein wichtiges, im Film zu behandelndes soziales Problem hätte sein können, wurde im Dritten Reich zu einem niederträchtigen Alibi für die Handlungen seiner leitenden Leute.«[74] Heidemarie Hatheyer spielte in diesem Film die

Frau eines Arztes, die ein glückliches Leben vor sich zu haben schien, in der Blüte ihrer Jahre aber an einem unheilbaren Leiden erkrankte. Sie bat zwei Ärzte darum, sie von ihrem Leiden zu befreien: ihren Mann (Paul Hartmann), der ihr den »Tod auf Verlangen« endlich gab, und einen Freund (Mathias Wieman), der ihn ihr verweigerte. Das Drehbuch zu diesem Film schrieben Harald Bratt und Eberhard Frowein, nach Motiven des Romans »Sendung und Gewissen« des Schriftstellerarztes Hellmuth Unger. Norbert Schultze untermalte diesen Streifen mit seiner Musik. Hauptproblem des Films lag im Widerstreit zwischen ärztlicher Erkenntnis und juristischen Vorschriften. Ob die Juristen das Verhalten des Mannes als strafbare »Tötung auf Verlangen« qualifizieren würden oder als strafbare »unterlassene Hilfeleistung«, war nicht wichtig. Und es war nicht Aufgabe des Films, hier eine Entscheidung zu treffen. In geschickter Form überließ der Film dem Zuschauer die Urteilsfindung und zwang ihn zu eigener Stellungnahme, – eigener – mit starkem Vorbehalt, da eine Stellungnahme doch in der Filmfabel lag. (U: 29.8.1941; P:kbw, vb). Die Polizeimeldungen stellten fest, »daß der größte Teil der deutschen Bevölkerung der Tendenz des Films ›grundsätzlich, wenn auch mit manchen Vorbehalten, zustimmt‹, daß man schwerleidenden Menschen, für die es keine Heilung mehr gibt, auf einem durch Gesetze vorgezeichneten Wege einem rascheren Tod zuführen möge. (...) Die Stellungnahme der Kirche, sowohl der katholischen als auch der evangelischen ist meist völlig ablehnend. Wie berichtet wird, machen die katholischen Geistlichen durch Hausbesuche den Versuch, einzelne Volksgenossen vom Besuch des Films abzuhalten...«[75] Die Reklame und die Neugier bescherten aber dem Film volle Häuser in Deutschland.

»Ich klage an«
Eine Filmkritik aus der Schweiz
...»*Im Tobisfilm ›Ich klage an!‹ wird eine in der ganzen Welt, besonders aber im heutigen Deutschland brennende Frage (Erlaubtheit oder Verwerflichkeit der Euthanasie) aufgegriffen. Ist es erlaubt, einem unheilbaren Kranken das Leben abzukürzen, ihm gleichsam den Gnadentod zu geben? Die christliche Sittenlehre antwortet auf die Frage mit einem eindeutigen, kategorischen Nein. Wie sich die nationalistische Ideologie praktisch dazu stellt, darüber geben uns mehrere öffentliche, flammende Proteste katholischer Bischöfe klare Auskunft. So konnte es denn auch nicht anders sein, als daß dem Film ›Ich klage an‹*

die Aufgabe übertragen wurde, dem Volk die Erlaubtheit der Euthana-
sie (sic!) plausibel zu machen. Wir haben da einen Tendenzfilm ge-
fährlichster Sorte vor uns, den wir in seiner geistigen Haltung restlos
ablehnen und vor dem wir warnen. Umso gefährlicher, als er sich viel
weniger an den Verstand als an das Gefühl wendet. Auf höchst ge-
schickte Weise wird gegen das bestehende Gesetz Sturm gelaufen. Ge-
schickt ist die Auswahl des tragischen Falles und der Begleitumstände
sowie der Personen. Sogar ein sonst sympathischer, protestantischer
Pastor nimmt gefühlsmäßig für die Euthanasie Stellung, ein Arzt über-
windet seine anfänglichen Bedenken und stößt zu den Befürwortern,
während nur irgendwie altmodische, geistig wenig regsame Menschen
dagegen sind. Sogar der Herrgott wird in einer blasphemischen Szene
als Zeuge aufgerufen. Ein Film, den wir trotz seiner sauberen Form
und technisch-künstlerischen Vorzüge (Regie, schauspielerische Lei-
stung) ablehnen.«
Quelle: Der Filmberater, Luzern, Nr. 11a, November 1941.

Die Probleme der Euthanasie wurden nach »Ich klage an« vom NS-
Film nicht mehr berührt. Dagegen wurden die Probleme der Verer-
bung in dem Aufklärungsfilm um die durch das Erbbiologische Institut festgestellte Identität eines Kindes, »Wer gehört zu wem«, besprochen. Den Film gestaltete im Jahre 1944 (Buch und Regie) bei
der Bavaria Anton Kutter. Über die Erblehre sprach auch der nicht
mehr zensierte kurze Farbfilm »Johann Gregor Mendel«.

Der Frau gebührt die Achtung der Nation

In den politisch akzentuierten Filmen – d. h. auch in den historischen,
wo, wenn es um die deutsche Geschichte ging, die pfälzische Prinzessin Liselotte eine seltene Ausnahme bildete – traten Frauen nicht oft
handelnd in den Vordergrund, sondern erschienen meist als Objekte
der Männer. Das entsprach den Grundgedanken des Nationalsozialismus.

Adolf Hitler auf dem Reichsparteitag 1934
»Das Wort von der Frauen-Emanzipation ist ein nur vom jüdischen
Intellekt erfundenes Wort, und der Inhalt ist von demselben Geist ge-
prägt. Die deutsche Frau brauchte sich in den wirklich guten Zeiten des
deutschen Lebens nie zu emanzipieren... Wenn man sagt, die Welt des

251

Mannes ist der Staat, die Welt des Mannes ist sein Ringen, die Einsatzbereitschaft für die Gemeinschaft, so könnte man vielleicht sagen, daß die Welt der Frau eine kleinere sei. Denn ihre Welt ist ihr Mann, ihre Familie, ihre Kinder und ihr Haus. Wo wäre aber die größere Welt, wenn niemand die kleine Welt betreuen wollte? ... Die große Welt baut sich auf dieser kleinen Welt auf! ... Was der Mann an Opfern bringt im Ringen seines Volkes, bringt die Frau an Opfern im Ringen um die Erhaltung dieses Volkes in den einzelnen Zellen. Was der Mann einsetzt an Heldenmut auf dem Schlachtfeld, setzt die Frau ein in ewig geduldiger Hingabe, in ewig geduldigem Leiden und Ertragen. Jedes Kind, das sie zur Welt bringt, ist eine Schlacht, die sie besteht für Sein oder Nichtsein ihres Volkes.«
Quelle: Reichstagung in Nürnberg 1934. Berlin 1934. S. 341 ff.

Die durchschnittliche deutsche Frau mußte auf Luxus und Genuß verzichten können, »und aus dem harten Leben, das unser Volk gezwungen ist zu leben, es fertig bringen, ein schönes Leben zu machen« (Gertrud Scholtz-Klink). Für die Medien, also auch für den Film, blieben diese Weisungen freilich nicht ohne Einfluß. Es galt, eine (möglichst) lockende »Verpackung« zu finden, denn der Film war ja schließlich auch eine Verkaufsware. So entstand, von der Politik beeinflußt, eine neue Stilart, an die sich der deutsche (durchschnittliche) Zuschauer so weit gewöhnt hatte, daß es noch nach dem Krieg Probleme gab: der ausländische Film, im Dritten Reich sehr rar, wirkte auf den größten Teil des deutschen Kinopublikums fremd, wenn nicht sogar abstoßend.

Das wechselnde politische Zeitgeschehen, die Kriegsvorbereitungen und danach der Krieg selbst bestimmten den Tenor der Aussprache. Immer häufiger mußte sich der Film direkt an die Frauen wenden.

Mutterliebe, Frauenliebe, Frauenleid

Von 1938 an wurde das »Ehrenkreuz der deutschen Mutter« (von einigen in aller Stille »Kaninchenorden« genannt) verliehen: Bronze für vier Kinder, Silber für sechs Kinder und für mehr als acht Kinder das »Ehrenkreuz der deutschen Mutter in Gold«. Der Film meldete sich zu Wort. Am 9. 9. 1939 schrieb der Film-Kurier: »Die Ufa bereitet einen Film unter dem Titel ›Das Ehrenkreuz‹ (Die Geschichte

31. Luise Ullrich und Karl Ludwig Diehl in »Annelie«

32. Paul Dahlke, Marianne Hoppe und Elisabeth Flickenschildt in
»Romanze in Moll«

einer Mutter) vor. Idee und Drehbuch stammen von Walter Wassermann und C. H. Diller.« Um dieses Filmvorhaben ist es danach still
geworden. Inzwischen arbeitete man an einem anderen Film, der den
deutschen Müttern ein Denkmal setzen sollte. Freilich war schon früher im NS-Kino das »Hohelied opferstarker Mutterliebe« im Preis,
jetzt ging es aber um den ersten »Großfilm« zu diesem Thema: »Mutterliebe« hieß er. Gustav Ucicky schuf ihn 1939 in Wien für die Ufa,
mit einem hervorragenden Mitarbeiterstab. Sein Drehbuchautor war
Gerhard Menzel, sein Komponist Willy Schmidt-Gentner. Es wirkten Darsteller mit, die zur Spitzengarde zählten: Käthe Dorsch
spielte, als Frau Pirlinger, eine Mutter, die ihren Mann durch einen
Blitzschlag früh verlor und sich und die vier Kinder mit ihrer Hände
Arbeit über Wasser hält, Paul Hörbiger trat als der stille, gütige No-
tar auf, Siegfried Breuer spielte einen gewissenlosen Don Juan. Wolf
Albach-Retty, Hans Holt, Rudolf Prack und Susi Nicoletti spielten
die vier Pirlinger-Kinder. Der Lebensbogen einer Mutter, weit gespannt, war der filmische Vorwurf, der durch die – so die Presseb-
richte – reife Leistung von Käthe Dorsch seine letzte Auswirkung
fand. Unbeirrt ging sie ihren Lebensweg, der sie vor immer neue Hindernisse stellte, aber sie wäre ja keine mustergültige Mutter, würde
sie nicht jede Aufgabe lösen. Ob an der Seite ihres Mannes, den sie in
den schönsten Jahren ihres Lebens verlor, oder ob dann nur für ihre
Kinder lebend, sich bis zur letzten Selbstaufgabe opfernd und fast
verzehrend im Ringen um den Alltag: immer war sie die große, gütige
Frau und Mutter. Und im Alter dann das stille Lächeln und das Wissen um das Erfülltsein ihres Lebens. Das Kinopublikum erlebte die
Gestaltung des Schicksals einer Mutter, das wirklichen Heroismus
atmete. »Meine schönste Filmrolle«, erklärte Käthe Dorsch den Be-
richterstattern. Auf die Wichtigkeit dieses Bildstreifens wies das
höchste Prädikat hin: »Staatspolitisch und künstlerisch besonders
wertvoll«. Goebbels »orchestrierte« persönlich die publizistische
Kampagne für den Film (29. 12. 1939): Der beste in der Saison. »Der
Angriff« schrieb danach: »Es ist der schönste Film, den wir jemals
gesehen haben«. Nach der Wiener Uraufführung im Apollo-Theater
(19. 12. 1939) wurde der Film auf den gesamten NS-Kinomarkt gebracht. Das deutsche Kino hatte eine neue Attraktion. Werbung und
Neugier taten ihre Wirkung: Der Film bildete ein weitverbreitetes
Gesprächsthema. »Es handelt sich bei der dargestellten Familie um
keinen Normalfall deutschen Familienlebens, sondern um eine Familie mit fast schwererziehbaren Kindern«, war in einer Polizeimeldung

zum Thema dieser Gespräche zu lesen.[76] Für die Kriegspropaganda –
die Frage der alleinstehenden Frauen, deren Männer im Feld standen
– war der Film von größter Bedeutung. Als Monate nach der Premiere die Zeitschrift des NS-Lehrerbundes »Der deutsche Erzieher«
kritische Bemerkungen gegen den Film äußerte, reagierte Goebbels
scharf. »Mutterliebe« war als ein Propagandafilm für die erste Zeit
des Krieges bestimmt. Bald hatte er allerdings seine »erzieherischen«
Werte verloren, oder genauer gesagt: bald wollte man von den »Müttern der Nation« etwas mehr verlangen.

Zu den bekanntesten Filmen aus der Reihe »Mütter der Nation«
gehörte die Schnulze »Annelie« (Geschichte eines Lebens) nach dem
gleichnamigen Bühnenstück von Walter Lieck (Der 9. Entfesselte).
Die »Volksbühne« (Theater am Horst Wessel-Platz in Berlin) zeigte
es dem Theaterpublikum zum erstenmal (16. 10. 1940). René Deltgen
betreute die zwölf Bilder, der Autor war auch unter den Mitwirkenden auf der Bühne zu sehen. Else Knott trat als Annelie auf, Joachim
Gottschalk spielte ihren braven Ehemann. Der Vorhang zeigte ein
großes Album mit der Jahreszahl 1863, dem Geburtsjahr Annelies.
Ihre Lebensgeschichte, die Geschichte eines Mädchen-, Frauen-,
Mutter- und Großmutterlebens wurde von der Stunde der Geburt bis
zum Tode der Fünfundsiebzigjährigen Blatt für Blatt umgeschlagen.
Für den Film schrieb Thea von Harbou, die Meisterin im Fach, ein
politisch tadelloses Drehbuch, Josef von Baky führte Regie, von
Georg Haentzschel stammte die Musik. Der Film zeigte das Leben
einer Frau (ein Zeitraum von 70 Jahren, von der Neujahrsnacht 1871,
dem Gründungsjahr des (2.) Deutschen Reiches (!), bis zum Jahre
1941), die den ersten Weltkrieg als Mutter überlebte, und während
des Zweiten – schon Großmutter geworden – ihre Söhne und ihren
Mann »mit einem kleinen von Tränen durchschimmerten Lächeln« –
so in den Betrachtungen – ins Feld schickte. Selbst dem Vaterland als
Schwester des Roten Kreuzes dienend, erlebte sie 1940 den Tod ihres
Mannes im Feldlazarett. Schauspielerisch war »Annelie« fast eine
Hitparade. Käthe Haack war die Mutter der Annelie, Werner
Krauss, ein Katasteramtsrat, ihr Vater. Es spielten Karl Ludwig
Diehl, der als Dr. Martin Laborius, der Annelie durch eine fast in
letzter Minute vorgenommene Operation dem Leben erhielt und sie
zu seiner Frau machte, und Eduard von Winterstein als ein resoluter
Sanitätsrat. Der filmische und handlungsmäßige Mittelpunkt dieses
Films war freilich die Titelheldin, von Luise Ullrich gespielt, die in
Venedig den Copa Volpi für die beste schauspielerische Leistung er-

hielt. Das Filmwerk stimulierte zu Tränen, war aber in der Aussage – anders war es nicht zu erwarten – nicht pessimistisch. Er erhielt die höchsten Prädikate: »Staatspolitisch und künstlerisch besonders wertvoll«, »Volkstümlich wertvoll« und hatte eine emphatische Kritik. Das Werk fand aber auch ein begeistertes Publikum und gehörte zu den erfolgreichsten Filmen der Kriegsjahre (U: 9.9.1941). In Luise Ullrichs Autobiographie ist von dem Film so viel wie beinahe nichts zu lesen.

»Annelie«
Eine Filmkritik aus der Schweiz
»Ein wohlgelungenes Werk, das uns fesselt und ergreift, bis das Wort ›Ende‹ auf der Leinwand erscheint... Wenn es wahr ist, daß drei Elemente die Güte eines Filmes entscheidend bestimmen: ein gutes Drehbuch, eine geschickte Regie und die gute schauspielerische Leistung, so ist dieser Film gewiß beachtenswert. Denn Drehbuch und Regie sind geschickt, lebendig und feinsinnig, und auch die Darstellung steht weit über dem Durchschnitt... Wir freuen uns, diesen deutschen Film ohne jeden Vorbehalt empfehlen zu dürfen.«
Quelle: Der Filmberater, Luzern, Nr. 10, Oktober 1941.

Verschiedene Varianten der Mutterliebe, der Opferbereitschaft und des stillen Heldentums der Frauen traten in anderen Spielfilmen dieser Ära auf. So half in der Terra-Produktion »Die Kellnerin Anna« die Mutter unerkannt ihrem in fremdem Hause aufgewachsenen Sohne, nahm für ihn den Verdacht der Unterschlagung auf sich und verschwand still, als sich die Wolken lichteten und der Adoptivvater (Otto Wernicke) bereit war, sie von ihrem Gelöbnis zu entbinden, sich nie dem Sohne (Hermann Brix) zu entdecken. Franziska Kinz spielte die Mutter, und es gelang ihr, mindestens zum Teil, die Rolle vom Kitschig-Sentimentalen fernzuhalten. Die Atelieraufnahmen entstanden in Prag (Hostivar), sonst spielte die Handlung in ihren wesentlichen Teilen in Salzburg. Von den Möglichkeiten, die gerade diese schöne Stadt als Filmrahmen hätte bieten können, machte der Regisseur Peter Paul Brauer kaum Gebrauch (U: 20.10.1941 in München; P: vw). Diese Welle von Filmen, die die Opferbereitschaft und das Heldentum der Frauen und Mütter priesen, umfaßte die ganze Kriegszeit. 1944 kam auf die Leinwand Günther Rittaus Film der Tobis »Meine vier Jungens«, auch ein Hohelied auf die deutsche Mutter, die für das Glück ihrer Kinder kämpfen mußte. Das Dreh-

33. *Hans Söhnker und Marianne Hoppe in* »Auf Wiedersehen, Franziska«

34. *Joachim Gottschalk und Paula Wessely in*
»Ein Leben lang«

buch, mit einem norddeutschen Fischerdorf und Seemannsmilieu im Hintergrund der Handlung, schrieb Erich Ebermayer, Käthe Haack war die Filmheldin. Der Streifen zeigte auch Bilder von der Altstadt in Danzig. (U: 21. 4. 1944; P: vw).

In den Filmproduktionen, in denen die Frauenliebe zusammen mit Opferbereitschaft besonders stark in Erscheinung trat, bildeten die Paula-Wessely-Filme ein Kapitel für sich. Sie entsprachen dem Geschmack des durchschnittlichen (deutschen) Zuschauers, dienten aber zugleich (fast) unauffällig den Steuerungsbedürfnissen – »Heimkehr«, wo es um eine unverhüllte Haßpropaganda ging, allerdings ausgenommen. Im April 1940 begann Gustav Ucicky, als einen »Großfilm« »Ein Leben lang« (zunächst unter dem Titel »Tschapperl«) zu drehen. Die Geschichte einer großen Liebe, die über zwölf schwere Jahre alle Widerstände durch die gläubige Kraft eines tapferen Frauenherzens überwand, schrieb Gerhard Menzel. Paula Wessely wartete, als das Mädchen aus den Bergen, mit fanatischem Glauben auf die endliche Rückkehr des Vaters ihres Sohnes (Joachim Gottschalk), der sie bald nach der Erfüllung ihrer Liebe, ohne etwas zu fragen, verlassen hatte. Gustav Waldaus und Theodor Dannegers markante Köpfe bildeten in erster Linie den Hintergrund zu dem Spiel um die zwei (U: 9. 10. 1940 in Wien; P: kw). Eine Frau muß treu und geduldig auf ihren Mann warten, das war die einfache Lehre dieses Streifens.

Verschiedene Reprisen – um »Frauenliebe-Frauenleid« mit M. Schneider aus dem Jahre 1937 zu erwähnen oder die italienischen Produktionen (»Mutter«) – unterstützten diese Steuerungsaktion.

Helmut Käutner, der in seinen Filmen gern verschiedene Typen von Frauen schilderte, wurde auch in diese Aktion eingespannt. Im Oktober 1940 (also in der Zeit, als viele Menschen dachten, daß der Krieg bald zu Ende sein würde) drehte er die Außenaufnahmen in Burghausen a. d. Salzach zu einem Film, der an das Zeitgeschehen angepaßt war. In der Abschiedsszene auf dem Bahnhof rief der Filmheld, der Kamera-Reporter Michael Raisiger (Hans Söhnker), seiner Frau Franziska »Auf Wiedersehen« zu. So auch hieß der Film: »Auf Wiedersehen, Franziska«. Das »Musterbild eines modernen deutschen Mädchens«, »eine Künstlerin von fast männlicher herber Art, die Staatsschauspielerin vom Staatlichen Schauspielhaus in Berlin, Marianne Hoppe, gestaltete mit reifer Kunst die tapfere, durch den Beruf ihres Gatten geopferte Franziska«, war in einer Kritik aus der Schweiz zu lesen.[77] Das Zusammenleben mit einem Mann, einem Reporter, der im Jahr nur wenige Stunden daheim war, der in der ganzen Welt hinter Sensationen herjagte, war mehr, als Franziska ertragen konnte. Diese Partnerschaft war am Zerbrechen. Aber als in Europa der Krieg begann, zeigte Franziska – jetzt schon ihrem Mann – »den Weg, den er zu gehen hat, und gab ihn ohne Klage wieder her, denn sie wußte, daß er einmal auch für sie draußen ist und für sie kämpft«, war in den Betrachtungen – diesmal deutschen – zu lesen. Der Regisseur schrieb das Drehbuch mit Curt J. Braun zusammen, Michael Jary gab eine interessante musikalische Untermalung. Dieser Terra-Film war zugleich eine Verbeugung vor den Propaganda-Kompanien, denn zu den PK schickte Franziska ihren Mann (U: 24. 4. 1941 in München: P: kw).

Anders dagegen, als ob nicht inmitten des Krieges gedreht, wirkte Käutners Ehe- und Liebesdrama, ebenfalls mit Marianne Hoppe, diesmal aber mit Stimmung und Atmosphäre des ausgehenden vorigen Jahrhunderts, »Romanze in Moll«. Eine Spitzenarbeit des Regisseurs, der auch, zusammen mit Willy Clever, nach guten, alten französischen Vorbildern (oder auch deutschen, um an Paul Czinners »Nju« aus dem Jahre 1924 mit Elisabeth Bergner, Emil Jannings und Conrad Veidt zu erinnern) das Drehbuch (22 000 RM) schuf. Die Fabel dieses Films war also nicht neu. Es begann in einer trostlosen Nacht in der Enge einer kleinbürgerlichen Hinterhauswohnung, geschildert in Bildern von zwingender Atmosphäre. Ein vom Stammtisch heimkehrender braver Buchhalter (Paul Dahlke) fand seine schöne, junge Frau – mit einem Mona-Lisa-Lächeln auf den Lippen – vergiftet vor. Gleichsam in einem Roman nach rückwärts blätternd, erlebte man dann ihre Tragödie. Madeleine (nicht etwa Grethe, oder Käthe, was hier wichtig war) wurde von einer großen Leidenschaft zu einem weltmännischen Künstler, dem Komponisten Michael (Ferdinand Marian), erfaßt. Von Anfang an lastete auf ihrem Liebeserleben der Druck des Abschiednehmenmüssens. Madeleine sah sich in die Entscheidung gedrängt: zwischen der großen Liebe und der Verpflichtung ihrem Gatten (einem gutmütig banalen, seine Frau wahrhaft liebenden und ihr blind vertrauenden Kleinbürger) gegenüber. Als ihr Entschluß, freiwillig ihrer Liebe zu entsagen, von einem Dritten (Siegfried Breuer) erpresserisch desavouiert wird, zerbrach ihr Leben. Exzellente darstellerische Leistung bot Marianne Hoppe als Madeleine, dennoch konnte man sich fast wundern, so erwähnten die deutschen Filmkritiken, insbesondere nach dem »Franziska«-Film, daß eine so beherzte und be-

259

herrschte Frau auf diesen Typ des Verführers hereinfiel. Sehr gut spielte Paul Dahlke, auch Ferdinand Marian; Siegfried Breuers Erpresser war dagegen eine etwas zu schablonenhafte Gestalt. Auch der Regisseur Käutner war in einer Szene als »der Dichter« mitten im Spiel. Der Film erhielt, und mit guten Gründen, das Prädikat »Künstlerisch besonders wertvoll«. Manche fanden, von ihm strahle eine starke, magische Kraft aus (U: 25. 6. 1943).

Die »große Liebe« der Madeleine machte beim Publikum in Deutschland keine allzu große Karriere (damals, 1943, durfte man sich darüber nicht wundern), gefiel dafür aber mehr im Ausland. Mindestens bei der Filmkritik. Die deutschen Zeitungen berichteten im Sommer 1944 mit Zufriedenheit: Siebzehn der maßgebenden schwedischen Filmkritiker, die den verschiedenen politischen Richtungen angehörten, haben ihr Urteil abgegeben, welche einheimischen und ausländischen Filme als die besten der Saison 1943/44 anzusehen wären. Am besten schnitt bei dieser Abstimmung »Romanze in Moll« ab. Der Film erhielt 111 Punkte, ein nächster in der Reihe, ein amerikanischer Streifen, nur 90 Punkte. Genauer gesagt: »Romanze in Moll« wurde ebenso wie der amerikanische Film »Manhattan« auf 14 von 17 Listen genannt, doch rangierte der deutsche Film innerhalb dieser Listen im allgemeinen vor »Manhattan«, was sich auch in der Zahl der Erstplacierungen ausdrückte, die bei »Romanze in Moll« vier, bei dem amerikanischen Film nur drei betrug. Trotz einer durchweg guten Kritik vermochte sich »Romanze« bei dem schweizerischen Publikum nicht durchzusetzen. »Das Thema war zu schwer, um dem Film zum verdienten Erfolg zu verhelfen«, »daneben möchten wir auch darauf aufmerksam machen, daß katholische Kreise solche Sujets bekämpfen«, meinte die deutsche Vertretung in der Schweiz.[78]

Auf »vergangene« Stilmittel, auf eine romantische Art, Liebe zu schildern, griff auch der Film »Späte Liebe« zurück. Gerhard Menzel (Buch) und Gustav Ucicky (Regie) waren hier die Schöpfer, Paula Wessely und Attila Hörbiger, als Haupthelden, die wichtigsten Interpreten. Wien und der Pariser Montmartre (einige französische Schauspieler wirkten im Film mit) um 1880 bildeten den Hintergrund der Handlung. Der Film hatte große Buchschwierigkeiten, die die Herstellung des Streifens verzögerten. Das fertige Drehbuch mußte nahezu umgeschrieben werden, da von dem Reichsdramaturgen Bedenken gegen den Freitod der Frau, sowie gegen den Ehebruch bestanden.[79] (U: 16. 2. 1943 in Wien; P: kw). Der Film, insbesondere die Darstellungskunst der Haupthelden, wurde zum Muster bei der Ausbildung von Nachwuchsschauspielern.

In der vielfältigen Produktion gab es natürlich mehrere Filme, die in mehr (das war selten) oder weniger (meistens) deutlichen Szenen die Themen unglücklicher, zerstörter, gebrochener Ehen streiften. Man scheute sich aber davor, eine Ehe im Film so darzustellen, wie sie der Ehescheidungsrichter in seiner Berufsarbeit sah. Die Themen der unglücklichen Ehen betrachteten die Filmgestalter stets mit großer Vorsichtigkeit. Und es ging nicht um etwaige Parallelen zu den zeitweiligen Eheproblemen des Reichspropagandaministers, wie manche Autoren noch heute behaupten möchten, sondern um die Bevölkerungspolitik des NS-Staates.

Berufsarbeit der Frauen

Die Entdeckung der Berufswelt für den Film geschah schon vor 1933, der Nationalsozialismus gab jedoch dem Arbeitsethos, der Hingabe an eine durch die berufliche Sendung gestellte Lebensaufgabe eine neue Prägung. Das Berufsleben gehörte – vor allem – dem Mann. Jahre hindurch – die Idee selbst entstand nicht erst im Jahre 1933 – hielt man es für selbstverständlich, daß die arbeitende Frau praktisch zur Ehelosigkeit verurteilt war, dagegen die Ehefrau ausschließlich ihrem Haushalt lebte. Bereits seit 1936 – die Überwindung der Weltwirtschaftskrise und die Gründung der Wehrmacht waren hier von besonderer Bedeutung – war im Reich die weibliche Berufstätigkeit auf fast allen Gebieten gefragt wie nie vorher und die immer umfangreicher werdende Verwendung fraulicher Kräfte, vor allem in den Produktionszweigen der Wirtschaft, unverkennbar. Und es ging nicht (meistens) um die billigeren Arbeitskräfte – diese Billigkeit war übrigens nicht selten eine rein theoretische – sondern es ging um die Arbeitskräfte überhaupt.[80] Nimmt man das Jahr 1932 als Grundlage zur Berechnung einer Indexzahl (1932 = 100), so ergibt sich in den nächsten Jahren folgende Entwicklung der weiblichen Beschäftigung: Mitte 1934 – 108,8, Mitte 1935 – 112,7, Mitte 1938 – 135,9, kurz vor Kriegsbeginn 149,6 und im Frühjahr 1940 mehr als 150. Auf die größtmögliche Leistungsfähigkeit des einzelnen angewiesen, führte der Staat die allgemeine Arbeitsdienstpflicht ein (1935), nicht nur für männliche sondern auch für weibliche Jugend. Der »Ehrendienst« beim RAD war nicht nur die »Schule der Arbeit«, sondern sollte zu

261

einer Entlastung im Arbeitseinsatz führen. 1938 wurde das »weibliche Pflichtjahr« eingeführt – eine mindestens einjährige Tätigkeit der ledigen weiblichen Jugend unter 25 Jahren in der Land- und Hauswirtschaft oder in der sozialen bzw. pflegerischen Arbeit. Der Kurzfilm beschäftigte sich gern mit diesen Themen, aber auch der Spielfilm, wie der erwähnte »Casanova heiratet«, hielt sich auf dem Laufenden.

Die Einberufung der wehrpflichtigen Männer verstärkte das Interesse der Wirtschaft an Frauenarbeit. Bedeutungsvoll war hier die Feststellung, daß die stärkste Zunahme innerhalb der deutschen Wirtschaft nicht auf den traditionellen Frauengebieten der Verbrauchsgüterindustrie erfolgte, sondern in der Produktionsgüterindustrie.

Nimmt man beim Vergleich der Zahlen 1938 und 1940 eine Indexzahl von 100 an als Grundzahl für die Stichzeit Mitte 1938, so hat die weibliche Arbeitstätigkeit prozentuell zugenommen in der
- *Berufsgruppe Chemiewerker*   67,0
- *Berufsgruppe Metallwerker und zugehörige Berufe*   59,1
- *Techniker*   56,7
- *Verkehrswerker*   51,1
- *Holzwerker und zugehörige Berufe*   35,2
- *Lederwerker und zugehörige Berufe*   28,9

Nach Kriegsausbruch mußten viele Frauen den Arbeitsplatz des Mannes einnehmen. Tausende wurden auch aus den nicht »lebenswichtigen« Berufen umgeschult für die kriegswichtigen Arbeiten und Tausende traten überhaupt zum erstenmal in die Berufsarbeit ein. Zu Anfang des Krieges gab es noch eine Anzahl berufsloser Frauen und Mädchen, die »abseits« standen. Der Film schaltete sich in diese neue Propagandaaktion ein: mit Spielfilmen oder mit kurzen »Arbeitseinsatz«-Filmen. Seine »Erziehungsarbeit« begann er noch vor dem Kriegsausbruch. Der heitere Unterhaltungsfilm »Frau am Steuer«, der auf optimistische Art und Weise das Thema »Frauenberuf und Ehe« behandelte, hatte bald nach seiner Entstehung (1939) die Eigenschaften einer »Bildungsetüde« verloren. Die Frage: Kann eine Ehefrau gleichzeitig einen Beruf ausüben? – erhielt eine eindeutig bejahende Antwort. Gegen die Frauen, deren Tagewerk mit der Massage beginnt und mit der Bridgepartie oder dem großen Abendkleid mit Cocktail und Barflirt endet, wandte sich das ironische Filmgeschichtchen »Fräulein«, nach Motiven des Romans von Paul Enderling. Das verwöhnte Püppchen war im Film Mady Rahl, das leuchtende Vorbild dagegen stellte Ilse Werner dar. Übrigens gestaltete hier die begabte Schauspielerin ihre erste große Filmrolle mit reizender Mädchenhaftigkeit. Ihr zur Seite stand Erik Frey, ein neues Filmgesicht. (Regie Erich Waschneck; U: 20. 7. 1939; P: kw).

Nach Kriegsausbruch wurde die Filmpropaganda für die Frauenarbeit weniger subtil. »Barbara« hieß ein Kurzfilm mit Spielhandlung, der für den Arbeitseinsatz der Frauen agierte und der 1939/40 im Auftrage der RPL entstand. Die Handlung zeigte eine Frau (Lotte Werkmeister), deren Mann (Paul Klinger) an die Front kam, und die, nach vorheriger Unzufriedenheit, endlich glücklich eine Stellung bei der Bahn annahm. Es war wohl zu grobschlächtige Propaganda: Der Streifen wurde nicht zensiert. Es kam aber eine ganze Reihe von Filmen, in denen die Frauenarbeit gezeigt oder sogar gepriesen wurde, die gleichzeitig den Charakter eines Unterhaltungsfilms trugen. Die Filme wiesen dabei die Schwierigkeiten auf, die die Vereinigung von Beruf und Ehe sowohl für die Frau als auch für den Mann mit sich brachten.

Fast jeder (vom Verfasser geprüfte) Spielfilm der Kriegszeit, auch aus der Sparte der sogenannten reinen Unterhaltung, war mindestens ein Loblied auf die gute Arbeit, wenn er nicht auf die Hervorhebung des Heldentums oder Opferbereitschaft eingestellt war. In den ersten Jahren des Krieges zeigte der Film gern, was auch den Bedürfnissen entsprach, die Berufsarbeit der Mädel, die noch vor der Heirat standen.

Für die Arbeit auf dem Lande warb der Kurzfilm mit Spielhandlung »Zwei Mädel finden ihren Weg«. Der Film zeigte die jungen Mädchen aus »besseren« Kreisen – das eine war Marina von Ditmar – die ihr Glück fast problemlos in der Arbeit im Dorfmilieu fanden (Z: 28. 3. 1940). Das berufstätige Mädchen »unserer Tage« zeigte dagegen der abendfüllende Gerhard-Lamprecht-Film der Ufa »Mädchen im Vorzimmer«. In ernsten und heiteren Episoden schilderte dieser Film das Schicksal einer »voll und ganz vollkommenen Sekretärin«, von Magda Schneider dargestellt. Es war ein Film, der zwischen Schein und Wirklichkeit pendelte, mit einen unkonventionellen Milieu: Beate, die Sekretärin, arbeitete nämlich in einem großen Verlag, wenn auch von der eigentlichen Arbeit dieses Instituts nur wenig in Erscheinung treten konnte. Als Gegenspieler Magda Schneiders traten Heinz Engelmann und Richard Häußler auf, Hans Leibelt spielte den vertrauenswürdigen Verleger. Eine seiner besten Rollen spielte Rudolf Platte in diesem Film (U: 31.5.1940 in Frankfurt/M). Eine ganz andere »Verpackung« gab der Tobis-Film »Das andere ich« einem ähnlichen Thema. Nach einem (gelungenen) Drehbuch von Heinrich Spoerl drehte ihn Wolfgang Liebeneiner. Die komödienhaft gestaltete Handlung zeigte diesmal eine große Fabrik, und die Rolle eines tapferen, arbeitenden Mädchens spielte Hilde Krahl. Der gut gemeinte und gut gemachte Film mit seinen unaufdringlichen »erzieherischen« Tendenzen besaß Unterhaltungswert. Das Publikum schenkte diesem Lustspiel nicht geringes Interesse (U: 21.11.1941; P: kw).

»Das andere ich«
Eine Filmkritik aus der Schweiz
»Eine junge Zeichnerin aus der Metallindustrie (Hilde Krahl) möchte sich verbessern und kommt deshalb nach Berlin. Da sucht sie sich zuerst einmal ein Zimmer, dann geht es auf die Stellensuche. In einer Lokomotivfabrik sind gleich deren zwei frei: die eine drunten im dunkeln Büro eines Werkmeisters in der lärmigen Schmiedehalle, aber in Nachtschicht, und die zweite tagsüber im hellen und stillen Zeichensaal. Da sie sich nun für keine von beiden entscheiden kann, versucht sie es vorerst einmal mit beiden. Aber die verschiedenen Umgebungen bringen auch verschiedene Seiten ihres Charakters zum Vorschein, und dies ›Doppelleben‹ scheint ihr zu gefallen, besonders als ihr Chef (Mathias Wieman, der heimlich der Sohn des Prinzipals ist) sich um die stillere und bewußtere von beiden drunten im Werk zu interessieren beginnt, und ihr an einem Belegschaftsabend auch näherkommt. Ein gemeinsames Wochenende auf einer einsamen kleinen Insel soll das übrige tun. Aber anstatt der sanften erscheint die lebendigere und weitaus weniger schamvolle ›Schwester‹ zum Rendezvous und führt den guten Liebhaber nach allen Regeln weiblicher Kunst in Versuchung. Der Autor Heinrich Spoerl hat diese an sich recht wahrscheinliche Geschichte gerade mit so viel Charme erzählt, daß wir sie ihm noch gerne glauben. Und der junge Regisseur W. Liebeneiner hat eine Fülle von Milieudetails, Bildeinfällen und darstellerischen Pointen mit bemerkenswertem Geschick verwertet. (...)
Quelle: Der Filmberater, Luzern, Nr. 8, Juli 1942.

Jenny Jugo spielte in »Unser Fräulein Doktor« (1940) die Rolle einer Kinderärztin, mit hübschen Kinderszenen. Diesmal befriedigte

Jenny Jugos Spiel nicht ganz, und der Film wirkte wenig überzeugend. »Frau im Talar« hieß ein Vorhaben der Berlin-Film. Der Regisseur (F. P. Buch), der Kameramann (K. Hoffmann) und sogar der Drehbeginn (Juni 1943) standen bereits fest. Der Film wurde letztlich nicht gedreht.

Die ständig wachsenden Schwierigkeiten auf dem Arbeitsmarkt fanden entsprechenden Widerhall in den Filmproduktionen: In einer Anpassung von Spielfilmen an die Kriegslage, hier aber subtil, da der Spielfilm seine unterhaltende Rolle nicht verlieren sollte. Dagegen trat das Problem ganz stark in zahlreichen Kurzfilmen in den Vordergrund, vor allem in solchen Streifen, die auf den jugendlichen Zuschauer gezielt waren. Nicht wenige von ihnen wandten ihre Aufmerksamkeit den Kriegerwitwen auf dem Lande oder den Bauernfamilien zu, deren männliche Angehörige an der Front standen. Die Jugend wurde zur Hilfeleistung verpflichtet. Hilfe leistete hier auch die NSV, und es wurden auch Filme zu diesem Thema gedreht. Den NSV-Helferinnen auf dem Lande war der Tobis-Film »Mutter des Dorfes) (500 m) gewidmet.[81] Die aufopferungsvolle Arbeit einer NS-Gemeindeschwester zeigte der Ufa-Film »Aus dem Tagebuch einer Gemeindeschwester«, 1944 auf den Inseln vor der schleswig-holsteinischen Küste gedreht.[82] Es ging aber auch darum, die vorbildlich arbeitenden Bauersfrauen im Film zu loben. Den ländlichen Tagesablauf einer Bäuerin in Norddeutschland schilderte der Ufa-Film aus dem Jahre 1942 »Die Herrin des Hofes« (337 m; P: vb). Die Hauptrolle spielte hier eine Schauspielerin vom Staatstheater Hamburg.[83] Mit diesem Thema beschäftigte sich auch der bei der Wien-Film gedrehte und im April 1944 zensierte Streifen »Hof ohne Mann« (415 m; P: vb, aw). Hier leitete die Bäuerin einen Hof und die Feldarbeit in den bayerischen Bergen.

Den arbeitenden Müttern von kleinen Kindern kam der Staat hilfreich entgegen. »Wenn Mutter schafft« aus dem Jahre 1941 (P: sw, vb) schilderte (sachlich) die Tätigkeit in einem Säuglings- und Kinder-Tagesheim der NSV. Filme anderer Art zeigten – in beruhigender Weise – das Leben in den KLV-Lagern. Noch am 15. 1. 1945 wurde »In sicherer Hut« zensiert, ein Bavaria-Film (480 m), in dem Albert Höcht (Regie und Kamera) den Tageslauf in einem NSV-Kindergarten schilderte. Der Kindergarten befand sich in einem ruhigen Dorf in Oberbayern mit schöner Winterlandschaft.

Für die Frauenarbeit in der Rüstungsindustrie warben »Volk im Krieg« (1942) und »Wir helfen siegen« (1943). Einen verstärkten

Einsatz von Frauen in der Industrie und im öffentlichen Dienst nach Goebbels' Aufruf zum »totalen Krieg« verlangte der Streifen »Es geht um den Sieg« (1943). Der Spielfilm griff zum letzten Mal das Thema der berufstätigen Frau in »Kamerad Hedwig« auf, mit Luise Ullrich, die diesmal eine tapfere und opferbereite Angestellte der Deutschen Reichsbahn verkörperte. Der zu Ende des Krieges gedrehte Streifen blieb unvollendet.

Die neuen Einrichtungen im Bereich der Sozialpolitik

Der braune Totalitarismus legte besonderen Wert auf die Propagierung seiner Errungenschaften im Bereich der sozialen Betreuung der »Volksgenossen«, da er nicht nur als »national«, sondern auch als »sozialistisch« gelten wollte. Der Film leistete hier seinen Hilfsdienst: Er beschäftigte sich mit diesen Problemen in Wochenschau-Berichten, Kultur- und Lehrfilmen. Der Spielfilm mußte sich freilich auch den Umständen anpassen. Eine riesige Zahl von Lehr- und Aufklärungsfilmen – meistens waren es Schmalfilme – stand der NS-Frauenschaft zur Verfügung. Eine lange Reihe von Kurzfilmen schilderte die hier schon erwähnte Arbeit der Nationalsozialistischen Volkswohlfahrt (NSV). 1932 gegründet, seit 1935 als angeschlossener Verband der NSDAP anerkannt, war die NSV zuständig »für alle Fragen nationalsozialistischer Wohlfahrtspflege und Fürsorge«. Formell unterstand ihr auch das »Winterhilfswerk«, das »Bekenntnis des deutschen Volkes zur Idee der Volksgemeinschaft durch Opfer und Tat«. Die Buchstaben »WHW« – nach September 1939 auch Kriegswinterhilfswerk genannt – wurden so wie z. B. das Hakenkreuz zu einem Symbol des NS-Systems. Das WHW war bald über seinen ursprünglichen Rahmen der Hilfe in Wintersnot hinausgewachsen. Außer den Wochenschauen stehen dem Forscher noch Filmberichte, vor allem über die WHW-Aktionen 1933/34 und 1934/35 zur Verfügung. Von besonderer Wichtigkeit war – auch für die Filmpropaganda – das Hilfswerk »Mutter und Kind«: Die Betreuung der werdenden Mutter und Müttererholung, die Kinderbetreuung durch die Säuglingsheime und Kinderkrippen, Kindertagesstätten, die Kinderheimverschikkung oder die Kinderlandverschickung. Das letztere Thema – erst in der Zeit der großen Bombenangriffe öfter behandelt – wurde 1937 in »Steppke« (P: sw, vb) berührt, einem von der RPL im Auftrage des Hauptamtes für Volkswohlfahrt hergestellten Streifen, der auch »geeignet als Lehrfilm« war. Der Film schilderte den Ferienaufenthalt eines Großstadtjungen an der Nordsee. Exponiert waren ferner die NSV-Schwesternstationen und die Tätigkeit der NSV-Jugendhilfe. Aus allen diesen Bereichen gab es verschiedene Kurzfilme bzw. Filmberichte. Über die »rein staatlichen« Einrichtungen berichtete der Film wenig, über die soziale Fürsorge der Privatanstalten bzw. kirchlichen Organisationen (hier mit der Ausnahme der bis zum Kriegsausbruch geduldeten Filme der kirchlichen Organisationen) war im Film so viel wie nichts zu sehen. Zum 10jährigen Bestehen der NS-Volkswohlfahrt erschien als ein Dokumentarfilm »Ein Volk hilft sich selbst« (1942). Eine thematische Ergänzung für die NSV-Aktionen bildeten Filme über die Tätigkeit des Deutschen Roten Kreuzes.[84]

Für die soziale Betreuung war ferner die NS-Gemeinschaft »Kraft durch Freude« (KdF) zuständig. Als ein Bestandteil der Deutschen Arbeitsfront (DAF) hatte sie die Aufgabe »die schaffenden deutschen Volksgenossen aller Stände und Berufe zusammenzufassen, um das deutsche Arbeitsleben einheitlich nationalsozialistisch zu gestalten.« Die »KdF« realisierte ihre Aufgaben durch ihre Ämter. So beschäftigte sich das Amt »Schönheit der Arbeit« mit der technischen und künstlerischen Gestaltung der Betriebe oder mit der Verschönerung des Dorfes. »Schönheit der Arbeit« hieß auch ein Werbefilm aus dem Jahre 1934. Noch 1940 wurde aus dieser Sparte der Streifen »Deutsche Arbeitsstätten« zensiert. Das Amt »Feierabend« steuerte die Gestaltung des Feierabends und der Freizeit. Die Förderung der Erwachsenenbildung übernahm das Amt »Deutsches Volksbildungswerk«, die sportliche Betreuung das »Sportamt« und die Organisation der Urlaubsmöglichkeiten das Amt »Reisen, Wandern, Urlaub«. Im Kriege lagen die Prioritäten bei der Wehrmachtbetreuung. Und ein großer Teil der vor 1939 gedrehten Filme verlor seinen »erzieherischen« bzw. propagandistischen Wert.

Vor Kriegsausbruch gehörten zu den propagandistisch wirksamsten Filmen die Streifen mit dem Thema Urlaubsreisen. Und hier war die Novität, der »Urlaub auf See«, bevorzugt. Für diese Reisen benötigte die DAF Schiffe, die sich für den Massentransport von Passagieren eignen würden. Bereits 1934 charterte sie für die »KdF«-Flotte die ersten Schiffe, und 1935 entstand der erste Film »Arbeiter heute«, der eine Urlaubsreise auf dem KdF-Schiff »Der Deutsche« schilderte. Bald kam die Idee auf, ein modernes, neues »KdF«-Schiff bauen zu lassen. Der »Führer« befahl, das 1936–1938 in Hamburg erbaute Repräsentationsschiff (für 1600 Fahrgäste und 420 Besatzung) nicht – wie vorgesehen – auf seinen Namen, sondern auf »Wilhelm Gustloff« zu taufen. Am 4. 2. 1936 hatte der Medizinstudent David Frankfurter den fanatischen Landesleiter der NSDAP in der Schweiz erschossen, dessen Name das Schiff führen sollte. Wilhelm Gustloff wurde zum Märtyrer der NS-Bewegung proklamiert. Die Werftarbeiten an dem Schiff »Wilhelm Gustloff«, von der Kiellegung bis zum Stappellauf, schilderte der Dokumentarfilm »Schiff 754« (398 m), den im Auftrage der Filmabteilung der DAF ein breites Kollektiv von Kameramännern schuf. Der Komponist Horst Hanns Sieber schrieb dazu im Rhythmus industrieller Arbeit eine gewaltige Symphonie (Z: 3. 12. 1938; P: sw, küw, vb).

Presse, Rundfunk, Theater und Wochenschau priesen die Erholungsreisen der »Schiffe der Freude«. August Hinrichs schrieb für die Bühne das Lustspiel »Petermann fährt nach Madeira«. Es lieferte den Stoff für den Spielfilm »Petermann ist dagegen« (U: 14. 1. 1938). Es handelte sich im Film um die »Bekehrung« eines verknöcherten Eigenbrötlers zum »Volksgenossen«. Buchhalter Petermann (Ernst Waldow) gewann bei einem Betriebsvergnügen eine »KdF«-Fahrt nach Norwegen. Er war gar nicht entzückt davon und sagte zu seinem Chef, daß er nur mitführe, wenn er die Reise als Dienstreise betrachten dürfe. Waldows Partnerin im Film war die unverwüstliche Fita Benkhoff, und als ein waschechter Berliner Chauffeur – es war seine letzte Rolle – trat Hugo Fischer-Köppe auf. Der Film inszenierte Frank Wysbar kurz vor seiner Umsiedlung nach Amerika.[85]

Im März 1939 begab sich das neuerbaute KdF-Flaggschiff »Robert Ley« (Howaldts-Werke in Hamburg) auf die Werftprobefahrt. Das »größte Elektroschiff der Welt«[86] besaß, »als einziges Schiff der Welt«, einen Theatersaal in zwei Etagen, der zugleich als Kinosaal diente. Während der Fahrt fand hier in Anwesenheit des »Führers« die inoffizielle Uraufführung des Wolfgang-Liebeneiner-Films »Der Florentiner Hut« statt. Die erste große Fahrt der »Robert Ley« fiel in die zweite Hälfte April 1939. Das Schiff begab sich, wie auch andere KdF-Schiffe, nach Spanien, um die »Legion Condor« zurückzuholen. Damals entstand auch die Idee, einen Propagandafilm der DAF über die – so sollte auch der Film heißen – »Friedensflotte« zu gestalten. DAF-Filmleute fuhren also mit, um in Spanien und Madeira Außenaufnahmen zu drehen. Die deutsche »Friedensflotte« umfaßte folgende Schiffe: »Der Deutsche«, »Oceana«, »Sierra Cordoba«, »Stuttgart«, »Wilhelm Gustloff« und »Robert Ley«. Die ersten Aufnahmen zu diesem Film stammten aus dem Jahre 1934. Damals übernahm die DAF in Bremerhaven das Lloydschiff »Sierra Morena«, das auf den Namen »Der Deutsche« umgetauft wurde.[87] Der neue Film sollte, obwohl er auch Aufnahmen von den Manövern der deutschen Kriegsflotte enthielt, »den deutschen Friedenswillen beweisen«, schrieb die Presse.[88] Gegen Ende August 1939 unternahm die »Wilhelm Gustloff« ihre letzte Norwegen-Fahrt. Zu dieser Zeit lief noch in den deutschen Kinos »Schiff ohne Klassen« (607 m; Z: 29. 8. 1938), ein Berichtsfilm von einer Fahrt der »Gustloff« nach Madeira mit Szenen vom Leben an Bord. Bald wurden aber sowohl die Norwegen-Fahrt als auch die Vorführung dieses Films abgebrochen. Die »Wilhelm Gustloff« wurde ein Soldatenschiff, später ein Lazarettschiff und gegen Ende des Krieges ein Flüchtlingsschiff.[89]

In verlockend schönen Bildern – so die Pressestimmen über die Kameraarbeit Karl Ludwig Ruppels – schilderte ein anderer Film der DAF, »Italienische Urlaubsfahrt« (368 m), eine der KdF-Fahrten nach Italien auf Grund eines deutsch-italienischen Reiseaustauschabkommens. Diese KdF-Schiffs-Reise führte über Genua, Neapel, Capri, Pompeji, Palermo und Korfu nach Venedig. Der Film hob besonders stark die herzliche Begrüßung der Reisenden durch die italienische Bevölkerung hervor.[90] Außer diesen Auslandsfahrten mit den KdF-Schiffen wurden sogenannte KdF-Austauschzüge nach Italien organisiert, mit je 400 Teilnehmern. Entsprechende Vereinbarungen gab es auch mit Frankreich. Anläßlich der ersten KdF-Reise nach Frankreich entstand ein Kulturfilm über die Schlösser an der Loire: »Im Garten Frankreichs«. Von den Franzosen Louis Cuny und Jacques Lemare geschaffen, mit Musik von Henri Casadesus, erhielt der Film bei der Ufa (Herstellungsgruppe N. Kaufmann) eine deutsche Fassung, mit Wilhelm Ehlers als Sprecher (1939; P: vb).

In den Spielfilmen wurden vor allem die inländischen Urlaubsreisen geschildert. Auffallend oft zeigte man das Alpengebiet als Ziel des Ferienaufenthaltes. 1938 drehte man auch einen Film, wo eine Fabrik-Belegschaft schöne Tage in den Bayrischen Bergen dank der sozialen Einrichtungen des NS-Staates verbringen konnte. Curt J. Braun (Buch) und Fritz Kirchoff schufen den Film »Drei wunderschöne Tage« bei der Bavaria, mit den Lieblingen des bayerischen Publikums G. Waldau. G. Falckenberg, J. Eichheim, E. Aulinger und den Regensburger Domspatzen (U: 27. 1. 1939).

Einen heimatlichen Winterurlaub von Arbeitern schilderte ferner der KdF-Kurzfilm »Urlaubsfreuden« (1936).

Die Kriegszeit war keine günstige Zeit für Urlaubsreisen. Der totale Kriegseinsatz führte sogar die Urlaubssperre ein. Der Film mußte sich mit seinen Urlaubs-Themen an die neue Wirklichkeit anpassen. Die übrigen sozialen Leistungen verloren allmählich ihren Glanz. Seit dem Beginn des Bombenkrieges gewannen die Themen über Kinderbetreuung an Bedeutung.[91] Immer mehr mußten die Filmberichte größere Aufmerksamkeit auf die Problematik der Bombengeschädigten und die Evakuierung der Menschen aus den luftgefährdeten Gebieten wenden.[92] Der Kurzfilm, und noch mehr der Spielfilm, legte sich aber hier eine große Zurückhaltung auf. Für Wehklagen war im Film kein Platz.

1944 entstand bei der Wien-Film der im Auftrage der RPL gedrehte Filmbericht – mit Aufnahmen in Wien und der Wachau – über die ärztliche und berufliche Betreuung der Kriegsversehrten. Der Filmtitel wurde einem »Das Reich«-Aufsatz aus dem Jahre 1943 entnommen: »Der Wille zum Leben« (Der Arbeitstitel, auch aus dem »Reich«, hieß »Das Leben geht weiter«). Dieser Streifen formte den Leidensweg zu einer Hymne auf das Leben. Er zeigte den Kriegsversehrten, welche Leistungen sie trotz schwerster Gliedmaßenverletzung vollbringen könnten. Der Film wurde am 30. 7. 1944 im Berliner Marmorhaus uraufgeführt und danach in den Lazaretten gezeigt.[93] Im Herbst 1944 schuf man eine zweite, kürzere Fassung (470 m), die zur Vorführung als Beiprogramm der öffentlichen Filmtheater geeignet war.

Stabsleiter Hadamowsky an Dr. h. c. Winkler
»Während die Kriegsversehrten in der Sowjet-Union einfach verkommen und in den westlichen Demokratien ein kümmerliches Betteldasein von den Mitleidsgroschen der Plutokraten führen müssen, hat sich das nationalsozialistische Deutschland unter Leitung hervorragender Ärzte und Psychologen darum bemüht, sogar die nach allgemeinen Begriffen Schwerverletzten nicht zu einem sie selbst unbefriedigt lassenden Rentnerdasein zu verdammen, sondern ihnen die Möglichkeit neuer Einarbeitung in das Berufsleben... wiederzugeben.«
Quelle: BA, R 109 III, Vorl. 11; Schreiben v. 25. 7. 1944.

»Die Bauten der Nation«

Noch 1933 waren die Verwaltung der Reichsautobahnen und die übrigen Straßenverwaltungen fast die einzigen neuen, großen Auftraggeber für die deutsche Bauindustrie. In den folgenden Jahren – bis zu dem »Baustopp« Albert Speers am Anfang des Krieges, der die nicht »kriegswichtigen« Bauten im Reich umfaßte – rückten andere Auftraggeber ein. Zunächst kam die NSDAP mit den »Bauten des Führers« in München als der »Hauptstadt der Bewegung« und den gigantischen Anlagen im Gelände der Reichsparteitage in Nürnberg. Als großer Auftraggeber folgte die DAF. Die deutschen Großstädte Berlin, München, später auch Hamburg und andere Gaustädte, schlossen sich an. Zu den größten Auftraggebern gehörte die Deutsche Reichsbahn (u. a. begann sie in München mit dem Bau der U-Bahn), die Wasserstraßenverwaltung, der »Vierjahresplan« (Fabriken und Wohnbau), seit 1935 die Wehrmacht, schließlich der Staat mit großen Repräsentationsgebäuden und weiteren Neugestaltungsplänen. Der Film beschäftigte sich oft mit diesen Themen: Obligatorisch die Wochenschau, sachlich, zugleich mit Emotionen. Man schuf auch eine nicht geringe Zahl von Dokumentarfilmen. Die größte Aufmerksamkeit war dem Bau der Reichsautobahnen gewidmet: übrigens auch von anderen Massen-Medien des NS-Staates.

Die Reichsautobahn (RAB) im Film

Die Propaganda des NS-Staates suchte, übrigens nicht ohne Erfolg, »die Legende zu verbreiten, daß ›der Führer‹ die Autobahnen nicht nur gebaut, sondern auch ›erfunden‹ habe«.[94] Obwohl das neue Reichsautobahnnetz von vornherein auch der nationalen Erstärkung (Wehrhaftmachung) dienen sollte, legte man den Akzent vor allem auf zivile Absichten. Der ökonomische und sozialpolitische Effekt des am 23. 9. 1933 begonnenen Autobahnbaus lag in der Arbeitsbeschaffung. Im Rahmen des »Großangriffes gegen die Arbeitslosigkeit« (so lautete die Parole) wollte man zunächst rund 600 000 Personen und damit etwa 10 % der registrierten Arbeitslosen bei dem Autobahnbau beschäftigen.[95] Die organisatorischen Schwierigkeiten (Unterbringung und Versorgung des Personals), nicht zuletzt aber auch Mängel in der technischen Leitung, blieben nicht ohne Wirkung: Die Zahl der wirklich Beschäftigten lag wesentlich niedriger. Natürlich empfahl es sich, diesen trotz alledem nicht geringen Beitrag zur Verminderung der Arbeitslosigkeit möglichst werbewirksam anzusetzen. Vor allem durch die Presse, den Rundfunk, nicht zuletzt aber auch durch den Film. In weniger als 900 Arbeitstagen wurden 1000 Kilometer der »Straßen des Führers« fertiggestellt. Am

29. 9. 1936 weihte Hitler den 1000. fertiggestellten Kilometer der geplanten 7000 km Reichsautobahnen ein. Am 15. Dezember 1938 betrug die Gesamtlänge der RAB 3062 km.

Zunächst sind die vorhandenen RAB-Berichte der Wochenschau zu erwähnen:

1934 Ufa-Tonwoche Nr. 213. Stand des Autobahnbaues ein Jahr nach Baubeginn.

1935 Ufa-Tonwoche Nr. 252. Eröffnung des Straßenabschnitts München–Holzkirchen in Anwesenheit Hitlers.

Ufa-Tonwoche Nr. 346. Eröffnung des Streckenabschnitts Frankfurt–Darmstadt in Anwesenheit von Hitler, Goebbels, Todt u. a.

Deulington-Woche Nr. 207. Arbeiten an der RAB bei Bad Reichenhall.

1936 Deulington-Woche Nr. 248. Eröffnung der Teilstrecke Breslau–Triebau durch Hitler.

1937 Deulington-Woche Nr. 287. Eröffnung des Autobahnabschnittes Dresden–Merane durch Hitler; Bau der Strecke München–Salzig.

Ufa-Tonwoche Nr. 356. Übergabe eines Teilstückes der RAB bei Dresden durch Hitler.

Die RAB-Bau-Themen kamen in verschiedenen Dokumentarfilmen vor, wie z. B. in dem Streifen »Unser Führer« (1934), wo Hitler u. a. bei Beginn des RAB-Baues bei Frankfurt/Main anwesend war, oder in der Reihe »Echo der Heimat« (1937, Folge 6), wo auch Hitler bei Übergabe eines Teilstücks der RAB gezeigt wurde. Außerdem gab es die »eigentlichen« RAB-Filme.

Die ersten RAB-Filme – natürlich ging es um Kurzfilme – entstanden im Jahre 1935 im Auftrag der Reichsbahnfilmstelle. Es waren folgende Bildstreifen, alle mit dem Prädikat »volksbildend« honoriert: »Vom Wald zur Straßendecke« (394 m), »Der Kampf mit dem Moor« (342 m), der Werbefilm »Bahn frei« (468 m), der eine Fahrt zwischen Frankfurt/Main und Gießen schilderte[96], und »Die Mainbrücke bei Frankfurt (M)/Griesheim« (303 m), ein Film, der die 1934 entstandene erste Brücke der RAB zeigte. Ferner entstand damals ein Bildbericht von der Feier am 19. 5. 1935 »Eröffnung der ersten Reichsautobahnstrecke Frankfurt (M)–Darmstadt« (415 m). Er durfte nur in geschlossenen Veranstaltungen der DR und der RAB gezeigt werden.[97] Vom Bau der Autobahn-Strecke bei Merseburg berichtete der stumme Film »Vom Bau der Reichsautobahn« (1937).

Einige Filme besaßen einen besonderen Wert für Schulungszwecke. So der für die Reichsbahn-Filmstelle unter Mitarbeit des Deutschen Forschungsinstituts für Steine und Erden gedrehte und 1936 zensierte Lehrfilm »Steine geben Brot« (400 m; P: vb), der die Bauarbeiten am Beispiel einer Straßendecke erläuterte. Demselben Thema wurden 1937 zwei weitere Streifen gewidmet: »Die Schwarzdecke« (568 m) und »Die Betondecke« (537 m; P: vb), die auch als Lehrfilme von der Filmprüfstelle qualifiziert wurden.

Den Bau von RAB-Brücken schilderten weitere Streifen. So der in den Jahren 1936–1938 für die Reichsbahn-Filmstelle hergestellte »Vierhundert bauen eine Brücke« (421 m; P: sw, vb). Der Streifen, auch als »Lehrfilm« qualifiziert, zeigte den Bau der Brücke bei Hirschberg (Saale). Er erhielt auch eine französische Fassung: »Huit cent mains construisent un Pont«. Im Auftrag des Deutschen Stahlbauverbandes entstand 1936 bei der Ufa der »Lehrfilm« »Stählerne Brücken der Reichsautobahnen« (657 m) mit den Bildern von der Entstehung der Elbebrücke bei Dresden-Kemnitz (in 5 Monaten fertiggestellt), der Sulzachbrücke bei Denkendorf – RAB Stuttgart–Ulm (in 9 Monaten errichtet) und der Mangfallbrücke bei Darching–RAB München–Berchtesgaden. 1938 drehte die Ufa den Stummfilm »Die Havelbrücke« (250 m; P: vb). Bei der Kjellberg Elektroden und Maschinen GmbH entstand als Schmalstummfilm »Geschweißte Stabbogenbrücken« (260 m). Der Film »Bau der RAB-Triebtalbrücke« (Vogtland), der bei der Richter & Co 1937 als Schmalstummfilm (498 m) gedreht wurde, blieb unzensiert. Unzensiert blieb ebenfalls der Streifen »Die Abschließende Moorsprengung bei Saarmund« (60 m), der 1938 bei der Reichsbahn-Filmstelle entstand. Zensiert wurde dagegen der Streifen »Moorsprengungen« (651 m; P: vb), 1938 gedreht.

Auf ein breiteres Publikum zielten andere RAB-Kulturfilme. Die volkswirtschaftliche Bedeutung der Autobahnen unterstrich der Streifen »Straßen ohne Hindernisse« (370 m) mit den 1935 und 1936 gedrehten Fassungen. Der Film zeigte Hitler beim »ersten Spatenstich« vor Beginn der RAB-Arbeiten, danach verschiedene Bilder von den Bauarbeiten, u. a. die Luftaufnahmen vom Bau der Strecke Berlin–Stettin. Den Film gestaltete M. Rikli, mit musikalischer Untermalung von H. O. Borgmann. Die Tobis lieferte 1937 »Auf Deutschlands neuen Straßen« (330 m; P: vb) und den vielleicht repräsentativsten Streifen aus dieser Sparte »Schnelle Straßen«. Den letzteren gestaltete (Regie und Co-Autor) 1937 Richard Scheinpflug mit

Musik von H. O. Bergmann (600 m; P: sw, küw, vb). Diesen Film schickte Deutschland auf die Biennale nach Venedig (1938). Repräsentationszwecken diente auch der Streifen der Reichsbahn-Filmstelle »Die Straßen der Zukunft«, 1938 gedreht, z. T. mit Luftaufnahmen aus verschiedenen Landschaften Deutschlands (584 m; P: sw, vb). Der Film erhielt auch fremdsprachige Fassungen, und zwar eine englische – »The Highways of the Future« und eine italienische – »Le strade dell' Avvenire«. Ferner wurde auch ein Teil von Kopien mit spanischen Fußtiteln einkopiert (»Las carreteras del pervenir«). 1939, kurz vor Kriegsausbruch, stellte die Boehner-Film in Dresden »Straßen machen Freude« her, worin die Autobahnen schon mit den neuen Rasthöfen gezeigt wurden (420 m; P: vb). Der letzte Dokumentarfilm über die RAB entstand während des Krieges, und zwar im Jahre 1941: »Die Reichsautobahnbrücke über den Rhein bei Rodenkirchen« (1559 m; P: vb). Der Film wurde im Auftrag der Filmstelle des Reichsverkehrsministeriums gedreht.

Die oben erwähnten RAB-Filme sind vermutlich alle Bildstreifen dieser Sparte, die zur Zeit des Dritten Reiches hergestellt wurden. Nicht alle von ihnen sind vorhanden.

Dem Thema vom Bau der Reichsautobahnen war auch ein abendfüllender Spielfilm gewidmet: »Mann für Mann«. Robert A. Stemmle inszenierte ihn bei der Ufa, war auch Co-Autor. Am Drehbuch wirkte Hans Schmodde mit, der selbst »Reichsautobahner« war. Das Hauptgewicht dieses 0,9 Mio. RM teuren Abenteuerfilmes lag weniger auf Verhältnissen privater Natur, mehr dagegen auf der natürlichen Schilderung des »Gemeinschaftslebens« in einem Reichsautobahnlager. Es gab natürlich auch Bilder von der Arbeit, der die Technik, nicht immer reibungslos – es ging um die sogenannten spannenden Effekte – untertan war. Dieser halbdokumentarische Rahmen verstärkte die politische Brisanz des Films. Doch weder die fleißige Arbeit des Regisseurs – dem als Assistent Boleslav Barlog zur Seite stand – noch die Leistungen der bewährten Schauspieler (J. Sieber, G. Knuth, H. Speelmanns, G. Uhlen, V. v. Ballasko, L. Carstens), noch die angeordneten Änderungen konnten dem Film helfen. Er war erfolgreicher bei der Kritik als an der Kasse. Übrigens trugen z. T. auch die verzögerte Uraufführung und die kürzere Laufzeit Schuld daran. Nicht zufällig fand die Uraufführung in der Freien Stadt Danzig statt (21. 7. 1939): Es war eine Zeit, als man in Deutschland und in der Welt über Hitlers Projekt, durch den »polnischen Korridor« eine Autobahn zu bauen, sprach. Noch im September 1939 traten zum ersten Arbeitsappell für den Bau der RAB auf Danziger Gebiet nordwestlich von Danzig (bei Langfuhr) 200 einheimische Arbeitskräfte an. Gauleiter Forster tat den ersten, feierlichen Spatenstich.[98] Die Arbeiten mußte man jedoch bald einstellen.

Episodisch tauchte das RAB-Thema in dem Terra-Film »Die Stimme aus dem Äther« auf. Diesmal ging es um die kulturelle Betreuung der Arbeiter an den Autobahnen. Den Film inszenierte Harald Paulsen (U: 10.5.1939; P: küw).

Im Krieg hat dann das RAB-Problem, als »ziviles« Propagandathema, seine politische Wichtigkeit verloren.

»Die Bauten Adolf Hitlers«
»Wie ein Schulkind hat das 19. Jahrhundert alle vorangegangenen Stile in unerschöpflicher Anlegung noch einmal aufgesagt. Adolf Hitler zog auch hier den Schlußstrich. Was er schuf, auf allen Gebieten, trägt sein Gesicht, trägt die soldatischen Züge seiner Bewegung... In diesen Bauten suchte ein Volk aus einem tiefen seelischen Umbruch heraus den bleibenden Ausdruck für seine Gesinnung, für sein neuerwachtes Lebensgefühl. Mit gewaltiger seelischer Spannkraft gestalteten junge Baumeister unter dem ersten Bauherrn der Nation unvergängliche Werte deutscher Baukunst im nationalsozialistischen Stil des 20. Jahrhunderts. Und das ist bezeichnend: die Sinnmitte dieses Bauens ist immer die Gemeinschaft des Volkes.«
Quelle: Gerd Rühle: Das Dritte Reich. Das sechste Jahr 1938. Berlin (1939), S. 417 f.

Die monumentale Darstellung des Nationalsozialismus sollte ihren steingewordenen Ausdruck in den neuen Bauten finden. Natürlich war das auch ein sehr wichtiges Thema für den Dokumentarfilm. Zu den ersten Streifen gehörten hier Filme über die Neugestaltung (vom »Führer« bereits vor 1933 geplant) des Königlichen Platzes in München.[98] Speziell wurden ferner Themen behandelt wie: die Entwicklung des Jugendherbergswerkes in »Jugend und Heimat« (1935), das Bauprogramm für Landarbeitersiedlungen in »Heim und Heimat des deutschen Landarbeiters« (1937), die Errichtung von HJ-Heimen in »Heime der Hitlerjugend« (1938), der Bau von Siedlungshäusern durch das Reichsheimstättenamt der DAF »Heimat und Boden« (1938), um die bis heute zugänglichen Streifen zu erwähnen.

1938 schuf die Ufa eine sui generis Zusammenfassung aus dieser Sparte: »Die Bauten Adolf Hitlers« (446 m; P: sw, vb). Dieser »Lehrfilm« präsentierte zunächst die Kulturbauten der vergangenen Jahrhunderte, die Bauten aus der »Verfall«-Zeit, und danach die »neuen architektonischen Zeugen einer Epoche«: die neugebauten Jugendherbergen, Ordensburgen der NSDAP, Luftfahrtministerium und Reichssportfeld in Berlin (übrigens beim NS-Film ein ständig exponiertes Thema), die Bauten in München, die Monumentalbauten in Nürnberg (mit dem Blut von Häftlingen des KZ Flossenbürg errichtet), das Deutsche Haus in Paris, ferner noch die Reichsautobahnen und die Brückenbauten. Die Nürnberger NS-Bauten, die »alle Zeiten« überdauern sollten, werden jetzt, »wegen Einsturzgefahr sogar schon von den Tauben gemieden« bemerkte nach Jahrzehnten die »Süddeutsche Zeitung« (4. 8. 1986). »Obersalzberg«, auch aus dem Jahre 1938 (im Fragment vorhanden), schilderte den Bau verschiedener Gebäude auf dem Gelände des Berghofes und die Bauarbeiten an den Zufahrtswegen. Anläßlich der 2. Architektur- und Kunsthandwerks-Ausstellung im »Haus der Deutschen Kunst« in München (1939) wurde bei der Ufa im selben Jahre, als Hitlers Auftrag, »Das Wort aus Stein« gestaltet (531 m; P: kw, vb). Für Buch, Regie und Schnitt war Kurt Rupli verantwortlich. Clemens Schmalstich schrieb die Musik dazu. Der Streifen, eine »überwältigende Schau eines beispiellosen Querschnitts monumentalen Bauwillens« – so in den Betrachtungen – zeigte Projekte, Modelle, zugleich aber auch fertige Bauten, darunter die Neue Reichskanzlei. Das Gebäude – das übrigens vom Jahre 1950 an für einen anderen Zweck vorgesehen war – entstand wirklich in fast unvorstellbar kurzer Bauzeit, sachlich wie künstlerisch als eine Höchstleistung bezeichnet. Im Kriege war zwar der Neubau von Repräsentationsgebäuden eingestellt worden, aber das Thema selbst wurde vom Film fortgeführt: Mindestens bis zur Zeit der großen Luftangriffe. So wurde der Streifen »Bauten im neuen Deutschland« (348 m; P: vb) noch 1941 bei der Boehner-Film in Dresden hergestellt, diesmal aber schon mit einer größeren Hervorhebung der Gemeinschaftlichkeit. Man sah im Film die neuen Gemeinschaftshäuser, Wohnsiedlungen, Bauernhöfe, Jugendherbergen, Ordensburgen, die Bauten Münchens und Nürnbergs, die Umgestaltung Berlins, die Plastiken, zugleich aber auch die Autobahnen und den RAD beim Landkultivieren. 1941 lieferte Prof. Hege »Steinmetz am Werk« (472 m), wo die Steinmetzarbeiten auf dem Parteigelände in Nürnberg und auf dem Märzfeld bei Nürnberg, mit historischen und technischen Einlagen, in Erscheinung traten. Hege erhielt bereits von Albert Speer den Auftrag, fotografisch und filmisch den

276

Werdegang der Parteibauten in Nürnberg festzuhalten. Heges Aufgabe war es auch, in den Werkstätten der Bildhauer (u. a. Breker und Thorak) die Arbeiten an ihren monumentalen Werken filmisch bzw. fotografisch festzuhalten.

Einen anderen Charakter trug das Werk der Prag-Film »Deutsche Baustile« (406 m), im Herbst 1943 von der Filmzensur zugelassen. Vielleicht war dieser Streifen als eine vorsorglich (der Bombenkrieg!) gestaltete historische Dokumentation gedacht.[99] Zugleich war aber der Film eine Bildungs-Etüde aus dem Bereich der Geschichte der deutschen Architektur. Es wurden Beispiele von der deutschen Baukunst der Romantik, Gotik, Renaissance und des Barock präsentiert, u. a. Maria Laach, Straßburger Münster, Heidelberger Schloß, Kölner Dom, Dresdener Zwinger und Brandenburger Tor, aber auch der Klassizismus und neuzeitliche Bauten wie Olympia-Stadion oder Reichskanzlei.

Noch 1942 entstand der DAF-Film »Deutsche Heimstätten«, der Wohnsiedlungen in verschiedenen Gegenden Deutschlands, die unter Mitwirkung der DAF gebaut wurden, in Erscheinung brachte. Der Film mußte bald ins Archiv. 1944 stellte dagegen die Ufa-Sonderproduktion – im Auftrag der DAF – den Film »Was nun?« her, einen Streifen über den Bau von Behelfsheimen. Übrigens interessierte sich für diese Baupläne auch der »Oberste Bauherr« persönlich. Man schuf zwei Fassungen von dem Film: Eine längere Version war für Lehrzwecke, eine kürzere dagegen zur öffentlichen Vorführung bestimmt. Zunächst. Der angestrebte Bau von Behelfsheimen scheiterte fast völlig ebenso an Mangel von Baumaterialien wie an fehlenden bautechnischen Voraussetzungen. Im Sommer 1944 wurde die Vorpropaganda für den Film von Goebbels abgestoppt. Durch die Intervention Robert Leys tauchte die Sache Ende 1944/Anfang 1945 wieder auf. Der DAF-Chef verlangte den sofortigen Einsatz der kürzeren Fassung dieses Films als Beiprogramm. Dennoch wurden bei einer gemeinsamen Besichtigung des Films durch die Vertreter der Filmprüfstelle und des Generalreferates Luftkrieg im ProMi Bedenken gegen den sofortigen Einsatz dieses Filmes geltend gemacht. Der Film, meinte man im Januar 1945, zeichne ein zu gefälliges Bild vom Bau der Behelfsheime.[100]

Die Kriegsbauten

Gewöhnlich gehören die Kriegsbauten zu den geheimen Sachen, und so war es auch damals in Deutschland. Die Filme mit oder über Kriegsbauten wurden zwar nicht immer als »geheime Reichssache« betrachtet, aber ihre Vorführung (meistens für Lehrzwecke) wurde stets auf einen bestimmten Zuschauerkreis eingeschränkt. Es gab aber auch damals Filme, die, obgleich mit Kriegsbauten zum Thema, auf ein breites Publikum zielten: um den potentiellen Angreifer zu erschrecken und die eigene Bevölkerung zu beruhigen.

Eine solche filmische Dokumentation erhielt der mit Propagandagetöse gepriesene »Westwall«, eine unter dem Decknamen »Limes« erbaute Anlage (Hitler: »Gigantischstes Befestigungswerk aller Zeiten«), die sich über ca. 630 Kilometer von Brüggen bei Aachen bis nach Lörrach in Baden erstreckte. Der Film dokumentierte einen Einsatz von 530 000 Arbeitskräften »mit der Präzision eines Uhrwerks«, zeigte einige von den rund 22 000 Panzerwerken, die unterirdischen Gänge mit ihren Bahnverbindungen etc. Der 1200 m lange Streifen war eine Gemeinschaftsarbeit der Deutschen Wochenschau; als Hauptgestalter fungierte Fritz Hippler. Unter den Schöpfern befanden sich u. a. die bewährten Kameramänner Sepp Allgeier und Heinz Jaworsky. Am 10. 8. 1939 startete er – zunächst sogar anstelle der Wochenschau – in 850 deutschen Filmtheatern, mit den Prädikaten »staatspolitisch und künstlerisch besonders wertvoll«, »jugendwert« und »Lehrfilm« ausgezeichnet. Im September 1939 erschien er auch als Schmalfilm in Ton- und Stummausgabe. Diesem Film hatten die obersten NS-Behörden die größte propagandistische Einwirkung sowohl im Inn- als auch im Ausland beigemessen. Die Medien zitierten H. Görings Äußerung: »Der Westwall hält die Wacht am Rhein, die nie mehr ins Wanken zu bringen ist, und mögen die Anderen auch mit noch so großem Donnerhall anfahren.« Der Einsatz des »Westwalls« war in den deutschen Kinos überaus groß. Der Film ging auch ins Ausland, obwohl es Länder gab, die sich weigerten, das Propagandawerk einzuführen. Mit Aufregung schrieb die NS-Presse, daß die amtlichen Stellen in Paris ein Verbot des Westwall-Films für ganz Frankreich auszusprechen beabsichtigten. Deutscherseits behauptete man, und vielleicht mit guten Gründen, daß das französische Publikum ein großes Interesse an dem Film zeige. Der Film ging auch nach Amerika. Am 19. 1. 1940 meldeten die NDK: »Der Westwall-Film wurde in New

278

York mit großem Erfolg aufgeführt und begegnete bei Presse und Publikum dem größten Interesse.«

Ähnlichen propagandistischen Zielen diente später die Propaganda über den Atlantik-Wall. Von 1942 bis in die Hälfte des Jahres 1944 gab es zahlreiche Wochenschau-Berichte darüber. Diese Thematik trat oft auch in den RAD-Berichten aus dem Jahre 1943 hervor, ferner in einigen Kriegsmarine-Filmen. 1942 entstand der Kurzfilm »Die deutsche Festung Norwegen«, mit den Befestigungsanlagen der Heeres- und Kriegsmarine-Einheiten. 1944 wurde bei der Ufa-Sonderproduktion der Streifen »Atlantik-Wall« von Arnold Fanck gestaltet; er hatte die Befestigungsanlagen an der norwegischen und atlantischen Küste zum Thema. Der Film (um 500 m) war für die Auslands-Propaganda geschaffen; da aber inzwischen die alliierte Invasion begann, konnte man diesen Streifen nicht mehr für propagandistische Ziele benutzen.[101]

Sport und Sportives im Film

Die Vermutung, der deutsche Film habe sich nach 1933 mehr als zur Zeit der Weimarer Republik mit den Sportangelegenheiten beschäftigt, liegt nahe. Quantitativ läßt sich das ziemlich leicht bejahen, – die Wochenschau-Berichte ausgenommen, da hier in dem vorhandenen Filmmaterial größere Lücken – insbesondere für die Zeit vor 1939 – bestehen. Aber man weiß, daß z. B. die Kurzfilme erst nach 1933 Karriere gemacht hatten, und daß viele von ihnen gerade dem Sport gewidmet waren. Qualitativ bestanden auch größere Unterschiede. In totalitären Systemen spielte der Sport eine politisch wichtige Rolle. So auch im Dritten Reich. Hier spielte der Sport sogar die erstklassige Rolle: sowohl im Bereich des Leistungs- als auch des Massensports. An allererster Stelle stand jedenfalls das Bestreben, »die Leibesübungen in breitester Front zum Eigentum des deutschen Volkes zu machen«. Des »Turnvaters« Friedrich Ludwig Jahn Wunschtraum »von einem großen deutschen Volk in Leibesübungen«, so die NS-Medien, sollte erst das nationalsozialistische Deutschland verwirklichen. Alle Bestrebungen auf diesem Gebiet wurden zunächst in dem 1934 gegründeten Deutschen Reichsbund für Leibesübungen (DRL) zusammengefaßt, den man in die »NS-Erziehungsarbeit« eingeordnet hatte. Hans von Tschammer und Osten übernahm die Leitung; als Reichssportführer leitete er auch die Sportverwaltungen in fast allen NS-Gliederungen. Das Ziel des DRL war, den Sport fest im Volke zu verankern, um es zwangsläufig (theoretisch ohne den Grundsatz der Freiwilligkeit aufzugeben) an die Leibesübungen heranzuführen. Über die Gliederungen der NS-Bewegung und der DAF war das in nicht geringem Maße geschehen. In zahlreichen Betrieben entstanden Sportgemeinschaften, die HJ (einschließlich des Bundes Deutscher Mädel – BDM – in der HJ) machte die Sache des Leistungssports (bald auch des Wehrsports) zu der ihrigen, die Organisationen der Partei: SA, SS, NSKK, NS-Fliegerkorps und der RAD entwickelten den planmäßigen Einsatz ihrer Mitglieder im Rahmen der Leibesübungen. Die Wehrmacht und Polizei schritten mit Sachkenntnis auf dem Wege der (wehr)sportlichen Entwicklung vor (1938 die ersten deutschen Wehrmachtmeisterschaften). Eine viel größere Bedeutung wurde dem 1913 (für Frauen 1921) geschaffenen Reichssportabzeichen (jetzt mit Hakenkreuz versehen) beigemessen. Der Streifen »Das deutsche Reichssportabzeichen« (um 1934) zeigte Männer und Frauen bei Wettkämpfen in verschiedenen Sportdisziplinen zur Erringung dieses Abzeichens. Zu Jahresbeginn 1937 wurde durch eine angesetzte Werbeaktion (»Sport im Betrieb«) der Betriebssport vorwärtsgetrieben. In Gemeinschaft mit dem Amt »Schönheit der Arbeit« bemühte sich das Sportamt der KdF (vom Reichssportführer höchstpersönlich geleitet), »auch den letzten Mann zur freiwilligen Teilnahme an den Betriebssportkursen zu gewinnen«. Der Film engagierte sich für diese Aktion. »Gesunde Jugend – Starkes Volk« (1937) schilderte Kinder, Jugendliche und Erwachsene bei sportlichen Übungen (vormilitärische Ausbildung), »Lachendes Leben« (1937) zeigte Mädchen bei Gymnastik und Volkstanz während einer Sportveranstaltung der DAF, der DAF-Film »Arbeitskameraden – Sportkameraden« (1938, 460 m) propagierte Sport als Ausgleich zur Arbeit.

Der sportliche Höhepunkt des Jahres 1938 war das »Großdeutsche Turn- und Sportfest« in Breslau. Der Film warb für diese Veranstaltung in dem bereits 1937 hergestellten Streifen »Ins Schlesierland marschieren wir! Ein Volk in Leibesübungen. Breslau – 1938« mit Städten und Landschaften Schlesiens, Sportveranstaltungen und einer Rede des Reichssportführers. Danach kam als »ein Erlebnisbericht von den großen Tagen des Deutschen Turn- und Sportfestes« der preisgekrönte Streifen »Breslau 1938« heraus. Der Film war »ein glanzvolles Bekenntnis unseres Volkes zum Gedanken einer gesunden und kraftvollen Leibesertüchtigung«. Er zeigte schlesische

Städte und Landschaften, vor allem aber konzentrierte er seine Aufmerksamkeit auf die Sportveranstaltungen mit 200 000 Teilnehmern und einer riesigen Zahl von Besuchern. Der Reichssportführer hielt eine Rede, Goebbels und Frick waren anwesend, das jubelnde Publikum (manchmal mit Tränen in den Augen) begrüßte die Ankunft des Führers.

Das Jahr 1938 brachte den berühmt-berüchtigten Sommer-Olympiade-Film von Leni Riefenstahl in die Kinos. Freilich berichtete der Film schon früher über die Olympischen Spiele 1936 in Deutschland. Die Wochenschau schilderte die Vorarbeiten. 1935 kam der Streifen »Die Glocke ruft« in die Kinos, ein Werbefilm für die Olympischen Spiele 1936, mit Sportstätten in Berlin und Garmisch-Partenkirchen und Sportwettkämpfen. 1936 berichteten die Wochenschauen über die Sommerspiele in Berlin ausführlich: Die »Bavaria-Tonwoche« im Sonderdienst, oder die Ufa-Tonwoche (Nr. 309 und 310, im August). Ebenfalls interessierte sich der Film für die IV. Olympischen Winterspiele in Garmisch-Partenkirchen: in der Wochenschau (u. a. die vorhandene Ufa-Tonwoche Nr. 284 vom Februar 1936) wie auch in dem cineastisch guten Film »Jugend der Welt« (1936), von Carl Junghans gestaltet. In Venedig erhielt dieser Streifen 1936 den Luce-Preis für den besten ausländischen Dokumentarfilm.

Der Leni-Riefenstahl-Film über die Berliner Sommerspiele entstand bei der »Olympia-Film GmbH« (»auf Veranlassung des Reiches und mit Mitteln gegründet, die das Reich zur Verfügung« stellte.)[102] Leni Riefenstahl gestaltete ihren Film aus sehr umfangreichem Filmmaterial (400 000 m), von 45 Kameramännern geschaffen. Mit Courtoisie wurde der Film dem Gründer der neuen Internationalen Olympischen Spiele, Pierre Baron de Coubertin, gewidmet. Der bombastische Prolog – von Willy Zielke gedreht (Leni Riefenstahl: »Er war ein Genie« – verband die Berliner Olympischen Spiele mit denen der antik-klassischen Zeit. Der sportliche Wettkampf erhielt im Film einen politischen Rahmen im Sinne des Nationalsozialismus. Der deutsche Erfolg ergab eine ideale Grundlage zu »weiterer Ausbereitung des sportlichen Gedankens«. Die Erfolge der Deutschen – so betonte der Film – seien durch die Maßnahmen des NS-Staates im Bereich des Sports vorbereitet gewesen. Der Film bestand aus zwei Teilen: »Fest der Völker« (3429 m) und »Fest der Schönheit« (2722 m). Am 14. 4. 1938 zensiert, gelangte er am Geburtstag des »Führers« zur Uraufführung. Mit Minutenprogramm – von 19 Uhr bis 23.21 Uhr – wohnte der »Führer« der Premiere im Ufa-Palast am

Zoo bei.[103] Die Arbeit Leni Riefenstahls, der Kameramänner und der Komponisten (H. Windt, W. Gronostay) wurde von der Presse gelobt, das Werk erhielt hohe Prädikate (skw, kw, vb, Lehrfilm) und den Nationalen Filmpreis 1938, am Lido den Mussolini-Pokal für den besten ausländischen Film.

Das Jahr 1938 brachte eine weitere »Gleichschaltung« des deutschen Sports. Der Reichssportführer wurde zugleich zum Staatssekretär im Reichsinnenministerium ernannt. Durch eine Verfügung Hitlers (21.12.) wurde der bisherige Reichsbund für Leibesübungen der NSDAP unterstellt, jetzt als der Nationalsozialistische Reichsbund für Leibesübungen (NSRL). Wehrsport, Kraftfahrsport, Luftsport und Pferdesport wurden den spezialisierten NS-Gliederungen überlassen. Der NSRL bediente sich bei seiner Arbeit des Films. Im Auftrag des Reichssportführers wurden von der Agfa mehrere Sportfilme (16 mm) noch vor dem Kriege hergestellt, und zwar: über Gymnastik – 7 Filme, Leichtathletik – 5, Wassersport – 15, Wintersport – 5, Ballspiele – 5, ferner zwei über Sportbauten und drei andere über verschiedene Sportangelegenheiten. 1941 befanden sich im Verleih des NSRL insgesamt rund 150 schmal-stumme Lehr- und Berichtsfilme, und zwar: Basketball – 1, Boxen – 1, Eissport – 5, Fußball – 12, Gymnastik – 4, Handball – 3, Hockey – 1, Judo – 1, Kanu- und Faltbootsport – 19, Kegeln – 1, Kinderturnen – 3, Leichtathletik – 15, Radsport – 2, Ringen – 1, Rollsport – 3, Rudern – 10, Segeln – 3, Skilauf – 13, Schwimmen – 11, Tennis – 5, Turnen – 24 (darunter die Serie: Deutscher Sport im Kriegsjahr 1940), einige dokumentarische Filme und drei Berichtsfilme in Farbe. Der erste 1940 entstandene Farbfilm des NSRL »Unsere sonnige Welt« war ein Schmalstummfilm (140 m; P: vb) und zeigte Sommertage auf dem Berliner »Reichssportfeld«, Ausschnitte aus den Kriegsschwimmeisterschaften 1940, das Fußballspiel Rapid Wien–Waldhof und Leichtathletik-Kriegsmeisterschaften. Weitere Schmalstummfilme in Farbe stammten aus dem Jahre 1941: »Sonne, Eis und Schnee« (150 m; P: vb) u. a. mit Aufnahmen von den Ski-Weltmeisterschaften in Cortina d'Ampezzo und von den Wintersportkämpfen in Garmisch-Partenkirchen 1941. Die VI. Winterkampfspiele der HJ in Garmisch-Partenkirchen 1941 schilderte der Berichtsfilm »Jugendfest der Freundschaft« (350 m; P: vb). Die Zahl der Filme in verschiedenen Sparten gibt zugleich einen gewissen Einblick in die Prioritäten während der Zeit des Krieges.

Schon während ihrer Arbeit am Olympia-Film gab Leni Riefenstahl bekannt, daß nach Beendigung der beiden Teile »Fest der Völker« und »Fest der Schönheit« eine Reihe von Kurzfilmen (durchschnittlich von 380 m Länge) hergestellt werden würde, die sich mit einzelnen Sportarten, die im Rahmen der Sommer-Olympiade 1936 in Erscheinung traten, befassen sollten. Der erste aus dieser Reihe, Anfang 1939 zensiert, »Wurf im Sport«, schilderte die vier bekanntesten Wurfübungen: Speer-, Diskus-, Hammerwerfen und Kugelstoßen. Will Dohm übernahm im Film den erklärenden Sprechpart. Als zweiter Film entstand »Schwung und Kraft«, der einen Querschnitt durch das Turnen an den verschiedenen Geräten gab. Vor dem Kriegsausbruch befanden sich noch zwei weitere Filme in Arbeit, von denen der eine das Reiten und der andere das Schwimmen behandelte.[104] Unter Verwendung des Olympiade-Materials gestaltete 1943 Joachim Barbeck in der Tobis den Streifen »Schwimmen und Springen« (374 m).

Der »uniformierte« Sport, der programmgemäß die vor- und nachmilitärische Wehrerziehung realisierte, bediente sich für Werbe- bzw. Schulungszwecke auch des Films. Je höher der Stand der Motorisierung, desto stärker die Wehrkraft der Nation, stand im Programm des NSKK. Die Männer des deutschen Motorsports (Auto- und Motorradrennfahrer) erzielten wirklich in den Vorkriegsjahren viele Erfolge von internationalem Rang. Über die Motorsportveranstaltungen der Jahre 1934–1937 berichteten folgende Kurzfilme: »Deutscher Kraftfahrsport voran« (1935), »Deutscher Kraftfahrsport« (1937) mit starker Hervorhebung des NSKK, und »Deutsche Rennwagen in Front« (1937) über das Autorennen des Jahres 1937. Unter dem Protektorat des NS-Korpsführers Hühnlein wurden für die Ufa von der Stoll-Produktion 1938 / 1939 zwei Motorsportfilme – beide mit den Prädikaten sw, kw, vb und Lehrfilm versehen – hergestellt: »Jungens, Männer und Motoren« (492 m) über die Motorsportwoche im Harz und »Sieg auf der ganzen Linie« (872 m) über das europäische Autorennen im Jahre 1938, wo deutsche Fahrer und Maschinen fast auf der ganzen Linie siegreich blieben. Beide Filme gestaltete der bewährte Fachmann Bob Stoll, mit Rudolf Peraks musikalischer Untermalung. Stoll war nicht nur bewährt, sondern auch bekannt. Vor allem durch seinen Autorennfahrerfilm »Rivalen im Weltrekord«, wo er nicht nur Produzent, sondern auch Hauptdarsteller war. Der Film entstand am Ende der Stummfilmära und wurde später nachsynchronisiert (U: 23. 9. 1930). Noch im Frühjahr 1940 kamen zwei weitere Motorsport-Filme zur Vorführung, ebenfalls von der Stoll-Produktion, diesmal aber im Auftrag der Bavaria hergestellt. Beide Filme wurden hoch prädikatisiert. »Männer im Leder« war ein 694 m-Bericht über die XXI. Internationale Sechstagefahrt 1939, in der Deutschland zum 4. Male Sieger wurde. Der im März 1940 zensierte Film brachte am Ende den Schlußsatz: »Jetzt ist Krieg. Die Männer in Leder sind im Kriegseinsatz«. »Sieg der Arbeit« schilderte die Produktionsstätten der deutschen Rennwagenindustrie (Mercedes, Auto-Union) und brachte danach die Aufnahmen aus der »Jagd der Rennmaschinen um den Ehrenpreis des Führers« auf der Betonbau-Strecke des Nürburgringes in der Eifel, wo die deutschen Maschinen siegten.

Dank einer rührigen Propaganda stiegen die Boxkämpfe von Jahr zu Jahr im Publikumsinteresse. Der übliche Wochenschau-Bericht von derartigen Veranstaltungen genügte nicht mehr, da viele Kinobesucher gerne mehr Einzelheiten von solchen Kämpfen sehen wollten. Wie in den anderen Sportarten, so auch hier, ging man dazu über, selbständige Reportage-Filme von den Boxkämpfen (vor allem mit den Berufsboxern) zu drehen. Der Star Nr. 1 war in Deutschland Max Schmeling. Übrigens war der erste ausführliche Berichtsfilm über Max Schmelings Kampf im Ring ein amerikanischer Streifen: »Max Schmelings Sieg – ein deutscher Sieg« (1710 m) entstand bei der RKO, und der Gestalter des Films war Jack Rieger. Der Streifen schilderte den bekannten Kampf Schmeling–Louis im Yankee Stadion in New York. Deutsch bearbeitet und zensiert im Juli 1936, wurde der Film kommentiert von dem bekannten Sportredakteur Arno Helmis. Der zweite Kampf Louis–Schmeling im Juni 1938 war für die daran beteiligten Filmleute (die Filmrechte kosteten 50 000 Dollar) eine große Überraschung, auch in finanzieller Hinsicht. Von diesem Kurzkampf entstand nur ein Kurzfilm, der praktisch nur vor Fachleuten und Journalisten gezeigt wurde. Eine öffentliche Vorführung wurde nicht zugelassen. Allerdings kommentierten die anderen Medien den knapp 2 Minuten dauernden Boxkampf ausführlich.

»Gespräch mit Anny Ondra über Befinden und Rückkehr von Max Schmeling – Was der Film vom New Yorker Kampf zeigt«
(...) man kommt bei genauem Studium der Filmaufnahmen sofort auf den Gedanken, daß Max Schmeling nicht der alte war, und daß Louis am 22. Juni nicht auf einen restlos kampffähigen Schmeling traf. Die ungezählten Millionen, die in der Nacht zum Donnerstag an den Radioapparaten saßen und hörten, mit welchem Furor Louis Schmeling anfiel, fragten sich: Wie ist es möglich, daß Schmeling einem so wild fightenden Boxer nicht ausweichen kann? Der Film zeigt es ganz

deutlich: Max zaudert vom ersten Gongschlag an; nach den ersten Kopfhaken, die er voll nahm, wirkt der Deutsche schwerfällig und unentschlossen...«
Quelle: »Berliner illustrierte Nachtausgabe« vom 24. 6. 1938.

Wie bei vorherigen Boxkämpfen Max Schmelings, hatte die Tobis die alleinigen Rechte zur Verfilmung des Kampfes Schmeling gegen Adolf Heuser am 2. 7. 1939 in Stuttgart erworben. Den schweren Knock-out des Doppel-Europameisters Heuser innerhalb der ersten Runde, bei 60 000 Zuschauern (unter ihnen auch Hans Albers), schilderte der Film »Schmeling–Heuser« (»Männer im Ring«) in allen Einzelheiten.[105] Im Krieg wurden Filmberichte von Boxkämpfen selten gedreht, da diese Veranstaltungen auch eine Seltenheit bildeten. 1940 entstand noch bei der Tobis »Ring frei« (439 m; P: vb, Lehrfilm), der den erregenden Kampf in 12 Runden um die Meisterschaft im Halbschwergewicht zwischen Jean Kreitz und Adolf Heuser zeigte. Im Februar 1943 wurde »Um die Europameisterschaft im Mittelgewicht« (269 m; P: aw) zensiert, ein Streifen, der im Rahmen der Dt. Wochenschau-Produktion entstand.

Im Krieg lagen die Prioritäten beim Wehrsport, was auch in der Zahl der entsprechenden Kurzfilmproduktionen zu bemerken war. Von den wenigen »zivilen« Sportberichten kann man z. B. die Eislauf-Filme erwähnen. In dem 1940 hergestellten (Manfred-Curry-Film) Streifen »Schönheit des Eislaufs« liefen (in Rießersee und Garmisch-Partenkirchen) – so die Pressenotizen – »die besten Eiskunstlauf-Paare der Welt«. Die deutschen Eiskunstlaufmeisterschaften 1942/43 in Düsseldorf zeigte der Filmbericht »Auf blitzendem Stahl« (um 260 m) aus dem Jahre 1943.[106] Von den anderen Sportzweigen kann man hier den Berichtsfilm »Sommertage der Leichtathleten« erwähnen (237 m; P: küw, vb). Er wurde bei der IG Farben hergestellt und im Mai 1943 zensiert.

Einen wichtigen Hilfsdienst für die nach und nach bescheidener gewordene Sportberichterstattung leistete die Deutsche Wochenschau: Nicht nur in ihren wöchentlichen »normalen« Berichten, sondern auch in der Reihe von Sportreportagen »Sport-Sport«.[107]

Als eine Novität fand die Zeitlupe ihre Verwendung in den Sportfilmen. Sie erlaubte die Zerlegung der einzelnen Übungen. Kurt Stanke (Autor, Regisseur und Kameramann) gestaltete 1944 bei der Ufa den Film »Sport in der Zeitlupe«. Der Streifen schilderte die wehrsportliche Durchbildung bei der Reichs-Marine-Sportschule.

Eine »zivile« Zeitlupenstudie über den Frauensport und über den Wert der Gymnastik für die Frau gestaltete Kurt Stanke in dem Film »Anmut und Kraft«. Der Streifen hatte die Form eines Zwiegesprächs – geführt von Viktoria von Ballasko und Udo Viek. Der Film wurde kurz vor Kriegsende bei der Ufa hergestellt.[108]

Das kinoträchtige Potential des Sportstoffes erblickte der Spielfilm schon in seiner Stummzeit. Das besondere Interesse erweckten solche Sportzweige wie Boxen, Motorsport, Pferderennen, Wassersport und Wintersport, hier zunächst vor allem mit den Bergsteigern und Skiläufern. Von Zeit zu Zeit tauchten auch die olympischen Stoffe auf. Zu Anfang des Dritten Reiches ging »Der Läufer von Marathon« in die Kinos, der die Olympiaspiele 1932 in der Handlung hatte. E. A. Dupont gestaltete den Film nach einem Drehbuch von Thea von Harbou und mit der Musik von dem in dieser Filmgattung hochspezialisierten Komponisten, Giuseppe Becce. Paul Hartmann und Brigitte Helm spielten die Hauptrollen (U: 24.2.1933; P: vb). Die Berliner Olympiade fand, was verständlich war, einen größeren Widerhall in den Spielfilmen, um nur »Rheinische Brautfahrt« (1939) oder »Wunschkonzert« (1940) zu erwähnen. Und was das Boxen betraf: Max Schmeling trat bereits 1930 in Reinhold Schünzels »Liebe im Ring« auf, mit Renate Müller und Olga Tschechowa als Partnerinnen. Fünf Jahre später war er wieder der Held eines Spielfilms, diesmal mit Anny Ondra vor der Kamera. »Knock-out« hieß der von C. Lamac & H. H. Zerlett gestaltete Film (U: 1.3.1935). Eine andere Gattung und einen anderen Stil präsentierte der Schwank »Der Meisterboxer«, früher schon auf der Bühne erfolgreich. Fred Sauer drehte ihn mit Weiß-Ferdl und K. Haack (U: 11.5.1934). Ein kurzes Kinoleben hatte »Die letzte Runde«, ein Tobis-Film, der das Boxermilieu Berlins und New Yorks schilderte. Mit A. Hörbiger und C. Horn gestaltete Werner Klingler den Film nach einem Drehbuch von B. E. Lüthge (U: 20.11.1940 in Wien).

Einige Filme aus der Zeit des Dritten Reiches waren enger mit dem Automobilsport verknüpft. 1936 z.B. »Die große und die kleine Welt«, der von Johannes Riemann verfilmte Roman von Hugo M. Kritz, worin ein Taxifahrer sich zum Rennfahrer emporarbeitete. Viktor de Kowa und Heinrich George waren die Filmhelden (U: 20.3.1936). Ein Pkw, oder überhaupt ein motorisiertes Vehikel, wurde allmählich zu einem wichtigen Requisit: in Roman, Theaterstück, natürlich auch im Film. »Hilde und die 4 PS«, ein Theaterstück von Kurt Sellnick, und seine gleichnamige Verfilmung, von

Heinz Paul 1936 gestaltet, wurden hier zum Symbol. Die Karriere der Motorfahrzeuge im Film endete bald nach Kriegsausbruch. Tief im Kriege wurde »Der große Preis« gedreht. Diesmal aber ging es um einen Kriminalfilm, mit anderen »erzieherischen« Werten, in dem der Rennsport in einer Verbindung mit der Erfindung der Autoindustrie stand. Das Pferderennen stand beim Unterhaltungsfilm ziemlich hoch im Preis. Jedenfalls vor allem als Nebenmotiv. Exakte Pferderennsport-Spielfilme waren eine Seltenheit. Von den älteren Produktionen zu erwähnen ist der Harry-Piel-Film »Jonny stiehlt Europa« um einen jungen Sportsmann und sein Reitpferd »Europa« (U: 15.7.1932). Der Film blieb noch längere Zeit nach 1933 im Verleih. Unter bestimmten Vorbehalten kann man hier »Heißes Blut« erwähnen, eine Liebeskomödie von Georg Jacoby mit Marika Rökk und Hans Stüwe (U: 20.3.1936).

Der Verfasser dieses Buches hat es sich erlaubt, hier auch den berüchtigten Spielfilm »... reitet für Deutschland« einzustufen. Das Drehbuch, von Fritz Reck-Malleczewen, Richard Riedel und Josef Maria Frank verfaßt, zeigte eine tadellose nationalsozialistische Grundhaltung (Militarismus, Antiliberalismus, Antisemitismus und weitgehender Nationalismus). Der Regisseur, Artur Maria Rabenalt, sah seinen Film (nach 1945) als einen »einzig von einfachen, patriotischen Empfindungen getragenen Sportfilm um einen Turnierreiter, der ohne politische Absicht hergestellt war.«[109] Willy Birgel, ein Fachmann im Bereich der Reitkunst, und sein Pferd Harro glänzten in diesem (künstlerisch) glanzlosen Film, Gerhild Weber war Birgels Partnerin. Im Hochsommer 1940 begannen die Außenaufnahmen in Angermünde (Uckermark), im Frühling des nächsten Jahres wurde der Film zensiert und uraufgeführt (U: 11.4.1941 in Hannover; P: sw, jugendwert). Ein nicht geringer Teil des Kinopublikums nahm »... reitet für Deutschland« mit Begeisterung auf.[110]

Der Wintersport gehörte zu den Sportarten, die Deutschland die großen Erfolge brachten, und wo man leicht ein publikumswirksames Thema finden konnte. Bereits vor 1933 hatte das deutsche Kino interessante Filmproduktionen mit Skiläufern auf dem ersten Plan. Zu den bekanntesten gehörte ohne Zweifel »Der weiße Rausch«, mit Leni Riefenstahl in der Hauptrolle und fünfzig internationalen Skiläufern. Den Film gestaltete Arnold Fanck, »der Vater des deutschen Bergfilmes« (U: 10.12.1931). In den ersten zwei Jahren des Dritten Reiches wurde der Film nicht mehr gezeigt. Die im Jahre 1935 erfolgte Wiederzulassung wurde kurz vor Kriegsausbruch durch den

Leiter der Filmprüfstelle aufgehoben.[111] Arnold Fanck gestaltete auch den bekannten Film »Stürme über dem Montblanc«, mit Leni Riefenstahl, Sepp Rist und Ernst Udet (1930). Skiläufer traten natürlich nicht selten auch in anderen, seriösen oder komödienhaften Bergfilmen auf. Das große Prestige hatten die Hochgebirgsfilme. Hier erzielte der deutsche Film Erfolge, sowohl quantitative als auch qualitative. »Gipfelstürmer« z. B. war der Erstbesteigung der Matterhorn-Nordwand gewidmet, ein Werk Franz Wenzlers, dem der bekannte Filmkomponist Giuseppe Becce seine fachlichen und künstlerischen Kenntnisse zur Verfügung stellte (U: 7. 4. 1933; P: vb). Ein Jahr später kam »Der Springer von Pontresina« in die Kinos. Herbert Selpin drehte den Film bei der Terra, Sepp Allgeier stand hinter und Sepp Rist vor der Kamera. Ein typischer Wintersportfilm, zugleich aber auf der Suche nach einem breiten Kinopublikum (U: 23. 5. 1934). Höhere Ambitionen wies »Die weiße Majestät« auf, ein Werk Anton Kutters (Buch und Regie), mit Gustav Dießl in der Hauptrolle. Der Film erhielt 1934 am Lido die Goldene Medaille des Italienischen Alpenklubs für den besten Bergfilm (U: 18. 1. 1934). In diese Sparte gehört auch Luis Trenkers (Regie und Hauptrolle) Filmwerk »Der verlorene Sohn«, mindestens zum Teil. Die Kunst wurde hier von der Politik begleitet (U: 6. 9. 1934).[112] Der Film wurde 1935 mit einem Pokal in Venedig honoriert. L. Trenkers selbstproduzierter Stummfilm »Der Kampf ums Matterhorn«, 1927 entstanden, wurde ein nennenswerter Erfolg. 1934 ging er schon als Tonfilm in die Kinos. 1937 wurde der gleiche Stoff in dem Film »Der Berg ruft« verwendet. Den Ton erhielt auch 1935 »Die weiße Hölle vom Piz Palü«, 1929 entstanden. Arnold Fanck und Georg W. Pabst waren die Gestalter dieses Films, Leni Riefenstahl und Gustav Dießl die Hauptdarsteller und Giuseppe Becce der Filmkomponist (U: 12. 11. 1935; P: kw, vb). Der Glanz der deutschen Alpinistik wurde noch vor Kriegsausbruch durch Himalaja-Themen überschattet.

Im Fußballsport wurde die deutsche Nationalelf nicht so berühmt wie die Nationalmannschaften einiger anderer Sportzweige. Doch waren es nicht nur die mäßigen Erfolge, die sich hier beeinflussend auf das geringere Interesse des Films an dieser Sportart, die immerhin ständig an Popularität gewann, auswirkten. Für einen Spielfilm liefert bzw. lieferte (tempora mutantur...) der Fußballsport einen nicht leicht zu behandelnden Stoff. So oder so, trat der Fußball sehr selten im Spielfilm hervor, und wenn schon, dann nicht als Hauptthema der Handlung.[113] Erst »Das große Spiel«, so die Betrachtungen, mit einer gewissen Übertreibung, hatte zum erstenmal die Welt der Fußballer zum echten Rahmen einer spannenden Haltung gemacht. Die Geschichte dieses Films reichte zurück auf das Jahr 1941. Toni Huppertz schrieb damals ein Drehbuch für einen Fußball-Film »Halbzeit 2 : 0«. Aus »kriegsbedingten« Gründen wurde das Manuskript umgearbeitet, und so kam es zu dem Film »Das große Spiel« über den Kampf um die deutsche Fußballmeisterschaft im Olympia-Stadion Berlin. Dem Regisseur Robert A. Stemmle – er war auch Co-Autor – gelang es, das Spiel der Darsteller beinahe bruchlos miteinander zu verbinden. René Deltgen spielte als Mittelstürmer die Hauptrolle, Gustav Knuth war Trainer, und Heinz Engelmann trat als Tormann auf. Und da der Film – mit Farbeinlage – zugleich eine Liebesgeschichte war, gab es auch eine weibliche Hauptrolle, von Maria Andergast besetzt. Für viele Zuschauer war es die einzige Möglichkeit, einen Fußballkampf mindestens im Kino miterleben zu können (U: 10. 7. 1942; P: vw).

Expeditions-Reisen

Gern unterstützte der damals geltende Film die gedruckten Medien oder die populärwissenschaftliche bzw. schöngeistige Literatur in solchen Themen, die mit Expeditionen wie überhaupt mit Weltreisen verknüpft waren. Ein nicht geringer Kreis von Zuschauern interessierte sich für diese Themen, eine ansehnliche Zahl von deutschen Filmproduktionen befaßte sich mit ihnen. Freilich war der Krieg nicht gerade die beste Zeit für solche Filme und Themen. Die meisten Bildstreifen wurden noch vor Kriegsausbruch gedreht. Das auf die Leinwand gebannte Abenteuer der Reise in ferne Länder mußte aber lebendig und pointiert erzählen können, mußte gleichzeitig nicht nur »Dokument«, sondern auch »Film« sein. So deprimierend es für seine wissenschaftlichen Mitarbeiter auch sein mochte: der Expeditionsfilm verdankte seine Anziehungskraft nicht seinem oft unschätzbaren wissenschaftlichen Gehalt, sondern dem erregenden Stimulans seiner märchenhaften Kunde. Die politische Steuerung blieb allerdings nicht ohne Einfluß auf Gehalt und Gestalt des deutschen Expeditionsfilms der NS-Ära.

Der damals noch nicht erstiegene Gipfel Nanga Parbat (8120 m) im westlichen Himalaja und die deutschen Bemühungen, ihn zu erobern, erweckten ein nicht geringes Interesse. Die Ufa-Tonwoche

(1934, Nr. 199) zeigte die Gruppe beim Aufstieg zum Nanga Parbat. Diese Expedition erreichte nicht das geplante Ziel. Ein Bildbericht dieser Expedition wurde zum Thema des Films »Nanga Parbat« (2493 m), den Frank Leberecht 1936 bei der Döring-Film gestaltete (U: 18. 2. 1936 in München; P: sw, kw, vb). Der Film wurde von zahlreichen Kinos ins Repertoire aufgenommen. Eine neue – allerdings wieder erfolglose – deutsche Nanga-Parbat-Expedition aus dem Jahre 1937, von der nur ein einziger Überlebender des verunglückten Bergsteigertrupps übrigblieb, wurde zum Thema des abendfüllenden Films »Kampf um den Himalaja«. Frank Leberecht und Franz Schröder gestalteten ihn im Auftrag der Deutschen-Himalaja-Stiftung. Im Geleitwort des Reichssportführers zu dem Film hieß es: »Ich kann mir kaum einen sportlichen Film denken, der erschütternder und endgültiger den Sinn sportlichen Lebens und Strebens aufzeigt, als den Film vom Kampf um den Himalaja.« (U: 4. 3. 1938 in München; P: skw, vb, Lehrfilm). Das Thema kam nicht so bald außer Sicht – Heldentum und Opferbereitschaft standen doch im Kriege hoch im Preis. Noch 1943 kündigte die Deutsche Verlagsgesellschaft das Expeditionsbuch »Nanga Parbat, Berg der Kameraden« an.

»Dschungel-Geheimnis« war dagegen ein Filmbericht (2526 m) über eine Expedition durch den Dschungel Indochinas. Während sonst die Urwald-Expeditionen die Erforschung eben der urtümlichsten Natur zum Ziele hatten, galt diese Expedition der alten Hauptstadt des Kmer-Reiches im Urwald von Kambodscha, Angkor, die schon damals nahezu völlig abgeschlossen, überwuchert von Lianen und nur von den Tieren der Wildnis bewohnt war. Dem Film wurden auch Szenen aus einem buddhistischen Kloster angeschlossen. Ernst R. Müller und Gerd Philipp gestalteten das Werk (U: 15. 12. 1939; P: kw, vb). Dieselben Namen finden wir bei der Gestaltung des Filmberichts »Bali – Kleinod der Südsee« (2546 m). Dieser Film war sozusagen der zweite Teil oder eine Ergänzung des weltbekannten Berichtsfilms von der Viktor-Baron-von-Plessen-Expedition – »Die Insel der Dämonen«.[114] Der »Bali«-Film erschien in einer »günstigen« Zeit für die ostasiatischen Themen (U: 31. 1. 1941; P: kw, vb).

1938 gelangte das Filmdokument der deutschen Amazonas-Jary-Expedition, »Rätsel der Urwaldhölle« (2719 m), zur öffentlichen Vorführung, für die Ufa von Dr. Otto Schulz-Kampfhenkel (Buch, Regie, Kamera) hergestellt. Der streckenweise langweilige Film hatte eine gute Presse – endlich hatte das Werk eine politische Rolle zu erfüllen, nämlich die kolonialpolitischen Tendenzen zu wecken bzw. zu begründen. Und die kolonialpolitischen Tendenzen bedeuteten nicht immer eine direkte Annexion. Es ging um ein Streben, das man später als einen Neokolonialismus bezeichnete (U: 11.3.1938; P: sw, kw, vb, Lehrfilm). Weniger politisch wirkten zwei Expeditionsfilme, die mit dem Namen von Prof. Dr. Hans Krieg verbunden waren. »Indianer« war ein Filmbericht (2339 m) von der 3. Gran-Chaco-Expedition. Von Ernst R. Müller und Gerd Philipp gestaltet, ging er im November 1940 in die Kinos (P: kw, vb, Lehrfilm). Ein zweiter Filmbericht über die H. Kriegs-Expedition durch das unerforschte Südamerika hieß »Tiergarten Südamerika«, seit Dezember 1940 in den Kinos (P: kw, vb).

Für Colin Ross war das Exotische ein heimatliches Terrain. Ein Nachkomme der schottischen Südpolarforscher, gehörte er in Deutschland zu den namhaften Reiseschriftstellern, seit der Stummfilmära auch durch seine Filmberichte bekannt. C. Ross' erster »Großfilm« – im Rahmen der Ufa gedreht – hieß »Achtung Australien! Achtung Asien!«. Der Streifen zeigte Ross mit seiner Frau, der 14jährigen Tochter und dem fünfjährigen Sohn auf der Fahrt: Australien, China, Indien, Südsee, Neu-Guinea, Neuseeland (U: 14.1.1930). Er lief – wahrscheinlich mit vorgenommenen Änderungen – noch im Herbst 1940 in den deutschen Kinos, im Rahmen der politisch bedingten Reprisen-Aktion.[115] 1940 edierte Brockhaus ein neues Buch von C. Ross – »das neue Asien«. Gleichzeitig ging sein »weltpolitischer« Film in die Kinos, ebenfalls mit dem Titel »Das neue Asien«: Der Filmbericht einer 1938 durchgeführten Ostasienreise. Im Januar 1940 kehrte der Weltreisende über Japan und die UdSSR nach Deutschland zurück und wurde am 12.3.1940 von Hitler empfangen. Der Film »Das neue Asien« begann in Japan, »von wo aus die Neuordnung Asiens ihren Ausgang nimmt«, führte über Korea und »Mandschukuo« und zeigte Indien, Thailand und Indochina. Es war in diesem Film viel von Politik enthalten, er zeigte aber auch interessante Bilder aus dem ostasiatischen Leben, die in die uralte Kultur zurückführten, – wenn auch mit einer gewissen Oberflächlichkeit. Der Film wurde z. T. auch im allgemeinen Programm der öffentlichen Kinotheater vorgeführt (U: 9.2.1940 in München; P: kw, vb).

Der bekannteste Expeditionsfilm der Kriegsjahre war wohl »Geheimnis Tibet«. Dieser Film wurde nicht nur auf dem riesengroßen Kinomarkt des Deutschen Reiches kolportiert, sondern – laut den ausländischen Pressestimmen mit Erfolg – auch in anderen Ländern Europas. Das Werk war ein Filmbericht der deutschen SS-Tibet-Expedition, die am 21. 4. 1938 unter Führung des jungen Tibetforschers, SS-Sturmbannführer Dr. Ernst Schäfer, nach Tibet aufgebrochen war und im August 1939 zurückkehrte. Himmlers »wissenschaftliche« Pläne standen im Hintergrund. Hans A. Lettow und Ernst Schäfer (Buch und Regie) gestalteten das Werk bei der Ufa, A. Melichar sorgte für die Musik. Das nationale »Dokument kühner Wissenschaft« (Völkischer Beobachter vom 20. 2. 1943) enthielt interessantes Bildmaterial, das damals sehr exotisch wirkte (U: 18. 1. 1943 in München; P: skw, vb, Lehrfilm).

Es gab ferner Expeditionen in die Welt des Meeres – und Berichtsfilme darüber. »Kolonie Eismeer« (1638 m) erzählte von einer Walfang-Expedition in das südliche Eismeer. Im Auftrag des Reichsministers für Ernährung und Landwirtschaft (!) gestalteten diesen Film Herbert Körösi und Hellmut Martens mit Musik von Erich Kuntzen (U: 17. 3. 1940; P: sw, vb, Lehrfilm). Die Besetzung Griechenlands ermöglichte 1942 dem österreichischen Forscher Hans Hass, eine Ägäis-Expedition zu unternehmen und dort den Kulturfilm »Menschen unter Haien« zu drehen. Die Aufnahmen wurden im Gebiet der Sporaden und Zykladen, ferner an der Küste von Kreta gemacht. Der Film, zu dem Herbert Windt die Musik komponierte, wurde von Hass erst nach dem Kriege fertiggestellt (U: 29. 11. 1949 in Köln).

Mit Reisen, vor allem mit See-Reisen, beschäftigte sich eine Reihe von Werbefilmen besonderer Art, – die bereits erwähnten KdF-Schiffs-Reisen ausgenommen, da es dort nicht um die ökonomischen, sondern um die rein propagandistischen, d. h. politischen Aspekte ging. Übrigens mußte die Reklame für die deutschen Reedereien, was den Zuschauerkreis im Reich betrifft, einen beschränkten Charakter tragen. Im Auftrag der Hamburg–Amerika-Linie wurde bei der Boehner-Film in Dresden der abendfüllende Werbefilm »Wir fahren nach Amerika« hergestellt. Die Kamera (Fritz Lehman) zeigte das moderne Amerika mit seinen großen Städten und Wolkenkratzern, aber auch mit seinen Naturschönheiten. Laut A. Bauers Spielfilmalmanach wurde der Film von der Filmprüfstelle am 7. 1. 1939 mit der Einschränkung zugelassen, daß er nur in geschlossenen Morgenveranstaltungen vor schriftlich geladenen Gästen vorgeführt werden dürfe. Der »Film-Kurier« (15. 1. 1939) schrieb dagegen über ausgezeichnete Inszenierung und Schnitt des Regisseurs Kurt Engel und über die Honorierung dieses Films mit den Prädikaten »künstlerisch wertvoll«, »jugend- und feiertagsfrei«. (U: 15. 1. 1939 in Hamburg). Als Meisterleistung der deutschen Filmindustrie wurde eine Kopie des Films ins amerikanische Bundesarchiv in Washington übernommen. Für den New-York-Dienst drehte man, diesmal im Auftrag des Norddeutschen Lloyd, den Film »Riesenschiff, Riesenstadt« (535 m): das Erlebnis des Riesenschiffes, der »Bremen«, und der Riesenstadt in Amerika (1939; P: kw). Die bereits erwähnten Filme »Bremen« und »Bremen, Bahnhof am Meer«, bildeten hier eine Ergänzung des Werbeprogramms. Im Auftrag der Hamburg-Amerika-Linie wurde 1939 bei der Boehner-Film »Bommerli fährt ins Mittelmeer« (600 m) hergestellt. Der Film schilderte eine Reise durchs Mittelmeer, mit Aufnahmen aus Italien, Griechenland, Konstantinopel und von der afrikanischen Küste. Den Film gestaltete Richard Groschopp. Der Hapag-Film »Die Wiege Europas« aus dieser Zeit schilderte ebenfalls eine Reise durch das Mittelmeer. Es kam zu Wiederaufführungen dieses Films am Anfang des italienisch-griechischen Krieges im Herbst 1940. Im Auftrage der Hapag entstanden auch andere Werbefilme. So auch »Rund um die Welt«, mit einem Luxusdampfer der Hamburg-Amerika-Linie. Diese Weltreise führte durch Europa, Afrika, Asien und Amerika, um von New York aus in der deutschen Heimat zu enden. Bis zum Frühjahr 1940 lief der Film in den öffentlichen Kinos des Reiches. Der Spielfilm leistete – was die Propaganda für die Seereisen betrifft – seinen Dienst. Das berühmte Schiff »Bremen« wurde in der Handlung des Films »Spiel an Bord« (1936) herausgestellt; der Hamburger Hafen und die Seefahrt waren die Lebenselemente des Films »Fracht von Baltimore« (1938) um das Schicksal einer schönen, stolzen Frau (Hilde Weißner), sie standen auch in »Zwischen Hamburg und Haïti« (1940) im Mittelpunkt.

Private See-Reisen gehörten im Krieg natürlich nicht zu den geförderten Unternehmungen, – ebensowenig wie die Filme darüber.

Der deutsche Kolonialanspruch

Mit der Forderung nach Eroberung neuer Ländereien in Übersee wurde eines der zentralen Themen der deutschen Kolonialpropaganda angeschlagen, die sich unter dem Einfluß der kaiserlichen Weltmachtpolitik seit Mitte der neunziger Jahre herauszubilden begannen. Auch nach 1918 war in Deutschland der koloniale Gedanke nicht erloschen. Der Anspruch beschränkte sich nicht nur auf die Rückforderung der ehemaligen Kolonien, sondern zielte auch auf eine Neuaufteilung der Erde zugunsten des schon vor 1918 »zu kurz gekommenen« Deutschen Reiches ab. Die außenpolitische Forderung Deutschlands auf die Rückgabe der Kolonialbesitzungen wurde im Dritten Reich immer lauter erhoben. Eine Hochflut von Kundgebungen, Reden, Publikationen sorgte dafür, daß die Erinnerung an die deutschen Kolonien bei den Volksmassen nicht in Vergessenheit geriet. Der Film erschloß sich diesen Themenkreis. Hauptziel der Propaganda blieb Afrika.

Stets befand sich im Verleih der erste abendfüllende Tonfilm der Ufa aus der Sparte des Kulturfilms – »Am Rande der Sahara« (2565 m), im Mai 1930 uraufgeführt. Von den rund 20 abendfüllenden Expeditionsfilmen der NS-Ära waren einige dem Schwarzen Erdteil gewidmet. Das Jahr 1935 brachte die Aggression Italiens gegen Abessinien und in Deutschland zwei Abessinien-»Lehrfilme«: »Abessinien – Im Schatten des Goldenen Löwen« (2505 m), von Jam Borgstädt (Regie und Produktion) hergestellt (U: 2. 5. 1935 in Hamburg; P: vb), und »Abessinien von heute – Blickpunkt der Welt« (2757 m), von M. Rikli (Buch und Regie) bei der Ufa hergestellt (U: 11. 10. 1935; P: vb). Rein theoretisch waren diese Filme »objektiv« und »politisch neutral« – Italien war noch nicht Bundesgenosse Deutschlands – aber es ging nicht allein um das Schicksal Abessiniens, es ging zugleich um das Problem der Neuaufteilung Afrikas. »Die Wildnis stirbt« galt als ein Denkmal für die deutschen Kolonial-Pioniere in Deutsch-Südwestafrika, die Perle der wilhelminischen Kolonialherrlichkeit, Deutsch-Ostafrika, Togo und Kamerun. »Tausend Fäden verbinden uns mit Afrika von einst«, brachte er dem Zuschauer in Erinnerung, zugleich die Botschaft sendend: »Wir fordern: Anteil am Reichtum der Welt, Raum für den Fleiß und die Tüchtigkeit unserer Jugend«. Der Film entstand bei der Hans-Schomburgk-Filmproduktion (und der »Deutschen Kolonialheimat«). H. Schomburgk war auch der Autor und mit A. Fanck der Gestalter dieses Films. Der Streifen schilderte die Entwicklung der erwähnten Länder in der Zeit von 1900–1936. Er benutzte die Materialien von früheren Schomburgk-Afrika-Expeditionen, Archivaufnahmen, und neues Filmmaterial, u. a. von Paul Lieberenz (U: 13. 11. 1936; P: vb, Lehrfilm). In seiner Kolonialpropaganda war der Afrikaforscher Schomburgk weiterhin aktiv. Am 15. 1. 1940 sprach er zu diesem Thema sogar im Berliner Fernsehen. Fragmente der von ihm gedrehten Afrikafilme wurden zugleich fernsehgesendet. Der erwähnte Paul Lieberenz gewann eine zweifelhafte Berühmtheit im Bereich Afrika-Filme. Er war zugleich Expeditionsleiter, Autor, Produzent, Regisseur und Kameramann. Sein Filmbericht einer Filmexpedition nach Kamerun »Unser Kamerun« war als ein Kolonial-»Großfilm« exponiert (2033 m). Nahezu 2000 Kinotheater spielten diesen Film, oft im Rahmen einer feierlichen Veranstaltung, mit Fahnen des Kolonialbundes (U: 18. 4. 1937; P: sw, vb, Lehrfilm). Vor Kriegsausbruch gingen auch einige Kurzfilme von Paul Lieberenz in die Kinos, u. a. »Deutsche Pflanzer am Kamerunberg« (1936, 1940; 681 m) und »Die deutsche Frauen-Kolonialschule Rendsburg« (1937; 532 m; P: sw). »Die Wunder ferner Erdteile verkünden« und »die Sehnsucht nach einem Stück wundersamer Natur stillen«, das sollte der Kulturfilm mit Spielhandlung »Sehnsucht nach Afrika« tun (2248 m). Den Film gestaltete Georg Zoch (Buch und Regie) bei der Tobis. In dem Streifen trat mit seinem Filmmaterial der bekannte schwedische Forscher und Reisende Dr. Bengt Berg mit seiner Familie auf, aber auch die deutsche »schauspielerische« (Klaus Detlef Sierck) und »nichtschauspielerische« Jugend. Dr. Bengt erzählte den deutschen Schülern von seiner Reise nach Afrika (U: 13. 1. 1939; P: küw, vb, Lehrfilm). Nach dem München-Abkommen wurde die deutsche Kolonial-Propaganda schärfer. Im Januar 1939 begründete Hitler den deutschen Kolonialanspruch im Reichstag mit folgenden Worten: »Der Raub der deutschen Kolonien war moralisch ein Unrecht, wirtschaftlich ein heller Wahnsinn, politisch in seiner Motivierung so gemein, daß man versucht war, ihn einfach als albern zu bezeichnen. Folgendes ist klar: entweder werden die Reichtümer der Welt durch Gewalt verteilt, dann wird diese Verteilung von Zeit zu Zeit immer wieder durch die Gewalt eine Korrektur erfahren, oder die Verteilung erfolgt aus dem Gesichtspunkt der Billigkeit und damit der Vernunft.« Kurz darauf kam in die Kinos ein Filmbericht von einer weiteren deutschen Afrika-Expedition durch die ehemals deutschen Kolonialgebiete (Deutsch-Ostafrika, Deutsch-Südwestafrika, Kamerun, Togo) – »Deutsches Land in Afrika« (1846 m)[116]. Der Film schilderte »in aufschlußreicher Form die Einsatzbereitschaft, den Arbeitswillen und das kulturelle Wirken deutscher Menschen, die als Farmer, Pflanzer oder Verwaltungsbeamte in den deutschen Kolonien wirkten«, berichtete die Kritik. (U: 15. 4. 1939 in München; P: sw, vb, Lehrfilm). Auf Anordnung des Reichserziehungsministers wurde der Film auch in den obligatorischen Schulveranstaltungen gezeigt.[117] »Safari« hieß der Filmbericht über eine Afrika-Durchquerung im Auto aus dem Jahre 1938. Über die 40 000 km lange Reise berichtete (Buch, Kamera, Regie) Wilhelm Eggert, und der Streifen wurde bei der Döring-Film hergestellt. (U: 24. 4. 1939; P: vb, Lehrfilm). Der Tier- und Afrikaforscher Lutz Heck führte den Beschauer »in das alte deutsche Kamerun« und zu der seltsamen Tierwelt dieses Landes in dem Ufa-Kulturfilm »Mit Dr. Lutz Heck in Kamerun«, der seit Ende 1939 im Verleih war (403 m; P: vb, Lehrfilm). Knapp vor Ausbruch des Krieges kehrte Paul Hartlmayer von seiner Afrika-Expedition nach Deutschland zurück. Als Ergebnis dieser Reise entstand der Film »11000 km Afrika«, in Abessinien und in Ostafrika mit den deutschen Farmern gedreht. Der Film wurde im Januar 1940 im Zoologischen Institut in München uraufgeführt. Vielleicht der letzte Afrika-Expeditionsfilm war »Wildnis« (»Das letzte Paradies«), ein Bildbericht, während einer langen Fahrt durch den Osten des afrikanischen Kontinents von Paul Lieberenz aufgenommen und von Fritz Wenneis musikalisch untermalt (2000 m; P: vb). 1943 wurde noch der Schmalfilm »Windhuk, die deutsche Hauptstadt von Südwestafrika« zensiert, – hergestellt vom Reichskolonialbund (233 m; P: kw, vb).

Zur Erlangung eines Afrika-Kolonialstoffes schrieben der Reichskolonialbund und die Ufa im September 1940 einen Wettbewerb aus (für die Preise setzte man 20000 RM aus.) Der Inhalt sollte das Schicksal eines deutschen Menschen als Kolonialmann zum Gegenstand haben, die Handlung sollte in der Zeit nach 1933 in Deutschland und Afrika spielen. Der Termin wurde auf den 15. 2. 1941 festgesetzt. Über die Ergebnisse ist nicht viel zu berichten. Übrigens verlor das Afrika-Thema bald seine bisherige Priorität.

Die Kolonialthemen fanden eine ziemlich breite Berücksichtigung bei dem Spielfilm: längere Zeit hindurch ohne Aggressivität. Der Film »Die Reiter von Deutsch-Ostafrika« (U: 19. 10. 1934; P: vb) schilderte einen Vorgang aus einem Kapitel der deutschen Kolonialgeschichte, ohne unmittelbar auf die laufenden politischen Tendenzen Bezug zu nehmen. Herbert Selpin realisierte ihn mit Sepp Rist, Peter Voß und Ilse Stobrawa. Das Verhältnis zwischen Deutschen und Engländern wurde in der Filmhandlung so allgemein menschlich dargestellt, daß Kritiken englischerseits gerade aus diesem Gesichtspunkt fast nicht denkbar waren. Und trotzdem betrachtete man im Ausland mit Recht diesen Film als ein Propagandawerk, das im Dienste des deutschen Kolonialismus stand. So wurde z. B. der nach Rumänien exportierte Film – hier unter dem Titel »Legiunes Africana« – von der dortigen Zensur verboten. Übrigens wurde der Film nach dem Kriegsausbruch auch in Deutschland, aber erst nach Englands »Nein«, verboten (19. 12. 1939). Das Abenteuer in Afrika schilderte

Harald Paulsens Erstlingswerk »Eine Frau geht in die Tropen«, mit den in Kamerun gedrehten (ohne Mitwirkung der Schauspieler) Außenaufnahmen. Die Expedition leitete Paul Lieberenz, mit Roger von Normann als Assistent (U: 28.7.1938). Lieberenz drehte an Ort und Stelle gelegentlich auch seine Kulturfilme.

Die Werbetexte verkündeten: Liebe, Tat und Schicksal eines tollkühnen Mannes, der unter Einsatz seines Lebens das Gummi-Monopol Brasiliens zerschlug und die Vormachtstellung Großbritanniens im Weltgummihandel begründete. Der tollkühne Mann war René Deltgen in dem Film »Kautschuk«. Er spielte die Rolle eines Engländers, der sich die Tat Henry Wickhams zum Vorbild nahm. Den Film stattete man mit allen Superlativen aus. Er brachte Unterhaltung mit brauchbaren politischen Akzenten: Im Bereich der deutschen England-Politik (die Zeit der Haßpropaganda gegen England war noch nicht gekommen) und, mittelbar, in der Kolonialpolitik des Reiches: Es ging um Rohstoffprobleme. Die Filmbetrachtung schrieb über die englische Kolonialpolitik, die von diesem Film heroisiert wurde. René Deltgens Gegenspieler war im Film Gustav Dießl, der Brasilianer de Ribeira, der mit Herrschermiene über Latifundien gebot, und Vera von Langen war für die Liebe zuständig. Ernst von Salomon, Dr. Franz Eichhorn und der Regisseur Eduard von Borsody zeichneten gemeinsam für Idee und Drehbuch verantwortlich. Sie haben die Abenteuer des ersten erfolgreichen Gummischmugglers in filmisch freier Gestaltung geschildert und heroisiert. Und Heroismus war damals im Dritten Reich in Mode. Franz Eichhorn gehörte zur Leitung der Brasilien-Expedition der Ufa und war im Film der Sachverständige, Ernst von Salomon dagegen schrieb die Dialoge. Der größte Vorzug des Films waren die Urwaldaufnahmen. Mit der Regiearbeit an diesem Film trat E. v. Borsody in die Reihe der großen Könner, so war es nach der Premiere in den Kritiken zu lesen (U: 1.11.1938 in Hamburg; P: skw). Der Film ging auch in die zahlreichen Kinos des Auslandes. Über »Kautschuk«-Premieren berichtete man aus New York, Zürich, Bern, Stockholm, Prag und anderen Metropolen.

Auf die Wichtigkeit des Rohstoff-Problems wiesen auch andere Spielfilme hin, ohne jedoch direkt die deutschen Kolonialansprüche zu berühren. Die Sparte des Abenteuerfilms erwies sich hier als sehr nützlich. Dem Bühnenstück »Vertrag um Karakat« von Fritz Peter Buch entnahmen die Drehbuchautoren Felix von Eckardt und Georg C. Klaren ein – übrigens gar nicht originelles – Abenteuer- und Sensationsthema und verknüpften es mit propagandistisch brauchbaren

Ideen und Idealen. Aus der Handlung des entstandenen Films »Mit versiegelter Order«, den Karl Anton regielich gestaltete: Unter Leitung des deutschen Ingenieurs Keßler (von Paul Hartmann gespielt) sind die Deutschen mit großangelegten Bohrungsarbeiten beschäftigt. Dafür, daß das Werk das wasserarme Land irgendwo im fernen Osten mit Wasser versorgen wird, werden die Deutschen die Ausfuhrgenehmigung für Kupfer einhandeln. Und das Werk ist wichtiger als der Einzelmensch. Viktor de Kowa, Paul Hartmanns Gegenspieler, wandelt sich also von einem Taugenichts zum opferbereiten Helden. (U: 14.1.1938; P: kw). In einem anderen Stil, aber auch mit bewährten Autoren (u. a. Werner Eplinius, Richard Billinger) und bekannten Darstellern (H. Söhnker, R. Deltgen, R. Fernau) wurde Günther Rittaus »Brand im Ozean« gestaltet. Der Film bot zur Genüge Boxkämpfe, Schießereien, Raufereien; es ging natürlich auch um Liebe und Glück (Winnie Markus), aber vor allem um Öl (U: 19.12.1939 in Bremen). Eine weitere Abwandlung bot »Das Lied der Wüste« (Arbeitstitel: »Aufschub für Brenton«). Die Handlung spielte diesmal in einem Mandatsgebiet Nordafrikas, wo ein Kupferbergwerk sich im Bau befand. Im Hintergrund stand das ernste Kapitel: der Kampf eines grundanständigen Mannes gegen einen brutalen Ausbeuter, im Vordergrund das Schicksal einer Sängerin, die auf dramatische Weise in den Kampf der in der nordafrikanischen Wüste lodernden Gegensätze zwischen unbeugsamem Idealismus und erbarmungsloser Geschäftemacherei entscheidend eingriff. Zarah Leander spielte die berühmte Sängerin, ihr Partner, der idealistische Ingenieur, war Gustav Knuth. Die Frau sang, um den Geliebten vor einem schmachvollen Tode zu bewahren, den ihm der gewissenlose Spekulant mit Hilfe eines ihm hörigen Kommissars zugedacht hatte. »Das Lied der Wüste« erzählte von jemand, dem beim Abschied zum Weinen zumute ist, der seine Tränen aber nicht zeigt. Die Regie besorgte Paul Martin, auch Co-Autor des Drehbuches. Der an der Spree so erfolgreiche Österreicher Nico Dostal schrieb die Musik. Diese Ufa-Produktion wurde von überaus großer Reklame begleitet. Hans Testrup schrieb den Roman »Das Lied der Wüste«, der dem Film zugrundelag (U: 17.11.1939). In den Propagandakampf der Jahre 1938/1939 um Afrika wurde der spannende Abenteuerfilm »Kongo-Express« einbezogen, von Eduard von Borsody und Ernst von Salomon (Co-Autor) gestaltet. Übrigens fanden die Außenaufnahmen nicht in Kongo, sondern bei Celle in der Lüneburger Heide statt. Der Zuschauer war vor allem mit den Liebesstrapazen der

Haupthelden – Marianne Hoppe, Willy Birgel und René Deltgen – beschäftigt, aber in dem Film wurde auch das Weh nach der Ferne angesprochen, das in vielen Deutschen schlummert. Obligatorisch waren auch Opferbereitschaft und Heldentum (U: 15. 12. 1939).

Die späteren Afrika-Spielfilme, wie »Carl Peters«, »Ohm Krüger« oder »Germanin«, standen vor allem im Dienste der antienglischen Propaganda. »Carl Peters« war aber zugleich ein spezifischer Kolonialfilm. Der Titelheld, ein Typus des modernen Eroberers mit sadistischen Neigungen – die Afrikaner nannten ihn »Mkono wa Damu«, den »Mann mit den blutigen Händen«, schleuderte den Bürokraten entgegen, »die am grünen Tisch die deutschen Hoffnungen auf Lebensraum aus Furcht vor England zerredeten«: »Sie reden hier, und draußen wird die Welt verteilt.« Der Regisseur Herbert Selpin, zugleich mit Ernst von Salomon und Walter Zerlett-Olfenius Co-Autor des Drehbuches, war Schöpfer dieses Films. Die Besetzung der Person des Carl Peters durch Hans Albers hatte Goebbels zunächst nicht gutgeheißen.[118] Und dennoch spielte der »blonde Hans« voll Begeisterung den berüchtigten Verfechter der deutschen Kolonialidee: es war seine 28. Rolle im Tonfilm.[119] Der »jugendwerte biographische Abenteuerroman« hatte seine Premiere in Hamburg (21. 2. 1941; P: skw, kw, vb). Die Herstellungskosten wurden nicht eingespielt.[120]

»Die Ostmark im Großdeutschen Reich«

Mit dem »Gesetz über die Wiedervereinigung Österreichs mit dem Deutschen Reich« vom 13. 3. 1938 war durch Adolf Hitler »die Sehnsucht von Jahrhunderten deutscher Geschichte erfüllt worden: Das Großdeutsche Reich unter einheitlicher Führung.« So damals die NS-Medien. Aber auch für viele Deutsche und Österreicher galt der seit Jahren vorbereitete »Anschluß« – trotz eines bestimmten Dualismus der Gefühle – als eine Vereinigung zweier deutscher Länder im Sinn der deutschen Tradition. Die Bewohner der »Ostmark«[121] nahmen alle Konsequenzen des »Anschlusses« auf sich und wurden zum größten Teil aktive Bürger des »Großdeutschen Reiches«. Im Jahre 1945 betonte Österreich »seine völlige Unabhängigkeit, erklärte sich für ›befreit‹, lehnte jegliche Verantwortung für das Hitlerregime ab und begehrte, nicht schuld an dessen Untaten gewesen zu sein« (Hilde Spiel).

Die kulturelle Zugehörigkeit Österreichs zum Deutschtum war

ständig mit den Absatzmöglichkeiten im Bereich des Schrifttums, des Theaters, des Films usw. verknüpft. Die österreichischen Filme waren also vor 1938 keine Seltenheit im Reich – und umgekehrt – was aber nicht bedeutete, daß auf beiden Seiten keine Vorbehalte bestanden hätten. In vielen Fällen war eine reinliche Unterscheidung – ob österreichisch oder deutsch – kaum möglich, es wäre auch heute noch schwer, viele Namen bedeutender, in Österreich geborener Schöpfer und Künstler aus dem gesamtdeutschen Zusammenhang zu reißen. Die typisch österreichischen bzw. wienerischen Filme mit Paula Wessely als junge habsburgische Prinzessin (»So endete eine Liebe«, 1934), als Möchtegernschauspielerin (»Die ganz großen Torheiten«, 1937) oder Medizinstudentin (»Spiegel des Lebens«, 1938) galten zum Teil als deutsche, zum Teil als österreichische Werke und wurden von den Regisseuren der beiden Staaten gedreht; und die Darsteller der beiden Staaten wirkten mit, – um Gustaf Gründgens' Metternich-Rolle in »So endete eine Liebe« zu erwähnen. Zum Symbol wurde das noch bei der Vindobona-Film in Wien gedrehte Volksstück »Konzert in Tirol«. Die Wiener Sängerknaben und eine Liebesgeschichte zwischen einem jungen Hilfslehrer und einer Bauerntochter (Hans Holt und Heli Finkenzeller) bildeten das Thema der Handlung. Karl Heinz Martin inszenierte den Film, und W. Schmidt-Gentner ergänzte die Chöre von Brahms, Mozart und Schubert mit einigen gefälligen Kinderliedern (U: 2. 10. 1938; P: vw).

Nach dem »Anschluß« prägte sich die »großdeutsche« Idee auf die österreichischen Filmproduktionen bzw. österreichischen Filmthemen aus. Der Gegensatz Preußen–Österreich wurde im »Großdeutschen Reich endgültig aufgehoben«, verkündete die NS-Propaganda, und in diesem Sinne wurden auch historische Filme gedreht. Der erste sogar im Jahre 1933. Damals schon hatte Karl Schönherr im Dritten Reich eine weitreichende Ausstrahlung. Sein Volksschauspiel um den Kampf der Tiroler Bauern unter Andreas Hofer gegen Napoleon, »Der Judas von Tirol«, wurde in der Regie von Franz Osten, mit Fritz Rasp in der Hauptrolle und mit Marianne Hoppe und Camilla Spira, verfilmt (U: 21. 11. 1933; P: kw). Zu dieser Epoche und zu diesen Problemen kehrte Luis Trenker in seinem »Feuerteufel« zurück.

In der heroischen Idee und in der Bilderfülle knüpfte »Der Feuerteufel« an die große Linie des »Rebells« (er erschien wenige Wochen vor der NS-Machtübernahme), des »Kaisers von Kalifornien« (1936) und des Films »Condottieri« (1937) an. Im »Rebell« war Tirol Schauplatz der Kämpfe, diesmal war der Held, den Trenker selbst verkörperte, ein unbekannter Kärntener Holzknecht. Im Drehbuch des Films, das Luis Trenker zusammen mit Hanns Saßmann schrieb, haben Geschichte und Phantasie ein spannendes Schicksal gestaltet. Der Hauptheld, gewissermaßen eine Kreuzung zwischen Hofer und Schill, war mit der Idee »Großdeutschland« ausgestaltet. Zur Zeit der napoleonischen Herrschaft kämpfte der »Feuerteufel« an der Spitze seiner Landsleute für die Freiheit des Landes. Ausgangspunkt war der Einsatz Ferdinand von Schills, der von Preußen aus den Bewohnern der Alpenländer zur Hilfe kommen wollte. Da er aber von König Friedrich Wilhelm der Desertion für schuldig erklärt worden war, blieb der Aktion der letzte Erfolg versagt. Die Proklamationen des preußischen Majors Schill erreichten (mit Worten vom Großdeutschem Reich) die Kärntener und stachelten sie zum Letzten auf. Der Befreiungskampf nahm seinen unaufhaltsamen Weg; von allen verlassen, mußten die Älpler auf eigene Faust handeln. Dem durch Verrat vereitelten Erfolg gegen den Korsen folgte dann doch der endgültige Sieg. Trenker war nicht nur Mitautor und Hauptdarsteller, sondern auch Regisseur und Produzent. In dem Film stellte er ein neues Frauengesicht vor: Marie Holzmeister, die dem »Feuerteufel« als Liebende und Frau zur Seite stand. Unter den Hauptdarstellern befanden sich auch Hilde von Stolz, Erich Ponto, Fritz Kampers und Claus Clausen. Die Musik schrieb der Meister Becce (U: 3. 3. 1940). Anläßlich der Vorführung dieses Films im Fernsehen der BRD (1983) meinte der NDR: über diesen Guerillakrieg müßten sogar die Steinböcke lachen.

Günstige Gelegenheit für die »Großdeutschland«-Propaganda bot die letzte Phase der Geschichte der Habsburger Monarchie. Die Konflikte des Vielvölkerstaates, dessen verschiedene Volksgruppen politisch, ökonomisch und kulturell auseinanderstrebten, lieferten allerlei Filmstoffe, und es war durchaus nicht wichtig, ob sie mit der Wirklichkeit viel zu tun hatten. So entstanden auch Filme aller Art, stets aber auf den wichtigen Propagandazweck ausgerichtet. Aus der Ära nach dem »Anschluß« ist hier zunächst das Spionage- und Liebesdrama »Hotel Sacher« zu erwähnen. Das bekannte Wiener Hotel und die Silvesternacht des Jahres 1913: auf diesem Hintergrund entspann sich die Handlung. Sybille Schmitz war hier eine Agentin, die als Ruthenin für das nationalslawische Ideal arbeitete, während Willy Birgel, österreichischer Verwaltungsbeamter von ebenfalls ruthenischer Volkszugehörigkeit, dem Staat treu blieb. An diesem Konflikt gingen beide zugrunde. Erich Engel gestaltete die ganze Geschichte bei der Mondial für die Ufa. Die Filmbetrachtung belehrte den Zuschauer: »Die Probleme des Films vermögen gerade jetzt zu interessieren, da sich eine grundlegende Neuordnung des einst von der Habsburger Monarchie beherrschten Raumes vollzogen hat«. (U: 15.3.1939; P: kw).

Am Tage der »Hotel Sacher«-Uraufführung zogen die deutschen Truppen in Prag ein. Und die Moldau-Stadt wurde zum Schauplatz eines weiteren Films aus dieser Reihe: »Leinen aus Irland«. Die Zustände in der Habsburger Monarchie wurden abermals an den Pranger gestellt. Es gab auch einen Film mit historischen Ambitionen, nämlich den Film über Karl Lueger.

Viele mit Sympathie geschriebene Zeilen widmete Adolf Hitler in seinem »Mein Kampf« dem Wiener Bürgermeister Dr. Karl Lueger. Dem desertierten Liberalen, dem antisemitischen, christlich-sozialen Bürgermeister setzte der NS-Film ein Denkmal. Gerhard Menzel schrieb das Drehbuch. Rein politisch gesehen war es keine leichte Aufgabe, und sowohl das Projekt als auch später der fertige Film führten zu Kontroversen. Es ging um die politischen Differenzen zwischen Lueger und dem Führer der österreichischen »Alldeutschen«, Georg Ritter von Schönerer. Bereits im Herbst 1940 wurde der Film unter dem Titel »Lueger« im Programm der Wien-Film-Produktionen angekündigt, aber die Dreharbeiten begannen erst ein Jahr später: ein Teil in Babelsberg und ein Teil in Wien.[122] Die Arbeiten an dem Film, die der Regisseur E. W. Emo leitete, waren mit zahlreichen Schwierigkeiten politischer Natur gespickt. »Es gibt in Wien eine radikale politische Clique, die diesen Film zu Fall bringen will. Ich werde das nicht zulassen. Der Film soll zuerst einmal gedreht werden, und dann kann man sagen, ob daran noch Korrekturen vorgenommen werden müssen, oder ob er zur Gänze zu ändern ist«, notierte Goebbels in seinem Tagebuch (15.3.1942). An der Donau hatte man aber auch »Privilegien«, was die »Wiener Kulturpolitik« betraf. Der Film zeigte eigentlich nur die letzten Lebenstage des Bürgermeisters Lueger. Den Titelhelden spielte Rudolf Forster. Es war die erste Filmrolle, die er seit seiner Rückkehr aus den USA bekam. Carl Kuhlmann war (als Kommerzialrat und Mitglied des Gemeinderates) Luegers Gegenspieler. Die schöne Lil Dagover spielte die Frau Hofrat Marie von Anschütz. Für die »großdeutschen Ideen« setzte sich expressiv Heinrich George als von Schönerer ein. Herbert Hübner verkörperte einen jüdischen Journalisten. Mit Verspätung kam der Film in die Kinos unter dem Titel »Wien 1910« (U: 26. 8. 1943; P: sw, küw). Aus dem Verleih in Österreich wurde der Film zurückgezogen und kam erst im Jahre 1970 (!) nach Wien zurück. Es kam in Wien zu energischen Protesten, die der Verfasser dieses Buches zufällig selbst miterlebte.

Georg von Schönerer – Dr. Karl Lueger
»Rein menschlich gesehen ragen sie, einer wie der andere, weit über den Rahmen und das Ausmaß der sogenannten parlamentarischen Erscheinungen hinaus. Im Sumpfe einer allgemeinen politischen Korruption blieb ihr ganzes Leben rein und unantastbar. Dennoch lag meine persönliche Sympathie zuerst auf Seiten des Alldeutschen Schönerer, um sich nur nach und nach dem christlich-sozialen Führer ebenfalls zuzuwenden. In ihren Fähigkeiten verglichen, schien mir schon damals Schönerer als der bessere und gründlichere Denker in prinzipiellen Problemen zu sein. Er hat das zwangsläufige Ende des österreichischen Staates richtiger und klarer erkannt als irgendein anderer. Würde man besonders im Reiche seine Warnungen vor der Habsburger-Monarchie besser gehört haben, so wäre das Unglück des Weltkrieges Deutschlands gegen ganz Europa nie gekommen. Allein wenn Schönerer die Probleme ihrem inneren Wesen nach erkannte, dann irrte er sich um so mehr in den Menschen. Hier lag wieder die Stärke Dr. Luegers...«
Quelle: A. Hitler, Mein Kampf, München 1939, S. 105

So wie im »Altreich« die Zustände der Weimarer Zeit immer wieder verteufelt wurden, so bildete auch die »harte Zeit« der 1. Österreichischen Republik ständig ein Angriffsziel. Auch im Film. Scharf und primitiv, wie in »Wetterleuchten um Barbara« (1941), mehr oder weniger subtil in anderen Produktionen. Die Unabhängigkeit Österreichs und der »Unsinn« der deutsch-österreichischen Grenze wurden im Hans-Moser-Lustspiel »Liebe ist zollfrei« (1941) an den Pranger gestellt. Doch war der Film zur Vorführung im Protektorat, vor Polen im GG, in Ungarn und in Jugoslawien, nicht geeignet: laut Anweisung.[123] Es ging um Grenzverhältnisse in diesen Gebieten, die wirklich einen Unsinn bildeten. In diesem Themenkreis bewegte sich auch die elegante Liebeskomödie »Der kleine Grenzverkehr«. Der Film, »dessen Drehbuch der Autor des Münchhausen-Manuskripts, Berthold Bürger, schrieb« – so im »Film-Kurier« (21. 9. 1942) – handelte von einem »Lachforscher«, der aus Devisengründen – man schrieb noch anno 1936 – ohne Geld im kleinen Grenzverkehr stundenweise von Reichenhall in das Salzburgische überwechselte. In Salzburg und in Reichenhall drehte man auch die Außenaufnahmen. Die Hauptrolle spielte Willy Fritsch, und Hertha Feiler (eine geborene Wienerin) war das Fräulein Konstanze. Diese Erich-Kästner-Verfilmung – die Grundlage bildete das Salzburg-Buch u. d. T. »Georg und die Zwischenfälle« (1938, 1949) – realisierte Hans Deppe bei der Ufa (U: 22. 4. 1943).

Österreichische Themen waren nach März 1938 auf der Leinwand oft zu Gast: in den Unterhaltungsfilmen des leichteren Genres, über die noch zu berichten ist, und in den »Problemfilmen« mit mehr oder weniger sichtbarer politischer Lenkung. »Grenzfeuer« war z. B. ein Film »von der Größe der Natur und in ihr von der Kraft pflichtstarken Mannesmuts«. Mitte Januar 1939 begann Alois Johannes Lippl ihn zu drehen. Nach einer Idee von Hanns Beck-Gaden schrieb er mit Toni Huppertz das Drehbuch und übernahm danach die Regie: bei der Luis-Trenker-Film. Die Außenaufnahmen drehten die Kameraleute – unter ihnen Albert Höcht – bei Innsbruck und im Ötztal, und zwar bei Ober-Gurgl, in über 3000 m Höhe. Zu diesen Aufnahmen wurde der altbewährte Mitarbeiterstab von Luis Trenker eingesetzt. Es waren darunter Bergsteiger und Skiläufer, die auch schon bei früheren Trenker-Filmen mitgewirkt hatten. Aus guten Gründen erkannte man diesem »erzieherischen« Streifen – es ging um die Arbeit der Grenzpolizei – das Prädikat »staatspolitisch wertvoll« zu. (U: 26. 5. 1939 in Lauenburg). Auf die geopolitischen Bindungen (Österreich als »strategische Brücke« zu den Balkanländern) wies der Spielfilm »Donauschiffer« hin. Schöne Außenaufnahmen bei einer Donau-Schiffahrt und zwei Männer, die dasselbe Mädchen (Hilde Krahl) liebten. Die Außenaufnahmen wurden unter der Leitung des Regisseurs Robert A. Stemmle vor allem (nicht ohne Schwierigkeiten seitens der jugoslawischen Behörden) in und bei Belgrad gemacht. In Rumänien entstanden noch größere Schwierigkeiten; es war die Zeit des Krieges, die zum vorzeitigen Abbruch der Außenaufnahmen geführt hatte. Der Film wurde endlich im Atelier fertiggestellt (U: 30. 4. 1940 in Wien).

Nur aus der gesamtdeutschen Sicht ließ sich der jeweilige Standort des Berliner oder Wiener Lebens »richtig und sinnvoll bestimmen und deuten, jede andere Betrachtung« verwirrte nur und führte »zu Ungerechtigkeiten«, betonte der bekannte Wiener Kritiker Oskar Maurus Fontana (NDK, 23. 11. 1940). Der Film war auch hier am

Platz, und zwar mit lustspielhaftem Stoff: »Meine Tochter lebt in Wien«, mit einem auserlesenen Ensemble von Wiener Lustspiel-Spezialisten, machte den Anfang. E. W. Emo inszenierte den Film nach dem Manuskript von Fritz Koselka (U: 16.7.1940 in Hamburg). In einem anderen Hans-Moser-Film »Liebe streng verboten« (der berühmte Komiker trat hier in der Rolle eines Gutsverwalters auf) ging es nicht allein um Liebe, sondern vor allem um das zu dieser Zeit besonders aktuelle Verhältnis zwischen Wien und Berlin. Vorurteile und Mißverständnisse zwischen den Bewohnern der beiden Großstädte »des gemeinsamen Deutschen Reiches« galt es abzubauen. Nur in diesem Rahmen konnte man beiden Teilen ein wenig die Wahrheit sagen. Die (nicht immer logisch) gedachte Handlung des Films spielte teils in Berlin, teils in Wien. Sie fing damit an, daß ein Berliner (Paul Westermeier) eine Wienerin (Julia Serda) geheiratet hatte. Carola Höhn war der Sprößling, um den sich alles drehte. Heinz Helbig realisierte den Streifen für die Aco-Film (U: 28.3.1939) Der Algefa-Film »Herzensfreud – Herzensleid« diente denselben erzieherischen Zwecken. Junge Liebe und junger Wein, dazu ein goldiges Wiener Herz und die sprichwörtliche Wiener Gemütlichkeit (so damals die Filmbetrachtungen) zogen einen jungen Norddeutschen aus vornehmer Familie so fest in ihren Zauberkreis, daß er sich nicht mehr daraus lösen konnte und wollte. Hubert Marischka realisierte den Film als Regisseur und Mitverfasser des Drehbuches (ein Theaterstück stand im Hintergrund). Das junge Paar waren die mädchenhafte Magda Schneider und Paul Klinger. Einen steifen Herrn Konsul spielte Hans Leibelt, seiner Frau Erika von Thelmann, und als gute, verständnisvolle Großmutter trat Hedwig Bleibtreu auf. Paul Hörbiger spielte einen Weinbauern. Die Musik stammte von dem bekannten Komponisten Ludwig Schmidseder – einen Schlager sang Rosita Serrano (U: 20.12.1940 in Bochum).

Das »heimgekehrte« Österreich wurde selbstverständlich in verschiedenen Dokumentarstreifen und politisch gesteuerten Kulturfilmproduktionen zum Thema. Mit Dokumentarfilmen wie »Ein Volk – ein Reich – ein Führer«, »Wort und Tat«, »Gestern und heute« war ein ganzer Stab von Regisseuren beschäftigt (H. Steinhoff, G. Ucicky, Ottoheinz Jahn und E. York), und die Filme, da es zugleich um Reichstagswahl-Propaganda ging, wurden weit und breit kolportiert. Dem »Anschluß« wurden auch andere Filmdokumentationen gewidmet.[124] Das Thema kehrte ebenfalls in späteren Filmen über die weiteren Hitler-Aggressionen zurück.

Die Kulturfilme boten eine anderweitige »Aufklärung«. »Steine reden« (562 m), ein Werk der Wien-Film aus dem Jahre 1939, schilderte den »historischen Aufbau Wiens von der Römerzeit bis zur Eingliederung ins Großdeutsche Reich« (P: sw, küw, vb, Lehrfilm). Aus demselben Jahr stammte »Aus der Rüstkammer deutscher Vergangenheit« mit Aufnahmen aus dem Heeresmuseum und dem Kunsthistorischen Museum in Wien. Die präsentierte Waffensammlung (u. a. Ritterrüstungen und Harnische) wurde im Geist des NS-Vokabulars kommentiert.[125] Die Wien-Serie ergänzten: »Ein Tag in Schönbrunn«[126], »Präludium aus Wien« – ein Streifen über die großen Meister der Musik[127], und »Rund um Wien«, ein Film über die Landschaft und Sehenswürdigkeiten der Wiener Umgebung.[128] Einige Dutzende von Kulturfilmen war den anderen Gauen der »Ostmark« gewidmet. Übrigens lichteten sich die Filmreihen im Kriege. Auf der »Kulturfilmliste des Fremdenverkehrs« (15. 11. 1941) waren Kärnten mit 10, Steiermark mit 5, Oberdonau-Salzburg mit 7, Niederdonau mit 4 und Tirol mit 16 Positionen vertreten. Die Alpengebiete wurden von den Kulturfilmherstellern (aber auch vom Spielfilm) mit besonderer Vorliebe behandelt. »Land unterm roten Adler« führte den Zuschauer in die Schönheiten des Tiroler Landes. Auch die Festspielstadt Salzburg rühmten einige weit bekannte Kulturfilme.

Die geopolitischen Bindungen: Deutschland, von Rügen an, und Österreich, ferner Berlin und Wien, kamen zum Ausdruck in der Beschreibung von Eisenbahnverhältnissen. Ein Kulturfilm mit Spielhandlung, »Räder rollen«, den Dr. Max Zehenthofer 1940 mit dem Komponisten Karl Eisele bei der Wien-Film drehte, schilderte eine Reichsbahnreise zweier Burschen: der eine war der Wiener Pepi, der andere der Berliner Peter. Die beiden wollten sich gegenseitig mit den Schönheiten vom »Altreich« und von der »Ostmark« übertrumpfen, bis sie endlich zu der »hohen Erkenntnis« kamen, daß alles »eine« Heimat, ihr Deutschland, ist.

Der »Nibelungenstrom« – die Donau, wurde zur des Deutschen Reiches größten Wasserstraße, und da der südöstliche Teil Europas in den Plänen »Neuordnung Europas« einen gewichtigen Platz einnahm, waren auch Donau-Themen in der Propaganda von größter Bedeutung. Der Film meldete sich hier selbstverständlich zu Wort. Bereits 1938 entstand der Schmalfilm »Nibelungen auf Fahrt« (238 m), ein Bericht über die Reichsjugendfahrt auf der Donau, ebenfalls ein Wochenschau-Thema. »Eine Donaufahrt« (465 m), ein

Film der Weid-Film in München, schilderte eine Donaufahrt von Regensburg bis zur Mündung. Die Schönheit des Stromes und seiner Orte zeigte der Otto-Trippel-(München)-Film »Die Donau vom Schwarzwald bis Wien« (532 m), im Jahre 1939 gedreht. Von dem Plan, die »Donaumonitoren« zu drehen, mußte die Wien-Film, wegen des Kriegsausbruchs, Abstand nehmen.[129] Bald aber wurden die Verhältnisse auf dem Balkan für Deutschland günstiger. »Donauabwärts von Wien bis zum Schwarzen Meer« hieß der Kulturfilm von Leo de Laforgue (Musik Viktor Hruby), der 1941 bei der Wien-Film entstand (P: vb). Otto Trippel und der Meisterkomponist G. Becce inszenierten für die Tobis den Film »Ewiges Werden«, der die Donau vom Schwarzwald bis zur Wachau zeigte. Noch 1940/41 wurde bei der Weid-Film in München der Streifen »Die deutsche Donau« (498 m), der den Strom von der Quelle an zeigte, hergestellt.

Einige Kulturfilme mit Österreich zum Thema entstanden noch 1944. Hier war Dr. Max Zehenthofer unverwüstlich. Er gestaltete u. a. »Gau Oberdonau – alte deutsche Erde« (nach dem Manuskript von Theodor Brieger und mit Musik von Albert Fuchs) und »Das tägliche Brot«, auch dem »Gau Oberdonau« gewidmet. In Dürnstein in der Wachau spielte der letzte (?) »ostmärkische« Landschaftsfilm »Weinbauer unter dem Hüterstern« (430 m; P: vb, aw). Wolfgang Müller-Sehn, sein Gestalter, zeigte den Einsatz von Weinberghütern in der Wachau zum Schutze der reifenden Trauben.[130]

»Jüdischer Krieg gegen Deutschland und nationalsozialistischer Abwehrkampf«

Der Titel stammt selbstverständlich nicht vom Verfasser, sondern ist der NS-Publizistik entnommen worden. Er soll das Klima der nationalsozialistischen Aktionen gegen die Juden charakterisieren; Aktionen, deren brutale Methoden man als den Abwehrkampf bezeichnete oder als eine Vergeltungsmaßnahme. Der Spielfilm hielt sich längere Zeit fern von den antisemitischen Ausschreitungen (die kommerziellen Gründe waren hier im hohen Grade maßgebend), abgesehen von beiläufigen Anspielungen, wie im Franz-Wenzler-Film »Hans Westmar« (1933), einem Beitrag zum Horst-Wessel-Mythos. Die anderen Sparten des Films waren dagegen angriffslustiger. Das Jahr 1938 brachte eine weitgehende Änderung. Der »Film-Kurier« (31. 1. 1939) führte Fragmente aus Hitlers Rede im Reichstag an, die das Thema Film betrafen: »Auch die Ankündigung amerikanischer Filmgesellschaften, antinazistische d. h. antideutsche Filme zu drehen, kann uns höchstens bewegen, in unserer deutschen Produktion in Zukunft antisemitische Filme herstellen zu lassen.« Die Vorbereitungen zu solchen Filmproduktionen begannen übrigens schon früher.

Der erste direkt antisemitische Spielfilm stammte aus Schweden. »Petersson und Bendel« (Regie Per Axel Brauner) lief in den deutschen Kinos als eine schwedische Originalfassung mit einkopierten deutschen Untertiteln. Die deutsche Erstaufführung fand bereits am 12.7.1935 in Berlin statt. Der Film erhielt danach eine deutschsynchronisierte Fassung, und kurz nach der »Kristallnacht« erlebte er seine zweite deutsche Erstaufführung (2.12.1938).[131] Eine in den totalitären Systemen stets beliebte Methode, sich mit fremden Propagandamaterialien für eigene Zwecke zu bedienen. Antisemitische »Andeutungen« in deutschen Spielfilmen kamen erneut vor in »Mit versiegelter Order« (die Gestalt des Kantinenpächters, von Hans Stiebner gespielt) und »Pour le Mérite«, beide Filme aus dem Jahre 1938.

Weniger im Geist der Kunst, dagegen mehr im Zeichen der neuen Welle der antisemitischen Ausschreitungen stand die Verfilmung der alten Posse »Robert und Bertram« von Gustav Raeder. Die Aufnahmen begannen am 10. Januar 1939 in den Johannisthaler Ateliers der Reichshauptstadt. Es ging um eine Hans H. Zerlett-Produktion der Tobis. Von diesem Regisseur stammte auch das Drehbuch. Zerlett hatte die Posse gründlich »poliert«, übernahm von ihr nur einen Teil der Episoden (sogar wörtlich), aber nicht die Handlung in ihren Grundzügen. Ein paar »zeitgemäße Witze« hat er ihr auch aufgesetzt. Die beiden Vagabunden, der Schlanke und der Dicke, »kleine« Gauner, die zwar da und dort die Grenzen menschlicher Ordnungen verletzten, waren aber gleichzeitig die herzensguten Vertreter einer »wirklichen Gerechtigkeit«. Sie spielten den »großen« Gaunern, dem Bankier Impelmeyer und Konsorten, ihre Streiche, um diese »Schädlinge« dem Gespött der Gemeinschaft auszusetzen. Die »großen« Gauner, die »Schädlinge«, waren selbstverständlich Juden. In einem Interview plauderte der Gestalter dieses »Werkes«: »Bei Raeder siegte eigentlich die Unmoral, bei mir haben sie aber nun eine gute Tat getan, und deshalb können sie erlöst werden nicht im irdischen, sondern im überirdischen Sinne.« (Film-Kurier, 17.1.1939). Die Rollen der beiden Vagabunden spielten Rudi Godden (der Gebildete) und Kurt Seifert (der Primitive), Carla Rust war das Lenchen. Die weiteren Rollen waren ebenfalls sorgfältig besetzt: Fritz Kampers (der Zufall wollte es, daß er einst, mit Harry Liedtke zusammen, in dem gleichnamigen Stummfilm eine der Hauptrollen gespielt hatte), Herbert Hübner in der Rolle des Bankiers Impelmeyer, Walter Lieck als Dr. Kaftan u. a. Alle sechs jüdischen Rollen wurden im Film von Nichtjuden gespielt. Eine Kompanie der Leibstandarte in Biedermeierkostümen bildete den Hauptteil der Komparserie. Leo Leux schrieb zu dieser musikalischen Posse, die auf der Leinwand den Titel ihrer literarischen Vorlage behielt, unter Verwendung alter, vertrauter Melodien eine leichte, volkstümliche Musik. Kassenerfolge brachte der Film nicht. Auch der »Führer« gehörte nicht zu den Enthusiasten dieses Films. Nach der Uraufführung in Hamburg (7. 7. 1939) gab es eine Woche später die Berliner Premiere. Tags darauf schrieb der »Film-Kurier« (15. 7. 1939): »Wird doch erstmalig in einem Film das Judentum zur Zielscheibe eines überlegenen und wirkungssicheren Spottes gemacht.« Im allgemeinen lobte die Filmbetrachtung den Film. Hans H. Zerlett dürfe das Verdienst für sich in Anspruch nehmen – so war zu lesen – zwei unvergängliche Gestalten der deutschen Volksliteratur für die Gegenwart wiedererobert zu haben. Kurz danach kam der Kriegsausbruch, und man entschloß sich, die letzten Sequenzen des Films zu ändern. »Statt der Märchenreise in himmlische Gefilde« bekamen »die Zuschauer zeitgemäße Eindrücke vorgesetzt: ›In Reih und Glied stehen Robert und Bertram als stramme Soldaten, und Michel kommandiert vor der Front: Das Gewehr über! Kompanie marsch!‹«.[132]

Einigen Pressenotizen von Anfang 1940 war zu entnehmen, daß der Schriftsteller Mirko Jelusich, ein Wiener Kind kroatischer Abstammung, für die Ufa das Drehbuch »Kämpfer, Krämer und Kurse« schrieb. Der Film sollte »getreu zeigen«: die Ereignisse des Börsencoups von Rothschild, der den Sieg bei Waterloo für seine geschäftlichen Schiebungen ausgenutzt hatte. Das Thema war als ein Element der NS-Propaganda nicht neu. Bereits am 6. 10. 1934 wurde gleichzeitig in Aachen und Weimar Eberhard Wolfgang Möllers Komödie »Rothschild siegt bei Waterloo« uraufgeführt. Diesem Stück, das zunächst noch als Hörspiel im Rundfunk gesendet wurde, lag eine historische Anekdote zugrunde, »die sehr berühmt und sehr umstritten ist« (E. W. Möller in der Einleitung der Buchausgabe). Jetzt aber, im Film – es war die Zeit des Krieges mit England – wollte man die antisemitische Tendenz mit der antienglischen verknüpfen. Von M. Jelu-

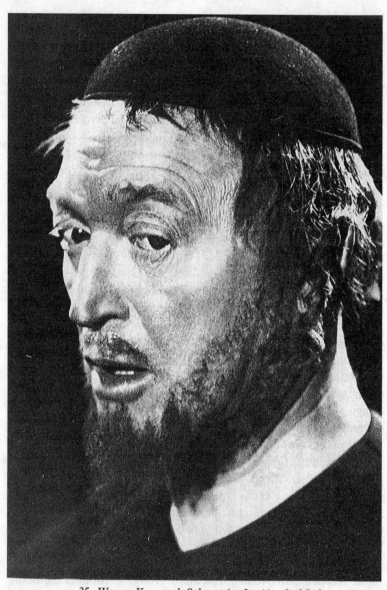

35. *Werner Krauss als Sekretarius Levi in »Jud Süß«*

36. *Ferdinand Marian und Heinrich George in »Jud Süß«*

37. *Aus dem Film »Jud Süß«*

sichs Manuskript blieb letztendlich nicht viel übrig: Das eigentliche Drehbuch schrieben C. M. Köhn und G. T. Buchholz. Erich Waschneck übernahm für die Ufa die Regie, Robert Baberske die Kameraarbeit. Über die Dreharbeiten an dem Film berichtete die Presse nicht. Der Film schilderte den Aufstieg der jüdischen Bankierfamilie Rothschild zu einer europäischen Macht. Gezeigt wurden vor allem die Skrupellosigkeit der Charaktere und der Mittel, derer sie sich bedienten, um zu Reichtum und Macht zu gelangen. Die Autoren und der Regisseur hatten eine Reihe von Typen kreiert, die wie Destillate unangenehmster menschlicher Eigenschaften wirkten. Die schwarzgemalten Charaktere waren Juden, aber die Engländer und Franzosen waren – meistens – nicht viel besser dargestellt. Sogar Wellington wurde als ein korrumpierter Lebemann geschildert, der die Preußen im Kampf gegen Napoleon im Stich ließ. Der Film bediente sich vorwiegend der Mittel des Theaters, also des gesprochenen Wortes und der schauspielerischen Leistung. Die schauspielerische Leistung war es in erster Linie, die den Film trug, und die es auch dem Zuschauer erleichterte, den oft verschlungenen Fäden der Rothschild'schen Transaktionen (mit zahlreichen Inkonsequenzen des Drehbuches) zu folgen. Den alten Rothschild spielte der bekannte Dresdner Schauspieler Erich Ponto. Seine Söhne waren: der skrupellose James – Albert Lippert – und der machtgierige, aufdringliche Nathan – Carl Kuhlmann. Es spielten außerdem u. a. mit: Albert Florath, Hubert von Meyerinck, Bernhard Minetti, unter den Damen Hilde Weißner, Gisela Uhlen und als Tänzerin Ursula Deinert. (U: 17.7.1940) »Die Rothschilds« fielen beim Publikum durch. Auch für den Lenkungsapparat wurde der Film eine Enttäuschung.[133] Er blieb nicht lange im Kinorepertoire. Im Sommer 1941, kurz vor der Einführung des Judensterns im Reich (19.9.1941), kam er noch als Reprise in die Kinos. Der Davidstern befand sich im Schlußtitel der »Rothschilds«. Er befand sich auch im Vorspann des nächsten antisemitischen Filmwerks, »Jud Süß«.

Wie schon in den »Rothschilds«, so wurde auch in »Jud Süß« die Geschichte und Gestalt eines prominenten Juden an den Pranger gestellt. Der Film ist so bekannt (bei der jüngeren Generation durch das lebhafte Echo nach dem Krieg und durch die Fachliteratur), daß es kaum der Schilderung bedarf. Hier verdient er Aufmerksamkeit, weil er in der politischen Beeinflussung des deutschen Volkes leider eine nicht geringe Rolle spielte und für die Geschichte des Films im Dritten Reich eine wichtige, symptomatische Bedeutung hat. Es war ein Auftragsfilm des Reichspropagandaministers, und mit dem Drehbuchschreiben wurde zunächst – laut Presse – Ludwig Metzger, danach auch der Regierungsrat im ProMi Eberhard Wolfgang Möller, ein Schriftsteller zugleich, beauftragt. Über Jud Süß Oppenheimer hatte einst der junge Schriftsteller Wilhelm Hauff eine Novelle veröffentlicht (1827), worin er versuchte, wie er dem Verleger schrieb, »ein möglichst lebendiges Bild jener für unser Vaterland so verhängnisvollen Zeit zu geben«, die Württemberg unter der Regierung des Herzogs Karl Alexander erlebte. 1925 erschien Lion Feuchtwangers Roman »Jud Süß«, der nach den ersten nationalsozialistischen Greueltaten gegen die Juden als Vorlage für den Gaumont-Film »Jew Süß« mit projüdischer Tendenz diente. Diesen Film inszenierte 1934 in England Lothar Mendes mit Conrad Veidt. In Deutschland wurde er als eine unverschämte Provokation betrachtet. Für die Regie des deutschen Films war zunächst Peter Paul Brauer vorgesehen, dann entschied sich Goebbels jedoch für Veit Harlan. Die Kameraarbeit wurde Bruno Mondi übertragen. Veit Harlan fuhr ins Generalgouvernement, wo er in den Ghettos einiger Städte (vor allem in Lublin und Warschau) seine »Studien« machte. Hier wurden auch manche Sequenzen des Films gedreht. »Es ist natürlich, daß ein solcher Film in Deutschland einige Besetzungsschwierigkeiten haben muß. So schweben über die Besetzung des Jud Süß Oppenheimer selbst zur Zeit noch Verhandlungen«, erklärte Harlan den Pressevertretern (»Der Film«, 20.1.1940). »Für die übrigen jüdischen Partien des Films«, so informierte die in Stettin herausgegebene »Pommersche Zeitung« (23.1.1940), »hat Harlan eine ebenso neuartige wie zweckmäßige Art der Besetzung gefunden: sämtliche andern Judenrollen werden von einem Darsteller, von Werner Krauss, gespielt. Es ist das eine Idee, die auch von Werner Krauss selbst ausgeht... Der Zweck ist dabei der: dieselbe gemeinsame Wesenshaltung... Zweifellos ein interessanter Versuch«. Krauss selbst schrieb nach dem Krieg: »... ich habe mich geweigert, nein, nicht geweigert, ich habe gesagt: Ich habe keine Lust.« Dennoch spielte er nicht nur den Rabbiner Loew (auf direkten Wunsch von Goebbels) und seinen Sekretär, sondern auch eine jüdische Frau, einen Großvater und einen jüdischen Schächter.[134] Freilich traten im Film auch jüdische Komparsen auf, von dem RSHA zur Verfügung gestellt: Juden aus Polen, Deutschland und der Tschechoslowakei. Bis zum Januar 1940 wurden für die wichtigsten Rollen H. George, E. Klöpfer und K. Söderbaum verpflichtet. In der Reihe der Kandidaten für die Rolle des Jud Süß fand man Namen wie Emil Jannings, René Deltgen, Paul Dahlke, Rudolf Fernau, Gustaf Gründgens und sogar Willi Forst. Endlich wurde für diese Rolle Ferdinand Marian gewonnen, oder, wie manche Quellen behaupten, gezwungen. Übrigens für ein doppeltes Honorar. Die Atelieraufnahmen sollten zunächst in Babelsberg stattfinden – Harlan wurden für das Filmvorhaben 120 Tage zugebilligt – ungewöhnlich hoch bemessen – danach entschied man sich für Barrandov. Die Presse schrieb viel darüber. Und in einem Interview erklärte im März 1940 E. W. Möller: »Es ist fälschlich angenommen worden, wir hätten für unsere Arbeit Hauffs Novelle benutzt. Das ist völlig irrig. Hauff lebte in einer Zeit, die die Juden wie die Polen besang und ›befreien‹ wollte... Wirklich hat Hauff bei aller versuchten Objektivität es nicht vermieden, daß eine gewisse Sentimentalität den Schluß seiner Novelle beherrscht.« Die vorbereiteten Manuskripte fanden bei Goebbels keine Anerkennung. Im April 1940 wurde die Berichterstattung über die Arbeiten an dem Film eingestellt. Veit Harlan kam als Mitautor zuhilfe. Ende Mai 1940 akzeptierte Goebbels den neugestalteten Text des Drehbuches.

Harlans Film machte Süß zum Prototyp des verbrecherischen Juden, zeigte ihn »als ein Lebewesen außerhalb ethischer Maßstäbe« (D. Hollstein). Und Werner Krauss machte aus dem Wunderrabbi Loew eine düstere, unheilwitternde Figur oder aus dem Süß-Sekretär Levy eine furchtsame, bösschlaue Kreatur. »Ich war nie in Warschau gewesen, ich habe einfach alle meine Juden aus dem Film ›Dybuk‹ genommen«, betonte später Werner Krauss. Dennoch waren keine solchen Vorbilder in »Dybuk« zu finden. Im Gegensatz zur historischen Wirklichkeit wurde Süß in Harlans Film mit dem Herzog Karl Alexander (von Heinrich George gespielt) erst nach dessen Thronbesteigung bekannt. Der reiche Jude Isaac Süß-Oppenheimer kam aus Frankfurt nach Stuttgart und wurde zum Finanzminister. Süß hatte sich nicht nur beträchtlich bereichert, sondern erreichte auch eine Reihe von Privilegien, die außerhalb des Gesetzes standen. Er benutzte seine Macht über den verschwenderischen Herzog dazu, Hunderten von Juden die Tore Stuttgarts zu öffnen. Der Herzog war mit Süß zufrieden, und der Minister wurde immer anmaßender. Er redete dem Herzog einen Plan ein, durch einen Staatsstreich die absolute Regierungsgewalt zu übernehmen. Er wollte auch die Tochter des Landschaftskonsulenten Sturm (Eugen Klöpfer) heiraten. Als der Vater sie statt dessen mit dem Sekretär der Landesstände Faber (Malte Jaeger) vermählte, ließ Süß diesen unter dem Vorwand verhaften, er plane eine Verschwörung gegen den Herzog. Der Folter entging er nur, weil seine blonde Frau Dorothea (Kristina Söderbaum) in ihrer Not hilfesuchend zu Süß geeilt war. Süß ließ den Gefangenen frei. Der Preis war aber hoch. Einige Stunden später trug Faber seine junge Frau als Leiche aus dem Neckar. Erst der plötzliche Tod des Herzogs machte den Schutz, der Süß Straffreiheit garantierte, zunichte. Er wurde verhaftet und vor Gericht gestellt. Im Todesurteil wurde die »Rassenschande« stark exponiert, mit Luther als antisemitischer Autorität. Die Schmiedezunft baute einen Galgen, höher als alle bisherigen. In einem eisernen Käfig wurde Süß aufgehängt. Und alle Juden hatten innerhalb eines Monats das Land zu verlassen. Der Sprecher der Landesstände äußerte die Hoffnung, daß »unsere Nachfahren an diesem Gesetz ehern festhalten« werden. Die Welturaufführung des Films fand am 5. 9. 1940 im Cinema San Marco in Venedig während der Filmschau statt. Veit Harlan, Kristina Söderbaum und Ferdinand Marian waren »Ehrengäste« während der Premiere am Lido. Danach folgten die deutschen Premieren: Am 25. 9. im Berliner Ufa-Palast am Zoo, eingeleitet mit der sinfonischen Dichtung von Franz Liszt, »Les Preludes«, gespielt von der Preußischen Staatskapelle (Staatsoper) unter Johannes Schüler; im Danziger Ufa-Palast am 3. 10. – der Gauleiter Forster war anwesend –, und hier bildete den Auftakt die Coriolan-Ouvertüre von Ludwig van Beethoven, von dem Orchester des Danziger Staatstheaters unter Leitung von Karl Tutein gegeben. Diese repräsentative Spielfilmproduktion des Dritten Reiches, mit den Prädikaten »staatspolitisch und künstlerisch besonders wertvoll« und »jugendwert« honoriert, »hat nichts mit künstlerischer Arbeit zu tun, sie bleibt für alle Zeiten eine Schande des deutschen Films im Zeichen des Hakenkreuzes«, hob der polnische Filmhistoriker Jerzy Toeplitz hervor.[135] Der Film hatte im Reich ein großes Publikum. Himmler befahl allen Mitgliedern der SS und der Polizei, sich den Film anzusehen. Die Einwirkungen dieser Propaganda hatten ihre grausamen Folgen. Der Film wurde auch im Ausland gezeigt. In Italien, im Ufa-Theater in Budapest (in Ungarn wurde der Film bald zurückgezogen und erst nach dem Einmarsch der deutschen Truppen 1944 erneut vorgeführt), in Holland, Frankreich (hier wurde der Film französisch synchronisiert), in Dänemark (hier in eincr Textbearbeitung von Svend Borberg), im Mai 1941 fand eine festliche Uraufführung in Madrid statt – für die öffentlichen Kinos wurde der Film jedoch, ähnlich wie in Bulgarien, nicht zugelassen. Im Reich lief er lange Zeit.

Noch am 3.6.1943 zeigte die Titelseite des »Berliner Illustrierten« Werner Krauss in seiner Rolle aus diesem Propagandafilm. Anläßlich des »Internationalen antijüdischen Kongresses« in Krakau im Juli 1944 sollte der Film aufgeführt werden. Der Kongreß fand nicht mehr statt.

Unter den Spielfilmen waren »Die Rothschilds« und »Jud Süß« die bedeutendsten Beispiele der antisemitischen Propaganda auf der Leinwand. Eine nicht geringe Zahl von anderen Spielfilmen war mit mehr oder weniger antisemitischen Akzenten garniert. Die Verfilmungen aus dem Jahre 1939 »Leinen aus Irland« und »Der ewige Quell«, das Loblied auf die deutsche Kriegsmarine »Ein Robinson« und W. Liebeneiners »Bismarck«[136], die 1940 in die Kinos gingen. Das Jahr 1941 wies sogar sieben Filme mit antisemitischen »Anspielungen« auf. Kein Zufall, sondern eine geplante Aktion, die die Maßnahmen gegen die Juden unterstützen sollte. In H.H. Zerletts (Buch und Regie) »Venus vor Gericht« wurde ein junger nationalsozialistischer Bildhauer, ein Kämpfer in der »Systemzeit« (von Hannes Stelzer gespielt) einem jüdischen Kunsthändler (von Siegfried Breuer dargestellt) gegenübergestellt (U: 4.6.1941; P: vw). In dem Film »Der Weg ins Freie« machte der polnische (!) Graf Oginski – Siegfried Breuer – unrechtmäßige Geschäfte mit jüdischen »Volksschädlingen«, von Viktor Janson und Walter Süßenguth dargestellt. Stärker wirkende antisemitische Tendenzen enthielten »Heimkehr« (hier war vor allem Paula Wessely als »rassenbewußte Lehrerin« aktiv), »...reitet für Deutschland« (mit Herbert Hübner als jüdischem Händler) und Karl Ritters »Über alles in der Welt«. Auf »historische Art« sogar Filme wie »Ohm Krüger« und »Carl Peters«. Im Jahre 1942 folgten Filme wie »GPU«, »Die Entlassung«, »Rembrandt« (kleine Spitzen gegen die Juden, die an dem wirtschaftlichen Ruin Rembrandts schuldig waren) und vielfältige Angriffe gegen die Juden in »Wien 1910«.

Der deutsche Dokumentarfilm beschäftigte sich mit den jüdischen Angelegenheiten – auf NS-Art – bereits vor Kriegsausbruch.[137] Der berüchtigste, abendfüllende Pseudodokumentarstreifen »Der ewige Jude« entstand zu Anfang des Krieges. Verantwortlich für ihn waren zwei prominente Beamte des ProMi, Dr. Fritz Hippler, der die Abteilung Film leitete (Gestaltung), und Dr. Eberhard Taubert, der dem Generalreferat Ostraum vorstand (Manuskript). Die Bezeichnung »Der ewige Jude« galt im Dritten Reich als bequemer terminus technicus bei der antisemitischen Propaganda und war weit verbreitet, um als Beispiel die berüchtigte Münchner Ausstellung »Der ewige Jude« (November 1937) zu erwähnen. »Der ewige Jude« galt als ein »Dokumentarfilm über das Weltjudentum« und verhöhnte, verspottete und beschimpfte bekannte Gestalten aus dem Bereich der Kultur usw., die nicht-»arischen« Geblüts waren (Charlie Chaplin, Richard Tauber, Max Reinhardt, Walter Rathenau). »Die zivilisierten Juden, welche wir aus Deutschland kennen« – sagte der Film zu Anfang – »geben uns nur ein unvollkommenes Bild ihrer rassischen Eigenart. Dieser Film zeigt Originalaufnahmen aus den polnischen Ghettos, er zeigt uns die Juden, wie sie in Wirklichkeit aussehen, bevor sie sich hinter der Maske des zivilisierten Europäers verstecken.« Die Außenaufnahmen (an der Kamera: A. Endrejat, A. Hafner, R. Hartmann, F. C. Heere, H. Kluth, E. Strohl, H. Winterfeld, ferner einige Sequenzen aus dem »Jud-Süß«-Material, von Bruno Mondi gedreht) wurden in Warschau, Krakau, Lublin und vor allem in Lodsch im Herbst 1939 gemacht, noch bevor die geschlossenen Ghettos geschaffen wurden und das Tragen des Davidsternes Zwang war (23. 11. 1939). Die Musik von Franz R. Friedl – er folgte den Erfahrungen W. Zellers in »Jud Süß« – hatte »einen schwülstigen, orientalischen Charakter, sobald Juden gezeigt wurden. Dagegen waren die Bilder nordischer Menschen mit Bach-Klängen untermalt.«[138] Man sparte keine Mühe, den »Urzustand« der Juden so drastisch und abstoßend wie möglich darzustellen. Als Zusatz, der für »empfindsame Gemüter« nicht geeignet war, wurde zum Beweis jüdischen Sadismus' »das grausame, unmenschliche, barbarische Schächten von Schlachttieren« gezeigt – bei ekelhaftem Gelächter ihrer »Henker«. So etwas machten die Juden mit den Deutschen, zeigten einige »dokumentarische« Aufnahmen. Die Atelieraufnahmen wurden in Barrandov gedreht, mit jüdischen Komparsen aus dem GG. Zu den Begutachtern gehörte persönlich Alfred Rosenberg.[139] In Hipplers Film tauchte der Gesichtspunkt der Liquidierung, der »Endlösung« auf.[140] In der Haßpropaganda gegen die Juden gingen Hippler & Taubert weiter als Veit Harlan. Eine festliche Uraufführung – mit »Egmont« von Ludwig van Beethoven als Auftakt – fand am 28. 11. 1940 im Berliner Ufa-Palast am Zoo statt. Goebbels war nicht anwesend. Die widerliche Montage des Möchtegernregisseurs Fritz Hippler erhielt die Prädikate »staatspolitisch wertvoll«, »künstlerisch wertvoll«, »volksbildend«, »Lehrfilm« und die kürzere Fassung zugleich »jugendwert«. In ausländischen Fassungen wurde der Text gestrichen, »damit der für das deutsche Publikum bestimmte demagogische Ton die Glaubwürdigkeit dieses ›Dokuments‹ nicht gefährdete. Dadurch kam die Musik mehr zu ihrem Recht.«[141] Mit allen Mitteln des totalitären Staates wurde die Presse für den »Ewigen Juden« mobil gemacht. Nach den Berichten des SD hatte der Streifen beim Publikum wenig Erfolg.[142]

Den Haß gegen die Juden säten einige andere, weniger bekannte Kurzfilme, die in den besetzten Gebieten gedreht wurden. Im GG ist vor allem der Streifen »Juden, Läuse, Typhus« zu erwähnen. Auch die in den besetzten Gebieten der UdSSR hergestellten »Kultur«-Filme wiesen starke antisemitische Akzente auf. Hier sind vor allem die Filme »Genosse Edelstein« und »Das Waldarbeiterlager«, beide aus dem Jahre 1942, zu erwähnen. Sie waren praktisch bei der Ufa hergestellt und mit russischen bzw. ukrainischen Texten versehen. Und was die Gestaltung betrifft: Alfred Stöger, eine bekannte Gestalt in der Geschichte des österreichischen Theaters und Films, war ihr Schöpfer.[143]

1945 bekamen die Vertreter des Internationalen Roten Kreuzes, die das jüdische »Musterlager« Theresienstadt im Protektorat Böhmen und Mähren besuchten, Fragmente (?) des Films »Der Führer schenkt den Juden eine Stadt« zu sehen (Von dem Film sind 428 m geblieben). Dieser Streifen wurde in Theresienstadt im August und September 1944 gedreht. Die Wochenschau Actualità (Prag) war die Herstellerfirma, als Auftraggeber und Verleiher galten das ProMi, das RSHA und der Reichsprotektor in Böhmen und Mähren. Kurt Gerron, einst ein bekannter deutscher Schauspieler, hatte als Häftling die Verantwortung für Drehbuch und Regie übernommen, Ivan Fric stand hinter der Kamera. Gerron und die meisten Mitwirkenden wurden bald danach im KZ umgebracht. Die Musik wurde erst im März 1945, als das Lager schon fast völlig aufgelöst war, unterlegt.[144] Vom wahren KZ-Theresienstadt war nicht viel zu sehen. Nur in manchen Szenen bemerkte man doch die schweren Lebensverhältnisse und die Enge des Raumes. Der Film zeigte die Juden bei der Arbeit: in einer Schmiede (die musikalische Untermalung bildete hier ironisch Offenbachs-Cancan), in der Schneiderei und Buchbinderei, auch einen Bildhauer bei der Arbeit. Nach der Arbeit standen den Juden kulturelle Angebote zur Verfügung (Bibliothek, Kabarett, sinfonische Konzerte), fröhlich wurde Fußball gespielt, in einer Badeanstalt standen gut ernährte Männer unter der Dusche. Mehrere Szenen waren der Kinderbetreuung gewidmet (kurz nach den Aufnahmen wurden diese Kinder fast alle auch umgebracht). Vermutlich wurde der Film in den öffentlichen Kinos überhaupt nicht mehr gezeigt.[145]

Volkstumskampf des Auslandsdeutschtums

Das Jahr 1938 wurde als das volksdeutsche Jahr proklamiert. Man sprach über die »völkische Erneuerung« der Auslandsdeutschen, vor allem im Osten, von Estland bis Siebenbürgen. Den Deutschen im Ausland wurden einige Dokumentarfilme gewidmet, wie die schon erwähnten Afrika-Filme. Über die deutschen Siedler in Brasilien entstand 1938, von Dr. Konrad Theiß gestaltet, der Streifen »Deutsches Volk in Brasilien« (387 m). Im Juni 1939 kam zum ersten Male der »volksdeutsche Film« »Bruder steht zu Bruder« auf die Leinwand, im Auftrag des Volksbundes für das Deutschtum im Ausland von Max Osward (Idee, Buch und Regie) bei der Lex-Film gedreht (P: sw). Zu dieser Zeit wurde schon das volksdeutsche Thema für Kriegspropaganda eingespannt. Am 24. 8. 1939 zeigten die Deulig-Tonwoche, Fox Tönende Wochenschau, Tobis-Wochenschau und Ufa-Tonwoche Berichte aus den deutschen »Flüchtlingslagern«, über die »furchtbaren Drangsalierungen durch die polnischen Machthaber«, zugleich aber auch die Reise von Ribbentrops nach Moskau.

Das, was man zuerst nur in Wochenschauen, »Kultur«- und »Dokumentar«-Filmen versuchte, um anhand von gefälschten Aufnahmen, Verdrehungen oder sogar Lügen nachzuweisen, daß NS-Deutschland buchstäblich in letzter Minute die in Polen verfolgten Volksdeutschen vor ihrer angeblich sicheren Vernichtung gerettet habe, das machte man kurz darauf auch in den Spielfilmen. Der mit dem vielsagenden Titel »Feinde« versehene Bavaria-Film in der Regie von V. Tourjansky war der erste in der Reihe. Schon der Vorspanntext stellte die Ursachen des Kriegsausbruchs auf folgende Weise dar: »Ewig unvergessen stehen im Gedächtnis aller Menschen die namenlosen Leiden der Volksdeutschen in Polen. Die gesamte Nachkriegszeit war für sie ein einziger Opfergang. Politische Entrechtung, wirtschaftliche Knechtung, Terror und Enteignung hießen seine Meilensteine. Im Jahre 1939 entfachte das englische Garantieversprechen die polnische Mordfurie. Zehntausende unschuldiger Volksdeutscher wurden unter furchtbaren Martern verschleppt. 60 000 wurden viehisch ermordet.«

Der »Feinde«-Regisseur hatte alles dem Endziel, ein Bild von der

»volksdeutschen Not in Polen« zu geben, untergeordnet. Im Mittelpunkt der Filmhandlung (das Drehbuch stammte von Regisseur Tourjansky, Emil Burri und Arthur Luethy) standen die »polnischen Greueltaten« gegen die Volksdeutschen in den Spätsommertagen des Jahres 1939. Die Polen zeigte der Film als »eine Bande der Deutschenhasser« (aus dem Filmprogramm), Säufer, Brandstifter und Mörder, die Deutschen dagegen waren nur sympathische, arbeitsame und bescheidene Menschen. Wenn die Deutschen dem ihnen zugedachten Schicksal entgingen, so hatten sie das nur der Tatkraft, der Einsatzbereitschaft und der Klugheit des Sägewerksinspektors Keith (gespielt von Willy Birgel) zu verdanken. Nach furchtbaren Erlebnissen in einem nicht näher bestimmten Grenzgebiet gelangten sie auf einem gefährlichen, schmalen Pfade, durch einen Sumpf, hinter die nahegelegene deutsche Grenze. Brigitte Horney, ein volksdeutsches Mädchen, das in der Schenke einer Polin lebte, führte die ganze Gruppe hindurch (»Illustriertes Filmprogramm«: »In der alten Heimat beginnt ein neues Glück«). Ivan Petrovich trat als Anführer einer »polnischen Bande« auf. Der Film war primitiv gemacht. Die meisten Bilder, sogar die Außenaufnahmen, wurden in München gedreht (Kamera Fritz Arno Wagner). Ein Bierzelt vom Münchener Oktoberfest wurde in Geiselgasteig zum Behelfs-Atelier für die wichtigen nächtlichen Außenaufnahmen. Ein nächtlicher, sumpfiger Wald war einer der Hauptschauplätze des Films, und dieser Wald bedeckte das Zelt. Damit konnten sowohl die Verdunkelungsvorschriften eingehalten werden, andererseits vermied man einen »Atelierwald«, denn das Zelt war gleichsam über ein entsprechendes Waldstück gestülpt. Nur die Nachtaufnahmen eines brennenden Hauses wurden auf dem Gelände der AB-Filmfabriken in Prag gedreht (U: 7. 11. 1940; P: sw, küw, jugendwert).

Das volksdeutsche Thema, erneut im Zusammenhang mit Polen, tauchte in dem besonders abstoßenden und von Haß erfüllten Film »Heimkehr« wieder auf. Es ging diesmal, nach Ansicht des Verfassers, um den schmutzigsten Spielfilm der ganzen NS-Zeit. Und in der Fachliteratur um den am wenigsten bekannten.[146] Die Wiener schufen ihn. Bereits im Februar 1940 meldeten die Medien im Reich: Eine Aufnahmegruppe der Wien-Film mit Gustav Ucicky, Gerhard Menzel und Erich von Neusser »ist in die befreiten deutschen Ostgebiete unterwegs«. In dem kleinen, 3000 Einwohner zählenden Städtchen Chorzele, Kreis Przasnysz (im neugegründeten Regierungsbezirk Zichenau, der der Provinz Ostpreußen angegliedert war), wurde ein

38. Olga Tschechowa und Siegfried Breuer in »Menschen im Sturm«

39. Szene aus dem Film »Menschen im Sturm«

großes Filmlager aufgeschlagen. Hier und in der Nähe dieses Städtchens drehte man die Außenaufnahmen. Gustav Ucicky war der Regisseur, Gerhard Menzel schrieb das Manuskript (für das Drehbuch, einschließlich Rechte, erhielt er ein sehr hohes Honorar – 30 000 RM) und Erich von Neusser war der Leiter der Herstellungsgruppe. Neben den bedeutenden österreichischen bzw. deutschen Schauspielern sollten auch für einige Rollen polnische Schauspieler engagiert werden. Ucicky kam nach Warschau, um brauchbare Darsteller zu suchen. Ihm stand Igo Sym zur Seite, der »oft das erpresserische Argument gebrauchte: ›Wenn du nicht willst, dann wirst du grausame Konsequenzen zu ertragen haben.‹«[147]

Für einige deutsche Autoren, auch unserer Zeit, wurde Igo Sym fast zum Märtyrer. Der in Innsbruck geborene Igo Sym debütierte (mit Erfolg) beim Stummfilm in Warschau. 1926 ging er nach Wien, wo er im Studio Sascha-Film in Liebhaberrollen spielte. Hier lernte er auch den Regisseur Ucicky kennen. Bald übersiedelte er nach Deutschland, um auch hier in Unterhaltungsfilmen bis 1932 mitzuwirken. Als Partner von Lilian Harvey spielte er in ihrem ersten Tonfilm »Wenn Du einmal Dein Herz verschenkst« (1929) mit. Später kehrte er nach Warschau zurück und trat in Revuetheatern und in Filmen auf. Auch in polnischen Filmen spielte er mit, und eine Ausnahme bildete nur Willi Forsts »Serenade« (1937). Bei Kriegsausbruch war er in Warschau. Nach September 1939 war Igo Sym – wie sich erwies – Geheimdienstler des braunen Regimes, in Warschau in der Uniform eines deutschen Offiziers zu sehen. Ein Gericht der polnischen Untergrundbewegung hatte ihn wegen Verrats zum Tode verurteilt. Am 7. 3. 1941 wurde das Urteil von einer Gruppe des Zwiazek Walki Zbrojnej (Kampfbund) vollstreckt. Deutscherseits kam es, wie in allen ähnlichen Fällen, zu blutigen Repressalien.[148]

Die polnische Schauspielerprominenz, mit Ausnahme von Bogusław Samborski, lehnte den Vorschlag, beim Film »Heimkehr« mitzuwirken, ab. Eine kleine Gruppe polnischer Darsteller wurde jedoch, mit »Hilfe« von Igo Sym, für die Nebenrollen engagiert. Auch die Bevölkerung der umliegenden Dörfer wurde zu den Außenaufnahmen herangezogen. Die Vorbereitungen verzögerten sich. Erst im Januar 1941 begann man mit den Aufnahmen. An der Kamera stand Günther Anders.

Die Filmhandlung begann mit dem sinfonisch bearbeiteten Lied »Nach der Heimat möcht’ ich wieder«. Er zeigte »Schicksal, Leiden und Bewährung einer Handvoll Deutschen«, deren Vorfahren, wie es

40. Szene aus dem Film »Feinde«

41. Brigitte Horney und Willy Birgel in »Feinde«

im Vorspann hieß, schon vor Jahrhunderten ausgezogen waren, um im Osten Arbeit und Brot zu finden. Diese Menschen hatten ihr Deutschtum »stets gegen wütende Angriffe des Polentums bewahrt« und waren auch vor 1939 (jetzt waren sie alle, selbstverständlich, Anhänger Hitlers) nicht bereit, wie der Film demonstrierte, Zugeständnisse zu machen: Der Glaube an die Befreiung gab ihnen die Kraft, allen Schwierigkeiten und Gefahren zu trotzen. In einer Atmosphäre von Schmutz und Unkultur, unter Slawen und Juden, existierte eine Insel deutscher Kultur, eine kleine, saubere deutsche Siedlung in einem Städtchen in Wolhynien, wo viele Szenen der Filmhandlung spielten. Durch den ganzen Film zieht sich der unüberbrückbare Gegensatz zwischen den arbeitsscheuen, unmoralischen Polen und den mit allen Attributen des Herrentums ausgestatteten Volksdeutschen bis zur Kollision im Frühjahr und Sommer 1939. Genau in der Zeit, als in Berlin die letzten Befehle zum Angriff auf Polen ausgegeben wurden, entlud sich – im Film – die Spannung in einer Orgie der Grausamkeit. Zu den sympathischen, sauberen, arbeitsamen, zugleich aber nationalsozialistisch und – was verständlich – antisemitisch gestimmten Volksdeutschen gehörten die Lehrerin Maria Thomas, von Paula Wessely gespielt, und ihr Vater, Dr. Thomas, von dem früheren Direktor des Wiener Burgtheaters, Peter Petersen, gespielt. Petersen spielte mit Paula Wessely bereits 1934 in »Maskerade« mit. Der Lehrerin Thomas, der Hauptheldin des Films, wurde von den Polen die Schule weggenommen und in einen Polizeiposten umgewandelt. Schulgeräte, deutsche Handbücher, und – die Kamera rückte heran – mit Kinderschrift beschriebene Schiefertafeln wanderten samt einem Globus auf den Scheiterhaufen. Maria Thomas protestierte energisch. Vergeblich. Das Deutschtum im Städtchen solle ausgerottet werden, gab der höhnisch grinsende polnische Bürgermeister (gespielt von B. Samborski) zu verstehen. Die polnischen Kinder, natürlich frech, dreckig und faul, verprügelten die braven, sauberen, deutschen Kinder, die überhaupt nichts Schlechtes ahnten. Die vollkommene Gesetzlosigkeit und Anarchie, ferner das Verbrechertum, schrien nach einer Lösung – selbstverständlich nur im Sinne des deutschen Polenfeldzuges. Im Vorfeld des 2. Weltkrieges ließ die polnische Bevölkerung ihre Wut an der deutschen Minorität aus, offiziell ermuntert von den polnischen Behörden. Der Einmarsch der deutschen Truppen in die »Rest-Tschechoslowakei« im März 1939, so im Filmdialog, habe »alle nervös gemacht, die ein schlechtes Gewissen haben«, meinte der Bräutigam von Maria, Dr. Fritz Mutius (von

Carl Raddatz gespielt). Auch in der Wojewodschaftsstadt Luck fanden die protestierenden Deutschen kein Recht. Der satanisch grinsende Wojewodschaftsbeamte (diese Rolle spielte Artur Józef Horwath), dem sie die Situation schilderten und gerichtliche Schritte ankündigten, wies sie ab. In der verwahrlosten Wojewodschaftsstadt herrschte ein wildes Straßenchaos, die Menschen waren schlampig gekleidet, die Gebäude verkommen. Bei einem Kinobesuch der Deutschen, in dem die anwesenden Polen durch Filmbilder aus einer polnischen Truppenparade und Hetzreden gegen das Dritte Reich aufgeputscht wurden, entlud sich der »Volkszorn« gegen die anwesenden Deutschen. Diese hatten nämlich ostentativ abgelehnt, die polnische Nationalhymne mitzusingen und blieben sitzen, worauf eine Meute sich auf sie stürzte. Die Polizei kam natürlich zu spät und sah tatenlos zu, wie Marias Bräutigam fast zu Tode geschlagen wurde. Der Kinobesitzer, durch seine Physiognomie als Jude gekennzeichnet[149], ließ den schwerverletzten Mann und seine Freunde erbarmungslos aus dem Kinosaal werfen. Die ärztliche Hilfe kam nicht, und der Wojewodschaftsbeamte gab den ausdrücklichen Befehl, dem Verwundeten die Aufnahme in einem nahegelegenen Krankenhaus zu verweigern, so daß Dr. Mutius, auf einem Fuhrwerk liegend, seinen inneren Verletzungen erlag. Dem Kriegsausbruch gingen im Film weitere Überfälle voraus. Die unglaubhaft und sogar zynisch wirkenden Beteuerungen des polnischen Außenministers gegenüber dem protestierenden deutschen Botschafter in Warschau, die Rechte der Minderheiten würden, wie er sagte, »im Rahmen der Gesetze gewahrt«, wurden mit der »Wirklichkeit« konfrontiert. Die Worte des polnischen Ministers (gespielt von Tadeusz Zelski), wurden hart mit Sequenzen zusammengeschnitten, in denen eine Gruppe von ausgesucht abstoßenden Verbrechertypen auf ein blondzöpfiges junges Mädchen eine wilde Verfolgungsjagd veranstaltete, das ein kleines Hakenkreuz an der Halskette trug. Das Hakenkreuz wurde ihr vom Hals gerissen. Um sich der Vergewaltigung zu entziehen, floh die junge Frau, bis sie, von Steinwürfen getroffen, leblos am Boden niedersank. Eine erregende, hektische Musik (Willy Schmidt-Gentner schuf die Musik dieses Films) begleitete diesen Vorgang. Diesem Beispiel folgten noch weitere Vorkommnisse, stets hart geschnitten gegen die Worte des offiziellen Vertreters der polnischen Regierung. Die Filmfabel wandte sich wieder der kleinen deutschen Kolonie zu. Marias Vater Dr. Thomas erblindete an einer Schußwunde. Der tapfere Gasthausinhaber (Attila Hörbiger) verlor seine Frau (Ruth Hellberg), die von den Polen zu Tode gesteinigt wurde. Fast alle Deutschen verloren einen Familienangehörigen und den persönlichen Besitz. Über allen persönlichen Schmerz hinaus bewahrte die deutsche Kolonie jedoch ihren Trost, Stolz und Lebenswillen, geschöpft aus Hitlerreden, die trotz des Verbotes gemeinsam heimlich abgehört wurden. Ein solches Verbrechen aber nahmen die Polen zum Anlaß, unerbittlich zuzuschlagen, und so wurden die Deutschen am Tage des Kriegsausbruchs kurzerhand verhaftet. Auf unbedeckten Lastkraftwagen, man warf nur Netze über sie, wurden die Deutschen ins Zuchthaus abtransportiert, wo sie erschossen werden sollten. Hier wurden sie alle – Frauen mit Kleinkindern, Schwangere, alte Männer, sogar Verwundete, gezwungen, stundenlang in feuchte Massenzellen zu stehen und auf ein ungewisses Schicksal zu warten. In der Stunde der höchsten Gefahr schlossen sie sich aber zu einer verschworenen Gemeinschaft zusammen. Paula Wessely, an die schweren Gitterstäbe geklammert, sprach in einem längeren Monolog ihren Leidensgenossen Trost und Mut zu. Während in der Nähe schon die letzten Vorbereitungen zur Exekution mittels eines MG liefen, sangen die Gefangenen, von Scheinwerfern geisterhaft hin und wieder beleuchtet, das Lied »Nach der Heimat möcht' ich wieder«. Paula Wesselys Monolog – zum Teil in Nahaufnahmen – war, so sah das aus, vor allem für den Zuschauer im Kinosaal bestimmt. Übrigens eine verspätete Propaganda, was die Umsiedlung von Volksdeutschen betrifft, doch nicht zu spät, um den Haß gegen Polen (und Juden) zu schüren, die im Film die Ursache allen Übels waren. Nach diesem Monolog wurden die nichtsahnenden Deutschen zur Erschießung in einen Keller getrieben. Sie entgingen diesem Schicksal dank einem überraschenden Angriff von Stukas und der Ankunft der deutschen Panzer. Nach langen Stunden des Wartens wurden die Gefangenen befreit. Standhaftigkeit und Bewährung wurden am Ende des Films dadurch belohnt, daß die Deutschen »heimkehren« durften. Unter ihnen auch Maria und der verwitwete Wirt, der sich im Kerker als Held bewiesen hatte, nun im Film ihr neuer Bräutigam. Ein langer Treck bewegte sich auf die mit einem riesigen Hitler-Bild »verzierte« Reichsgrenze zu.

Aus der Paula-Wessely-Monolog-Szene
»Leute, heimkommen werden wir bestimmt. Ganz bestimmt, irgendwie werden wir heimkehren, warum soll denn das nicht sein, es ist doch alles möglich, und das ist nicht bloß möglich, das ist gewiß. Zu Hause

42. *Paula Wessely und Peter Petersen in »Heimkehr«*

43. *Ruth Hellberg in »Heimkehr«*

in Deutschland, da sind sie ja jetzt nicht mehr schwach, und den Leu-
ten dort ist es nicht egal, wie es uns geht, im Gegenteil, sie – das hat mir
Dritz immer gesagt – sie interessieren sich sehr für uns, und warum
sollten wir da nicht heimkehren dürfen, wenn wir nur wollen; denkt
doch bloß, Leute, wie das sein wird, denkt doch bloß, wenn so um uns
rum lauter Deutsche sein werden und nicht, wenn du in einen Laden
reinkommst, daß da einer jiddisch redet oder polnisch, sondern
deutsch! Und nicht nur das ganze Dorf wird deutsch sein, sondern
ringsum und rundherum wird alles deutsch sein. Und wir werden so
mitten in ihm sein, im Herzen von Deutschland. (...)«
Quelle: Erwil Leiser, »Deutschland erwache«, S. 69

Der schlesische Maler Engelhardt-Kyffhäuser, durch seine Bilder
von polnischen Kriegsgefangenen im Septemberfeldzug und vom
»Großen Treck« im Reich bekannt, hat auf 80 Bildern (vorwiegend
Pastellzeichnungen) die Arbeiten an dem Film »Heimkehr« festge-
halten. Es war, in diesem Umfange, eine erstmalige Aufgabe bei der
Herstellung eines Films.

Dem »staatspolitisch und künstlerisch wertvollen« und »jugend-
werten« Film erteilte Goebbels auch die höchste Auszeichnung: den
Titel »Film der Nation«. In Venedig erhielt er 1941 den Pokal des
italienischen Ministeriums für Volksbildung. Im Reich sollte eine
festliche Uraufführung in Berlin stattfinden. Der Wiener Gauleiter
Baldur von Schirach äußerte aber den Wunsch, daß die in Wien hergestellten Filme auch in Wien uraufgeführt werden sollten. Max
Winkler veranlaßte daher, »daß bereits der Film ›Heimkehr‹, über
dessen Uraufführung in Berlin schon verfügt« sei, »auf jeden Fall
gleichzeitig in Wien und Berlin uraufgeführt« werde.[150]

Die »Heimkehr«-Uraufführung fand am 10. 10. 1941 im Wiener
Filmtheater »Scala« in Anwesenheit von Honoratioren von Staat und
Partei statt. Die Wiener Philharmoniker spielten zuvor Beethovens
Coriolan-Ouvertüre. Ucicky erklärte bei dieser Gelegenheit stolz:
»Ich habe für den Film ›Heimkehr‹ mein Bestes gegeben und hoffe,
daß es mir gelungen ist.«[151] Erst zwei Wochen danach fand die Ber-
liner Premiere des Films statt.

Im deutschen Kino lief das preisgekrönte Opus relativ gut. Im Generalgouvernement wußte man, daß die Polen den Film »als Provokation empfinden« werden, da er aber »politisch von größter Bedeutung für das GG und die hier tätigen Deutschen« war, sollte der Start
des Films »groß und schlagartig« sein.[152] Um Sabotage zu verhindern,

kam es zu besonderen Vorsichtsmaßregeln.[153] Im Ufa-Kino »Casino« in Litzmannstadt fand eine festliche Erstaufführung vor den deutschen Umsiedlern statt (27.1.1942). »Heimkehr« erreichte hier den größten Erfolg aller bisher gezeigten Filme. Ein deutscher Autor schrieb nach dem Kriege in der BRD: Die in den besetzten polnischen Gebieten tätigen Deutschen sollten sich bewußt sein, daß für die im Film »gezeigten Bestien Konzentrationslager noch eine viel zu milde Strafe gewesen« wären. Seine abscheuliche Propaganda-Rolle erfüllte das Machwerk »Heimkehr« in zahlreichen Ländern, auch außerhalb Europas.

Zum Thema »Heimkehr der Wolhyniendeutschen« gab es auch einen Dokumentarfilm der Tobis: »Treck aus dem Osten« (P: sw, vb), der kurz vor der »Heimkehr«-Premiere in Berlin uraufgeführt wurde.

Das Thema »Verfolgung der Volksdeutschen« in Polen tauchte in einigen Kriegsfilmen auf. Aber auch der Streifen »Ostland – deutsches Land« (324 m) berührte das Thema, 1941 im Auftrage der RPL hergestellt. Zwar wurde er dem Einsatz des Landdienstes der HJ im Osten gewidmet, enthielt aber auch mehrere Szenen, die die »Martyrologie« der Volksdeutschen in Polen beweisen sollten. Übrigens wurde der Film auch durch antisemitisch wirkende Szenen ergänzt.

Denselben Zielen – wobei es diesmal aber um einen neuen Feind ging: um Jugoslawien, oder, genauer gesagt, um die Serben – diente der Tobis-Film »Menschen im Sturm«. Georg Zoch und Karl Anton schrieben das Drehbuch – die Idee stammte von Felix von Eckardt – und Fritz Peter Buch übernahm die Regie. Der Film wurde in aller Eile gedreht. Propagandistisch war er wichtig, weil der deutsche Angriff auf Jugoslawien mit wenig Enthusiasmus angenommen wurde. An der Grenze nach Deutschland – so in der Filmhandlung – lag das Gut eines Slowenen, dessen Frau Vera Osvatic Deutsche ist. Diese Rolle spielte Olga Tschechowa. Das Gut hatte Einquartierung. Von hier aus leitete der serbische Hauptmann Rokic (von Siegfried Breuer dargestellt) die Deutschenverfolgung. Das Buch enthielt starke Worte wie z.B. »Serben, das sind ja keine Menschen. Diese Hunde! ... Die Serben werden noch alle Deutschen verschleppen. Sie werden noch alle umbringen. Warum? Danach fragen sie nicht, die Hunde!« Aber die Volksdeutschen fanden bei Vera Osvatic eine Beschützerin. Sie opferte alles: die Liebe zu ihrem Mann und zu ihren Kindern, um ihren Landsleuten zur Flucht zu verhelfen. Sie fand den Tod. Kurt Meisel, Gustav Dießl, Franz Schafheitlin, Josef Sieber und die junge Hannelore Schroth ergänzten die Liste der Hauptdarsteller des Films (U: 19.12.1941 in Lübeck; P: vw, jugendwert). Er wurde weit und breit im Reich und im Ausland kolportiert. Auch diente er der deutschen Politik »divide und impera« in Kroatien.

Das politische Antlitz der Plutokraten – Filme über England und Amerika

Mit Recht urteilte Erwin Leiser: »Der Film des Dritten Reiches spiegelt alle Phasen des Verhältnisses zwischen dem NS-Staat und Großbritannien wider.«[154] Vor Kriegsausbruch entstanden nicht wenige Filme, in denen die englischen Themen mehr oder weniger dicht in Erscheinung traten. In den Geschichtsfilmen, in den Filmen über den Ersten Weltkrieg und vor allem in den Propagandastreifen, die das Kolonialthema berührten, kam es zu unvermeidlichen Auseinandersetzungen. Oft aber wurden die Engländer als Feinde wider Willen gezeichnet, nicht selten zeigte man sie als ritterliche oder sogar sympathische Gestalten. Die erste, evidente, politisch motivierte Verschärfung des Tones trat um die Wende 1938/39 auf. Das beweisen die Filmprojekte aus dieser Zeit. »Der letzte Appell« sollte keinesfalls proenglische Sympathie erwecken. Man verzichtete auf einen Film über Oberst Thomas Edward Lawrence, den »ungekrönten König von Arabien«. Anfang 1939 erschien die deutsche Ausgabe seiner Biographie, und der geplante Film sollte im Sinne der »deutsch-englischen Freundschaft« gedreht werden. Dagegen entstand bei der Tobis der Plan, den Film »Lord Burnleys Affäre« zu drehen. Karl Ludwig Diehl stand im Mittelpunkt dieses Film-Projekts (Buch: Hans H. Zerlett), und er sollte auch selbst Regie führen. Es war ein Stoff, der u. a. in Miami und Chicago spielte. Der Kriegsausbruch unterbrach die Vorarbeiten aus technischen Gründen. Aus politischen Gründen wurde der Maria-Stuart-Film »Mein Herz der Königin« vorläufig beiseitegelegt. Eine zweite Phase in der England-Propaganda kam nach dem Kriegsausbruch, und eine dritte begann, als die Hoffnungen Hitlers auf einen Separatfrieden mit England unerfüllt blieben. Jetzt wurde immer mehr das politische und wirtschaftliche System des Empire angetastet. Die Medien begannen mit großangelegten Propaganda-Aktionen. Bereits im Januar 1940 wurde im Rahmen eines Kampfes gegen die »britische Humanitätslüge« Lord Kitchener als »Erfinder der Konzentrationslager für burische Frauen und Kinder« an den Pranger gestellt! Und die Presse schrieb mit donnernder

44. *Luis Trenker in »Germanin«*

45. *Anna Dammann und*
Will Quadflieg in
»Mein Leben für Irland«

46. *Szene aus dem Film »Ohm Krüger«*

Stimme über England: Jetzt endlich ist ihm im nationalsozialistischen Deutschland ein Gegner erwachsen, der mit ihm abrechnen wird. Eine »große Fahndung« nach propagandistisch brauchbaren Themen wurde im Reich angeordnet.

Um die Wende 1939/40 ließ Goebbels durch die RSK Stoffvorschläge für Filme mit antienglischer Tendenz sammeln. Als »Reichswichtige Dienstsache« und im »streng-vertraulichen« Verfahren führte der RSK-Präsident Hanns Johst entsprechende Korrespondenz mit den ausgewählten Autoren durch. Nur wirklich propagandistisch brauchbare Vorschläge kämen in Frage. Die Entscheidung über Brauchbarkeit oder nicht behielt sich Goebbels vor. Auf dem Schreibtisch des Reichspropagandaministers häuften sich bald zahlreiche Film-Exposés. Bereits im Februar 1940 fielen die ersten Entscheidungen. Dr. Hans Künkel, der zwei Exposés vorgelegt hatte (»Dr. Jekyll und Dr. Hyde«, »Die Liebe der Anna Leun«), erhielt von Johst als erster eine »streng vertrauliche«, aber äußerst vornehme Absage: »Ich sende Ihnen in der Anlage Ihre Vorschläge zurück. Es ist mir aufrichtiges Bedürfnis, Ihnen noch einmal in aller Herzlichkeit für die Bereitschaft und Bereitwilligkeit zu danken, mit der Sie meiner Bitte Folge geleistet haben. Ich habe Ihre Idee dem Herrn Minister vorgelegt; er konnte sich zum näheren Eingehen über Ihre Arbeiten nicht entschließen.«[155] Den anderen Schriftstellern schrieb Johst zur selben Zeit: »... ich darf Ihnen als Zwischenbescheid mitteilen, daß der Herr Minister Ihre Arbeit zurückbehalten hat, um sie sich in den nächsten 8–10 Tagen durch den Kopf gehen zu lassen und endgültig zu entscheiden, ob Ihr Vorschlag gefilmt werden soll. Sie werden also etwa in 14 Tagen von mir hören.«[156] Zu den »Auserwählten« gehörten ferner: der in Deutschland lebende Österreicher Fred A. Angermayer (1942 veröffentlichte er eine Haßschrift über J. D. Rockefeller: »Der Hai vom Eriesee«), Josef Martin Bauer, Waldemar Bonsels (1933 und 1935 stand er mit zahlreichen Werken auf den Proskriptionslisten für Literatur, was allerdings nicht störte, daß die »Biene Maja« im Frühjahr 1940 das 785. Tsd. erreicht hatte), Erich Ebermayer, der »innere Emigrant« Wolfgang Goetz, Kurt Heynicke, Fred Hildebrand, der Spezialist von »großdeutschen Territorial-Forderungen« Johann von Leers, der Schriftsteller und Propagandabeamte Eberhard Wolfgang Möller, Otto Rombach, der Berliner Dramaturg Eckart von Naso, die der Öffentlichkeit mehr bekannten August Scholtis, Heinz Steguweit, Josef Magnus Wehner, Anton Zischka und Dr. Otto Ernst Hesse, aber auch die weniger bekannten Otto Brües, Kurt Fervers, Gustav Goes, Hans Henning, Dr. Martin Lezius und Dr. Johannes Stoye. Goebbels hatte eigentlich diese Vorschläge ganz bewußt unter den Tisch fallen lassen. Es fehlte nicht an weiteren Projekten und anderen Namen. Anton Graf Bossi Fedrigotti trat an Johst mit zwei Vorschlägen heran, die nachstehende Grundgedanken hatten: 1. »Englands unheilvolle Rolle, die nach dem ersten großen deutschen Siege über die französische Hegemonie in Europa durch Prinz Eugen, den Reichsfeldmarschall, die Annullierung des Westfälischen Friedens verhindert.« 2. Die Jugend der Völker (die Deutschen und Franzosen) »will sich kennenlernen, will sich verstehen, die verkalkten Vertreter der englischen Gesellschaft, die jüdische Finanz und der absterbende Liberalismus unterminieren diese Völkerverständigung der nationalen Jugend aller Länder.«[157] Andere Themen und andere Autoren hatten bei Goebbels mehr Glück. Selbst Hanns Johst wurde abgefertigt. Im März 1940 überreichte die Deka dem RSK-Präsidenten »ein absichtlich kurz gefaßtes Exposé über das Bühnenstück ›Der Teufelsschüler‹ von Bernhard Shaw, um es in einem antienglischen Film auszuwerten.«[158] Das Film-Exposé schrieb Jürgen von Alten, und Johst sollte – nach einer Unterredung mit Goebbels – ein entsprechendes Drehbuch vorbereiten. Der Reichspropagandaminister war aber nicht einverstanden.

Im Winter 1940/41 drehte man in Babelsberg und auf den rumänischen Ölfeldern Moreni und Maicoi einen Abenteuer- und Spionagefilm um die Ölfelder am Fuße des Kaukasus, »Anschlag auf Baku«. Auch hier waren die »bösen Engländer« am Werke. Die Presse kommentierte: Das Geld, das England 1918 in Baku rollen ließ, roch nach Öl, um dessen Besitz es der englischen Admiralität ging, und nach dem Blut unschuldiger Opfer der Unruhen, die englische Agenten entfesselten, um im Trüben fischen zu können. Mit dem Regisseur Fritz Kirchoff begaben sich im November 1940 vierzig deutsche Filmmänner – Lotte Koch war die einzige Schauspielerin in diesem Film – nach Rumänien. Die rumänischen Behörden unterstützten die deutsche Ölfilm-Expedition außerordentlich großzügig. Allein der Generalstab stellte für vier Wochen 500 Reiter der königlichen Garde-Kavallerie und 300 Infanteristen zur Verfügung. Und Fritz Kirchoff berichtete: »Wir haben hier den größten Ölbrand aller Zeiten vor der Kamera festgehalten, unzählige Explosionen, brennende Türme und über tausend Menschen aus den umliegenden Dörfern als staunende und erschreckte Menge.« »Anschlag auf Baku«, zunächst als ein antienglischer Propagandafilm gedacht, sollte bald auch anti-sowjetisch wirken. Es kamen zahlreiche Änderungen und mehrma-lige Zensurvorlagen, und erst am 18. 8. 1942 wurde der Streifen zur Vorführung zugelassen. Drei Tage später hißte eine Kampfgruppe der 1. Gebirgs-Division die Reichskriegsflagge auf dem Elbrus, dem höchsten Berg des Kaukasus. (U: 25. 8. 1942). Willy Fritsch spielte einen deutschen Offizier, der einen Sicherheitsdienst organisierte, um die Ölquellen gegen die »Roten« zu schützen. In der Reihe der wichtigsten Darsteller des Films hatten u. a. René Deltgen, Fritz Kampers, Aribert Wäscher, Paul Bildt und Erich Ponto ihren Platz. Der Film erhielt keine Prädikate. »Zu diesem Zeitpunkt, in dem die deutschen und verbündeten Truppen immer tiefer in die kau-kasischen Ölgebiete eindringen, ist natürlich einem Film mit dem Titel ›Anschlag auf Baku‹ von vornherein ein besonderes Interesse sicher«, schrieb der Film-Kurier (21. 9. 1942).

Die durch den Krieg geänderte politische Lage blieb nicht ohne Einfluß auf die Gestaltung des Dr.-Fanck-Films »Ein Robinson«. Der Film stand bereits 1938 im Produktionsplan der Bavaria. Die im Januar 1939 beendeten Außenaufnahmen wurden vor allem auf der »Bavaria-Fanck-Chile-Expedition« gedreht: in Chile und auf der hi-storischen Robinson-Insel Juan Fernandez. Die Filmhandlung – das Drehbuch schrieben Arnold Fanck und Rolf Meyer – führte zur Sprengung des deutschen Kreuzers »Dresden« in neutralen chileni-schen Gewässern bei der Insel Juan Fernandez durch den deutschen Kommandanten, nachdem das Schiff von drei englischen Panzer-kreuzern angegriffen worden war (14. 3. 1915). Hieraus entwickelte sich die Robinsonade, die in Form der filmischen Umsetzung des Ta-gebuches eines Matrosen gestaltet war. Nach Jahren fuhr das neuer-baute Kriegsschiff »Dresden« an der Insel vorbei, und es gelang dem Obermatrosen Carl Ohlsen (Herbert A. Böhme spielte diese Rolle), auf das Schiff zu kommen. Marie Luise Claudius (ihre letzte Film-rolle) und Claus Clausen spielten mit. Die »Piratenmethoden« der Engländer (die »auch in unseren Tagen Anwendung finden«, be-merkte gelegentlich bei der Filmbetrachtung die Presse) wurden ganz stark an der Pranger gestellt. Freilich war der Film auch in anderen Einzelheiten an den Tag orientiert (U: 25. 4. 1940; P: kw).

Kurz vor dem tragischen Geschehen der Weltgeschichte begannen die Arbeiten an dem Zarah-Leander-Film um Maria Stuart »Mein Herz der Königin«. Den Film realisierte Carl Froelich für die Ufa in seinem Filmstudio. Im September 1939 wurden die Arbeiten abgebrochen, weil »Filme so großen Ausmaßes infolge Arbeiter- und Materialmangels nicht mehr hergestellt werden« konnten.[159] Der wirkliche Grund lag aber woanders: Was englische Themen anbetraf, herrschte zu dieser Zeit eine gewisse Unentschlossenheit.[160] Der angefangene Film wurde dennoch zu Ende gebracht und mit einer sehr großen Reklame dem Vertrieb übergeben. Die stolzen Königinnen Albions: Zarah Leander als die schottische Königin und Maria Koppenhöfer als ihre englische Kusine wurden im Kampf um die Krone gezeigt. Maria Koppenhöfer ließ diese Herrscherin erbarmungslos und intrigant erscheinen. »Nichts von Schiller«, versicherte Dr. Harald Braun, Mitverfasser des Drehbuches, der Presse, »es war meine Idee.« Willy Birgel verkörperte die Gestalt des Lords Bothwell, des zweiten Gemahls der schottischen Königin. Zwei einstige Mitarbeiter der »Dreigroschenoper«-Uraufführung, Theo Mackeben als Komponist und Erich Ponto als Sänger, präsentierten im Film »nach unmißverständlichem Vorbild« des »kommunistischen« Songstils »Das Lied des Gauklers« (Fred K. Prieberg). Der Film ging in die Kinos unter dem Titel »Das Herz der Königin« (U: 1.11.1940; in Hamburg und München; P: kw, küw).

Die antienglische NS-Propaganda verherrlichte auf der Leinwand wie auch auf der Sprechbühne und in der schöngeistigen Literatur – man hatte hier gewisse Erfahrungen aus der Zeit des 1. Weltkrieges – das Thema des »irischen Freiheitskampfes gegen die brutalen englischen Unterdrücker«. Den ersten Schritt im Spielfilm machte M. W. Kimmich im »Fuchs von Glenarvon«. Das Drehbuch zu diesem »starken Film« – so die Filmbetrachtung – schrieben, frei nach dem gleichnamigen Roman von Nicola Rohn, Wolf Neumeister und Hans Bertram. Die Kritik lobte die Zusammenarbeit zwischen Regisseur und Komponist (Otto Konradt) und das ausgezeichnete Können des Kameramannes Fritzarno Wagner. Durch die Verquickung mit dem Privaten wurde der Film nicht zum reinen Spiegel eines Kampfes »englischer Unterdrückungspolitik gegen irisches Volksbewußtsein«. Die Ereignisse wurden wesentlich durch die Eifersucht eines Friedensrichters bestimmt, der seinen Nebenbuhler zu vernichten trachtete, der sich selbst aus wirtschaftlichem Zusammenbruch retten und sich von dem aufsteigenden Verdacht, er könnte ein Freund der »Bändermänner« sein, reinigen wollte und deshalb ihren Zusammenkunftsort verriet. Die Filmbetrachtung lobte auch das Spiel der Hauptdarsteller. Ferdinand Marian schuf in dem Friedensrichter »eine Gestalt von hoher schauspielerischer Ausdrücklichkeit«. Er wurde nicht lediglich zum Verfechter der reinen Willkür, sondern er war »ein Mann voller Hintergründigkeit, getrieben von seiner Neigung zu seiner Frau, aufgepeitscht durch das Bewußtsein, sie zu verlieren, von hinterhältiger Glätte und Gemeinheit, wenn es gilt, sich zu retten.« Seinem Widersacher, dem irischen Baron John Ennis, gab Karl Ludwig Diehl »den ihm eigenen schönen männlichen Ernst«. Rittmeister d. R. Karl Ludwig Diehl kam vom »Westwall« auf Urlaub, um in dem Film mitzuspielen. Olga Tschechowa, als die Frau des Friedensrichters, zeigte »wunderbare Wärme des Gefühls« und »jene reine Klarheit, die die Hingabe an eine überpersönliche Idee verleiht«. Friedrich Kayßler trat als der weißhaarige Führer der irischen »Bändelmänner« auf. Den Tribut an »den Teufel« zahlte eine ganze Reihe von anderen Schauspielern und Schauspielerinnen wie E. Flickenschildt, A. Florath, L. Höflich, W. Hinz, P. Otto, K. Dannemann, B. Goetzke, K. Hannemann, F. Weber, G. Püttjer u. a. Den Film drehte man in aller Eile. Hiddensee ersetzte bei den Außenaufnahmen die »grüne Insel« (U: 24. 4. 1940; P: kw).

Zu dieser Zeit bemühte sich Josef Martin Bauer energisch im ProMi und in der RSK um geeignetes, geschichtliches Material »über die von England veranlaßte Vertreibung der irischen Bauern aus ihrer Heimat«. Diese »größte Bauerntragödie der Weltgeschichte« – so der bewährte »Blu-Bo«-Schriftsteller, »könnte, auf ein großes Einzelschicksal bezogen, die Grundlage geben zu einem großen Filmwerk, das in der Propaganda gegen England zu hoher Wirkung führen müßte.«[161] Der Film und das von Bauer erwartete Honorar blieben aus. Man entschloß sich dagegen im ProMi für ein anderes Thema: ein Jugenddrama aus der Zeit des irischen Freiheitskampfes gegen England. Toni Huppertz und Max W. Kimmich (zugleich der Regisseur des Films) schrieben das Drehbuch. Es gab in der Filmhandlung Reminiszenzen aus der Zeit des 1. Weltkrieges, das Hauptthema lag jedoch in der Schilderung der Zustände in einem englisch-irischen Internat, wo Söhne irischer Aufständischer zu guten britischen Staatsbürgern erzogen werden sollten. »Mein Leben für Irland« (auch u. d. T. »Irische Tragödie«) hieß dieser Politfilm. Die Szenen mit Anna Dammann und – hinter Schloß und Gittern – Werner Hinz, ihrem Mann, einem zum Tode verurteilten irischen Patrioten, oder mit Will Quadflieg, ihrem eingesperrten Sohn, konnten zu Tränen stimulieren und, beim einfachen Zuschauen, Emotionen wecken. Am Stoff allerdings konnte es kaum liegen. Es war die Sache der guten Besetzung und des guten Spiels. Für eine antienglische Propaganda in den von den Deutschen besetzten Gebieten war der Film kaum geeignet (U: 17. 2. 1941; P: skw, jugendwert).

In der antienglischen Propaganda-Aktion tauchten bereits im August 1939 die Gestalt des »Ohm Krüger« und das Burenproblem auf. Damals ahnte man noch nicht, daß diese Gestalt zum Thema eines der bekanntesten NS-Propagandafilme werden sollte.

Paulus Krüger (genannt Ohm Paul), südafrikanischer Staatsmann, Nachkomme eines norddeutschen Einwanderers des 18. Jahrhunderts, der Führer des Transvaalburen in dem erfolgreichen Freiheitskrieg gegen die englische Herrschaft 1880/81, war seit 1883 Präsident der Südafrikanischen Republik. Als der wachsende Gegensatz zum britischen Imperialismus schließlich 1899 zu dem aussichtslosen »Burenkrieg« führte, ging Krüger im Herbst 1900 nach Europa, wo er vergebens um die Hilfe der Großmächte warb. Er starb in Clarens in der Schweiz. Das alles war in dem »Neuen Brockhaus 1937« zu finden. Paulus Krüger, »ein südafrikanischer Rassist und Kolonialist, der gegen britische Vorherrschaft zu Felde zieht, wird im antienglischen Tendenzfilm zum ›Freiheitskämpfer‹«, so ist in einem Kommentar im Filmmuseum der DDR in Potsdam zu lesen. Einst war dennoch »die Sympathie für das tüchtige Volk, das gegen den britischen Koloß um seine Freiheit kämpfte«, »weit verbreitet und besonders in demokratischen Kreisen tief verwurzelt.«[162] Rein politisch gesehen, war es eine brillante Idee, das Buren-Problem in der antienglischen Propaganda zu verwenden. Der burische Präsident gehörte 1940/41 zu den populärsten historischen Gestalten. Joachim Barckhausen veröffentlichte (Buchwarte Verlag) den Roman »Ohm Krüger«, im März 1941 erschien im Deutschen Verlag das gleichnamige Buch mit den Lebenserinnerungen des Buren-Präsidenten. Arnold Krieger schrieb das Drama »Christian de Wet«, aus dem gleichnamigen Stoffgebiet wie sein (vielgelesener?) Roman »Mann ohne Volk«. Nach der Uraufführung in Breslau (24. 3. 1940) ging das Stück über zahlreiche andere Bühnen in Deutschland. In der Propaganda um Paulus Krüger spielte selbstverständlich die wichtigste Rolle der weitbekannte Film »Ohm Krüger«.

In dem Film »Ohm Krüger« wurden »alle Mittel dramatischer Gestaltung angewendet: von Harald Bratt und Kurt Heuser, die unter Benutzung von Motiven aus dem erwähnten Roman von Krieger »Mann ohne Volk« das Drehbuch schrieben, und von Hans Steinhoff, dem Hauptregisseur und Herbert Maisch & Karl Anton, den Co-Regisseuren. Die erste und die letzte Szene spielten in der

Schweiz, in einem Hotel, in dem der Buren-Held starb. Er erinnerte sich an die Vergangenheit. Er steht auch im Mittelpunkt des filmischen Geschehens.

Format und inneres Gewicht gab dem burischen Präsidenten, hervorragend, Emil Jannings. Nicht aus knieender Haltung gefilmt, was ihn um so sympathischer und menschlicher machte. Als sein ebenso scharf profilierter Gegner zeigte sich Ferdinand Marian in der Rolle des Cecil Rhodes. Hedwig Wangel gab der Königin Victoria karikierende Züge, Gustaf Gründgens spielte den unnahbaren Kolonialminister Chamberlain. Aus der großen Anzahl der übrigen Darsteller ragten hervor: Otto Wernicke als Kommandant des – selbstverständlich englischen – Konzentrationslagers, Hans H. Schaufuß in der Rolle eines Militärarztes, ferner Lucie Höflich, Elisabeth Flickenschildt, Flockina von Platen, Gisela Uhlen, Werner Hinz, Eduard von Winterstein und Franz Schafheitlin. Die Kontrastierungen bei der Schwarzweißzeichnung waren bis hart an die Grenze vorgetrieben, nicht selten auch darüber hinaus. »Als England einsieht, daß es das kleine Volk, dessen Heldenkampf von der ganzen Welt jubelnd begrüßt wird, mit Kanonen und Gewehren nicht niederzwingen kann« – so schrieb der Illustrierte Filmkurier – entschloß man sich zu einer der größten Gemeinheiten der Weltgeschichte, die Konzentrationslager hieß. Das ermöglichte der NS-Propaganda den Hinweis, »daß die Konzentrationslager keine deutsche Erfindung sind.«[163] Nicht einmal die vernagelten Zuschauer konnten den politischen Gehalt des vor ihnen ablaufenden Filmes übersehen.

Zur Aufnahme des Films »Ohm Krüger«
»Alle Berichte aus den verschiedenen Reichsgebieten bestätigen, daß der allgemeine Eindruck dieses Filmes die durch die starke Pressepropaganda hervorgerufenen außerordentlichen Erwartungen in allen Bevölkerungskreisen weit überboten habe. Man sehe in diesem Film die Spitzenleistung des laufenden Filmjahres und erkenne besonders an, daß in ihm politische Tendenz, künstlerische Gestaltung und schauspielerische Leistung in hervorragendem Maße zu einer Einheit gebracht worden seien. Der Publikumserfolg sei tatsächlich außergewöhnlich...

Propagandistisch erfülle der Film vor allem für breitere Bevölkerungskreise zweifellos voll seine Aufgabe. Die Kriegsstimmung gegen Engeland werde wesentlich gesteigert und vertieft, da der Film trotz starker filmischer Änderungen für breitere Besucherkreise doch eine

Art Geschichtsdokument aus einem Abschnitt der englischen Kolo-
nialgeschichte bilde. (...)

Von zahlreichen Besuchern aus allen Bevölkerungsschichten werde
immer wieder geäußert, daß der Film zum ersten Mal in überzeugen-
der Form den Beweis erbracht habe, daß gerade die besten filmkünstle-
rischen Mittel die propagandistische Wirkung besonders verstärken.

Demgegenüber treten die kritischen Stimmen zahlenmäßig zu-
rück... Zunächst werden einzelne Szenen als teilweise ›zu dick aufge-
tragen‹ oder zu abstoßend bezeichnet, so z. B. die Verteilung von
Gewehren und Gebetbüchern durch englische Missionare. Es bestehe
Gefahr, daß durch solche propagandistischen Übertreibungen die
Glaubwürdigkeit der historischen Filmhandlungen abgeschwächt
werde. (...)

Weiter wird von sachkundigen Besuchern und von Afrikakennern
die Frage aufgeworfen, ob es zweckmäßig sei, das Burenvolk, das ne-
ben seinen rassisch guten Bestandteilen auch sehr starke negative Ele-
mente aufweise, und charakterlich, wirtschaftlich und politisch eine
durchaus nicht immer positive Rolle gespielt habe, in dieser Weise zu
heroisieren. Der Charakter dieses Mischvolkes sei zwiespältig und
könne schon im Hinblick auf die kolonialen Aufgaben Großdeutsch-
lands nach dem Endsieg nicht als germanisches Idealbild herausgestellt
werden.«

Quelle: Aus der Meldung des Sicherheitsdienstes; zit. nach: E. Leiser,
»Deutschland erwache«, S. 150 f.

Die Herstellungskosten von »Ohm Krüger« kletterten auf rund 5,5
Mio. RM. Der Film fand eine emphatische »Kritik« und ein großes,
oft begeistertes Publikum. In langen Schlangen warteten vor der
Kasse Hunderte auf das »Meisterwerk«, schrieb die Presse in verschiedenen Städten des Reiches. Die Presse veröffentlichte auch Lo-
besstimmen des Auslands. »Le Président Kruger« sollte angeblich
auch das breite Publikum Frankreichs gewonnen haben. Trotzdem
gehörte der überaus teure Film »Ohm Krüger« zu den wenigen Streifen, die dem Produzenten Verluste brachten. Goebbels ließ dem
Werk die höchsten Prädikate geben: staatspolitisch und künstlerisch
besonders wertvoll, volkstümlich wertvoll, volksbildend und jugendwert. Außerdem wurde »Ohm Krüger« zum »Film der Nation« erklärt. Der »Führer« kümmerte sich persönlich um die italienischen
und japanischen Versionen des Films. Problematisch dagegen sah die
Vorführung des Films in den besetzten Gebieten aus, wo die Völker

der Freiheit beraubt waren. Im Reich bildete der Film einen wichtigen Teil des »eisernen Repertoires« der Lichtspieltheater. Erst Ende Januar 1945 wurde über das ProMi veranlaßt, »daß der Film ›Ohm Krüger‹ bis auf weiteres aus dem öffentlichen Vertrieb zurückgezogen wird, da die... Flüchtlingsszenen etc. augenblicklich sehr schlecht ›in die Landschaft‹ passen«.[164]

Im Vergleich mit »Ohm Krüger« sahen die antienglischen Spitzen in den W. Liebeneiner-Filmen über den »Eisernen Kanzler« – »Bismarck« und »Die Entlassung« viel bescheidener aus. Dagegen war die antienglische Propaganda in dem schon erwähnten »Carl Peters« besonders grob.

Die »bösen Engländer« wurden wiederum im afrikanischen Milieu in »Germanin« gezeigt. Auch diesmal lag ein literarischer Stoff zugrunde: Hellmuth Ungers gleichnamiger Roman. Dem Drehbuch merkte man die engagierte gemeinsame Arbeit von Max W. Kimmich und Hans Wolfgang Hillers an. Kimmich führte auch Regie. Im Film (Arbeitstitel: »Der Kampf um Germanin«) wurden die Engländer im Zusammenhang mit dem Heilmittel »Germanin« (»Bayer 205«) gegen die Schlafkrankheit gezeigt. Ein deutscher Professor (gespielt von Peter Petersen), dessen Versuchsstation im afrikanischen Urwald bei Kriegsausbruch 1914 von den Engländern vernichtet wurde, ging 1923 erneut mit einer Expedition nach Afrika, um dort die Schlafkrankheit zu bekämpfen. Die englischen Kolonialherren sahen in seiner Tätigkeit eine Bedrohung ihrer Interessen und hinderten ihn daran, den kranken Einheimischen zu helfen. Sie befahlen ihm, das Land zu verlassen, und vernichteten brutal sein Heilmittel. Es gelang nur, eine einzige Ampulle zu retten. Obgleich der deutsche Forscher inzwischen selbst die Schlafkrankheit bekam, heilte er mit dem geretteten Heilmittel seinen größten Feind, den ebenfalls erkrankten englischen Obersten. Dafür bekam er eine Versprechung, die die Intensivierung des Kampfes gegen die Tse-Tse-Fliege ermöglichte. Der Kontrast zwischen den brutalen und perfiden Engländern und den »einstigen deutschen Kolonialherren« als den »weißen Engeln der Schwarzen«[165] sollte »auch den einfältigsten Zuschauer davon überzeugen, wer wirklich dazu berufen ist, Kolonien zu besitzen.«[166] Für die Uraufführung wurde, wie es meistens bei den antienglischen Filmen der Fall war, die »Frontstadt« Hamburg bestimmt (U: 15.5.1943; P: skw).

In der Reihe der Spielfilme mit antienglischen Tendenzen ist auch der Film über den Untergang der »Titanic« zu verzeichnen. An jenem 15. 4. 1912 schlitzte ein Eisberg den bis dato größten Dampfer der Welt auf, und 1517 Menschen ertranken. Bereits 1940 kündigte die Tobis zum erstenmal den Film an. Im darauffolgenden Jahr erschien das Vorhaben erneut in Ankündigungen. Ein Drehbuch von Harald Bratt lag schon vor, einige Schauspieler wurden bereits verpflichtet (u. a. K. L. Diehl, H. Weißner, M. Bohnen) und für die Regie war H. Maisch vorgesehen. Schließlich wurde jedoch für die Gestaltung des Films Herbert Selpin bestimmt.[167] Nach dem Entwurf von Harald Bratt schrieb Walter Zerlett-Olfenius zusammen mit dem Regisseur ein Drehbuch. Der »1. schwarze Charakter« war im Film der Chef der White Star Line, Sir Bruce Ismay (von Ernst F. Fürbringer gespielt), der für die Überquerung des Ozeans das »Blaue Band« gewinnen wollte, nicht auf den Rat des Kapitäns (Otto Wernicke) hörte und dadurch den Zusammenstoß des Schiffes mit einem Eisberg verursachte. Als das Schiff sank, rettete der (im Film) erste Offizier, der Deutsche Peterson (Hans Nielsen), Ismay, um ihn als Verursacher der Katastrophe vor Gericht zu stellen. Das bestechliche Gericht (Ernst Stahl-Nachbaur als Vorsitzender des Gerichts) sprach den Industriellen jedoch frei und erklärte den ertrunkenen Kapitän für schuldig. Ende April 1942 begannen die Außenaufnahmen auf dem der Hamburger Werft Blohm & Voss gebauten (14. 5. 1927 getauften) Luxusschiff »Cap Arcona«. Nach Kriegsausbruch wurde das weiße Passagierschiff dunkelgrau gestrichen, und sein neuer Liegeplatz wurde der polnische Hafen Gdingen (damals Gotenhafen). Hier diente es als Wohnschiff für Marine-Offiziere. In Gdingen kam es zu Skandalen und Auseinandersetzungen. Nach einer Denunziation W. Zerlett-Olfenius' – »niederträchtige Verleumdungen und Beleidigungen deutscher Frontsoldaten und Frontoffiziere«, hieß es später offiziell – wurde Herbert Selpin verhaftet und nahm sich im Gefängnis das Leben. Den Film beendete Werner Klingler. Bei Werner Eisbrenner wurde die Musik zum Film bestellt. In ihr klang »Denn wir fahren gegen Engeland« als eines der musikalischen Motive auf. Der fertiggestellte Film wurde schließlich zur Vorführung nicht zugelassen. Vielleicht lag die Ursache des Inlandsverbotes in den neuen propagandistischen Richtlinien zum Thema des Seekrieges. Die Auslandsfreigabe für »Titanic« wurde dagegen nicht beanstandet. Am 10. 11. 1943 wurde der Film in Paris aufgeführt. Im selben Monat wurde »Titanic« in dem »Nur für Deutsche«-Kino »Orania« in Krakau, im Dezember im Soldatenkino in Athen vorgeführt. Danach kamen noch andere Erstaufführungen: in Belgrad und im August 1944 im Budapester Ufa-Kino »Urania«. Den Film kauften auch einige mit dem Reich befreundete Staaten. So lief der Film auch in Helsinki und wurde erst tief im Herbst 1944 (!) aus den Kinos »wohl mehr auf anglo-amerikanischen als auf sowjetischen Druck hin« – so die Filmabteilung im ProMi – zurückgezogen.[168] Das Schiff »Cap Arcona« hatte seine traurige Geschichte. Zunächst wurde es zum Flüchtlingsschiff, danach, inzwischen manövrierunfähig, zum Gefängnis. Am 3.5.1945 wurde das Schiff mit zahlreichen KZ-Häftlingen an Bord von nichtsahnenden englischen Fliegern angegriffen und versenkt. Der Film »Titanic« hatte auch eine bunte Geschichte: Zulassungen, Verbote. Am 5.5.1955 wurde er schließlich freigegeben.

Im Stadium der Vorarbeiten befand sich 1944 »Der Talisman«, ein Soldatenfilm mit stark antienglischen Tendenzen. Eine lange Liste von Darstellern (u. a. E. Ponto, E. Karchow, V. v. Collande) war schon auserwählt. Der Film wurde nicht realisiert.

Das Propagandamaterial gegen England bot Indien, »an dessen Freiheitskampf das deutsche Volk herzlichen Anteil« nahm. Die indischen Themen erlebten ihre Renaissance auch im Film. 1940 kamen in die Kinos als Reprisen »Das indische Grabmal« (1938) oder die deutsch-italienische Gemeinschaftsproduktion »Die Liebe des Maharadscha«, die bereits 1936 von A. M. Rabenalt mit Isa Miranda, G. Dießl, H. v. Stolz und A. Hörbiger, ferner der berühmten Geiger Vasa Prihoda gedreht worden war. 1941 erhielt die deutsche Indien-Propaganda neue Impulse. Die NS-Medien berichteten über die »englische Herrschaft durch Hunger« in Indien. In diesem Klima entstand der Abenteuerfilm um einen indischen Elefantentreiber und seine Familie, mit indischen Eingeborenen als Darstellern, »Krischna« (U: 17.10.1941).

Die antienglischen Themen wurden freilich seit Sommer 1939 stets in der Deutschen Wochenschau präsentiert. Ferner in den Kriegsdokumentarfilmen. Aber auch in Kurzfilmen anderen Charakters. So griff »Gentleman« (1940) die englischen Führungsschichten an: »John Bull in Nöten« (um 1941), eine Zeichen- und Sachtrick-Kombination, zeigte die Not, die die deutschen U-Boote verursachten. Der Film war ursprünglich auf Gasparcolor-Farbdruckverfahren aufgenommen worden, ist aber nur als eine Schwarzweiß-Fassung erhalten. Höchstwahrscheinlich wurde dieser nicht zensierte Film (ca. 120 m) zur öffentlichen Vorführung nicht abgegeben. Antienglische Akzente waren ferner in einigen Kurzfilmen für die Jugend zu finden.

So in A. Weidenmanns »Soldaten von morgen« (1941) oder in »Jungens wollen zur See« des Regisseurs W. Stöpplers.

Amerika war für viele nach dem 1. Weltkrieg das Land der Moden und Muster, bis alles was von dort kam für »artfremd« erklärt wurde. Goebbels tat viel, sogar sehr viel, um bei den deutschen »Volksgenossen« den »Antiamerikanismus« zu erwecken bzw. zu begründen. Die Medien, unter ihnen der Film, standen ihm dabei hilfreich zur Seite. Spitzen gegen die USA fand man sehr oft in den Spielfilmen der NS-Ära; erwähnt sei z. B. nur der »künstlerisch besonders wertvolle« Film »Der verlorene Sohn« (1934) von Luis Trenker. »Sensationsprozeß Casilla« (1939) oder »Liebespremiere« (1943) können als andere Beispiele, diesmal aus der Sparte des Krimi- oder Operettenfilms, dienen. Am 11. 12. 1941 erklärte Deutschland den USA den Krieg, und neun Tage später wurde »Rund um die Freiheitsstatue« (419 m), eine Produktion der Deutschen Wochenschau, zensiert. Es war »ein Spaziergang durch die USA«, eine bunte Mischung, in der »alles« zu finden war: Präsident Roosevelt und seine Gattin, Gangster, streikende Amerikaner, Polizei mit Gummiknüppeln, verschiedene Bilder von Juden, groteske Bilder aus Sport, Unterhaltung etc. – sogar eine Szene aus dem amerikanischen Film »Grapes of wrath« nach Steinbeck. 1943 schuf die Deutsche Wochenschau »Herr Roosevelt plaudert« (378 m). Der US-Präsident plauderte nicht nur, sondern zerschnitt auch mit einem Messer die Weltkugel (Trickaufnahme). Auch hier wurden ausgewählte Bilder oder Sequenzen aus den amerikanischen Wochenschauen gezeigt, und der ironische Kommentar prangerte vor allem die sozialen Unterschiede in den Vereinigten Staaten an. Der Film enthielt starke antisemitische Tendenzen (Zensur: 1. 5. 1943; P: sw, vb). Im Sommer 1944 wurde die Ufa-Sonderproduktion im Einvernehmen mit der Auslandsabteilung des ProMi und dem AA mit der Herstellung einer anti-amerikanischen Filmserie beauftragt. Diese Bildstreifen sollten unter Verwendung von geeigneten Sujets aus in Deutschland vorhandenen amerikanischen Filmen zusammengestellt werden. »Die Wahl der Themen« – berichtete Hans Hinkel – »hängt von einer systematischen Sichtung des umfangreichen Schnittmaterials ab.«[169] Wahrscheinlich gab es aber nicht mehr die Möglichkeit, solche Filme zu schaffen.

»Im Kampf gegen den Weltfeind«

Wie der Antisemitismus, so durchdrang der Antikommunismus alle
Bereiche des geistig-kulturellen Lebens im Dritten Reich. Die Auseinandersetzung mit dem Kommunismus (Bolschewismus, Marxismus etc.) trat auch nicht selten im Film auf, und zwar bereits zu Anfang der NS-Ära. Fast zehn Jahre lang stand im breiten Propaganda-
Einsatz der weitbekannte Film »Hitlerjunge Quex« (1933). Viel kürzere Karriere hatten auf der Leinwand die ebenfalls stark antikommunistischen, aber weniger gelungenen Spielfilme »SA-Mann-
Brand« und »Hans Westmar«, beide auch bereits 1933 entstanden.
Eine nationalsozialistische Interpretation der Novemberrevolution
gab der Streifen »Um das Menschenrecht« (1934) von Hans Zöberlein. »Henker, Frauen und Soldaten«, ein Hans-Albers-Film aus dem
Jahre 1935 (Regie: Johannes Meyer), folgte diesem Themenkreis
(Freikorps). Eine starke Resonanz hatte der Film »Friesennot«, der
die antisowjetische Propaganda in ein wolgadeutsches Dorf verlegte
(U: 19.11.1935; P: skbw). »Friesennot« wurde nach dem Nichtangriffspakt Ribbentrop-Molotow verboten, aber nach Juni 1941 unter
dem Titel »Dorf im roten Sturm« wiederaufgeführt.

»Friesennot«
*»Einigen Vorkämpfern des nationalsozialistischen Films verdanken
wir das Werk »Friesennot«, die Darstellung des Schicksals friesischer
Bauern in der Sowjetunion. Der Nationalsozialismus hatte soeben den
Bolschewismus in Deutschland geschlagen. Die Reichspropagandaleitung der NSDAP setzte sich zum Ziel, dem »Potemkin« oder »Sturm
über Asien« einen deutschen Film entgegenzustellen. Der Dichter Werner Kortwich, Peter Hagen, der Kameramann Sepp Allgeier schufen
mit dem Schauspieler Friedrich Kayßler und einigen anderen Darstellern ein Werk, das eine durchgreifende politische und erzieherische
Wirkung erreichte. Technische Schwächen im einzelnen sind dabei
gleichgültig. Es gibt kein besseres Zeichen für die Wirkung dieses
Films als die Wiederaufführung nach Jahren; zu einer Zeit, in der die
Erkenntnis über den Bolschewismus durch die persönliche Anschauung von Millionen deutscher Soldaten sich inzwischen für uns geklärt
hatte. Der Film war genauso frisch und jung wie am Tage seiner Uraufführung.«*
Quelle: Otto Kriegk, Der deutsche Film im Spiegel der Ufa, S. 212f.

47. *Karl Ritter bei einer Regiebesprechung (»GPU«)*

48. *Marina von Ditmar in GPU*

Karl Antons »Kampffilm gegen den Bolschewismus«, »Weiße Sklaven« (»Panzerkreuzer Sewastopol«), ein »großer dokumentarischer Film aus dem Rußland der Kerenski-Revolution« – Camilla Horn, Agnes Straub, Werner Hinz, Theodor Loos und Fritz Kampers standen auf den ersten Stellen des Darstellerverzeichnisses – lief seit dem Entstehen (U: 5.1.1937) ununterbrochen bis in die Augusttage des Jahres 1939. In Freilichtvorführungen, mit billigen Eintrittspreisen – Erwachsene 0,50 RM – wurde z. B. von der Gaufilmstelle Königsberg noch am Vorabend der Unterzeichnung des »Hitler-Stalin-Paktes« gezeigt. »Menschen ohne Vaterland« hieß ein weiteres Werk aus dieser Serie, »das hohe Lied der starken Männer der ›Eisernen Division‹« – mit Publikumslieblingen: Willy Fritsch als der draufgängerische Freikorpsführer, Willy Birgel als ein deutsch-russischer Aristokrat – und zwischen beiden Maria Tasnady. Herbert Meisch drehte den Film für die Ufa (U: 6.3.1937).[170]

Ein Kapitel für sich bildete in der antikommunistischen Filmpropaganda des Dritten Reiches der Spielfilm »Starke Herzen«. Diesen Fall hat Friedrich R. Kahlenberg genau geprüft und ausführlich beschrieben.[171] »Starke Herzen« hatte einen Vorversuch mit dem Filmprojekt »Tosca«, wo – zeitweilig – das Paar Martha Eggerth und Jan Kiepura als Hauptdarsteller vorgesehen war. Anfang 1937 entschloß man sich, den Film »Starke Herzen« – auch mit Szenen aus »Tosca« – zu drehen. Die Idee und das Drehbuch stammten von dem bewährten Duo Walter Wassermann und C. H. Diller, die Regie übernahm Herbert Maisch. Gustav Dießl und die junge, attraktive Sängerin Maria Cebotari spielten die Hauptrollen, und unter den anderen Darstellern befanden sich so bewährte Künstler wie Otto Wernicke und Lucie Höflich, ferner Elisabeth Flickenschildt, Walter Lieck und Hans Meyer-Hanno. Nach mehrmaligen Vorlagen hatte die Zensur den fertiggestellten und immer mit Nachaufnahmen »verbesserten« Film letzthin nicht freigegeben. Sogar nach dem Angriff auf die Sowjetunion blieb der Film, »trotz seiner augenfälligen antikommunistischen Tendenz« verboten.[172] Einige Jahre nach dem Krieg wurde er unter dem Titel »Starke Herzen im Sturm« in der BRD in den Kinos aufgeführt.

Der Bürgerkrieg in Spanien lieferte zahlreiche Stoffe für die antikommunistische Propaganda in aller Welt. In NS-Deutschland war er selbstverständlich ein politisch bevorzugtes Thema. Im deutschen Spielfilm wurde der spanische Bürgerkrieg nur als eines von vielen Abenteuern im Soldatenleben erwähnt. Tiefer ging in dieses Thema der Terra-Film »Kameraden auf See« in der Regie von Heinz Paul hinein. Ein deutsches Passagierschiff wurde in spanischen Gewässern von den »Roten« beschlagnahmt, die sofort den Kapitän töteten. Den Kommunisten wurden die »patriotischen Frankisten« gegenübergestellt. Das Eingreifen der deutschen Kriegsmarine brachte die Befreiung (U: 12.3.1938, P: sw).

Der sogenannte Dokumentarfilm war selbstverständlich ebenfalls mit diesem Thema beschäftigt. Die Tagespolitik blieb hier nicht ohne Einwirkungen. Am 22.12.1938 sollte »Helden in Spanien« (2266 m), ein Hispano-Film der Bavaria, mit über 40 Kopien im Reich anlaufen. Doch Hitler untersagte am gleichen Tage die Vorführung dieses Films, da an ihm »Änderungen vorgenommen werden sollten.«[173] Im Februar 1939 monierte das ProMi bei der Adjutantur des Führers: »Nachdem der Kampf in Spanien in Kürze in sein Endstadium eintreten dürfte, wird das Zeigen des Films, wenn seine Zulassung nicht wieder erfolgt, überhaupt unmöglich sein, da erfahrungsgemäß das Interesse der deutschen Volksgenossen für den Film nach Beendigung des Spanienkrieges völlig erlöschen wird.«[174] Erst am 9.6.1939 berichtete der Film-Kurier, daß der Film, nach Umarbeitung, neu zugelassen worden sei. Der elastische außenpolitische Kurs des Reiches der UdSSR gegenüber meldete sich hier zu Worte. Die »endgültige« Annäherung des Reiches an die Sowjetunion entfernte diesen Streifen von der Leinwand.[175]

Laut amtlichen Mitteilungen erhielt Karl Ritter im Januar 1939 vom »Führer« den Auftrag, einen abendfüllenden Dokumentarfilm vom spanischen Krieg unter besonderer Würdigung des Einsatzes der deutschen »Legion Condor« zu schaffen. Mit einigen Mitarbeitern ging Ritter für mehrere Wochen nach Spanien und drehte den Film dort, besonders in der Schlußoffensive an den Fronten von Toledo bis Ciudad Real. Heinz Ritter und Eberhard von der Heyden leisteten die Kamera-Arbeit. Werner Beumelburg schrieb dazu einen erläuternden Begleittext. Als Sprecher traten Paul Hartmann und Rolf Wernicke auf. Im Mai befand sich der Streifen, der die Länge eines großen Spielfilms haben sollte, im Schnitt (Bernhardt von Tiska). Die Musik schrieb der für solche Arbeiten schon erfahrene Herbert Windt. Der Film erhielt im Atelier den Titel »Deutsche Freiwillige in Spanien« (»Kampf gegen den Weltfeind«).

Als ein Auftakt lief ab 2. Juni in 850 Filmtheatern des Reiches die Wochenschau mit dem Bildbericht von der Rückreise der »Legion Condor« und ihrem begeisterten Empfang in Hamburg. Die frischgebackenen Kombattanten kamen auf den Schiffen der KDF-»Friedensflotte« in die Heimat zurück. Im Anschluß zeigte man einen Kurzfilm (433 m) »Deutsche Freiwillige in Spanien«. Um diesen Film mit dem vorbereiteten abendfüllenden Dokumentarfilm nicht zu verwechseln, erhielt Karl Ritters Werk einen neuen Titel: »Im Kampf gegen den Weltfeind« (»Deutsche Freiwillige in Spanien«).

Es wurden inzwischen im Ritter-Film zahlreiche Änderungen vorgenommen, die Termine der Uraufführung mußten verschoben werden.[176] Sie fand endlich, feierlich, am 15. Juni im Berliner Ufa-Palast am Zoo statt: mit Prominenten des Regimes und Mitwirkenden am Film. Karl Ritter erhielt einen Spanien-Orden in Silber. Tags darauf gab es festliche Erstaufführungen in Hamburg, Bochum, Breslau, am 23. Juni schrieb der Film-Kurier über 40 Kinotheater, die den Film spielten. Es folgten ausländische Premieren in den verbündeten Staaten.[177] Im Reich lief der Film bis zum August 1939.

Karl Ritter ging sofort an die Arbeit, um einen neuen Film zu diesem Thema zu schaffen. Juni/Juli 1939 entstand das Drehbuch zu dem Dokumentar-Spielfilm der Ufa »Legion Condor«, von ihm und Felix Lützkendorf in den Berchtesgadener Alpen geschrieben. Karl Ritter wurde die Regie übertragen. Als Fachmann stand ihm der General der Flieger Wilberg zur Seite. Zu den zunächst verpflichteten Darstellern gehörten Paul Hartmann und Fritz Kampers, ferner Josef Dahmen, Wolfgang Staudte, Herbert K. A. Böhme, Andrews Engelmann, Carsta Löck und Marina von Ditmar. Die ersten Aufnahmen (Kamera: Günther Anders) wurden bereits am 7. August in Babelsberg gedreht. Doch machte die durch die Annäherung Berlin-Moskau neu geschaffene weltpolitische Lage einen Strich durch die Rechnung.[178] Auf der Liste »Neue Filme in den deutschen Film-Werkstätten« im Filmkurier vom 28.8.1939 war der Film »Legion Condor« nicht mehr zu sehen. Die Ufa hat an diesem Filmvorhaben 0,55 Mio. RM verloren.[179]

Viel weniger kostete die Zurückziehung anderer Filmprojekte »mit antibolschewistischer Tendenz«: bei der Ufa »Staatsfeind Nr. 1« und bei der Wien-Film »Summa cum laude«.[180]

Der »deutsch-sowjetische Konsultations- und Nichtangriffspakt« vom 23. August brachte unverzüglich eine größere Anzahl von älteren und neueren Filmproduktionen mit russischen Themen in die deutschen Kinos. Den Neuaufführungen in den Großstädten wurden sehr oft die persönlichen Auftritte der exil-russischen Künstler angeknüpft.[181] Aber auch aus der UdSSR kamen plötzlich Künstler und

Ensembles, vor allem aus der Welt des Tanzes und der Musik. Der »Schwarzmeer-Kosakenchor«, der auch im Rahmen von Sonderveranstaltungen der NS-Gemeinschaft »KdF« auftrat, füllte den Kinobesitzern die Häuser.[182] Die Liste der Reprisen umfaßte sogar Filme aus der Zeit vor 1933, um Adolf Trotz' »Rasputin – Der Dämon Rußlands« aus dem Jahre 1932 zu erwähnen (1940 erschien auf dem deutschen Buchmarkt ein neuer Roman »Raspŭtin«). Eine erfolgreiche Neuaufführung erlebte der Gustaf-Gründgens-Film »Die Finanzen des Großherzogs« (1934), ein Lustspiel mit Viktor de Kowa (Titelrolle), Theo Lingen (Fürst Potemkin) und Heinz Rühmann in der Rolle eines Detektivs. In zahlreichen deutschen Städten lief bei ausverkauften Häusern »Fürst Woronzeff«, ein Ufa-Film aus dem Jahre 1934, dessen Regisseur Arthur Robinson schon 1936 in die USA gegangen war. Der Film schöpfte seinen starken Publikumserfolg nicht zuletzt aus der Tatsache, daß in ihm der spätere Liebling des Kinopublikums, Willy Birgel, eine seiner ersten Filmrollen spielte. Auch seine Mitspieler, Hansi Knoteck und Albrecht Schoenhals, standen zur Zeit, als dieser Film gedreht wurde, noch am Anfang ihrer Filmkarriere.[183] Willy Birgels Reiterkünste in dem Film »Ritt in die Freiheit« (1936, Regie Karl Hartl), in dem er einen polnischen aufständischen Offizier, der gegen die russische Unterdrückung kämpft, spielte, wurden selbstverständlich nicht gezeigt. Gute Kasse machten erneut E. W. Emos »Petersburger Nächte« aus dem Jahre 1934 (Paul Hörbiger, Theo Lingen, Ernst Dumcke, Angela Salloker) mit Liebeserlebnissen des Walzerkönigs Johann Strauß an der Newa. Die Neuaufführung des Gustav-Ucicky-Films aus dem Jahre 1936, »Savoy-Hotel 217« (Hans Albers, Brigitte Horney, Käthe Dorsch), wurde begleitet von einer überaus großen Reklame – bereits seit dem 19. (!) August. In diesem »künstlerisch-wertvollen« Drama, das auf den Zuständen im zaristischen Rußland basierte (seit 1950 u. d. T. »Mord im Savoy«), wirkte auch die von Film und Rundfunk bekannte russische Balalaika-Kapelle Boris Romanoff mit. Die Presse hob hervor, daß diese Kapelle, die in fast allen Großstädten und Ländern Europas gastierte, auch im Berliner Opernhaus bei der Festvorstellung anläßlich des »Führer«-Geburtstages hervortrat. Als Reprise kam der Viktor-Janson-Film »Mädchen in Weiß« aus dem Jahre 1936 zur Vorführung, mit der schönen jungen Kammersängerin Maria Cebotari und Ivan Petrovich, ein Film, der den Glanz des Petersburger Hofes, seiner weltberühmten Oper zeigte und den Schicksalsweg einer temperamentvollen jungen Aristokratin schilderte. Der Film brachte das bekannte Lied: »Ich bin auf der Welt, um glücklich zu sein.« »Stenka Rasin« (Wolga-Wolga, Stjanka Rusia), ein deutscher Film aus dem Jahre 1936, in dem neben bekannten deutschen Schauspielern (H. George, H. A. Schlettow, R. Platte) auch der berühmte Kosakenchor Serge Jaroffs auftrat, gewann ebenfalls zahlreiche Erfolg-Neuaufführungen. Auch das kleine aus guten Gründen erschrockene Litauen zeigte in dieser Zeit seinem Kinopublikum diesen Film. Es waren auch ausländische Filme, die mit der »russischen Welle« irgendwie thematisch verbunden waren, in den deutschen Kinos zu sehen: aus Italien »Rivalin der Zarin« und »Ein Mann wird entführt«, aus Frankreich »Katja, die ungekrönte Kaiserin« mit Danielle Darrieux, aus den USA »Anna Karenina« (1935) mit Greta Garbo. In der russischen Thematik waren auch die neuen deutschen Produktionen »Es war eine rauschende Ballnacht« (1939) und »Der Postmeister« (1940) verankert.

Mit den neuen politischen Zuständen Moskau-Berlin verband sich Ende 1939 die Wiederaufführung von Herbert Selpins Krimi aus dem Jahre 1936 »Spiel an Bord«. Es ging um die »Bremen«. Als Flaggschiff des Norddeutschen Lloyd hatte die »Bremen« immer eine besondere Aufmerksamkeit in der Welt genossen. Mit 51731 BRT (52 km Geschwindigkeit, 120 000 PS) war sie das größte Schiff der deutschen Handelsflotte und das drittgrößte Schiff der Welthandelsflotte. Commodore Ahrens, der Kapitän der »Bremen«, brachte das Schiff nach Kriegsausbruch in Sicherheit. Die Rückkehr des Schiffes aus den USA nach Deutschland nahm im Dezember 1939 in der Presse großen Raum ein. Mit besonders herzlichen Worten rühmte Ahrens in den deutschen Medien die Hilfe und Gastfreundschaft, die die Besatzung der »Bremen« in Murmansk gefunden hatte. Von der dortigen Bevölkerung, so berichtete er, sei alles getan worden, um den Aufenthalt recht angenehm zu gestalten. Sogar Kinovorstellungen und artistische Darbietungen wurden für die deutsche Besatzung veranstaltet. Und in dem erwähnten Bildstreifen »Spiel an Bord« (mit Viktor de Kowa, Susi Lanner, Alfred Abel und Carsta Löck) wurden die Aufnahmen an Bord der »Bremen« gedreht. Wie ein mitreisender Passagier konnte der Zuschauer das Schiff vom Fallreep bis zum äußersten Winkel kennenlernen. Dieser Spielfilm blieb eine einzigartige Dokumentation des später durch Brandstiftung vernichteten berühmten Schnelldampfers.

Der Sommer 1941 brachte eine neue Wende. Im SS-Presseorgan »Das Schwarze Korps« (3. 7. 1941) gab es dafür eine Erklärung: »Nur ein Adolf Hitler konnte das deutsche Volk zu diesem Frontwechsel führen, und nur dem deutschen Volk konnte der Führer auch in diesem Augenblick bedingungslose Gefolgschaft zumuten. Wenn auch von einer weltanschaulichen Aussöhnung oder gar Annäherung zwischen Nationalsozialismus und Bolschewismus nie die Rede sein konnte, so konnte dieser Eindruck bei oberflächlichen Betrachtern doch sehr leicht entstehen.«

Wenn es um nach dem Juni 1941 entstandene antisowjetische abendfüllende Spielfilme ginge, so wäre eigentlich nur Karl Ritters »GPU« als der einzige direkt antisowjetische Propagandafilm zu nennen. Um die Wende 1941/42 berichteten die deutschen Zeitungen über die Atelierarbeiten an diesem Film bei der Ufa in Babelsberg. Koordiniert erschien im Januar 1942 in 100 000 Exemplaren das Buch »Die GPU – Angriff auf das Abendland«, von Antikomintern herausgcgeben und in Holland gedruckt.[184] In einem »Berliner Filmbrief« las der Breslauer Zeitungsleser:[185] »(...) Und wieder ein paar Schritte abseits von dieser zwiegesichtigen Pracht (»Goldene Stadt«) ducken sich zweifelhafte Gestalten in dämmrige Ecken. Es sind lichtscheue Wesen aus dem neuen Ritter-Film der Ufa, »GPU«. Schon von fernher gellen die Schreie, dann hört man flüchtende Schritte, Tumult, Flüche, splitternde Scheiben. Aber dann schweigt der Lärm, und eine blonde Frau singt ein Lied. Es sind fremde Worte, die niemand versteht, aber man fühlt ihren Sinn. Es ist ein wenig Schiffer-Heimweh und ein wenig Liebe darin, und die singende Frau heißt Lale Andersen; sie ist gleichsam die Mutter der ›Lili Marlen‹«. Es war übrigens Lale Andersens Film-Debüt, und die fremden Worte stammten aus dem uralten schwedischen Volkslied vom Schwarzen Rudolf. Lale Andersen spielte die Rolle einer schwedischen Sängerin, die in einer Göteborger Kneipe die rauhen Seemannsherzen betörte. Laut Drehbuch begann die Spielhandlung im Jahre 1939 in den baltischen Staaten und Helsinki, zeigte das schwedische, russische und französische Milieu und endete mit der Besetzung Rotterdams durch die deutschen Truppen im Mai 1940. Den Höhepunkt stellten jene Szenen dar, in denen die GPU-Agenten in Helsinki ihre Helfershelfer zum Mord an den eigenen Leuten aufstachelten. Oben, im Ballsaal der Gesandschaft der UdSSR, tanzten die sowjetischen Diplomaten in Frack und weißer Weste mit den Damen der finnischen Gesellschaft, während gleichzeitig in den Kellerräumen das politische Komplott erörtert wurde, wie man durch Attentate gegen diese Sowjetfunktionäre den äußeren Vorwand für den sowjetischen Überfall auf Finnland schaffen könnte. Andrews Engelmann (neben Felix Lützkendorf auch Mitverfasser dieses naiven Drehbuches) stellte den Leiter der Auslandsorganisation der GPU dar, einen – so die Pressebetrachtungen – »Menschenschlächter im Diplomatenfrack«, »aus der Art der Menschen, die vor Ausbruch des Krieges sich in allen Ländern Europas unter dem Schutz einer Pseudo-Exterritorialität frei bewegten«, »die die unglaublichen Verbrechen verüben konnten.« Auch er verfolgte seine Opfer durch alle Länder, bis er sie zur Strecke bringen konnte. Die Frauenheldin dieses Melodramas war die elegante Geigenvirtuosin Olga Fedorowna (gespielt von Laura Solari), eine Baltin, die als Agentin der GPU-Zentrale in Moskau ein doppeltes Spiel trieb, »bevor sie zur Rächerin ihrer von den Bolschewisten ermordeten Eltern und Geschwister« werden konnte. Danach verübte sie Selbstmord. Den grausamen Generalkommissar der GPU erreichte »sein verdientes Schicksal«. Die Schlußszene zeigte das verfolgte junge Liebespaar (Marina von Ditmar und Will Quadflieg) in den Rotterdamern Kellern der GPU in der sowjetischen Handelsvertretung. Der Einmarsch der deutschen Truppen brachte dem Paar die Rettung. In dem Film spielte Maria Bard ihre letzte Rolle. Unter den zahlreichen Darstellern befand sich der begabte junge Schauspieler Hans Meyer-Hanno. Die Musik Herbert Windts unterstützte in erregender Weise die Wirkung der Szenen, oder sollte sie zumindest unterstützen. Der Film arbeitete »mit so einfachen, vulgären und verlogenen Klischees, daß die Propaganda unglaubwürdig wird« (Erwin Leiser). »GPU ist zweifellos Ritters schlechtester Film und insgesamt gesehen der schwächste Propagandafilm, der im Dritten Reich entstanden ist«, meinte der polnische Filmhistoriker Jerzy Toeplitz.[186] Die naive Schwarz-Weiß-Malerei wurde schon von der Zensur bemerkt: »GPU« erhielt keine Prädikate (U: 14.8.1942).

In den Jahren 1941–1944 entstand eine ganze Reihe von Filmen – meistens ging es um Kurzfilme – die der direkten Propaganda in den besetzten sowjetischen Gebieten, aber auch teilweise in Deutschland und im Ausland dienen sollten. Im Auftrage des ProMi entstanden bei der ZFO (es waren die ersten Filme unter diesem Firmenschild) drei solche praktisch noch in der Ufa fertiggestellten Filme. Der erste Bildstreifen aus dieser Reihe, »Arbeiterfilm« (726 m; Regie Eugen York), zeigte die Arbeits- und Lebensverhältnisse der deutschen Arbeiter. In russischen und ukrainischen Versionen hergestellt, war er bereits seit Ende 1941 im Einsatz. Der zweite Film, »Bauernfilm«

(740 m; Regie Eugen York), zeigte dagegen das Leben der Bauern in Deutschland. Im Januar 1942 erhielt er eine russische, ukrainische und weißruthenische Version. Der dritte Film, »Der Führer und sein Volk«, zeigte den Führer (nicht unter Bewachung!) unter den deutschen Menschen (384 m; Regie A. Stöger). Im Februar 1942 wurden die russische, ukrainische und weißruthenische Versionen hergestellt.[187] Im Rahmen der »Aufklärungsfilme« entstanden im Auftrage der ProMi weitere sechs Propagandastreifen.[188] Eine Reihe von Filmen war gegen die bisherige kommunistische Ordnung gerichtet. So wandte sich gegen die Stachanowbewegung der Film »Genosse Edelstein« (631 m; 1942), von Alfred Stöger gedreht. Der Film erhielt eine russische und ukrainische Version. Stöger schuf auch den Film »Der letzte Hammerschlag« (1429 m; 1942), mit dem das Kolchos-System angegriffen wurde. Der Streifen war das erste Werk, das auch technisch unter Mitwirkung der ZFO entstand. Gegen die Kolchosen kämpfte auch der Regisseur Puuze in seinem Zeichentrickfilm »Dubinuschka« (130 m; 1942) mit russischen und ukrainischen Fassungen.[189] Es gab ferner andere Streifen, die direkt der antisowjetischen Propaganda Dienste leisteten.[190]

Der Fall Katyn war ein in seiner Wirksamkeit einmaliger Propagandafall, vor allem für die Gebiete, in denen die polnische Bevölkerung wohnte.[191] »Im Walde von Katyn« entstand im Rahmen der Ufa-Sonderproduktion für die RPL.[192] Aus dem Inhalt des Films: »Ausgraben der Leichen, die in 12 Schichten aufeinander beerdigt wurden. Die entstellten Gesichter der Toten, Luftröhren voll Sand als Zeichen lebendiger Begrabung. Die Leichen gehörten allen Dienstgraden der polnischen Armee an. ... Internationale Kommission ... Gerichtsmedizinische Vertreter des Internationalen Roten Kreuzes aus Genf ... Vertreter der europäischen Presse ... Weitere Massengräber bei dem ukrainischen Städtchen Winniza. Hier handelt es sich um ermordete Sowjetrussen ...« (BA).

In der Reihe »Antibolschewistische Filme für Europa der ZFO« wurden vier bis fünf Filme geplant.

Das größte (obwohl heute kaum bekannte) Vorhaben hieß »Roter Nebel«. Es war ein – so nannte man ihn – Dokumentarfilm in einer Länge von 1200 m, der die Zustände in Lettland während und nach der Besetzung dieses Landes im Sommer 1940 durch die sowjetischen Truppen schilderte. Der Film wurde im Auftrag des Reichskommissars Ostland bei der ZFO-Ostland-Film gedreht (Regie: V. Puuze). Er erhielt zunächst eine lettische, später auch eine estnische und li-

49. *Heinz Rühmann in »Quax, der Bruchpilot«*

50. *Regisseur Karl Ritter bei den Dreharbeiten für den Film »Stukas«*

51. Hedwig Bleibtreu, Ilse Werner und Joachim Brennecke in
»Wunschkonzert«

52. »Feldzug in Polen«

tauische Fassung und ging im Sommer 1942 in die Kinos der Baltik-Republiken. Eine deutsche Fassung war zunächst nicht vorgesehen. Nach Stalingrad unternahm man aber Schritte, um diesen Film nach Umarbeitung und Kürzung (auf die Länge eines Beiprogramms) auch im Ausland auszunützen, und zwar in einer großangelegten Aktion.[194] In Wien, Paris und danach in Prag wurden die Herstellungsarbeiten ausgeführt. Insgesamt sollte der Film rund zwanzig Fassungen erhalten.[195] Um die Wende des Jahres 1943/44 fuhr ein Vertreter des deutschen Films nach Rumänien, Bulgarien, Ungarn und in die Slowakei, um diesen Film in Einsatz zu bringen bzw. zu verkaufen.[196] Rumänien[197], mit einigen Schwierigkeiten Ungarn[198] und Bulgarien, ferner die Slowakei[199], verpflichten sich, den Film zu übernehmen bzw. zu kaufen. In Vorbereitung standen die Versionen mit Texten (gesprochen) auf französisch, spanisch, portugiesisch, dänisch, schwedisch, italienisch, tschechisch, slowakisch, ungarisch, kroatisch, serbisch, bulgarisch, holländisch, polnisch und türkisch. Die ersten Kopien erhielt – unentgeltlich – im Herbst 1944 das Hauptamt Film der RPL, mit dem Zweck, sie bei den ausländischen Arbeitern im Reich vorzuführen. Es wurde auch eine deutsche Version hergestellt.[201]

Rosenbergs »Ostministeriums« (und RSHA) bestellte bei der ZFO einen Spielfilm, der die Aufmerksamkeit auf die Zusammenarbeit der einheimischen Bevölkerung mit den deutschen Besatzungsbehörden lenken sollte. Der Film, unter dem Titel »Der Rückkehrer« (er war des Lobes voll für die Kollaborateure) wurde erst gegen Ende des Jahres 1944 fertiggestellt.[202] Die Mischung von Musik-, Geräusch- und Sprachaufnahmen wurde jedoch nicht mehr angesetzt. Eine Auswertung des Filmes, entschied die Filmabteilung im ProMi, konnte, »abgesehen von seiner geringen Qualität, infolge des eingetretenen Gebietsverlustes im Osten nicht in Betracht kommen.«

Im Dienste des Krieges

In gewissem Sinne bedeutete bereits die NS-Machtübernahme die Kriegsvorbereitung, und sehr vieles, was nach dem 30. Januar 1933 vom Staat und der Partei angeregt wurde, hielt sich an diese kriegerische Linie. Das beweisen auch die früheren Erwägungen in diesem Buch. Offiziell wollte noch der braune Totalitarismus Jahre hindurch den Frieden predigen und sogar die Angehörigen der Wehrkraft als

»Soldaten des Friedens« bezeichnen. Im Film gab es jedoch eine Menge von Themen, die offensichtlich mit den psychologischen Kriegsvorbereitungen verknüpft waren, und seit dem Kriegsausbruch nicht wenige Filme, die die Kriegsereignisse der Jahre 1939–1945 schilderten.

Filmische Erinnerungen an den Ersten Weltkrieg

Der Erste Weltkrieg war schon vor 1933 mehrfach Gegenstand von Spiel- und Dokumentarfilmen. Von wenigen Ausnahmen abgesehen, verherrlichten sie den Krieg, nicht selten predigten sie den Chauvinismus. Diese Linie wurde nach 1933 bewußt und in eindeutig nationalsozialistischer Manier fortgeführt. Am 2.2.1933 nahm der neue Reichskanzler an der zweiten »Uraufführung« von »Morgenrot« teil[203], einem Ufa-Film über die Erlebnisse eines U-Boot-Kommandanten und seiner Mannschaft im Ersten Weltkrieg. »Aus der heutigen Sicht wirkt es symbolisch« (Erwin Leiser).

Der bekannteste, von manchen (und nicht nur NS-Filmkritikern) sogar als der beste bezeichnete Spielfilm über den Ersten Weltkrieg wurde 1933 gedreht: »Stoßtrupp 1917«. Es war eine Verfilmung des Romans »Der Glaube an Deutschland«, der mit einem Geleitwort von Hitler 1931 erschienen war und nach zehn Jahren eine Auflage von 750000 Exemplaren erreichte. Der Verfasser des Buches, Präsident des Ordens der Bayerischen Tapferkeitsmedaille, SA-Brigadeführer Hans Zöberlein, war auch Mitschöpfer dieses Films, der am 20.2.1934 in Anwesenheit Hitlers und seiner Paladine im Berliner Ufa-Palast am Zoo uraufgeführt wurde.[204] Der Film gestaltete Episoden aus dem Kriegsgeschehen an der Westfront. Die Erzählung begann mit der Frage eines Offiziers nach Freiwilligen für ein gefährliches Stoßtruppunternehmen. Die bayerisch sprechenden Soldaten (der Film entstand bei der Arya-Film in München), die trotz der schwerer physischer und psychischer Strapazen noch in der Lage waren, Witze zu machen, meldeten sich selbstverständlich geschlossen und rückhaltlos für das Unternehmen, von dem nur ein Bruchteil der Freiwilligen lebend zurückkommen konnte. Damit begann eine Schilderung der mörderischen Kämpfe – als Komparserie wirkten auch Berufssoldaten der Reichswehr mit – aus allen nur denkbaren Blickwinkeln, gelegentlich von kurzen Szenen im Unterstand oder in der Etappe unterbrochen. Hier, ebenso wie in den breit geschilderten

Kampfszenen kam klar zum Ausdruck, daß diese Männer dank ihrer hervorragenden Kampfmoral in der Lage waren, tatsächlich die schwierigsten und gefährlichsten Situationen zu meistern. Wer fiel – und in diesem Film wurde im Gegensatz zu späteren NS-Kriegsfilmen noch viel gestorben – starb in einer heroischen Pose. Es war das besondere Kennzeichen dieses Films, daß sich die Autoren und Regisseure – H. Zöberlein und L. Schmid-Wildy, der auch in einer der Hauptrollen auftrat – sichtlich bemühten, das Grauen und die Gefahren des Krieges zu schildern. Sie wollten jedoch bei den Zuschauern keinesfalls irgendwelche Antikriegsgefühle erwecken oder das Nachdenken über das sinnlose Sterben für nicht näher bekannte Ziele fördern, sondern genau das Gegenteil erreichen: Emotionen und Haltung der Zuschauer so zu manipulieren, daß diese zur Überzeugung kamen, dieser Kampf sei ein gerechter und notwendiger Krieg gewesen, in dem es um den Bestand des deutschen Volkes ging. »Der Krieg ist zwar schwer, aber später wird jeder einsehen, daß keiner umsonst oder gar für einen Schwindel« gekämpft hatte, meinte einer der Filmhelden. Solange Deutschlands Feinde nicht vernichtet seien, dürfe es keine Ruhe geben. Selbst die gefährlichsten Erlebnisse konnten – in diesem Film – nicht die Moral der deutschen Krieger brechen, nicht ihren Mut und Elan. Im Gegenteil: Sie gaben gern ihr Leben für eine Sache, von der es stets hieß, sie sei die des deutschen Volkes. Der Krieg selbst galt als vorbestimmtes Schicksal, über das es keine Diskussionen geben konnte, pazifistische Stimmungen waren Feigheit und Vaterlandsverrat. Jedes Nachdenken über den Sinn dieses Krieges schadete der Kampfkraft der Armee. Aus den gefährlichen Unternehmungen gingen die Mutigsten unbeschadet an Leib und Seele hervor. Es blieben zwar viele Soldaten auf der Strecke, doch ihr Tod fand seinen Sinn als Beitrag zum »Befreiungskrieg« des deutschen Volkes gegen die Feindmächte. Mehrfach wurde erklärt, worum es angeblich in diesem Krieg ging – nicht um neue Absatz- und Einflußgebiete oder um die Verwirklichung von Annexionsgelüsten, sondern nur um die daheim gelassenen Frauen und Kinder, die beim Zusammenbrechen der deutschen Kampfkraft der Willkür der Feinde ausgesetzt wären. Also mußte man die Feinde mit doppelter Kraft und unter Anwendung aller verfügbaren Mittel schlagen. Während die Moral der deutschen Soldaten trotz der furchtbaren Erlebnisse als gefestigt und unerschütterlich geschildert wurde, schien es damit auf der gegnerischen Seite nicht gut bestellt gewesen zu sein: Hin und wieder tauchten schemenhaft aus dem Nebel feindliche Soldaten auf, wagten sich aber nur in großen Massen gegen die deutschen Grabenkämpfer vor und wurden rasch in die Flucht geschlagen. Nur durch Massierung von Menschen und Kriegsmaterial gelang es den feindlichen Soldaten, in die deutschen Stellungen einzufallen. Direkte antibritische oder antifranzösische Tendenzen gab es jedoch in diesem Film noch nicht. Der Kampf hätte also, so suggerierte der Film, bei dieser intakten Kriegsmoral der deutschen Soldaten durchaus gewonnen werden können. Irgendwelche Hinweise auf Kräfteverteilung, strategische Überblicke, fehlten völlig. An ihre Stelle traten nebelhafte »Durchhalte-Parolen«. Dagegen legten es die »pazifistischen Verbrecher« darauf an, in der Heimat Unruhe zu stiften und den heldenhaften Frontsoldaten den »Dolchstoß« zu versetzen. Anstatt den sich für den Bestand des Reiches und der Nation opfernden Soldaten zu helfen, gaben »kommunistische Finsterlinge« und Agitatoren, wie in dem Film bitter beklagt wurde, in der Heimat Antikriegsparolen aus und versuchten, den intakten Zusammenhalt von Front und Heimat zu untergraben. Damit halfen sie bewußt dem Feind. Der Ausgang des Krieges und die Ursachen der Niederlage blieben im geheimnisvollen Dunkel. So unvermittelt der Zuschauer in das Kampfgeschehen eingeführt wurde, so unvermittelt brach die Erzählung des Films ab. Das millionenfache »Sterben für Deutschland« war im Film kein Beweis gegen den Krieg, sondern für ihn. So wie dieser Stoßtrupp hätten während des Krieges viereinhalb Jahre lang Millionen Deutsche gekämpft: »Der Novemberverrat 1918 aber betrog sie und das ganze Volk um das Opfer, das sie brachten dem Kampf für die Freiheit und Unabhängigkeit ihres Volkes, treu ihrer Pflicht, bewußt im Glauben an Deutschland.« Dieser Kernsatz, zugleich Höhepunkt und Schluß dieses »staatspolitisch besonders wertvollen« Films, machte den Ersten Weltkrieg zu einem Krieg des gesamten Volkes für Freiheit und Unabhängigkeit. Für ihn gestorben oder zum Krüppel geworden zu sein, wurde als Notwendigkeit, als Pflichterfüllung, als Opfer am Vaterland deklariert. Es war kein Zufall, daß die Uraufführung dieses Films unter dem Zeichen der »NS-Kriegsopferversorgung« stattfand.

»Stoßtrupp 1917« wurde, allerdings nur mit einzelnen, auf den Tag gestimmten Elementen, ein Vorbild für die folgenden Kriegsfilme. Sogar noch im 2. Weltkrieg, bei verändertem Stoff. Ganz zu Ende des Krieges wurde auf die weitere UK-Stellung Hans Zöberleins in Berlin kein Wert mehr gelegt. Da er sich »mit militärischen Themen« befaßte, erschien es vom ProMi aus richtig, daß er »wieder einmal mit der Wehrmacht in Berührung« komme.[205] Übrigens gehörte der chauvinistische Striftsteller nie zu den Feiglingen.

Hans Zöberlein zeichnete auch für den Freikorps-Film »Um das Menschenrecht« verantwortlich, eine nationalsozialistische Interpretation der Novemberrevolution (U: 28. 12. 1934; P: küw).

Aus dem Jahre 1934 stammten »Ein Mann will nach Deutschland«, von Paul Wegener bei der Ufa mit K. L. Diehl und B. Horney gestaltet (U: 26. 7. 1934; P: kü), und die dritte Verfilmung der bekannten Kreuzer-»Emden«-Geschichte: »Heldentum und Todeskampf unserer Emden.« Louis Ralph (Buch, Regie, Hauptrolle) produzierte eine Mischung von Spiel- und Dokumentarfilm (mit einigen überlebenden Besatzungsmitgliedern) (U: 13. 11. 1934; P: sw,vb). 1939 erlebten beide Filme eine Renaissance.

In der Reihe der Freikorps-Filme schuf Johannes Meyer bei der Bavaria »Henker, Frauen und Soldaten«. Max Kimmich und Jacob Geis schrieben das Drehbuch nach dem Roman »Ein Mannsbild namens Prack« (1935) von dem späteren Dachau-Häftling F. Reck-Malleczewen. Hans Albers spielte die Hauptrolle, Peter Kreuder war der Filmkomponist (U: 19. 9. 1935; P: kw). Die Ereignisse an der serbischen Front schilderte »Mein Leben für Maria Isabell«. Erich Waschneck realisierte den Film nach dem Roman des Österreichers A. Lernet-Holenia mit Viktor de Kowa, Maria Andergast, Peter Voss, Veit Harlan, Bernhard Minetti und mit der Musik von Herbert Windt (U: 7. 2. 1935). Das Jahr 1936 brachte »Im Trommelfeuer der Westfront«, (Regie Charles Willy Kayser, Kamera Günther Anders), den man als einen Dokumentarfilm bezeichnete (U: 6. 6. 1936; P: sw, vb). Nach dem Roman »Ein Jahr Weltkrieg in den Dolomiten« von Graf Anton Bossi-Fedrigotti – das Buch befand sich im Dritten Reich auf den sog. »weißen Listen« – wurden bei der Ufa die Handlungen an der Front in Tirol (1915) in dem Film »Standschütze Brüggler« geschildert. Den Film gestaltete Werner Klingler (U: 28. 8. 1936; P: skw, vb). Der Film stand im breiten Einsatz der RPL.

Im Jahre 1937 schuf Karl Ritter bei der Ufa drei »stark-wirkende« Werke. Das bekannteste von ihnen – und beim Publikum wirklich erfolgreich – war ein Loblied auf das Pflichtgefühl, »Urlaub auf Ehrenwort«, mit dem in seinem Glauben nicht enttäuschten Leutnant (von Rolf Moebius gespielt) und seinen »nicht von den pazifistischen Parolen verseuchten« feldgrauen Untergebenen. »Eines des stärksten, wenn nicht das stärkste Filmerlebnis«, schrieben manche Betrachter.[206] Für seine Regie-Arbeit erhielt K. Ritter am Lido eine Medaille (U: 11. 1. 1938 in Köln; P: skbw). »Patrioten«, der zweite Film, kehrte auch in das Jahr 1918 zurück, hatte aber nicht die Erlebnisse der »Urlauber« in Berlin zum Thema, sondern schilderte die Verhältnisse in einer Etappe hinter der deutsch-französischen Front bei den deutschen Fliegern. Es gab auch andere Probleme in diesem Film, als dessen Hauptdarstellerin Lida Baarova auftrat. Die deutsche Fassung gelangte aus Anlaß der Weltausstellung in Paris zur Vorführung. Der Film erhielt die Goldene Medaille und ging mit einkopierten französischen Untertiteln als »Est-ce un espion« in die Kinos. Bald wurde er aber von der französischen Zensur verboten.[207] Die Westfrontereignisse behandelte ferner »Unternehmen Michael« (nach dem Bühnenstück von Hans Fritz von Zwehl), ein Film mit guter Besetzung (es spielten u. a. H. George, M. Wieman, W. Birgel, O. Wernicke) und den besten Pressestimmen (U: 7. 9. 1937; P: skw). Als scheinbar unpolitisch konnte »Signal in der Nacht« wirken, 1937 von Richard Schneider-Edenkoben (auch Co-Autor) mit S. Schmitz, I. List, H. Paulsen, H. Stelzer, E. Waldow und P. Bildt realisiert. Er spielte 1915 in den Dolomiten und betonte die gemeinsamen Ziele Deutschlands und Österreichs während des 1. Weltkrieges. Der italienische Gegner wurde fast sympathisch gezeichnet, als ein potentieller Kriegskamerad für die Zukunft (U: 1. 10. 1937 in München).

Einen Ausschnitt aus der Vielzahl soldatischer Kameradschaftstaten brachte der »Spionage-Großfilm« der Bavaria »Dreizehn Mann und eine Kanone«, verdichtet auf die Erlebnisse, die eine Batterie während weniger Tage an der Ostfront im Jahre 1916 hatte. Die nötigen Truppen und Heeresgeräte stellte der Wehrkreis VII zur Verfügung, übrigens nicht ohne Probleme: Die Aufnahmen fielen in die Zeit als die Wehrmachtseinheiten vor dem Einsatz in der Tschechei standen. Dem Regisseur Johannes Meyer stand ferner eine Reihe von bewährten Schauspielern zur Verfügung (A. Golling, O. Wernicke, E. Ponto und F. Kayßler, der einen General spielte), außerdem der Komponist Peter Kreuder. Das Generalkommando VII A. K. ließ danach eine Vorzensur des fertigen Filmes in München vornehmen: Er wurde zunächst für gelungen und unbedenklich gehalten. Und dennoch kam es später zu Streitigkeiten und Änderungen. Die ganze Angelegenheit gelangte schließlich an den »Führer«, der seine Zustimmung für den Film erteilte.[208] (U: 22. 12. 1938 in Nürnberg). Lange Zeit hindurch begleitete eine große Reklame diesen Film.

Die Ereignisse des 1. Weltkrieges tauchten in dem bekannten Karl-

Ritter-Film »Pour le Mérite« (1938) oder in »Flucht ins Dunkel« (1939) auf, aber auch in den lustspielhaft verpackten Filmproduktionen wie der gleichnamigen Verfilmung des Theaterstückes »Die vier Musketiere« von S. Graff, in der Regie von H. Paul und mit H. Brausewetter, F. Kampers, P. Westermeier und E. Siedel in den Hauptrollen (U: 27. 4. 1934; P: vb), wie in »Soldaten-Kameraden«, von Toni Huppertz gestaltet (U: 21. 2. 1936; P: sw), oder in den zwei Regiearbeiten von Joe Stöckel, »Der Etappenhase« und »Musketier Meier III« (1938).

Eine Erinnerung an das Ringen deutscher Soldaten außerhalb des europäischen Kriegsschauplatzes war der Gustav-Ucicky-Film »Aufruhr in Damaskus«. Er erzählte die Geschichte einer kleinen Schar deutscher Soldaten »im heroischen Kampf gegen die Macht englischen Blutgeldes an der arabisch-syrischen Front 1918«. Die Innenaufnahmen (ein deutsches Wüstenfort) fanden in den Berliner Anlagen der Terra statt, und da die Wüste ja überall gleich aussieht, ging ein ganzes Filmatelier mit dem gecharterten Dampfer »Habicht« nach Tripolis (Libyen), wo man die Außenaufnahmen drehte. Dem Zuschauer zeigte die Filmhandlung (Buch von P. L. Mayring) »eine Pflichterfüllung, die alles Private hintenanstellt, wenn das Größere ruft«. Joachim Gottschalk, Hans Nielsen, Ernst von Klipstein, Paul Westermeier und die anderen Darsteller zeichneten ihre Rollen als Offiziere und Soldaten »würdig ihrer ernsten Aufgabe«. In der Episode der Liebe eines jungen Offiziers zu einem deutschen Mädel, das dorthin verschlagen war, trat – in der Tracht einer Krankenschwester – Brigitte Horney auf. (U: 24. 2. 1939 in Leipzig; P: skw). Der Film verursachte arabische Proteste, hatte auch im allgemeinen nicht die besten Einspielergebnisse.[209]

Der Gesandte Fabricius meldet:

Bukarest, 17. 11. 1939
»An das Auswärtige Amt
Im Aro-Kino läuft zur Zeit der deutsche Film ›Aufruhr in Damaskus‹... die deutschen Besucher nicht verstehen konnten, daß in Kriegszeiten ein Film von der deutschen Niederlage in Damaskus gezeigt wird. Wenn dieses Ereignis auch der Geschichte angehört, so läßt es sich doch nicht verantworten, jetzt im Ausland diesen Film zu zeigen, denn 1. scheint darin der Gegensatz zwischen der Beschimpfung der Deutschen und der freundlichen Begrüßung der Engländer durch die Araber auf, 2. muß die deutsche Flagge eingeholt werden, während

der Union Jack über Damaskus aufsteigt. 3. erscheinen die nach zer-
mürbendem Kampf abgerissenen und entkräfteten deutschen Soldaten
in grellem Gegensatz zu den englischen, die geschniegelt, gebügelt und
wie aus dem Ei gepellt als Sieger in Damaskus einreiten. Eine Vorfüh-
rung dieses Films hat propagandistisch verheerende Wirkung. Rumä-
nen können es nicht verstehen, daß von deutscher Seite dieser Film
gebracht wird. (...)«
Quelle: PA Bonn, Gesandtschaft Bukarest, Nr. 53/5

Die bereits einige Male verfilmte Geschichte des Hilfskreuzers »Emden« wirkte auf die Filmemacher ansteckend. Aus diesem Themenkreis gab es auch andere »heldisch-patriotische« Beispiele. Im Rekla-
meheft der Tobis in Zürich stand im Januar 1939, als der Zeit seines
Erscheinens, »ein Großfilm unter der künstlerischen Oberleitung
von Emil Jannings« verzeichnet: »Der letzte Appell.« Als Regisseur
wurde Karl Anton, als Drehbuchautor K. J. Braun und als Filmkomponist H. Windt angegeben. Laut Mitteilung des »Film-Kuriers« begannen die Aufnahmen zu diesem Film jedoch erst am 14. 7. 1939: mit
einem anderen Regisseur. Die Handlung des Films basierte auf dem
Untergang des Hilfskreuzers »Königin Luise«. Dieser dramatische
Vorgang fand übrigens bereits in dem Bühnenstück »Fahrt nach Or-
plid« (1936) von Bernd Hofmann seine Gestaltung. Das Drehbuch
des Films von Kurt J. Braun, in Bearbeitung des »Dichters des Meeres und der Seefahrt«, Hans Leip, schilderte »die Heldenfahrt des
Bäderdampfers« der Hapag, »Königin Luise«, der am 5. 8. 1914 als
Hilfskreuzer in der Themsemündung beim Minenlegen versenkt
wurde. Die Regie übernahm Max W. Kimmich, die Hauptrolle
spielte der »künstlerische Oberleiter« des Films, Emil Jannings, und
neben ihm wirkten Werner Krauss, Gisela Uhlen, Josef Sieber u. a.
mit. Hinter der Kamera stand der bewährte Fritz Arno Wagner. Die
ersten Aufnahmen begannen im Kieler Hafen. Der Dampfer »Reiher« wurde für den Film genau nach dem historischen Bäderdampfer
»Königin Luise« umgebaut. Aus dem Artillerieschulschiff »Bremse«
machten die Filmarchitekten den englischen Kreuzer »Amphion«.
Die weiteren Außenaufnahmen, unter Mitwirkung von Einheiten
der Deutschen Kriegsmarine, wurden in der Ostsee auf der Höhe von
Swinemünde gedreht. Am 28. Juli ereignete sich ein Unfall. Dicht
neben dem Dampfer »Reiher« explodierte eine Bombe. Die Explo-
sion verursachte ein großes Loch unter der Wasserlinie, und der 2400
Tonnen große Dampfer neigte sich sofort zur Seite. An Bord des

Dampfers befand sich die gesamte Film-Expedition. Glücklicherweise wurde niemand verletzt. »Reiher« wurde ins Dock gebracht, und die Filmer erhielten als Ersatzschiff das Handelsschulschiff »Deutschland«. Mit den Seeaufnahmen waren die Filmer vor dem 1. September nicht fertig, und nach Kriegsausbruch war das weitere Filmen auf See nicht mehr möglich. Die Filmherstellungskosten erreichten bereits die Summe von 1 Mio. RM.[210] Das gedrehte Filmmaterial sollte als Grundlage einer Neufassung dienen. Die Arbeiten an dieser Neufassung sollten im März 1940 beginnen.[211] Letztlich wurden die Arbeiten an dem Film jedoch eingestellt. Das Material ging verloren, und das ganze Filmvorhaben gehörte zu den sehr wenig bekannten Episoden in der Geschichte des NS-Films. Die Behauptungen, der Film sei pazifistisch eingestellt und deswegen verboten worden, klangen wenig glaubwürdig.

Telegramm an den Führer und Reichskanzler Adolf Hitler in Berchtesgaden, vom 18. 8. 1939
»Mein Führer, Ihre Glückwünsche zu meinem Robert-Koch-Film, die mich mit stolzer Freude erfüllen, treffen mich mitten in der Arbeit zu meinem neuen Film, der letzte Appell, der ein Heldenlied der deutschen Marine werden soll stop Ihre Anerkennung gibt mir Kraft und ist mir Ansporn, mit all meinem Können an der Weltgeltung des deutschen Films weiter zu arbeiten

Emil Jannings«

Quelle: BA Koblenz, NS 10, Nr. 110, S. 129

1939, im Juni-Heft der »Nationalsozialistischen Monatshefte«, schrieb Rudolf Keudel: »Die immer wiederkehrende Gestaltung des Kriegserlebnisses im Film ebenso wie im Buch ist ein Zeichen dafür, wie tief gerade der Krieg in unser Leben eingeschnitten hat und wie tief uns das Erlebnis innerlich immer noch beschäftigt.« Inzwischen baute man die neue Wehr-Macht auf.

Deutsche Waffenschmieden

»Deutsche Waffenschmieden« (334 m) hieß ein Ufa-Kulturfilm aus dem Jahre 1939[212], den der einst so berühmte Avantgardist Walter Ruttmann (Regie) zusammen mit Walter Brandes (Kamera) und Rudolf Perak (Musik) für die direkte Kriegspropaganda schuf (P: sw, küw, vb). Dieses Thema war Ruttmann nicht fremd. Bereits auf der Pariser Weltausstellung (1937) und am Lido wurde – mit großem Erfolg – sein Streifen »Mannesmann« gezeigt, ein Film, der die gigantische Welt des Eisens und des Stahls, der Koks-Batterien, der Hochöfen, Industrie, Technik und Maschinen schilderte. Die Kameraarbeit leistete Erich Menzel, und die gewaltige musikalische Untermalung schuf Wolfgang Zeller. Als bester Dokumentarfilm erhielt er in Venedig den Pokal der Faschistischen Partei. Zu Anfang des Krieges drehte man ein anderes Filmwerk, das »zum ersten Mal in neuer Art einen Einblick in das Werden und die Welt des Stahls« gab. Es war nicht mehr ganz Spielfilm, nicht mehr ganz Kulturfilm, sogar etwas Werbefilm, allerdings ein Film, der verschiedene Trends der NS-Propaganda bündelte: »Das Lied vom Stahl« hieß er. Er wurde bei der Boehner-Film nach einem Manuskript und unter der künstlerischen Überleitung von Wilfried Bade gedreht, mit Fritz Wollangk als Regisseur und Fritz Lehman hinter der Kamera. Der Streifen schilderte die Geschichte des Stahls in der nun »großdeutschen« Steiermark und zeigte die Arbeit in einem der größten dortigen Edelstahlwerke (Gebr. Böhler & Co. AG). Ein »Lied vom Stahl«, komponiert von Georg Blumensaat, wurde im Film von einer Schar der Hitler-Jugend gesungen, sonst stammte die Musik von Fritz Wenneis. Der Film erlebte seine Premiere im Wiener Uraufführungstheater »Scala« (U: 18. .2. 1940; P: küw, kw, vb).

Die neue Wehrmacht: Der Soldat und seine Waffe

Das Gesetz, das im Deutschen Reich die allgemeine Wehrpflicht einführte, wurde am 16. 3. 1935 verkündet, und schon im November d. J. hatte die neue Wehrmacht ihren ersten offiziellen Berichtsfilm: »Die Waffenträger der Nation« (527 m; P: sw). Der Streifen präsentierte alle Wehrmachtsteile: Das Heer, eine Fliegerformation (Döberitz, Truppenübungsplatz westlich von Berlin, wo das Olympische Dorf gebaut worden war), die Kriegsmarine mit den Kreuzern »Karlsruhe« und »Köln«, ferner verschiedene Paradebilder und Besichtigungen mit Hitler, Göring und Raeder. Die Produktion entstand bei der Bavaria. »Tag der Freiheit – unsere Wehrmacht« (1935) stammte aus der L. Riefenstahl-Küche. Die neue deutsche Wehrmacht zu Luft, zu Wasser und zu Lande war ein immer abgewandeltes Thema, das der »Kulturfilm« geradezu mit Leidenschaft ergriff, und dessen filmische Gestaltung zeigte – so in den Kommentaren –»daß sie einen Teil dazu beiträgt, die Verbundenheit zwischen Volk und Heer zu vertiefen.« Im Dezember 1937 wurde »Deutschlands Heer« (782 m; P: sw) auf den Kinomarkt gebracht, eine Ufa-Produktion mit Bildern von den Übungen der Infanterie, Artillerie, Pioniere und Panzer. Bei der Lex-Film entstand »Unsere Infanterie« (P: sw, vb), bei der Ufa »Unsere Artillerie« (485 m; P: sw, kw, vb, Lehrfilm), Ende Dezember 1938 zensiert. Den letzteren Film gestaltete Georg Muschner (Regie und Kamera), als Sprecher trat Hans Meyer-Hanno auf. »Was von Menschen, Tieren und dem Material gefordert und geleistet wird, grenzt ans Phantastische«, kommentierte der »Film-Kurier« (23.5.1939). Bei der Luis-Trenker-Film wurde der Streifen »Unsere Gebirgspioniere« (1940; 462 m; P: sw) gestaltet, der eine Übung von Gebirgspionieren im Hochgebirge zeigte. Gösta Nordhaus (Buch und Regie) gestaltete »Alpenkorps im Angriff« (P: sw, küw, vb, Lehrfilm) der ebenfalls das Manöver der Gebirgsjäger präsentierte. Für die RPL drehte bei der DFG Walter Scheunemann »Eine Division greift an« (P: sw), mit den Aufnahmen aus dem letzten Manöver vor dem Kriegsausbruch. Die Reihe von Filmen, die die neue Wehrmacht priesen, umfaßte selbstverständlich auch andere, mehr oder weniger bekannte Produktionen, um noch als Beispiel »Die Wacht am Rhein« oder die zahlreichen Flieger- bzw. Kriegsmarine-Filme – die ein besonderes Thema bilden – zu erwähnen.

»Wer will unter die Soldaten?« war der Titel eines Films von Paul Lieberenz, der 1939, noch vor Kriegsausbruch, in den Jugendvorstellungen für den Soldatendienst warb. Den Charakter eines Werbefilms hatte »Volk ans Gewehr« (436 m; P: vb), von Hans Springer, ebenfalls 1939 bei der Lex-Film hergestellt. Der Streifen schilderte den Weg eines jungen Rekruten in die Reihen der Infanterie unter dem Motto: »Schwer ist der Dienst, aber auch die Freuden sind nicht gering.« Der Film schloß mit dem Treuegelöbnis zu »Führer« und Reich. »Heeres-, Reit- und Fahrschule Hannover« behandelte sachkundig (Kommentar von Offizieren) die verschiedenen Dressurarbeiten auf der Hannoverschen Schule (Buch und Regie W. Prager, Kamera Kurt Stanke). Nach September 1939 folgten weitere Streifen aus dieser Gattung, schon auf die Kriegslage gestimmt. Über den Einsatz der Nachrichtentruppen des Heeres berichteten Anton Kutters Filme bei der Bavaria: »Fernsprecher, Funker – Melder durch Beton und Stahl« (1094 m; P: sw, kuw, vb), »Funker mit dem Edelweiß« (562 m; P: sw, vb), beide aus dem Jahre 1942, und »Hunde mit der Meldekapsel«. »Kradschützen von morgen« schilderte die Schulung der HJ für die motorisierten Einheiten der Wehrmacht. Der Film entstand im Agfacolorverfahren im Auftrag der RPL (Z: 10. 6. 1942). Noch in der Zeit der Siege entstand »Deutsche Panzer« (P: sw, vb). Der Streifen zeigte den Entwurf, die Herstellung und Montage, ferner Probefahrten des Panzerkampfwagens (III). Walter Ruttmann realisierte ihn 1941/42 bei der Ufa mit Otto Martini (Kamera) und Walter Schütze (Musik). Geänderte propagandistische Ziele hatte »Der Panther aus Stahl« (338 m; P: sw), Ende 1944 bei der Ufa-Sonderproduktion hergestellt: Ein Querschnitt über Herstellung und Erprobung des Panzertypes »Panther«. Lehrzwecken diente »Männer gegen Panzer«, 1944 bei der Mars-Film gedreht (P: sw, aw, vb; 394 m).

Aus verständlichen Gründen zeigten die Filme über verschiedene Typen von Waffen nur das, was die Wehrmachtszensur erlaubte. Manchmal mußte man vorher die »höchste Entscheidung« haben. Den ersten »Großeinsatz« der »V 1-Raketen« meldete das OKW am 16. 1. 1944. Die Medien berichteten sehr viel darüber, aber erst Anfang Juli gab der »Führer« seine Zustimmung, den Einsatz dieser Raketen in der Wochenschau (30 bis 40 m) zu zeigen. Zuerst wurden die Bilder in der Wochenschau Nr. 32/1944 gebracht (Z: 27. 7. 1944). Auch die Zensur von weiteren Materialien dieser Art behielt sich Hitler vor. Bei den »V 1«-Bildern ging es übrigens ausschließlich um die Aufnahme des fliegenden Geschosses, irgendwelche detaillierten Aufnahmen wurden nicht gebracht.

Im Vergleich mit den Kurzfilmen, die über die Wehrmacht informierten bzw. für sie warben, hatten natürlich die Spielfilme viel größere Publizität. Die Zeit der Bressartschen Militärschwänke, in denen der Dienst bei den Soldaten fast immer lächerlich gemacht wurde, war vorbei. Kein Zufall, daß der brave Soldat Schwejk bereits 1933 verfemt wurde und die Schwejk-Bücher auf den »schwarzen Listen« standen. Die Wehrmacht genoß ein großes, fast unnatürlich großes Ansehen, und man bemerkte bei der Behandlung dieser Themen eine beinahe krankhafte Empfindlichkeit. Humor war allerdings erwünscht, da diese Filme optimistische Töne anschlagen sollten. So schilderte der Regisseur Jürgen von Alten in seinem Film »Das Gewehr über« auch humorvolle Situationen, aber es war »ein anderer Humor, der den Soldaten nicht verächtlich macht, sondern den sittlichen Ernst der militärischen Schule nicht vergessen läßt«, schrieb im »Film-Kurier« sein Hauptschriftleiter Dr. Günther Schwark

(8.12.1939). Die Filmhandlung spannte einen Bogen zwischen Australien und einer deutschen Infanterie-Kaserne. Ein junger Mann (Rolf Moebius), leicht mißratener Sohn eines auch in der weiten Welt gut deutsch gebliebenen Vaters, reich, sehr von sich überzeugt, geriet unter die Rekruten. Selbstverständlich war er hier innerlich und äußerlich der krummste Kerl der ganzen Kompanie. Sehr langsam lernte er um... Sein aus Australien mitgekommener Freund (Rudi Godden), der immer gutgelaunte, »entdeckte« den Soldaten in sich bedeutend schneller. Der Regisseur legte in der Form mehr Gewicht auf das Soldatentum, den einen Pol, der hier die Spannungen erzeugte, als auf den zweiten, nämlich den jungen Auslandsdeutschen in seiner Auseinandersetzung mit den neuen, ihm unbekannten »Werten«. Der Film bot einen präzisen Einblick in das deutsche Soldatenleben. Der sogenannte kleine Dienst wurde sorgfältigst gezeigt. So auch »das Gewehr über – nach Zählen«, im Kasernenhof. Der bereits im Sommer 1938 fertiggestellte Film kam erst nach zahlreichen Änderungen, die auf Befehl des »Führers« vorgenommen wurden, in die Kinos (U: 7.12.1939).

Das Lied der Kameradschaft bei der Wehrmacht, wo über allem Privaten die Pflichterfüllung steht, sang der Ufa-Film »Drei Unteroffiziere«. Der Film spielte eigentlich bei der Infanterie, zeigte aber beim Manöver (an der französischen Grenze!) auch andere Waffengattungen. Fritz Genschow, mit seiner (im Film) Schwäche für das weibliche Geschlecht, Ruth Hellberg, Hilde Schneider, Wolfgang Staudte und der Jung-Star des Musiktheaters, Elisabeth Schwarzkopf, waren die bekanntesten Namen auf der Darstellerliste. H. Milde-Meißner schrieb zu dem Film eine Musik, die von Soldatengesängen durchsetzt war. Darunter zwei Marschlieder: »Geschultert sind die Gewehre« und das »Biwaklied«, die den Rhythmus des Film bestimmten. Werner Hochbaums Regiearbeit wurde im ProMi gelobt (U: 31.3.1939; P: sw, vb). Dagegen war die Abteilung Propaganda beim OKW von dem Film weniger erbaut. »Ein ehrverletzendes Produkt und die gröbste Schädigung des Ansehens der Wehrmacht, insbesondere des Unteroffizierskorps«, grollte eine Beurteilung. Trotzdem wurde aber auch dort das Werk als ein »guter Propagandafilm« bezeichnet.[213]

Am Anfang des Krieges wurde der populäre Marschschlager »Erika« von der ABC-Film als Hauptschlager für den Soldatenfilm »Einquartierung« erworben. Das ProMi gab seine Zustimmung. Die Wehrmacht erhob Einspruch: »Man kann sich nicht denken, daß gerade im Kriege manövermäßige Aufnahmen (das Thema des Films hatte ein Manöver zum Inhalt, B. D.) die Volksgenossen interessieren. Besonders aber wird der Film bei den Soldaten auf scharfe Ablehnung stoßen. Schon jetzt geht aus den Meldungen der Truppenteile hervor, daß sie bei Filmvorführungen Wert auf nichtmilitärische Filme legen. Dieses Bedürfnis wird sich bei längerer Kriegsdauer naturgemäß steigern...«[214]

Seit dem Kriegsausbruch rückte im deutschen Film das Zeitgeschehen mehr und mehr in den Vordergrund, nicht nur in den beinahe allseitig mit größter Spannung erwarteten Wochenschauen, vielmehr auch im Spielfilm. Die Zeit bestimmte die Themen, und so wurde das Gesicht des deutschen Kriegsfilms von Tag zu Tag zeitnaher.

Einen Querschnitt durch die Kriegsmonate bis zum Waffenstillstand im Westen und durch die »Kampfbereitschaft der Nation« schilderte Karl Ritter (mit Felix Lützkendorf auch Co-Autor des Drehbuches) in dem berüchtigten Ufa-Film »Über alles in der Welt«. Diese Bildreportage zeigte mit einer Vielzahl der Personen eine Reihe von deutschen Menschen, die, ob jung oder alt, ob Zivilist oder Soldat, »mit dem Schicksal Krieg fertig« wurden. Männer, Frauen und Jugend erfüllten freudig ihre Pflicht. In der Heimat und im Ausland. Jagd auf Deutsche in Paris und London und an Bord deutscher Schiffe, so riß dieser Film den Zuschauer in das Erlebnis des Krieges hinein. Alle wollten nach Deutschland – heim! Die Männer, die der Krieg im Ausland oder auf hoher See überrascht hatte: der deutsche Pressevertreter und der Monteur in Paris, die Mitglieder der Tiroler Bauernkapelle in London und der Schiffskapitän mit seinen Leuten. Diesen Menschen war, mit starken satirischen Strichen gezeichnet, der jüdische Wiener Emigrant gegenübergestellt, der als Vertreter der »Liga für Menschenrechte« – so die Propaganda des totalitären, die Menschenrechte verachtenden Staates – »sein schmutziges Spiel gegen die in der Gewalt der Alliierten befindlichen Deutschen zu treiben« suchte. Carl Raddatz spielte den Pressevertreter, Fritz Kampers den Monteur und Berta Drews seine Frau, Paul Hartmann einen Oberstleutnant. Andrews Engelmann war als Vertreter des Secret Service und Oskar Sima als der jüdische Emigrant auf der Leinwand zu sehen. Von Herbert Windt stammte die »starke« musikalische Untermalung. Zur »Posener Kulturwoche« wurde der Film in den »Deutschen Lichtspielen« in der Gauhauptstadt des Warthelandes uraufgeführt (19. 3. 1941; P: sw, jugendwert).

In dem Terra-Film »Blutsbruderschaft« war Philipp Lothar Mayring der Regisseur und Mitverfasser des Drehbuches. Eine Geschichte um die Kameradschaft zweier Männer, die zugleich der Entstehung des nationalsozialistischen Gedankens gewidmet war. Seite an Seite sah man die beiden (gespielt von Hans Söhnker und Ernst von Klipstein) als »Kämpfer der nationalen Revolution« und schließlich 1939 wieder als Soldaten marschieren. Anneliese Uhlig spielte die weibliche Hauptrolle, neben ihr eine ganze Reihe von bekannten Schauspielern. Die militärische Vorzensur verlangte Änderungen. Das OKW »bedauert es übrigens wieder einmal« – hieß es in einem Brief – »daß eine Filmproduzentin es unterlassen hat, sich vor Inangriffnahme ihrer Arbeiten mit ihm ins Benehmen zu setzen.«[215] (U: 3.1.1941).

Fliegerfilme

Wie die anderen Medien, so hat auch der Film nichts versäumt, den Gedanken der Fliegerei »im deutschen Volke wachzuerhalten und die Begeisterung dafür in der Jugend zu wecken«. Flieger-Spiel-, Kultur-, -Dokumentar- und -Werbe- bzw. -Lehrfilme waren in den deutschen Kinos keine Seltenheit. Im Gegenteil: Sie genossen Vorrechte. Auch bei den Filmproduzenten. Einen wichtigen Auftakt bildete »Rivalen der Luft«. Diese Segelfliegerkomödie drehte bei der Ufa der spätere Emigrant und bekannte amerikanische Regisseur Frank Wysbar, mit Claus Clausen (als Lehrer in einer Flugschule), Wolfgang Liebeneiner (als Primus), ferner mit Hilde Gebühr, Sybille Schmitz und bekannten deutschen Segelfliegern. Der Film wurde in den Kinos mit einem Beiprogramm gekoppelt, worin der Präsident des Deutschen Luftsportverbandes Loerzer gegen die einschränkenden Bestimmungen des »Versailler Diktats« im Bereich des deutschen Luftwesens grollte (U: 19.1.1934; P: vb). »Wunder des Fliegens« hieß ein weiterer abendfüllender Fliegerfilm, der zugleich den Charakter eines Spiel-, Dokumentar- und Lehrfilms trug. Der Streifen enthielt Dokumentaraufnahmen von den Flügen Ernst Udets. Den Film gestaltete Heinz Paul, Käthe Haack wirkte als Schauspielerin mit (U: 14.5.1935; P: sw, vb).

Bald tauchte das Problem der Entwicklung der Militärfliegerei auf. Einen Anfang machte hier Wolfgang Liebeneiners »Ziel in den Wolken«, ein Spielfilm, der die Geschichte von dem ersten Flugtag Berlin–Johannisthal bis zur Übernahme des ersten deutschen Armeeflugzeuges erzählte. Albert Matterstock, hager und männlich ernst, spielte den Pionier, den Erbauer des ersten deutschen Armeeflugzeuges. Seine tapfere Partnerin war Leny Marenbach. Die Fachmänner stritten, ob es nicht vernünftiger gewesen wäre, einen sachlichen Film über die Geschichte der Fliegerei zu machen statt eines Spielfilms. »Nicht Maschinen, sondern tapfere Menschen stehen im Mittelpunkt dieses packenden Films«, las man in den Betrachtungen (U: 1.12.1938 in Hamburg; P: sw, küw).

Am 22. Dezember 1938 fand die offizielle Uraufführung des von den »höchsten Stellen des Reiches« genau geprüften Karl-Ritter-Films der Ufa, »Pour le mérite«, statt. Es war ein Film aus der »Kampfzeit der Fliegerei«. Der Regisseur, der mit Fred Hildebrand auch Verfasser des Drehbuches war, »stellte den Kampf junger Menschen um eine neue deutsche Luftwaffe dar«. »In diesem Film mitspielen, hieß für die Schauspieler, innen und außen soldatische Haltung zeigen«, schrieb ein »Filmbetrachter«. Die Hauptrolle des Rittmeisters Frank spielte Paul Hartmann, »prächtige, männliche Führergestalt«. Und die »opferbereiten Frauen«: Carsta Löck, die resolute Gisela von Collande und Jutta Freybe. Im Film erklärte ein ehemaliger Frontsoldat vor einem Gericht der Weimarer Republik: »Ich habe mit diesem Staat gar nichts zu schaffen, denn ich hasse die Demokratie wie die Pest. Was immer Sie tun mögen, ich werde sie schädigen und stören, wo ich nur kann.«[216] Übrigens betrachtete der ganze Film die demokratische Staatsform als einen Sumpf. Die illegale Aufrüstung wurde zugleich glorifiziert. Für das anspruchslose Publikum erdachte man eine Szene, in der ein junger Fliegerleutnant, der soeben die Nachricht erhalten hatte, daß ihm der Orden Pour le mérite verliehen worden sei, den Orden in Berlin noch zu kaufen versuchte, ehe er mit seiner Braut zusammenkam. Der Orden war aber ausverkauft. Auf der Straße begegnete er einem Offizier der Kriegsmarine, der den Pour le mérite trug. Er trat auf ihn zu und bat ihn, ihm den Orden für ein paar Stunden zu leihen. Nach einer Aufklärung ging der Fliegerleutnant mit dem Orden davon. Die Szene (angeblich dem wirklichen Erlebnis eines deutschen Fliegers nachgebildet) nahm das junge Publikum mit unkritischer Begeisterung auf. Der Film hielt sich bis ins letzte an die Gegenwart. Er schloß mit der Verkündung der allgemeinen Wehrpflicht: Goebbels las den Text des Gesetzes, und die Menschenmassen jubelten. Günther Anders und Heinz von Jaworsky leisteten die Kameraarbeit, Herbert Windt schrieb die Musik; alle drei Namen waren bekannt in der Geschichte des NS-Kriegsfilms. Der Film erhielt als erster das Prädikat »jugendwert«. An einem Sonntagvormittag sahen ihn in Berlin 70 000 Hitlerjungen und BD-Mädel. Schon einige Wochen vor der offiziellen Uraufführung erhielt der Regisseur Ritter vom »Führer« ein Gratulationstelegramm (U: 22.12.1938; P: skbw).

In die unaufdringliche Propaganda für die deutsche Fliegerei wurde eine große Schauspielerpersönlichkeit des deutschen Films einbezogen, nämlich Heinz Rühmann, dessen begeistertes Fliegerherz (1931 legte der Künstler das Pilotenexamen ab) erfolgreiche Realisierung des Themas garantierte. Im April 1939 griff die Terra-Filmkunst in Gemeinschaft mit der »Filmwelt« zum Preisausschreiben: »Filmstoff für Heinz Rühmann als Sportflieger gesucht.« Es ging um einen Stoff aus der Gegenwart, der jedoch sowohl die Luftwaffe als auch das Verkehrsfliegermilieu als Rahmen der Handlung ausschließen sollte. Es gab mehrere Preise: der erste betrug 3000,– RM, der 4. bis 13. waren je ein Rundflug mit H. Rühmann in seiner Privatmaschine, zuzüglich der Reisekosten. Zur Verfilmung wurden zwei Texte von Hermann Grote bestimmt. Erst 1941 entstand die filmische Geschichte von Otto Groschenbügel, genannt »Quax«. »Quax, der Bruchpilot« hieß sowohl die Erzählung von Grote als auch das Grotesk-Lustspiel von Robert A. Stemmle (Buch), Kurt Hoffmann (Regie) und Heinz von Jaworsky (Kamera). »Ein Spiel, das auf dem bemerkenswerten Niveau eines völlig unaufdringlichen Lobliedes für die deutsche Fliegerei gehalten worden ist«, hob die Betrachtung hervor. Der Film war ein Publikumserfolg (U: 16.12.1941 in Hamburg; P: küw, vw, jugendwert). Im Sommer 1944 edierte Scherl den Roman »Quax auf Abwegen«. Die Verfilmung erfolgte ebenfalls im Jahre 1944, diesmal mit dem Drehbuch von Wolf Neumeister und in der Regie von Helmut Weiß. Selbstverständlich spielte Rühmann wiederum die Titelrolle. »Quax in Fahrt«, so hieß der Film, kostete rund 2,5 Mio. RM. Von der Zensur wurde er für In- und Ausland zugelassen und lag Ende März 1945 zur Vorführung bereit.[217] Er hatte im Dritten Reich keine Premiere mehr und gehörte zu jenen Streifen, die nach dem Kriege von den Alliierten verboten wurden.

Der erste Spielfilm über die junge deutsche Waffe, »D III 88«, »die beschirmend ihren silbernen Schild über das deutsche Glauben, Schaffen und Wirken hält«, wurde bereits 1937 geplant, jedoch erst später, aber noch im Frieden, geschaffen: Von – so in den Betrachtungen – einem Frontoffizier des Weltkrieges, Herbert Maisch, und einem »Piloten unserer Zeit«, dem bekannten Australienflieger

Hans Bertram. Maisch führte Regie, und Bertram hatte die flugtechnische Leitung. Nach einer Idee von Hans Bertram, Alfred Stöger und Heinz Orlovius entstand das Drehbuch, das Bertram und Wolf Neumeister schrieben. Die ausgezeichneten Luftaufnahmen von Heinz von Jaworsky wurden durch die Fotografie Georg Krauses im Atelier ergänzt. General Wilberg war der militärische Berater, und das OKL stellte Flugzeuge des Lehrgeschwaders zur Verfügung. Nicht ohne Schwierigkeiten: Es war die Zeit, als die Besetzung der Tschechoslowakei stattfand.[218] Als Ausdruck des Dankes für den Seefliegerhorst Parow, dessen Männer und Maschinen beim Drehen des Films wesentlichen Anteil hatten, fand die eigentliche Uraufführung vor den Zuschauern im blaugrauen Rock in Stralsund/Pommern statt (26.10.1939). Tags darauf fand im Berliner Ufa-Palast am Zoo die offizielle Premiere statt, in Anwesenheit zahlreicher Vertreter der Generalität (u. a. Milch, Kesselring, Udet). Der »Film-Kurier« (28.10.1939) schrieb: »Ein Werk wurde gestaltet, das, im Frieden geschaffen, den Geist, den Schneid und die Tüchtigkeit unserer Luftwaffe widerspiegelt, kurz alle Eigenschaften, die sich inzwischen während des Krieges in Polen so siegreich bewährt haben.« Der Film erhielt die Prädikate staatspolitisch besonders wertvoll und jugendwert, und einige der Mitwirkenden – H. Maisch, H. Bertram, F. Kayßler, H. Braun und H. Welzel – bekamen »in Anerkennung der besonderen Verdienste, die sie sich durch diesen Film erworben hatten«, ein Bild Görings mit eigenhändiger Unterschrift.

Neben den Spielfilmen waren es die Kulturfilme, die in der Vorkriegszeit mehrfach die Fliegerei zum Hauptfaktor der Handlung machten. Zu den ersten gehörte »Deutscher, fliege!«, ein Film von der Entstehung und Verwendung deutscher Sportflugzeuge. »Deutschlandflug 1935« (343 m) schilderte den Start von über hundert Sportflugzeugen verschiedener Typen auf dem Berliner Tempelhof (mit Loerzer, Milch, Udet als Gäste). Der Film, von der Bavaria-Tonwoche gestaltet, wurde im Juni 1935 zensiert. Im Auftrag des Reichssportführers entstand 1936 »Deutscher Luftsport« (220 m) unter dem Motto: Luftwaffe schirmt den Frieden Deutschlands. Es waren auch Hitler, Hess, Göring und Udet zu sehen. Das NSFK schuf »Flieger über Deutschland« (444 m; P: sw), einen Film über den Deutschlandflug der NS-Organisationen, mit zahlreichen Honoratioren (u. a. Udet). Der Film wurde erst im März 1940 zensiert.

Ein Labsal für Technophile war der Kultur-Werbe-Film »Geschwindigkeit und Sicherheit«.[219] Unter der fachmännischen Leitung von Prof. Messerschmitt wurde hier die Herstellung des viersitzigen Messerschmitt-Flugzeuges »Taifun« mit zahlreichen technischen Einzelheiten vorgeführt. »Taifun« war allerdings keine Kampf-Maschine, sondern ein Privatflugzeugtyp, und sein Schöpfer wurde 1938 mit dem Nationalpreis ausgezeichnet. Unter Mitarbeit der Deutschen Lufthansa entstand 1938 bei der Ufa ein Film über die technischen Mittel der Flugorientierung, vor allem über das Blindfliegen bei Nebel oder Dunkelheit. Der Film »Lotsen der Luft« zeigte, wie die Peilleitstellen arbeiten, die die Flugzeuge auf ihrem Weg betreuen. Um das sichere Landen in der Nacht oder bei Nebel zu ermöglichen, wurden von einer Bake des Flughafens akustische Signale ausgesandt. Kurze und lange Töne, die sich in einer schmalen Übergangszone zum Dauerton, dem sogenannten Bakenstrahl, ergänzten. Im Film gab es Luftbilder von verschiedenen Gebieten des Reiches (Koblenz, Tannenbergdenkmal in Ostpreußen und der Freien Stadt Danzig), ferner Bilder von verschiedenen Flugzeugtypen der Lufthansa auf dem Flugplatz Berlin. Deutschland zeigte den Film auf der Biennale in Venedig.[220] In Venedig präsentierte man gleichzeitig »Flieger..., Funker..., Kanoniere«, einen Querschnitt aus der »Aufbauarbeit der deutschen Luftwaffe«. Der Film – in Zusammenarbeit mit dem Reichsluftfahrtministerium bei der Ufa hergestellt – zeigte Aufklärungsflugzeuge, Jagdflugzeuge, Kampfflugzeuge, Seeflugzeuge, deren Bau und Produktion sowie die ergänzenden Waffen: Flak-Artillerie und die Luft-Nachrichtentruppe. Der zweite Teil des Films schilderte Manöver-Episoden.[221] 1939, noch vor dem Kriegsausbruch, schuf die Ufa, wiederum in Zusammenarbeit mit dem Reichsluftfahrtministerium, »Flieger zur See« (546 m; P: sw, küw, vb, Lehrfilm), einen Streifen, der mit der Ausbildung bei der Seeflugwaffe bekanntmachte.[222] Bei der Terra entstand der Streifen »Fallschirmjäger«, der sich mit der Ausbildung und den Übungen der »jüngsten Waffe« beschäftigte.[223] »Flieger zur See« wurde auf der Biennale in Venedig im Sommer 1939 uraufgeführt. Verschiedene Flugzeugtypen (He 111, 114, 115, Me 109, Do 18, Hs 126, Ju 87) zeigte der Bildbericht »Deutsche Frontflugzeuge« (392 m; P: vb), auch deren Bewaffnung und ihre Verwendung. Er wurde im Auftrag des OKL in München (Arnold & Richter KG) von E. K. Beltzig gestaltet und im Mai 1940 zensiert.

Die ersten Bildberichte über die Anwendung dieser Kampfflugzeuge bei dem Angriff auf Polen sahen die Berliner am 7. 9. 1939 in der Wochenschau. Ein zusammenfassendes Propagandabild gab

nach einigen Monaten der Dokumentarfilm der Tobis, »Die Feuer-
waffe«. Über die Vorgeschichte dieses Films berichtete Hans Bertram, sein Regisseur: »Gleich zu Kriegsbeginn wurde mir der Auftrag
erteilt« – der Auftraggeber war das Reichsluftfahrtministerium –
»einen dokumentarischen Film vom Einsatz der deutschen Luftwaffe
in Polen zu drehen. 27 Mann standen mir für meine Film-Sonder-
truppe zur Verfügung, und mit drei Flugzeugen und acht Automobi-
len zogen wir in den Krieg.« Zur Verfügung standen dem Regisseur
die besten Luftkameraleute des Reiches, unter ihnen Heinz von Jaworsky. Die Aufnahmen zum Film entstanden während der Kampfhandlungen. Sieben Angehörigen der Bertram-Sondertruppe bezahlten ihren Einsatz mit dem Leben. Der Film sollte zugleich die
Behauptungen der deutschen Propaganda »dokumentieren«. Das
Buch, mit starken antipolnischen Akzenten versehen, wurde vom
Regisseur und Wilhelm Stöppler geschrieben. Die Handlung begann
mit ausgewählten Wochenschau-Aufnahmen, die die politische Lage
in Europa im Sommer 1939 sowie die von Hitler unternommenen
Versuche, »den Frieden zu retten«, darstellten. In der Nacht vom
31. 8. zum 1. 9. »wurde die offene Stadt Beuthen von polnischer Artillerie beschossen. Deutschland schritt zum Gegenangriff«. Am 1. 9.
um 4.45 Uhr bombardierten deutsche Flugzeuge polnische Flug-
plätze, Eisenbahnknotenpunkte, Verbindungsstraßen und Truppen-
zentren. Die Grenze zwischen Polen und Deutschland stand ständig
unter Beschuß. Brennende Dörfer und Gutshöfe, Bombentrichter,
gesprengte, verbogene Eisenbahngeleise, zerstörte Fahrzeugkolon-
nen. Die deutsche Kriegsmaschinerie drang nach vorn. Am zweiten
Kriegstag wurde der Luftraum über Polen von der deutschen Luftwaffe völlig beherrscht. Das polnische Heer zog sich auf allen Front-
abschnitten zurück. Polen bzw. Juden mißhandelten die Volksdeutschen, die Zivilisten schossen auf die deutschen Soldaten. Die große
Schlacht im Weichselbogen. Die Luftwaffe bombardierte die polnischen Truppenverbände bei Kutno und an der Bzura. Das Finale
nahte: die Belagerung der polnischen Hauptstadt. Die offene Stadt,
»die entgegen den deutschen Vorschlägen verantwortungslos in eine
Festung verwandelt wurde«, verteidigte sich verzweifelt. »Die deutsche Führung sah sich gezwungen, zum Angriff zu schreiten.« Am
27. September kapitulierte das bombardierte, brennende Warschau.
Der Krieg war aus. Auf zerstörten Straßen mit niedergebrannten
Häusern zogen polnische Kriegsgefangene in langen Reihen. Am
1. 10. rückten die ersten deutschen Truppen in Warschau ein. »Die

375

Männer an der Kamera waren«, schrieb der »Film-Kurier« (4.4.1940) »nicht nur Künder des Kriegsgeschehens... Sie blieben auch in der Uniform Künstler. Sie vergaßen auf den grundlosen polnischen Landstraßen nicht den Blick für malerische Einstellungen, sie sahen beim Feindflug auch noch nach den Wolken am Himmel, und sie schilderten das Grauen in einer zerschossenen Stadt mit dichterischer Kraft.« In Norbert Schultze, schrieb dieselbe Zeitung, fanden die Gestalter des Films »einen Komponisten, der den Sinn der Bilder in Töne umzudenken verstand«. Den fertigen Film – den Schnitt besorgte Karl Otto Bartning – führte Bertram in Karinhall, Görings prächtigem Landsitz, dem Luftmarschall vor. Der Ämterreichste war völlig zufrieden. Einige Tage darauf sah der »Führer« den Film. Auch er war völlig zufrieden und veranlaßte, dem Film die höchsten Prädikate zu verleihen. Bertram erhielt von Hitler ein Danktelegramm. Der Film hatte kürzere und längere Fassungen, von 1470 bis 2462 m. Die Kürzungen betrafen vor allem die Kopien, die für das Ausland bestimmt waren. Änderungen wurden auch nach dem Juni 1941 angeordnet.[224] Als Tag der offiziellen Uraufführung – Berliner Ufa-Palast am Zoo – wurde der 6.4.1940 angegeben. Der von Bertram hergestellte Film erhielt auch einen neuen Schluß. Hier kam die Äußerung Görings über die Zerstörung Englands durch die deutsche Luftwaffe vor, mit Ausnahme von Flugzeugen in der Luft. Von der Leinwand erklang auch ein neukomponiertes Fliegerlied, »Bomben auf Engelland« (Norbert Schultze). Am Ende erschienen noch die Bilder von Koblenz mit dem Deutschen Eck, aufgenommen von der Festung Ehrenbreitstein. Am 12.4.1940 wurde »Feuertaufe« in 170 »bedeutendsten Lichtspielhäusern Großdeutschlands« eingesetzt. Am Tage darauf veranstaltete der Deutsche Kurzwellensender eine Reihe mehrsprachiger Sendungen über den Film. Für die Inlandpropaganda sorgte der Reichssender Berlin, und sogar der Fernsehsender widmete diesem Film eine ganze Abendsendung. Man bemühte sich energisch, diesen Film im Ausland propagandistisch auszunützen.

War »D III 88« mehr ein Film von der Schulung der jungen Mannschaft zur Frontreife, und, selbstverständlich, zur Kameradschaft, so schilderte der Spielfilm »Kampfgeschwader Lützow« in Aufnahmen und Szenen, die zum Teil der Wirklichkeit der polnischen Schlachtfelder entsprachen und in engster Zusammenarbeit mit der Luftwaffe gedreht wurden, die vernichtende Wirkung der Kampfflugzeuge He 111. Die Handlung führte den Zuschauer noch vor Beginn des

Polenfeldzuges zu dem »Kampfgeschwader Lützow«. Die Mannschaften standen auf dem Rollfeld vor ihren Maschinen. Danach rekonstruierte man, nach Möglichkeit an Original-Orten, die Kriegsereignisse. So erlebten Radom und das Totenstädtchen Wyszków am Bug nun noch einmal die Kampfhandlungen und die Tage ihres Untergangs. Zwar stand im Film die Tätigkeit der deutschen Luftwaffe im Vordergrund, aber er gab dem Zuschauer doch zugleich einen Einblick in den Einsatz des Heeres: Der Sieg wurde durch das Zusammenwirken der Wehrmachtsteile errungen. Antipolnische Propaganda war zusätzlich in den Szenen, wo »Volksdeutsche, getrieben von dem polnischen Begleitkommando, auf ihrem Leidensweg« gezeigt wurden. Sie wurden von den deutschen Piloten befreit. Der Film klang mit der England-Fanfare aus, dem Signal für kommende Taten. Nachdem der Gegner im Osten geschlagen ist, brausen die Kampfgeschwader He 111 gen West, über die Wogen der Nordsee, gegen England. Das Buch schrieben Hans Bertram (zugleich der Regisseur des Films), Wolf Neumeister und Heinz Orlovius. Das erfahrene Trio ergänzte der Komponist Norbert Schultze. Christian Kayßler trat als Oberst Mitthof, der Kommodore, auf. Es spielten auch Hannes Keppler, Peter Voß, Hans Bergmann und Carsta Löck mit, ihre letzten Rollen spielten Hermann Braun und Horst Birr. Man zwang die polnische Bevölkerung, im Film mitzuwirken. Die Tobis brachte ein Sonderheft heraus. (U: 20. 2. 1941; P: skbw, vw, jugendwert).

Die Kampfflugzeuge He 111 genossen im Deutschland der Kriegszeit eine große Popularität. Sie erhielten ein filmisches Denkmal bei der Ufa in »Männer im Hintergrund« (481 m). Der Streifen, unter dem Protektorat von Prof. Heinkel gedreht, zeigte den Werdegang dieser Maschine in einem Flugzeugwerk (Z: 26. 4. 1941). Eine tragische Berühmtheit gewannen auch die Kampfmaschinen Ju 87, mehr unter den Namen »Stukas« bekannt.

»Stukas« hieß ein Karl-Ritter-Spielfilm über den Frankreichfeldzug. Ritter schrieb auch mit Felix Lützkendorf das Drehbuch, worin sogar Hölderlin seinen Platz fand (»Umsonst zu sterben, lieb ich nicht, doch lieb' ich zu fallen am Opferhügel«), aber »ohne ausreichende Beteiligung der Gruppe II des OKW WPr«, mindestens so diese Wehrmachtstelle. Die Handlung dieses »Männerfilms« zeigte Besatzungen und Bodenpersonal in einem Stukaflughafen, in der Zeit vom Beginn des Westfeldzuges bis zum Zusammenbruch Frankreichs. Träger dieser Handlung waren die Männer der Gruppe Bork.

Der Gruppenkommandeur (Carl Raddatz) war »ein prachtvoller Kerl, ganz Führer, sobald es gilt, die Gruppe gegen den Feind zu führen, ganz Kamerad außerhalb des Dienstes«. Seine Männer waren dieses Führers wert. Hannes Stelzer spielte den Staffelkapitän (unter keinem Regisseur hatte er so oft gespielt wie unter Karl Ritter), Otto Eduard Hasse war der Gruppenarzt, es spielten Ernst von Klipstein, Josef Dahmen, Eduard von Winterstein, Michael von Newlinsky, von den Damen Marina von Ditmar und Ursula Deinert, ferner eine große Zahl anderer Darsteller. Der Zuschauer bekam Luftaufnahmen zu sehen, die ihm die Technik und Taktik dieser Waffe vor Augen führten (Die Kameraarbeit leisteten u. a. Heinz Ritter und Hugo von Kaweczynski). Der Film zeigte gelegentlich auch das Heer, u. a. die deutschen Grenadiere im Kampf. Es gab grausame Szenen bei den Luftangriffen, aber keine Haßpropaganda gegen die Franzosen. Der Film löste in Deutschland bei Presse und Publikum (insbesondere bei der Jugend) Begeisterung aus. Bis zum Sommer 1941 blieb er im Repertoire der deutschen Kinotheater (U: 27. 6. 1941; P: küw, vw, jugendwert).

Von der Ufa wurde Karl Ritter für das nächste Fliegerfilm-Vorhaben engagiert. Er schrieb das Drehbuch, und im August 1942 begannen die Dreharbeiten an dem Film »Besatzung Dora«. Die Filmhandlung erzählte »vom Leben und Treiben einer Fernaufklärungsstaffel im Westen, Osten und in Afrika«. Wie schon in früheren Ritter-Filmen, so verband sich auch hier das »vorbildliche Soldatentum mit lebensbejahendem Wesen«. Die deutsch-italienische Waffenbruderschaft wurde ebenfalls zeitgemäß berücksichtigt. Die Presse schrieb zunächst viel über die Dreharbeiten an dem Film: keine Atelierszenen, die Realisierung nur auf den Originalschauplätzen, hieß es. Sogar im Ausland schrieb man zu diesem Thema. So bemerkte die Londoner »Die Zeitung« (23. 4. 1943) ironisch: »›Besatzung Dora‹ ist nicht etwa die Geschichte eines von Männern belagerten Mädchens namens Dora, sondern ein richtiger Kriegsfilm.« Nachdem die Szenen in Frankreich abgedreht worden waren, fuhr die ganze Expedition – mit dem Sohn des Regisseurs, Heinz R., als Kameramann – zu den Aufnahmen an der Ostfront. Hannes Stelzer saß wiederum am Steuerknüppel eines Flugzeuges, diesmal als Leutnant Joachim Krane. Es war sein letzter Film: Den Tod eines Fliegers sollte er sterben, so wollte es das Schicksal. Zu seinem Film drehte Ritter die Aufnahmen im nördlichen Abschnitt der Front bis Leningrad. Danach wurden die Dreharbeiten statt in Afrika in Ostia fortgesetzt.

Der fertiggestellte Film wurde im November 1943 nach mehrmaligen Zensurvorlagen endgültig verboten. Die Verbotsgründe waren in der Entwicklung der Kriegslage (Afrika, Italien) zu suchen.[225] »Besatzung Dora« ging ins Archiv. Anfang Februar 1945 wurde noch eine geschlossene Vorführung dieses Films vor Angehörigen der Fluglehrschule der Luftwaffe in Brandenburg-Briest beantragt: als eine Ergänzung des Vortrages, den Karl Ritter hielt.[226]

Für alles, was Technik heißt, ist die Jugend begeistert. So auch damals: für Motor und Flugzeug. Es sollte aber nicht dem Zufall überlassen bleiben, wer und wieviele den Weg als Freiwillige zur Fliegertruppe finden würden. Eine starke Luftwaffe mußte sich in der Nachwuchsfrage von der Laune des Zufalls weitgehend unabhängig machen. Schon die größeren Schüler erhielten Unterricht im Flugzeugmodellbau. Zu diesem Zweck benutzte man die Unterrichtsfilme wie »Bau eines Flugzeugs« (F 231) oder »Flugzeugmodellbau« (F 153). Im Einvernehmen mit dem Reichsluftfahrtministerium und dem Oberbefehlshaber der Luftwaffe führte man im Kriege in den Schulen eine Aktion zur Schulung im Luftbildwesen ein.[227] Vom elften Lebensjahr an übernahm das NS-Fliegerkorps die fliegerische Bildung des Jungvolkes. Nach Übernahme aus dem DJ in die HJ konnten die Jungen ihre handwerklichen Fähigkeiten in den Segelflugzeugwerkstätten der NSFK-Stürme beim Bau der Segelflugzeuge erproben. In der Flieger-HJ (14–18 Jahre) erhielten die Jungen die vormilitärische Ausbildung sowohl in fliegender als auch in handwerklicher und theoretischer Hinsicht. Im Alter von 15 Jahren erfolgte die Ausbildung der Jungen im Gleit- und Segelflug auf den Übungshängen der NSFK-Stürme, in den Segelfluglagern und Segelflugschulen.

Nicht zufällig widmete man zwei von den wenigen abendfüllenden Spielfilmen für die Jugend der Fliegerei: »Himmelhunde« (1942) und »Junge Adler« (1944). Das Thema tauchte aber auch in den Spielfilmen »für Erwachsene« auf, um die absurde Filmproduktion »Der Stammbaum des Dr. Pistorius« aus dem Jahre 1939 zu erwähnen. Diese Filme konnten Sehnsucht nach dem Fliegen wecken bzw. begründen. Für Schulungszwecke war vor allem der Kurzfilm bestimmt.

Die Liste von Kurzfilmen, die für Schulungszwecke gedacht waren, umfaßte eine lange Reihe von verschiedenen Produktionen. »Kampf in der Rhön« (literarische Vorlage Kilian Koll, Buch Fritz Westerkamp) entstand 1938 im Auftrag der NSFK und war ein Film über die Ausbildung von HJ zu Segelfliegern. Ein paar Wochen vor Kriegsausbruch wurde der Streifen »Die Jüngsten der Luftwaffe« (456 m; P: sw, vb, Lehrfilm) zugelassen, ein typischer Werbefilm: In den fliegertechnischen Vorschulen wurden ausgewählte Volksschüler zu Fachleuten erzogen; die Auswahl wurde durch die Berufsberatung der Arbeitsämter unter 14–15jährigen Volksschülern getroffen. Die Ausbildung erfolgte im Metallflugzeugbau und der Elektromechanik. Die Kosten trug der Staat. Diesen Streifen gestalteten Hermann Boehlen (Regie), Otto Martini (Kamera) und Walter Schütze (Musik) bei der Ufa. »Jugend, fliege« (507 m) war ein Berichtsfilm von der Ausbildung in der NSFK-Flugmodellbauschule in Lauenburg, ebenfalls bei der Ufa gestaltet. Im Zeichen des NS-Fliegerkorps stand »Der Wille zum Fliegen« (506 m), von Gernot Bock-Stieber (Buch und Regie) gestaltet und seit 1942 in Werbeaktion. Es folgten Streifen wie »Einsatz« (521 m; P: sw, küw) vom Reichsluftfahrtministerium aus dem Jahre 1943 und aus dem darauffolgenden Jahre »Flugzeugbauer von morgen« (229 m; P: sw, vb), worin erneut die Ausbildung von Lehrlingen in einer Flugzeugfabrik gezeigt wurde. Der letzte Nachwuchs-Werbefilm der Flieger-HJ, der sich noch Anfang 1945 in der Arbeit befand (Mars-Film), hieß »Einweisungsstreifen 1«. Alle diese Filme erschienen mit einem Motto: Die Jugend des besten Fliegervolkes der Welt erobert sich die Luft.

In diesem Zusammenhang darf nicht der abendfüllende Dokumentarstreifen »Himmelstürmer« (2730 bzw. 2669 m) fehlen. Es waren fast ausschließlich Dokumentaraufnahmen – von Montgolfier über die Gebrüder Lilienthal und die ersten Motorflugzeuge, Flugszenen mit den Professoren Junkers und Focke, mit dem ersten deutschen Hubschrauber und der Pilotin Hanna Reitsch, bis zum viermotorigen deutschen »Condor« und deutschen Kampfflugzeugen im Einsatz. Den Film gestaltete Walter Jerven mit Unterstützung des Reichsfilmarchivs (U: 23. 9. 1941; P: sw, kw, vb, jugendwert). Diese Bildungsetüde ging auch als Exportware ins Ausland.

Der Luftkrieg gegen Deutschland trat zunächst auf der Leinwand wenig in Erscheinung. In den Spielfilmen wurden manchmal Fliegeralarme erwähnt. 1939 bis 1942 wurden allerdings die ersten Luftschutzfilme als Lehrfilme (16 mm) für Schulungszwecke (u. a. bei der Ordnungspolizei) fertiggestellt: »Selbstgeräte in jedem Haus«[228], »Über den Umgang mit Brandbomben« und »Der Selbstschutz bekämpft Feuer«. Am Sonntag, 29. 3. 1942, begann mit einem Großangriff auf Lübeck die »Strategische Luftoffensive« der Royal Air Force gegen das Dritte Reich. Zum ersten Male sprach Goebbels von »einem barbarischen Terrorangriff«. In der Nacht zum Sonntag, 31. 5. 1942, setzte die britische Luftwaffe erstmals über 1000 Bomber zu einem Angriff auf eine deutsche Stadt ein: Köln. Die Flächenbombardements gegen die deutschen Großstädte konnte man im Film (zunächst im Dokumentarfilm) nicht mehr verheimlichen. Für Schulungszwecke wurden weitere Lehrfilme hergestellt. 1943 wurden zensiert: »Beim Luftangriff im Luftschutzraum« (128 m) und »Keine Furcht vor Brandbomben« (170 m). Beide Filme wurden mit den Prädikaten »staatspolitisch wertvoll« und »volksbildend« versehen.[229] Im November 1944 wurden zensiert: »Luftschutz auf dem Lande« (436 m) und die Ufa-Sonderproduktion-Filme »Sicherung der Luftschutzräume« (195 m) und »Erst löschen, dann retten« (168 m), beide mit den Prädikaten »staatspolitisch wertvoll« und »volksbildend« honoriert. 1944 wurde auch der Film »Gasschutz im Luftschutz« (793 m; P: vb) hergestellt und zensiert.[230]

Endlich gab es auch Spielfilme, in denen die »kämpfende Heimat« im Bombenkrieg auftrat. Diese Filme wurden auf »heroische Töne« eingestellt.

Die schrecklichen Opfer, die das deutsche Volk samt seiner Habe und seinen Kulturschätzen darbringen mußte, wurden auch zum Ziel von propagandistischen Maßnahmen des ProMi (Generalreferat Luftkrieg). Im Herbst 1944 stand z. B. im Plan – das Reichspostministerium wirkte mit – international bekannte Bauten, die infolge der Luftangriffe zerstört oder schwer beschädigt worden waren, in einer Serie von Briefmarken zu präsentieren. Es ging u. a. um das Nationaltheater in München, die Bauten in Augsburg, Leipzig, Salzburg. Man hatte bereits Muster von diesen Briefmarken hergestellt.[231] Goebbels entschied sich letztlich jedoch gegen die Ausgabe dieser Briefmarken, »da diese Bilder, die als Serie geplant wurden, damals zwar noch Zorn und Rachegefühle erwecken konnten, heute aber (man schrieb November 1944, B. D.) nur noch Resignation hervorrufen werden.«[232] Entsprechende Projekte hatte auch der Film. Die Deutsche Wochenschau gestaltete 1944 einen Kurzfilm »Krieg gegen Kirchen«, der auch, fremdsprachig betitelt, für das Ausland bestimmt war. Auf Wunsch des Auswärtigen Amtes stellte die Ufa-Sonderproduktion im Auftrag der RPL einen 500 m langen Film her, in dem erstmals der Umfang der anglo-amerikanischen Luftangriffe geschildert wurde. Der Film war mehrmals auf die Anweisungen des ProMi hin geändert worden. Im Dezember 1944 war der Streifen, noch ohne Begleittext, fertiggestellt. »Der Film enthält« – schrieb der Leiter der Filmabteilung an Goebbels – »eine so starke Anklage gegen den anglo-amerikanischen Luftterror, daß wir das Risiko des Bekanntwerdens von Schäden ohne weiteres auf uns nehmen können. Bei dem Film handelt es sich nicht um eine rein schwächlich wirkende Mitleidspropaganda, sondern der Film erhebt eine recht massive Anklage gegen die anglo-amerikanischen Luftgangster, die das Gewissen des neutralen Auslands aufrütteln wird.«[233] Die weitere Geschichte dieses Vorhabens ist nicht näher bekannt. Ins Ausland ging der Film vermutlich nicht.

Die deutsche Kriegsmarine

Der U-Boot-Film »Morgenrot« aus dem Jahre 1933 kann diese Reihe von Themen und Problemen eröffnen. Die Österreicher Gustav Ucicky (Regie) und Gerhard Menzel (Buch) gestalteten den Streifen, der finnischen Admiralität verdankte die Ufa ein U-Boot für die Darstellung. Die Dreharbeiten und danach der fertige Film errangen damals europäischen Ruf und verursachten Proteste. Der Österreicher Rudolf Forster spielte in »Morgenrot« die Hauptrolle, der Deutsche Karl Ludwig Diehl war dagegen der Hauptheld in »Volldampf voraus«, einem Spielfilm von Carl Froelich über die deutschen Torpedoboote (U: 3.1.1934; P: sw): Die »Hilfskreuzer« erhielten ihr filmisches Denkmal in »Heldentum und Todeskampf unserer Emden« (1934). Diese Reihe von Spielfilmen wurde bereits vor dem Kriege durch verschiedenartige Kurzfilme ergänzt.

Die »Wiedererringung der Wehrhoheit« im Rheinland gab Anlaß, den Streifen »Blaue Jungs am Rhein« (375 m; P: sw,vb) zu drehen. Das OKK war Auftraggeber, die Ufa die Herstellerfirma und Fritz Heydenreich der Gestalter, das Thema dagegen: die 1. Schnellbootflottille in ihrer Parade-Rhein-Fahrt von der Nordsee bis Mainz. Seit Sommer 1937 lief der Film in den Kinos. Den Charakter eines Dokumentarfilms trug der Streifen »Die deutsche Kriegsmarine« (539 m; P: sw), im Herbst 1938 zensiert. Hier wurde die erste seemännische Ausbildung auf den Segelschiffen »Gorch Fock«, »Horst Wessel« und »Albert Leo Schlageter« bis zu einem Manöver der U-Boote geschildert. Theoretische und praktische Ausbildung des Nachwuchses für die Handels- und Kriegsmarine präsentierten verschiedene Berichts- und Lehrfilme, mit der Marine-HJ oder in der Reichsseesportschule kurz vor Kriegsausbruch gedreht. Bernd Hofmanns »Fahrt ins Leben« gehörte zu den eher seltenen Spielfilmen um das Thema (U: 29.4.1940). Ausdrücklichen Charakter eines Werbefilms hatte der Streifen »Jungens wollen zur See« (577 m), im Januar 1940 zensiert. Motto des Films: »Wer zur See nichts gilt, gilt nichts in der Welt.« Wilhelm Stöppler (Regie), Kurt Neuber (Kamera) und Norbert Schultze (Musik) gestalteten ihn, die Erziehung der Jugend zur Seefahrt in Spanien, Italien und natürlich vor allem in Deutschland zeigend. Werbungszielen dienten auch »Mit Kreuzer Emden nach Ostafrika«, »Mit Kreuzer Emden zu den Inseln der Südsee; theoretische und praktische Schulung schilderte »Unser Junge will Kapitän werden«. Das Leben an Bord eines Großschiffes (»Scharnhorst« oder »Gneisenau«), die Abwehr eines Fliegerangriffs und ein Gefecht mit feindlichen Kriegsschiffen schilderte »Schlachtschiff in Fahrt« (um 550 m), vom Marine-Hauptfilmamt 1940/41 hergestellt. Für Werbungszwecke drehte Albert Höcht 1943/44 bei der Bavaria »Wir wollen zur See« (463 m; P: sw, vb, aw), eine Reportage über den Ausbildungslehrgang für Marine-Offiziere. Von dem OKM stammte »Hilfskreuzer Atlantis« (752 m; P: sw), im Jahre 1944 zensiert.

Ein Pendant zu dem Fliegerfilm »Himmelstürmer« sollte der Dokumentarspielfilm »Die See ruft« über die Entwicklung der deutschen Handelsschiffahrt von der Hansezeit bis in die Gegenwart sein. Diesen Film inszenierte H. F. Köllner 1941/42 als einen abendfüllenden Streifen für die Zwecke der Propagandaarbeit der Partei. Für den Vertrieb nicht zugelassen, ist auch dieser Streifen verschollen.[234]

Man darf behaupten, daß in den Jahren 1941 bis 1943 keine Waffe die Deutschen so faszinierte wie das U-Boot. Viele glaubten damals: Sieg oder Untergang des Deutschen Reiches hinge von den U-Booten ab. Freilich drehte man U-Boot-Filme noch vor dieser Zeit. Die Kulturfilme und im Hochsommer 1940 einen Spielfilm. Mit Unterstützung des OKK begannen die Außenaufnahmen an der Ostsee. Georg Zoch schrieb das Drehbuch – das OKW WPr bemängelte nicht ausreichende Beteiligung seiner Gruppe UU – und der Film hieß während der Dreharbeiten »Denn wir fahren gegen Engelland«. Später erhielt er den Titel »U-Boote westwärts«. Regie hatte Günther Rittau; Herbert Wilk, Heinz Engelmann und Joachim Brennecke waren die männlichen, Ilse Werner und Carsta Löck die weiblichen Säulen dieses Films. Er schilderte den Einsatz deutscher U-Boote gegen die englische Flotte (U: 9.5.1941; P: skw, vb).

Wilhelm Sebastian Valentin Bauer, bayerischer Unteroffizier und

Vorkämpfer des Unterseeboots (1822–1876), baute den »Brandtau-
cher«, ein Unterseeboot, mit dem er am 1.2.1851 im Kieler Hafen
die erste Probefahrt machte. Das Boot sank und wurde erst 1887 ge-
hoben. Jetzt im Museum für Meereskunde in Berlin: so ungefähr die
damaligen Lexika. »Geheimakte WB I« (WB stand für Wilhelm
Bauer) war ein Spielfilm, der sich auf die Bemühungen Bauers, sein
U-Boot zu bauen, konzentrierte. Mit grafischen Darstellungen und
Dias illustriert und mit einem schülerhaften Kommentar versehen,
war der Streifen streckenweise eine nicht immer spannende Bildungsetüde. Der Intendant des Münchner Schauspielhauses, Staatsschauspieler Alexander Golling, verkörperte den energischen Erfinder und Konstrukteur, Eva Immermann war seine Partnerin, Willi
Rose und Günther Lüders seine Kameraden Schultze und Hösly. Gustav Waldau spielte den bayerischen König. Mit bedeutendem Aufwand an technischen Mitteln (bei 2,24 Mio. RM Produktionskosten)
entstand das Werk bei der Bavaria (das Wasserbassin in Geiselgasteig
ermöglichte es, ausgerechnet in München verschiedene See-Filme zu
drehen), »das trotz des historischen Hintergrundes dem Deutschland
von heute viel zu sagen« habe, las man in den Kommentaren über das
filmische Denkmal für den Erfinder des ersten deutschen Untersee-
bootes. Ein gesinnungsstarkes Libretto, das auf dem Roman »Der
eiserne Seehund« von Hans Arthur Thies basierte – über die vollkommene Treue des Porträts konnte man nichts sagen – lieferten
Herbert Selpin und Walter Zerlett-Olfenius. Selpin führte auch Regie, Franz Doelle schuf die Musik. Die Uraufführung lief am
23.1.1942 im festlich geschmückten Münchner Ufa-Palast (P: skw,
jugendwert).[235]

Ein U-Boot taucht auf. Der Kommandostand. Befehl des Kommandanten: »Beide Diesel!« Maschinenraum. »Beide Diesel!« wiederholt eine Stimme. Die Maschinen arbeiten, das U-Boot fährt aus
dem Bild. »Wer war Rudolf Diesel?«, fragt eine Stimme. Da ändert
sich die Stimmung der Bildmontage. Die Gegenwart versinkt wie in
Nebeln. Die Jahreszahl 1870 führt den Zuschauer in eine andere
Welt. – Mindestens offiziell folgte der Film über Rudolf Diesel den
Quellen der Familie, insbesondere den Materialien des Biographen
und Sohnes des großen Motoren-Erfinders, Eugen Diesel. Zu Anfang des Krieges veröffentlichte Eugen Diesel das Buch »Das Phänomen der Technik« (Philipp Reclam jun.), über das Karlheinz Rüdiger
im Stil des »Mythus des 20. Jahrhunderts« äußerte, es verträte nicht
»eine weltanschauliche und politische Haltung, die den Anschauun-

gen des Nationalsozialismus, die heute das Leben des deutschen Volkes bestimmen und auch der Technik einen neuen Inhalt und ein neues Ziel gegeben haben... Es war von Eugen Diesel nicht zu erwarten, daß er ein Buch der Technik schreibt, das aus den geistigen Kräften des Nationalsozialismus, denen er fremd gegenübersteht, gewachsen« sei.[236] Laut offiziellen Nachrichten hat Eugen Diesel am Drehbuch anregend mitgearbeitet. Für die Auftraggeber war allerdings ein biographischer Film nicht das »künstlerische« Endziel, denn man wollte ja nur das Erwünschte zeigen. Die Handlung reichte nicht bis zum tragischen Ende des Erfinders. Den Film »Diesel«, der »über das Zeitgebundene in das Allgemeingültige vorstoßen« sollte, drehte Gerhard Lamprecht bei der Ufa mit Willy Birgel in der Titelrolle und anderen, hochkarätigen Schauspielern wie Hilde Weißner als schöne, liebende und nie versagende Gattin und Kameradin, mit Erich Ponto (als der alte Diesel), Josef Sieber (als Maschinist Martin), Albert Florath, Josef Dahmen, Hilde von Stolz, Leo Peukert und rund dreißig anderen Darstellern. Das Sujet des Films hatte gegenüber den anderen biographischen Produktionen ein fotografisches Plus: Die Technik – mit Motoren, Maschinen, Werkhallen und Apparaturen – war das dankbare Objekt der Kamera. So wirkte der Schaffensprozeß des großen Erfinders überzeugender. Die Presse berichtete viel über die Arbeiten an dem Film, nannte Rudolf Diesel einen »Menschen von fanatischer Zähigkeit«, für einige Kritiker war Diesel der »Bismarck der deutschen Maschinenindustrie«. Der Film erhielt die Prädikate »staatspolitisch und künstlerisch wertvoll« und »volkstümlich wertvoll«. Für eine feierliche Uraufführung, die am 13.11.1942 stattfand, wurde die Stadt Augsburg (Film-Palast) bestimmt. »Diesel« sollte, so ironisierte die Londoner »Die Zeitung« (23.4.1943) »den Deutschen Vertrauen in die immer siegreiche deutsche Technik (U-Boot) einflößen.« Und »Das Reich« (17.1.1943) meinte in Bezug auf die U-Boot-Propaganda: »Die englische Presse glaubt gehört zu haben, daß in Deutschland gegenwärtig eine starke Propaganda betrieben werde, um ›dem deutschen Volke zu sagen, daß das U-Boot den Krieg gewinnen werde‹. Dazu kann man nur sagen, daß die anglo-amerikanische Presse sich gerade um die Jahreswende vielleicht ebenso oft und umfangreich mit dem ›Nazi-U-Boot‹ beschäftigte«. Täglich neue Siegesmeldungen sollten wirklich dem deutschen Volk suggerieren, daß ein entscheidender Erfolg kurz bevorstehe.

»Diesel«

Eine Filmkritik aus der Schweiz

»Die neue deutsche Erfinderbiographie stellen wir unbedenklich an die Spitze der filmischen Lebensbilder. Es fehlt ihr zwar die Prunkhaftigkeit des Schlüter-Streifens, aber dafür wirkt sie unbedingt wärmer und unmittelbarer. Es geht ihr die kontrastreiche Licht-Schattenwirkung des Rembrandt-Films ab, aber dafür ist sie gerade in ihrer sympathischen Verhaltenheit und Unaufdringlichkeit vertiefter und echter. Das Schicksal aller Großen ist es, einsam zu stehen und bekämpft zu werden. Diese Lehre bewahrheitete sich in seltener Deutlichkeit im Leben des Erfinders Rudolf Diesel. Erfolg, welcher auf Bluff beruht hätte, schlug er aus und ging seinen einsamen Weg; mochten Freunde ihm abraten, Feinde ihn bekämpfen, Sachverständige an ihm zweifeln und seine Frau um ihn leiden. Besessen von seinem grundsätzlich richtigen Gedanken, entwarf und verbesserte er, bis seine umwälzende Erfindung, der zweitaktige Explosionsmotor, verwirklicht war. Gediegene Darstellungskunst – vor allem von Willy Birgel in der Hauptrolle, Hilde Weißner als seine Frau und Paul Wegener als Maschinenfabrik-Besitzer Buz – tadellose Kameraführung, gut abgestimmte klangliche Begleitung und feinfühlige Spielleitung ließen einen Film entstehen, der in ungemein menschlich-warmen Tönen, unaufdringlich, aber eindringlich, uns dieses Schicksal nahebringt. Keine Geschmackentgleisung stört den guten Eindruck; wenn gelärmt oder geschrien wird, so gehört es zum Stoff; sparsam verwendeter, echter und herzlicher Humor schafft eine unverwüstlich edle, saubere Gesinnung und die starke Zuversicht, die bis zum glücklichen Siege durchhält. Wir möchten gern mehr solche Werke sehen!«

Quelle: Der Filmberater, Luzern, Nr. 16, Dezember 1942.

Einen psychologischen Film, der den Einsatz der U-Boot-Waffe schilderte und an einer Reihe von Einzelschicksalen den Heldenmut und die seelische Größe der U-Boot-Fahrer zeigte, begann man 1943 bei der Tobis zu drehen. Gustav Ucicky war der Regisseur, Willy Clever, Ellen Fechner und Wolfgang Frank zeichneten für das Drehbuch verantwortlich: »Ein Rudel Wölfe«.

»Ein Rudel Wölfe«

»Ehern und leuchtend als Mahnmal bedingungsloser Pflichterfüllung steht das opferbereite Heldentum unserer U-Boot-Männer über diesem überragenden Filmepos. In einer technisch und strategisch gewissen-

haft durchgearbeiteten, sachlich stark interessierenden und künstlerisch überzeugend gestalteten Handlung läßt dieser Film in mitreißenden Szenen von plastischer Realistik Feindfahrt und Geleitzugsschlacht miterleben. Eine heroische Filmschöpfung von Einsatzbereitschaft, Kampfgeist und Siegeszuversicht unserer Blauen Jungens«.
Quelle: Deutsche Film-Kunst 1943–1944. DFG (o. J.)

Ähnlich wie Curt Langenbecks Drama »U-Boot-Soldaten«[237] am Theater, so mußte auch der Film »Ein Rudel Wölfe« »aus taktischen Erwägungen« zurückgestellt werden.

Die U-Boot-Mannschaften bezahlten den höchsten Blutzoll, den eine Waffengattung der deutschen Wehrmacht während des 2. Weltkrieges entrichten mußte. Mehr als 27000 Leute, 80% der gesamten Truppe, fanden den Tod.

Das im Kino nicht mehr geförderte U-Boot-Thema wollte man nun durch Filme ersetzen, die die Tapferkeit der anderen Einheiten der Kriegsmarine priesen. Übrigens war dafür schon nicht mehr viel Zeit. Die Lücke sollten die »blauen Jungs« von Schnellbooten der Kriegsmarine ausfüllen. Den Kampfeinsatz einer Flottille dieser Boote schilderte der 1943 bei der Mars-Film gedrehte Streifen »Asse zur See« (490 m; sw, küw). Hermann Stöss gestaltete diesen Film, Norbert Schultze schuf die musikalische Untermalung. Der Film wurde auf der 3. Reichswoche des deutschen Kulturfilms präsentiert.

Geplant waren weitere Filme über die Kampftätigkeit der Kriegsmarine. Curt Langenbeck, der zu den beachteten Bühnenautoren der jüngeren Generation gehörte[238], »bisher nicht für den Film tätig gewesen«, schrieb im Sinne der Bemühungen des Reichsfilmdramaturgen, »für den deutschen Film wertvolle Kräfte zu gewinnen«, das Drehbuch »Nullvier«, die Geschichte einer Besatzung des Vorpostenbootes 04. Die Darstellung bewegte sich »jenseits eines posierten Heroismus«, und das Werk Langenbecks fand »volle Anerkennung und das entgegenkommende Interesse auch von Seiten des Großadmirals Dönitz.«[239] Die Vorarbeiten an dem Film – man wollte ihn in Farbe drehen – begannen im Jahre 1945. Noch Ende Januar und Anfang Februar 1945 studierten die Ufa-Leute mit W. Liebeneiner an der Spitze die amerikanischen Farbfilme »Moon over Miami«, »Crash dive« und »Manuel« für das »Nullvier«-Vorhaben.[240] Und noch im Februar 1945 schrieb der in See-Themen erfahrene Walter Zerlett-Olfenius den Stoff für einen weiteren Spielfilm unter dem Titel »Hilfskreuzer«.

Dieses Thema wurde schon bei der Besprechung des Fliegerfilms berührt. Das war aber nur ein Bruchteil der Menge des Filmmaterials, das in Zusammenhang mit den Kampfhandlungen in Polen, Skandinavien, Belgien, Holland, Luxemburg, Frankreich und England entstand. Die ersten Aufnahmen lieferte die Deutsche Wochenschau. Am 7. 9. 1939 konnten die Bewohner der Reichshauptstadt in einigen Filmtheatern bereits die neue Wochenschau von den ersten Kampfhandlungen in Polen sehen. Der erste Dokumentarfilm lag schon nach einem Monat fertig bereit: »Der Feldzug in Polen«. Im Auftrag der RPL entstand er bei der DVG in Verbindung mit der Deutschen Wochenschau, wurde von der Zensur am 5. 10. 1939 freigegeben und am 9. 10. 1939 auf einer Sondervorführung uraufgeführt.[241] Bald darauf wurde er aus dem Verleih zurückgezogen und zur Umarbeitung übergeben. Das Exposé des Films war hierfür ausschlaggebend, vielleicht auch der politische Hintergrund: Hitlers Hoffnungen auf einen Frieden mit dem Westen und schließlich deren Fiasko. Nach einer Umarbeitung, die den neuen politischen Verhältnissen entsprach, wurde der Film in einer Länge von 1981 m am 27. 1. 1940 zensiert und Anfang Februar in die Kinos gebracht. Wie im »Völkischen Beobachter« (6. 2. 1940) Curt Belling schrieb, bedürfe es zur Schaffung eines solchen Filmwerkes keines Autors, Regisseurs und keiner bekannten Darsteller: »Die Zeitgeschichte selbst schrieb das Manuskript, Regisseur war die Führung des Volkes und der Wehrmacht, und Hauptdarsteller der deutsche Soldat, der unbekannte Kämpfer an der Ostfront, durch dessen Einsatz es möglich wurde, der deutschen Geschichte ein neues Ruhmesblatt anzufügen.« Selbstverständlich schrieb man Polen wie auch England die Schuld zu. In kaum 18 Tagen, wie es die NS-Legende wollte, wurde »das durch den Versailler Schandvertrag errichtete Zwittergebilde vom polnischen Staat« zerschlagen. In den erschütternden Filmstreifen der Kriegswochenschau konnte das Kinopublikum den Vernichtungskrieg in Polen und das siegreiche Vordringen der Wehrmacht zu Lande, zu Wasser und zur Luft, aber auch das Leid der Zivilbevölkerung (laut des Befehls des »Führers«: »Gewalt gegen Gewalt«) während des ganzen Feldzuges verfolgen. Für dieses »geschichtliche Dokument ersten Ranges« zeichnete Fritz Hippler verantwortlich. Eine Reihe von Zeichen-Trickaufnahmen aus dem Atelier von Svend Noldan ließen mit Montagen die einzelnen Phasen des Kampfes sichtbarer werden. Hier entwickelte der Film den schon in seinen ersten Keimen zerschlagenen Verteidigungsplan der Polen und demgegenüber den »großen strategischen Gedanken der deutschen Kriegsführung«. Sie war auch im Film zu sehen. Durch die Vermittlung der Kamera durfte man dem »Führer« ganz nahe sein. Man begleitete ihn auf seinen Fahrten durch das Kriegsgebiet und war für einige Augenblicke mit Göring, Keitel, Himmler, Ribbentrop und anderen Zeuge der Beratungen im Führerhauptquartier. Mit dem Schlußbild von der Siegesparade mit Hitler in Warschau leitete der Film symbolisch über zu einer nahen Zukunft, in der die Kriegsflagge des Großdeutschen Reiches zu neuen Siegen geführt wird – las man in den Betrachtungen. Den Schnitt des Films nahm Albert Baumeister vor, die Musik führte der bewährte Praktiker Herbert Windt zu höchster dramatischer Steigerung. Er arbeitete vorwiegend mit Steigerungen der Bläser, mit Effekten der marschrhythmischen Dynamik. Die Bläser, auf fortissimo eingestellt, drangen durch die Kampfszenen durch. Die offizielle Uraufführung gestaltete sich in Anwesenheit von Goebbels, Keitel, Milch und vielen anderen Persönlichkeiten aus Staat und Partei am 8. 2. 1940 im Ufa-Palast am Zoo in Berlin (P: sw, küw, vb). Der in Berlin und 29 weiteren deutschen Städten angelaufene Film hatte bereits in der ersten Woche Rekordbesucherzahlen zu verzeichnen: Über 750 000 Personen sahen ihn in der Zeit vom 9. bis 15. 2. 1940. Allein in Berlin wurden in den ersten drei Tagen an 320 000 Besucher gezählt. »In fast allen Lichtspielhäusern kam es bei den besonders eindringlichen Szenen zu spontanen Beifallskundgebungen.«[242]

»Feldzug in Polen«
»Film-Kurier« (9. 2. 1940): »Der Film beweist eindringlich, daß der Sieg in Polen keineswegs gegen einen schwachen und schlecht gerüsteten Gegner errungen wurde, wie es die Regierungen der Westmächte heute so gern ihren beunruhigten Völkern und der ganzen Welt weismachen wollen. Dieses Polen war ausgezeichnet gerüstet und vorbereitet... Bald türmt sich die Kriegsbeute zu hohen Bergen, bald strömen endlose Gefangenenzüge in die Sammellager... Eine verantwortungslose polnische Führung läßt es zum Kampf um Warschau kommen und setzt so eine Millionenbevölkerung unnötigerweise den Schrecken einer Beschießung aus. Endlich kapituliert auch die Hauptstadt und der Führer kann in den Straßen Warschaus die Parade... abnehmen.
»Stettiner General Anzeiger« (10. 2. 1940): »Es wird, solange Deutsche auf dieser Erde atmen, begeistern und die Nachwelt anspornen, es

dem siegreichen Heer der Septembertage des geschichtlichen Jahres
1939 gleichzutun.«

Die Kampfhandlungen in Polen wurden noch in einigen Kurzfilmen geschildert:[243] An der Ostsee-Küste im Film »Die Danziger Bucht wieder deutsch« (622 m; P: sw, vb). Hier war der Hersteller die Marine-Hauptfilm- und -Bildstelle, und die Aufnahmen stammten von der Marine-Propagandakompanie. Einer politischen Einführung (die Lage in Danzig vor Kriegsausbruch) folgten die Bilder von den Kämpfen der »Danziger Heimwehr«, vor allem aber der Deutschen Kriegsmarine: der Kampf um die Westerplatte, Gdingen Oxhöft und die Halbinsel Hela.

Mit journalistischem Aufklärerpathos berichteten die Medien über den (so nannte man ihn) Dokumentarfilm »Sieg im Westen«: Eigene Filmarbeit des Heeres, die besten Kameramänner des Reiches hätten an allen Stellen der Front gearbeitet, das erbeutete Filmmaterial von den Franzosen (insbesondere Maginot-Linie), Engländern und Belgiern werde berücksichtigt, astronomische 300 km Film seien verdreht worden, aus denen dann die Kinofassung von 3206 Metern Länge entstanden sei, es seien insgesamt fast 900 000 Meter Rohfilm verarbeitet worden usw. usw. Als Gestalter des Films wurden der Leutnant Svend Noldan und Werner Kortwich angegeben. Dem Hauptteil des Films – »Der Feldzug« (Noldan-Produktion) – ging unter dem Titel »Der Entscheidung entgegen« eine Einleitung voraus (DVG-Produktion), die in Bildern und Karten Überblick über die Zeit vom 1. Weltkrieg bis zum neuen Krieg gab. Die historische Retrospektive reichte übrigens bis in das Jahr 1648. Die Ereignisse in Polen und Norwegen bis zu der »entscheidenden Nacht vom 9. zum 10. Mai« leiteten dann zu dem eigentlichen Krieg im Westen über. Auch dieser Teil des Films wurde als »Geschichte von oben gesehen« betrachtet. Eine »Bildungs-Etüde«, die das deutsche Volk ebenso wie das Ausland (das neutrale und das feindliche) von der Überlegenheit der deutschen Kriegsmaschinerie überzeugen sollte. Für den blutigen Alltag des Krieges war fast kein Platz vorhanden. Das Wort spielte eine wichtige Rolle. Die musikalische Untermalung schufen Horst Hans Sieber (Einleitung) und Herbert Windt (Hauptteil). Zwei Tage nach einer Sondervorführung für die In- und Auslands-Presse fand am 31. 1. 1941 die eigentliche, festliche Uraufführung statt: im Ufa-Palast am Zoo, mit Ehrenkompanie der Wehrmacht. Es waren anwesend die Generalfeldmarschälle von Brauchitsch, Keitel, von Rundstedt, von Bock, Ritter von Leeb und von Witzleben. Die höchste Staats- und Parteiprominenz vertraten Goebbels, Todt, Darré, Kerrl, Graf Schwerin von Krosigk, Ley, Dietrich, Amann, Rosenberg, Lutze, Hierl und Hühnlein: in dieser Hinsicht ein Rekord in der ganzen NS-Ära. Es war aber nicht die beste Zeit für derartige Propaganda (neue Frankreich-Politik). An manchen Stellen erwies sich auch der Film als psychologisch ungeschickt. Er erhielt zwar insgesamt sechs Prädikate, aber darunter »nur« »staatspolitisch und künstlerisch wertvoll«. »Besonders wertvoll« war er für Goebbels nicht. Ebensowenig für Göring, obwohl aus anderen Gründen: Die Panzertruppen und nicht die Luftwaffe standen im Vordergrund der Filmhandlung. Die Pressegruppe des Heeres im OKW hatte ein Sonderheft zu dem Film herausgebracht. Der Reichserziehungsminister ordnete an, den Film im Rahmen der staatspolitischen Schulfilmveranstaltungen zu zeigen. Das Inlandeinspiel war relativ hoch und betrug bis zum 30. 6. 1941 4,2 Mio. RM. Bereits im Februar 1941 wurde dieser Film auch im Ausland gezeigt. Der Belgrader Erstaufführung wohnten die Regierungsmitglieder bei. Am 26. 2. 1941 fand eine feierliche und weit und breit angepriesene Erstaufführung in Bukarest statt. Anfang März bereitete auch Preßburg eine festliche Erstaufführung vor: Der slowakische Staatspräsident Tiso und Premierminister Tuka waren anwesend. Der Film wurde auch in einigen Kinos der USA aufgeführt. Fünf Kopien wurden nach Iran geschickt.

Mitteilung der RPL über Entstehung und Aufbau, die leitenden Gedanken und den Inhalt des Films »Sieg im Westen«
1. Entstehung des Films
Die Anweisung zur Herstellung des Films ist seitens des Oberbefehlshabers des Heeres während des Frankreichfeldzuges an die Berichterstaffel z. b. v. . . . ergangen. Die hier befindlichen, besonders ausgewählten Filmtrupps konnten auch im 2. Teil der Offensive, zu einer Reihe von Sonderaufgaben für den Heeresdokumentarfilm zusammengefaßt, zum Einsatz gebracht werden. Es ist darüber hinaus sowohl das Material der Heeresfilmstelle wie der Propaganda-Kompanien des Heeres – insgesamt etwa 600000 m – zur Auswertung gelangt. In beiden Fällen ist allerdings die Ausbeute eine geringe gewesen, da sowohl seitens der Heeresfilmstelle wie der Propaganda-Kompanien andere Arbeitsziele, als sie für den Heeresdokumentarfilm vorlagen, verfolgt wurden. Von größter Bedeutung ist dagegen die Erfassung eines umfangreichen eng-

lischen, französischen und belgischen Filmbeutematerials gewesen, das in nicht unbeträchtlicher Weise zum Einbau in den Heeresdokumentarfilm gelangt ist. (...)

2. Aufbau des Heeresdokumentarfilms

Der Anfang 1941 zur Aufführung gelangende Teil III »Sieg im Westen« wird zunächst mit einem Vorspann »Der Entscheidung entgegen« (voraussichtlicher Titel) als selbständiger, einen Abend füllender Film gebracht. In der Gesamtplanung ist vorgesehen: Teil I.: Politisch-Geschichtlicher Teil (bis 1.9.1939). Teil II: Polenfeldzug, Winter 1939/40 am Westwall. Norwegenfeldzug (bis 1.5.1940). Teil III: »Sieg im Westen« (1.5.1940–25.6.1940). Teil IV: Kriegsverlauf nach Abschluß der Frankreich-Offensive.

3. Leitende Gedanken

I. Zielsetzung. Der Film ist nur bedingt als Dokument aufzufassen. Eine derartige Darstellung wird als Aufgabe anderer Dienststellen angesehen. WPr. V (Heer) verfolgt eine propagandistische Absicht, d. h. der Film soll den Zuschauer, insbesondere die Jugend, für das Heer /unlesbar B. D./ dieses Krieges und das soldatische Ideal zeigen.

II. Es ist aus diesem Grunde nicht möglich, alle Kampfhandlungen bzw. alle wichtigen Persönlichkeiten und Truppenteile zu zeigen. Es kommt vielmehr darauf an, einzelne Schwerpunkte des Krieges in Erscheinung treten zu lassen. Dies gilt sowohl hinsichtlich der Kampfereignisse wie typischer Erscheinungen. In der Bearbeitung ist darauf Wert gelegt, daß folgende Gesichtspunkte besonders bewertet werden: a) die Kriegsidee als Kampf um den Lebensraum des Volkes aus dem Dreieck der Ströme Rhein, Donau und Weichsel, damit der Zusammenhang zwischen Geschichte, Politik und Kriegsführung. b) die Führung bzw. höhere militärische Führer, c) alle Waffengattungen, d) die rückwärtigen Dienste, e) der Typus des Kämpfers, insbesondere auch des jungen Offiziers, f) die Verbindung mit den anderen Wehrmachtsteilen, g) der Zusammenhang zwischen Front und Heimat.

Die von Herbert Windt verfaßte Musik soll die soldatische Welt wie die Heimatverbundenheit des Soldaten zum Ausdruck bringen, jedoch in erster Linie mitreißen.

III. Die Handlung, d. h. der Verlauf des Feldzuges in Holland, Belgien und Frankreich wird in Einzelausschnitten sichtbar, die miteinander durch entsprechende Zeichnungen (Tricks) verbunden sind. Es ist Wert darauf gelegt worden, einzelne Kampfphasen, wie etwa Kampf einer Infanterie-Division am Chemin des dames, den Durchbruch einer Panzer-Division an der Somme, den Einbruch in die Maginot-

linie usw. so darzustellen, daß die Größe der Aufgabe, insbesondere auch des einzelnen Kämpfers, für den Zuschauer deutlich wird und er sich ein klares Bild von der Art und Weise des Einsatzes verschiedener Waffen machen kann. Dem Text kommt in diesem Zusammenhang hohe Bedeutung zu. Er soll sowohl den Zusammenhang bringen wie den Sinn des Einsatzes in einem und anderen Fall klarmachen.

IV. Der Film soll unter Auswertung des Beutematerials auch die Gegenseite zeigen, sie soll so gewürdigt werden, wie sie der Soldat gesehen und erfahren hat. Grundgedanke ist hierbei gewesen, daß die eigene Kampfleistung in den Augen des Zuschauers wächst, wenn der Feind als tapferer Gegner gezeigt wird.

V. Der Film soll den Krieg wahr zeigen. So notwendig es gewiß ist, Tod und Vernichtung zu zeigen und auch gerade an den ernsten Augenblicken des Kampfes nicht vorbeizugehen, so müssen auch Momente der Ruhe und des heiteren Erlebens sichtbar werden. Die menschliche Seite sichtbar zu machen, ist ein wesentlicher Gedanke für die Bearbeitung gewesen.

Quelle: AP Poznań, Reichsstatthalter Posen, Nr. 2611, S. 62f.

Dem »Großfilm« »Sieg im Westen« gingen kürzere Dokumentarfilme voraus: »Die Helden von Narvik« und der heute kaum bekannte Streifen »Auf den Straßen des Sieges«. Der letztere behandelte in rohem Umriß den polnischen Feldzug und sprang sofort von hier zum Westfeldzug über (1. 9. 1939 bis 25. 6. 1940). Von den 50 Minuten des Films entfielen 35 auf den Westfeldzug. Der Film war am Sonntag, dem 1. 12. 1940, in fünfzig Berliner Filmtheatern angelaufen. »Unter Friedensverhältnissen dürfte das OKW ein derartiges Machwerk keinesfalls hinnehmen«, urteilte die Wehrmacht-Zensur, dennoch gab sie für die Freilassung dieses Films ihre Zustimmung.[244]

Mit dem »Westfeldzug 1940« war der hochprädikatisierte Tobis-Kulturfilm »Sprung in den Feind« verbunden. Im Auftrag des OKW schufen ihn Wilhelm Stöppler, Karl Otto Bartning und Karl Ludwig Ruppel. Die Musik stammte von Norbert Schultze. Hier wurden die Fallschirmjäger bei der Eroberung Hollands (die Brücken von Moerdijk) gezeigt. Den Film präsentierte man auf der II. Reichswoche für den Kulturfilm (1942).

Mit dem Krieg im Westen beschäftigte sich auch der Spielfilm. So mit den Kampfhandlungen in Norwegen: »Spähtrupp Hallgarten«. Herbert B. Fredersdorf – mit Kurt E. Walter auch Mitverfasser des Drehbuches (hier gab es mehrere Interventionen der Wehrmacht-

Zensur) – drehte diesen Streifen bei der Germania-Film in München. Hannes Hallgarten, ein Beispiel der opferbereiten Kameradschaft und ein guter Soldat, war der Hauptheld des Geschehens. Er und sein Kamerad (letzterer gespielt von Paul Klinger) waren zugleich zwei Bewerber um ein Mädchen (Maria Andergast) – ein sehr gern und sehr oft vervielfältigtes Schema in den damaligen deutschen Kriegsfilmen. Als Hauptdarsteller war zunächst Sepp Rist vorgesehen, übrigens die Idealfigur für diese Rolle, mit seiner soldatischen Erscheinung und seiner Erfahrung als Bergsteiger. Rist befand sich aber als Feldwebel im aktiven Wehrdienst und war nicht zu erreichen. Die Rolle übernahm René Deltgen. Die Komparserie bildete eine Gebirgsjäger-Ersatzabteilung aus Mittenwald. Die Außenaufnahmen wurden nicht in Norwegen, sondern in Österreich und Bayern gedreht (Kamera Eduard Hoesch). Der von der Germania-Film vorgeschlagene Untertitel »Ein Großfilm vom Einsatz unserer Gebirgsjäger in Norwegen« erschien der Wehrmacht-Zensur bedenklich. Man wandte sich sogar in dieser Angelegenheit an den »Führer«. Letztlich erhielt der Film weder den Untertitel »Großfilm« noch irgendwelche Prädikate (U: 14.3.1941 in Wien).[245] Noch im März 1941 beauftragte man Veit Harlan – Hitler war einverstanden –, einen »richtigen Großfilm« über den Krieg in Norwegen zu drehen. Harlan begab sich wegen der Vorarbeiten nach Narvik. Über das Vorhaben erfuhren sogar die Engländer und boten im Rundfunk an, bei den Dreharbeiten »Hilfe« zu leisten. Aus verschiedenen Gründen – insbesondere militärisch-technischen – erwies sich das Vorhaben als unrealisierbar.

»Adjutantur der Wehrmacht
beim Führer und Reichskanzler

Berchtesgaden, 27.2.1941
Der Führer und Oberste Befehlshaber der Wehrmacht hat auf Vortrag bezüglich des Films ›Spähtrupp Hallgarten‹ die Entscheidung über den Titel zunächst zurückgestellt. Der Führer wünscht den Film nach Fertigstellung zu sehen und wird sodann selbst entscheiden, ob der Zusatz ›Ein Großfilm...‹ dem Titel beizufügen ist oder nicht.«

gez. Schmundt
Quelle: BA, RW 4/V, Nr. 294

Der Frankreich-Feldzug war in den Spielfilmen »Stukas« und »Der 5. Juni« geschildert worden. Der letztere war eine Fritz-Kirchoff-Produktion bei der Ufa, mit Carl Raddatz, Joachim Brennecke, Karl

Ludwig Diehl u. a. in feldgrauen Röcken. Der Film schilderte die siegreichen Kampfhandlungen der deutschen Wehrmacht in Frankreich, wollte aber vor allem zeigen, wie man aus einem jungen Rekruten (Joachim Brennecke) einen guten Soldaten machen kann. Nach Beendigung der Aufnahmen wurde der schon fertige Film im November 1942 verboten.[246] Die Verbotsgründe lagen – das politische Geschehen gibt Anlaß zu solcher Behauptung – in den Beziehungen zu dem Regime in Vichy.

In Anlehnung an die Kriegsereignisse an der Ostfront entstand kein Spielfilm. Projekte gab es wiederholt. So schrieb auch Felix Lützkendorf 1942 den Filmstoff »Charkow«, der aber bald aufgrund der neuen militärischen Lage »vorläufig zurückgestellt« wurde.

Die Frontereignisse fanden Widerhall in einer Reihe von Filmen, die die Verbindungen zwischen Heimat und Front und den »opfervollen Einsatz« des ganzen Volkes für die Ziele des Dritten Reiches zeigen sollten. Die Erfahrungen aus der Zeit des 1. Weltkrieges blieben hier nicht ohne Bedeutung. Der »opfervolle Einsatz« in der Heimat war übrigens für viele Filmleute bequemer und garantierte – mindestens zunächst – die Sicherheit des Lebens. Ein bekannter, wehrfähiger Schauspieler erklärte nach dem Krieg fast zynisch: »Ich wollte einen Leutnant lieber im Film spielen als an der Front.«

Heimat und Front

Am Sonntag, 1. Oktober 1939, strahlte der »Großdeutsche Rundfunk« das erste Wunschkonzert für die Wehrmacht aus – bald die beliebteste Sendung für die Soldaten. Die von Heinz Goedecke erdachten und geleiteten Wunschkonzerte gingen jeden Mittwoch und Sonntag über den Rundfunk. Sie erfreuten sich einer großen Popularität auch bei der Zivilbevölkerung. In der Zeit vom 1. 10. bis 31. 12. 1939 fanden sie genau 25mal statt. Die Zahl der Künstler, die in diesen Sendungen mitwirkten, war überaus groß: es waren 87 Kapellen, 39 Chöre und 281 Solisten. Das materielle Ergebnis wies die Summe von rund 2,5 Mio. RM auf. Nach einer Pause wurde die Reihe Wunschkonzert für die Wehrmacht im Oktober 1940 wieder aufgenommen und an den Sonntagnachmittagen ausgestrahlt. Zum 50. Wunschkonzert sprach Goebbels und übermittelte dem Parteigenossen Goedecke besonders herzlichen Dank. Das Thema der Wunschkonzerte erwies sich als ein spektakulärer Stoff für den Film.

Der Film »Wunschkonzert«, eine Mischung zwischen Unterhaltungs- und Kriegsfilm, wurde 1940 in Zusammenarbeit mit dem Berliner Rundfunk gedreht. Der Regisseur des Filmes, Eduard von Borsody, zugleich mit Felix Lützkendorf Mitverfasser des Drehbuches, sorgte für eine abwechslungsreiche Szenerie. Die Hauptrollen spielten bekannte Schauspieler wie Ilse Werner, Carl Raddatz, Joachim Brennecke, Ida Wüst, Hedwig Bleibtreu. Seine letzte Filmrolle spielte Aribert Mog. Musikalisch wurde dieses Spiel von Werner Bochmann farbig untermalt. Zu Anfang gaben die Olympia-Fanfaren das schwungvolle Motiv, und nachfolgend hörte man eine wechselvolle Folge ernster und heiterer Musik.

Die kleine Liebesgeschichte des Fliegerleutnants, später Hauptmanns Koch, eines Helden mit »Führernatur«, der das Mädchen Inge bei der Berliner Olympiade von 1936 kennenlernte, dann aber in geheimer Mission nach Spanien abkommandiert wurde, gab nur den äußeren Rahmen für die breite Schilderung dessen, was das Dritte Reich unter »Volksgemeinschaft« verstand. Von der großen Begeisterung der Volksmenge beim Erscheinen Hitlers im Olympiastadion, der dem Einmarsch der Nationen beiwohnte (von den Originalaufnahmen wurden nur die Mannschaften aus Deutschland, Italien, Japan und Schweden gezeigt), über die Ereignisse in Spanien (hier folgten kommentarlos Szenen aus dem Film über den Einsatz der »Legion Condor«) über den Septemberfeldzug in Polen (auch mit Originalaufnahmen) bis hin zum Gemeinschaftsempfang von Sondermeldungen über Siege im Westen und von Wunschkonzerten der Wehrmacht, erschien eine in sich geschlossene, konfliktlose Gemeinschaft, die mit ihrem »Führer« und seinen Kriegszielen aufs engste verwachsen war: heroische Haltung der Bevölkerung, perfekte Zusammenarbeit zwischen allen Waffengattungen, und nur ein einziger Toter – ein junger Musiker, der in einer französischen Kirche bei Nacht Orgelmusik anstimmte, um seinen Frontkameraden den richtigen Weg zu zeigen, und der dadurch das feindliche Feuer auf das Gotteshaus lenkte. Der schmerzgebeugten, doch nicht verzweifelten Mutter spielte das Wunschkonzert »Gute Nacht, Mutter« (W. Bochmann). Neben sentimentalen Heimatliedern und forschen Seemannsliedern (das »unerschütterliche Trio: Heinz Rühmann, Josef Sieber, Hans Brausewetter) hörte man auch das Philharmonische Orchester unter Eugen Jochum mit der Ouvertüre zur »Zauberflöte«; Schlager und Witze trugen, neben den schon erwähnten Künstlern, Marika Rökk und Weiß-Ferdl vor. Um die beabsichtigte Wirkung der

Wunschkonzerte noch zu steigern (wichtigstes Ziel aller Propaganda-angriffe war damals England), gingen die markigen Töne des Liedes »Wir fahren gegen Engelland« in eine auf äußere Effekte abgestellte Photomontage über: U-Bootgeschwader, heranbrausende Flug-zeuge, Kriegsschiffe, Torpedierungen.

»Wunschkonzert« war ein Publicity-Erfolg. Sogar das Buch zum Film: »Wir beginnen das Wunschkonzert für die Wehrmacht« er-reichte im Januar 1941 das 200. Tausend. Über die »größte Anteil-nahme« und »begeisterte Zustimmung« des Kinopublikums war in zahlreichen, vertraulichen Polizeiberichten zu lesen. Der am 30. 12. 1940 uraufgeführte Film erhielt hohe Prädikate: staatspolitisch, künstlerisch und volkstümlich wertvoll, jugendwert. Nach den erziel-ten Einspielergebnissen gehörte er zu den erfolgreichsten deutschen Filmen in der Ära des Dritten Reiches. Die Internationale Film-kunst-Ausstellung in Venedig 1941, wo auch der Film vorgeführt wurde, brachte diesem Propagandawerk keine sichtbare Anerken-nung.

Der von vielen mit Spannung erwartete Zarah-Leander-Film »Die große Liebe« entsprach »Wunschkonzert« in der Zeichnung der Schwierigkeiten, die der Krieg den Liebenden in den Weg legte. Diesmal aber schilderte er auch eine Volksgemeinschaft, die bereits zu Hause vom Krieg bedroht war (Szenen im Luftschutzkeller). Die nach einer Idee von Alexander Lernet-Holenia geschaffene und von dem Regisseur Rolf Hansen (der auch Mitverfasser des Drehbuches war) realisierte Handlung des Films zeigte, wie eine gefeierte skandi-navische Sängerin (gespielt von Zarah Leander) zu der Erkenntnis kam, daß das private Glück erst nach der Erfüllung der Pflicht kom-men dürfe. Der Filmheldin begegnete bei ihrem Gastspiel in Berlin ein Mann, der sich ihre Liebe erzwang, ohne daß sie mehr von ihm als seinen Namen wußte. Erst als ihre Liebe zu der großen Liebe gewor-den war, erfuhr sie, daß Paul Wendland (gespielt von Viktor Staal) ein junger Fliegeroffizier war, der in Afrika im Einsatz stand. Am Polterabend rief ein Fernschreiben den Flieger zu seiner Truppe zu-rück. Monate später vereitelte ein zweites Mal der Krieg die Heirat der beiden Liebenden. Dem Fliegeroffizier war in diesem Melo-drama ein stiller Liebender, der Begleiter der Sängerin (von Paul Hörbiger gespielt), gegenübergestellt. Um des Glückes der Gelieb-ten willen konnte (aber auch mußte) er verzichten. Von Michael Jary stammte die Musik mit zwei einprägsamen Chansons: »Ich weiß, es wird einmal ein Wunder gescheh'n« und der durch den Rundfunk bereits populär gemachte Schlager »Davon geht die Welt nicht unter«, den Zarah Leander im Film anläßlich einer Wehrmachtveranstaltung sang.[247] Dieser Ufa-Film, mit rund 3,2 Mio. RM Produktionskosten, hatte in den Medien keine allzugroße Reklame. Und dennoch folgte ein verblüffender, ein phänomenaler Publikumserfolg, der sogar die kühnen Erwartungen des ProMi übertraf. »Die große Liebe« erreichte den ersten Platz in den Einspielergebnissen aller Spielfilme der NS-Ära. (U: 12.6.1942) Noch vor der offiziellen Uraufführung ließ Goebbels in seinem Tagebuch notieren (23.5.1942), daß Göring sich bei ihm über das OKW beschwerte, »weil es Protest gegen den neuen Leander-Film erhebt. In diesem Film wird ein Fliegeroffizier gezeigt, der eine Nacht mit einer berühmten Sängerin verbringt. Das OKW fühlt sich dadurch moralisch gestoßen und erklärt, ein Fliegerleutnant handle nicht so. Demgegenüber steht die richtige Meinung Görings, daß wenn ein Fliegerleutnant eine solche Gelegenheit nicht ausnütze, er kein Fliegerleutnant sei.« »Die große Liebe« erhielt zunächst das Prädikat »volkstümlich wertvoll«. Am 8.7.1942 wurde bekanntgegeben, daß dem Film zusätzlich die Prädikate »staatspolitisch wertvoll« und »künstlerisch wertvoll« zuerkannt worden seien.

»Die große Liebe«
Eine Filmkritik aus der Schweiz

»Es ist in den Filmen recht viel von der Liebe die Rede, und selten begegnet uns ein Streifen, bei dem uns nicht eine mehr oder weniger (meistens weniger) vertiefte Liebesgeschichte serviert wird. Wie weit die Liebe der Hanna Holberg zum Oberleutnant Paul Wendlandt, die diesen ganzen Film erfüllt, eine ›große‹ Liebe genannt werden kann, ist allerdings eine andere Frage. Wir würden eher einen Titel wählen wie die ›ausdauernde‹ Liebe oder die ›treue‹ Liebe. Da wird eine Sängerin beim Auftreten im Theater plötzlich von einem Fliegeroffizier auf Urlaub entdeckt; er verliebt sich Hals über Kopf in sie, und die beiden bleiben sich treu trotz mannigfaltiger Schwierigkeiten und Hindernisse. Denn immer wieder muß er im Augenblick, da sie beide meinen, an den Traualtar treten zu können, einrücken, und so zieht sich ihr ungeduldiges Warten in die Länge. Es war den Produzenten offenbar weniger darum zu tun, eine Liebesgeschichte zu vertiefen und den Liebenden im Publikum damit eine erzieherisch wertvolle Lehre zu geben, als vielmehr darum, den Millionen von Bräuten und jungen Gattinnen im Hinterland, denen immer wieder der Bräutigam oder der

Mann entrissen wird, ein Beispiel heldenhafter ›Unterordnung des Persönlichen unter die allgemeine Forderung, wie sie unserem Geschlechte in diesem weltgestaltenden Kriege entspricht‹ (deutsche Pressestimmen) konkret vor Augen zu führen. Zarah Leander verkörpert mit Zurückhaltung und einer Innerlichkeit, die wir bei ihr noch selten bewundern durften, die Gestalt der Sängerin Hanna Holberg, während Viktor Staal den beurlaubten Oberleutnant spielt. Am glaubhaftesten aber wirkt Paul Hörbiger, in seiner Rolle als Freund und Begleiter der gefeierten Sängerin. Er liebt das Mädchen aufrichtig und treu, trotzdem er weiß, daß er kaum Aussichten hat, sie zur Frau zu gewinnen. Der Film wird dem großen Publikum wegen seines Themas gefallen. Den einzigen Einwand, den wir machen müssen...: in der aufdringlichen Art, wie der junge Mann dem auf einem Urlaub entdeckten Mädchen ›nachsteigt‹, ein Musterbeispiel wie man es nicht machen soll.«
Quelle: Der Filmberater, Luzern, Nr. 13, November 1942.

Kameradschaft zwischen Front und Heimat hatte der Film »Fronttheater« zum Thema. Diesen »staatspolitisch und volkstümlich wertvollen« Streifen drehte A. M. Rabenalt auf dem Weg »vom Kanal an bis nach Athen« (aber auch in den Ateliers zu Babelsberg, Rom, Amsterdam und Den Haag). Die Handlung schilderte den Konflikt der Angehörigen einer Frontbühne zwischen ihren Pflichten und dem Familienleben; Heli Finkenzeller als eine große Schauspielerin und René Deltgen als ihr Mann müssen eine Ehekrise überstehen. Es war ein Unterhaltungsfilm, und am Ende siegte natürlich die schöne, verlogene Kino-Wahrheit. Die Zensur der Wehrmacht verlangte Änderungen. Es ging um die weitgehenden Übertreibungen: »Die übertriebene Darstellung der Gefahren und Entbehrungen der Truppenbetreuung müssen gemildert werden«, »Die zu idealisiert dargestellte Auffassung der in der Truppenbetreuung eingesetzten Künstler vom Wesen ihrer Aufgabe muß auf ein vernünftiges Maß gebracht werden«, hieß es.[248] »In der wohl größten Darbietung vor den damaligen ersten Fernsehkameras im Kuppelhaus des Reichssportfeldes produzierte sich das Team meines Filmes ›Fronttheater‹, der erst fünf Monate später seine Uraufführung erlebte«, schrieb nach Jahren A. M. Rabenalt.[249] Der Film gefiel mit seinem Schlager »Glocken der Heimat« den breiten Kreisen des Kinopublikums (U: 24. 9. 1942).

Der Krieg verlängerte sich ständig, für die meisten Menschen unerwartet, und die Kriegsurlaubergeschichten wurden zu einem wichtigen Glied in der »Heimat-Front«-Propagandalinie. Spielfilme dieser Art wurden seit 1941 gedreht, meistens als Liebesgeschichte gedacht. »Sechs Tage Heimaturlaub« gestaltete Jürgen von Alten mit Gustav Fröhlich und Maria Andergast (U: 3. 10. 1941 in Danzig). Eine sentimentale Kriegsurlaubergeschichte schilderte der kurze Spielfilm »Dorfheimat« (460 m), bei der Lex-Film (Albert Graf Pestalozza) 1942 hergestellt. Der Film erzählte die Geschichte eines Soldaten, der seinen Fronturlaub aufgrund einer Freiplatzspende in einem bayerischen Gebirgsdorf erlebte. Von Volker von Collande (Regie, Mitverfasser des Drehbuchs, mitspielender Darsteller) stammte der Berliner Film »Zwei in einer großen Stadt«, eine mit wenigen Mitteln skizzierte Kriegsurlaubergeschichte. Ganze 13 Stunden Urlaub hatte der Nachtflieger Feldwebel Bernd Birckhoff zur Verfügung, und in diesen wenigen Stunden verlor er die eine Gisela, um derentwillen er nach Berlin gekommen war, und gewann die andere, die es ihm in ihrer Sprödigkeit und Herbheit nicht leicht machte – aber am Ende werden sie, wie das in einem solchen Filme nicht anders sein konnte, doch ein glückliches Paar: sie, die Rote-Kreuz-Helferin (die Rolle spielte die bisher kaum bekannte Monika Burg) und er, der Feldwebel, von dem Danziger Karl John gespielt. »Mit zum Herzen des Films gehört die hübsche Musik Willi Kollos«, so machte die Kritik aufmerksam (U: 23. 1. 1942; P: skw, vw). »Ein schöner Tag« war auch ein Berliner Film, und der Einfall des Drehbuches war ebenfalls unkompliziert. Diesmal war das Liebesobjekt eine Medizinstudentin, von Gertrud Meyen gespielt, die während ihrer Semesterferien Dienst bei der Straßenbahn tat. Volker von Collande, Carsta Löck und Sabine Peters waren die Hauptdarsteller dieses Films, für den der Regisseur (auch als Co-Autor) Philipp Lothar Mayring verantwortlich zeichnete (U: 27. 1. 1944; P: vw). Im April 1944 fing P. L. Mayring an, den Film »Vielleicht sehen wir uns wieder« bei der Tobis zu drehen. Dieses Lustspiel über sechs Kriegsurlauber in Tirol wurde im März 1945 von der Zensur freigegeben (man änderte den Filmtitel in »Wir seh'n uns wieder«), es wurde aber bis zum Kriegsende nicht mehr aufgeführt.

Bis zum Frühjahr 1942 spielten Bombenangriffe auf die Städte noch keine größere Rolle, es gab nur gelegentliche Vorstöße meistens schwacher Flugverbände. Erst mit dem großen Nachtangriff auf Lübeck begann der eigentliche Bombenkrieg. Der Spielfilm mied diese Themen lange Zeit. Nur hin und wieder traten sie im Hintergrund der Filmhandlung auf, wie der erwähnte Nachtflieger in »Zwei in einer großen Stadt«. Eine Ausnahme bildete der Film »Die Degen-hardts«. Dieser Film stieß in das Gebiet des Heimatlebens hinein, und zwar in das Schicksal einer Familie, die in einer norddeutschen Stadt (vermutlich Lübeck) während des Krieges lebte. Die Söhne wa-ren natürlich an der Front, die Töchter als Rote-Kreuz-Helferinnen und in der Rüstungsindustrie tätig. Und der pater familias, von Hein-rich George gespielt, war ein kleiner Magistratsbeamter, dessen größter Wunsch, den Inspektortitel zu erlangen, nach bitteren Ent-täuschungen, doch (durch den Krieg) noch in Erfüllung geht. Der Film hatte daher zunächst den Arbeitstitel »Der Glückliche«. Schon im Sommer 1943 berichtete die Presse über die Dreharbeiten, doch die Uraufführung fand erst ein Jahr später statt. Den Film inszenierte Werner Klingler, aber sowohl er als auch die übrigen Darsteller wie Renée Stobrawa, Erich Ziegel, Ilse Petri und Ernst Legal – der große Musikliebhaber und Kenner nicht nur der Opernliteratur, sondern auch der großen symphonischen Werke trat hier als Dirigent auf – standen ganz unter dem Einfluß der Hauptfigur des Films: Heinrich George (U: 6. 7. 1944 in Lübeck; P: sw, küw). Der Premiere in Ham-burg (13. 10. 1944) wohnte Heinrich George bei. Das Kinopublikum urteilte über diesen Film ganz unterschiedlich. Der Film brachte in den Wiener Ufa-Lichtspielen eine 93 %ige Besetzungskapazität und wurde prolongiert. In Gera (Ufa-Palast) war das Publikum »im allge-meinen unzufrieden« und behauptete, »es wäre zu langatmig«. In München (UT Luitpold) hieß es: »Obgleich die auch von der Presse betonte Darstellungskunst des Heinrich George in Publikumskreisen Anerkennung findet, ist der Erfolg nur mäßig.« Aus Ulm (Kammer-Lichtspiele) meldete man: »Der Film ist gut, für die heutige Zeit je-doch etwas zu zeitnahe.« In Berlin erzielte der Film »bei weitem nicht die gewünschten Resultate.«[250] Und dennoch wurde die Zahl der Kopien auf 150 erhöht.[251]

»In den Ruinen und Mauerresten unserer bombardierten Städte geht das Leben weiter. Es ist nicht mehr so reich und aus dem Vollen schöpfend wie früher. Aber wir stehen fest auf unseren Füßen und zeigen nicht die geringste Neigung, in die Knie zu gehen.« So schrieb Goebbels über das tragische Schicksal der Bevölkerung in den bom-bardierten Städten (»Das Reich«, 12. 4. 1944). Der Titel dieses Auf-satzes hieß: »Das Leben geht weiter«. Unter diesem Titel wurde 1944/ 45 in Babelsberg und in der Lüneburger Heide ein »Großfilm der Ufa« gedreht. Wolfgang Liebeneiner war der Regisseur (Pauschale 80 000 RM) und Co-Autor (30 000 RM). Im Hintergrund standen, mit ausgehendem Stoff, Thea von Harbou (30000 RM) und Gerhard Menzel (50000 RM). Auf der Autorenliste stand auch Karl Ritter. Norbert Schultze bekam den Auftrag (15000 RM), für den Film Musik zu schaffen, und der bewährte Fachmann Günther Anders führte die Kamera. Dutzende von Schauspielern, darunter die Prominenten der Bühne und der Leinwand, wurden zu diesem Film verpflichtet. Es waren unter ihnen Hilde Krahl, Marianne Hoppe, Viktor de Kowa, Heinrich George, Gustav Knuth; seine letzte Rolle spielte Friedrich Kayßler, es spielten auch Carsta Löck, Ursula Grabley, Viktoria von Ballasko, Hilde Körber, Ernst Legal, Paul Henckels, Jaspar von Oertzen u. a. mit. Der Film sollte Menschenschicksale in der Zeit der Bombenangriffe auf Berlin im Jahre 1943 zeigen. Aber auch die deutsche Abwehr, vor allem die Nachtjäger. Mitte März wollte man die Dreharbeiten beenden.[252] Bei Kriegsende war der Film lediglich zu 60 % abgedreht.

W. Liebeneiner an die Reichsfilmintendanz, Schreiben v. 22. 1. 1945
»Ich habe mit Herrn Frowein über die Möglichkeit gesprochen, den Film das ›Leben geht weiter‹ noch zu kürzen. Wir hatten bei dem Film, der ja besonders für das Ausland gedacht ist, an die Länge eines amerikanischen Spitzenfilmes gedacht, also etwa 4000 Meter, eine Länge, die für diese Filme im Ausland bereits selbstverständlich ist. Ich habe nun mit Herrn Frowein besprochen, daß wir für die Auslandsfassung diese Länge beibehalten, aber gleichzeitig die Möglichkeit vorsehen, eine entsprechend gekürzte Inlandfassung herzustellen, was mit einiger Mühe noch zu erreichen sein wird.«
Quelle: BA, R 109 II vorl. 53 o. S.

Zu den letzten Filmvorhaben aus der Reihe »Heimat und Front« gehörte der Stoff »Lazarettzug 224«. Laut Vertrag vom 28. 3. 1945 schuf Erich Engel ihn für die Bavaria.[253]

Militärische Lehr- und Unterrichtsfilme

Im Krieg bestand nicht selten die Notwendigkeit einer kurzfristigen Ausbildung für alle Truppenteile. Eine Hilfe dieser Art bot der Schmalfilm, der (zunächst) im ausreichenden Maße den Ersatztruppen zur Verfügung stand. Auch der bis jetzt »zivile« Unterrichtsfilm stand vor neuen Aufgaben. Bereits Mitte September 1939 wurde zwischen dem RWEV und dem OKW – zunächst für die Dauer des Kriegszustandes – folgendes vereinbart: Der Reichserziehungsminister stellte der Wehrmacht seine gesamte Film- und Bildorganisation und die von dieser betreuten Filmgeräte und Filme (damals rund 35 000 Filmgeräte und 235 000 Filmkopien), Bildwerfer (damals rund 30 000) und Schulbildarchive zur Mitverwendung – unentgeltlich aber grundsätzlich außerhalb der Schulzeit und nur in den von der Wehrmacht belegten Räumen zur Verfügung. Im Laufe des Krieges wurde die gleiche Vereinbarung mit der Waffen SS, der Polizei und der Technischen Nothilfe getroffen. Darüber hinaus erhielt die RWU die Aufgabe, die Betreuung sämtlicher Truppen in den besetzten Gebieten, also im Osten, in Frankreich, Belgien, Holland, Dänemark, Norwegen und sogar Nordafrika mit Schmalfilm und Lichtbild zu übernehmen. Im Vordergrund stand der Einsatz der Filme für den Unterricht bei der Truppe, vor allem im Rahmen des OKW-Berufsförderungswerks. Auch UK-gestellte Fachkräfte wurden dazu benutzt. Für die Ausgestaltung der soldatischen Freizeit standen auch bei den Landesbildstellen unterhaltende Filme zur Verfügung. Zu Anfang des Krieges stellte die RWU sogar Schmalkopien von einigen Unterhaltungsfilmen für die Truppenbetreuung her. Es waren Filme wie »Der Herr Senator« (1934), »Krach im Hinterhaus« (1935), »Allotria«, »Wenn wir alle Engel wären« (1936) und sogar (aus Versehen?) »Eine Frau ohne Bedeutung«, eine Oscar-Wilde-Verfilmung aus dem Jahre 1936.[254]

Im Laufe des Krieges änderten sich die Prioritäten. So sollte man z. B. – entsprechend der Verfügung des OKW vom 14. 7. 1944 – dem Einsatz von medizinischen Filmen für Ausbildungszwecke der Wehrmacht, namentlich in Lehrlazaretten, besondere Sorgfalt widmen.[255]

In der Zeit des totalen Kriegseinsatzes wurden bei der RWU und nachgeordneten Bildstellen Einschränkungsmaßnahmen vorgenommen. Das RWEV verordnete am 30. 8. 1944:[256]

1. Nur die technischen Forschungsarbeiten der RWU, die insbesondere im Auftrage des OKH (Heereswaffenamt), des Reichsministers der Luftfahrt und OKL (Luftwaffenforschungsinstitute) und des OKM durchgeführt werden, sind in vollem Umfange weiterzuführen.

2. Die Truppenbetreuung, insbesondere die Lazarettbetreuung und die Mitarbeit an der Berufsausbildung der Wehrmacht bleibt bestehen. Nach Wegfall der sonstigen Truppenbetreuung ist der filmische Einsatz bei der Wehrmacht besonders zu pflegen, da er gleichzeitig als Ersatz für ausgefallene Betreuungsmaßnahmen zu gelten hat.

3. Soweit der Unterricht in den allgemeinbildenden Schulen, den Berufs- und Fachschulen sowie in den Hochschulen fortgeführt wird, sind auch Unterrichtsfilme und Lichtbilder weiter zur Verfügung zu stellen.

4. Die Neuproduktion von Unterrichtsfilmen ist weitgehend einzustellen, d. h. neue Filme sind nur noch in Angriff zu nehmen, soweit sie auch von der Wehrmacht als dringend notwendig bezeichnet werden oder sonst für die Kriegführung und die Vorbereitung der Jugend auf ihre militärischen Aufgaben von besonderer Bedeutung sind.

5. Die Abteilung Schallplatte der RWU wird geschlossen.

Es gab Fälle, wo die Lichtbildstellen direkt beim Fronteinsatz mitwirkten. Hier darf man die Abwehrkräfte in der »Festung Marienburg« – nach dem Beginn der Januar-Offensive der sowjetischen Truppen im Jahre 1945 – erwähnen. Die Landesbildstelle Danzig stellte den Verteidigern Marienburgs ihre Filmgeräte zur Verfügung.

Bis zur Gründung der Mars-Film befaßten sich die Filmstellen des Heeres, der Marine und des OKL (bzw. Luftfahrtministerium) mit der Herstellung von Lehrfilmen, die für die Waffenausbildung bestimmt waren. Die meisten Filme entstanden im Auftrage der Heeresfilmstelle beim OKH (Schweidnitz). Diese Streifen wurden vor allem als Schmalfilme (16 mm) hergestellt. Von den Heeres-Lehrfilmen, die bis 1942 gedreht wurden (16 mm) kann man hier z. B. »Die Gruppe im Angriff«, »Nahkampfschule«, »Der Nachrichtendienst der Infanterie und Artillerie im Gefecht«, »Schießen und Treffen«, ferner den Zyklus »Infanterie-Gefechtsfilme« erwähnen. In diesem Rahmen entstand 1942 der Film »Deutsche Soldaten in Afrika« (1742 m), der die Verlegung deutscher Truppen nach Libyen und ihre Vorbereitung auf den Fronteinsatz schilderte.

Bei den Mars-Film-Produktionen umfaßte die größte Gruppe die sog. Panzerfilme. Hier sind zu erwähnen: »Voraussetzungen für das Schießen vom Panzerkampfwagen«, »Kampf vom Schützenpanzerwagen«, »Schießverfahren und Schießregeln für Panzerkampfwagen«, »Schießen vom Panzerkampfwagen bei Nacht«, »Bergen von Panzerkampfwagen über 30 to.«, »Behandlung der Richtmittel und optischen Geräte im Winter«, »Lagerung und Pflege der Munition«, »Pflege und Bedienung der Maschinensätze im Winter«, »Wirkung der Kälte auf Sammler und Anodenbatterie«, »Behelfsmäßige Verlastung eines Funktrupps auf Schlitten« und »Panzer – Panzergrenadiere«. Es gab einen fünfteiligen Film über die »einfache« Schieß-

lehre »Schießausbildung mit Gewehr« und einen Streifen »Scharfschützen in der Schießausbildung«, außerdem verschiedene Infante-
riefilme wie »Feuerkampf der Gruppe«, »Kampfpioniere im Hoch-
birge«, »Minenverlegen bei Nacht«, »Handgranaten« u. a. Es
gab Artilleriefilme wie z. B. »Fliegerabwehr durch alle Waffen«,
»Beobachtungs- und Meldedienst«. Weitere Filme waren dem Nachrichtendienst, der Verwundetenbehandlung wie auch dem Kriegsge-
fangenenbewachungsdienst (»Feind bleibt Feind«, »Vorsicht, Du
sprichst mit dem Feind«) gewidmet. Die Gruppe der letzten für die
Kriegsmarine gedrehten Schulungsfilme umfaßte 17 Streifen. Es gab
hier einen geheimen Film »Gradlaufapparat«, ferner »Künstliche
Horizonte« und »Artilleriefilm« (beide stereo), »Schiffstypen-
kunde«, »Koordinatensysteme« aber auch »Um Ehre und Gewissen«
(über Geschlechtskrankheiten) und »Fünf Silben« (Hygiene im U-
Boot). Die Herstellungsgruppe Luftwaffe war zuletzt nur mit fünf
Lehrfilmen beschäftigt.

In einzelnen Fällen wurden auch weiterhin die Privatproduzenten
mit der Herstellung von Schulungsfilmen beauftragt. So auch die Dö-
ring-Filmwerke, die den Streifen »Kameraden am Berg« (452 m;
P: vb) über die Ausbildung von SS-Männern für den Gebirgseinsatz
gestaltet hatten. Der Film wurde im Sommer 1944 zensiert. Er wurde
zugleich als Werbefilm betrachtet.

Die Einberufung des Volkssturms stellte den Film vor neue Aufgaben, insbesondere im Bereich des Schulungsfilms. Noch Ende 1944
wurden 1,6 Mio. Meter Rohfilm für die Ausbildung der Volkssturm-
Einheiten durch den militärischen Unterrichtsfilm bereitgestellt, um
»die Schlagkraft der Einheiten des Volkssturms unmittelbar zu stärken.«[257] Die Filmtheaterbesitzer mußten ihre Kinos den Einheiten
des Volkssturms für Lehrfilmvorführungen zur Verfügung stellen.[258]
Die Mars-Film drehte ihre letzte Reihe von Schulungsfilmen: »Ein-
graben im Gefecht« (20 Minuten Laufzeit), »Die Gruppe als Spähtrupp«, »Scharfschützen«, »Kampf um Dubrawka«, »Zurechtfinden
ohne Karte und Kompaß«, »Nahkampfschule«. Da die Filme durchschnittlich 40 Minuten Vorführdauer hatten, war es nicht leicht, sie in
das Programm der öffentlichen Vorführungen einzuschalten.[259] In
300 Kopien stellte man den Film »Panzerfaust« her. Der Film hatte
nur acht Minuten Laufzeit. Seit dem 16. 2. 1945 lief er in sieben Berliner Kinos. Weitere Kopien wurden dem Volkssturm zur Verfügung
gestellt.[260]

Die Arbeit erhielt im Dritten Reich eine neue Prägung. Problemen der Arbeit, besonders dem Ethos des Schaffens, widmete der Film der braunen Ära stets eine große Aufmerksamkeit. Zum Symbol erwuchs der Propagandastreifen »Ich für Dich – Du für mich«, als ein »Großfilm der Partei« bezeichnet. Die Entstehung dieses Filmes wurde mit der Gründung des NS-Arbeitsdienstes verbunden. Zu Beginn des Winters 1934 begann der Streifen sein Kinoleben. Carl Froelich zeichnete für ihn verantwortlich. Eine ganz andere »Verpakkung« erhielt der von Gustaf Gründgens gemachte »frohe Film von jungen Menschen«: »Zwei Welten«. Die sogenannte Erntehilfe in heiterer Atmosphäre schilderte zugleich »einen Sieg der Jugend von heute über das Gestrige«. I. Wüst und H. M. Netto, das Ökonomierats-Ehepaar, repräsentierten als karikierte Typen das Gestrige, M. Simson, A. Weißgerber, M. Eckard und J. Brennecke verkörperten die Welt der Jugend. Gründgens setzte als Regisseur seine Idee durch das Drehbuch von Felix Lützkendorf um. Sein Werk war hier im wesentlichen vom Theater bestimmt, übrigens nicht zum erstenmal. Der »Film-Kurier« (6. 1. 1920) kommentierte die Uraufführung im Berliner »Capitol«: »Das Publikum nahm den Film so, wie er gemeint ist: als heiteren Beitrag zu zeitnahen Fragen. Daß es die Dinge nicht so heiß zu essen braucht, wie sie der nicht sehr passende Titel erwarten läßt, wird kein Kinobesucher übelnehmen.« (U: 5. 1. 1940; P: küw.) Fast jeder Spielfilm der Kriegszeit beschäftigte sich – so oder so – mit der Arbeit. Die Arbeit erwuchs zum Problem ersten Ranges.

Millionen von Arbeitern sind in den Jahren 1939–1945 in die deutsche Kriegswirtschaft gepreßt worden. Nur ein Bruchteil der fremdvölkischen Arbeiter hat sich freiwillig zur Arbeit in Deutschland gemeldet. In den besetzten Gebieten gab es eine besondere Art von »Dokumentar«-Filmen, die für den »Arbeitseinsatz« im Reich warben. Die Produktion dieser Propagandastreifen (es waren Kurzfilme und Bildstreifen mittlerer Länge) wurde im Jahre 1942 angefangen. Die Vorführung dieser Filme war von Maßnahmen begleitet, die bereits aus den Handbüchern im Zusammenhang mit den Zwangsdeportationen bekannt sind, und die sich gerade in dieser Zeit steigerten. Diese Filmpropaganda ging von Wirtschaftskreisen aus und wurde vom ProMi direkt oder von den ihm unterstellten bzw. beaufsichtigten Dienststellen im Reich und in den besetzten Gebieten durchgeführt. Die Filme wurden für Zuschauer bestimmter Nationalität gedreht, z. B. Polen, Franzosen oder Russen. Manche waren auch allgemeiner gefaßt, und man änderte nur nach Bedarf die Tonschicht des Bildstreifens.

Es gab keine derartige Filmpropaganda in polnischen Gebieten, die dem Reich eingegliedert waren, denn hier durften Filme mit polnischem Text öffentlich nicht vorgeführt werden. Anders wurde im Generalgouvernement verfahren. Hier warb für den »Arbeitseinsatz« im Reich die »polnische« Wochenschau, warben auch andere Medien, u. a. auch der Kurzfilm: der vorhandene Propagandastreifen »Za granica. Wizyta w Niemczech« (Jenseits der Grenze. Besuch in Deutschland). Um die darin angewandten Methoden zu zeigen, kann man hier den Inhalt kurz besprechen. Der Film bestand aus zwei Teilen: Im ersten Teil sitzt eine polnische Landarbeiterfamilie am Tisch und liest den Brief eines Angehörigen aus Deutschland. Natürlich preist der Brief die Arbeitsbedingungen. Der zweite Teil des Films zeigt die Arbeitsbedingungen für polnische Arbeiter in Deutschland in den rosigsten Farben. Der Streifen schließt mit einem Appell, sich freiwillig zur Arbeit in Deutschland zu melden. Den aufgeklärten Zuschauer mußten die Plumpheit und offensichtliche Fälschung der geschilderten Situation natürlich stören.

In den besetzten Gebieten Frankreichs (außer Elsaß und Lothringen, wo auch keine Filme mit französischen Texten erlaubt waren) und in den unbesetzten Gebieten wurden seit 1942 ebenfalls entsprechende Werbefilme vorgeführt.

Selbstverständlich kamen auch in den besetzten sowjetischen Gebieten solche Filme oft zum Einsatz. Bis Anfang 1944 entstanden fünf Filme dieser Art, ein sechster war erst in der Produktion. Anhand von Archivquellen ließen sich die deutschen Titel der Filme, in einzelnen Fällen auch die Auftraggeber und Produzenten, feststellen. Der erste dieser Filme, im Sommer 1942 beendet, hieß »Der 22. Juni« (»Wir schaffen in Deutschland«): Eine ZFO-Produktion im Auftrage des Reichskommissariats Ostland und in der Regie von Eugen York gedreht. Der Streifen wurde in lettischer, litauischer, estnischer, russischer, weißruthenischer und ukrainischer Sprache fertiggestellt. Er richtete sich vor allem an solche Kandidaten für den Arbeitseinsatz in Deutschland, die schon eine Fachausbildung besaßen.[261] Im gleichen Jahr wurden bei der ZFO zwei weitere Filme ähnlichen Charakters gedreht, diesmal im Auftrag des ProMi. »Der Weg ins Reich« (Regie Dahlström) warb direkt die Arbeiter zur Arbeit in Deutschland auf russisch und ukrainisch. Die größten Möglichkeiten eines Arbeiters in

Deutschland schilderte – ebenfalls auf russisch und ukrainisch –»Die Reise nach Deutschland« (Regie Edgar Roll)[262]. Die letzten fertiggestellten Filme dieser Reihe waren: »Don-Bass Arbeiter besuchen Deutschland« und »Wir schaffen in Deutschland«.[263] Niveau und Propagandamethoden in diesen Filmen illustriert ein weiterer Film: »Wir leben in Deutschland«, den die deutsche Filmzensur im Sommer 1944 jedoch nicht zur öffentlichen Vorführung zuließ. Im ProMi hatte man offen zugegeben, daß die Zuschauer auf derartige Propaganda mit Gelächter reagieren würden, da doch bekannt sei, daß der Arbeitseinsatz in Deutschland keine Idylle sei und daß ein solcher Propagandafilm nur das Gegenteil erreichen werde.[264]

Arbeitseinsatz-Filme für die Deutschen gab es nur wenige. Die Reserven für solchen Einsatz waren höchstens noch eventuell bei Frauen zu finden. Und hier gab es eine Filmwerbung. Wichtiger waren dagegen Lehrfilme als Mittel zur Leistungssteigerung. »Deutsche Betonfabrik« (502 m; P: aw) wurde für diese Zwecke vom Reichsministerium für Bewaffnung und Munition hergestellt. Im November 1943 wurde der Ufa-Film »Rüstungsarbeiter« (413 m), von Wolf Hart gestaltet, zensiert. Der Film begründete die Einführung der längeren Arbeitszeit.

Eine direkte Werbung für die Arbeit war der Streifen »Ein Bergmann will ich werden«, 1942 im Auftrage der F. Krupp AG hergestellt. Eine indirekte Werbung enthielt dagegen »Alltag zwischen Zechentürmen« (390 m). Der Streifen zeigte den Ablauf eines Tages im Leben einer Bergarbeiterfamilie: Eine gewisse soziologische Reportage. Den Streifen gestaltete Leo de Laforgue (Buch und Regie) mit musikalischer Untermalung von Rudolf Perak (1943). Auf Ausbildung und Einsatz der jungen Eisenbahner lenkte »Sonderzug D 308« den Blick, ein Bavaria-Film in Anton Kutters Inszenierung. Der Film entstand 1944 in engem Einvernehmen mit der RJF. Die Handlung war nicht nur rein beruflich ausgerichtet, sondern auch »heroisch« gestimmt.

Köpfe der Gegenwart

Bei den Staats- und Parteiveranstaltungen war Hitler ex officio die wichtigste Persönlichkeit. So war er auch in verschiedenen Dokumentarfilmen zu sehen: in kurzen Szenen. Ausnahmen bildeten die weitbekannten Reichsparteitags-Filme der Jahre 1933 und 1934:

53. Vorbesprechungen zwischen Hitler und Leni Riefenstahl zu dem Reichsparteitagfilm »Triumph des Willens«

»Sieg des Glaubens« und »Triumph des Willens« (1935), beides Werke der talentierten Leni Riefenstahl. »Triumph des Willens« (3109 m; P: skw, vb), ein Werk, das 1935 mit dem Nationalen Filmpreis honoriert wurde, entstand im Rahmen der »Geschäftsstelle des Reichsparteitagsfilms« (Berlin) und war im Vertrieb der Ufa. L. Riefenstahl hatte einen Stab von 170 Mitarbeitern, die besten Fachleute standen ihr zur Verfügung (u. a. der Kameramann Sepp Allgeier, der Komponist Herbert Windt), und als Berater wirkte der »Führer« persönlich. »Nach ›Triumph des Willens‹ brauchte kein Film mehr über Hitler gemacht zu werden, und es wurde auch kein weiterer in Auftrag gegeben. Hier wurde er ein für allemal so gezeigt, wie er gesehen werden wollte«, schreibt Erwin Leiser.[265] Danach wurde Hitler wirklich nur in Kurzszenen der »Dokumente der Zeit« präsentiert, abgesehen von Eva-Braun-Privat-Produktionen. Stets widmete die Wochenschau dem »Führer« ihre Aufmerksamkeit. Mit Übertreibung sogar, aber diese Linie forderte das ProMi. Hitler war einverstanden, aber nur bis zu einem gewissen Zeitpunkt. Danach sollte man nicht ihn, sondern »sein Werk« mehr herausheben.

Hilter über die Gestaltung der Wochenschau (1938)
»Ich wünsche nicht, daß bei Veranstaltungen nur Aufnahmen von meiner Person gemacht werden. Die Veranstaltungen müssen in ihren Einzelheiten besser erfaßt werden. Die Wochenschau muß über die Entstehung der neuen Bauten, technischer Werke, sportlicher Veranstaltungen mehr bringen. Der Bau der neuen Kongreßhallte in Nürnberg ist z. B. noch nicht einmal erschienen. Die Wochenschau muß politisch witziger gestaltet werden, so z. B. jetzt Aufnahmen über die nervösen Vorbereitungen der Tschechoslowakei bringen. Zum Schluß muß dann eine Großaufnahme des deutschen Soldaten zu sehen sein. Es darf keine Woche vergehen, in der nicht Aufnahmen der Marine, des Heeres und der Luftwaffe erscheinen. Die Jugend ist in erster Linie an solchen Dingen interessiert.«
Quelle: BA, NS 10 Nr. 44 S. 72.

Während des Krieges wurde Hitler in der Wochenschau eher selten gezeigt, dennoch auch mit Ausnahmen, wenn es um eine Dokumentation des Sieges ging: insbesondere nach dem »Frankreich-Feldzug«, mit dem Empfang des »Führers« in Berlin nach seiner Rückkehr von der Westfront.[266] Zum letztenmal erschien der »Führer« in der Wochenschau im März 1945. Sie zeigte die bekannten Bilder, auf denen er dem 16jährigen Hitlerjungen Wilhelm Hübner die Wange tätschelte.[267]

Hitlers Paladine wurden freilich auch in der Wochenschau gezeigt. Über einige von ihnen wurden außerdem Dokumentarfilme gedreht. »Zum 29. Oktober 1942« (um 1300 m) galt als Geschenk der Deutschen Wochenschau an Goebbels aus Anlaß seines 45. Geburtstages. Der Streifen zeigte den Propagandaminister und seine Familie. Hermann Görings Familie wurde in »Ein Tag aus Eddas Leben« (»Zum 12. Januar 1942«), einem Streifen aus dem Jahre 1942, präsentiert. Der Oberbefehlshaber des Heeres, Generalfeldmarschall von Brauchitsch, erhielt zum 60. Geburtstag von der Deutschen Wochenschau den Streifen »Auf den Schlachtfeldern des großdeutschen Freiheitskampfes« (um 900 m). Der Streifen schilderte die Geschehnisse vom 1. 9. 1939 bis zum Besuch Mussolinis bei Hitler an der Ostfront im Jahre 1941. Der Oberbefehlshaber von Brauchitsch wurde abgelöst, und der unzensierte Film blieb nur als Dokument. Über Fritz Todt wurde »Abschied von Dr. Todt« 1942 hergestellt. In seiner Abschiedsrede beim Staatsakt in der Reichskanzlei am 12. 2. 1942 (anwesend waren u. a. Hitler, Speer, Keitel, Ley) verlieh der »Führer« »seinem toten Kämpfer als erstem Deutschen den neuen Orden für höchste Verdienste für das deutsche Volk« und nannte ihn einen seiner treuesten Mitarbeiter und Freunde.[268] Ein Jahr später erschien in den Kinos »Dr. Todt – Berufung und Werk« (930 m; P: sw, küw). Auf Veranlassung des Hauptamtes für Technik der NSDAP wurde er aus Wochenschauaufnahmen zusammengestellt. Der Gestalter war Richard Scheinpflug. Der Film wurde feierlich am 14. 2. 1943 im Berliner Ufa-Palast am Zoo uraufgeführt: mit Familienmitgliedern, mit zahlreichen Honorationen, darunter Albert Speer, der eine Rede hielt, und mit einem Auftakt der Berliner Philharmoniker unter Robert Heger.

»Für interne Arbeit« des RSHA wurde 1944 ein Film »von der Ermordung des SS-Obergruppenführers Heydrich« hergestellt.[269] Aber nicht nur über die Henker drehte man Dokumente mit oder ohne Anführungsstriche. Als den Verschwörern des 20. Juli 1944 vor dem Volksgerichtshof der Prozeß gemacht wurde, befahl der »Führer«, das gesamte Verfahren zu filmen. Letzthin sahen das makabre Szenario (Archivtitel: »Prozeß 20. Juli 1944 vor dem Volksgerichtshof«) nur die ausgewählten und zum Stillschweigen verpflichteten Zuschauer. Das, was aus dem fünfstündigen Ausgangsmaterial im Archiv geblieben ist, ist nur ein Bruchteil.

Im Rahmen des Aufgabengebietes der dem ProMi angeschlossenen Deutschen Kulturfilmzentrale war 1941 das »Filmarchiv der Persönlichkeiten« gegründet worden, in dem Filmaufnahmen »führender Männer aus Politik, Kultur und Wirtschaft« gesammelt werden sollten. Die Aufnahmen dieses Filmarchivs, für die späteren Generationen gesammelt, waren nicht zur Veröffentlichung bestimmt. Zum Leiter dieses Archivs wurde Dr. Gerhard Jeschke ernannt.[270] Ab 1. 1. 1942 wurde das Archiv dem Referat Kulturfilmdramaturgie in der Filmabteilung des ProMi direkt unterstellt. Die erforderlichen Finanzmittel gab die Cautio.[271] Das Archiv umfaßte rund 80 Porträts. Unter ihnen waren: der Chemiker und Nobelpreisträger (1931) Friedrich Bergius, der Automobil-Konstrukteur August Horch, der Denker Eduard Spranger, der Kunstgelehrte Wilhelm Pinder, der Zeichner und Maler Olaf Gulbransson, der Kriegsmaler Ernst Vollbehr, die Schriftsteller Hans Carossa, Edwin Erich Dwinger und

Friedrich Wilhelm Hymmen, der Staatstheaterintendant Heinz Tietjen, der Komponist Franz Lehár und der »Hauptideologe« der NSDAP, Alfred Rosenberg.

Eine ganze Reihe von Kurzfilmen wurde den schaffenden Künstlern gewidmet. En gros z. B. in »Künstler bei der Arbeit« (365 m; P: küw, vb), von Walter Hege und Ursula von Loewenstein in Color gestaltet. Ca. 30 Maler und Bildhauer wurden in ihren Ateliers bei der Arbeit gezeigt. Der Film, bei der Bavaria hergestellt, wurde im November 1943 zensiert. Die früheren Ergebnisse des Kunstschaffens zeigte »Die Große Deutsche Kunstausstellung 1943«, ebenfalls bei der Bavaria und in Color hergestellt (1943). Der Meister der Großplastiken erhielt 1944 einen eigenen Film: »Arno Breker«.

Die wichtigen Gestalten aus dem Kulturleben wurden von Zeit zu Zeit in der Wochenschau gezeigt. Auch in den Beilagen zur Wochenschau, in den Serien Tobis-Trichter oder »Zeit im Bild«. Seit 1942 wurden auch die Künstler im »Zeitspiegel«, »zwölf Minuten am laufenden Band«, präsentiert, so Paul Lincke, Heinrich George oder Barnabas von Geczy & Solisten.

1942 entstand im Auftrage des ProMi ein sehr rares Dokument: »Gerhart Hauptmann in seinem schlesischen Heim« (um 300 m). Es wurde von der Dt. Wochenschau – Sonderstab – hergestellt und zeigte den greisen Dichter im Park des Hauses in Agnetendorf im Winter, mit seiner Frau spazierengehend. G. Hauptmann las auch aus eigenen Werken. Eigentlich ging es um zwei Fassungen des Films, von denen die eine stumm war. Die Filme wurden nicht zensiert, d. h. auch nicht veröffentlicht. Der Grund lag in der Atmosphäre, die das Hauptmann-Jubiläum begleitete.[272]

Eine besondere Art von Filmdokumentation bildeten die »Filme in Filmen«. Hier wurden die Pioniere des deutschen Films wie Max Skladanowsky und Oskar Meßter oder der Regisseur Carl Froelich in manchen Streifen gezeigt.[273] Ein originelles Dokument bildete Werner Malbrans Tobis-Film »Wir erinnern uns gern« (U: 20. 6. 1941). Der Streifen wurde aus Fragmenten von 14 Spielfilmen zusammengestellt, um die bekanntesten Filmstars zu zeigen, vor allem die schon verstorbenen: Adele Sandrock, Renate Müller, Ralph Arthur Roberts, La Jana und Rudi Godden.[274] Der Film präsentierte ferner in Filmszenen Käthe Gold, Fritz Odemar, Georg Alexander, Hilde Hildebrand, Gustav Fröhlich, Gustaf Gründgens (»Der Tanz auf dem Vulkan«), Jupp Hussels, Willi Forst (»Bel ami«), Lizzi Waldmüller, Paula Wessely (»Episode«), Zarah Leander und Mady Rahl: »Wir erinnern uns gern« war für das breite Publikum hergestellt. Mehr den Berufszwecken diente dagegen der Berichtsfilm »Dokumente zur Kulturgeschichte« (2154 m), ein wenig bekanntes Werk der Ufa-Lehrschau aus dem Jahre 1942. Anhand von verschiedenen Beispielen zeigte er die Geschichte des Films: Sowohl seine technische Entwicklung und verschiedene Verwendungsmöglichkeiten, als auch die charakteristischen Stilmittel von Stumm- und Tonfilm, mit gewählten Sequenzen oder Szenen aus »Student von Prag« (1913), »Die Nibelungen« (1924), »York« (1931), »Bismarck« (1940), »Heimkehr« (1942) und anderen Spielfilmen.

Die Verbündeten

Eigentlich hatte das Dritte Reich, um den berühmten Briten-Premier Palmerston ein bißchen zu travestieren, keine Verbündeten, sondern Interessenten. Doch hatte das Deutsche Reich die politischen und militärischen Partnerschaften, und das mußte seine Einwirkungen auf die Medien, d. h. auch auf den Film, haben. Der wichtigste Bundesgenosse Deutschlands im Kriege war das faschistische Italien. Auch war Italien der wichtigste Partner im Bereich des Films. Über diese Zusammenarbeit ist viel an zahlreichen Stellen dieses Buches zu finden. Hier sollen nur einige Elemente berücksichtigt werden. Auf die allgemeinen Tendenzen wies die kleine Zahl von Gemeinschaftsproduktionen hin. In den Jahren 1938 bis 1943 betrug ihre Zahl nur zehn Spielfilme, darunter waren es lediglich drei eigentliche Co-Produktionen. Freilich gab es auch spektakuläre Pläne. Im Sommer 1940 weilte Gustaf Gründgens in Rom, um wegen der Durchführung einer deutsch-italienischen Gemeinschaftsproduktion zu verhandeln, für die ein deutscher und ein italienischer Stoff geplant waren. Der italienische Stoff sollte die Geschichte von Julius Cäsar behandeln, mit einem Drehbuch von Mussolini und Giovacchino Forzano[275]. Das Vorhaben wurde nicht realisiert, ebensowenig wie auch einige andere Pläne. In den italienischen Filmen wirkten einige deutsche Filmleute mit, um von den Darstellern die Namen von Camilla Horn, Carola Höhn, Jutta Freybe, Anneliese Uhlig, Maria Cebotari, Gustav Dießl, und von den Regisseuren Luis Trenker zu erwähnen. Die erste Co-Produktion aus der »Zeit der Freundschaft« hieß »Unsere kleine Frau«, ein Erfolgsfilm aus dem Jahre 1938. Die folgende war »Ins blaue Leben«, bei der Astra-Film in Rom gedreht.

413

Augusto Genina hatte die Regie, der schreibende Prominente Alessandro de Stefani war Mitautor des Drehbuches. Lilian Harvey (ihre Tanzkunst kam hier zu ihrem Recht) und Vittorio de Sica spielten die Hauptrollen. De Sica, damals schon in Deutschland kein Unbekannter mehr, brachte für seine Rolle nicht nur seine gewinnende Männlichkeit, sondern auch die deutschen Sprachkenntnisse mit, die sich »glücklicherweise« mit den Notwendigkeiten der Rolle deckten. Franz Grothe schrieb mit zwei italienischen Kollegen die Musik zum Film (U: 4.4.1939 in Wien). Die dritte Co-Produktion war ein B. Gigli-Film unter dem etwas unverständlichen Titel »Der singende Tor«, ebenfalls aus dem Jahre 1939. Italien, als Schauplatz der Handlung, kam in dem Spielfilm ziemlich oft vor. Probleme entstanden erst im Jahre 1943. In der musikalischen Komödie »Ein Mann mit Grundsätzen« durfte man noch eine Schiffsreise von Hamburg nach Genua unternehmen, da Genua im Machtbereich Mussolinis lag (U: 11.11.1943 in Emden). In den deutschen Kulturfilmen über Italien dominierte die Politik. Übrigens war die Zahl solcher Filme gering. Auch den italienischen Kolonien in Afrika widmete der deutsche Kurzfilm wenig Aufmerksamkeit. Eine Seltenheit bildete die Terra-Produktion »Italiens jüngste Provinz – Libyen« (527 m; P: vg, Lehrfilm), die im Mai 1939 von der Zensur freigegeben wurde. In den Dokumentarfilmen kam die italienische Problematik (z.B. in den politischen Filmen für die Jugend) öfter zum Tragen. Die meisten Dokumentaraufnahmen enthielten die Berichte der Deutschen Wochenschau.

Im Theater des Dritten Reiches waren die ungarischen Autoren oft zu Gast[276], manche von ihren Stücken wurden auch in Deutschland verfilmt. Dagegen bildeten die ungarischen Filme im Reich eine Seltenheit, es gab auch seit 1938 nur drei deutsch-ungarische Co-Produktionen. »Die Frau am Scheideweg«, ein psychologischer Frauenroman (mit M. Schneider, E. Balser, K. Hardt, H. Söhnker) war eine Romanverfilmung, mit einem Drehbuch von der Meisterin Thea von Harbou. J. v. Baky inszenierte diesen Film, und drehte ihn in Budapest (U: 26.8.1938 in Karlsruhe; P: küw). Aus der ungarischen Landschaft heraus erwuchs ein Spectrum-Film der Terra (ebenfalls in Budapest gedreht), »Zwischen Strom und Steppe«. Er spielte bei den Fischern an den Ufern der Theiß und bei den Viehzüchtern in der Pußta. Die Vorlage bildete ein Roman von Michael Zorn. Geza von Bolvary (Regie) und Denes von Buday (Musik) sorgten für das Kolorit des Filmes. M. Symo, A. Hörbiger, E. Hatheyer, ferner Horst Birr und Willi Schur (im Film vor allem in komischen Aufgaben eingesetzt) waren auf der Darstellerliste zu finden (U: 13. 1. 1939 in Wien). »Endlich einmal ist das Zigeunertum einer falschen Romantik entkleidet und wird in seiner tatsächlichen, oft maßlosen oder gar verbrecherischen Triebhaftigkeit gezeigt«, so konnte man in den deutschen Filmkritiken lesen. Im Budapester Hunnia-Atelier wurde 1939 endlich der Kriminal- und Revuefilm »Menschen vom Varieté« gedreht. Nach 1939 gab es keine Co-Produktionen mehr, zumindest theoretisch: Eine Zusammenarbeit im Bereich der Filmproduktion bestand weiterhin.

Eine Verbeugung vor Ungarn – nicht zu vergessen die neue »Ostmark«-Politik des Reiches – war der »rein-deutsche« Terra-Film »Maria Ilona« (Arbeitstitel bis April 1939: »Die Frau zwischen den Fronten«). Der Stoff wurde dem Roman »Ilona Beck« von Oswald Richter-Tersik entnommen. Die Meister im Fach Richard Billinger, Werner Eplinius und Philipp L. Mayring schrieben das Drehbuch ohne große, erregende Momente in der Handlung (das Kriegstheater wurde mehr skizziert als aufgeführt), Alois Melichar schuf die Musik dazu. Der »historische« Film – der Kenner der Geschichte konnte manchen Grund zu lebhaften Protesten finden – spielte um 1848 zur Zeit des ungarischen Aufstandes gegen die Habsburger Herrschaft. Zwischen dem Österreicher Schwarzenberg und der Ungarin Ilona entstand in dieser Zeit eine große Liebe, die aber schließlich doch an der Politik zerbrach. Vergeblich versuchte die Frau, zwischen den beiden Völkern zu vermitteln... Die Verfasser des Textes und der Regisseur Geza von Bolvary dachten mehr an Paula Wessely (die diesmal nicht immer auf der Höhe ihrer früheren Leistungen war) und an Willy Birgel, der die männliche Rolle spielte (erstmalig mit Paula Wessely auf der Leinwand), als an die historische oder legendäre ungarische Baronin Ilona Beck und an den Fürsten und Diplomaten Karl zu Schwarzenberg. Auch die politische Aktualität stand im Hintergrund. Der bereits vor dem Kriegsausbruch hergestellte Film wurde in den ersten Kriegsmonaten von der Zensur nicht freigegeben, erst am 1. 12. 1939 zensiert und am 14. 12. 1939 in Berlin uraufgeführt. 1,33 Mio. RM teuer war die Produktion, mit Kopien und Reklame.[277] Der Film – ohne Prädikate – brachte insgesamt gute Einspielergebnisse. Brav reihten sich die Bewohner der Reichshauptstadt in die Warteschlangen ein, um sich einen Kinoplatz für »Maria Ilona« zu sichern. Infolge des andauernden großen Erfolges im Gloria-Palast mußte sogar die Premiere der »Kleinen Nachtmusik« verschoben werden. Die ungarischen Zuschauer waren ebenfalls begeistert, die in Ungarn und die, die in Österreich ihre Heimat hatten. Manchmal ging diese Begeisterung sogar sehr weit und führte zu Unruhen.

Die von Gerhard Menzel erdachte düstere Ballade »Schicksal« war ein dem befreundeten Bulgarien gewidmeter Film. Der treue Diener Stephan Rokitin mußte »im mazedonischen Freiheitskampf« seinen Herrn opfern. Hinter diesen, rein menschlich gesehen, schicksalsschweren Geschehnissen standen starke politische Akzente. Der Film, in Wien gedreht (nicht zu vergessen: Wien übernahm in der NS-Ära eine gewisse Schirmherrschaft über die »großdeutschen« Maßnahmen, auch im Bereich der Propaganda, auf dem Balkan), gestaltete der Regisseur Geza von Bolvary, mit Heinrich George, Will Quadflieg, Gisela Uhlen, Werner Hinz und Christian Kayßler in den tragenden Rollen. Der Wiener Anton Profes schuf die Musik für den Film. Trotz der großen Namen war der Film – so meinten auch einige »Filmbetrachter« – eine Enttäuschung (U: 18. 3. 1942).

»Schicksal«
Eine Filmkritik aus der Schweiz
»Gerhard Menzel, der Schöpfer des Drehbuches, hat schon weniger bedrückende Stoffe geschaffen und die Handlung besser gebaut und flüssiger erzählt als hier. Und es wird auch im Schauspielerischen klar, daß man von vornherein einen Film für Heinrich George machen wollte. Dies ist denn unter der bewährten Regie von Geza von Bolvary auch gelungen, und George füllt jedes Bild mit starker innerer Kraft, so daß der Streifen sich unter den besten der letzten Jahre durchaus sehen lassen darf.«
Quelle: Der Filmberater, Luzern, Nr. 5, Mai 1942

Die Slowakei galt auch als ein »befreundeter Staat«, obwohl ihre »Souveränität« im Schatten des übermächtigen Reiches mehr als diskutabel war. Hier wurden (bis 1944) die deutschen KVL gegründet, einem von ihnen war der Jugendspielfilm »Hände hoch!« gewidmet. Auf das kleine Land – nicht zu vergessen: einst ein Bestandteil der Habsburgischen Monarchie – lenkte der Film »Anuschka« die Aufmerksamkeit. Hilde Krahl spielte die Anuschka Hordak, ein Bauernmädchen aus dem Slowakischen, das um die Jahrhundertwende als Zimmermädchen in die Stadt Wien ging. Helmut Käutner, der Regisseur, und Axel Eggebrecht, der Drehbuchautor, zeichneten das Milieu überzeugend. Siegfried Breuer, diesmal kein Verführer und auch kein Bösewicht, spielte die männliche Hauptrolle (U: 27.3.1942; P: küw, vw). Nach seiner Verfilmung war das Schauspiel »Anuschka« von Georg Fraser auch im Theater zu sehen: In Wuppertal erlebte es im Oktober 1942 seine Uraufführung.

Den anderen verbündeten bzw. befreundeten europäischen Staaten widmete der deutsche Film der Kriegszeit seine Aufmerksamkeit nur gelegentlich. Meistens waren hier die Kultur- und Dokumentarfilme, mit der Deutschen Wochenschau an erster Stelle, im Gebrauch. Ein größeres Interesse weckte dagegen Japan.

Arnold Fancks Spielfilm aus dem Jahre 1937, »Die Tochter des Samurai«, machte hier den Anfang. Im darauffolgenden Jahre entstand der Dokumentarfilm »Großmacht Japan« (»Die Wacht im Fernen Osten«, P: kw, vb), von Johannes Häußler und Ernst P. Müller bei der Rex-Film gestaltet. Der bekannte deutsche Kameramann Richard Angst drehte auf dem chinesischen Kriegsschauplatz im Auftrag des japanischen Marineministeriums »Lied der Kameraden«, ein Filmdokument über die Fahrten einer japanischen Flußbootflottille auf dem chinesischen Fluß Wanpo. Im März 1939 wurde der Film in einer Sondervorführung in Berlin gezeigt. 1941 schuf Arnold Fanck für die Ufa »Japans heiliger Vulkan« und für die Terra »Frühling in Japan«. »Das Land der Kirschblüte« lief seit 1940 als Degeto-Schmalfilm. »Reis und Holz im Lande des Mikado« hieß ein anderer Kulturfilm. Nach dem Kriegseintritt Japans gestaltete die Ufa einen »Dokumentar-Großfilm«: »Nippon – das Land der Aufgehenden Sonne« (1835 m; P: sw, küw, kw, vb, Lehrfilm). Der Film hatte auch eine italienische Version. Die deutsche Bearbeitung lag in den Händen von Gerhard Niederstraß und Marion Halvorsen, als Sachbearbeiter fungierte Prof. Junyu Kitayama vom Japan-Institut. Die Musik stammte von Richard Stauch. Der Film hatte seine feierlicher Uraufführung am 7.12.1942 im Berliner Gloria-Palast unter der Schirmherrschaft der Deutsch-Japanischen Gesellschaft. Am 31.7.1943 wurde der Film, ebenfalls sehr feierlich, im Salzburger Festspielhaus aufgeführt.

In der Deutschen Wochenschau waren die Aktualitäten aus Japan relativ selten. Ständig beschwerte sich die Wochenschau-Zentrale über die bescheidenen Möglichkeiten bei der Beschaffung von Filmmaterial vom japanischen Kriegsschauplatz.

»Aller politische Erfolg setzt Macht voraus«, stellte die »Film-Rundschau« fest (10.5.1939). Und über die politischen Erfolge, die durch die deutsche Macht errungen wurden, berichteten verschiedene Filme. Das Jahr 1939 brachte drei längere Dokumentarfilme über »das Werden und Sein des Reiches«. Bei der Tobis entstand »Sieg über Versailles«. Eine ungeheure Fülle von Wochenschau-Aufnahmen war hier in einer Reportage zum Thema »Die weltgeschichtlichen Tage vom März 1939« zusammengefaßt. Wilhelm Stöppler gestaltete diesen Film; in Anwesenheit des Gauleiters Bürckel wurde er in Wien festlich uraufgeführt (31.3.1939). Mit 60 Kopien startete der Streifen auch in anderen Kinos des Reiches. In der Ufa entstand parallel »ein überwältigendes Filmwerk über das Werden und die Macht unseres Reiches« – »Kampf um Großdeutschland«. Die Handlung begann mit dem 30. Januar 1933 und endete mit dem »Friedenssieg von Memel«. Die von Kurt Stefan zusammengestellte Dokumentation (die dokumentarischen Aufnahmen wurden durch Trickbilder und Zeichnungen verbunden) hatte eine Länge von 2200 m. Der Streifen war schon Ende März fertiggestellt. »Jahre der Entscheidung« hieß ein Auftragsfilm der RPL. Ursprünglich war er als Parteitagsfilm 1936 geplant. Er enthielt Dokumentaraufnahmen von der Weimarer Zeit bis zur Eingliederung des Memellandes. Zwei Tage vor dem Ausbruch des 2. Weltkrieges wurde er von der Zensur freigegeben (2267 m; P: sw, küw, vb).

Zahlreiche Kurzfilme wurden den annektierten Gebieten gewidmet. Nach der Eingliederung Österreichs war die »Sudetendeutsche Heimkehr ins Reich« das nächste »Friedenswerk« Hitlers. Die erste filmische Dokumentation war sehr schnell hergestellt. Der Sonderdienst der Tobis-Wochenschau gestaltete den Streifen »Sudetendeutschland kehr heim«. Ein weiterer Streifen, »Einmarsch ins Sudetenland« (1070 m), wurde bereits am 31.10. und 5.11.1938 zensiert. Mit einem geschichtlichen Rückblick bis zum Einmarsch der Deutschen. »Eger, eine alte deutsche Stadt« (341 m; P: vb): diesen Film drehte noch vor der Annexion der sudetendeutsche Kameramann Rudolf Gutscher. Ergänzt, zeigte er den Einzug der deutschen Wehrmacht und Hitlers in Eger. Der Film wurde bei der Ufa hergestellt und Anfang Dezember 1938 zensiert. Bei der R. Gutscher-Film entstand »Aus der Heimat des Freischütz« (1938, 1940), mit Bildern aus dem Isergebirge, in dessen Wäldern und Schluchten

C. M. v. Weber die Anregungen zum »Freischütz« empfangen haben sollte.

Zwei Wochen nach dem deutschen Einmarsch in Prag wurde »Schicksalswende« (957 m; P: sw) zensiert. Johannes Häußler und Walter Scheunemann gestalteten den Film bei der DFG. Er schilderte die Geschichte Böhmens und Mährens seit der Zeit der Völkerwanderung, über das »Diktat von Saint-Germain« und die »Heimkehr« des Sudetenlandes bis zu Hitlers Einzug in Prag. »In der Umklammerung des slawischen Siedlungsbezirkes in Böhmen und Mähren durch die deutsche Ostmark, Bayern, Sachsen und Schlesien liegt ein geopolitischer Zwang, dem sich das tschechische Volk nicht entziehen kann«, betonte die großdeutsche Propaganda. Dieser geopolitischen These sollte auch der Streifen »Alle Wasser Böhmens fließen nach Deutschland« dienen. Der Film war zu seinem wesentlichen Teil noch zur Zeit der unabhängigen Tschechoslowakischen Republik aufgenommen worden. Viele »Schwierigkeiten waren zu überwinden« – schrieb die »Film-Rundschau« (10. 5. 1939) – »ehe er zur Fertigstellung nach Deutschland gelangte. Zuletzt mußten Regisseur und Kameramann noch das wertvolle Material in Kartoffelsäcken über die Grenze schmuggeln.« Der Film wurde in der Herstellungsgruppe N. Kaufmann bei der Ufa fertiggestellt, mit Theodor Loos als Sprecher und mit Musik von Siegfried Schulz. Ebenfalls bei der Ufa entstand 1939 »Elbefahrt« (494 m; P: vb, Lehrfilm), von dem Regisseur Karl Wagner-Saar gestaltet und die Elbe von Leitmeritz bis Herrnskretschen zeigend. Eine Faltbootfahrt »Auf der Eger« (146 m) wurde 1939 als Schmalstummfilm gedreht. Bei der Reichsbahnfilmzentrale entstand 1940 der Landschaftsfilm »Elbe–Eger« (590 m; P: vb, Lehrfilm), der die Fahrt Riesengebirge–Reichenberg –Leitmeritz–Aussig–Saaz–Karlsbad–Marienbad–Franzensbad–Eger schilderte. Eine andere Reise, von Weimar über Jena, Kahla u. a. bis nach Karlsbad, »auf Goethes Spuren«, schilderte der Streifen »Karlsbader Reise« (464 m; P: vb), 1940 bei der Boehner-Film in Dresden hergestellt. Fritz Boehner stellte auch »Streifzug durchs Sudetenland« (383 m) her, mit Stadt- und Landansichten dieser Gebiete (Reichenberg, Gablonz, Leitmeritz, Teplitz-Schönau, Eger, Marienbad, Franzensbad und Karlsbad mit Kurbetrieb). Der Streifen wurde im März 1940 zensiert. 1941 entstand bei der Ufa »Peter Parler – Dombaumeister zu Prag« (433 m; P: kw, vb), mit Stadtbildern von Prag mit Hradschin, Karlsbrücke und Dom. Weitere Kulturfilme mit dem »Protektorat Böhmen–Mähren« als Thema entstanden in der Kulturfilmabteilung der Prag-Film. Im Jahre 1942 »Böhmisches Glas« und »Die Karls-Universität«, 1943 »Prager Barock«. Den letzteren gestaltete Karl Plicka, einer der besten Kenner der Kulturgeschichte dieser Stadt, so betonte die Werbung. Plickas Buch »Prag im Bild« war weit verbreitet. Plicka drehte 1944 den Streifen »Egerland« (377 m; P: sw, aw). Nach einem Drehbuch von Viktor Borel entstand endlich 1944 »Ständetheater«. Übrigens beabsichtigte man bei der Prag-Film, einen Spielfilm über das Prager Ständetheater zu schaffen. Ein ausführliches Exposé schuf mitten im Kriege der Prager Karl Anton. Berlin verlangte allerdings Änderungen: Der Stoff sollte in der Haupthandlung in die Zeit der Befreiungskriege verlegt werden. Noch im März 1945 dauerten die Gespräche zu diesem Thema an.[278] Auch andere Spielfilme erschlossen sich dem böhmisch-mährischen Themenkreis. »Leinen aus Irland« (1939) gab den Auftakt.

In Prag und im »volkstumsverwandten deutschen Siedlungsgebiet« – so damals die großdeutsche Propaganda – spielte der bekannte Harlan-Film »Die goldene Stadt«. Das Theaterstück »Der Gigant« des Österreichers Richard Billinger galt dem Film als literarische Vorlage. Und was bedeutete damals, politisch, dieses Stück? Die Antwort finden wir im Programmheft dieses Stückes anläßlich seiner Breslauer Premiere: »Die Ereignisse des letzten Jahres haben neben dem tschechischen auch den mährischen Raum dem deutschen Volk wieder nahegerückt, in dem allen Unterdrückungen zum Trotz sich deutsche Volkstumssplitter halten konnten, denen endlich die Stunde der Befreiung schlug und denen nun die Anerkennung ihres völkischen Kampfes für den gesamtdeutschen Lebensraum auf fast verlorenem Vorposten wurde.«[279]

Zwei Spielfilme aus dem Jahre 1944 zeigten Böhmen im »großdeutschen« Rahmen. Der erste von ihnen, die Liebeskomödie »Romantische Brautfahrt« – der Fachmann Stefan von Kamare half das Drehbuch zu schreiben – schilderte die österreichisch-tschechischen Verbindungen um die Jahrhundertwende. Leopold Hainisch realisierte den Film in Prag (Hostivar), mit Marte Harell, Wolf Albach-Retty, Christl Mardayn, Paul Hörbiger, Otto Treßler, Richard Romanowsky und Rudolf Carl vor der Kamera, gut ausgewählten Darstellern, für dieses Theama (U: 9.3.1944). »Romantische Brautfahrt« wurde in Prag durch die Wien-Film gedreht, der andere von den beiden, »Schicksal am Strom«, ebenfalls in Prag, durch die Prag-Film, von Heinz Paul gestaltet. Das Werk zeigte die »goldene Stadt« und das Flußschiffermilieu Elbe–Moldau, wies also weniger historisch, mehr dagegen »geopolitisch« die deutsch-böhmischen Verbindungen auf. Karin Hardt, Ernst von Klipstein, Richard Häußler und Josef Sieber hatten die tragenden Rollen in diesem Liebesroman. Die Uraufführung fand in der Elbe-Stadt Dresden statt (3.10.1944). Noch im März 1945 sprach man über ein neues Vorhaben: »Böhmische Romanze« sollte der Film heißen.

Das am 1.9.1939 an das Reich angegliederte Territorium der Freien Stadt Danzig wurde gern durch die Propaganda (also auch vom Film) zusammen mit den eroberten Gebieten des polnischen Staates als ein Bestandteil des sog. deutschen Ostraumes behandelt. Der Motlau-Stadt selbst wurden zwei mehr bekannte Landschaftsfilme, mit historisch-politischen Hintergrund, gewidmet. »Danzig, gestern und heute« (357 m) hieß der erste von den beiden, 1935 bei der Wüstermann-Film in Berlin hergestellt. Er schilderte die Bauten, Kunstschätze, zugleich auch das Leben in Danzig und Umgebung (Oliva, Zoppot, Seebäder der Danziger Bucht). »Danzig, Stadt am Meer und Strom« hieß der zweite (382 m; P: küw, vb). Bei der Ufa (für die Tobis) hergestellt, war er ein Werk Eugen Yorks (Regie) und Erich Menzels (Kamera). Der Streifen enthielt die Stadtansichten, die Aufnahmen von den historischen Bauten in der Altstadt (u. a. Marienkirche und Arthushof), schilderte den Danziger Fischermarkt, zeigte den Hafen, Oliva, Zoppot (mit der Waldoper), Heubude, Rösen, Glettkau. Das Danziger Meer und die Küste im Zeichen der Kampfhandlungen waren in dem von der Marine-Hauptfilmstelle herausgebrachten Film aus dem Material der Propaganda-Kompanie »Die Danziger Bucht wieder deutsch« (346 m) zu sehen.[280] Eine filmische Verbeugung vor Danzig (zugleich aber vor der westpreußischen Landschaft machte der Streifen »Auf Ostkurs«. Landschaftsbilder aus den neuen Gauen Danzig-Westpreußen und Wartheland (mit den Städten Thorn, Marienwerder, Danzig, Posen, Gnesen, der Burgruine Gollub, Mewe, Marienburg), aber auch aus Krakau – die deutsche Besiedlung des Weichselraumes – präsentierte der Ufa-Film aus dem Jahre 1940 »Ostraum – deutscher Raum« (326 m; P: sw, kw, Lehrfilm). In dem Ufa-Film »Die Weichsel« (443 m) wanderte der Zuschauer von der Quelle im Beskiden-Gebirge bis zur Mündung des großen Stroms entlang den Städten Krakau, Warschau, Thorn, Graudenz bis nach Danzig, das einmal, wie am Schluß des Filmes gesagt wurde, »auch ein Tor der Welt« sein werde, wenn erst die Schäden der polnischen Wirtschaft an dem Fluß beseitigt sein würden.

Aber nicht nur die historischen Reminiszenzen bestimmten das Bild der neugedrehten Filme. »Den deutschen Soldaten der Waffe« – so der »Film-Kurier« (10. 4. 1940) – »folgten die Soldaten des Aufbaues und Friedens«. Ihnen war der Ufa-Film »Aufbau im Osten« gewidmet. In den »ehemals polnischen Gebieten« drehte ihn ein Aufnahmestab unter der Regie von Eugen York. Auf den »Wiederaufbau« und die »Rückführung von Tausenden Baltendeutschen« wies der Ufa-Film »Warthegau« (Regie Kurt Wolff) hin. Der Film hatte eine starke antipolnische Aussage, wie auch der HJ-Film »Ostland – deutsches Land« (1941). Die »Aufbauarbeit nach dem Einzug der deutschen Truppen« in Lodz schilderte »Aus Lodz wird Litzmannstadt«. Das zahlenmäßig relativ starke Deutschtum der Stadt – deutscherseits schätzte man es damals auf etwa 70 000 Köpfe – erhielt durch den starken Zustrom von Balten- und Wolhyniendeutschen eine »kräftige Auffüllung«. Man rechnete (Frühjahr 1940) mit 110 000 Deutschen für die Stadt. Der »Gauhauptstadt des Warthelandes« war dagegen der Streifen aus dem Jahre 1943 »Posen, Stadt im Aufbau« (385 m) gewidmet. Geschichte dominierte in dieser Schwarz-Weiß-Malerei: Deutsch hieß harmonisch, das polnische Element dagegen war von planlosem Individualismus beherrscht. Der Film erzählte ferner über deutsche »Aufbau-Pläne« in der Stadt, wies die Binnenschiffahrt-Verbindungen (Warthe–Oder–Spree–Elbe) auf, und schilderte das Leben und die Arbeit der Deutschen in Posen. Kurt Rupli drehte den Streifen bei der Prag-Film, A. Kuckhoff schrieb das Manuskript, und W. Zillig, damals Kapellmeister an der Oper in Posen, schuf die Musik. Verschiedene Kurzfilme entstanden auch über Schlesien, das industriereichste unter den eingegliederten polnischen Gebieten. Die Bergwerksverwaltung Oberschlesien GmbH (Hermann-Göring-Werke) in Kattowitz ließ bei der Berliner Eros-Film eine Serie von Filmberichten über die polnischen Kohlenbergwerke in Oberschlesien herstellen. So entstanden 1943/44 u. a. »Steinkohlenbergwerk Knurow« oder »Myslowitzgrube«. Einen Landschaftsfilm, »Oberschlesien« (402 m), schuf 1942 bei der Prag-Film Kurt Rupli. Auf Anregung des Jablunkauer Verkehrsbüros (Schlesien) gestaltete 1941 Walter Bever-Mohr zwei farbige Bildstreifen, interessante Werke auf dem Gebiet des Farbfilms. Der erste Streifen war mehr ein farbiger Bildbericht zur Verkehrswerbung, während der zweite »Beskidenland – neues deutsches Grenzland«, so voller »kulturpolitischer Bedeutung« war, daß er die Auszeichnung »staatspolitisch wertvoll«, »künstlerisch wertvoll« und »volksbildend« erhielt.

Im Westen gab es auch territoriale Annexionen und entsprechende Filme. »Eupen-Malmedy wieder im Reich« (1104 m; P: vb) wurde im Februar 1943 zensiert. Der Film bot Landschaftsbilder und Stadtansichten von Eupen, Malmedy und St. Vith an, zeigte Industriebetriebe und schilderte landwirtschaftliche Arbeiten. Er wurde bei der kinematographischen Abteilung der F. Krupp AG als Lehrfilm in der Stummfassung hergestellt.

1941 wurde in der Tobis »Flanderns germanisches Gesicht« (506 m) von Alfred Ehrhardt (Buch, Regie, Kamera) mit der Musik von Gustav Kneip hergestellt. Es war mehr ein gut gemeinter – selbstverständlich im NS-Sinne – als gut gemachter Streifen: Der thematische Rahmen für einen so kurzen Film war zu weit gespannt. Als uraltes deutsches Land wurde das Elsaß in dem Streifen »Das deutsche Elsaß« geschildert, von Walter Leckebusch (Regie und Produktion) in München für die Tobis hergestellt. Der Streifen, mit antifranzösischen Tendenzen, wurde im Oktober 1941 zensiert (418 m; P: sw, vb). Das besetzte Frankreich wurde in anderen Streifen zum Thema. Z. B. in »Paris 1940«, von der Deutschen Wochenschau gestaltet, »Neues Leben in Paris« (392 m), ein Filmbericht aus dem Jahre 1942 von F. Kramp, mit stark exponierten deutschen Akzenten, oder »Deutsche Landwirte in Frankreich« (332 m), 1943 von der Deutschen Wochenschau hergestellt, worin man den »Wiederaufbau von Dörfern und Höfen mit deutscher Hilfe« schilderte.

Die Inseln Jersey, Sark und Guernsey unter der deutschen Besatzung zeigte der PK-Filmbericht »Englische Kanalinseln« (326 m; P: sw, vb). Die militärische Zensur (1. 10. 1941) sorgte dafür, um die vorbildliche Haltung der deutschen Besatzung schildern zu können. Es gab in diesem Film mehr ironische als feindliche Akzente. Die Gestaltung dieses Films lag in den Händen von Franz Schröder.

Der gesteuerte Krimi

Kriminalstoffe sind von jeher im Film sehr beliebt gewesen. Nicht wenige Kriminalfilme sind im Laufe der NS-Zeit auch an deutschen Augen vorübergezogen, Kriminalfilme, die nach einer mehr oder minder starken Ballung von erregenden Ereignissen ein glücklich vereintes Liebespaar zeigten, solche, die das Gewicht überhaupt mehr nach der humorigen Seite verlegten, und einige, die sich ihren Inhalt aus dem Tatsächlichen, aus den Kriminalfakten holten und manchmal von Fachmännern betreut wurden. In vielen und durchaus spannenden Kriminalstoffen spielt die Figur des Privatdetektivs eine große Rolle, der unabhängig von der Polizei oder gar im Gegensatz zu ihr die großartigsten Erfolge erringt und die beamteten Kriminalisten gründlich blamiert. So etwas paßte nicht in die NS-Landschaft. Hier stand ein Krimi noch mehr als die anderen Unterhaltungsfilme im Dienste der »Volkserziehung«. Im totalitären System ist gewöhnlich die Polizei bei vielen Menschen verhaßt. Auch im Dritten Reich liebte nicht jeder einfache Mensch die Polizei. Man zeigte daher absichtlich oft, wie brauchbar und nützlich der Polizeiapparat ist, um für die Arbeit der Polizei, wenn schon nicht Sympathie, dann wenigstens Verständigung zu erwecken.

Der Kriminalfilm auf neuen Wegen
»(...) Der Scheinwerfer des Kriminalfilms darf heute nicht mehr auf die gewiewten, behaglich mit ihren Schandtaten beschäftigten Ganoven gerichtet sein (wie wir es bis in die letzte Zeit erlebten), sondern auf die Helden in Uniform und Zivil, denen dieser Kampf Berufsehre ist. Es wird genug der Spannung, des Helldunkels, des Abenteuerlichen übrig bleiben, wenn der deutsche Kriminalfilm seine Razzia gegen die Feinde von Volk, Staat und Gesellschaft der Wirklichkeit annähert, wie wir sie heute erleben. Der Kampf der gerechten Sache ist dabei ausschlaggebend, nicht die Gloriole für den Verbrecher.«
Quelle: »Film-Kurier«, v. 29. 9. 1933

Die Begriffe »Feind von Volk und Staat« oder die »gerechte Sache« mußten im totalitären System sehr oft verdächtig klingen und die »Helden in Uniform und Zivil« – insbesondere die letzteren – mehr Angst als Liebe erregen. Nicht zu vergessen: Der Film mußte damals noch mehr an die Kasse denken. Die Änderung kam also stufenweise und langsam. Die Palette von Kriminalstoffen blieb noch eine längere Zeit relativ breit. Sogar Conan Doyle kam auf die Leinwand in dem Film »Der Hund von Baskerville«, von Carl Lamac (bei der Ondra-Lamac Film) mit Peter Voss und Friedrich Kayßler gedreht (U: 12. 1. 1937). 1937 drehte Karl Hartl bei der Ufa den Film »Der Mann, der Sherlock Holmes war« mit Hans Albers und Heinz Rühmann, und Erich Engels drehte bei der NFK »Sherlock Holmes« mit H. Speelmans. Das kinoträchtige Potential dieser Stoffe wurde nur zum Teil ausgenutzt, dagegen – zeitgemäß – mehr satirisch betrachtet. »Der Mann, der Sherlock Holmes war« wurde auch nicht selten zur Zeit des Krieges gespielt.

»Welch lächerlicher Gedanke, daß ein Außenstehender allein und ohne Polizeiorganisation einen Kriminalfall aufklären konnte«, begründete der »Film-Kurier« (6.1.1939) eine neue Welle von Filmen, die aus heutiger Sicht mehr als Polizei- und weniger als Kriminalfilme zu bewerten sind.

Bereits »Mordsache Holm«, ein »staatspolitisch wertvoller« Erich Engels-Film (Regie und Produktion) aus dem Jahre 1938, gedreht nach dem Kriminalroman der »Kölnischen Illustrierten« (»Der rote Faden« von Axel Rudolph), versuchte »Aufklärung« und Unterhaltung zu vereinen. Fast zu gleicher Zeit drehte man unter Mitwirkung der deutschen Kriminalpolizei »Im Namen des Volkes«. Selten war das Verbrecherische, das Böse an sich, so erschütternd klar verdeutlicht worden wie in diesem Film. Die Schlußszene zeigte filmisch und darstellerisch mit peitschender Eindringlichkeit die letzten Stunden und Minuten eines Verbrecherlebens, bis zum Gang zum Schafott. Der noch von der Leinwand wenig bekannte Rudolf Fernau – damals eine der Hauptsäulen des Stuttgarter Theaters – spielte den Verbrecher sehr überzeugend.[281] Walter Steinbeck, Erich Dunskus und eine Reihe weiterer Darsteller verkörperten jene starke Institution, die »die deutsche Gemeinschaft vor dem Verbrechertum schützt und in deren Arbeit man im Verlaufe des Films einen Einblick erhält«, informierten die Betrachtungen. Der Film wurde aus Anlaß des Tages der Polizei der Öffentlichkeit übergeben (U: 27.1.1939; P: sw).

Kurz vor Kriegsausbruch machte das verfilmte Theaterstück von A. Ivers »Parkstraße 13« Zeilen bei der Filmbetrachtung, desgleichen »Ich bin Sebastian Ott«, ein Krimi, den Willi Forst im Verein mit Viktor Becker regielich gestaltete. Die Anregungen zu den Aufregungen schöpften, wie es im Vorspann hieß, die Drehbuchverfasser E. Keindorff und A. Eggebrecht aus einer tatsächlichen Begebenheit: einem internationalen Kunstfälschungsskandal. Das mochte für den Auftakt zutreffen, das Gesamtgeschehen war aber so phantasievoll, wie es in einem Krimi nur sein kann. Waren die fünf neuentdeckten Gemälde von Rubens falsch? … Willi Forst trat auch als Schauspieler in Erscheinung, sogar in einer Doppelrolle. Otto Treßler spielte einen jovialen Oberst, Paul Hörbiger einen sympathischen Kriminalrat d.D., und Gustav Dießl war der Fälscher. Durch die Kunst der Darsteller stellte sich der Film in die Reihe der Werke, die man nicht schon draußen vor dem Kino wieder vergißt, bemerkten manche Filmkritiken (U: 11.8.1939). Noch vor Kriegsausbruch gingen in die Kinos: »Morgen werde ich verhaftet«, »Sensationsprozeß

Casilla«, »Der grüne Kaiser«, ein Abenteuer- und Kriminalfilm, dessen Handlung zwischen Europa und Südamerika spielte, »Die Frau ohne Vergangenheit« u. a. Bei Kriegsausbruch bestanden zunächst zum Thema »Kriminalfilm« Bedenken.[282] Einige Filmvorhaben aus dieser Gattung wurden zurückgestellt, wie bei der Ufa »Jagd ohne Gnade« oder bei der Wien-Film »Kanalbrigade« und »Tatort Westbahnhof«. Aber noch im September 1939 konnten die Zuschauer den neuen Krimi »In letzter Minute« von Fritz Kirchoff mit W. Steinbeck, E. Brink und E. Ponto in den Kinos sehen. Übrigens war er ein bescheidener und ruhiger Film, so ruhig, wie man es nach dem Sensationstitel nie vermutet hätte. Ende Oktober 1939 folgte die Uraufführung des Dramas menschlicher Leidenschaften »Dein Leben gehört mir«. Das Jahr 1940 brachte: »Kriminalkommissar Eyck« (Regie Milo Harbich), »Ihr Privatsekretär« (Regie Charles Klein), »Alles Schwindel« (Regie Bernd Hofmann), »Was wird hier gespielt« (Regie Theo Lingen), ferner die geänderte Fassung eines Vorkriegsprojekts – man mußte auf die Mitwirkung der französischen und belgischen Polizei verzichten – »Falschmünzer« (Regie Hermann Pfeiffer) und »Angelika«, der von dem harten Leidensweg einer schwergeprüften Frau und Mutter, die aus Liebe zu den größten Opfern bereit ist, erzählte. Olga Tschechowa spielte hier die Titelrolle, gute schauspielerische Leistungen boten auch A. Schoenhals und F. Kayßler. Den Film gestaltete Jürgen von Alten.

In den Jahren 1939 bis 1945 drehte man insgesamt rund dreißig Kriminalfilme. Einige blieben unvollendet, nicht alle sind erwähnenswert.

Die Schmuggler, was natürlich ist, sind zu bekämpfen. Der Spielfilm lieferte hier Aufklärung.[283] Schmugglermilieu im Hamburger Hafen und die Gegenwirkung der Wasserpolizei schilderte »Schatten über St. Pauli«, von F. Kirchoff gestaltet, mit G. Knuth, H. Paulsen und M. Claudius (U: 13. 9. 1938). In dem Film »Grenzfeuer« (1939) kämpfte Attila Hörbiger mit den Schmugglern im Süden des großdeutschen Reiches. Die Jagd der Zollpolizei eines nordischen Bades auf rücksichtslose Spritschmuggler wurde in »Alarm auf Station III« geschildert. Der Film wurde im Stettiner Hafengelände und bei Ziegenort am Stettiner Haff gedreht. Philip L. Mayring schrieb das Drehbuch und führte die Regie. Der Film bot eine »Bombenrolle« für Gustav Fröhlich und drei (gelungene) Chansons von Franz Grothe, die seine Frau Kirsten Heiberg sang (U: 10. 11. 1939 in Frankfurt/M). Mehr auf »psychologisch« war die Roman-Verfilmung »Die unheimliche Wandlung des Alex Roscher« (1943) abgestimmt. Auch hier war ein Zollbeamter der Filmheld.

»Zwielicht« war ein Film, der sich das Wilderer-Problem zum Vorwurf nahm. Das Thema gewann nach der Einführung der Lebensmittelkarten an Aktualität. Rudolf van der Noss drehte den Streifen bei der Ufa mit dem Einsatz einer großen Anzahl von bewährten Schauspielern. Paul Wegener trat in der Rolle des Försters auf, Carl Raddatz, Viktor Staal, Wilhelm König und der sehr gut spielende Hans Stiebner verkörperten in unterschiedlicher Charakterisierung die Wilddiebe. Die Frauenrollen übernahmen Ruth Hellberg und Ursula Grabley. Der Ausklang des Films entsprach selbstverständlich »der Auffassung von Recht und Gesetz« (U: 2. 2. 1940 in München).

Das Jahr 1941 war arm an Kriminalfilmen. Erwähnenswert ist allerdings die Kriminalkomödie »Jenny und der Herr im Frack«, die Paul Martin mit Gusti Huber, Johannes Heesters, Paul Kemp, Oskar Sima, Hilde Hildebrand, Gustav Waldau u. a. drehte (U: 25. 11. 1941 in Wien; P: vw). Beim parodistischen Abenteuer- und Kriminalroman »Die Sache mit Styx« (1942) war das Kinopublikum nicht gelangweilt. Ein publikumssicherer Kriminal-(fast)-Schlager wurde »Dr. Crippen an Bord«. Die Fabel wurde aufgrund eines Zeitungsromans, der sich wiederum auf einen Tatsachenbericht aus dem Jahre 1928/29 stützte, gestaltet. Im Film wußte der Zuschauer bis zur Schlußaufklärung nicht, ob überhaupt ein Verbrechen vorlag. Rudolf Fernau war als Dr. Crippen hervorragend, R. Deltgen, M. Gülstorff, P. Dahlke, E. Waldow u. a. spielten mit (U: 6. 11. 1942 in Dresden).

Im Jahre 1943 machte der Rolf-Hansen-Film »Damals« Schlagzeilen, da die Hauptdarstellerin Zarah Leander war. Das Werk enthielt alle Momente der Spannung, der Aufregung und Rührung, und das sogar im überreichen Maße. Es war eine zwei Jahrzehnte umfassende Geschichte. Mit starken dramatischen Mitteln (Mord, Eisenbahnunglück, Verhör, Gefängnis, Krankenbett, Selbstmord) arbeitete der Film, der sich um das Schicksal einer Frau drehte, die aus Furcht vor der Eifersucht ihres Mannes zur Lüge griff, worauf sich die Verwicklung der ganzen Handlung aufbaute. Zarah Leander sang auch im Film einige Lieder, an ihrer Seite stand ein »Latin Lover«, der schöne Südländer Rossano Brazzi. Hans Stüwe, Herbert Hübner, Hans Brausewetter und Hilde Körber gestalteten die weiteren Rollen (U: 3. 3. 1943; P: küw). Ein Jahr später ging »Der Täter ist unter uns« in die Kinos. Herbert B. Fredersdorf zeigte hier die vorgenommenen Fälschungen in einer großen Bank, verbunden mit Erpressung. Paul

Dahlke, diesmal nicht der Bösewicht, sondern Sicherheitsbeamter der Bank, spielte die Rolle eines zweiten Sherlock Holmes (U: 27.5.1944).

Im Dienste der politischen »Volkserziehung« stand eine Reihe von Filmen, die in der Spielhandlung verschiedene Spionagefälle enthielten. Vor dem Kriege war der Streifen »Verräter« sehr exponiert, ein Karl-Ritter-Film aus dem Jahre 1936, mit einem großen Einsatz von Fliegern, Panzerwagen und Höchseeschiffen der Kriegsmarine. Im Film war der englische Geheimdienst der Hauptfeind der deutschen Aufrüstung. Lida Baarova und Willy Birgel machten mit ihren Namen für den Film Reklame. Und der damals noch (im Kino) namenlose Rudolf Fernau spielte einen verräterischen Ingenieur, der unbewußt immer tiefer in die Netze eines Spionagesystems verstrickt und letzthin zum Landesverräter wurde. Die guten schauspielerischen Leistungen wurden sogar am Lido bemerkt und mit einer Medaille gekrönt (U: 9.9.1936 in Nürnberg; P: skbw, vb). 1939 beschäftigte sich der Film »Der Polizeifunk meldet« mit dem Thema, nach einem Drehbuch von Hanns Marschall und Georg Zoch von Rudolf van der Noss bei der Terra gedreht. Die Hauptdarstellerin Lola Müthel beschäftigte sich in dem Film auf eigene Faust als Detektiv und geriet in ein Chaos verbrecherischer Umtriebe. Erst die Polizei konnte das Problem lösen. Der Film »Achtung, Feind hört mit!« wurde mit seinem überall kolportierten Titel zum Symbol der NS-Abwehr. Er stand bereits 1939 im Produktionsplan der Terra und wurde bei Kriegsausbruch auf Wunsch der Wehrmacht zunächst aufgegeben.[284] Bald wurden aber die Arbeiten an diesem Film, mit notwendigen Änderungen, aufgenommen. Nach einer Idee von Georg C. Klaren schrieb Kurt Heuser das Drehbuch »über ein verstärktes Interesse ausländischer Agenten an den wehrwirtschaftlich wichtigen Betrieben Deutschlands nach den kritischen Septembertagen des Jahres 1938«. Arthur Maria Rabenalt gestaltete diesen Film, den ausländischen Agenten spielte René Deltgen, und Kirsten Heiberg war sein williges und gefährliches Werkzeug (U: 3.9.1940; P: sw). Die Problematik der Spionage, vor allem der Werksspionage, tauchte gelegentlich in anderen Spielfilmen auf. Einige von ihnen hatten diese Probleme zum Hauptthema der Handlung: »Alarmstufe V«, mit einer Brandkatastrophe in München in der Handlung, von Alois J. Lippl mit H. Finkenzeller und E. v. Klipstein gestaltet (U: 22.12.1941 in Dresden), der weit und breit mit Reklame angepriesene Film »Die goldene Spinne« über die Spionageabwehr in der Rüstungsindustrie, von Erich Engel regielich gestaltet, mit K. Heiberg, J. Freybe, H. Paulsen, O. Gebühr (U: 23.12.1943; P: sw, vb), und der Tobis-Film »Der große Preis« (1944). Nicht nur die abendfüllenden Spielfilme beschäftigten sich mit diesem Thema. Anfang 1940 drehte man bei der Roland-Film im Auftrage der Auslands-Abwehr des OKW »Feind am Werk« (755 m). Das ProMi und Goebbels persönlich erhoben Bedenken gegen den Film, dessen Handlung angeblich psychologische Fehler enthielt. Für das Buch und für die Regie war Carl Rost verantwortlich. Der Film wurde für geschlossene Vorstellungen zugelassen (Wehrmacht-Lehrfilm Nr. 303). Für die breitere Öffentlichkeit wurde im Sommer 1940 eine kürzere Fassung – 593 m – hergestellt. Dieser »staatspolitisch wertvolle« Streifen zeigte »eine Reihe wahrer Fälle von Landesverrat und Spionage, die mit dem Tode des Schuldigen endeten und eine Warnung sein sollten.«

Nicht wenige Spielfilme streiften in mehr oder weniger deutlichen Szenen die Berufsarbeit der Justizbehörden. Nicht immer, oder sogar meistens nicht fachgemäß. Manchmal absichtlich, wenn es z. B. um kritische Darstellung der ausländischen Justitia ging (»Sensationsprozeß Casilla«, »Dr. Crippen an Bord«). Um den Fehlern in der Schilderung der deutschen Gerichtspraxis entgegenzuwirken, wurde – aber erst Mitte 1943 – zwischen dem Reichsjustizministerium und den zuständigen Stellen des deutschen Films eine entsprechende Vereinbarung getroffen. Alle den Filmgesellschaften eingereichten Filmmanuskripte und Drehbücher, soweit diese irgendwie die Belange der Justiz berührten, mußten dem Pressereferenten des Reichsjustizministeriums zur Stellungnahme zugeleitet werden. Gelegentlich ging es aber nicht nur um die Fehler in den Filmmanuskripten. Es ging auch um die Förderung von Themen, in denen die NS-Justiz stärker als bisher in Erscheinung treten sollte. Was die Kriminalfilme betrifft, so geschah das erst in »Der Verteidiger hat das Wort« (Arbeitstitel: »Plädoyer«). In dem Film ging es um die Aufklärung eines Mordfalles durch einen Strafverteidiger. Heinrich George spielte den berühmten Strafverteidiger Jordan, Carla Rust war seine Tochter Gisela und Rudolf Fernau, der Verdächtige, sein Schwiegersohn. Und da der Film im Künstlermilieu spielte, gab es auch die Gelegenheit, Elisabeth Schwarzkopf als gefeierte Sängerin zu zeigen. Werner Klingler inszenierte den Film 1943/44 bei der Tobis. Die künstlerische Oberleitung lag allerdings in den Händen Heinrich Georges (U: 6.6.1944; P: küw).

Als historisch notwendige Ergänzung ist zu erwähnen, daß auch einige kurze Spielfilme der Kriminalfilm-Gattung gestaltet wurden. Ein lustiges Filmwerkchen, »Die fremde Hand«, drehte Kurt Rupli mit Olga Engel, Josef Dahmen und Gerhard Dammann. Herbert B. Fredersdorf gestaltet den Krimi »15 Minuten nach Mitternacht« (mit Justus Paris, Annemarie Schreiner und Beppo Brehm), das Lustspiel »Der Herr im Frack« wurde von Kurt Nehrke gedreht, Georg Zoch inszenierte »Inspektor Warren wird bemüht« (mit Marina von Ditmar), von M. W. Kimmich stammte »Der Mann an der Wand« (mit Eugen Rex, Maria Loja, Vilma Bekendorff, Paul Mederow und Michael von Newlinski), und der Österreicher Alfred Stöger drehte den Krimi »Der Mann mit dem Psst« (mit Marina von Ditmar, Robert Dorsay, Wilfried Seyferth, Karl Etlinger). Diese Filme wurden nur (oder auch?) als Schmaltonfilme hergestellt, und zwar wegen der durch den Krieg aufgezwungenen Einschränkungen.

Die Bilanz im Bereich des Kriminalfilms in den Jahren des Krieges fiel nicht günstig aus. Ende 1944 stellte man offiziell fest: »Das Genre des Kriminalfilms ist ein Deutschland in den letzten Jahren etwas stiefmütterlich behandelt worden. Seit ›Mordsache Holm‹ haben wir eigentlich keinen rechten Kriminalfilm mehr gehabt, wenn wir von den in ihrer Art sehr wertvollen Polizeifilmen wie ›Im Namen des Volkes‹, ›Falschmünzer‹, ›Die goldene Spinne‹ usw. absehen.«[285] Die Lücke sollte ein »echter« Kriminalfilm, nämlich »Orientexpreß« füllen. V. Tourjansky drehte ihn bei der Bavaria mit Siegfried Breuer, Lisa Siebel und Rudolf Prack. Der Film wurde mit dem Prädikat »künstlerisch wertvoll« honoriert und am 1. 12. 1944 in Nürnberg uaufgeführt. Berlin mußte lange Zeit auf ihn warten. Erst am 8. 3. 1945 lief »Orientexpreß« in der Reichshauptstadt an. Und am 23. 3. 1945 schrieb Dr. Bacmeister von der Filmzensur dem Minister: »Das Publikum zeigte sich von diesem spritzigen Kriminalfilm, dem Tempo, Spannung und Humor nicht fehlen, sehr angetan. Für eine Pressebesprechung wurde der Film in Hinblick auf die Lage nicht zugelassen«, aber »in Klasse I eingestuft« und »als der bestgelungene Kriminalfilm der letzten Zeit angesehen.« In allem Ernst schlug er dem Minister vor, dem Film zusätzlich das Prädikat »anerkennungswert« zu verleihen.[286] Ob oder wie Goebbels antwortete, verschweigen die Quellen.

Zu den letzten Produktionen im Genre des Kriminalfilms gehörte »Die Nacht der Zwölf«, ein Krimi um einen Heiratsschwindler. Ein Kriminalroman von Felicitas von Reznicek lieferte dem Film den Stoff, die Romanautorin schrieb für zusätzliche 10 000 RM am Drehbuch mit. Hans Schweikart[287] realisierte den Film bei der Bavaria, mit Ferdinand Marian, Elsa Wagner, Dagny Servaes und Mady Rahl. Die vom Reichskriminalpolizeiamt gewünschten Änderungen mußte Frau von Reznicek realisieren.[288] Bei Kriegsende war der Film in der Musik-Synchronisation (Komponist Norbert Schultze). Erst 1949 erlebte er seine Premiere.

Unvollendet blieben bei Kriegsende »Rätsel der Nacht« (Berlin-Film) und »Peter Voß, der Millionendieb« (Tobis). »Rätsel der Nacht«, mit einem Drehbuch der erprobten NS-Propagandisten Edgar Kahn und Ludwig Metzger, in der Regie von Johannes Meyer, wurde bald nach Kriegsende von der Defa fertiggestellt. Auch »Peter Voß«, von Karl Anton gestaltet, wurde nach dem Kriege von der Defa zu Ende gebracht. Unvollendet blieb dagegen Geza von Cziffras »Großfilm« »Leuchtende Schatten«.[289] Schauspielerisch sollte der in Prag gedrehte Film die höchsten Erwartungen erfüllen. Für die tragenden Rollen wurden Rudolf Prack, Carola Höhn, Herta Mayen, O. W. Fischer und Oskar Sima verpflichtet. Im Film spielten ferner Paul Kemp, Harald Paulsen, Rudolf Carl, Annie Rosar und andere bekannte Schauspieler aus Berlin und Wien mit.

Geza von Cziffra 17.12.1944
Prag, Hotel Esplanade
Herrn
Erich von Neusser
Prag-Film A. G.
Prag-Barrandfels
(...) Vor allem möchte ich Sie daran erinnern, daß ich das Exposé »Leuchtende Schatten« in Ihrem Auftrag als einen sogenannten Groß-film geschrieben habe, nachdem man mir ausdrücklich erklärt hat, daß der erste Prag-Film der neuen Aera ein Ausstattungsfilm werden soll. Als nach Stoffgenehmigung gleichzeitig die Verminderung der Produktionskosten angeordnet wurde, habe ich die Prag-Film davor gewarnt, unter diesem Umständen mit dem Film »Leuchtende Schatten« ins Atelier zu gehen. (...) Gereizt durch die immer wieder vorkommenden Fehler habe ich hie und da im Atelier die Geduld verloren und gegen diese Dinge lauter als vielleicht notwendig protestiert. Dies wird mir jetzt von Herrn Reichsfilmintendant Hinkel zum Vorwurf gemacht. Leider haben aber weder die lauten Proteste noch meine mündlichen und schriftlichen Meldungen über diese Vorkommnisse etwas geholfen, und die Unordnung ging weiter. (...)

Heil Hitler!
Quelle: BA Koblenz, R 109 II vorl. 38. o. S. gez. *Geza von Cziffra*

Auf die für den Film vorgesehene Tanzkapelle »Melodias« mußte man aus kriegsbedingten Gründen verzichten. Statt der deutschen Tanzkapelle wurde also als Komparserie »ein tschechisches Jazz-Orchester mit gut aussehenden jungen Musikern« verpflichtet.[290] Zu Ende Februar 1945 bezifferte man die Kosten des Films auf rund 1,5 Mio. RM.[291] Nach einem Bericht vom 27.3.1945 befand sich der Film im Schnitt.[292] Er wurde nicht vollendet.

Unterhaltung und Aufklärung in anderen Spielfilm-Gattungen Die Welt der Musik als Filmthema

Die Welt der Musik ist ein weites Feld. Viele Straßen führen in das Herz dieser Welt, auch die Straße des Films. Die Probleme des Musikfilms gehörten (und gehören) ebenso wie die delikateren Probleme des »musikalischen Films« zu den schwierigen und stets diskutierten Fragen. Damals in Deutschland berührte ein nicht unbedeutender Teil der Filme Themen, die auf irgendwelche Weise mit Musik verknüpft waren. Ob es um anspruchslose Musikkomödien, Operetten oder Revuen ging – solche Filme wurden aus kommerziellen Gründen bevorzugt – oder um verschiedene Opernverfilmungen, sowie noch seltenere Filme mit symphonischer Musik oder auch biographische Filme über bekannte Komponisten, Dirigenten und Virtuosen, so ging es auf jeden Fall darum, die Möglichkeiten, die der Ton bei dem Film schuf (damals noch lange ein begeisterndes Novum), voll auszunutzen. Die Filmproduktion bevorzugte die sog. leichte Musik, da der Film ja in seiner Voraussetzung für das Massenpublikum bestimmt war. Diese Tatsache mußte auch dann berücksichtigt werden, wenn man ernste Musik präsentieren wollte. So entstanden dann Filme, in denen die anspruchsvollere Musik in eine lockende, aber zugleich nicht selten primitve Fabel gehüllt war. Aus denselben Gründen wurden Filme über hervorragende Komponisten meistens durch speziell ausgesuchte, allgemeinbekannte Werke unterlegt, die die Rolle eines Leitmotivs spielten und deren Titel sich auch gewöhnlich in den Filmtiteln befanden. Musikfilme dieser Art entstanden schon zur Zeit der Weimarer Republik und nachher, auch nach 1945. Man drehte derartige Filme in aller Welt. Es wurden nach Möglichkeit zu diesen Filmen die berühmten Sänger, Dirigenten, Orchester und Virtuosen engagiert. Nach 1933 legte man allerdings einen größeren Nachdruck auf die Propagierung deutscher Musik, deren

432

54. Joachim Gottschalk

55. Szene aus dem Film
»Komödianten«

56. Marika Rökk und Rudolf Prack
in »Kora Terry«

57. Hans Holt und Winnie Markus in
» Wenn die Götter lieben«

Weltgeltung sich das ProMi vollkommen bewußt war. Filme, in denen die symphonische Musik eine grundsätzliche Rolle spielte, wurden eher selten produziert.

Gab es damals in Deutschland überhaupt Filme, die man als sogenannte »reine Musikfilme« betrachten kann? Auf diese theoretische Frage ist nicht leicht eine präzise Antwort zu geben. Im Bereich der Kultur- bzw. Dokumentarfilme würden solche Streifen leichter zu finden sein. Und was den Spielfilm betrifft?

Als den ersten ausgesprochenen Musikfilm, in dem das Wort in den Hintergrund trat und die Musik und das Bild die beherrschende Funktion dramatischer Ausdeutung erhielten, pries die Film-Betrachtung den Tobis-Film »Symphonie eines Lebens« (Arbeitstitel: »Phantastische Symphonie«). Den Film gestaltete Hans Bertram (Regie und Mitarbeit an dem Drehbuch) mit Norbert Schultze (Musik). Am Drehbuch war auch Kurt E. Walter beteiligt. Was machte in einem solchen Film Hans Bertram? – könnte man fragen. Vielleicht war hier die frühere Zusammenarbeit des Regisseurs mit dem Komponisten wichtig. Im Film mußte Henny Porten als Maria Melchior erleben, wie ihr Mann, der Komponist Stephan Melchior, nach Jahren glücklichen Zusammenlebens von ihr ging, um einer jungen Frau zu folgen. Den Melchior spielte, auf Goebbels' Wunsch, der »französische Jannings« Harry Baur, »der größte Schauspieler des französischen Films«, wie mit Übertreibung die NS-Kritik schrieb, der zum erstenmal in einem deutschen Film auftrat. 1937 war Harry Baur der Hauptheld im französischen Film »Beethovens große Liebe« (Regie Abel Gance) gewesen, hatte also für die Rolle eines Komponisten eine filmische Vorbereitung. Die Uraufführung verzögerte sich. Harry Baur – inzwischen im Gefängnis – mußte in Paris vorher seine »arische« Abstammung beweisen (U: 21. 4. 1942). Später konnten nur noch »Die Philharmoniker« aus dem Jahre 1944 zu der Sparte »Reiner Musikfilm« prätendieren.

Schöpfer und Interpreten

Eine neue Folge von Filmen über die berühmten Komponisten aus dem deutschen Kulturbereich begann mit dem Carl Maria von Weber gewidmeten historischen Liebesroman. Der Film – Regie Rudolf van der Noss, in der Hauptrolle Will Domgraf-Faßbänder – erhielt den Titel des populären Klavierwerkes »Aufforderung zum Tanz« (U:

58. *Hans Moser und Paul Hörbiger in »Wir bitten zum Tanz«*

59. *W. Liebeneiner (als Chopin) und
S. Schmitz (als George Sand) in
»Abschiedswalzer«*

7. 12. 1934). Das Werk schlug keine Erfolgswellen, gehörte auch nicht zu dem Repertoire der Kinotheater in späteren Jahren des Dritten Reiches. Im Jahre 1936 kam das Melodrama über Franz Schubert unter dem anregenden Titel (»Drei Mädel um Schubert« auf die Leinwand, eine Verfilmung des Dreimädelhaus-Romans des »großdeutsch« gesinnten Österreichers R. H. Bartsch. Regie hatte der Wiener E. W. Emo, die Musik dazu – aus Motiven von Schubert-Werken – schuf Alois Melichar. Maria Andergast, Gretl Theimer, Else Elster und Paul Hörbiger übernahmen die Hauptrollen (U: 4. 8. 1936; P: küw, vb). Die Filmkritik lobte das Abweichen von den »schlechten Traditionen« der Operette »Dreimädelhaus«.[293]

Ein Franz-Liszt-Film stand im Plan. Am 5. 4. 1939 brachte der »Film-Kurier« die Nachricht: »Ufa beabsichtigt, einen Film unter dem Titel ›Ungarische Rhapsodie‹ herzustellen; für die Hauptrolle ist M. Rökk in Aussicht genommen.« Danach wurde es um das Vorhaben plötzlich still.

In einige Filme drangen die Gestalt und das Werk Mozarts, des größten österreichischen Komponisten ein. Der erste, »Eine kleine Nachtmusik« unter der Regie von Leopold Hainisch, ist ein Beispiel subtiler politischer Propaganda. Diese den Musikliebhabern der ganzen Welt bekannte Mozartserenade sollte den Kinobesucher anziehen; zugleich verlieh sie dem Film schon im voraus einen sympathischen Charakter. Das Drehbuch von Rolf Lauckner (erschienen 1939 in München auch als Druckausgabe: Eine kleine Nachtmusik. Mozarts Erlebnisse auf der Reise nach Prag), eine Anlehnung an das kostbare Kleinod deutscher Erzählkunst, die Novelle »Mozart auf der Reise nach Prag« von Eduard Mörike, mußte das Vertrauen des für Schönheit empfänglichen Zuschauers erwecken. Die Realisatoren haben stilgerecht das »sterbende Rokoko« ins Bild gesetzt. Der filmische Mozart (Hannes Stelzer) befand sich mit seiner Frau (Christl Mardayn) auf der Reise nach Prag, wo er im Tyl-Theater seinen »Don Giovanni« dirigieren sollte. Auf dem mährischen Adelssitz Schloß Schinzenberg (die Szenen wurden in einem kleinen Wiener Schlößchen gedreht) begegnete Mozart bei dem gerade stattfindenden Fest einer schönen, jungen Komtesse Eugenie (Heli Finkenzeller), einer Tochter des Hauses, die in schwärmerischer Verehrung seiner Musik lebte. Beide vergaßen, daß sie gebunden sind. Am Morgen blieb beiden nur die Erinnerung, aus der heraus der noch fehlende Schluß der Oper entstand. Im Film spielten die Wiener Philharmoniker unter Hans Knappertsbusch, und Alois Melichar, der Komponist dieses Filmwerks, dirigierte das Orchester der Berliner Philharmoniker. Auf der sommernächtlichen Parkwiese gaben die tanzenden Mitglieder des Wiener Staatsopern-Balletts eine Vision der wunderbaren Klänge der »Kleinen Nachtmusik«. Es waren die besten Bilder des Filmes. Sie hatten eine wichtige Funktion, – nicht für die eigentliche Handlung, wohl aber für die Philosophie und Ästhetik des Werkes. Mit seiner Fabel und seinem Musikinhalt verband dieser in größter Eile gedrehte Streifen (der erste Drehtag dieses Filmes fiel auf den 1.7.1939) das annektierte Land und die Hauptstadt an der Moldau mit dem, im weitesten Sinne, deutschen Kulturkreis. Im Prager Grabenkino fand auch seine festliche Premiere statt (18.12.1939; P: küw), mit Leopold Hainisch, Hannes Stelzer und Heli Finkenzeller unter den Ehrengästen. Zum erstenmal wurde nach der Schaffung des Protektorats Böhmen und Mähren ein deutscher Film in Prag uraufgeführt.

1942 drehte Karl Hartl in Wien mit Günther Anders an der Kamera den biographischen Film über Mozart »Wen die Götter lieben«. Das Drehbuch stammte von Eduard von Borsody nach einer Novelle Richard Billingers (20 000 RM für uneingeschränkte Verfilmungsrechte).[294] Dieser Film, in dem der eben bekannt gewordene Hans Holt die Rolle Mozarts spielte, mit einer Reihe von heiteren und tragischen Szenen, war der erste Bildstreifen aus dem geplanten neuen Zyklus von Mozart-Filmen der Wien-Film. Zugleich aber der letzte. Winnie Markus gab die in Resignation mit sich kämpfende Gattin Konstanze, Irene von Meyendorff spielte die schöne Aloysia (Luise), René Deltgen war Beethoven, in den wichtigeren Nebenrollen traten auch Paul Hörbiger, Curd Jürgens, Annie Rosar und Fritz Imhoff auf. Mozarts Musik war der gewaltige Mitakteur des Films, sonst stammte die musikalische Umrahmung von Alois Melichar. Wenn ein Film in dem traditionsreichen Saal des Salzburger Festspielhauses zur Uraufführung gelangte, mußte es sich immer um ein ganz exponiertes Werk handeln. »Wen die Götter lieben« war der erste in der Reihe (5.12.1942; P: skbw). Aufgabe des Films sei es, betonte in einer einleitenden Ansprache Reichsfilmintendant Hippler, Mozart dem deutschen Volke von heute näherzubringen. Und eine deutsche Emigranten-Zeitung schrieb nachher über das Werk: Es »fälscht den echten Österreicher Mozart in einen ›deutschen Tondichter‹ um und vergleicht die ›Ewigkeit deutscher Musik‹ mit der ›Ewigkeit‹ des deutschen Reiches...«[295] Noch Ende 1944 verzichtete man in Prag auf die Herstellung eines weiteren geplanten Mozart-Films mit Lida Baarova, weil die Herstellungskosten zu hoch waren.

Anfang 1940 wurde an der Außenwand der Luisenstadt-Kirche in Berlin, auf deren Friedhof Friedemann Bach begraben liegt, eine Gedenktafel für den Komponisten angebracht. Und in der Terra entschloß man sich, einen Film um den ältesten Sohn J. S. Bachs zu drehen: im Rahmen der Gustaf-Gründgens-Filmproduktion.

Der große Schauspieler hatte nicht nur die künstlerische Oberleitung, sondern auch die Titelrolle übernommen. Das Buch schrieben Helmut Brandis und Eckart von Naso nach einer Novelle von Ludwig Metzger. Gründgens engagierte für den Film fast das ganze Ensemble seines Schauspielhauses. Die Regie übertrug er Traugott Müller. Es war die erste und zugleich die letzte Probe im Fach der Spielfilmregie des großen Bühnenbildners. Die musikalische Gestaltung übernahm Mark Lothar, Hauskomponist am Gendarmenmarkt. Unter den zahlreichen Darstellern des Films gab es viele Schauspieler, die mit dieser Bühne verknüpft waren. Es spielten u. a. W. Liebeneiner, E. Klöpfer, G. Knuth, J. Riemann, O. Wernicke, P. Bildt, F. Schafheitlin, seine letzte Rolle Boris Alekin, ferner H. Körner, L. Marenbach, C. Horn und S. Peters.

Der historisch Unterrichtete wußte, daß der geschichtliche Friedemann Bach den größten Teil seines Lebens als hochangesehener und höchste Erwartungen erfüllender Kirchenmusiker wirkte und erst am Lebensabend total verarmte; er starb in Berlin. Der Gründgens-Film zeigte dagegen den bekannt romantisierten, von Jugend an rastlosen, den mit der menschlichen Gesellschaft niemals und nirgends ins Reine kommenden Künstler, fast den Bohèmetyp. Trotz sparsamer äußerer Mittel war Gründgens in dieser Rolle (kein Zufall) von eindringlicher Überzeugungskraft. Die Musik schlug ständig um in die Filmhandlung – und die Handlung um in die Musik. Es kamen nur Originalwerke von J. S. Bach, Friedemann Bach und Philipp Emanuel Bach zur Verwendung, unter Mitwirkung von Prof. Günter Ramin (Orgel), Konrad Hansen (Cembalo) und dem Thomanerchor.

»Der Friedemann Bach«
Eine Filmkritik aus der Schweiz
(...) »Dieses Leben voll Kampf gegen Verständnislosigkeit, Konvention und Armut wird im Film packend vor Augen geführt. Daß wir dabei viel von der Musik des alten und des jungen Bach hören dürfen, ist selbstverständlich und erhöht den künstlerischen Genuß. Man hatte aber nie den Eindruck, daß die Handlung nur der Musik zuliebe erfun-

den ist, wie es in so vielen Musikerfilmen der Fall ist. Die Musik drängt sich nie vor, sie sucht immer der Gestaltung des Charakters und der Ereignisse zu dienen. Diese selbst wieder sind zu inhaltsreich, um in Sentimentalität oder billige Dramatik abzusinken, und die nüchtern virtuose Art, wie Gründgens die Hauptfigur verkörpert, vermindert diese Gefahr erst recht... Die umgebenden Gestalten wie Eugen Klöpfer als J. S. Bach oder Liebeneiner als Emanuel Bach oder die Frauenfiguren fallen wie aus ihrer untergeordneten Rolle heraus; die Geschichte der Liebe Friedemanns fügt sich in ihrer Diskretion gut auf das ganze ein. Wir freuen uns, wieder einmal einen deutschen Film zu sehen, den man ohne jeden Vorbehalt – nicht bloß für Unterhaltungssüchtige zulassen – sondern künstlerisch Interessierten empfehlen darf.«
Quelle: Der Filmberater, Luzern, Nr. 9 a, September 1941.

»Friedemann Bach« erhielt die Prädikate »künstlerisch wertvoll« und »kulturell wertvoll«. Im deutschen Kino machte das so hoch honorierte Opus keine Furore, aber das Werk war auch kein Film für die sogenannte reine Unterhaltung (U: 25. 6. 1941 in Dresden). Der Film gehört zweifellos in die Filmgeschichte.

Ein anderer Film, der weniger vom künstlerischen Geist, desto mehr von politisch brauchbaren Tendenzen bestimmt wurde, war das Melodrama über Robert Schumann und seine Frau, die weltbekannte und ehrgeizige Pianistin Clara. Als ein glühender Antisemit, »von der national-deutschen Idee geradezu infiziert« (Berndt W. Wessling), war Robert Schumann als »Held« damals eine geeignete Persönlichkeit. Und nicht lediglich für den Film. Vom Gauleiter Mutschmann stammte der Auftrag, ähnlich wie es für Wagner in Bayreuth und für Mozart in Salzburg war, eine große Kunststätte für Robert Schumann in Zwickau zu gründen. Der Krieg verhinderte den Neubau eines großen Theaters.[296] Am 3. 6. 1943 gründete man jedoch hier die »Deutsche Robert-Schumann-Gesellschaft Zwickau e. V.« unter der Präsidentschaft von Hanns Johst.[297] Seit dem 28. 10. 1943 organisierte die Gesellschaft musikalische Veranstaltungen mit Einführungen von Dr. Karl Laux. Ein Robert und Clara Schumann-Film wurde 1944 bei der Ufa gedreht. Unter der Regie Harald Brauns (25. 000 RM), der auch Co-Autor für zusätzliche 21. 000 RM war, verkörperten Mathias Wieman und Hilde Krahl die Haupthelden. Die Musik zu dem Film schuf Werner Eisbrenner (12. 000 RM) nach Motiven der Werke von Schumann, ferner auch von Brahms und Liszt (die beiden Komponisten wurden nicht nur als Randfiguren in das Filmgeschehen eingefügt). Die Handlung begann nicht in Schumanns Geburtsstadt Zwickau, sondern in Leipzig, am Vorabend zu Clara Wiecks erster Pariser Konzertreise: Der Vater ist allzu streng gegen die Regungen ihres Herzens, das für Wiecks Meisterschüler Robert Schumann schlägt. Friedrich Wieck will sie »nur« zur Künstlerin machen. Der Vater wurde aber nicht in seiner ganzen Schroffheit geschildert. Der berühmte Zwickauer hatte es nicht leicht, sich als Komponist und Dirigent durchzusetzen. So zeigte auch der Film die Dissonanzen in Düsseldorf, wo Schumann als Musikdirektor wirkte. Da er aber keine energische Dirigentenpersönlichkeit war, wurde er allmählich abgeschoben. Kaum wirksamer konnte der Gegensatz zwischen Schumannscher Schwere und rheinischer Leichtlebigkeit geschildert werden als in den Szenen des Karnevals, wo er völliger Außenseiter blieb. Auf Wunsch Mutschmanns – Goebbels stimmte zu – fand die festliche Uraufführung dieses Films, der den verlockenden Titel »Träumerei« erhielt, in Zwickau statt (3. 5. 1944).[298] Unter den Gästen war der Staatsschauspieler Mathias Wieman anwesend. Hilde Krahl, die sich auf der Hochzeitsreise befand, konnte der Einladung nach Zwickau nicht Folge leisten. Der Düsseldorfer Gauleiter Florian wollte die Vorführung dieses Filmes in »seinem« Gau verhindern, weil er meinte, der Streifen könne in seiner Aussage auf die Düsseldorfer beleidigend wirken. Die Sache wurde sogar dem Staatsanwalt vorgelegt,[299] was zu einer scharfen Reaktion des ProMi führte.[300] Goebbels selbst beurteilte das Werk kritisch, erlaubte aber, ihm das Prädikat »künstlerisch wertvoll« zu verleihen.

Die »Ostmark« lieferte eigene Stoffe. Johann Strauß stand selbstverständlich an erster Stelle. Daß Johann Strauß' Vater nicht direkt von Wotan abstammte, wurde zur »Geheimen Reichssache«. In dem Film »Unsterblicher Walzer« vereinigte Alois Melichar geschickt die Werke des Vaters und der Söhne Strauß zu einem klingenden Ganzen. Der Komponist selbst dirigierte das Orchester der Wiener Philharmoniker. Auf dem Fundament dieser unsterblichen Melodien baute sich eine Handlung auf, die von den heiteren, gefühlvollen und mit Maßen auch traurigen Geschehnissen im Hause Strauß erzählte. Friedrich Schreyvogl schrieb das »Libretto«, E. W. Emo gestaltete den Film als Regisseur. Die Glanzrolle dieses Films hatte zweifellos Paul Hörbiger als J. Strauß Vater erhalten. Seine Söhne Johann, Josef und Eduard wurden von Hans Holt, Fred Liewehr und Fritz Lehmann gespielt. Dagny Servaes gestaltete das Leid und die Sorgen einer Frau und Mutter, einfach, und gerade darum eindringlich. Mehr als dreißig Schauspieler traten in dem Film auf, in den Hauptrollen, außer den erwähnten Schauspielern, auch Friedel Czepa, Maria Andergast, Gretl Theimer und Karl Skraup. Eine Woche vor Kriegsausbruch fand die festliche Uraufführung in der »Scala« statt. Der Gauleiter Bürckel hielt eine Ansprache (U: 24. 8. 1939; P: kw).

Wien am Ende des 17. Jahrhunderts war der Schauplatz des Films »Der liebe Augustin«. Damals lebte der Volks- und Bänkelsänger Augustin. Mit Paul Hörbiger fand der »liebe Augustin«, dessen zu dieser Zeit entstandenes Lied unsterblich geworden ist, einen idealen Darsteller. Ihm stand Maria Andergast zur Seite, seine große Gegenspielerin war Hilde Weißner als Favoritin des Kaisers. E. W. Emo war wiederum der Regisseur, das Drehbuch stammte von Hans Saßmann, und die Musik schrieb W. Schmidt-Gentner. Ein besonderer Genuß waren die Wiener Philharmoniker, die zu den volkstümlich gewordenen Melodien des Augustin spielten (U: 17. 12. 1940; P: vw). »Der liebe Augustin« gehörte zu den teuren Produktionen (1,2 Mio. RM), und dennoch brachte er noch ca. 0,25 Mio. RM Reingewinn.

Zu einem Riesenerfolg, mindestens in Wien, wurde der Film »Schrammeln«. Das Wiener Uraufführungstheater Scala berichtete: »Erstmalig und einzig dastehend ist wohl der Erfolg dieses Filmes! In 14 Spielwochen mit 291 Vorstellungen blieb auch nicht ein einziges Plätzchen unbesetzt. 3 restlos ausverkaufte Vorstellungen sind an der Tagesordnung.«[301] »Schrammeln« war ein filmisches Denkmal, das die Wien-Filme dem populären Wiener Komponisten Johann (Hanns) Schrammel anläßlich seines 50. Todestages setzte. Unter Geza von Bolvarys Regie verkörperten Paul Hörbiger und Hans Holt nach dem Drehbuch von Ernst Marischka die Brüder Hanns und Josef Schrammel vor der Kamera (Günther Anders). Die weibliche Hauptrolle spielte Marte Harell (»Fiakermilli«), Hans Moser und Fritz Imhoff sorgten für Humor im Film. W. Schmidt-Gentner schuf die musikalische Untermalung (U: 3. 3. 1944 in Wien; P: küw, vw).

Der von Willi Forst vorbereitete Farbfilm »Wiener Mädeln«, dessen Hauptheld der Wiener Walzerkomponist Carl Michael Ziehrer war, eroberte das breite Kinopublikum erst nach dem Kriege, und sogar in zwei Fassungen: einer »kapitalistischen« in Österreich und einer »sozialistischen« (Sovexport) in der Sowjet-Zone Deutschlands.

Zu einem Berlin-Film über den Komponisten und Volksliedsammler Friedrich Silcher schrieb Ludwig Metzger das Manuskript. Der

bedeutendste deutsche Volksliedsammler, -bearbeiter und Volkslied-
schöpfer des 19. Jahrhunderts hatte u. a. dem Lied »Ich hatt' einen
Kameraden« die allgemein gebrauchte Fassung gegeben. Über die
Verfilmung dieses Stoffes sprach (und schrieb) man noch im Sommer
1942. Bald kam aber die tragische Zeit, wo es immer weniger möglich
war, dieses Lied am Grabe eines Gefallenen zu Gehör zu bringen.
Den Film »Lied der Heimat« drehte man letztendlich nicht.

Die zeitgenössischen Dirigenten waren mit ihren Kulturorchestern
von Zeit zu Zeit in den Spielfilmen zu sehen. Über die Taktstock-
Meister der Vergangenheit einen Spielfilm zu drehen, schmiedete
man nur Pläne. Im Frühsommer 1939 z. B. plante man einen Hans-
Bülow-Film. Das Projekt stammte von Georg Wittuhn (Drehbuch)
und Kurt Schröder (Musik), und zeichnete sich zunächst dadurch
aus, daß Richard Wagner nicht auftreten sollte. Die Hauptpersonen
im Drehbuch waren vielmehr Bülow, König Ludwig II. von Bayern
und Cosima Liszt. Es sollte ein Film werden, in dem die Musik die
absolute Herrscherin sein würde. Bülow als der Wegbereiter Wagners, Bülow als der schöpferisch nachschaffende Künstler, der dem
Genie Wagners den Weg ebnete, stand im Mittelpunkt einer Handlung. Der Film sollte Paris, Berlin, München und Florenz, die wesentlichsten Lebensstationen Hans von Bülows, aufblenden. Es blieb
nur bei den Plänen.

Bereits Mitte 1941 schrieben die deutschen Zeitungen über die
Vorbereitungsarbeiten an dem Film »Philharmoniker«. Wilhelm
Furtwängler sollte die künstlerische Aufsicht übernehmen. Erich
Ebermayer und Paul Verhoeven schrieben das Drehbuch, der letztere übernahm auch die Regie. Das Werk war den Berliner Philharmonikern gewidmet, die Handlung spielte um die Jahreswende
1932/33. Trotz der enormen Schwierigkeiten – die Arbeiten an dem
Film zogen sich in die Länge und wurden noch Ende 1944 geführt –
erlaubte Goebbels nicht, die Produktion zu unterbrechen.[302] Musikalisch betreute Alois Melichar den Film. Die prominenten Dirigenten
wurden engagiert: Eugen Jochum, Karl Böhm, Hans Knappertsbusch und der greise Richard Strauss. Das Berliner Philharmonische
Orchester spielte Musik von Beethoven (Fragmente der 5. Sinfonie),
Bruckner (Fragmente der 7. Sinfonie), Liszt (»Les Préludes«), Johann Strauß (»An der schönen blauen Donau«) und Richard Strauss
(»Festliches Präludium«). In den Hauptrollen wirkten Eugen Klöpfer und Will Quadflieg mit. Die Darstellerliste verzeichnete auch Namen wie Theodor Loos, Erich Ponto, Eduard von Winterstein, Elisa-

beth Flickenschildt, Irene von Meyendorff, Kristen Heiberg u. a. Ihre letzte Rolle spielte Jeanette Bethge. Die Herstellungskosten stiegen von der geplanten Summe von 1,9 Mio. RM auf etwa 2,5 Mio. RM. In dem fertiggestellten Film wurden noch zahlreiche Änderungen vorgenommen (U: 4. 12. 1944; P: kbw, sw, kuw). Das Prestigewerk der Tobis war vor allem fürs Ausland gedacht. Im Reich blieb die Besucherzahl unter dem üblichen Durchschnitt: vermutlich wegen des hohen musikalischen Niveaus des Films, dessen Musik von einem wesentlichen Teil des Publikums nicht miterlebt werden konnte. Dagegen konnte wiederum bei den Musikliebhabern die landschaftliche Szenenfolge während des Dirigierens von Knappertsbusch als etwas störend empfunden werden. Die Berliner Uraufführung im Tauentzien-Palast brachte jedenfalls Erfolg, und die Filmprüfstelle beantragte bei Goebbels die Prädikate: künstlerisch wertvoll, kulturell wertvoll und volksbildend.[303] Doch Goebbels entschied sich für eine andere Prädikatisierung des Films. Die Presse im Reich betrachtete den Film unterschiedlich. Die »Berliner Illustrierte« (7. 12. 1944) brachte eine Bildreportage heraus. Bei einigen Zeitungen fand der Film weniger Beachtung. Der Regisseur Verhoeven protestierte im ProMi wegen einer angeblichen »Herabsetzung der Kunst an sich und der Filmschaffenden um ihres Berufes willen…« Der Leiter der Film-Abteilung informierte danach den Minister: »Der magenkranke Verhoeven hat es offenbar übelgenommen, daß sein Name als Spielleiter des Films nicht besonders herausgestellt ist.«[304] Der Film enthielt dokumentarische Werte, die für die Musikgeschichte von Bedeutung sind.

Die Musik beschäftigte als Thema der Handlung nicht nur die abendfüllenden Spielfilme. Kurz vor Kriegsausbruch drehte man bei der Ufa (Herstellungsgruppe H. H. Ulrich) drei kurze Spielfilme. Bernhard Wentzel inszenierte nach einem Drehbuch von Werner E. Hintz »Das Mädchen von Saint Coeur«, in dem Elisabeth Schwarzkopf (mit Olga Limburg, Erich Fiedler, Franz Weber, Hermann Pfeiffer und Rudolf Essek) auftrat und zu dem Werner Eisbrenner die Musik schrieb.[305] Unter der Regie von Milo Harbich entstand mit Annemarie Schäfer, Berthold Ebbecke, Else Reval und Ernst Rotmund – Musik und Liedertexte stammten von Rudi Keller – der Streifen »Barbara, wo bist Du?«. Ebenfalls von Milo Harbich wurde »Tee zu Zweien« mit Dorit Kreysler und Rudolf Platte – die Musik stammte von Hans Georg Schütz – inszeniert.

Die Gestalten von fremden Komponisten, Virtuosen etc. erschienen in den biographischen Filmen der NS-Zeit nur gelegentlich. Die Politik stand auch hier im Hintergrund. 1934, als sich der Horizont der deutsch-polnischen Verhältnisse zeitweilig aufklärte, entstand ein Drama um F. Chopin. Geza von Bolvary (Regie) und Ernst Marischka (Buch) inszenierten den Film »Abschiedswalzer«, mit Wolfgang Liebeneiner in der Hauptrolle. In dem Film hatte das geteilte Polen damals nur einen Feind: das zaristische Rußland (U: 4.10.1934; P: künstlerisch). Fünf Jahre später spielte man den »Abschiedswalzer« in den deutschen Kinos nicht mehr. Dagegen schuf man einen Film mit entgegengesetzten Tendenzen.

1940 feierte die musikalische Welt den 100. Geburtstag Tschaikowskis. Auch das nationalsozialistische Deutschland wollte Notiz vom Jubiläum des Komponisten nehmen. Auf der Leinwand geschah das bereits 1939 in dem Carl-Froelich-Film »Es war eine rauschende Ballnacht«. Geza von Cziffra war – mit Frank Thieß – Verfasser des Drehbuches.[306] Die große Politik war die Voraussetzung des Films, die Musik dagegen die der Filmhandlung. Diese entsprach aber nicht in allen Einzelheiten den biographischen Tatsachen. So wurde zum Beispiel aus dem zur Homosexualität neigenden Tschaikowskij ein Liebhaber, »der sich, überkompensiert, zwischen zwei Frauen zerreißen muß«.[307] Hans Stüwe, der selbst Klavier spielen und auch dirigieren konnte, spielte Tschaikowskij. Zarah Leander trat als Katharina Alexandrowna Murakin, Marika Rökk als ihre Gegenspielerin auf. Die weiteren Hauptrollen wurden von Leo Slezak, Aribert Wäscher (im Film der Mann von Zarah Leander), Paul Dahlke und Fritz Rasp besetzt. Theo Mackeben übernahm die musikalische Gestaltung und schuf einige Neukompositionen, sonst lebte der Film vor allem von Tschaikowskijs Musik: seine berühmte 6. Sinfonie in H-moll, die »Pathétique«, zog sich durch den ganzen Film. Aus dem G-dur-Klavierkonzert spielte Willi Stech zusammen mit dem Orchester der Berliner Staatsoper ein Satzfinale. Tschaikowskijs populäres »Italienisches Capriccio« klang und schwang in den Vollakkorden. Zarah Leander sang »Chanson triste« und ein zweites Lied des Komponisten: »Nur wer die Sehnsucht kennt«. Der Film war ein Schlager der Saison. Im Reich und im Ausland (U: 15.8.1939; P: kbw, kuw).

Eine schlechte Huldigung an den großen Märchenerzähler Hans Christian Andersen – so im Jahre 1983 die »FAZ« über den Film aus dem Jahre 1941 – war »Die schwedische Nachtigall«, eine Verfilmung des Theaterstückes »Gastspiel in Kopenhagen« von Friedrich Forster-Burggraf. Das Stück startete am 25.9.1940 in den Theatern des

Reiches. Kaum hatte es die Bühne erobert, wagte Peter Brauer eine Verfilmung des spektakulären Stoffes. Übrigens eines Stoffes, der politisch sehr nützlich war. Was Skandinavien betrifft, wurde die NS-Kulturpolitik mit einigem Fingerspitzengefühl geführt. Das Drehbuch zu der »Schwedischen Nachtigall« entstammte dem Duo Per Schwenzen und Gert von Klaß. Mit einer großen Anzahl von Darstellern entstand der Film bei der Terra. Ilse Werner spielte die Rolle der großen schwedischen Sängerin Jenny Lind (ihre Stimme gab die Kammersängerin Erna Berger), Joachim Gottschalk war Hans Christian Andersen, Karl Ludwig Diehl spielte den Staatsminister Graf Rantzau, und Emil Heß trat als Bildhauer Thorwaldsen auf. Franz Grothe schuf die Musik – zwei Lieder aus diesem Film, von Erna Berger gesungen, kamen 1943 auf eine Schallplatte (Telefunken). Der Film hatte zahlreiche Besprechungen. Über die berühmte schwedische Sängerin, die, angeblich, schon als weltberühmter Star ungemein launenhaft und, nicht selten, unhöflich war, schrieb man Anekdoten:»Auf der Bühne schwedische Nachtigall, sonst schwedische Kuhmagd«, war in einer Wiener Betrachtung zu lesen. Insgesamt hatte der Film eine gute Presse. Bald aber fiel über ihn der Schatten des tragischen Todes von Joachim Gottschalk (U: 9. 4. 1941; P: küw).

»Die Schwedische Nachtigall«
Eine Filmkritik aus der Schweiz
»*Die Gestalten der großen Sängerin Jenny Lind und des Märchendichters Hans Christian Andersen, die durch ihre Kunst vor hundert Jahren unsere Großeltern begeisterten, gehören längst der Geschichte an... Der neue Terrafilm läßt uns nun in lebendigen, besinnlichen, kontrastreichen Bildern jene köstliche Biedermeierzeit der 40–50er Jahre des letzten Jahrhunderts neu erleben und stellt mitten in dieses Milieu das sympathische Liebespaar Lind–Andersen. Das schmerzliche Problem liegt aber im offenen Unvermögen der Sängerin, die rückhaltlose Hingabe an ihre Kunst mit den Pflichten einer künftigen Gattin in Einklang zu bringen. Darum gibt es für sie schließlich nur eine Lösung: die Freiheit durch den Verzicht auf die Ehe. Ilse Werner spielt mit bezaubernder Anmut die Rolle der ›schwedischen Nachtigall‹, während Joachim Gottschalk überzeugend und warm den etwas verträumten und verliebten Märchendichter Andersen gibt. Der saubere, großangelegte Film krankt am Unvermögen, die beiden Elemente Spiel und Musik zu einer geschlossenen Einheit zu verbinden, und darum klafft er in*

seinem Aufbau ein wenig auseinander. Der sonst mit großem Aufwand
und sehr sorgfältig besorgten Darstellung des Märchens ›Die künst-
liche Nachtigall und der Kaiser von China‹ fehlt das letzte, leichte,
duftige poetische ETWAS, das den Erzählungen von Andersen anhaf-
tet.«

Quelle: Der Filmberater, Luzern, Nr. 6, 1941

Die erdachten Schicksale der Komponisten, Dirigenten und Virtuosen waren im Spielfilm keine Seltenheit. Aufsehen erregten diese
Filme eher selten. Manchmal gab es aber auch hier Erfolge, wie bei
dem Ufa-Film »Schlußakkord«, der Geschichte eines selbstlosen Dirigenten und seiner treulosen Frau. Zu dem bescheidenen Drehbuch
engagierte der Regisseur Detlef Sierck (mit Kurt Heuser zugleich
Drehbuchautor) bedeutende Darsteller: Lil Dagover und Willy Birgel für die beiden Hauptrollen, ferner Maria von Tasnady, Erich
Ponto, Maria Koppenhöfer u. a. Der Film gehörte zu den eher raren
Beispielen, bei denen die klassische Musik im Vordergrund stand.
Die musikalische Betreuung lag in den Händen Kurt Schröders. Es
sah so aus, als ob die gehobene Musik das weniger gehobene Manuskript retten sollte. Doch der Film gefiel dem Publikum. Er gefiel
auch den Juroren in Venedig, die ihm 1936 den Preis für den besten
musikalischen Film zuerkannten (U: 27. 6. 1936 in Dresden; P: küw).
    Mannigfaltige Schicksale zwischen Rom und Berlin schilderte im
Zeichen der Freundschaft der beiden »Achsen«-Mächte der Künst-
lerroman »Traummusik«, ein Film in deutscher und italienischer Fassung, den 1940 Geza von Bolvary in Rom, Mailand, auf der Insel
Capri, in der Reichshauptstadt und in Budapest für die Itala-Film
drehte. Richard Billinger und Georg C. Klaren waren die Hauptautoren des Drehbuches, dessen grundlegende Gedanken ernster Natur
waren. Die Handlung umfaßte den Werdegang eines jungen Künstlers der Musikhochschule in Rom, der sich aus persönlichen Konflikten heraus und auf Grund einer voreingenommenen Beurteilung
seines Erstlingwerkes, einer Oper, mit großem äußeren Erfolg der
heiteren Muse verschrieb. Werner Hinz spielte den aufstrebenden
Künstler, Rossano Brazzi gab der Hinzschen Gestalt eine italienische
Ausdeutung. Marte Harell, Albert Schoenhals und Lizzi Waldmüller
verkörperten die anderen Hauptgestalten in der deutschen Fassung.
Sogar Benjamino Gigli trat episodisch in einer Einschaltung seiner
Stimme und auch seiner Person auf. Die Musik des Films, immer
wieder abgeleitet zu leichten Tanzweisen, zu rhythmischen Akkor-

den und sogar zu Jazz(!) stammte von Peter Kreuder und Ricardo Zandonai (U: 25. 10. 1940 in Aachen).

Ein künstlerisch interessanter musikalischer Film entstand aus der Umdichtung (Erich Ebermayer) von Kurt Kluges Roman »Die Zaubergeige«. Die künstlerische Berufung eines begnadeten Musikers wird im gleichnamigen Film in Gegensatz zu einer verständnislosen Umwelt gestellt. Der Gegensatz findet seine harmonische Lösung erst durch die Liebe. Will Quadflieg spielte den Geiger, neben ihm standen Gisela Uhlen und Eugen Klöpfer in den Hauptrollen. Herbert Maisch realisierte das Werk für die Berlin Film, Alois Melichar hatte die wichtige Aufgabe, entsprechende Musik zu schreiben oder aus dem Werk Bachs oder Beethovens auszuwählen (U: 9. 5. 1944; P: küw).

Die zur Verfügung stehenden Themen aus der Welt der Musik boten verschiedene Möglichkeiten. Das berühmte Geigenbauer-Dorf Mittenwald in den bayerischen Alpen war der Schauplatz des Terra-Films »Der ewige Klang« (oder »Der Geiger«). Er schilderte die Lebensgeschichte zweier Geigenbauer-Brüder, war jedoch eigentlich der Kunst des Geigenbaues gewidmet – ein verkappter Kulturfilm. Rudolf Prack, Ernst W. Borchert, Otto Eduard Hasse und Olga Tschechowa waren die Hauptdarsteller. Den Film gestaltete R. Rittau mit Musik von F. Grothe (U: 18. 6. 1943 in Straßburg; P: küw).

Zu den letzten Filmen aus dieser Gattung gehörte die Geschichte einer Musikkünstlerehe »Solistin Anna Alt«. Die Pianistin Anna »Anneliese Uhlig) und der junge Komponist Joachim Alt (Will Quadflieg), Meisterschüler des Professors Burghardt (Eugen Klöpfer), heirateten. Der Film machte einen Versuch, den Schöpfungs- und Reifungsprozeß des Kunstwerkes sichtbar zu machen. Den Wirbel dieses schöpferischen Prozesses, was Kunst und Liebe betrifft, gestaltete Werner Klingler als Regisseur, mit der Musik von Herbert Windt. Das Filmwerk gehörte zu den letzten Berliner Filmpremieren: es startete am 21. 1. 1945 im Marmorhaus (P: kw).

Theatermilieu als Filmthema

Die Bindungen zwischen Theater und Film – in seiner kurzen Geschichte wurde damals der Film immer wieder als Nebenzweig des Theaters angesehen – prägten nicht nur den Charakter der Eigenentwicklung des Films, sondern beeinflußten auch das Einbildungsver-

447

mögen der Drehbuchautoren. Stets traten die Theater-Themen im Film auf, aber die Kulissen des Theaters schienen eine größere Anziehungskraft zu haben als die künstlerische Arbeit dieses Instituts. Man darf hier nur einige Filme erwähnen, freilich jene, die erwähnenswert sind. An erster Stelle die in Deutschland und im Ausland (sogar in Japan) kolportierte österreichische Produktion »Burgtheater«. Willi Forst schuf das Werk, in dem das Schicksal eines gefeierten Burgschauspielers im einzelnen gezeichnet wurde, mit W. Krauss, O. Tschechowa, H. Moser und J. Dora in den tragenden Rollen (U: 13.6.1936). 1937 zeigte Grethe Weiser den märchenhaften Aufstieg eines kessen Berliner Mädels in »Die göttliche Jette« auf. Kein würdiges Theaterinstitut, sondern die Alt-Berliner »Spezialitätenbühnen« bildeten den Schauplatz der Handlung. Der Berliner Regisseur Carl Froelich drehte »Die ganz großen Torheiten«. Hier war Paula Wessely ein junges Mädel aus den Bergen, ein schauspielerisches Talent, das ein Stipendium erhielt, nach Wien kam, und hier in seinem Regisseur (Rudolf Forster) auch seinen Liebhaber fand (U: 30.4.1937; P: küw). Im Wiener (und Pariser) Milieu spielte der Film »Fanny Elsler«. Lilian Harvey führte darin den Zuschauer an die Schwelle des Biedermeier und der Romantik zurück. Paul Martin und Eva Leidmann – der erstere zugleich als Regisseur – gestalteten ein interessantes Bild des einst so hell strahlenden Sternes in der Welt des Tanzes. Willy Birgel war schon diesmal Partner von Lilian Harvey, Kurt Schröder hatte die Aufgabe, die Musik zu schreiben (U: 4.11.1937; P: küw).

Der in Theater-Themen bewährte Hans H. Zerlett schuf (Buch und Regie) »Zwei Frauen«, mit Olga Tschechowa (Mutter), Irene von Meyendorff (Tochter) und Paul Klinger als dem Mann zwischen den beiden Frauen und dem Theater im Hintergrund (1938). Nicht wenig Theater, diesmal auf französisch, enthielt der Gustaf-Gründgens-Film »Tanz auf dem Vulkan« (1938). Einen Blick in die interessante Welt eines großen Operettentheaters gab der Krimi »Der Vorhang fällt« (1939). Erwähnen muß man hier auch das Lustspiel »Nanette«, eine ausgezeichnete Inszenierung von Erich Engel. Der »Film-Kurier« (24.1.1940) schrieb zu diesem Thema: »Jochen Huth, der vom Ausbruch des Krieges in Amerika überrascht wurde und jetzt nicht nach Deutschland zurückkehren kann, hat unserer besten Lustspieldarstellerin eine Bombenrolle auf den Leib geschrieben.« Die erwähnte beste Lustspieldarstellerin war Jenny Jugo, und im Film ging es um die Geschichte eines Mädels aus dem Volke (in solchen Rollen war Jenny Jugo fast immer sehr gut) und seine große Liebe. Eine kleine Chansonette erzwang sich den Zutritt zu einer Bühnenprobe und spielte eine Duett-Szene aus einer Komödie eines, wie sie glaubte, unbekannten Autors. Alles endete mit einem Riesenkrach und doch einem »schönen Abschluß«. Die Partner von Jenny Jugo waren H. Söhnker, A. Schoenhals und S. Breuer; Peter Kreuder steuerte dem Film eine hübsche Musik bei (U: 23. 1. 1940; P: küw). 1940 konnte man das Theatermilieu in »Frau nach Maß« oder »Casanova heiratet« studieren. Viktor Tourjansky (Regie, Werner Eplinius Autor) zeigte in »Illusion« eine Schauspielerin, die um ihrer Kunst willen zu verzichten wußte. Brigitte Horney spielte die Rolle, ihr Partner war Johannes Heesters (U: 30. 12. 1941). Größeres Aufsehen erregte »Der Weg ins Freie« (Tonfilmstudio Carl Froelich für die Ufa), in dem Zarah Leander die Rolle der Sängerin Antonia Corvelli spielte. Die Handlung erfuhr ihre dramatische Steigerung aus den beiden Welten, denen die gefeierte Sängerin Corvelli und ihr Mann Detlev von Plossin (Hans Stüwe), der pommersche Gutsbesitzer, angehörten. Siegfried Breuer hatte wieder einmal die Aufgabe, eine zweifelhafte Gestalt (den verbrecherischen Polen Graf Oginski) darzustellen. Es war ein Film, der vor allem für die Kunst Zarah Leanders geschaffen wurde. Nicht nur die drei Drehbuchverfasser, Harald Braun, Jacob Geis und Rolf Hansen, von denen der letztere auch die Regie führte, waren bemüht, das Bild der künstlerischen Persönlichkeit der Schwedin mit verschiedenen zur Verfügung stehenden Mitteln in den Vordergrund zu stellen: Auch Theo Mackeben bemühte sich mit seiner Musik um das Gleiche. Die Welt der Bühne repräsentierten im Film Jakob Tiedtke (als Theaterdirektor), Leo Peukert, Oscar Sabo u. a. (U: 7. 5. 1941; P: küw). Im Mai 1941 weilte Z. Leander in Paris, um bei den Synchronisationsarbeiten der französischen Fassung mitzuwirken.

Den »idealistischen Kampf für eine reine deutsche Schauspielkunst« – so in den damaligen Zeitungsberichten – schilderte »Komödianten«, ein historischer Roman um Caroline Neuber, die Wegbereiterin des deutschen Nationaltheaters. Eigentlich sollte der Film zunächst den Titel »Philine« erhalten, und als Philine Schröder trat Hilde Krahl auf. Die »Neuberin« erwies sich aber für das Thema als wichtiger. Käthe Dorsch spielte diese Rolle und nicht, wie zunächst vorgesehen, Henny Porten. Die letztere verkörperte die Herzogin von Weißenfels. Auf der Darstellerliste fanden sich die Namen von Gustav Dießl, Richard Häußler, Ludwig Schmitz, Friedrich Domin,

Hans Stiebner, Arnulf Schröder u. a. Es war der erste Spielfilm, den G. W. Pabst in NS-Deutschland drehte. Mit »Komödianten« stieß Pabst in die erste Reihe deutscher Filmregisseure vor, schrieb die Presse in Deutschland, als ob es die Pabst-Filme »Die freudlose Gasse« (1925) »Westfront« (1930), »Die Dreigroschenoper« und »Kameradschaft« (1931) nicht gäbe. Pabst war auch – mit Axel Eggebrecht und Walther von Hollander – Verfasser des Drehbuches. Die literarische Vorlage gab der Roman »Philine« von Olly Boeheim (U: 5. 9. 1941; P: skbw, kw, vb). »Komödianten« erhielt 1941 in Venedig eine Auszeichnung: die Goldene Medaille für die beste Regie. Goebbels war zufrieden, das bewiesen seine Worte: »Augenblicklich läuft in den deutschen Filmtheatern ein Film, der das Schicksal der Bahnbrecherin des deutschen Theaters, Caroline Neuber, unter dem Titel ›Komödianten‹ zur Darstellung bringt. Damals stand das deutsche Theater vor derselben Entscheidung, wie heute der Film: auch es mußte einmal den Sprung von der Schmiere zur Kunst wagen.« Die Aufnahme beim Publikum war geteilt: für viele Kinobesucher blieb die Grundidee des Films unverständlich, und auch seine bedeutenden Längen wurden kritisiert.

»Komödianten«
Eine Filmkritik aus der Schweiz
»Wir haben hier ein schlagendes Beispiel vor uns, wie der beste Stoff, die besten Drehbuchautoren, die besten Darsteller und der beste Regisseur nicht genügen können, einen guten Film zu schaffen, wenn nicht die ganze Gesellschaft vom Geiste besessen ist, der mit einer Kamera und ein paar tausend Metern Rohfilm einen FILM dichtet. Da ist ein bedeutender Stoff: die Geschichte der Caroline Neuber, die zu den Zeiten des alten Gottsched und des jungen Lessing das deutsche Theater reformierte, indem sie den Hanswurst von den Brettern verbannte und zeitlebens gegen die Stumpfheit ihres Publikums ankämpfte, bis sie zuletzt doch noch verlassen an der Landstraße starb, ohne die Früchte ihrer Arbeit zu erleben. Aber das Buch von Eggebrecht, v. Hollander und Pabst gestaltet den Stoff nicht frei, sondern nach einem Roman von Olly Boeheim: ›Philine‹. Die Neuberin steht nicht ganz im Mittelpunkt, aber auch die Geschichte ihrer Schülerin Philine Schröder tut es nicht, nicht einmal das bewegte Leben ihres Ensembles. Es ist viel zu viel Stoff da, und viel zu wenig kann darum durchgestaltet werden. Die Autoren bringen einen guten Dialog zustande, der als Hörspiel wertvoll wäre, aber im Film Dinge erklärt, die man zeigen müßte, damit wir

sie erlebten. Die große Darstellungsgabe Käthe Dorschs sähen wir da-
her viel lieber auf der Bühne. Neben ihr wirken Domin als ihr Gatte,
Hilde Krahl als Philine und Henny Porten als ›sportliche‹ Herzogin
durchaus filmisch. Und der ganze Film veranschaulicht eigentlich viel
mehr eine ganze Reihe von Erinnerungen aus den Deutschstunden der
Gymnasialzeit, als daß er uns an die großen Beispiele deutscher oder
Pabst'scher Filmkunst gemahnte. Er ist daher eher dem gebildeten
Laien als dem Filmkenner zu empfehlen.«
Quelle: Der Filmberater, Luzern. Nr. 12 a, Dezember 1941.

Über Hans H. Zerletts »Kleine Residenz« äußerte Goebbels: »Eine
Musterleistung des von mir seit längerer Zeit geforderten und geförderten guten Unterhaltungsfilmes für den Krieg.« Mit liebenswürdiger Ironie schilderte Zerlett (Buch und Regie) die Atmosphäre einer
kleinen Residenz um 1910, in deren erlebnismäßgem Mittelpunkt das
herzogliche Hoftheater stand. Ansbach, mit seinen 25 000 Einwohnern eine der schönsten Städte des fränkischen Rokoko, gab den natürlichen Rahmen. Die Aufnahmen wurden außerdem in Geiselgasteig und im Münchner Residenztheater gedreht. Fritz Odemar
spielte den Herzog von Lauffenburg, seine charmante Gattin war Lil
Dagover, Winnie Markus spielte eine Hoftheaterschauspielerin, Johannes Riemann den Intendanten und Adolf Gondrell den Dramaturgen. Die Lieblingsdarsteller der Münchner wie Gustav Waldau,
Friedrich Domin, Elise Aulinger und Josef Eichheim spielten mit.
Leo Leux sorgte für die musikalische Untermalung (U: 28. 5. 1942 in
Danzig; P: küw, vw). Das deutsche Publikum schenkte diesem Lustspiel ein nicht geringes Interesse. Aber in der Schweiz z. B. konnte
der Film trotz der guten Kritiken absolut keinen Publikumserfolg erzielen.

»Ein Ausschnitt, aus der Bühnenwelt unserer Tage herausgegrif-
fen«, so war über den Tobis-Film »Der große Schatten« in den Presse-
betrachtungen zu lesen. Das Bühnenleben vor und hinter den Kulissen spiegelte sich in diesem Schauspielerroman. In den erregenden
Verwicklungen der Handlung (für das Drehbuch wählte sein Autor
Harald Bratt die Form der Rahmenerzählung, die vieles vom Ende
an den Anfang nahm), die außer durch Heinrich George auch durch
Heidemarie Hatheyer, Will Quadflieg, Erich Ponto und Marina von
Ditmar eine von der sorgfältigen Regie Paul Verhoevens zeugende
Darstellung fand, spielte sich eine Parallele zu den Meisterleistungen
ab, die Heinrich George auf der Theaterbühne auszeichneten. Er,

der leidenschaftliche und dämonische Gigant der Bühne, stellte in diesem Film einen großen Schauspieler dar. Das Kinopublikum erlebte ihn in seinen weitbekannten Theaterrollen, als Götz von Berlichingen und vor allem als Richter von Zalamea; letztere war wohl seine eindruckvollste Theaterrolle und sein weltbekanntes »Exportstück« (U: 25. 9. 1942 in München; P: kbw, kw). In Venedig erhielt der Film den Anerkennungspreis der Biennale (1942). Geschäftlich war der Film weniger erfolgreich. In der Schweiz fiel er beim Publikum – bei guten Pressestimmen – durch.

Sängerfilme

Die Sängerfilme gewannen durch die Möglichkeiten, die der Tonfilm schuf, eine große Popularität: in Deutschland wie in aller Welt. In Deutschland wurde seit dem »Lockenden Ziel« (1930) Richard Tauber in dieser Filmsparte gefeiert. Die NS-Machtübernahme änderte allmählich die Situation. Das heißt: das durchschnittliche Kinopublikum änderte (noch) nicht seinen Geschmack, sondern der Lenkungsapparat der Kriterien, die über die Produktion oder Vorführung solcher Filme entschieden. Mit der Zeit änderte sich, als Konsequenz, der Geschmack. Die Liste der musikalischen Filme, die man als die sogenannten Sängerfilme bezeichnen kann (es ging um musikalische Lustspiele, Liebesromane, Opern- und Operetten-Filme, Krimis usw.), umfaßte zur Zeit des Dritten Reiches mindestens zwanzig Positionen. Übrigens ist diese Zahl etwa so unpräzise, wie der Begriff »Sängerfilm« selbst. Natürlich können wir hier nur einige von diesen Filmen erwähnen. Über ihre »Wichtigkeit« bestimmten die Darstellerpersönlichkeiten, weniger die sogenannte reine Kunst: Sängerfilme boten eine bessere Möglichkeit, eine gute Kasse zu machen.

»Ein Lied für Dich« mit Jan Kiepura und Jenny Jugo war das letzte Werk Joe Mays für das deutsche Kino. Der Regisseur und der mitspielende Julius Falkenstein waren »nicht-arischen Geblüts«. Über Kiepuras »arische« Abstammung diskutierte man damals noch nicht. Der Film ging bald für die Dauer der ganzen braunen Zeit ins Archiv (U: 15. 4. 1933). Bis 1937 wurde »Ein Lied geht um die Welt« geduldet, eine musikalische Komödie mit Josef Schmidt (Charlotte Ander und Viktor de Kowa spielten mit), von Richard Oswald gestaltet (U: 9. 5. 1933). Eine andere musikalische Komödie »Es gibt nur eine Liebe« (U: 16. 11. 1933) mit Louis Graveure (und Jenny Jugo, Heinz

Rühmann, Ralph A. Roberts) überlebte in den deutschen Kinos nicht das Jahr 1938, ebenso wenig wie die übrigen Filme mit diesem Sänger. »Das Lied der Sonne« mit Lauri Volpi und Vittorio de Sica gefiel. Max Neufeld gestaltete den Film nach einem Drehbuch von H. F. Köllner, unter Mitarbeit von Giuseppe Becce, der für die Musik sorgte: »Leichtsinnig«, wie sich erwies. Zwar stand die Musik von Pietro Mascagni im Vordergrund, aber es gab im Film auch Fragmente aus der »jüdischen« Oper »Hugenotten« von Meyerbeer. Max Neufeld erwies sich ebenfalls als unerwünscht (U: 30. 12. 1933). Auch dieser Film kam bald ins Archiv, »Das Lied vom Glück« (»Es gibt nur eine Melodie«) mit Herbert Ernst Groh und Ilse Stobrawa, von Carl Boese gestaltet, hatte zwar mehr Glück bei den Aufsichtsbehörden, dafür aber weniger beim Publikum (U: 5. 12. 1933). Aus dem Jahre 1934 ist Karl Heinz Martins Werk (Hanns Marschall war einer der Autoren) »La Paloma« mit Charles Kullmann, Jessie Vihrog und Leo Slezak vielleicht die wichtigste Position dieser Sparte (U: 14. 11. 1934; P: künstlerisch). Drei erwähnenswerte Filme entstanden im Jahre 1935: »Vergiß mein nicht«, von Augusto Genina mit Benjamino Gigli und Magda Schneider gestaltet, mit Musik von Alois Melichar und Ernesto De Curtis (U: 24. 10. 1935); »Liebeslied«, eine musikalische Komödie mit Alessandro Ziliani (und Carola Höhn, Fita Benkhoff, Rudolf Platte, Paul Hörbiger), von Fritz Peter Buch und Herbert B. Fredersdorf gestaltet. Die Musik steuerte Hans-Otto Borgmann bei. Vielleicht verhalf nur die gute Besetzung dem Film zu einem gewissen Erfolg. »Ich liebe alle Frauen« mit Jan Kiepura, Lien Deyers und Theo Lingen hatte im Hintergrund Ernst Marischka als Autor, Robert Stolz et consortes als Komponist und Carl Lamac als Regisseur (U: 30. 8. 1935). Aus dem Jahre 1936 kann man vier nennenswerte Sängerfilme erwähnen: »Mädchen in Weiß« war kein Lustspiel, sondern eine seriöse Jungmädchengeschichte (im zaristischen Rußland) nach einem Drehbuch von Harald Bratt. Maria Cebotari und Ivan Petrovich – für dieses Thema sehr gut ausgewählte Darsteller – spielten die Hauptrollen, Viktor Janson hatte die Regie, und vom Meister Theo Mackeben stammte die Musik (U: 29. 8. 1936); »Du bist mein Glück«, mit Benjamino Gigli und Isa Miranda war ebenfalls weniger dem Humor gewidmet. Nach einem Drehbuch von Wassermann & Diller und mit Musik von Giuseppe Becce gestaltete Karl Heinz Martin das Drama (U: 7. 10. 1936 in Stuttgart). Den Liebesroman »Das Schloß in Flandern« realisierten die bewährten Geza von Bolvary (Regie), Curt J. Braun (Buch) und

Franz Grothe (Musik), mit Martha Eggerth in der Hauptrolle und mit P. Hartmann, G. Alexander, H. Weißner (U: 14.8.1936). »Ave Maria« war der bekannteste Sängerfilm des Jahres 1936, mit Benjamino Gigli und Käthe von Nagy, unter Johannes Riemanns Regie und mit musikalischer Betreuung von Alois Melichar. Für seine Rolle erhielt Benjamino Gigli in Venedig eine Medaille (U: 21.8.1936). 1937 meldete sich erneut der Regisseur Karl Heinz Martin mit dem musikalischen Lustspiel »Die Stimme des Herzens«. Benjamino Gigli, Geraldine Katt und Ferdinand Marian spielten die Hauptrollen, die Musik steuerten Giuseppe Becce und Ernesto De Curtis bei (U: 27.3.1937). Das breiteste deutsche Kinopublikum gewann Benjamino Gigli auch durch seine Sängerfilme, die als deutsch-italienische Gemeinschaftsproduktionen zu bewerten sind. »Mutterlied« realisierte Carmine Gallone nach einem Drehbuch von Thea von Harbou und Bernd Hofmann, mit Musik von Alois Melichar. Benjamino Gigli und Maria Cebotari spielten die Hauptrollen (Hans Moser, Michael Bohnen, Hilde Hildebrand, Josef Dahmen spielten mit). Der Streifen wurde in Rom gedreht (U: 21.12.1937 in Dresden). Ein Jahr später wirkte der berühmte Tenor (mit Carla Rust, Theo Lingen, Lucie Englisch, Paul Kemp, Richard Romanowski) in dem Lustspiel »Dir gehört mein Herz« mit. Carmine Gallone war wiederum der Regisseur, und es ging diesmal um eine deutsche Version der italienischen Originalfassung (U: 22.12.1938 in Königsberg). Der deutsch-italienische Gigli-Film »Der singende Tor« stellte den gefeierten Sänger mitten in einen Kriminalprozeß hinein. Was der Hauptfigur dieses Films nicht gelang, glich die herrliche Stimme Benjamino Giglis wieder aus. Stets überstrahlte seine Stimme die Handlung, u. a. sang er das temperamentvolle »Funiculi, Funicula«. Seine Partnerin war die charmante Kirsten Heiberg, Rudolf Platte spielte den Sekretär des Sängers und Friedrich Kayßler den Gerichtsvorsitzenden. Die Musik des Films stammte von mehreren Komponisten, u. a. deutscherseits von Franz Grothe und italienischerseits von Riccardo Zandonai. Die Regie hatte Johannes Meyer (U: 22.12.1939).

Der Krieg erwies sich als keine gute Zeit für den Sängerfilm. 1943 endete seine Blüte mit der deutsch-italienischen Gemeinschaftsproduktion (deutsche Version der italienischen Originalfassung) »Tragödie einer Liebe«. Das Werk realisierte Guido Brignone mit Benjamino Gigli, Ruth Hellberg, Emma Grammatica und Camilla Horn, unter Verwendung von Opernmelodien z. B. von Richard Wagner und Giacomo Puccini (U: 24.9.1943).

Im Bereich der Opernverfilmungen waren die Erfolge der deutschen
Filmkunst erstaunlicherweise mehr als bescheiden. Keiner der Regisseure wagte z. B. Werke von Richard Wagner in einem Spielfilm auf
die Leinwand zu bringen,[308] und es blieb nur bei den Projekten oder
kurzen »Ersatz-Filmen«. Dieses wäre vielleicht in der damaligen Zeit
eine zu schwere Aufgabe gewesen, aber der Hauptgrund war doch
die Furcht vor der rücksichtslosen Beurteilung durch den »Führer«,
oder, wohl noch mehr, durch die Gralshüterin Winifred Wagner. Insgesamt entstanden im Dritten Reich nur ein paar Filme, die man als
Opern- bzw. Quasi-Opern-Filme bezeichnen kann. 1936 wurde bei
der Lloyd-Film »Martha« (»Letzte Rose«) hergestellt, nach Motiven
der gleichnamigen Oper von Friedrich von Flotow. Karl Anton realisierte den Film, mit Carla Spletter und Helge Rosvaenge. Im Krieg
erlebte der Film, der Handlung wegen, Repertoire-Schwierigkeiten.
Georges Bizets »Carmen«, eine Co-Produktion mit Franco-Spanien
unter dem Titel »Andalusische Nächte« (: 5. 7. 1938) überlebte den
3. September 1939 und kam nicht selten im Krieg als Reprise in die
Kinos. Herbert Maisch realisierte den Film nach einem Buch von
Florian Rey, Imperio Argentina spielte die Titelrolle. Kurz vor
Kriegsausbruch wollte man in der Terra Mozarts Oper »Don Juan«
filmisch gestalten: mit Gustaf Gründgens als Regisseur, Herbert von
Karajan als musikalischem Leiter und mit Traugott Müllers Gesamtausstattung. Gründgens beabsichtigte, sich streng an die Musik der
Mozart-Oper zu halten, dennoch keineswegs eine kulissengebun-
dene Opern-Inszenierung zu geben. Als das ProMi sich für das
»Kleine-Nachtmusik«-Projekt entschied, mußte man die Vorbereitungen – die ersten Aufnahmen waren für Ende Mai 1939 vorgesehen
– einstellen. Von den meistgespielten Opern der damaligen Zeit
wurde Leoncavallos »Der Bajazzo« bei der Tobis verfilmt. Eigentlich
war es keine Verfilmung dieses Opernwerkes, sondern eher eine Geschichte seiner Entstehung. »Lache, Bajazzo« hieß das Werk, zu dem
Harald Bratt ein Drehbuch schrieb. Den Film drehte Leopold Hainisch mit Paul Hörbiger (als Canio), mit Monika Burg und Dagny
Servaes in den weiblichen Hauptrollen und mit Benjamino Gigli in
den Montage-Szenen aus der Mailänder Scala. Für die Musik sorgte
W. Schmidt-Genther (U: 25. 5. 1943 in Bremen). Viel Schönes
schenkte der Film durch P. Hörbigers Spiel.

Ein dritter Opernfilm sollte »Tiefland« von d'Albert werden. Es ist weniger bekannt, daß diesen Film zunächst Hans Steinhoff inszenieren sollte: für die Tobis. Man änderte die Pläne. 1939 wurde die »Olympia-Filmgesellschaft« liquidiert und Anfang 1940 in denselben Räumen in Berlin die »Riefenstahl-Film GmbH« gegründet. Am 1.2.1940 meldete der »Film-Kurier«: Im Rahmen der Tobis wird mit dieser Gesellschaft Leni Riefenstahl als ersten Film »Tiefland« drehen. Die Vorarbeiten sind bereits im Gange. In Maxglan, in Krühn bei Garmisch-Partenkirchen, in den Dolomiten und in Barrandov drehte die hochprivilegierte Regisseurin. Mathias Wieman war ihr künstlerischer Mitarbeiter. Die Hauptrolle spielte die Frau Regisseur selber, mit ihr wirkten Bernhard Minetti, Aribert Wäscher und Maria Koppenhöfer. Es gab auch Statisten: Zigeuner aus einem Lager. Am 20. März 1945 erhielt Friedrich-Wilhelm August Stöve von der Reichsfilmintendanz die Genehmigung, im Auftrag des ProMi eine Reise nach Kitzbühel zu unternehmen, um dort die Einrichtung und Bedienung der Tonapparaturen für die Sprach-Synchronisation des Films zu übernehmen. Die Reise war für zwei Monate geplant und galt als kriegswichtig.[309] »Nach dem Krieg fanden die Franzosen das ungeschnittene ›Tiefland‹-Material, hielten es unter Verschluß und gaben es erst 1953 frei. Als der Film ein Jahr später mit mäßigem Erfolg in deutschen Kinos lief, suchte man die Szenen mit den Statisten von Maxglan vergebens.«[310]

Opernmusik war freilich auch in anderen Spielfilmen zu hören. 1937–1939 lief im Reich der österreichische Film »Zauber der Bohème« mit Martha Eggerth und Jan Kiepura, der nach Motiven aus Puccinis Oper »La Bohème« in Geza von Bolvarys Regie entstand. Eine Inszenierung der »Tosca«, ebenfalls mit Jan Kiepura und Martha Eggerth, wurde eingestellt.[311] Dagegen kam in Fragmenten die berühmteste von Puccinis Opern, »Madame Butterfly«, auf die Leinwand. Aus den Grundzügen der »Butterfly«-Handlung hatte Ernst Marischka als Drehbuchautor das Schicksal einer Sängerin gestaltet, die bei der Premiere der Puccini-Oper die Hauptpartie zu singen hatte. »Premiere der Butterfly« hieß auch der Film, der eigentlich eine deutsche Version der italienischen Originalfassung war. Maria Cebotari spielte die Hauptrolle (die »Butterfly« war eine der besten Opernrollen dieser berühmten Sängerin), Fosco Giachetti spielte die nicht leichte Rolle eines Musikers, der einst ein Liebhaber – nicht ohne Folgen – der Sängerin war. Carmine Gallone war der Regisseur, Luigi Ricci lieferte Weisen für die musikalische Umrahmung, bekannte Namen waren im Darstellerverzeichnis zu sehen. In der dramaturgischen Konstruktion spürte man die Spekulation auf die Tränendrüsen (deutsche Uraufführung 12.10.1939 in München).

Es gab auch Filme, die mehr oder weniger reichlich mit Opernmusik garniert waren. 1935 war in dem Film »Barcarole« (von G. Lamprecht mit L. Baarova und G. Fröhlich gestaltet) sogar die Musik aus »Hoffmanns Erzählungen« zu hören, ein Ereignis, weil Jacques Offenbach kein »Arier« war. 1943 sangen in »Nacht ohne Abschied« Elisabeth Schwarzkopf und Peter Anders Opernpartien, diesmal aber die völlig zugelassenen. Erna Berger und Tiana Lemnitz gehörten auch zu den vom Film gern engagierten Künstlerinnen.

Es gab ferner Projekte von Opernfilmen. Noch 1944 wurde bei der Prag-Film das Vorhaben »Die verkaufte Braut« nach Smetanas Oper genehmigt. Die musikalische Bearbeitung sollte Vaclav Talich übernehmen. Dagegen wurde die dort geplante Verfilmung der Oper »Freischütz« von Carl Maria von Weber in dem geplanten Streifen »Der Opernkrieg« (Regie H. Maisch) als zu teuer abgelehnt. »Die verkaufte Braut« wurde übrigens auch nicht ralisiert.

Musikalische Lustspiele

Die musikalischen Lustspiele (manchmal in der Stufe Komödie qualifiziert) bildeten einen großen Teil der deutschen Spielfilmproduktionen. Würde man eine Tabelle nach den Gattungen machen, könnten sie dort ohne Zweifel den ersten Platz bekommen. Von den früheren, erfolgreichen Filmen aus dieser Gattung erwähnen wir manche nur. So jenen aus dem Jahre 1934, »Ich sing' mich in Dein Herz hinein«, mit Lien Deyers und Hans Söhnker, von Fritz Kampers gestaltet und mit Will Meisels Musik (U: 28.8.1934), oder »Ihr größter Erfolg« mit Martha Eggerth, Aribert Mog und Leo Slezak, mit Musik von Franz Grothe und in der Regie von Johannes Meyer. In »Wenn die Musik nicht wär« wurde sogar Franz Liszt einbezogen. Mit Paul Hörbiger, Sybille Schmitz, Karin Hardt und Ida Wüst drehte Carmine Gallone den Film, und Alois Melichar lieferte die Musik (U: 26.9.1935 in Weimar). In Österreich von Geza von Bolvary gedreht, machte im Reich »Lumpazivagabundus« 1937 die beste Kasse, da hier das kinoträchtige Potential des Stoffes wirkte, vor allem aber, weil der Film eine Plattform für Heinz Rühmann, Paul Hörbiger und Fritz Imhoff war, was einen Erfolg garantierte. Von Geza von Bolvary stammte auch »Der Unwiderstehliche« mit Anny Ondra (so oft und so gut in dieser Gattung), Hans Söhnker und Trude Hesterberg, für dessen Musik Franz Doelle verantwortlich zeichnete (U: 19.8.1937). Robert Stolz' Musik hörte man in den Filmen »Die Austernlilli« mit Gusti Wolf, Hermann Thimig und Theo Lingen, von E. W. Emo gestaltet (U: 3.8.1937), und in »Husaren heraus«, zeitgemäß von Georg Jacoby mit Maria Andergast, Hans Holt, Leo Slezak, Ida Wüst und anderen Prominenten geschaffen (U: 25.7.1937). 1938 machte »Der Blaufuchs« sehr gute Kasse – aber auch Schlagzeilen – mit Z. Leander, W. Birgel, P. Hörbiger und mit Musik von Lothar Brühne. Viktor Tourjansky gestaltete diese Verfilmung. Als einen »Triumph des deutschen Musikfilms« stellte die Kritik im Reich »Nanon« vor, sui generis romantische Operette aus der Zeit Ludwigs XIV. Die »deutsche Nachtigall« Erna Sack und Johannes Heesters spielten die Hauptrollen. Alois Melichar steuerte die Musik bei, Herbert Maisch hatte die Regie (U: 15.11.1938 in Hamburg).

Zu den besten musikalischen Lustspielen der letzten Monate des Friedens gehörte unzweifelhaft »Das Abenteuer geht weiter«.[312] Das Drehbuch zu diesem Film schrieb Ernst Marischka (und das bedeutete bei dieser Filmgattung sehr viel) nach der Filmnovelle »Ein kleines Lied« von Dinah Nelken. Den Film – manche betrachten ihn als einen Sängerfilm – gestaltete Carmine Gallone bei der Bavaria, mit Johannes Heesters, Maria von Tasnady, Gusti Wolf, Paul Kemp, Theo Lingen, Richard Romanowsky, also mit den Darstellern, die sowohl ein gutes Spiel als auch eine gute Unterhaltung garantierten. Franz Grothe schrieb die Musik (U: 24.2.1939 in Hamburg). »Liebesschule« war schon ein Kind der Kriegszeit. Im Tiroler Wintersportmilieu gedreht, zeichnete sich diese Liebeskomödie durch die guten Darteller (L. Ullrich, V. Staal, J. Heesters, H. Brausewetter, R. Platte) wie auch durch hübsche Musik (Harald Böhmelt) aus. Das Werkchen gestaltete K. G. Külb bei der Ufa (U: 3.5.1940 in Wien).

»Wir machen Musik«, mit dem Untertitel »Eine kleine Harmonienlehre« (der Harmonienlehrer war Viktor de Kowa), gehört unzweifelhaft zu den besten musikalischen Lustspielen der ganzen NS-Zeit. Es war ein Werk von Helmut Käutner (Regie und Buch), der das Lustspiel »Karl III. und Anna von Österreich« von Manfred Rößner und einige Ideen von Erich Ebermayer für diese musikalische Komödie benutzte. Die lebendige und abwechslungsreiche Handlung wurde durch die Presse speziell hervorgehoben. Ebenso die Melodien von Peter Igelhoff (die Musik zu dem Film schrieb auch Adolf Steimel). Ilse Werner war de Kowas Partnerin. In einigen Szenen pfiff sie wie ein Gassenjunge, nett und amüsant. Sehr gut spielte Grethe Weiser (als das »Huhn«). Der Film gefiel allgemein: auch im Ausland (U: 6. 10. 1942 P: kw, vw, aw).

»Wir machen Musik«
Eine Filmkritik aus der Schweiz
»›Eine kleine Harmonienlehre‹ nennt sich dieser Film im Untertitel. Und nach der Einleitung à la ›Our Ton‹, wo einer der Helden als ein leitender Sprecher auftritt, haben wir wirklich eine Zeitlang den Eindruck, als würden wir auf die launigste Weise ein bißchen in die Musikkunde eingeführt. Aber bald wissen wir es genau: Die Harmonie, um die es hier geht, ist der wechselnde Zweiklang zwischen dem Ehepaar Zimmermann-Pichler, wo Er Musikunterricht gibt und an einer großen Oper komponiert, während Sie Schlager schreibt. Und in der Tat scheinen sich große und ›kleine‹ Musik bald aufs vollkommenste zu vertragen. Wie aber seine Oper erfolglos bleibt und seine Frau bei einem Verleger, einem alten Jugendfreund, sich für ihn einsetzen will, da kommt die junge Ehe über ihre Heimlichtuerei und seiner Eifersucht zum Bruch. Und schließlich braucht es den Durchfall des Opernkomponisten und die Intervention des Verlegers, um die beiden zusammenzubringen, indem er den notleidenden Musiker die Revue-Nummern seiner erfolgreichen Gattin orchestrieren läßt, bis nach dem gemeinsamen Erfolg die Getrennten sich wieder in die Arme fallen. – Einen solchen Rhythmus in der Folge der Bild-Einfälle und in der neuen Jazzmusik waren wir aus Europa schon lange nicht mehr gewohnt. Und der Charme der Darbietung macht es uns mit Ausnahme der Revue-Szenen im Finale leicht, die amerikanischen Vorbilder wenn nicht zu vergessen, so doch für diesmal in unserer Erinnerung wegzuschließen. Im Ganzen ist dieser Film eine Verteidigung der jugendlich lärmigen und rhythmisch betonten Jazzmusik...«
Quelle: Der Filmberater, Luzern, Nr. 16, Dezember 1942.

Dem Komponisten Otto Nicolai war das musikalische Lustspiel »Falstaff in Wien« gewidmet: Eine Regie-Schöpfung von Leopold Hainisch, mit Hans Nielsen, Wolf Albach-Retty, Lizzi Holzschuh, Paul Hörbiger und anderen bekannten Persönlichkeiten der Bühne und des Films. Alois Melichar schuf die Musik, soweit sie nicht von Otto Nicolai komponiert war (U: 26. 9. 1940). Der Erfolg war mäßig.
»Wir bitten zum Tanz«, mit zwei konkurrierenden Tanzschulen in der Handlung, war ein stark österreichisch geprägtes Lustspiel: Hu-

bert Marischka war der Regisseur, Fritz Koselka der Drehbuchautor (15 000 RM), Anton Profes der Komponist (8 000 RM), und vor der Kamera standen in Wien E. Mayerhofer, H. Holt, P. Hörbiger, H. Moser, T. Danegger. Auch die Premiere des Films fand in Wien statt (28. 10. 1941; P: vw). Frei nach dem Theaterstück »Intermezzo am Abend« von den erfolgreichen Zeitgenossen Möller und Lorenz entstand das musikalische Lustspiel um eine Schallplattenfabrik: »Alles für Gloria«. C. Boese drehte es in den Cinecitta-Ateliers in Rom, mit L. Solari, J. Riemann, L. Waldmüller, H. Fidesser, L. Slezak und der Musik von A. Profes. Der Film erlebte seine Uraufführung in dem in »Gotenhafen« umgetauften polnischen Hafen Gdingen (25. 10. 1941). »Das kleine Hofkonzert«, ein sehr bekanntes Stück von P. Verhoeven und T. Impekoven, wurde während der braunen Jahre zweimal zum Sotff von musikalischen Lustspielen. Der in Prag gedrehte Otto Pittermann-Film »Seine beste Rolle« (Arbeitstitel: »Orpheus am Scheideweg«) bewegte sich in traditionellen Bahnen des Unterhaltungsfilms, mit einer übrigens wenig glaubhaften Handlung, aber mit dem gesanglich guten H. Hotter. P. Dahlke gab hier einen originellen, den Kammersänger spielenden Kammerdiener, und C. Horn sah man als eine berühmte Kammersängerin (U: 20. 1. 1944). Nach dem Grundsatz »Schwere Zeiten – leichte Filme« blieb auch für das musikalische Lustpsiel genügend Platz in den Spielfilmproduktionen der letzten Kriegsjahre. F. Zittau inszenierte bei der Prag-Film »Glück unterwegs«, mit D. Komar, M. von Buchlow und O. W. Fischer. Die Filmidee lag in dem Theaterstück »Die Reise nach Paris« (1936) von E. W. Schäfer, ohne die Seine-Metropole in der Handlung. E. Künneke – oft und erfolgreich in dieser Filmgattung vertreten – schuf die Musik (U: 4. 4. 1944 in Bielefeld). Bei der Ufa (aber in Prag) gestaltete C. Boese den »Posaunisten«, mit P. Dahlke und S. Peters und mit Musik von K. Schröder. Der fertiggestellte Film wurde erst 1949 uraufgeführt. »Glück bei Frauen« mit N. Dostals Musik inszenierte in Wien P. P. Brauer mit J. Heesters und H. Mayen (U: 12. 7. 1944).

Operetten-Filme und Film-Operetten

Es ist keine Wortklauberei, wenn man zwischen Filmoperette und Operettenfilm einen Unterschied macht. Zweifellos war der Operettenfilm (die filmische Wiedergabe einer Operette) das Ursprünglichere. Natürlich befanden sich auch unter den im Dritten Reich hergestellten Filmen Werke, die auf den Bühnen-Operetten basierten. Meistens waren es Filme, die ihre Bühnen-Vorlage ausweiteten, anstatt sie umzusetzen. Wie bei den Opernfilmen, so waren auch hier die Namen der auftretenden Sänger bzw. Sängerinnen von größter Wichtigkeit. Allerdings waren die NS-Jahre für die Operette keineswegs eine »goldene Zeit«. Die Rassengesetzgebung hatte vielen – selbst toten – Operettenkomponisten die deutschen Bühnen, natürlich auch die deutsche Leinwand, versperrt, unter ihnen die größten bzw. berühmtesten wie Jacques Offenbach, Emmerich Kálmán, Paul Abraham, Leo Fall, Oscar Straus u. a. Trotzdem war die Zahl der hergestellten »Operettenfilme« in den Jahren 1933–1945 nicht klein: rund vierzig. Außerdem kamen in die deutschen Kinos zehn noch vor dem »Anschluß« entstandene österreichische Operetten-Filme; es gab auch einige weitere aus dem Ausland.

In den ersten Jahren herrschte noch ein gewisser »Liberalismus«. Emmerich Kálmán stand noch 1934 im Spielplan einiger Bühnen und Mitte dieses Jahres kam noch »Die Csárdásfürstin« auf die Leinwand, von Georg Jacoby mit M. Eggerth, I. Wüst, H. Söhnker und P. Hörbiger realisiert und fürs große Geld auch ins Ausland verkauft. Eine filmische Fassung erhielt auch O. Straus' Operette »Der letzte Walzer«. Jacoby war auch diesmal der Regisseur, die Hauptrollen spielten C. Horn und I. Petrovich (U: 27. 11. 1934). Paul Abrahams »Die Blume von Hawaï«, die Richard Oswald (Rio-Film) mit M. Eggerth, H. Fidesser und I. Petrovich verfilmte – die Berliner Premiere war am 6. 4. 1933 – verschwand sehr schnell aus den Kinos. Leo Jessels Operette »Schwarzwaldmädel«, die einst zu den großen Singspielerfolgen Deutschlands gehörte, kam noch 1933 auf die Leinwand, in Georg Zochs Inszenierung und mit Maria Belling und Hans Söhnker (U: 30. 11. 1933 in Stuttgart). Obwohl als Jude angegriffen, wurde Jessel noch einige Jahre auf der Bühne und auf der Leinwand geduldet.[313] Auch Eduard Künneke hatte bei den neuen Kunstpäpsten Probleme.[314] Auf die Leinwand kam er nur am Anfang des braunen Regimes mit drei Operetten-Verfilmungen: »Glückliche Reise« gestaltete Alfred Abel (Buch von Georg Zoch und B. E. Lüthge), mit Magda Schneider, Carla Carlsen, Max Hansen und Adele Sandrock (U: 27. 11. 1933); »Der Vetter aus Dingsda« wurde von Georg Zoch (Buch und Regie) mit Lien Deyers, Lizzi Holzschuh, Walter von Lennep und Rudolf Platte (U: 29. 7. 1934) realisiert; »Die Fahrt in die Jugend« drehte Carl Boese mit Liane Haid, Hermann Thimig, Hans

Moser und Leo Slezak. Der Film wurde 1935 in Wien hergestellt, aber auch im Reich vorgeführt.

Die Klassiker der Wiener Operette waren im deutschen Film oft zu Gast. Carl Zellers Meisteroperette »Der Vogelhändler« erhielt zwei Fassungen: im Jahre 1935 unter dem gleichnamigen Titel von E. W. Emo mit Wolf Albach-Retty, Maria Andergast und Lil Dagover gestaltet (U: 26.9.1935 in Leipzig) und im Jahre 1940 als »Rosen in Tirol«, von Geza von Bolvary nach dem Drehbuch von Ernst Marischka mit Johannes Heesters, Marte Harell, Hans Moser, Theo Lingen und Leo Slezak gedreht (U: 5.12.1940). Carl Millöcker war mit einer gleichnamigen Verfilmung des »Bettelstudenten« vertreten, einem Ufa-Film von Georg Jacoby. J. Heesters, M. Rökk und C. Höhn traten in den Hauptrollen auf (U: 1.9.1936; P: küw). Nach Kriegsausbruch wurde der Film aus dem Vertrieb zurückgezogen, da es um ein polnisches Thema ging. Jacoby realisierte auch bei der Ufa die Verfilmung der Operette »Gasparone« in einem gleichnamigen Streifen, ebenfalls mit J. Heesters und M. Rökk (U: 17.12.1937 in Hamburg). Carl Michael Zichrers »Die Landstreicher« wurden 1937 von Carl Lamac gleichnamig verfilmt. Paul Hörbiger, Rudolf Carl, Rudolf Platte und Lucie Englisch standen vor der Kamera (U: 3.9.1937 in Leipzig).

Als großdeutsches Eigentum« wurden Strauß'sche Operetten im Theater gern gespielt und auch verfilmt. Bereits 1934 wurden Johann Strauß (Sohn) drei Filme gewidmet, und zwar zwei deutsche: »Petersburger Nächte«, ein E. W. Emo-Operettenfilm um J. Strauß mit Paul Hörbiger und Eliza Illiard (U: 4.1.1935) – Ende August 1939 kam eine politisch bedingte Reprise dieses Films – und »Rosen aus dem Süden« in der Regie von W. Jansen (Paul Hörbiger und Gretl Theimer in den Hauptrollen), als dritter ein österreichischer Film, auch im Reich im Vertrieb: »G'schichten aus dem Wienerwald«. Diese musikalische Komödie inszenierte Georg Jacoby mit Magda Schneider, Wolf Albach-Retty, Leo Slezak und Georg Alexander (U: 28.9.1934). Im darauffolgenden Jahre übertrug Karl Hartl bei der Ufa den »Zigeunerbaron« ins Filmische. Die Weltverfilmungsrechte erwarb man (bis 1943) für 20000 RM.[315] Adolf Wohlbrück (Sándor), Hansi Knoteck (Saffi) und Fritz Kampers (Zsupan) standen vor der Kamera, Alois Melichar schuf die musikalische Umrahmung (U: 17.4.1935). Der Film blieb nicht lange im Spielplan, Adolf Wohlbrück nicht in Deutschland. 1937 entstand die filmische »Fledermaus«. Unter Paul Verhoeven und H. H. Zerlett spielten Lida Baarova, Hans Söhnker, Friedl Czepa, Harald Paulsen, Georg Alexander und Hans Moser (U: 30.10.1937; P: küw). Im Krieg kehrte der Film als Reprise in die Kinos zurück. Eine neue Version der »Fledermaus«, diesmal in Farbe, befand sich seit dem 20.6.1944 im Atelier in Barrandov, mit Geza von Bolvary als Regisseur. Der durchschnittliche Fertigstellungsprozentsatz des Films betrug Anfang März 1945 95 %.[316] Der Film wurde erst nach dem Kriege fertiggestellt.

1938 gestaltete Carl Lamac die Filmoperette »Frühlingsluft«. Geza von Cziffra war der Autor, eine Operette von Josef Strauß und ein Bühnenstück von Roland Schacht lieferten die Grundlagen. Magda Schneider und Wolf Albach-Retty waren die Filmhelden (U: 16.4.1938 in München).

Kinorenner des frostigen Winters 1939/40 war »Opernball«, ein Ausstattungsfilm der Terra, mit schönen Kostümen aus der Zeit um 1900, mit einer bezwingenden Musik im Dreivierteltakt, die von Peter Kreuder nach den Melodien der gleichnamigen Operette von Heuberger für diesen Bildstreifen bearbeitet worden war. Marte Harell bewies hier zum ersten Male ihre darstellerische Kunst, ihr Partner.war Paul Hörbiger. Hans Moser, Theo Lingen und Fita Benkhoff hatten vor allem komische Rollen (U: 22.12.1939; P: küw).

Die Makartzeit mit ihrer Überladenheit und ihrem Luxus, mit ihrer Genußsucht und Champagnerstimmung, die siebziger und achtziger Jahre des 19. Jahrhunderts waren zugleich die Entstehungs- und Blütezeit der Wiener Walzer-Operette. Dieses Zeitbild zauberte Willi Forst in seinem berühmten Werk »Operette« auf die Leinwand. Das Drehbuch (Willi Forst und Axel Eggebrecht) war ein gutgebautes Ganzes voller sprühender Einfälle. Willy Schmidt-Gentner schuf (15000 RM) unter Verwendung vieler Operettenmelodien von Johann Strauß, Franz von Suppé und Carl Millöcker eine gefällige Musik. Willi Forst war nicht nur Produzent (für die Wien-Film) und Regisseur des Films. In der Rolle Franz von Jauners war er zugleich der Hauptheld des Films. Die namhaften Wiener Künstler spielten mit. Der Humor-Poet Paul Hörbiger verkörperte Alexander Girardi, der Jung-Star Curd Jürgens spielte Karl Millöcker, Edmund Schellhamer den Johann Strauß, Leo Slezak den Komponisten Franz von Suppé und Siegfried Breuer den Fürsten Hohenburg. Unter den Damen hatten Maria Holst und Dora Komar die Hauptrollen. Der Film war ein Erfolg (U: 20.2.1940 in Wien; P: küw, kw).

»Wiener Blut« war eine Ausstattungsoperette (im Schatten des Films »Der Kongreß tanzt«) ebenfalls von Willi Forst (Produktion,

Regie, Vorspiel). Die bewährten Filmautoren Axel Eggebrecht und Ernst Marischka schrieben das »Libretto«, und Willy Schmidt-Gentner, diesmal für 17500 RM, sorgte für die Musik, selbstverständlich unter Verwendung des Musikwerks von Johann Strauß, da die gleichnamige Operette das Objekt der Verfilmung war. Die Verfilmungsrechte erwarb man 1940 (auf die Zeit bis 1946) für 42000 RM.[317] Mit Willy Fritsch, dem Hauptdarsteller, stand diesmal nicht Lilian Harvey, sondern Maria Holst vor der Kamera, ein neues Gesicht. Es fehlte natürlich nicht an anderen bekannten Darstellern; so wurden auch Hans Moser und Theo Lingen für komische Aufgaben eingesetzt (U: 2.4.1942; P: kbw, kw). Der Film gefiel sehr. Auch im Ausland fand er ein begeistertes Publikum. Bei der X. Biennale in Venedig erhielt er einen Anerkennungspreis. Operettenmusik von Johann Strauß war auch im Paul-Verhoeven-Film »Die Nacht in Venedig« zu hören (Goebbels: »Dieser Film ist mustergültig als Unterhaltungsfilm«). Gut spielte Heidemarie Hatheyer, und Lizzi Waldmüller, Hans Hilsen, Harald Paulsen, Paul Henckels und Erich Ponto ergänzten die Reihe der Hauptdarsteller. Der Film war nicht nur »mustergültig« als Unterhaltung, sondern auch als Erziehungsmittel. Nach vielen Verwicklungen kam es am Schluß alles ins rechte Geleise: Ein geschiedener Kammersänger söhnt sich mit seiner früheren Frau (ebenfalls eine Sängerin) wieder aus. Sein Freund Niki aber, der im Begriff steht, der Sängerin den Hof zu machen, tröstet sich mit einer Stenotypistin, die zufällig seine Wege kreuzt. Am Ende des Films haben sich zwei »glückliche Paare« gefunden und fahren wonnetrunken auf den Gondeln in die Nacht hinaus (U: 2.4.1942; P: küw, vw).

Der universelle Vertreter der Wiener Operette, Ralph Benatzky, »dessen arische Abstammung« für A. Rosenberg & Co »höchst zweifelhaft« war,[318] galt zeitweilig als unerwünscht. Der lange Zeit im Ausland lebende Meister des musikalischen Lustspiels wurde aber bald zugelassen, und man spielte ihn im Theater immer mit Kassenerfolgen, allerdings nur Teile seines nicht geringen Schaffens. Zu Anfang des Krieges kam im Repriseneinsatz seine verfilmte Operette »Im weißen Rößl« wieder (eine österreichisch-deutsche Carl-Lamac-Produktion aus dem Jahre 1935), mit Christl Mardayn als fesche Rößl-Wirtin und Hermann Thimig in der Rolle des verliebten Oberkellners. Benatzkys musikalisches Lustspiel »Axel an der Himmelstür«, einst »die große Nummer« Zarah Leanders im »Theater an der Wien«, wurde mit Erfolg 1940 in Berlin im Theater am Schiffbauerdamm gespielt. Die Handlung – eine Parodie auf amerikanische Filmverhältnisse – angelegt mit Krach, Intrige und Hochstapelei, war zu dieser Zeit politisch sehr bequem. Den Stoff benutzte A. M. Rabenalt zu seinem Film »Liebespremiere«, wo ihm u. a. zwei bewährte Spezialisten zur Seite standen: der Autor Geza von Cziffra und der Komponist Franz Grothe (U: 11. 6. 1943 in Köln).

Auch Franz Lehár und sein Schaffen verursachten im Dritten Reich »weltanschauliche« Probleme.[319] Als Lieblingskomponist des »Führers« wurde er auf der Bühne geduldet. Beim Film des braunen Reiches hatte er weniger Glück. 1933 verfilmte Viktor Janson den »Zarewitsch«, die auf einem gut gemachten Stück der polnischen Schriftstellerin G. Zapolska basierende gleichnamige Operette, mit Hans Söhnker in der Titelrolle und Martha Eggerth (U: 2. 2. 1934). 1934 verfilmte E. W. Emo (Buch von Georg Zoch) die Operette »Paganini« als »Gern hab ich die Frau'n geküßt« mit Iwan Petrovich in der Hauptrolle (U: 3. 7. 1934). Lehárs berühmteste Werke blieben in Deutschland unverfilmt.[320]

Paul Lincke, der Preuße, erlebte dagegen nach 1933 eine Renaissance. Der greise Komponist, der in der Operettenmusik das wilhelminische Berlin repräsentierte, war nach dem ersten Weltkrieg von den meisten Spitzenbühnen der heiteren Muse bereits so gut wie abgeschrieben worden. Nach 1933 hob ihn der »arische Ahnenpaß« – eine Seltenheit unter den Operettenkomponisten – hervor. Von seinen früheren Werken gewann die burlesk-phantastische Operette »Frau Luna« erneut die größte Popularität. Von 1935 bis 1941 führte man sie mehr als 4000mal im Reich auf. 1939 wurden die (unbegrenzten) Verfilmungsrechte für 50 000 RM erworben.[321] Die Majestic-Film bereitete die Verfilmung vor. Der Wiener Ernst Marischka schrieb das Buch, Theo Lingen übernahm die Regie. So entstand ein gleichnamiger Film um die Premiere dieser Operette. Paul Linckes Musik (bei der musikalischen Bearbeitung des Films wirkte Paul Hühn mit) stand selbstverständlich im Vordergrund. Nicht so romantisch wie die Wiener Operetten (wo die Weisen um einige Nuancen beschwingter und zündender sind als die des Preußen Lincke), war dennoch »Frau Luna« melodienreich und eröffnete die Kette der Berliner Lokalschlager, die durch den Film weltbekannt wurden. Beliebte Schauspielerinnen wie Lizzi Waldmüller und Fita Benkhoff spielten mit Irene von Meyendorff die weiblichen, Theo Lingen, Georg Alexander, Will Dohm und Paul Henckels die männlichen Hauptrollen. Der Film hatte eine gute Presse und fand ein breites

465

Kinopublikum. Doch der begonnene Angriff auf die Sowjetunion warf seinen Schatten auf das künstlerische Ereignis (U: 22. 7. 1941; P: küw, vw).

Im Operettenfilm trat auch die jüngere Generation der Komponisten hervor. Ernst Martin, in der deutschen Theater- und Filmwelt kein Unbekannter, drehte seinen ersten großen Spielfilm »Monika« mit einem Stoff, der an die gleichnamige Operette von Nico Dostal angelehnt war. »Monika«, das rührende »Blu-Bo«-Märchen vom Liebesbund zwischen dem armen Bauernmädle aus dem Schwarzwald und dem reichen Stadtmenschen, konnte wohl als ein »Ersatz« für die so tragisch aus den Bühnenspielplänen ausgefallene Jessels-Operette »Das Schwarzwaldmädel« gelten.[322] Im Film ging es um die Liebe zwischen Monika, dem Schwarzwaldmädchen (gespielt von Hansi Knoteck), und einem Reitlehrer aus Berlin (Wolf Albach-Retty). Flockina von Platen, die vielseitige Schauspielerin, bekannt in Berlin von den beiden Häusern der Volksbühne, spielte als Ellinor Michaelis die Inhaberin eines schicken Modesalons in Berlin. Die Außenaufnahmen mit winterlichem und sommerlichem Schwarzwald waren schön, insgesamt aber war der Film mit dem politisch richtigen Titel »Heimatland« kein großer Erfolg beschieden. Sogar der »Film-Kurier« bedauerte (26. 8. 1939), daß »die an sich begrüßenswerte filmische Auseinandersetzung über das Stadt- und Land-Problem mit recht unzulänglichen Mitteln und wenig befriedigendem Ergebnis versucht wurde« (U: 18. 8. 1939 in Essen).

Von dem Entstehungsjahr 1939 bis Ende 1941 war die Operette und große Ausstattungsrevue »Maske in Blau« von Fred Raymond auf rund 190 Bühnen im Reich und in den besetzten Gebieten die willkommene, amüsante Unterhaltung. Im Oktober feierte sie in Berlin ihre 500. Vorstellung. Damals war Rudi Godden noch dabei mit seinem unvergeßlichen Humor. In Budapest (Hunnia-Atelier) wurde die Operette 1941/42 in freier Bearbeitung verfilmt: Walter Forster und Jo Hanns Rösler schrieben das Drehbuch (18 000 RM), Paul Martin hatte die Regie (60 000 RM), und Michael Jary übernahm die musikalische Betreuung (8 000 RM). Clara Tabody spielte, auch tänzerisch großartig (so die Kritik), die Hauptrolle (20 000 RM). Ihr Partner war Wolf Albach-Retty, für ebenfalls 20 000 RM, und unter den anderen Darstellern befanden sich Hans Moser, der mit 50 000 RM honoriert wurde, ferner Richard Romanowsky, Leo Peukert, Ernst Waldow u. a. (U: 15. 1. 1943).

Die Operette als Gattung konnte im Film auch historisch, satirisch oder parodistisch gezeigt werden. Eine historische Filmoperette war die erwähnte »Nanon«. Als eine Satire zeigte Reinhold Schünzel sie in »Land der Liebe«, mit der Musik von Alois Melichar (1937). Eine parodistische Filmoperette »Immer nur Du« gestaltete Karl Anton, er schrieb auch mit Felix von Eckardt das Drehbuch, Friedrich Schröder als Soldat komponierte und instrumentierte das Werk. Dieser Film erneuerte übrigens sowohl den künstlerischen Ruf des Komponisten als auch den seiner Tanzlieder. Johannes Heesters, Dora Komar, Fita Benkhoff, Paul Kemp und Paul Henckels waren die ersten Namen des Darstellerverzeichnisses (U: 22. 8. 1941 in Dresden). Alle diese Versuche bewegten sich in dem traditionellen europäischen Rahmen. Die neuen Formen, die das musical-play mit sich brachte, fanden fast keine Anwendung. Die Gründe waren vielleicht nicht nur politischer Natur. Der Krieg war keine gute Zeit für eine eventuelle »Revolution« im Bereich des musikalischen Theaters.

Der letzte fertiggestellte Film, den man hier als einen Operettenfilm vorstellen kann, hieß ». . . und die Musik spielt dazu« (»Saison in Salzburg«). Fred Raymonds Operette und ein Bühnenstück von Max Wallner und Kurt Feltz (Verfilmungsrechte 25 000 RM) standen im Hintergrund der Filmhandlung. Der Routinier Carl Boese führte die Regie (für sein wie immer niedriges Honorar – diesmal für 25 000 RM), Michael Jary steuerte die Musik bei (14 000 RM). Zwar war in der Filmhandlung eine Frau im Begriff, sich in einen bekannten Schlagerkomponisten und Dirigenten zu verlieben, doch kam es nicht (!) zum Ehebruch. Maria Andergast spielte die Hauptrolle (U: 8. 6. 1943).[323]

Gegen Ende des Krieges wurde bei der Tobis eine musikalische Liebeskomödie um den Wiener Operettenkomponisten Karl Millöcker und die Entstehung seiner Operette »Der arme Jonathan« gedreht. Regie führte Theo Lingen, der auch mit Friedrich Schreyvogl das Drehbuch schrieb. Paul Hörbiger, Hans Holt und Hilde Hildebrand spielten die Hauptrollen. Der Film blieb unvollendet. Die Ausstattungsoperette »Die Fledermaus«, nach dem Buch von Ernst Marischka und mit der Musik von Strauß & Melichar, wurde zu Ende des Krieges von Geza von Bolvary mit einer erstklassigen Besetzung (M. Harell, W. Fritsch, J. Heesters, S. Breuer, H. Brausewetter) gedreht. Der Film wurde erst nach dem Krieg von der Defa fertiggestellt.

Der Film »Es leuchten die Sterne« war nicht konventionell, sein Titel machte ebenso Karriere wie die junge Komparsin in dem Filmgeschehen. Er war zugleich eine gewisse Zusammenfassung des Bisherigen, am Beispiel der Arbeit eines Filmateliers. Im Film wirkten »sämtliche Stars« der Tobis mit, und zwar nicht nur die berühmten Darsteller in kleinen und kleinsten Rollen, sondern auch die bekannten Musiker, Kameraleute, Regisseure, Tänzerinnen und Tänzer, ferner die Maskenbildner und Komparsen. Hans H. Zerlett hatte sich diese Idee einfallen lassen, er zeichnete auch verantwortlich für Buch und Regie. Die Gesamtausstattung lag in den Händen des prominenten Bühnenbildners Benno von Arent. Bei aller Vielfalt der Nebenhandlungen und Impressionen hielt doch ein festes Handlungsgerippe dies alles zusammen. Es ging also um die Geschichte jener Komparsin, die Karriere machte. Der jungen Schwedin Vera Bergmann hatte man diese Rolle übergeben. Es tanzten La Jana, Ursula Deinert, die Geschwister Höpfner, das Hiller-Ballett, es spielten und sangen Carla Rust, Else Elster, Rosita Serrano, Ruddi Godden, Paul Verhoeven und andere Prominente der Bühne und des Films (U: 17. 3. 1938). Nicht Vera Bergmann, sondern andere Schwedinnen machten im Reich eine wirkliche Karriere. Übrigens konnte der Film auf Hunderte von arbeitslosen »Karriere-Anwärtern« eher deprimierend wirken.

Beim Kinopublikum waren damals die Revuefilme sehr beliebt, und das nicht nur in Deutschland. Die Vorbilder kamen meistens aus der Hollywood-Küche. Mindestens theoretisch lehnte man sie in NS-Deutschland ab. Praktisch war es nicht leicht, sie völlig außer Acht zu lassen.

»Wir tanzen um die Welt« schilderte das Varieté hinter den Kulissen. Die achtzehn Girls der Jenny-Hill-Truppe tanzten durch die Welt (diese Welt war übrigens durch die Kriegsereignisse viel kleiner geworden), die sie sich eroberten; sie tanzten von Lissabon nach Stockholm und von dort nach Bukarest, Antwerpen oder Brüssel. Doch der Film wollte nicht nur die glitzernde Welt der Varietébühnen schildern, da er eine Art »psychologischer Revuefilm« war. Es fehlten die sonst üblichen Millionäre, die reichen Industriellen und Kaufleute, die mit den Girls soupieren wollten. Es gab dafür Sentimentalität, die manchmal der Grenze des Kitsches nahekam. Sonst hielt sich der Regisseur Karl Anton an bewährte Vorbilder, denen er fast keine eigenen Gedanken beisteuern wollte oder konnte. Das Berliner Theater des Volkes fungierte als Großvarieté in Lissabon, die Aufnahme zum »Tanz der silbernen Treppe« fanden auch in der Reichshauptstadt, in der Plaza, statt. Der Film stellte eine neue Darstellerin in der Hauptrolle des »Captain«-Girls vor: Charlotte Thiele, die aus Hamburg kam, und als Eroberer des herben Girls: Carl Raddatz. Lucie Höflich spielte die daheimgebliebene »Girlmutter«. Willi Kollo übernahm die musikalische Bearbeitung des Films, zu dem er auch ein zündendes Auftrittslied schrieb (U: 22.12.1939 in Düsseldorf; P: küw).

Die deutsch-ungarische Gemeinschaftsproduktion »Menschen vom Varieté« war nicht nur ein Revue-, sondern zugleich auch ein Kriminal-Film. Vor der Kamera präsentierten ihre künstlerischen Möglichkeiten: La Jana, Christl Mardayn, Karin Hardt, Hans Holt, Attila Hörbiger, Hans Moser, Willi Schur, Michael von Newlinski, sogar Eduard von Winterstein. Und trotzdem war der Film, als Ganzes gesehen, eine Enttäuschung (Regie Josef von Baky). Sogar der »Film-Kurier« bemerkte bissig (15.4.1939): »La Janas Wirkungen resultieren mehr aus ihrer schaufreudigen Körperlichkeit als aus ihrem darstellerischen Einsatz.« (U: 14.4.1939.) Übrigens spielte La Jana bereits früher noch schlimmer, – um nur »Das indische Grabmal« (1938) zu erwähnen. Sie spielte aber auch viel besser, – in ihrem letzten Film.

»Stern von Rio«, diese Worte erklangen in den ersten Filmszenen zu einem erregenden Tanz und verbanden sich mit der Person der schönen brasilianischen Tänzerin Concha (La Jana). »Stern von Rio« war aber auch der Name eines Riesendiamanten, den Conchas Liebhaber in den Urwäldern Brasiliens gefunden hatte und der zu turbulenten Szenen auf zwei Kontinenten Anlaß gab. La Janas Partner war Gustav Dießl. Die Handlung mischte Spannung mit Humor. Karl Anton als Regisseur hatte sich an die Möglichkeiten gehalten, den Film zum Revuemäßigen hin auszuweiten. Man bezeichnet noch jetzt »Stern von Rio« als den besten Film Karl Antons in seiner Regisseurkarriere. Willy Engel-Berger schrieb die Musik (U: 20.3.1940). Der Film war Kassenknüller der Kinosaison. Den Schlager »Stern von Rio« sang bald halb Europa. Der Erfolg des Films veranlaßte 1955 die CCC zu einem Remake.

Mit der Verfilmung des Romans »Kora Terry« von H. C. Zobeltitz entstand dagegen ein Kinorenner des Winters 1940/41. Der gleichnamige Abenteuerfilm um ein Schwestern-Tanzpaar war vor allem eine

Plattform für Marika Rökk. Sie spielte eine Doppelrolle, bei deren Gestaltung ihr eine Tricktechnik und das Talent des Kameramannes Konstantin Irmen-Tschet zu Hilfe kamen. Georg Jacoby inszenierte dieses bunte und ans Frivole (so meinten einige Betrachter) grenzende Geschehen. Er ließ eine glitzernde, mit verschiedenen Mitteln ausgestattete Revue vor dem Kinopublikum vorüberziehen. Von Peter Kreuder (»Für eine Nacht voller Seligkeit«) und Frank Fux stammte die Musik. Marika Rökk verkörperte die beiden Schwestern mit ihren verschiedenen Temperamenten. Ihr Partner war Will Quadflieg, ein begabter Komponist und Geigenvirtuose, im Film natürlich. Koras Verhalten enttäuschte ihn. Er fand aber den Weg zu Mara Terry (U: 27. 11. 1940 in Karlsruhe).

In »Hab mich lieb« wurde ein kleines Ballett-Mädel, Monika, mit seiner großen Begabung durch einen Zufall entdeckt. Monika, d. h. Marika Rökk, tanzte, steppte, lachte, weinte, flirtete und schmollte in dem Film sehr fleißig. Ihre beiden Freunde waren Hans Brausewetter und Viktor Staal. Harald Braun gestaltete den Film (der bekannte ungarische Schriftsteller Johann von Vaszary war Co-Autor des Drehbuches), Franz Grothe komponierte eine einschmeichelnde Musik (U: 8. 12. 1942; P: küw, vw). Der Film fand ein begeistertes Publikum. Die Presse lobte vor allem die Leistungen Marika Rökks.

Revue-Filme zu drehen, war damals in Deutschland keine leichte Aufgabe. Tanz-Ensembles kamen vom Theater und wirkten danach auf der Leinwand mehr theatralisch als filmisch. Erst im Frühjahr 1943 stellte die Reichsfilmintendanz ein ständiges, filmeigenes Ballett ein: insgesamt 30 Tänzerinnen. Das Ballett genügte aber noch nicht den Ansprüchen, die das Kinopublikum an ein Filmballett stellen konnte. Ein großer Teil der Tänzerinnen war sogar optisch ungeeignet – so im ProMi – und sie mußten allmählich durch neue Kräfte – wiederum vom Theater – ersetzt werden.[324] Das filmeigene Ballett trat in den Filmen »Peter Voss, der Millionendieb«, »Es klingelt dreimal«, »Der Mann, dem man den Namen stahl«, »Glück muß man haben« und »Der tolle Tag« auf. Übrigens konnte das Publikum nicht alle von diesen Filmen mehr sehen.

Begeisterung löste »Der weiße Traum« aus, der erste (auf dem Kontinent) Eisrevuefilm. Geza von Cziffra (Buch und Regie) schuf mit Karl Hartl, der die künstlerische Oberleitung übernahm, diesen Kassenknüller der Saison. Der Film brachte den Wiener Prater auf dem Eis zur Darstellung. »Der weiße Traum« wurde hymnisch gefeiert: »Der schönste Eissport-Film mit Liebeshandlung, der je geschaffen wurde«, war in den Filmkritiken zu lesen. Die hübsche Olly Holzmann spielte die Eiskunstläuferin Liesl, Wolf Albach-Retty war der Eishockey-Jüngling charmanter Art, der auf Umwegen doch noch zu seiner Liebe kam. Selbstverständlich gab es auch im Film die Massenszenen des Balletts mit eislaufenden Girls, die Geza von Cziffra mit größter Mühe gesammelt hatte.[325] Auch im Ausland war der Film ein rauschender Erfolg.

»Es lebe die Liebe« gehörte zu den letzten Revue-Filmen der braunen Ära. Mit Peter Kreuders Musik realisierte ihn Erich Engel bei der Bavaria. J. Heesters und L. Waldmüller bildeten das Liebespaar. (U: 24. 5. 1944 in München).

Die bunte Welt des Zirkus und des Varietés war auch im Kino gerngesehen. Der Film – nicht nur der deutsche Film – hatte hier nicht geringe Traditionen. 1938 präsentierte die Tobis-Cinema (sie hatte Weltvertriebsrechte) am Lido »Fahrendes Volk«, die deutsche Version der französischen Originalfassung (»Les Gens du voyage«). Den Film gestaltete Jacques Feyder (Buch und Regie), in Deutschland kein Unbekannter.[326] Drei weltbekannte Unternehmen: Barley, Hagenbeck und Krone stellten ihre Tiere und die notwendigen Geräte zur Verfügung. Die Darstellerliste umfaßte Namen wie Françoise Rosay, Hans Albers, Camilla Horn, Hannes Stelzer, Irene von Meyendorff (U: 1. 7. 1938 in Hamburg; P: küw). Der Kriegsausbruch strich den Film aus der Liste der im Reich zugelassenen Filme. Der Name Harry Piel war seit je Inbegriff für Abenteuer, Sensation, aber auch wilde Tiere, mit denen er umzugehen verstand. In »Menschen, Tiere, Sensationen« war er der Produzent, Regisseur und Hauptdarsteller. Übrigens war das sein letzter Film, der in die Kinos des Reiches als neue Produktion ging.[327] Die Handlung spielte im Zirkus. Fritz Wenneis, hier mit Erfahrungen, hatte diesmal für diesen interessanten Streifen keine spezielle Originalmusik geschrieben, sondern mehr für ein geschicktes Arrangement bekannter Zirkusnummern gesorgt. Ein Marschlied hatte Wenneis allerdings eigens komponiert, das die Luft des Zirkus atmete (U: 23. 12. 1938 in Königsberg). Bald sollten im Bereich der Zirkusmusik Probleme entstehen.

Reichsministerium für Volksaufklärung
und Propaganda

Berlin, den 23. Februar 1943

... die Begleitmusik zu artistischen Nummern in den Varietés und Kabaretts des Reiches ... Für die Beurteilung der Zulässigkeit muß der

Gesichtspunkt maßgebend sein, daß zu lebensgefährlichen artistischen Vorführungen (akrobatischen und Trapez-Akten usw.), bei denen sich die Ausführenden nur schwer an eine neue Begleitmusik gewöhnen können, gegebenenfalls auch englische, französische oder russische Musik erlaubt werden darf. Bei allen anderen artistischen Nummern, vor allem auch bei allen Ballettvorführungen, ist streng darauf zu achten, daß keine englische, französische oder russische Musik gespielt wird...«

Quelle: ZA-Potsdam, Reichspropagandaministerium, Nr. 16 S. 434

Arthur Maria Rabenalt versuchte dem Zirkusfilm eine neue Form zu geben. Sein Film »Männer müssen so sein« bedeutete jedoch noch keine Revolution in dieser Gattung: Die bunte Welt des Zirkus und des Varietés, prachtvolle Pferde, wilde Tiere, schöne Frauen, schurkische und anständige Männer, dazu die atemberaubenden Varieténummern schlug traditionell die Reklame dieses Films vor. Rabenalt gestaltete ihn nach einem Drehbuch von Hans-Joachim Beyer, der den gleichnamigen Roman Heinrich Seilers als literarische Vorlage benutzte. Den Zirkusstern Beatrice spielte Hertha Feiler (wohl noch zu jung für diese Rolle, so meinten manche Kritiker), Hans Söhnker, sehr männlich, verkörperte den Dompteur Ruda. Viel Schönes gab Paul Hörbiger als Clown Dody. Die Musik zu dem insgesamt gelungenen Unterhaltungsfilm schrieb Michael Jary (U: 16. 3. 1939; P: küw). Mehr Neues war in dem Film »Die drei Codonas« zu finden. Vielen Varietébesuchern war einst der Name Codona ein Begriff. Noch im Jahre 1933 waren »Die Codonas« die berühmteste Artistengruppe der Welt, die einzige, der drei dreifache Salti zwischen zwei weit auseinander hängenden Trapezen gelangen. Bereits 1924 hatten die drei Codonas zum erstenmal in Deutschland (Berliner Wintergarten) ihre hervorragenden Fähigkeiten gezeigt. Damals wurde der Film »Varieté«, mit Emil Jannings und Lya de Putti (Regie E. A. Dupont) gedreht, und die drei Codonas wurden als »Double« für die artistischen Darbietungen verpflichtet. Glanz und Ruhm umstrahlte die drei Codonas, bis die Tragödie kam. Kurt Heuser schrieb zu dem Rabenalt-Film das Drehbuch, nach einer Filmnovelle von Joachim Friedrich Brommer und Philipp Lothar Mayring. Peter Kreuder schuf die Musik. Mit einer Fülle von Gestalten, Girls, Stallburschen, Kunstreitern, Musikern, Platzanweisern, Artisten, die keineswegs nur von Statisten gespielt wurden, entstand 1940 bei der Tobis dieses Drama der Artistenfamilie. Den Haupthelden des Films spielte René

Deltgen (U: 1.8.1940). Im Plan stand eine »Cavalcade des Varietés«, eine Biographie der letzten 30 Jahre der Varietékunst, die ebenfalls A. M. Rabenalt inszenieren sollte (oder sogar begann?). Um dieses Vorhaben wurde es danach still. »Das europäische Varieté« – schrieben die NDK (5. 12. 1940) – »hat in diesem Kriege die große Probe zu bestehen, ob es aus eigener Kraft und unter Entbehrung der außerkontinentalen Artisten vollgültige Programme hinzustellen vermag...« Und die Antwort hieß: Diese Probe hat das europäische Varieté glänzend bestanden. In den ersten Jahren des Krieges tauchten die Namen von berühmten Zirkusbetrieben ständig auf. Übrigens war in diesem Bereich Deutschland eine Großmacht. Zirkus Busch, Zirkus Hagenbeck, Zirkus Franz Althoff, Zirkus Sarrasani in Dresden, Zirkus Barlay, in Wien Zirkus Medranc und vor allem Zirkus Krone, Europas größter Zirkus (Carl Krone), der trotz des Krieges – so in den Propagandamedien – im Umfang und an Größe nichts eingebüßt hatte (mehr als 500 Tiere). Die Möglichkeiten, insbesondere seit dem Anfang des Bombenkrieges, verminderten sich ständig. Deshalb bot der Zirkus Lockung und Entspannung immer mehr auf dem Weg über das Kino. Daß sich in den Kriegsjahren der Film zu wiederholten Malen mit der Zirkuswelt und ihren Menschen befaßte, war also kein Zufall. Arthur Maria Rabenalt drehte auch nicht ohne Erfolg »Zirkus Renz« (Drehbuch vom Regisseur und Otto Ernst Hesse). Der Name »Renz« war nicht nur in den deutschen Artistenkreisen ein Begriff. Der Film bemühte sich, die Geschichte dieses hochberühmten Zirkus sichtbar zu machen, ebenso wie die Karriere von Ernst Renz, der nach seinem Tode (1892) ein Vermögen in Höhe von 16 Mio. Mark hinterließ. Für den Rabenalt-Film machte man aus dem Breslauer Zirkus Busch den Zirkus Renz. René Deltgen spielte den Renz, Paul Klinger den Partner und Kameraden Harms, die Nachwuchsschauspielerin Angelika Hauff war dagegen die hübsche Bettina, die allerlei Wirbel zwischen beiden Männern machte (U: 10. 9. 1943; P: küw, vw).

Die Gestaltung von Zirkusfilmen während des Krieges zeigte schon deutlich die Schwierigkeiten, die diese Gattung zu überwinden hatte, und die sie nicht immer überwinden konnte.

Artistenschicksale haben schon so manches Mal Filmproduzenten gereizt. Im Krieg war die Gestaltung solcher Filme sogar bequemer. Das Thema fand sich in dem Tobis-Film »Die große Nummer«, mit R. Prack, L. Marenbach und M. Delschaft, von Karl Anton realisiert (U: 8. 1. 1943; P: küw, vb). Größeren Anklang fand »Tonelli«, von

Viktor Tourjansky (zugleich mit Emil Burri Verfasser des Drehbuches) gestaltet. Im Mittelpunkt stand das Leben eines berühmten Artisten, Tonio (Ferdinand Marian), der nach der unbegründeten Beschuldigung, den Absturz seines Partners absichtlich herbeigeführt zu haben, gezwungen war, sich durch Flucht dem Gericht und der Verurteilung zu entziehen. Die weiblichen Hauptrollen spielten Mady Rahl (Tonios Frau) und Winnie Markus (U: 12.7.1943; P: lüw).

»Akrobat schö-ö-ön«, Wolfgang Staudtes Werk (Buch und Regie), war für die Zuschauer von damals vielleicht kein Ereignis. Ein eher gutgemachtes Grotesk-Lustspiel um den Akrobatik-Clown Charlie Rivel aus der weltbekannten alten spanischen Akrobaten- und Clown-Familie. Deutschland war seit je bevorzugtes Gastspielland für diesen Spanier. In Berlin, an der Scala, hatte er den Gag, der sein Markenzeichen werden sollte, »Akrobat schööön«, erfunden. 1938 erhielt er die »Goldene Medaille« der Berliner Scala anläßlich seines 40jährigen Bühnenjubiläums. Die Propaganda im Reich brachte in Erinnerung, daß Rivel sich von Anfang an für General Franco erklärt hatte und im Sommer 1939 den »nationalspanischen Paß Nr. 1« erhielt. In Staudtes Film trat Charlie Rivel (auch manche Mitglieder seiner Familie) als der Hauptheld auf. Seine Partnerin war vor der Kamera Clara Tabody. Im Film spiegelte sich schon ein bißchen die bedrückende Atmosphäre der späten Kriegsjahre. Diese Tobis-Produktion gewann die Bedeutung eines wichtigen kulturgeschichtlichen Dokuments (U: 1.12.1943).

Die neuen Zirkusfilm-Produktionen wurden im Kriege durch die Wiederaufführungen von alten Zirkusfilmen ergänzt. Als Reprisen spielte man u. a. »Manege« (Regie Carmine Gallone) und »Die gläserne Kugel« (Regie Peter Stanchina), beide aus dem Jahre 1937, oder »Königstiger«, eine Rolf Randolf-Produktion aus dem Jahre 1935.

Die Welt der Musik und der darstellenden Künste im Kurzfilm

Auch der Kulturfilm erschloß sich diesen Themenkreis. Nach Form und Inhalt waren es verschiedene Produktionen. Das Niveau war nicht immer sehr hoch, um den sonst wichtigen Stummfilm (die Musik kam aus den Schallplatten) »Richard Wagner« von Carl Froelich (Regie und Kamera) schon am Anfang zu erwähnen. Richard Wagner bedeutete Bayreuth und zugleich die dortigen Festspiele. Die zur Zeit des Dritten Reiches höchst privilegierte Kunststätte[328] wurde 1937 zum Thema des Ufa-Films »Bayreuth, die Stadt der Wagner-Festspiele« (Regie Rudolf Schaard). Der Film wurde mit fremdsprachigen Titeln für Werbezwecke auch im Ausland eingesetzt. Genau am Vorabend des Ausbruchs des 2. Weltkrieges wurde der nächste Ufa-Film »Bayreuth« (Eine Stadt einst und jetzt) zensiert (460). Der Film zeigte die Stadt während einer Zeitspanne vom Mittelalter an über R. Wagners Periode bis in die Gegenwart. Manuskript und Regie besorgte Werner Buhre. Der Film war ohne Kommentar, als Unterlage gab es nur Musik (Bearbeitung von Edmund Nick). Im Krieg schrieb Erich Ebermayer einen Filmstoff zum Thema Bayreuth. Aus künstlerischen wie aus pietätvollen Gründen in Bezug auf die Familie Wagner wurde er zurückgestellt.[329]

1938 übernahm das Reich die berühmten Festspiele in Salzburg, das seit 1922 ein künstlerischer Pilgerort Europas war (und ist). Aus diesem Anlaß entstand bei der Ufa »Salzburg, die Festspielstadt« (624m), mit einem Querschnitt durch das (noch) reichhaltige und vielseitige Programm der Salzburger Festspielwoche. Es gab im Film kurze Szenen aus Schauspielen (»Egmont«, »Falstaff«), aus Opern (»Don Giovanni«, »Fidelio«), aus Kirchenkonzerten, Kammermusikabenden, dazwischen Streifbilder aus der Salzburger Landschaft. Hinter der Kamera stand Otto Becker, und Hans Ebert sorgte für die Musik. Der Film wurde 1938/39 hergestellt. 1939 entstand bei der Ziegler-Film in Salzburg »Salzburg, die Mozartstadt« (300m). Der Streifen zeigte Salzburgs bekanntesten Bauwerke und schilderte die Geschichte der Entstehung der Salzburger Festspiele, mit Mozarts Musik mit Hintergrund, aber auch mit einer politisch »richtigen« Aussage. Das Thema »Musik in Salzburg« ergänzten die Spielfilme.[330]

Die Komponisten wurden ebenfalls im Kurzfilm gezeigt. Im Auftrage der Reichsbahnzentrale f. d. Deutschen Reiseverkehr (RDV) entstand 1942 der Film »Bach, Mozart, Beethoven – Deutsche schufen für die Welt« (717m). Dr. Hans Cürlis war der Autor, Regisseur und auch Produzent. Unter den Mitwirkenden im Film befanden sich Prof. Günther Ramin und der Thomaner-Chor aus Leipzig, die Berliner Philharmoniker unter dem GMD Rother, das Orchester des Deutschen Opernhauses Berlin, das Sänger-Duett Irma Beilcke und Karl Schmitt-Walter. Unter den aufgeführten Werken waren: Toccata D-moll. Präludium D-dur von Bach, »Entführung aus dem Serail«, »Zauberflöte«, »Kleine Nachtmusik« von Mozart und die Sonate »Appassionata« von Beethoven. Der Film war also mehr auf das breite Publikum gezielt, was die aufgeführten Werke beweisen.

Um den von Hitler so hoch geschätzten Komponisten Anton Bruckner (Bruckners Büste ließ er in der Walhalla bei Regensburg aufstellen) und die neue der Musik dienende Gründung in Linz zu popularisieren,[331] drehte die Prag-Film 1943 »Die Heimat Anton Bruckners«.[332] Sparsam im Wortkommentar, aber reich mit Bruckners Musik garniert (vor allem mit der vierten Sinfonie Es-dur), bot das Werk dem neuen Bruckner-Orchester S. Florian und seinem Dirigenten Georg Jochum die Gelegenheit, einen breiteren Zuhörerkreis finden zu können.

Mit den ausländischen Komponisten beschäftigte sich der deutsche Kulturfilm eher selten. Hier kann man den Streifen »Puccini« (367 m; P: vb) erwähnen, 1943 bei der Edgar Beyfuß-Film Nachf. gestaltet.

Die Musikinstrumente boten das Thema. Der Film »Wunder des Klanges«, 1943 bei der Ufa gestaltet (Regie Walter Hartmann), unternahm es, die Töne, die das Ohr auffängt, auch den Augen allgemein verständlich wahrnehmbar zu machen. Zunächst zeigte der Film (in Zeitlupenaufnahmen) die Schwingungen des Instruments, die Entstehung von Klangbildern aus Grundton und Obertönen und die Ausbreitung des Klanges im Raum. Danach enthüllte der Streifen das Geheimnis der Klangaufzeichnung und der Klangwiedergabe im Tonfilm und bei der Schallplatte. Die von Kurt Schröder komponierte Musik gab im Gegensatz zu den meisten Filmmusiken bei diesem Film die Grundlage für den Aufbau der Bildfolge. »Die Harfe« gehörte zu den letzten Kulturfilmen, die unter der Ufa-Marke entstanden. Wilhelm Prager (Regie) und Walter Türck (Kamera) gestalteten ihn gegen Ende des Krieges.[333] Im Rahmen der Geschichte des Werdens der Harfe spielte die Musik (Erich Kuntzen) gleichsam eine Hauptrolle.

Die berühmten deutschen Kulturorchester traten in verschiedenen Spiel- und Kulturfilmen jener Zeit auf, nicht selten auch in der Wochenschau. Es gab aber auch einige Kulturfilme, die primär auf das Orchester abgestellt waren. Dem künstlerisch hochstehenden Deutschen Philharmonischen Orchester in Prag unter dem GMD Joseph Keilberth wurde 1944 der Kulturfilm »Das Orchester« (454 m; P: vb, aw) gewidmet. Den Film inszenierte bei der Prag-Film Kurt Rupli (Buch und Regie) unter der musikalischen Mitarbeit von Hermann L. Mayer. Der Streifen – die schönen Räume des Rudolfinums in

Prag gaben ihm den Rahmen – brachte die Interpretation der Frei-schütz-Ouvertüre durch das Orchester mit J. Keilberth am Pult. Der Film war zugleich eine kleine Harmonielehre und schilderte die Funktionen der einzelnen Instrumente. Der Film ging in die Kinos. Nur für Archivzwecke war dagegen der Streifen »Berliner Philhar-moniker unter Knappertsbusch« (um 500 m) bestimmt. Er entstand im Auftrage des ProMi 1942/43 und präsentierte den Dirigenten bei den Proben zur 9. Symphonie von Beethoven.

Das Theater kam auch im Kulturfilm vor. Einige von diesen Strei-fen sind heute wichtige historische Dokumente. So auch »Ehrt eure deutschen Meister« (799 m) über den Umbau des Deutschen Opern-hauses (Städtische Oper Berlin-Charlottenburg) und mit der Festauf-führung der »Meistersinger« (unter Karl Böhm) anläßlich der Eröff-nung des Neubaus am 15.11.1935. Im Parkett sah man Goebbels und Benno von Arent. Viel Theater bot der Stadtfilm »München« (1939). »Theater in Wien« (Regie Ulrich Kayser) gab einen Querschnitt durch das Wiener Theaterleben vom ausgehenden Mittelalter bis zur jüngsten Zeit. Noch 1944 entstand bei der Deutschen Wochenschau »Premiere der Turandot« (342 m; P: kw). Der Film zeigte die Proben und die Dresdner Premiere (5.2.1944) des Tanzspiels »Prinzessin Turandot« von Gottfried von Einem. Übrigens stand im Plan ein Spielfilm darüber.

Varieté & Zirkus gastierten auch in Kurzfilmen. »Menschen ohne Schwerkraft« aus dem Jahre 1941 zeigte u.a. Charlie Rivel. 1942 drehte die Wien-Film »Ein Tag im Zirkus« (P: vb).[334] Die Deutsche Wochenschau schuf 1943 »Im Zauber des Varietés« (288 m; P: aw) und »Programmwechsel im Varieté« (250 m; P: aw). Im März 1944 wurde der Streifen »Plaza-Illusion« (217 m), ebenfalls die Produktion der Wochenschau, zensiert. Es gab im Film das Ballett, Orchester und Solisten, mit Sonja Ziemann, die »Die Julischka« sang. 1944 einen Abend im Zirkus zu verbringen, war nicht mehr leicht. Die »Deutsche Wochenschau« (Nr. 716) vom Mai 1944 schilderte noch einen »Abend im Zirkus Busch«.

Die letzten Spielfilme, die letzten Spielfilmprojekte

Zwischen November 1944 und März 1945 gab die Zensurstelle 14 abendfüllende Unterhaltungsfilme frei, die aber vor Kriegsende we-der im Reich noch im Ausland eine öffentliche Premiere erlebten.

Einige Filme wurden von der Zensur verboten, eine nicht geringe Zahl von Spielfilmen befand sich in verschiedenen Stadien der Herstellung. Viele von diesen Filmen wurden erst nach dem Kriege fertiggestellt und in den westlichen Zonen, in der sowjetischen Zone oder in Österreich in die Kinos gebracht: als die sogen. »Überläufer«-Filme.

»Nichts könnte die im personellen Bereich der Filmindustrie häufig beobachtete und betonte Kontinuität von der NS-Zeit zum deutschen Spielfilm im ersten Jahrzehnt der Bundesrepublik Deutschland deutlicher belegen als das Phänomen der ›Überläufer‹. Was für das Kinopublikum als Ablenkung und Unterhaltung in der voraussehbar letzten Kriegsphase kalkuliert war, konnte ohne Schwierigkeiten auch in der Nachkriegszeit dem Kinobesucher zugemutet werden.«
Quelle: Friedrich P. Kahlenberg, Film, in: W. Benz (Hg.), Die Bundesrepublik Deutschland. Geschichte in drei Bänden. Bd. 3: Kultur, Frankfurt/M 1983, S. 365

Die letzten Entscheidungen der Filmprüfstelle über die Freigabe von abendfüllenden Spielfilmen erfolgten im März 1945. Es wurden je drei Filme der Ufa und der Bavaria und je einer der Tobis und der Berlin-Film, also insgesamt acht Filme, freigegeben.

Von den Ufa-Bildstreifen war Helmut Käutners »Unter den Brükken« (Arbeitstitel: »Unter den Havelbrücken«) trotz sparsamer äußerer Mittel (die Herstellungskosten betrugen dennoch um 1,3 Mio. RM) ein sehr guter Film. Eine melancholisch-heitere Liebesgeschichte aus der Welt der Flußschiffer auf der Havel (im Hintergrund des Drehbuches stand Leo de Laforgues Manuskript »Unter den Brücken von Paris«), mit dem jungen Ehepaar Hannelore Schroth und Carl Raddatz, ferner Gustav Knuth, Ursula Grabley, Hildegard Knef und einigen anderen Schauspielern in den Nebenrollen. Zwischen dem 8.5. und 2.7.1944 gedreht und Mitte Dezember d.J. zensurbereit, wurde er erst im März 1945 zensiert. »Unter den Brücken« ging nach dem Krieg in die Kinos, von einigen Kritikern als bestes Lichtspiel bezeichnet, das zwischen 1933 und 1945 in Deutschland entstanden sei.

Am 9.3.1945 schrieb Hans Hinkel in seiner Eigenschaft als Reichsfilmintendant an den Reichsbeauftragten für die deutsche Filmwirtschaft: »In diesen Tagen werden drei Filme, die ich bereits durchlaufen ließ, freigegeben: ›Via mala‹, ›Wir sehen uns wieder‹ und ›Wie sagen wir es unseren Kindern«».[335] Zehn Tage danach hieß es: »Via mala« nur für das Ausland zugelassen, Goebbels wünscht sofort Filme »Wie sagen wir es unseren Kindern« und »Spuk im Schloß« zu sehen.[336]

Der Ufa-Filmkunst entstammte die musikalische Komödie »Der Posaunist« vom Routinier Carl Boese, mit Paul Dahlke und Sabine Peters, im März 1945 auch für das Ausland von der Zensur freigegeben, und die Familien- und Liebeskomödie »Wie sagen wir es unseren Kindern« (»Was sagen wir unseren Kindern«) von Hans Deppe, mit Leny Marenbach, Mathias Wieman, Hilde Körber und Ernst Waldow. Es wurde in dem Film die Schönheit der Sächsischen Schweiz und Dresdens vor dessen Zerstörung gezeigt. Beide Filme wurden zugelassen, aber erst nach dem Kriege uraufgeführt. Zu den Filmen »ohne Premiere« (zur Zeit des Dritten Reiches) gehörte die Liebeskomödie »Vier Treppen rechts«, im Januar 1945 für das Inland und im März d. J. für das Ausland freigegeben. Kurt Werther, homo novus im Fach der Film-Regie, realisierte sie mit Karin Hardt, Paul Klinger und Gustav Waldau. Zensurbereit lag die Komödie »Fahrt ins Glück«, von Erich Engel gestaltet (Buch Thea von Harbou), mit K. Dorsch, R. Forster, H. Wangel, G. Knuth und H. Knef. Von der Zensur wurde verboten »Erzieherin gesucht«, ein Lustspiel nach einem Drehbuch von Thea von Harbou von Ulrich Erfurth mit O. Holzmann, E. v. Klipstein und W. Lukschy. Erst nach dem Krieg kam dieser Film in die Kinos. Das umfangreichste Vorhaben, das sich bei der Ufa-Filmkunst in Arbeit befand, war W. Liebeneiners »Großfilm« »Das Leben geht weiter«. Anfang März 1945 betrug der durchschnittliche Fertigstellungsprozentsatz dieses Films 40 %.[337] Unvollendet blieben ferner einige andere Filme: »Die Schenke zur ewigen Liebe« von Alfred Weidenmann und die beiden Farbfilme: »Der Puppenspieler« (Anfang März 1945 etwa 15 % Fertigstellungssatz)[338] und »Ein toller Tag«. Der letztere wurde bereits am 26. 5. 1944 (Dreharbeiten) angefangen und im September d. J. abgedreht, bei ca. 1,6 Mio. RM Herstellungskosten. Im März 1945 betrug der Fertigstellungssatz 95 %.[339] Der Film wurde nicht vollendet. Der an der Deutschen Reichsbahn arbeitenden Frau war »Kamerad Hedwig« gewidmet, ein Gerhard Lamprecht-Film mit Luise Ullrich. Die schrifstellerisch begabe Schauspielerin schrieb auch mit Toni Huppertz das Drehbuch. Die Außenaufnahmen (Kamera Ekkehard Kyrath) fanden zwischen dem 6. 9. und 15. 11. 1944 in Würzburg statt, noch vor dessen Zerstörung durch einen Fliegerangriff. Im Frühjahr

1945 folgten noch die restlichen Außenaufnahmen und die Atelierarbeit. Bei voraussichtlichen Kosten um 1,25 Mio. RM stand der Film am Ende des Krieges in der Endphase der Arbeit. Noch im Dezember 1944 stellte man fest, daß »mit seiner Ablieferung erst zum 31. Mai 1945 zu rechnen« sei.[340] Es gab auch verschiedene Filme, die im Plan standen. Ein relativ altes Vorhaben war der Revue-Film »Die Puppe«, zunächst als Farbfilm gedacht.[341] Georg Jacoby war für die Regie, Marika Rökk für die Titelrolle vorgesehen. Im Januar 1945 besichtigten die Ufa-Leute (u. a. Liebeneiner, Jacoby) zum Vergleich den amerikanischen farbigen Märchenfilm »Wizard of Oz« und den sowjetischen Marionettenfilm »Der neue Gulliver«.[342] Im Plan stand der Film »Hänsel und Gretel«: Für die Regie war Hans Deppe vorgesehen, Werner Krauss und Paul Henckels standen in der Darstellerliste. Der Drehbeginn war auf Ende Januar 1945 geplant. Bereits ab September 1944 stand im Plan »Die Liebe der Könige« (»König von Portugal«), mit Herbert Maisch als Regisseur, mit Werner Krauss und Marianne Hoppe in den Hauptrollen. Das bekannteste Projekt war »Der Kaufmann von Venedig« mit Veit Harlan als Regisseur. An die Öffentlichkeit trat man mit diesem Vorhaben nicht.[343] Noch am 26. 3. 1945 äußerte die Ufa-Filmkunst die Absicht, die Weltverfilmungsrechte für den Stoff von Kurt E. Walter »Das Lebenslied« zu erwerben. Der Autor verlangte dafür 30000 RM.[344] Im Plan stand u. a. der Film »Vorpostenboot 04« nach Curt Langenbeck. Man beabsichtigte, ihn als einen Farbfilm zu drehen.[345]

Das Lustspiel der Tobis »Meine Herren Söhne« von Robert A. Stemmle (mit Monika Burg und Werner Hinz) konnte noch am 20. 2. 1945 in der Reichshauptstadt seine Uraufführung erleben. Der etwas später von Goebbels freigegebene Soldatenfilm »Wir seh'n uns wieder« (noch im Juni 1944 in den Pressebesprechungen u. d. T. »Vielleicht sehen wir uns wieder«) erlebte dagegen keine offizielle Uraufführung. Der Farbfilm »Das kleine Hofkonzert«, nach dem 1944 für 25000 RM gekauften Weltverfilmungsrecht für das gleichnamige Theaterstück von Paul Verhoeven und Toni Impekoven, wurde erst nach dem Krieg von der Defa fertiggestellt und in Berlin (Ost) uraufgeführt (15. 4. 1949). Die Defa hatte ferner die Krimis »Ruf an das Gewissen« und »Der große Fall«, beide von Karl Anton, die Liebeskomödie »Eine alltägliche Geschichte« von Günther Rittau (mit G. Fröhlich und M. Simson), die Groteske »Der Mann, dem man den Namen stahl« von Wolfgang Staudte und die heitere Ludwig Anzengruber-Verfilmung »Die Kreuzschreiber« von Eduard von Borsody,

ferner das satirische Lustspiel »Peter Voss, der Millionendieb« von
Karl Anton, fertiggestellt und in die Kinos gebracht. Eine Reihe von
Filmen blieb jedoch auch nach dem Krieg unvollendet. So die Komödie »Dr. phil. Döderlein« von Werner Klingler, mit Heinrich George
und Käthe Haack (zunächst war als Regisseur Wolfgang Staudte vorgesehen und statt K. Haack Henny Porten), das Drama »Der Scheiterhaufen« von Günther Rittau (mit E. Balser, E. Ponto), die Komödie »Frau über Bord« von Wolfgang Staudte (mit H. George, A. v.
Ambesser, A. Uhlig), die Liebesgeschichte »Leb' wohl, Christine«
(Arbeitstitel, wie die literarische Vorlage, »Umarmt das Leben«) von
Gustav Fröhlich ab 21. 6. 1944 wochenlang in Mainon a. Bodensee
mit W. Birgel und K. Dyckhoff gedreht, der Operettenfilm »Glück
muß man haben« von Theo Lingen, das Lustspiel »Verlobte Leute«
von Karl Anton und der Harry-Piel-Film »Der Mann im Sattel«, eine
Pferdetrainer-Geschichte. Unter den Planungen der Tobis befanden
sich Filme wie »Kabine 27« (als Regisseur waren W. Staudte oder G.
Jacoby vorgesehen) und »Der schmale Grat«, als Filmstoff schon genehmigt.

Ihre beiden Farbfilme konnte die Terra-Filmkunst nicht mehr fer-
tigstellen: den Operettenfilm »Die Fledermaus« (der Film wurde
nach dem Krieg von der Defa fertiggestellt) und »Wir beide liebten
Katharina«. Bei dem letzteren Film dauerten die Außenaufnahmen
in Würzburg und Mainfranken vom 30. 8. bis 26. 11. 1944, und Anfang März 1945 sollten die Dreharbeiten beendet werden. Der Film
blieb unvollendet. Unvollendet blieben ferner »Tierarzt Dr. Vlimmen« von Boleslav Barlog, »Das seltsame Fräulein Sylvia« von Paul
Martin mit Ilse Werner, »Sag' endlich ja« von Helmut Weiß mit Jenny
Jugo (1949 von der Defa neu gedreht) und von demselben Regisseur
»Sag die Wahrheit« mit H. Rühmann und H. Feiler (1946 neu ge-
dreht). Für März 1945 war der Drehbeginn eines weiteren Farbfilms
geplant: »Die Sperlingsgasse«. Unter den Kandidaten für die Regie
befanden sich Erich Engel, Paul Verhoeven und Alfred Braun. Die
Hauptrollen waren für Carl Raddatz mit Ilse Werner bzw. Angelika
Hauff vorgesehen. Die weiteren Planungen umfaßten Filme wie:
»Das geht Euch nichts an« (Regie H. Schweikart), »Geliebte meiner
Jugend« (Regie Fritz Kirchoff), »Die drei Ehrlichen« (Regie F. P.
Buch), »Das dritte Gedeck« (Regie Paul Martin) und »Der Orchi-
deenjäger« (Regie Rolf Hansen).

Von den letzten Berlin-Film-Produktionen wurde »Das alte
Lied«, eine Th. Fontane-Verfilmung, vollendet und uraufgeführt

(30.3.1945). »Das fremde Leben«, ein psychologischer Frauen- und Liebesroman von Johannes Meyer (mit Winnie Markus und Viktor Staal) wurde zwar zensiert, aber nicht aufgeführt. Eine Reihe von Filmen wurde erst nach dem Krieg fertiggestellt und uraufgeführt: »Ich glaube an Dich« (Arbeitstitel, wie die literarische Vorlage, »Mathilde Möhring« von Th. Fontane), von Rolf Hansen mit H. Hatheyer, V. Staal und P. Klinger, »Eine reizende Familie«, ein Lustspiel von Erich Waschneck mit Ernst von Klipstein, Karin Hardt und Sonja Ziemann (ein Loblied auf die kinderreiche Familie), der Krimi »Rätsel der Nacht« von Johannes Meyer mit Lotte Koch, Kirsten Heiberg und Richard Häußler (von der Defa fertiggestellt). Unvollendet blieben die Filme: »Der verliebte Sommer« (früherer Titel: »Heidesommer«[346]) den Eugen York mit E. v. Klipstein und Jens Asby realisierte, und »Frühlingsmelodie«, eine Liebeskomödie von Hans Robert Bortfeld mit Hansi Knoteck, Albert Matterstock und Rolf Weih. Das skurrile Film-Capriccio »Intimitäten«, ständig in Änderungsarbeiten, wurde von der Zensur nicht freigegeben.[347] Im Plan stand »Mutter und Kind«, ein Kostümfilm, der um 1860 spielen sollte. Im Einvernehmen mit dem ProMi sollte er im Rahmen der »kriegswichtigen Filmproduktionen« von Rolf Hansen als Regisseur gedreht werden.[348]

Erst im März 1945 wurde die Gruselkomödie der Bavaria »Spuk im Schloß« zensiert (Arbeitstitel »Spuk um Mitternacht«). Das Buch schrieb (für 20 000 RM) Hans H. Zerlett, er selbst übernahm auch die Regie. Die Aufnahmen wurden bereits im Februar 1944 beendet, und über die »Novitäten« des Films berichtete der »Film-Kurier« (11.2.1944) fast ausführlich. Der Film wurde erst am 20.2.1947 uraufgeführt. Einen defaitistischen Film, »der versucht, Anschluß an demokratische Traditionen zu gewinnen«, nannte ihn nach dem Krieg Karsten Witte, nicht ohne guten Grund.[349] Zensiert wurde ferner das Lustspiel »Frech und verliebt« von Hans Schweikart, mit J. Heesters und G. Reismüller, aber auch in diesem Fall fand die Uraufführung erst nach dem Krieg statt (25.12.1948). Nach zahlreichen Änderungen war auch der Film »Regimentsmusik« zensurbereit, wurde aber nicht mehr uraufgeführt. Übrigens gehörte dieser Streifen zu den Filmen, die nach dem Krieg von den Besatzungsbehörden verboten wurden. Erst nach dem Krieg gingen die Bavaria-Filme: »Die Nacht der Zwölf«, »Das Gesetz der Liebe«, »Münchnerinnen«, »Philine« und »Mit meinen Augen« in die Kinos, ebenso Viktor Tourjanskys »Dreimal Komödie« mit Ferdinand Marian, Margot

Hielscher und Paul Dahlke. »Geld ins Haus« – eine Komödie von Robert A. Stemmle – gehörte auch zu diesen Filmen. Dagegen wurde die Familienkomödie »Wo ist Herr Belling?«, ein Erich Engel-Film mit Emil Jannings, nicht beendet. Jannings' Krankheit sollte angeblich die Fertigstellung des Films verhindert haben.[350] Im Plan der Bavaria stand der Film »Hilfskreuzer«. Ein entsprechender Vertrag wurde am 8.2.1945 mit Walter Zerlett-Olfenius unterschrieben. Noch am 17.4.1945 wurde dem Autor die fällige Rate überwiesen.[351] Weitere Planungen der Bavaria umfaßten Filmstoffe wie »Das große Einmaleins«, »Der Andere«, »Der große Unbekannte«, die freilich auch nicht mehr gedreht werden konnten.

Ende 1944 wurde »Am Ende der Welt«, eine Produktion der Wien-Film, von Goebbels endgültig verboten. Gustav Ucicky inszenierte diesen Film nach einem Drehbuch von Gerhard Menzel (40 000 RM) – die Dreharbeiten begannen bereits im März 1943 – mit Stadt-Land-Konflikt zum Thema. Attila Hörbiger und Brigitte Horney waren die Hauptfiguren des Filmgeschehens.[352] Im Film wirkte – in der Rolle eines jüdischen Bankiers – der polnische Schauspieler Boguslaw Samborski (Gottlieb Sambor) für 500 RM Tagesgage mit. Zensurbereit lagen bei der Wien-Film: die Liebeskomödie »Umwege zu Dir« von Hans Thimig (Georg Zochs letzte Arbeit als Filmautor) mit M. Harell, R. Wanka und Ch. Mardayn, sowie »Liebe nach Noten« (»Noma«) – am 21.8.1944 wurden die Dreharbeiten zu dem Film angefangen, und Mitte Januar 1945 war er zensurbereit – von Geza von Cziffra mit O. Holzmann, R. Prack und H. Olden. Beide Filme gingen erst nach dem Krieg in die Kinos. Erst nach dem Krieg wurde »Wie ein Dieb in der Nacht« (Arbeitstitel »Herzensdieb«) von Hans Thimig mit G. Huber und W. Albach-Retty fertiggestellt und uraufgeführt. Das Lustspiel »Ein Mann gehört ins Haus« von Hubert Marischka (mit M. Schneider, P. Richter, M. Andergast) wurde bereits seit 27.9.1944 in Zell am See und Schönbrunn gedreht (mit den Arbeitstiteln: »Großstadtluft in Seewinkel«, »Bankerl unterm Birnbaum«), aber erst nach dem Krieg fertiggestellt. Erst nach dem Krieg wurde der Forst-Film »Wiener Mädeln« beendet. Weitere Planungen der Wien-Film umfaßten Stoffe wie: »Don Juan wider Willen« (Regie E. v. Borsody), »Kleinigkeiten« (Regie M. W. Kimmich), »Lotterie« (Regie G. Ucicky mit Hans Moser) und »In unserer Stadt« (Regie G. Ucicky, mit Paula Wessely).

Bei der Prag-Film waren zahlreiche prominente Schauspieler an dem Farbfilm »Schiwa und die Galgenblume« (seit 6.1.1945 in der

Atelierarbeit) beschäftigt, in der Realisation befand sich auch Geza von Cziffras Krimi »Leuchtende Schatten«. Beide Filme blieben unvollendet. Ende März befanden sich in Drehbucharbeit: »Zwischenspiel im März« (ein bereits genehmigter Stoff) und »Lügen ist nicht so einfach«, ferner »Der Fall der Therese Humbert« (Autoren Coubier und Feiler). In der Vorlage zur Genehmigung lag bei der Reichsfilmdramaturgie »Auftrag X« (Exposé nach einem Entwurf von Zerlett-Olfenius) und »Kampfgruppe Emanuel« (Entwurf H. W. Hillers).[353] Weitere Planungen der Prag-Film umfaßten Stoffe wie »Große Sorgen, kleine Sorgen« in der Regie von G. Ucicky mit R. Forster in der Hauptrolle, und »Blitz aus heiterem Himmel« (Regie Alfred Stöger). Unter den genehmigten Stoffen befanden sich Filmvorhaben wie »Die Bergung«, und »Achtung, Fallschirmagent!« (Buch von Werner Eplinius, bereits im Sommer 1944 geschrieben).

Der Deutsche Film und Literatur in Wechselwirkung

Für einen durchschnittlichen Unterhaltungsfilm ist es ziemlich gleichgültig, ob ein Drehbuchautor sich seine Handlung selber ausdenkt, oder ob er sie aus der Literatur entleiht. Und dennoch: Kaum war der Film entstanden, da bemächtigte er sich der Literatur und zwang sie in eine Symbiose, von der er seit je nicht mehr lassen kann und auch gar nicht will. Die Frage, ob der Film literarisch vorgeprägte Stoffe verarbeiten soll oder Stoffe, die für den Film, und sogar filmisch, erdacht sind, gehörte damals zu den am meisten erörterten Fragen im weiten Bereich der Filmdiskussion. »Gemeinhin wird befunden«, meinte Edmund Th. Kauer, »daß weder das Bühnendrama noch der Buchroman unmittelbar echte Filmstoffe ergeben – eine Selbstverständlichkeit, die nicht verdiente, ernsthaft vorgetragen zu werden – und daß daher den für die Verfilmung eigens erdachten Stoffen der Vorzug gegeben werden muß.«[1]

Vor dem Kriege entstanden annähernd 50 Prozent von Spielfilmen nach Werken der Literatur. Nach und nach wuchs aber die Zahl der Originalstoffe gegenüber der Verfilmung von Literaturwerken. Ein wesentlicher Abbau der Literaturverfilmungen setzte jedoch in den Kriegsjahren noch nicht ein. Von Spielfilmen aus den Jahren 1939 bis 1945 gingen 243 auf literarische Vorwürfe zurück.

Das Hausrecht des Autors und das Hausrecht des Regisseurs

Bei der Verfilmung müssen die Literaturwerke eine – oft sehr wesentliche – Umgestaltung erfahren. Dabei geht vieles verloren oder wird vieles geändert. Es ist nicht immer möglich, ein literarisches Werk den Gesetzen einer ganz anderen Dramaturgie zu unterwerfen. Die große Frage: Hat der Schriftsteller dem Film zu dienen, oder der Film dem Schriftsteller? – hat ihre Geltung in der NS-Ära nicht verloren. Der Autor, an selbstherrliches Schaffen gewöhnt, wünscht sich den Film als willfähriges Werkzeug, um seiner schriftstellerischen Phantasie Form und Ausdruck zu geben. Dagegen verlangt die Filmproduktion von ihm eine demütig dienende Unterordnung. Für sie ist der Autor nichts anderes als einer der zahlreichen Faktoren, aus deren mehr oder weniger harmonischem Zusammenwirken das Kollektivprodukt Film entsteht. Die Gegensätzlichkeit zwischen dem Individualismus des Autors und dem praktischen Kollektivismus der Filmproduktion führte seit je nicht selten zu trüben Erfahrungen. Insbesondere im totalitären System wird dem Autor im Film zu wenig künstlerische Verantwortung und Freiheit zugestanden. Vom März bis tief in den Sommer 1939 war dieses Problem Gegenstand lebhafter Erörterungen im Film-Kurier. Dr. Heinrich Spoerl betonte, daß es schwer sei, Buch und Bühnenautoren zur Filmarbeit zu gewinnen, und meinte, daß ein Mangel an fruchtbaren Filmautoren herrsche. »Unsere Filmakademie bemüht sich auch auf diesem Gebiet, Nachwuchs heranzuziehen«, äußerte er. »Aber sie kann den jungen, unbelasteten Leuten nicht das Dichten beibringen, sondern nur die technische Rüstung vermitteln.«[2]

Obwohl der Autor an den Filmeinkünften nicht unmittelbar beteiligt war, begegnete man nur vereinzelten Gegnerschaften in Theater- und Schriftstellerkreisen. Der Film wirkte verlockend. Auch finanziell. Und es ging nicht nur um das Geld beim Kauf von Filmrechten. Es sei hier an die Beziehungen erinnert, die einen Lesestoff und einen Film verbinden. Viele Bücher rückten anläßlich einer Verfilmung in den Mittelpunkt weiter Leserschichten, erfuhren eine Steigerung ihrer Auflage oder erreichten eine Neuauflage.

Die vom NS-System erwünschten Autoren

Das ProMi und die Agenten der RKK verfolgten das Ziel, brauchbare Schriftsteller für die Arbeit am Film zu gewinnen. Zu Anfang des Krieges bereitete die RSK eine Liste jener Verfasser vor, deren Werke bis dahin zur filmischen Gestaltung noch nicht benutzt oder vom Film nicht herangezogen worden waren. Diese Liste brachte in erster Linie Stoffvorschläge unter besonderer Berücksichtigung der Mitwirkungsmöglichkeiten der Autoren im Film. Eine breite, bunte Palette von Schriftsteller-(Dichter)-Persönlichkeiten, literarischen Gattungen und Themen. Selbstverständlich mit Ausnahme der vertriebenen deutschen Literatur, die eine Skala von Überzeugungen zwischen altliberalem Humanismus und doktrinärem Stalinismus re-

486

präsentierte. Diese Liste war also zugleich eine höchstinteressante Beurteilung von Autoren und ihren literarischen Werken aus der Sicht der NS-Kulturpolitik. Es fanden sich auf ihr nachstehende Namen und zur Verfilmung vorgeschlagene Werke:[3]

Von dem Niedersachsen Konrad Beste die Komödie um den phantastischen Tischlermeister »Seine Wenigkeit« (1936), ferner »Gesine und die Bostelmänner« (1936), »Das vergnügliche Leben der Doktorin Löhnefink« (1934) und »Die drei Esel der Doktorin Löhnefink« (1937); von Felix Wilhelm Beielstein der Roman »Rauch an der Ruhr« (1930), ein Buch, »das leider« wie man angab, »durch die Verramschung gänzlich in die Versenkung gefallen« sei. Vorgeschlagen wurden Hermann Bredehöft mit dem Roman »Derjenige welcher« (1939), Carl von Bremen mit dem preisgekrönten (1/3 des Literaturpreises der Stadt Berlin, 1937) Roman »Die Schifferwiege« (1935) und Margarete Boie mit ihren fünf Romanen von der Insel Sylt. Verschiedene Stoffe, die vom Film gestaltet werden könnten, sollte man in den Novellenbänden »Das treue Eheweib« (1933) und »Der bekränzte Weiher« (1937) von Georg Britting finden. Von Otto Brües waren es die Romane »Der Walfisch im Rhein« (1931), »Fliegt der Blaufuchs? – Roman aus der flämischen Bewegung unserer Tage« (1935), »Der schlaue Herr Vaz« (1937), ferner die Erzählungen »Das Mädchen von Utrecht« (1933) und »Helden, Heilige, Narren und Musikanten« (1933). Hermann Eris Busse war mit seiner Schwarzwaldtrilogie »Bauernadel« (1933) und dem Roman »Heiner und Barbara« (1936) erwähnt. Hans Friedrich Blunck, im Dritten Reich »persona gratissima«, war mit seinen »großen Romanen, zahlreichen Erzählungen, lustigen Schnurren, tiefgründigen Sagas, balladesken Bühnenstücken« – mit der Bemerkung: »Warum hat sich der Film bis heute noch nicht eines dieser lockenden Themen angenommen?« vorgeschlagen. Namhaft wurden aber hier nur Werke aus der Zeit seit 1933 erwähnt: Der Roman »Die große Fahrt« (1934), das Schauspiel »Land in der Dämmerung« (1933), die Tragödie »Jakob Leisler« (1938), das Lustspiel »Die Lügenwette« (1933) und die Gegenwartskomödie »Sprung ins Bürgerliche« (1933). Anton Dörfler, der Erzähler aus dem heiteren Main-Franken (das tragende Grundthema seiner Romane war die Einordnung des Einzelnen in überindividuelle Lebensmächte), war mit seiner erzählenden Prosa vertreten: »Die ewige Brücke« (1937) und »Der Ruf aus dem Garten« (1936). Von Georg Grabenhorst waren die Geschichte »Merve« (1932), die Erzählung »Der ferne Ruf« (1933) und die Novelle »Unbegreifliches

Herz« (1937) verzeichnet. Max Dreyer, der zu den Senioren unter den lebenden deutschen Schriftstellern gehörte, wurde diesmal für den Film nicht vorgeschlagen. Eine beträchtliche Zahl seiner Werke war übrigens bereits verfilmt worden, so 1933 im C. Froelich-Film »Reifende Jugend«, mit H. George in der Hauptrolle, nach dem Stück »Reifeprüfung« (1929), 1934 im A. M. Rabenalt-Film »Eine Siebzehnjährige« nach dem Drama »Die Siebzehnjährigen« (1904), 1935 im H. Steinhoff-Film »Der Ammenkönig« nach der Sittenkomödie »Das Tal des Lebens« (1902) und 1937 »Zweimal zwei im Himmelbett« (Regie H. Deppe) nach dem Roman (der übrigens auch dramatisiert wurde) »Das Himmelbett von Hilgenhöhe« (1928). Max Dreyer, mit dem neuen Regime völlig d'accord, erntete weitere Lorbeeren im Theater, mußte aber im Film den Platz für seine jüngeren Kollegen räumen. So z. B. für den Blu-Bo-Schriftsteller Friedrich Griese, über den die RSK schrieb: »Ein reiches, episches, oft preisgekröntes Talent«, das »leider vom Film überhaupt nicht beachtet« würde. Es wurden hier vor allem seine Erzählungen »Das Korn rauscht« (1923), »Der Saatgang« (1933), »Die Wagenburg« (1935) und das Drama »Wind im Luch« verzeichnet. Von Henrik Herse wurden die Erzählung »Schambock« (1936) und die Romane »Das Fähnlein Rank« (1935) und »Die Schlacht der weißen Schiffe« (1937) erwähnt. Gleich zu Anfang des Dritten Reiches stand August Hinrichs unter den erfolgreichsten Bühnenautoren an weitaus erster Stelle. Seine Lustspiele wurden ins Filmische übertragen. Hier wurde Hinrichs, der »zu den wenigen, die dem Namen eines Volksschriftstellers wieder höhere Bedeutung gegeben« hatten, gehörte, mit dem Roman »Das Licht der Heimat« (1920), mit dem Schicksalsroman des niederdeutschen Bauerngeschlechts »Die Hartjes« (1924) und dem Friesenroman »Volk am Meer« (1929) verzeichnet. Der erstaunlich wenig erfolgreiche RSK-Präsident Hanns Johst wurde mit seinem Schauspiel »Thomas Paine« (1927) vorgeschlagen. Der Reihe nach folgten mit ihren Romanen Eduard Koelwell (»Maller in Flammen«, 1939) und Heinrich Lilienfein (»In Fesseln frei«, 1938). Es wurden weiterhin die Erzählungen des »Dichters der ostfriesischen Küste«, Martin Luserke, (»Windvögel in der Nacht« – 1936 – und »Die Ausfahrt gegen den Tod« – 1936) sowie die humorvollen Hundegeschichten aus der Lüneburger Heide aus den Jahren 1935–1938 von Bruno Nelissen-Haken vorgeschlagen, für Kulturfilme war es die kurze Prosa von Martin Raschke. Otto Rombach war mit dem Novellenband »Der Brand am Affenhaus« (1928), mit der Erzählung »Der

Ikarus von Ulm« (1936) und dem Schelmenroman »Adrian, der Tulpendieb« (1936) vertreten. Von der Prosa des Österreichers Josef Friedrich Perkonigs (schon 1933 stand sein Schaffen im Dritten Reich auf den »weißen Listen«) wurden »Dorf am Acker« (1925), »Nikolaus Tschinderle, Räuberhauptmann« (1936) und seine Grenzkampfromane »Der Puchner« (1934) und »Die Brüder Tommahans« (1937) vorgeschlagen. Margarete Schliessl-Bentlage war mit »Unter den Eichen« (1933) und »Der Liebe Lust und Leid« (1936) verzeichnet. Von Wilhelm Schmidtbonn schlug man die rheinischen Geschichten »Uferleute«, »Die unberührten Frauen« (1926) und »Lebensalter der Liebe« (1935) vor. Auch bei Wilhelm von Scholz wies man auf seine kleine Prosa, auf die verschiedenen Novellen- und Erzählungsbände hin. Diese umfangreiche Liste umfaßte auch andere Zeitgenossen wie Heinrich Wolfgang Seidel, den man als einen »viel zu wenig« bekannten humoristischen Schriftsteller vorstellte, und den nicht mehr so jungen Heinrich Sohnrey. Von der »alten Garde« waren hier auch Emil Strauß mit »Der Schleier« (1931), »Das Riesenspielzeug« (1934) und »Hans und Grete« (1909), ferner August Supper mit neueren und älteren Heimaterzählungen erwähnt. Heinz Steguweit, der humorvolle Plauderer, Autor zahlreicher Kurzgeschichten und Träger des rheinischen Literaturpreises von 1938, wurde mit seinen rheinischen Schwänken »Das Laternchen der Unschuld« (1926), »Frohes Leben« (1933), »Am ewigen Ufer« (1936) und »Das Stelldichein der Schelme« (1936) vorgeschlagen. Erwähnt wurde auch die neue Prosa von Ludwig Tügel und das böhmisch (zugleich politisch) geprägte Werk des sudetendeutschen Schriftstellers und »Joseph-Freiherr von Eichendorff-Preisträgers« (1939) Hans Watzlik. Josef Magnus Wehner wurde mit dem Roman »Die Hochzeitskuh« (1928) und Will Vesper mit der lustigen Kleinstadtgeschichte »Sam in Schnabelweide« (1931) erwähnt. Es wurden endlich der bekannte »Sänger der industriellen Arbeit« und Humorist Josef Winckler mit seinen neueren Werken, vor allem »Doctor Eisenbart« (1929), und Georg von der Vring mit den Novellen »Einfache Menschen« (1933) und »Der Schritt über die Schwelle« (1933) vorgeschlagen.

Soweit die politischen Vorschläge der RSK. Der Film entwickelte jedoch in diesem Bereich eigene Vorstellungen. Der weitaus größte Teil der vorgeschlagenen Schriftsteller fand beim Film keine Berücksichtigung, sondern mußte das Feld anderen Autoren überlassen.

Die Literatur der Aufklärung und der klassisch-romantischen Periode

Die großen Werke der deutschen Literatur zogen selbstverständlich die Filmautoren und Filmregisseure an – die literarischen Monumente blieben aber im Film der NS-Zeit fast unberührt. Was Goethe betrifft, so befanden sich im Verleih zwei Gedenkfilme, die 1932, anläßlich des 100. Todestages des Weimarer Dichterfürsten bei der Ufa gedreht worden waren. Nicholas Kaufmann und Fritz Wendhausen waren die Schöpfer der Filme, Theodor Loos, Luise Ullrich und Willy Domgraf-Faßbender die Hauptdarsteller, Clemens Schmalstich der Filmkomponist.[4] Die beiden Filme wurden entweder als Beiprogramm oder in Sonderveranstaltungen gezeigt. Eine Erinnerung an Goethes Werk war »Faust«, ein Stummfilm aus dem Jahre 1926, den F. W. Murnau nach einem Manuskript von Hans Kyser mit Emil Jannings gedreht hatte.[5] Auch in Reprisenkinos war der Film eine Seltenheit. Es gab in der NS-Zeit Klassiker-Pläne. Veit Harlan wollte einen Goethe-Film drehen, die Prag-Film hatte 1943 ein Drehbuch »Hermann und Dorothea« in Arbeit.[6] Diese Projekte wurden nicht realisiert. Einen Versuch, den Lebensweg Götz von Berlichingens sichtbar zu machen, unternahmen noch 1945 Leo de Laforgue (Regie) und Hanns J. Wille (Buch). Über diesen Kulturfilm der Ufa informierte die Presse noch im März 1945. Schillers Werke oder Schillers Themen hatten mehr Glück, obwohl man den Film »Wilhelm Tell« nicht gerade als glücklich bezeichnen kann. Der Regisseur Hein Paul (mit Hanns Johst auch Mitverfasser des Drehbuches) schuf diesen Streifen bereits im ersten Jahre des braunen Regimes, »frei« nach dem gleichnamigen Drama. Im Kino lief das Opus eher schlecht (U: 12. 1. 1934). Im Herbst 1939 erwähnte die Presse, daß Fritz Peter Buch die Verfilmung von »Kabale und Liebe« plane. Der Film wurde jedoch nicht gedreht. Das Thema paßte nicht in die Kriegslandschaft. Der Plan tauchte aber noch im Sommer 1943 bei der Ufa wieder auf. Der geplante Film sollte »kein Wort des Schillerschen Dialogs enthalten«, man wollte nur »die Fabel verwerten«. »Das Ganze« – stellte der Produzent fest – »werde eine ausgesprochen politische Tendenz enthalten in der Richtung, daß es zwar möglich ist, eine zeitlang seine Macht auszunutzen und das Recht zu beugen, daß aber in der inneren Unwahrheit und Unmoral eine nur auf die Erfüllung egoistischer Interessen gerichtete mächtige Gesellschaftsschicht eines Tages zusammenbrechen muß, eben darum, weil sie nicht im Interesse der Gesamtheit und Volksgemeinschaft handelt.«[6] Wolfgang Liebenei-

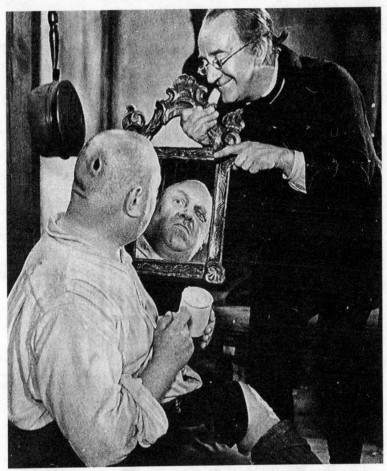

60. *Emil Jannings und Max Gülstorff in »Der zerbrochene Krug«*

ner wollte »diese politisch wichtige Filmaufgabe« dem jungen Schriftsteller aus Dresden Georg Döring, übertragen und beantragte daher
seine UK-Stellung. An Döring wandte er sich mit folgenden Worten:
»Dieser Stoff ist uns sehr wichtig, und wir haben an Sie als Autor
gedacht, weil es ein junger Mensch sein müßte, der soviel Beziehungen zur heutigen Zeit und ihren Problemen hat, daß er imstande ist,
diese alte Geschichte völlig neu aufzubauen.«[7] Auch dieses Vorhaben wurde nicht realisiert. Die Großen der deutschen Literatur wa-

ren mit Heinrich von Kleist, Gotthold Ephraim Lessing und Eduard Mörike[8] vertreten. Schlagzeile machte »Der zerbrochene Krug«, die erste werkgetreue Verfilmung dieser Kleistschen Komödie in der Regie von G. Ucicky (1937). Gelobt wurde vor allem das Spiel Emil Jannings'. Der Film kehrte von Zeit zu Zeit in Reprisenwellen in den deutschen Kinos wieder.

Die einzige Lessing-Verfilmung war durch den Kriegsausbruch bedingt. Die Außenaufnahmen zu dem Film »Das Soldatenglück« nach »Minna von Barnhelm« begannen Anfang April 1940. Ein Ereignis von großer Bedeutung, hieß es in Kommentaren. Das »Ereignis« erhielt nach einigen Wochen den Titel »Liebe und Soldatenehre«, und die Presse meinte: »Minna von Barnhelm« ist das Werk eines Sachsen, und doch hätte kein Preuße ein preußischeres Werk schaffen können. Schließlich kam der Film unter dem Titel »Das Fräulein von Barnhelm« in die Kinos. Nicht Lessing legitimierte den Film. Die offizielle Betrachtung urteilte: »Im Lessingschen Geiste gemachtes Werk«, oder, »dem Regisseur Hans Schweikart gelang die Verspinnung des Vergangenen und Gegenwärtigen«. Um den Film machten sich selbstverständlich auch die Drehbuchautoren verdient: Ernst Haselbach und Peter Francke. Ein Breslauer Kritiker klagte: »Es ist nicht unsere heiß geliebte, in jedem Wort des Dichters glühend bewunderte und verehrte Minna von Barnhelm«, doch auch er erklärte den Film für eine »künstlerische Leistung«.[9] Zehn Personen kennt das berühmte Lustspiel, dreißig führte das Darstellerverzeichnis dieses Bavaria-Films auf. Die begabte Wahl-Berlinerin Käthe Gold (erst nach längerer Zeit wieder im Film) spielte die Minna, der Wahl-Wiener Ewald Balser den Tellheim. Paul Dahlke trat als Just auf. Es spielten auch Fita Benkhoff, Theo Lingen, Erich Ponto, Hans Leibelt, Eduard von Winterstein, Gustav Waldau und Fritz Kampers mit, um nur die bekanntesten Namen zu erwähnen.[10] (U: 18.10.1940 in Wien; P: kw)

Die Autoren des bürgerlichen Realismus und Naturalismus

Ein Dutzend von Repräsentanten dieser beiden Strömungen aus Deutschland, Österreich und der Schweiz wurden in den Jahren 1939–1945 verfilmt: zur Unterhaltung und nicht selten zur politischen »Erziehung« zugleich. Alle diese Verfilmungen, soweit feststellbar, sind hier erwähnt oder besprochen worden.

Otto Ludwigs tragischer (Dachdecker-)Roman »Zwischen Himmel und Erde« (1856) erhielt 1942 durch die Ufa seine zweite Verfilmung. Diesmal war es ein Regiedebüt von Harald Braun, der mit Jacob Geis auch als Verfasser des Drehbuches verantwortlich war. Das Familiendrama spielte im Rheinland in der Zeit 1870/71, was den Filmautoren die Gelegenheit für politische Anspielungen gab. »Ein gut gebauter, interessanter, ausgezeichnet gespielter Unterhaltungfilm«, summierte ein Schweizer Kritiker[11] seine Bemerkungen zu diesem Filmwerk. Wirklich waren die Stärke des Films seine schauspielerischen Leistungen: Werner Krauss und Gisela Uhlen hatten die Hauptrollen, aber auch Paul Henckels, Gustav Waldau und Elisabeth Flickenschildt standen im Darstellerverzeichnis (U: 26. 3. 1942 in Duisburg). Auch Otto Ludwigs erfolgreiches Schicksalsdrama »Der Erbförster« (1853) – ein Förster, der einen Kampf um die Erhaltung seines Waldes führte – fand seinen Weg auf die Leinwand im gleichnamigen Film aus dem Jahre 1944, den Alois J. Lippl mit Eugen Klöpfer in der Hauptrolle inszenierte. Das Werk hatte keine Gelegenheit mehr, Schlagzeilen zu machen: es wurde erst im April 1945 uraufgeführt.

Theodor Storm

Der Husumer Dichter war erwünscht, gefragt und wurde vielleicht auch gefördert. Der Film zeigte ebenfalls Interesse. Schon zu Anfang des braunen Reiches übertrugen Curt Oertel und Hans Deppe (Mit-Regisseur, Drehbuchautor, Darsteller) den »Schimmelreiter« (1888), die letzte Schöpfung des Meisters der deutschen Novelle, ins Filmische. Marianne Hoppe, Mathias Wieman und Eduard von Winterstein waren die wichtigsten darstellerischen Säulen dieses Films (U: 12. 1. 1934; P: künstl. besonders wertvoll). Nach Motiven aus Storms Novelle »Viola tricolor« (1873) schuf Willi Forst (Regisseur, mit C. J. Braun Drehbuchautor, Produzent) die »Serenade«. In diesem Melodrama kämpfte eine Frau, die sich in zweiter Ehe verbunden hatte, um die Überwindung einer Welt, die ihren Mann, einen Künstler von Ruf, den ersten Geiger des Lohner-Quartetts, nicht freilassen will. Überall wehte ihr eine feindliche Stimmung entgegen, die mit dem noch unvergessenen Tod der ersten Frau zusammenhing. Schließlich gelang es ihr, die Widerstände zu brechen. Die Debütantin Hilde Krahl gestaltete die Hauptrolle, mit ihr spielten Albert Matterstock und Igo Sym, ferner Claus Detlef Sierck, als das Kind aus erster Ehe. Der Film gehörte nicht zu den besten Leistungen des später so berühmten Filmemachers. Daß die Musik motivisch eine bedeutsame Rolle spielte, zeigte schon der Titel an, und in der Tat begleitete die Serenade (Peter Kreuder) die Ereignisse des Films von Anfang bis zu Ende (U: 26.11.1937). Verlockend wirkte Theodor Storms lyrischzarte Stimmungsnovelle »Immensee« (1849), ein Werk, das zu Träumen und zu Tränen stimuliert. Veit Harlan inszenierte mitten im Kriege einen gleichnamigen Farbfilm (Honorar des Regisseurs: 80000 RM). Sein Regieassistent war Kurt Meisel (3000 RM). Für ein zusätzliches Honorar (25000 RM) schrieb Veit Harlan mit Alfred Braun (11000 RM) auch das Drehbuch. Die Umgestaltung der Novelle für den Film wurde in manchen Kreisen als störend empfunden. In der Rosen-Stadt Eutin und am Eutiner See hatte man die Außenaufnahmen gedreht, aber auch in den Ruinen der Basilika Konstantins des Großen in Rom. Denn in Abwandlung der Stormschen Novelle kam der von Carl Raddatz (Pauschale: 20000 RM) dargestellte Musikstudent Reinhard (bei Storm ist es cin Botanikstudent) nach Rom und erfuhr dort, daß sich seine Jugendliebe Elisabeth (Kristina Söderbaum, Pauschale: 60000 RM) mit seinem Freund (Paul Klinger, Tagesgage) verheiratet hatte. Die musikalische Begleitung und zwei Lieder, deren Motive dem ganzen Film als Untermalung dienten, komponierte Wolfgang Zeller (10000 RM)[12]. Im Film, so las man in den »Kunstbetrachtungen«, hört man ein neuartiges elektrisches Instrument erklingen, dessen Töne sonderbar einschmeichelnd ins Ohr gehen und, dem lyrischen Grundton des Filmes entsprechend, diesen aufs stärkste unterstreichen. Damals gefiel der Film »Immensee« dem Publikum sehr, sowohl im Reich als auch im Ausland (U: 17.12.1943 in Berlin[13]; P: küw, kw, vw).

Dasselbe Team, diesmal zeichnete aber Alfred Braun für die Regie verantwortlich, unternahm Ende des Krieges die Verfilmung der Stormschen Jugendgeschichte »Pole Poppenspäler« (1873). Was die finanzielle Seite betrifft, so war auch in diesem Film Veit Harlan bevorzugt. Für die Mitarbeit am Drehbuch sollte er 25000 RM erhalten, Alfred Braun dagegen nur 15000, für die Regie sollte Alfred Braun 30000, dagegen Veit Harlan für die künstlerische Oberleitung 40000 RM erhalten. Diese Summen standen in dem Kostenvoranschlag.[14] Die Außenaufnahmen (Agfa-Color) begannen am 10.11.1944 in Meldorf (Schleswig-Holstein). Für die Titelrolle wurde Max Eckardt engagiert. Anfang März betrug der durchschnittliche

Fertigstellungsprozentsatz des Films nur 15 %.[15] Der Film blieb un-
vollendet. Noch gegen Ende des Krieges schrieb Hein Beck für die
Bavaria einen Entwurf zu dem Filmvorhaben nach Storms »John
Riew«.[16]

Theodor Fontane

Es hat lange gedauert, bis der deutsche Film dahinterkam, daß im
Schaffen von Theodor Fontane brauchbare Filmstoffe stecken. Das
Jahr 1937 brachte den wohl ersten Film nach Fontaneschen Motiven,
»Ball im Metropol« (Regie: Frank Wysbar), der auf dem Roman »Ir-
rungen Wirrungen« fußte, aber das kinoträchtige Potential des Stof-
fes sehr frei behandelte (U: 26. 1. 1937).

1938 inszenierte Gustaf Gründgens den Film »Der Schritt vom
Wege« nach Fontanes berühmtem Roman »Effi Briest«, jenem Werk
des Dichters, das internationale Verbreitung fand und in fast alle
Sprachen Europas übersetzt wurde. Dieser Film sollte zugleich eine
Ehrung zum 40. Todestag des Dichters sein. Er wurde keine Enttäuschung. Mit journalistischem Aufklärerpathos urteilte die Essener
»National-Zeitung« (16. 2. 1939): »Es geht also doch! – Das ist die
schöne Erkenntnis, die man aus Gustaf Gründgens' erstem Film der
eigenen Produktion mit nach Hause nimmt. Es geht also doch, innerhalb der deutschen Produktion einen Film von hohem Niveau zu drehen. Es ist also wirklich möglich, im Kino vor den breitesten Schichten des Volkes guten Geschmack zu zeigen – besten Geschmack von
dem ersten Meter des Vortitels an bis zum Schluß. Es geht tatsächlich
ohne billige Sentimentalität und effektbegeisterte Töne. Und es geht
sogar gut. ›Der Schritt vom Wege‹, dieser Film nach Theodor Fontanes ›Effi Briest‹, ist die bestgelungene Verfilmung überhaupt, die
man bisher sah.« Kritiken, Berichte und Diskussionsbeiträge der führenden Tageszeitungen (u. a. »Berliner Börsen-Zeitung«, »BZ am
Mittag«, »DAZ«, »Frankfurter Zeitung«, »Hamburger Tageblatt«,
»Kölnische Zeitung«, »RheinischWestfälische Zeitung« und auch
»Völkischer Beobachter«) begleiteten eine der bedeutendsten Verfilmungen der NS-Zeit. Das Drehbuch schrieben Georg C. Klaren und
Eckart von Naso. Das Darstellerverzeichnis des Films enthielt große
Namen aus Gustaf Gründgens' gloriosem Berliner Bühnen-En-
semble. Marianne Hoppe, »die selber von einem märkischen Gut
stammt, brachte die natürlichen Voraussetzungen für die Rolle Effi

495

Briests von Hause aus mit«, unterstrich die Kritik. Karl Ludwig Diehl, Paul Hartmann, Paul Bildt, Käthe Haack und Elisabeth Flikkenschildt waren die anderen Hauptgestalten des Films. Der Hauskomponist des Preußischen Schauspielhauses, Mark Lothar, schrieb die Musik, die Kostüme und die Bauten schuf Traugott Müller, auch am Gendarmenmarkt beheimatet. Gustaf Gründgens verzichtete im Film auf billige Effekte von Duellszenen, Sterbestunden usw. Der Gatte Effi Briests geriet nicht zur Karikatur eines pedantischen Beamten, auch sein Gegenspieler war kein Typ eines skrupellosen Verführers. Beide erschienen menschlich und sogar sympathisch.[17] Das ProMi ließ den Film mit dem Prädikat »künstlerisch wertvoll« honorieren, in A. Rosenbergs Kreisen wurde dagegen der Stoff des Filmes getadelt: »Eine weitere stark hervortretende Behandlung von Stoffen und Themen des 19. Jahrhunderts müßte allerdings zwangsläufig zu dem Eindruck führen, als seien wir mit unseren Problemen und Anliegen im 19. Jahrhundert steckengeblieben oder als fehle unserer Zeit im Film starke künstlerische Triebkraft, die Stoffe und Probleme mit neuen Augen und einem neuen Bewußtsein zu sehen.«[18] Die Uraufführung dieser Terra-Produktion fand am 9. 2. 1939 statt. Die Verfilmung von »Effi Briest« rief eine stürmische Nachfrage nach dem Buch hervor. Der Roman wurde aus Anlaß der Filmaufführung in gekürzter Fassung von der »Frankfurter Illustrierten« und der »Preußischen Zeitung« (Königsberg) abgedruckt.

1944 beging Deutschland den 125. Geburtstag Theodor Fontanes. Aus Anlaß dieses Jubiläums unternahm man weitere Verfilmungen von Werken des Dichters. Nach Motiven der Romane »Stine« (1890) und »Irrungen Wirrungen« (1888) realisierte Fritz Peter Buch (Regisseur und mit Georg C. Klaren Autor des Drehbuches) den Film »Das alte Lied«, ein Bild Alt-Berlins aus dem vergangenen Jahrhundert. Die Aufnahmen wurden in Amsterdam und in den Althof-Ateliers in Babelsberg gedreht. Winnie Markus und Ernst von Klipstein spielten die Hauptrollen (U: 30. 3. 1945). Im März 1945 zeigte eine der letzten Filmpremieren im Dritten Reich den Ufa-Film »Der stumme Gast«, eine Verfilmung von Fontanes »Unterm Birnbaum« (1885). Neben den größeren Schöpfungen des Dichters ging es diesmal um ein Werk zweiten Ranges, dennoch – als »Krimi« – mit Unterhaltungswert. Die Drehbuchautoren: der Regisseur des Films, Harald Braun, und Kurt Heynicke hatten Änderungen vorgenommen, die Handlung wurde auch aus einem Dorf an der Oder in eine Kleinstadt im Elsaß verlegt. René Deltgen, Gisela Uhlen und Rudolf Fernau spielten die tragenden Rollen. Bei Kriegsende war der Film »Ich glaube an Dich«[19] in der Musiksynchronisation; Rolf Hansen (Regie) und Gustav Kampendonk (Buch) hatten den Roman »Mathilde Möhring« (1905) verfilmt. Heidemarie Hatheyer, Viktor Staal, Paul Klinger, Paul Bildt und viele andere prominente Schauspieler der Berliner Bühnen hatten im Film mitgewirkt. Erst nach dem Krieg sah man ihn in den Kinos.

Ludwig Ganghofer

Der beliebte Verfasser sentimentaler »Hochlandgeschichten«, Ludwig Ganghofer, war – was die Verbreitung seiner Bücher betrifft – der erfolgreichste Vertreter der nicht immer fortschrittlichen »Heimatkunst«. Weil der Nationalsozialismus sehr oft »volksnah« mit »völkisch« verwechselte, war auch Ludwig Ganghofer im Dritten Reich ein geforderter Autor. Es wurden zu dieser Zeit insgesamt neun Verfilmungen von Ganghofers Werken vorgenommen. Er schlug also auch im Film alle Rekorde. Von Max Obal stammte »Der Klosterjäger«, ein Ufa-Film aus dem Jahre 1935 mit Paul Richter in der Hauptrolle. Hans Deppe inszenierte sechs Ganghofer-Filme, Paul Ostermayer zwei. Diese Verfilmungen von Ganghofers Werken – hier hatte die Peter-Ostermayer-Produktion ein »Monopol« – erfreuten sich auch wegen ihrer herrlichen Naturaufnahmen großer Beliebtheit. Lange Jahre hindurch, auch im Kriege, lief z. B. »Schloß Hubertus«, eine Verfilmung aus dem Jahre 1934 von Hans Deppe, mit Paul Richter und Hansi Knoteck in den Hauptrollen. Nur Max Obals »Klosterjäger« war verboten. Hier stand »die Rasse« im Hintergrund. Der durch starke dramatische Akzente gekennzeichnete Roman »Der Edelweiß-König« erhielt im Jahre 1938 eine eng an das Original gehaltene Version. Josef Dalman und Ludwig Schmid-Wildy schrieben das Drehbuch, und Paul Ostermayer, der Sohn des Filmproduzenten Peter Ostermayer, führte hier erstmalig selbständig Regie.[20] In diesem Hochgebirgsdrama »um Liebe, Schuld und Sühne« spielten Paul Richter und Hansi Knoteck das Liebespaar. Ausgezeichnete Kameraarbeit leistete Otto Baecker bei den Außenaufnahmen in den österreichischen Alpen (U: 1. 1. 1939 in Stuttgart). Die schönen Bilder der bayerischen Berge – hinter der Kamera stand Hugo von Kaweczynski – beherrschten den Film »Waldrausch«, den wiederum Paul Ostermayer nach dem gleichnamigen Roman mit

Paul Richter (als Tiefbauingenieur Lutz), seinem Gegenspieler Hans Adalbert Schlettow (Krispin) und Hansi Knoteck (als Beda) in der Produktionsfirma seines Vaters drehte (U: 20.10.1939). »Der laufende Berg« basierte freilich substantiell auf dem gleichnamigen Roman. Diesmal entstand die Produktion im Zeichen der Ufa. Peter Ostermayer (Mitverfasser des Drehbuches) und Hans Deppe (Regisseur) inszenierten den Film mit Maria Andergast und den erprobten »Ganghofer-Spezialisten« Paul Richter und Hansi Knoteck (U: 4.3.1941) in Stuttgart; P: vw). Regisseur Hans Deppe und Peter Ostermayer mit J. Dalman als Drehbuchautoren realisierten die zur Zeit des Dritten Reiches letzte Ganghofer-Verfilmung. Diesmal ging es um den weitbekannten »Ochsenkrieg«. Elfriede Datzig war jetzt die Partnerin Paul Richters. Der Film weckt noch heute das Interesse des Zuschauers (U: 16.1.1943 in Trier).

Julius Stinde

In der seit 1943 so oft bombardierten Reichshauptstadt zu wohnen und zu arbeiten, verlangte von den Einwohnern viel Mut und Opferwillen. »Wir können uns nicht helfen, aber wir haben z. B. die Stadt Berlin, die uns immer schon sehr ans Herz gewachsen war, noch nicht so geliebt wie jetzt, da schwere Wunden ihr Gesicht entstellen«, schrieb Goebbels in »Das Reich« (16.4.1944). In diesem Zusammenhang ist die plötzliche Verfilmung der »Familie Buchholz« zu erwähnen. Vorlage war der gleichnamige Roman (genauer gesagt eine ganze Serie von Romanen) von Julius Stinde. Um die Jahrhundertwende erfreute sich das vielbändige Epos, in seinem Genre konkurrenzlose Unterhaltungslektüre für Anspruchlose, großer Beliebtheit.[21] Der ausgezeichnete Kenner der Berliner Verhältnisse Carl Froelich steuerte die Regie, Jochen Kuhlmey (Autor des gleichnamigen Theaterstückes) schrieb das Drehbuch. Hinter der Kamera stand Robert Baberske, und von Hans-Otto Borgmann stammte die musikalische Untermalung. Die Darsteller zu diesem Bild von Alt-Berlin wurden mit Geschick ausgewählt. Die familiensüchtige und philisterhafte, typisch berlinerische Bürgersfrau mit Herz und Schnauze spielte die einst so berühmte Henny Porten. Ihr zur Seite stand eine ganze Reihe von bekannten Schauspielern wie Paul Westermeier, Hans Zesch-Ballot, Gustav Fröhlich, Grethe Weiser, Elisabeth Flickenschildt, Jakob Tiedtke, Hans-Hermann Schaufuß, Oskar Sabo, aber auch die hochprotegierte Käthe Dyckhoff. Es entstanden zwei Filme daraus, die rasch nacheinander uraufgeführt wurden. Die gequälten Bewohner der Millionenstadt an der Spree erhielten diese Filme sozusagen als einen Preis oder als eine Belohnung. Der erste Teil unter dem Titel »Familie Buchholz« wurde am 3., der zweite als »Neigungsehe« am 24. März 1944 uraufgeführt. Beide Filme bekamen die Prädikate »künstlerisch wertvoll« und »volksbildend«.

Ernst von Wildenbruchs literarischer Stoff mit dem »ewig« wirksamen Francesca-da-Rimini-Motiv lag dem Liebesfilm »Stimme des Herzens« zugrunde. Die Handlung – das Drehbuch schrieb Gerhard T. Buchholz – spielte in einer norddeutschen Handelsstadt.[22] Marianne Hoppe, Ernst von Klipstein, Eugen Klöpfer, Carl Kuhlmann u. a. trugen diesen Film unter der Regie von Johannes Meyer. Es war das zweite Werk der neugegründeten Berlin-Film, in Amsterdam und Den Haag hergestellt (U: 27. 10. 1942).

Die Repräsentanten des deutschen Naturalismus waren mit vier dem breiten Publikum bekannten Namen vertreten: Ludwig Thoma, Hermann Sudermann, die schon gestorben waren, sowie Gerhart Hauptmann und Max Halbe, die sich an die neue politische Wirklichkeit anzupassen versuchten.[23]

Ludwig Thomas »Moral« (1909), diese knollige Verhohnepipelung moralinsaurer, scheinheiliger Bürger von anno dazumal – einst eine Kühnheit –, erschien 1936 im gleichnamigen Film von H. H. Zerlett auf der Leinwand mit Joe Stöckel und Fita Benkhoff in den Hauptrollen, übrigens als eine zweite Verfilmung dieses Stückes. Den klassisch gewordenen »Schusternazi« hatte kurz vor Kriegsausbruch die Bavaria verfilmt. Diesen bayerischen Schwank inszenierte für das Kino Joe Stöckel, mit Weiß-Ferdl in der Titelrolle (U: 30. 6. 1939). Thomas Prosawerk wurde im Film nur durch »Münchnerinnen« repräsentiert. Die Übertragung dieses heiteren Frauenromans ins Filmische stammte von Philipp Lothar Mayring (Regie für 25 000 RM) und Ernst von Salomon (Drehbuch für 22 500 RM). Die Musik (10 000 RM) schuf Leo Leux. Für die Bavaria wurde der Film 1944 in den Hostivar-Ateliers in Prag gedreht. Gabriele Reinmüller, Heli Finkenzeller und Annie Rosar waren die weiblichen Säulen des Films, die wichtigsten männlichen Rollen verkörperten Oskar Sima und Adolf Gondrell. Der fertiggestellte Film wurde erst nach dem Krieg uraufgeführt.

In der deutschen Presse scherzte man: Vielleicht wird es bei Einhaltung des jetzigen Tempos nicht mehr lange dauern, bis wir Hermann Sudermanns »Gesammelte Werke« im Film werden sehen können. Konflikte, die nicht zu lösen sind, tragische Situationen, lieferten einen Filmstoff par excellence. Dagegen hat das Theater eine »Sudermann-Renaissance«, die manche prophezeien zu können glaubten, nicht erlebt.

Der einst äußerst erfolgreiche Roman »Der Katzensteg« (1889) erzählt, wie ein halbpolnischer Junker in der Franzosenzeit sein Gut ins Verderben stürzt und sein Sohn 1813 den Namen wieder ehrlich macht. Diesen Roman übertrugen 1937 Fritz Peter Buch (Regie) und Hans H. Zerlett (das engagierte Drehbuch) ins Filmische. Brigitte Horney, Hannes Stelzer, ferner Else Elster, Eduard von Winterstein, Otto Wernicke und Willi Schur standen u. a. vor der Kamera (U: 11. 1. 1938; P: staatspolit. u. künstl. wertvoll). Der politisch bequeme Streifen wurde oftmals, bis in die letzte Zeit des NS-Reiches, als Reprise eingesetzt.

Die bekannteste Verfilmung galt dem einst so erfolgreichen Theaterstück »Heimat« (1893), mit der bühnenwirksamen Rolle einer emanzipierten Künstlerin, die – nach Jahren in Amerika – trällernd »heim ins Reich« kehrte. Zarah Leander übernahm die Rolle. Harald Braun, Otto Ernst Hesse und Hans Brennert schrieben das Drehbuch. Der Film »Heimat« war das erste Werk, das Carl Froelich im Rahmen seines Vertragsverhältnisses mit der Ufa inszenierte. Die Rolle des Obersten von Schwartze übergab er Heinrich George, und Lina Carstens trat als Tante Fränze auf. Die »gute alte Zeit« lebte in diesem Rührfilm auf. Aber der Film hatte die Aufgabe – so mindestens wollte es die Betrachtung – »Menschenschicksale durch Gegensätze des Empfindungslebens zu zeichnen«, schrieb Otto Kriegk und urteilte: »Es gelang im Film stärker als in der Vorlage des Sudermannschen Schauspiels. Das Gesetz des Films besagt hier, daß ein nicht ehrlicher und nicht mit der größten Darstellungskraft gebotener Film schlechter ist als Theater, daß aber ein Film, in dem die Empfindungen der Handelnden auf Zeitnähe projiziert sind und größte Darsteller, wie Heinrich George, unter einem zupackenden Regisseur zur Verfügung stehen, eine stärkere künstlerische Wirkung ausüben kann als die Bühne.«[24] Der Film erlebte seine feierliche Uraufführung am 25. 6. 1938 in Danzig. Er wurde mit dem Prädikat »staatspoli-

61. *Kristina Söderbaum als Elske und Frits van Dongen als Endrik im Film »Die Reise nach Tilsit«*

62. *Heinrich George und Ilse Werner in »Hochzeit auf Bärenhof«*

tisch und künstlerisch wertvoll« und dem Nationalen Filmpreis 1939 honoriert. Vorher erhielt er in Venedig den Pokal des italienischen Unterrichtsministeriums für den besten Regisseur. Auch im Ausland fand er ein breiteres Publikum.

Bereits 1927, zur Stummfilmzeit, hatte der berühmte Sohn Westfalens und der Stadt Bielefeld, Friedrich Wilhelm Murnau, Sudermanns kleine Meisternovelle aus den »Litauischen Geschichten«, »Die Reise nach Tilsit«, zum erstenmal verfilmt. »Sunrise« (Sonnenaufgang) hieß damals die erste amerikanische Arbeit des Schöpfers von »Nosferatu« (1922). G. O'Brien, M. Livingstone und J. Gayner spielten damals in dem Dreiecksverhältnis die Hauptrollen. Jahre danach, am 9. 2. 1939, begann Veit Harlan am Ufer des Kurischen Haffs in dem Fischerdorf Karkeln mit den Außenaufnahmen für eine neue »Reise nach Tilsit«-Verfilmung. Vor allem brauchte der Regisseur (und Drehbuchautor zugleich), abweichend von Sudermanns Originalstoff, Winterstimmung: Das Haff mußte zugefroren sein. Später kamen noch die Aufnahmen in Tilsit und zum Schluß im Fischerdorf Pillkoppen hinzu. Die Handlung, die in der Drehbuchgestaltung Harlans sowohl von Sudermanns Novelle wie von Murnaus früherer Verfilmung des Stoffes sehr stark abwich, war in die Jetzt-Zeit verlegt. Der Konflikt um einen Mann, den Fischer Endrik (Frits van Dongen), kam zwischen der Städterin Madlyn Sapierska (Anna Dammanns Film-Debüt) und dem Naturkind Elske (Kristina Söderbaum) zur Austragung. Zwischen Endrik und Madlyn steht nicht nur Elske, die blonde, zarte Frau des Fischers, sondern auch das Kind, dessen dramatisch wichtige Bedeutung Harlan besonders gesteigert hat. Bei Sudermann ist es eine triebhafte Magd, die im Dienste des Fischers dessen Sinne verwirrt und ihn anstiftet, seine stille, duldende Frau auf der Reise nach Tilsit zu beseitigen. Murnau hat aus dieser Magd eine leichtfertige Städterin gemacht, die während ihres Sommerurlaubs Endrik für sich zu gewinnen wußte. Harlan hatte diese Verwandlung der Magd in eine Städterin beibehalten. Aus der leichtfertigen Kokotte im Murnau-Film wurde jedoch bei Harlan eine ernster zu nehmende elegante Frau, die sich während des Sommerurlaubs in den Naturburschen verliebte. Wie Murnau, so hat auch Harlan das grausame Ende des Sudemannschen Ehekonflikts in ein Happy-End aufgelöst. Noch am 27. April 1939 schrieb der Film-Kurier in Bezug auf die Dreharbeiten des Films: Anna Dammann kämpft jahrelang erbittert und verzweifelt um einen Mann, um im letzten Moment, als sie fast schon gewonnen hat, einzusehen, daß sie die Ehe des Mannes nicht zerstören darf und auf ihr Glück verzichtet. Inzwischen ergab sich aber eine neue Lage in den Beziehungen zu Polen, und dann kam der Krieg. Das blieb nicht ohne Einwirkungen auf die Gestaltung des Films. Elskes Vater (Eduard von Winterstein) suchte die »fremdartige, aus dem Polnischen« kommende Städterin aus dem Lebenskreis seines Schwiegersohnes mit Gewaltmethoden zu vertreiben. Jetzt wandte sich Endrik von seiner Frau ganz ab. Unter dem Vorwand eines Pferdeverkaufs fuhr er mit Elske in einem Segelboot über das Haff nach Tilsit. Elske wußte, was ihr Mann plante, sie wußte aber auch, daß am Ende der Fahrt entweder der Tod oder eine geläuterte Ehe mit Endrik stehen würde. Endrik erkannte auf dieser Reise nach Tilsit die Größe seiner Frau. Es folgten die Szenen aus der in der Geschichte so bekannten Stadt: die Probierstube Carl Petereit, die Pelzhandlung, ein Restaurant und die Kirmes. In Tilsit fand die Versöhnung statt. Auf der nächtlichen Rückfahrt kenterte das Boot im Sturm. Endrik wurde gerettet. Vergeblich suchten die Fischer das Wasser nach Elske ab. Doch ein Wunder geschah: Elske wurde von dem an Land schwimmenden Pferd mitgezogen. Sie lebte noch. Eine neue Ehe begann. Madlyn kehrte nicht mehr zurück.

In dem Film waren verschiedene, auch politisch erwünschte Trends gebündelt.[25] Darstellerisch stand »der Schweden-Import« Kristina Söderbaum im Vordergrund. Anna Dammann spielte ihre Rolle hinter der (fast) stets im Brennpunkt der Großaufnahmen stehenden Kristina Söderbaum. Künstler von Rang wie Ernst Legal, Albert Florath, Jakob Tiedtke, Paul Westermeier u. a. ergänzten das Darstellerverzeichnis. Die Uraufführung des Films fand im Tilsiter »Capitol« am 2. 11. 1939 statt; an der Spree wurde der Film, auch im »Capitol«, am 15. 11. 1939 zum erstenmal öffentlich aufgeführt. In Hamburg wurde die Aufführung des Harlan-Films mit einer Wiederaufführung von Murnaus »Sunrise« (in den USA 1927 unter den 10 besten Filmen des Jahres) gebündelt – im Programm der Hamburger Arbeitsgemeinschaft Film (3. 3. 1940). Danach schrieb ein Kritiker: »Wenn man nun die beiden Filme miteinander vergleicht, so kommt man zu der Überzeugung, daß der Fortschritt der Technik nicht in gleich starkem Maße einen Fortschritt der künstlerischen Formkraft bedeutet. Im Gegenteil: der Stummfilm von damals hinterläßt noch jetzt einen nachhaltigeren und geschlosseneren Eindruck als der Tonfilm von heute...« So z. B. war bei Harlan »die Versöhnung plötzlich da, ohne daß man sie hätte kommen sehen. Man muß sie einfach glauben. Bei Murnau darf man sie miterleben.«[26]

Parallel wurde bei der Terra »Johannisfeuer« (1901) verfilmt, dramaturgisch kein erstklassiger Sudermann. Dennoch schwebten über diesem schwermütigen Sommernachtstraum von den beiden »Notstandskindern« die »Geister der Heimat«, denen der Ostpreuße seine besten Schöpfungen verdankte. Wie in »Reise nach Tilsit« steht auch in »Johannisfeuer« ein Mann zwischen zwei Frauen, dort ein verheirateter, hier ein verlobter. In beiden Filmen war Anna Dammann (jetzt als Marikke) die zweite Frau, und in beiden mußte sie auf ihre Liebe verzichten. Nur mit kleinen Abweichungen lehnte sich das Buch (Kurt Heuser) eng an den Originalstoff an. Der weiten Landschaft bemächtigte sich die Kamera (Willi Winterstein) erfolgreich. Auch um den Dialekt gab man sich Mühe. Gertrud Mayen (als Trude), die bisher nur in kleineren Rollen zu sehen war, und Ernst von Klipstein (als Georg) ergänzten das wichtigste Trio in der Filmhandlung. Otto Wernicke spielte den Gutsbesitzer Vogelreuter in einer echten masurischen Umgebung, Hans Brausewetter den ergötzlichen Prediger. Die Regie lag in den Händen von A. M. Rabenalt (U: 3.11.1939; P: küw).

Sudermanns Verfilmungen aus der Zeit des Dritten Reiches gehören zur Geschichte des (politisch engagierten) Unterhaltungsfilms. Sie waren keinesfalls Film-Denkmäler der deutschen Literatur. Die inoffiziellen NDK (2.7.1940) bemerkten zu diesem Thema: »Die Renaissance, die der Meister des Reißers zur Zeit durch den Film erlebt, steht auf einem besonderen Blatt. Sie ist ein Symptom für die Stoffnot des Films, der nach dicken Effekten Sudermanns schnappt und nebenbei die geistigen Schlachten des Theaters eine Generation später noch einmal schlägt.«

1942 kam Sudermann wiederum auf die Leinwand. Diesmal ging es um die Verfilmung der Erzählung »Jolanthes Hochzeit« (1932). Die Verfilmungsrechte kaufte die Ufa für 50000 RM (für sieben Jahre).[27] Ilse Werner und Heinrich George, ferner der gebürtige und dialektechte Ostpreuße Paul Wegener spielten die Hauptrollen. Das Werk trieb vielen Zuschauern die Tränen in die Augen, und der Film wurde von vielen Menschen wirklich gern gesehen (U: 8.6.1942; P: küw). Ein Schweizer Kritiker beurteilte dagegen den Film weniger freundlich: »Trotz dem Aufgebot an bedeutenden Künstlern fehlt es dem Film an lebendiger Überzeugungskraft. Recht blaß wirkt darum sein preußisches Junkertum... Weder in der Degeneration eines despotischen Gutsbesitzers, noch in dem reifen Mann, dessen Verirrung in der Brautwahl trotz Heinrich Georges Kunst doch eher peinlich als

63. *Maria Koppenhöfer mit Marianne Hoppe und Emil Jannings in »Der Herrscher«*

menschlich ergreifend wirkt. Manches ist freilich hier auch bloß dem Dialog zuzuschreiben, der häufig dort, wo er pikant sein will, einfach unfein wirkt...« (»Bund«-Bern, 19.8.1942). »Hochzeit auf Bärenhof« machte auch in anderen Ländern keine Karriere.

Im Krieg wurden ferner die Verfilmungsrechte für »Stein und Steine« (1905) und »Schmetterlingsschlacht« (1895) für je 40 000 RM,[28] außerdem »Es lebe das Leben« von Sudermanns Erben auf 7 Jahre erworben.

Gerhart Hauptmann

Das Schaffen Gerhart Hauptmanns war seit je, d. h. seit den Jahren des 1. Weltkrieges, Gegenstand von Filmen (»Atlantis«). In der Stummfilmära verfilmte man die Dramen »Rose Bernd« (mit Henny Porten) und »Elga« (1919), danach »Schluck und Jau« und »Die Ratten« (1921),[30] »Hanneles Himmelfahrt« (1922), im Jahre 1927 »Die

Weber« und ein Jahr später »Der Biberpelz«. Zur Zeit des Dritten Reiches kam der Dichter – obwohl mit Vorbehalten – zum Tonfilm. In Anlehnung an die Traumdichtung »Hanneles Himmelfahrt« inszenierte Thea von Harbou (Regie und das »hochdeutsch« geschriebene Drehbuch) einen gleichnamigen Film (U: 13. 4. 1934). Die Einwilligung Gerhart Hauptmanns zur Filminszenierung seines Stückes »Vor Sonnenuntergang«, die zur Entstehung des Propagandafilmes »Der Herrscher« im Jahre 1937 führte, zeigte die ambivalente Haltung des berühmten Dichters zu der ihn umgebenden Wirklichkeit.[31] Im Jahre 1937 (75. Geburtsjahr Gerhart Hauptmanns) erlebte Breslau die Uraufführung des Films »Der Biberpelz«. Das Drehbuch, für das Georg C. Klaren verantwortlich zeichnete, hat sich mit Ausnahme von einigen Abweichungen an das Original gehalten. Jürgen von Alten führte Regie, und die bekannten und bewährten Heinrich George, Ernst Waldow und Albert Florath spielten die Hauptrollen. Ihnen zur Seite standen Ida Wüst, ihre Filmtochter Rotraut Richter und, in ihrer letzten Rolle im Dritten Reich, Blandine Ebinger. Es gab politische Bedenken gegen eine »Ratten«-Verfilmung. Das revolutionäre Drama »Die Weber« war sogar im Theater verboten. Den verführerischen Vorschlägen, das Drama in einer »NS-Garnierung« zu verfilmen, widerstand der greise Dichter und verweigerte seine Zustimmung.[32] Gerhart Hauptmanns Bühnenwerk »Die Jungfern vom Bischofsberg« stand Pate bei dem Drehbuch (Erich Ebermayer) der gleichnamigen Filmkomödie, die Peter Paul Brauer bei der Prag-Film drehte. Carla Rust, Sonja Ziemann, Ursula Gauglitz und die gesellschaftlich kontroverse Käthe Dyckhoff waren die vier Jungfern. Die Uraufführung des Films fand unter Anwesenheit des Dichters im Breslauer Tauentzien-Theater statt (28. 5. 1943). Zu dem Film wurde ein Sonderheft herausgegeben.

Max Halbe

Im Januar 1940 brachte die Danziger Presse die Nachricht: Nach »Jugend« (der Veit Harlan-Verfilmung aus dem Jahre 1938) wird nun auch das Schauspiel »Der Strom« unseres Danziger Landsmannes und Ehrenbürgers Max Halbe von der Terra verfilmt werden. Das Drehbuch schrieb Erich Ebermayer im Einvernehmen mit Max Halbe. Die erste Verfilmung erlebte dieser Reißer mit guten Rollen bereits in der Stummfilm-Ära (1922). Jetzt näherte sich der Film dem

Stoff durchaus anders. Während in Halbes Drama der Strom mehr Mittel zum Zweck für das Schicksal der Familie des Deichhauptmanns Doorn war, trat er im Film als die Urgewalt auf. Er wurde auch optisch zum Grundakkord des gesamten Films (Kamera: Richard Angst). Hochwasser: Der Deich reiß auf... Eine junge Generation wächst auf dem alten Hof heran. Der Strom rauscht lebendig. Fest steht der Deich, den der neue Deichhauptmann gebaut hat. »Einen ›staatspolitisch und künstlerisch wertvollen‹ Streifen gegen die sowjetische Flut« nannte Hans Bertram Bock (1984) diese Verfilmung. Günther Rittau gestaltete filmisch dieses Weichsel-Werk, mit Hans Söhnker, Lotte Koch, Malte Jaeger und Ernst Wilhelm Borchert in den Hauptrollen. Franz Grothe sorgte für die Musik. Gauleiter Forster sandte an Goebbels ein Telegramm, in dem er den Dank für die nach Danzig gegebene Uraufführung aussprach. Sie fand, feierlich, am 8. Januar 1942 im Danziger Ufa-Palast statt. Hauptdarsteller Hans Söhnker, der einst etwa fünf Jahre lang am Staatstheater Danzig mitgewirkt hatte, gehörte zu den Ehrengästen der Premiere.

»Menschen in Not« (Der Strom)
Eine Filmkritik aus der Schweiz
(...) »Günther Rittau hat mit dem Streifen »Menschen in Not« nach dem Drama von Max Halbe ›Der Strom‹ einen eindrücklichen, dramatisch bewegten Film geschaffen. Am Ufer eines Stromes fristen schlichte, ehrliche Menschen in hartem Kampf gegen das regelmäßig wiederkehrende Hochwasser ihr Leben. Wieder einmal ist der Damm gebrochen, und die schmutzigen Fluten brechen, alles vernichtend, mit verheerender Wucht über die Fluren. Der Strom ist zum Schicksal dieser Menschen geworden. Zwei Brüder, Peter und Heinrich, lieben dasselbe Mädchen, des Schullehrers Tochter Renate. Nachdem aber Peter seine Geschwister durch eine Testamentfälschung um ihren Erbteil betrog, bleibt seinem Bruder, dem Ingenieur Heinrich, nichts anderes übrig, als auszuwandern. Er kommt zu Ansehen und Vermögen, kehrt nach 10 Jahren in die Heimat zurück, um Renate, die er nie aufgehört hatte zu lieben, als Frau seines Bruders wiederzufinden. Der unvermeidliche... Konflikt bricht aus, so akut und packend, daß einem am Schluß der tragische Tod Peters in den Fluten beim Kampf gegen das Hochwasser beinah wie eine ›glückliche Lösung‹ vorkommt. Die Produzenten haben das Thema mit großer Sorgfalt und mit künstlerischem Ernst auf unpathetische Art gestaltet. Sie verzichteten auf alle billigen Sensatiönchen und verlegten ihre Kraft auf die möglichst lebenswahre

*Erfassung der Situationen, auf die Atmosphäre des Stromes, der alle
Menschen in seinen schicksalhaften Bann zieht. Der in seiner moralischen Haltung und in der weltanschaulichen Lösung einwandfreie, in
der Form saubere Film kann von allen... mit Gewinn und Genuß besucht werden.«*
Quelle: Der Filmberater, Luzern, Nr. 7, Juni 1942.

Mitten im Krieg erhielt Max Halbes »Mutter Erde« eine Um- und
Neubearbeitung. Vor allem wurde das Stück von der »Dekadenz-
stimmung« der Jahrhundertwende »befreit«. Auch die Schlußwen-
dung wurde dem »heutigen Empfinden« angepaßt: Aus dem Ritt in
den Tod wurde ein Ritt in das Leben und die glückliche Liebe. Auch
dieses Drama kam auf die Leinwand – die Verfilmungsrechte auf 7
Jahre betrugen 20 000 RM – in dem Terra-Film »Das Leben ruft«.
1944 drehte A. M. Rabenalt ihn im Landbesitz Groß-Tinz am Fuß des
Riesengebirges. Das Drehbuch schrieb Otto Ernst Hesse. Paul Klinger und Sybille Schmitz spielten die Hauptrollen. Goebbels besichtigte den Film im Mai 1944, zensiert wurde er einen Monat später. Mit
Note 3 in Klasse II (Filme, die normal liefen) eingestuft[33], wartete er
noch ein halbes Jahr auf seine Uraufführung (20. 12. 1944 in Danzig).

Die zeitgenössischen Autoren Deutschlands
Aus den ersten Reihen des Schriftstellerverzeichnisses

»Was die jetzige Regierung als nationale Gesinnung vorschreibt, ist
nicht mein Deutschtum. Die Zentralisierung, den Zwang, die brutalen Methoden, die Diffamierung Andersdenkender, das prahlerische
Selbstlob halte ich für undeutsch und unheilvoll«, erklärte Ricarda
Huch mutig und mit achtunggebietender Würde im April 1933. Die
antitotalitären Akzente dieser Erklärung verlieren bis heute nicht
ihre Aktualität. Die »Erste Frau Deutschlands« hatte Thomas Mann
sie genannt. In Deutschland nach 1933 zu bleiben, bedeutete zugleich, dort zu leben. Und das Leben im braunen Reich war an Ingre-
dienzen reich. So wurde auch Ricarda Huchs Roman »Der Fall Deruga«, eine mehrmals verfilmte Kriminalgeschichte von »klassi-
schem« Rang , im Dritten Reich verfilmt. Zwar nicht bei der Ufa,
aber bei der G. Witt-Film in München. Fritz Peter Buch inszenierte
den Film mit Willy Birgel, Geraldine Katt und Dagny Servaes in den
Hauptrollen (U: 1. 8. 1938 in Hamburg; P: kw). Der Film gefiel dem

508

Propagandaminister, gefiel auch dem »Führer«. 1939 schickte Goebbels der Dichterin zum 75. Geburtstag ein Gratulationstelegramm.

»Kleiner Mann – was nun?«, der weltbekannte Roman aus dem Jahre 1932 von Hans Fallada und der gleichnamige Film aus dem Jahre 1933 (Regie P. Wendhausen) verschafften diesem Schriftsteller eine nicht geringe Popularität. Seine übrigen Werke blieben dem Film fern.[34] Nur sein Roman von sekundärer Bedeutung »Kleiner Mann, großer Mann – alles vertauscht« (1940) wurde für eine Verfilmung erworben. So entstand bei der Prag-Film eine anspruchslose Ehe-Komödie um eine Erbschaft, »Himmel, wir erben ein Schloß«, mit Anny Ondra und Hans Brausewetter in der Regie von Peter Paul Brauer (U: 16.4.1943 in München).

Walter von Molos Roman »Ein Deutscher ohne Deutschland« gab die literarische Vorlage für den biographischen Film um Friedrich List, den deutschen Nationalökonomen und Vorkämpfer der wirtschaftlichen und politischen Einheit Deutschlands. Der Romanautor und Ernst von Salomon schrieben das Drehbuch, Hans Schweikart führte die Regie. »Der unendliche Weg«, so hieß dieser Bavaria-Film, paßte ganz genau in die NS-Landschaft: Mit seinem Reichsgedanken, der Gültigkeit im Großen und dem Problem des Deutschtums in Amerika. Er reihte selbstverständlich nicht Episode um Episode zu einer chronologischen Biographie. Eugen Klöpfer, der ebenfalls in Württemberg geboren wurde, verkörperte den großen deutschen Nationalökonomen schwäbischen Geblüts. In Anwesenheit führender Männer aus Partei, Staat und Wehrmacht – und auch Eugen Klöpfers – fand die festliche Uraufführung im Filmtheater »Universum« in Stuttgart statt (U: 24.8.1943; P: skbw, jugendwert, Lehrfilm).

Mit »Barbaren« (1931) stand Günther Weisenborn im NS-Staat 1935 und 1938 auf der »schwarzen Liste« für Literatur. Obwohl nicht »persona grata«, hatte er dennoch die Möglichkeit, sich künstlerisch zu betätigen, im Theater wie im Film. So schrieb er u. a. Dialoge für den Abenteuerfilm »In geheimer Mission« (1938), den Jürgen von Alten gestaltete. Weisenborns schönes Buch »Das Mädchen von Fanö« (1935) wurde zur Verfilmung erworben. Der erfolgreiche Roman erzählt die Geschichte einer Liebe zwischen einem Fischer, der bereits verheiratet ist und ein Kind hat, und einem Mädchen aus einer kleinen Stadt an der Nordsee. Diese Ballade von Liebe und Schuld wurde zum persönlichen Triumph für die wesenhafte Gestaltungskunst Brigitte Horneys im gleichnamigen Bavaria-Film, den Hans

Schweikart inszenierte. Joachim Gottschalk war B. Horneys Partner; Gustav Knuth, Paul Wegener und Viktoria von Ballasko spielten ebenfalls mit (U: 30. 12. 1940). So entstand ein Werk, das der gehobenen Filmkunst zuzurechnen ist. 1942 begann G. Weisenborns Leidensweg.

Die verfilmten Bühnenautoren

Die Bühnenautoren und ihre Werke waren, bevor sie zum Film gelangten, am Theater erprobt. Es ging also bei den Verfilmungen – meistens – um die erfolgreichsten Bühnenstücke und um die in der Theaterwelt bekannten Autoren.

1938 machte der Curt Goetz-Film »Napoleon ist an allem schuld« in Aufsehen erregender Weise von sich reden. Wer Curt Goetz kannte (das Theaterpublikum kannte ihn vor allem als den Autor der berühmten Komödie »Dr. med. Hiob Prätorius«), der wußte auch, daß dieser Film kein »historischer« Film sein konnte. Napoleon war vielmehr sozusagen eine fixe Idee, die einen eigens zu seinem Gedächtnis bestehenden Klub beherrschte. Curt Goetz führte erstmalig Regie in einem Film. Er war auch die Hauptperson des Films: englischer Lord und Napoleon zugleich. Neben ihm spielten E. v. Möllendorf und der neuentdeckte Revue-Star K. Heiberg die Hauptrollen. (U: 29. 11. 1938). Die Leipziger Erstaufführung dieses »künstlerisch wertvollen« Films erhielt einen »funkischen Auftakt« durch eine zweistündige Curt Goetz-Sendung, die die Reichssender Leipzig und Dresden am Vorabend der Filmpremiere brachten (es waren Fragmente aus den Theaterstücken von Goetz). Der Film hatte Erfolg, jedenfalls in Deutschland. »Eigentümlicherweise ist Curt Goetz, den man auf den Bühnen seiner Heimat hochschätzt, mit ›Napoleon ist an allem schuld‹ in Zürich wider Erwarten nicht durchgedrungen«, schrieb der Film-Kurier (27. 3. 1939). Der bekannte Schauspieler-Autor fuhr noch vor Kriegsausbruch »über den großen Teich«. Aber bereits im Juni 1940 meldete die NS-Presse: »Curt Goetz, der von seiner Amerikareise zurückerwartet wird, ist vom Herbst an für ein längeres Gastspiel am Kurfürstendamm-Theater und an der Komödie in Berlin verpflichtet worden.« Goetz wählte letztendlich eine andere Lösung. Trotzdem erfreute weiterhin sein »Hiob Prätorius« das Theaterpublikum im Reich. »Napoleon ist an allem schuld« wurde zwar zurückgestellt, aber nicht seines Verfassers wegen.

510

Dem Schriftsteller mit den internationalen Romanerfolgen, Frank Thieß, waren Schwierigkeiten mit der NS-Kultur-Obrigkeit nicht ganz neu.[35] Aber auch er stand mit dem Film in Beziehung. Sein Erfolgsroman »Der Weg zu Isabelle« (erschienen 1934 bei Zsolnay) erhielt 1939 bei der Tobis eine Verfilmung: »Der Weg zu Isabel«. Thieß schrieb mit Geza von Cziffra das Filmmanuskript, die Regie hatte Erich Engel.[36] Es war ein schwieriges Thema. Das Motiv des Oedipus-Komplexes klang an: Die vermeintliche Tochter, die den vermeintlichen Vater liebt (Alfred Rosenberg: »widerliche Probleme zwischen Vater und Tochter«). Die Handlung war reichlich bunt und in der Problemstellung sogar abwegig. Zwölf Jahre lang hatte der Gutsbesitzer Manfred Corner (Ewald Balser) die Hoffnung genährt, das Kind der einzig geliebten Frau zu entdecken, um dann in der Tochter die tote Geliebte neu zu erleben. Doch diese Hoffnung trog, nicht seine Tochter, sondern ein neues Liebesglück fand er: Die vermeintliche Tochter war von einem Erbschleicher als rechtmäßiges Kind ausgegeben worden, weshalb der Verbindung beider nichts mehr im Wege stand. Hilde Krahl spielte die Rolle der Isabel. Großartig war Maria Koppenhöfer als Frau Choix: in einem bitteren Lebenskampf, zu dem ihr das beginnende Alter die Waffen aus der Hand nahm. (U: 26. 1. 1940 in Frankfurt a. M.)

Beinah zur selben Zeit schrieben Geza von Cziffra und Frank Thieß das Drehbuch zu dem Tschaikowskij-Film »Es war eine rauschende Ballnacht«, in dem sie aus dem zur Homosexualität neigenden Komponisten einen feurigen Frauenheld machten. Thieß wirkte auch an manchen anderen Filmen mit.[37]

Erich Ebermayer, dessen Name auf den nationalsozialistischen »schwarzen Listen« für Literatur zu finden war, tat nicht wenig, um sich nach 1933 den neuen Verhältnissen anzupassen.[38] Das Leben eines poète oublié war ihm fremd. Das beweisen die Theater- und Filmplakate aus jener Zeit, aber auch seine Äußerungen und Korrespondenz.[39] Bereits 1935 tauchte sein Name in dem Ufa-Film »Der grüne Domino« auf. Nach Motiven seines Schauspiels »Der Fall Claasen« schrieben Harald Bratt und Emil Burri das Drehbuch zu diesem Film. Herbert Selpin inszenierte ihn mit prominenten Schauspielern wie B. Horney, K. L. Diehl, E. v. Thelmann, T. Loos u. a. (U: 4. 10. 1935). Erich Ebermayers Mitwirken bei der Filmindustrie führte zu einer für ihn wichtigen Entscheidung: einer Verfilmung seines eigenen Werkes »Befreite Hände«.[40] »Die Aufgabe, einen eigenen Roman für den Film umzugestalten, wurde mir bei dem jetzt von der Bavaria unter Hans Schweikarts Regie entstehenden Film ›Befreite Hände‹ zum erstenmal gestellt. Kein Wunder, daß sie mich lockte«, war im Sommer 1939 in einem Interview mit dem Schriftsteller zu lesen.[41] Als Mitverfasser des Drehbuches stand er, nach seinen eigenen Worten, »durchaus kalt zu dem Roman« und war bereit, »dem Film zu opfern, was ihm geopfert werden mußte.«[42] Das Thema des weitbekannten Buches und des Films (für Alfred Rosenberg & Co war der Streifen ein mixtum compositum) schilderte die »Irrungen und Wirrungen« einer künstlerisch begabten friesischen Magd, bis diese zur Erfüllung ihrer künstlerischen Sendung den richtigen Weg fand. Ihre Holzschnitzereien fanden zunächst in ihrem Lebenskreis kein Verständnis. Aber ein wirkliches Talent mußte zum Durchbruch kommen. Brigitte Horney (die Magd) und Olga Tschechowa (eine Kunstgewerblerin) waren die beiden großen Gegenspielerinnen, und zwischen ihnen, als betitelter, bekannter Bildhauer stand Ewald Balser. Die eigene Musik versah der Komponist des Films, Lothar Brühne, mit zwei musikalischen Zitaten aus Beethovens fünfter Symphonie. Die beiden Sätze aus der Symphonie – der erste und der letzte Satz – hatten für die Filmhandlung eine besondere Bedeutung, zugleich aber auch eine eigene Geschichte in Bezug auf die Arbeiten an dem Film. Die Philharmonischen Orchester in Berlin und München waren derartig mit Arbeit überlastet, daß es unmöglich war, sie für Synchronisationsarbeiten zu gewinnen. Die Beethovensche Musik wurde schließlich vom Philharmonischen Orchester in Hamburg im Conventgarten gespielt. Es handelte sich jedoch um eine »Play-Back-Szene«. Die Bildaufnahmen wurden später in München mit den dortigen Philharmonikern gedreht. Diese arbeiteten dann aber stumm, da die Musik von den Hamburgern gemacht war. Einzig und allein der Dirigent Hans Schmidt-Isserstedt war dabei. Der Film, mit den Prädikaten »künstlerisch besonders wertvoll« und »kulturell wertvoll« honoriert, war, was das Publikum anbetraf, kein eindeutiger Erfolg. Von der »Hauptstadt der Bewegung«, wo die Uraufführung des Films stattfand (20. 12. 1939), erhielt der Regisseur Hans Schweikart eine silberne Schale mit einer Gravierung, worin die Anerkennung, insbesondere für den Film »Befreite Hände«, ausgedrückt wurde. Weisungsgemäß sollte der Film Aufmerksamkeit weiterer Kreise der Bevölkerung für die bildenden Künste wecken. So zeigten z. B. zwei Essener Filmtheater im Februar 1940 in ihren Vorräumen Arbeiten einiger in Essen wohlbekannter bildender Künstler als eine Ergänzung zu den Aufführungen der »Befreiten

Hände«. Für das Kino lieferte Erich Ebermayer auch sein Schauspiel »Romanze«, eigentlich nur ein Motiv aus diesem Drama. Er schrieb auch (für 12000 RM) mit Richard Nicolas (20000 RM) das Drehbuch. Diesmal war es das Lebensschicksal eines Großreeders, der gewöhnt war, persönliche Interessen der Sorge um sein Werk unterzuordnen (wie einst in der G. Hauptmann-Verfälschung »Der Herrscher«) und der die gleichen Opfer von seinem Sohn und Erben verlangte. Über die Arbeit an diesem Film (mit dem Titel »Der Senator«) schrieb die Presse 1944 viel. Günther Rittau, der 1935 bei Ebermayers Verfilmung »Der grüne Domino« an der Kamera gestanden hatte, führte jetzt Regie (35.000 RM). Carl Kuhlmann verkörperte die Gestalt des Senators Kersten, Heidemarie Hatheyer, Werner Fuetterer und Walter Franck waren in den weiteren Hauptrollen zu sehen, der prominente Komponist Wolfgang Zeller schrieb die Musik (12000 RM). Unter dem Titel »Die Jahre vergehen« wurde der Film erst am 6.2.1945 in Dresden uraufgeführt. Es gab damals nur noch wenig Möglichkeiten, um über die erzieherischen Werte dieses Films in den Betrachtungen zu schreiben. Während der ganzen »großdeutschen« Zeit stand Dr. Erich Ebermayer hoch im Kurs. Im Film gehörte er zu den vielbeschäftigten Autoren. Noch im Sommer 1944 wurde bekanntgegeben, daß Erich Ebermayer für zwei weitere Wien-Filme verpflichtet worden sei.[43]

Das verfilmte Prosawerk der übrigen Autoren

Bereits 1935 trug sich der Präsident der RSK, Hanns Johst, mit dem Gedanken, seine Novelle »Torheit einer Liebe« dem Film als Stoff zur Verfügung zu stellen. Für die Hauptrolle schlug er Paula Wessely vor.[44] Aber erst im Mai 1939 wurde bekanntgegeben, daß die Terra die Novelle zur Verfilmung erworben habe. Als Regisseur war Wolfgang Liebeneiner vorgesehen. Der Film wurde nicht gedreht. Es ging hier nicht um eine Schikane. Die Filmindustrie erwarb auch zahlreiche andere literarische Werke, die zur Verfilmung vorgesehen waren und danach nicht verfilmt wurden.[45] Dagegen findet man unter den verfilmten Autoren Namen, die heutigentags kaum bekannt sind. Es geht dabei um Dutzende von Autoren und um zahlreiche literarische Themen. Sowohl diese Themen als auch der Zeitpunkt des Entstehens bildeten hier die Reihenfolge der Besprechung.

Mit den Filmthemen, die in irgendwelcher Weise thematisch auf den amerikanischen Kontinent Bezug hatten, verfuhr man im NS-Deutschland äußerst vorsichtig. Im Prinzip war Nordamerika als Themenkreis für die Spielfilme bis 1940 zugelassen. Danach war Südamerika, bis 1942 vor allem Brasilien, Mode geworden. Robert-Arden-Verfilmungen fielen noch in die Zeit, als Nordamerika »erlaubt« war. So konnte Hans Albers die Hauptrolle als Sergeant der 5. Polizei-Division in den USA in dem Film »Sergeant Berry« spielen, einem Film, der täglich ausverkaufte Häuser hatte und den H. Selpin nach dem Buch von Wassermann & Diller bei der Euphono von der Regie her gestaltete (U: 22. 12. 1938). So entstand auch der parodistische Wildwest-Abenteuer-Film »Gold in New Frisco«, in dem ein anderer Publikumsliebling, Hans Söhnker, die Hauptrolle spielte (Regie: P. Verhoeven; U: 3. 10. 1939 in Frankfurt am M.). Der Erich Waschneck-Film »Zwischen Hamburg und Haïti« war schon hart an der Grenze des Erlaubten. Der Roman »Ein Traum zerbricht« stand im Hintergrund dieser Verfilmung – mit einer Handlung, die reich an abenteuerlichen Geschehnissen, an wechselnden Schauplätzen und buntbewegten Bildern war. Sie drehte sich um die große Liebe des Henry Brinckmann aus Haïti (gespielt von Gustav Knuth), der seinem Mädchen von Haïti nach Hamburg und Mexiko nachfuhr. In diesem fast zu schönen Märchen von Liebe und Treue – der Romanautor Josef Maria Frank schrieb auch das Drehbuch – war Gisela Uhlen das unglücklich-glückliche Mädchen. Mit dem Lied »Zwischen Hamburg und Haïti« hat der Komponist Werner Eisbrenner dem Film ein Schlageretikett aufgedrückt. (U: 29. 11. 1940 in Hamburg).

Fest auf dem Heimatboden stand »Der Stammbaum des Dr. Pistorius« – eine Farce der politischen Wirklichkeit. Waldemar Reichardt schrieb den Roman, Karl Georg Külb (mit Reinhard Köster zugleich Autor des Drehbuches) schuf danach einen gleichnamigen Film. Oberregierungsrat Pistorius (von Ernst Waldow gespielt), der im Jahre 1936 seinen Stammbaum erbringen mußte, sollte seinerzeit einmal etwas mit einer Tänzerin zu tun gehabt haben, was nicht ohne Folgen blieb. Ihm, der eine geborene »von« zur Frau hatte (Käthe Haack), war es zudem peinlich, daß er von einem Schuhmacher abstammte (Carsta Löck und Otto Wernicke spielten das Schuhmacher-Ehepaar). Pistorius' unehelicher Sohn wurde aber inzwischen HJ-Führer bei den Segelfliegern. Das gab den Filmautoren die Möglichkeit, dem Filmpublikum rund 500 Hitlerjungen und BDM-Mädel zu zeigen. Die Außenaufnahmen wurden im Herbst gedreht: Robert

Baberske stand hinter der Kamera. Der Film wollte Hoffnung verbreiten: Der Spießer Pistorius wird noch ein besserer Mensch werden (U: 5.12.1939).

Einen politisch geprägten Stoff für den Film lieferte zu gleicher Zeit der Roman »Lohwasser« (1935) von Johannes Linke: »Die Geschichte von dem Waldhof-Besitzer, der auf der Suche nach Wasser Gold ergräbt, das Wasser um des Goldes willen verschmäht und erst von äußerster Not getrieben den Brunnen wieder freilegt.« (Josef Nadler). Den Film »Der ewige Quell« realisierte Fritz Kirchoff. Eugen Klöpfer spielte den Lohhofbauern, Lina Carstens seine Frau, Bernhard Minetti trat als arbeitsscheuer Bauer auf, und Albert Hörrmann zeigte sich in der Rolle eines jüdischen Rechtsanwaltes.[46] Der Film erlebte seine festliche Uraufführung in der »Reichsbauernstadt« Goslar (19.1.1940).

»Der Ewige Quell«
Eine Filmkritik aus der Schweiz

»Die Bavaria-Filmkunst hat aus der Schilderung der Welt des bayerischen Bergbauerntums eine Spezialität gemacht, die ihr kaum eine andere Produktionsgesellschaft bestreitet. Alle Probleme, wie sie die Enge eines Bergdorfes mit sich bringt, werden, meist nach der literarischen Vorlage irgend einer volkstümlichen Geschichte, vor uns ausgebreitet: die Sorgen des harten Alltags ums karge Brot, der Kampf gegen Wildbach und Bergrutsch, gegen Neid, Habsucht, Mißgunst und Eifersucht. Dazwischen die unvermeidliche Liebe mit ihren dramatischen Konflikten. Harte, starrköpfige, verschlossene und leidenschaftliche Menschen gehen über die Leinwand. Als Vorlage zum Streifen ›Der ewige Quell‹ lieferte ein Roman von J. Lincke, ›Lohwasser‹, das Motiv: Wasser oder Gold! Zur Zeit einer Dürre, da alle Quellen versiegen, gräbt der Lohbauer nach Wasser. Er findet aber beim Graben Sand, den er, von einem Taugenichts irregeführt, für goldhaltig hält. Das Goldfieber erfaßt ihn, und statt nach dem so notwendigen Wasser zu suchen, verlegt er sich trotzig aufs Goldwaschen und bringt den ganzen Hof und das traute Glück seiner Familie in Gefahr. Wie immer in ähnlichen Filmen wird am Schluß alles wieder gut: Der Bauer sieht seine Torheit ein, das Wasser fließt reichlichst, nur eine Tochter büßt mit ihrem jungen Leben die Verblendung des Vaters. Der Film zeugt von sauberer Gesinnung, ist fließend in der Handlung, wenn auch nicht immer zwingend motiviert, und die Darsteller leisten ihr Bestes. Vor allem einige Bauerngestalten im Hintergrund (z. B. in einer Wirt-

schaft) bleiben im Gedächtnis haften. Peinlich berührt, daß die Hand-
lung zu einem antisemitischen Seitenhieb gebraucht wird, indem ein
Winkeladvokat mit östlichem Namen und typisch jüdischen Gesichts-
zügen die Rolle eines feigen Drahtziehers spielt, der aus dem Hinter-
halt durch ein falsches Gutachten, durch Unterschriftenfälschung und
sonstige Gaunereien sich auf Kosten des verblendeten Bauern zu berei-
chern sucht. Wie der Inhalt andeutet, will der Film im Dienste der ange-
stammten Erde stehen, und er wird darum dem Publikum aus mehr
ländlichen Verhältnissen zusagen.«
Quelle: »Der Filmberater«, Luzern, Nr. 3 a, März 1942.

Im Frühjahr 1939 kehrten der Regisseur Graf von Normann und sein
Kameramann E. Wilhelm Fiedler von einer Reise ans Finnische
Meer zurück: Mit gelungenen Außenaufnahmen zu dem Film »Die
fremde Frau« (Arbeitstitel: »Der große Kapitän«). Es war Roger von
Normanns zweiter Film. Nach dem heiteren »Spiel im Sommerwind«
(1938), mit zwei reizenden jungen Leutchen, Rolf Moebius und Hannelore Schroth, (der gleichnamige Roman von Leo Wispler lag dem
Film zugrunde) griff er zu einem gegensätzlichen Stoff, einem schweren dramatischen Thema, das nach Hans Heises Roman »In Komi lag
das Hochzeitskleid« (1937) von Hjalmar Schwenzen (dem Bruder
von Per Schwenzen) und dem Romanautor in die vorfilmische Form
des Drehbuches gebracht wurde. Der Film zeigte packende Szenen
an Bord eines finnischen Schiffes, das im Packeis festgehalten und so
zum Schauplatz einer großen und tragischen Auseinandersetzung
wurde. Der bewährte Eugen Klöpfer und die junge Nachwuchsdar-
stellerin Elisabeth Reich spielten das tragische Paar. Genau am Tage
des Kriegsausbruchs erlebte der Film in Wien seine Uraufführung.
    Thematisch und stilistisch unterschiedlich war die Verfilmung »Re-
nate im Quartett«, obwohl es auch hier um das Schicksal einer jungen
Frau ging. Es war schon die Zeit, als das Problem der Frauenberufs-
arbeit einen festen Platz in der »Volkserziehung« einnahm. Georg
Albrecht von Iherings gleichnamigen Roman aus dem Jahre 1938 inszenierte Paul Verhoeven für die Tobis kurz vor Kriegsausbruch. Es
war ein ernstes und heiteres Spiel um ein Kammermusik-Quartett
(Attila Hörbiger, Johannes Riemann, Hans Brausewetter, Harald
Paulsen), das eines Tages den Bratschespieler durch eine Frau ersetzen mußte. Die bisherige Harmonie im Börne-Quartett wurde dadurch gestört. Der Schluß des Films war dennoch versöhnlich. Gustav Fröhlich (in der Rolle eines Guts- und Gasthofbesitzers) krönte

seine Freundschaft mit den Männern des Quartetts dadurch, daß er Renate in seinen Schutz und seine Arme nahm. Käthe von Nagy spielte die Titelrolle (U: 24. 8. 1939).

Die Zeit nach dem 1. Weltkrieg bildete den Hintergrund des stark politisch geprägten Films »Flucht ins Dunkel«, in dem gezeigt wurde, »daß Männer um einer Idee willen etwas und alles wagen und daß es Frauen gibt, die an solche Männer glauben.«[47] Philipp Lothar Mayring schrieb, frei nach Motiven des Romans »Gespenst im späten Licht« von Karl Unselt, das Drehbuch, die Inszenierung übertrug die Terra dem Regisseur A. M. Rabenalt. Im März 1939 begann man mit den Aufnahmen. Der Film zeigte das Ringen zweier junger Chemiker »in der unseligen Zeit nach 1918« um eine Erfindung. Joachim Gottschalk spielte den Mann, dem es nicht um Ruhm und Verdienst, sondern um Höheres geht. Hertha Feiler, Ernst von Klipstein und Paul Hoffmann ergänzten die Liste der Hauptdarsteller (U: 17. 10. 1939 in Beuthen; P: küw).

In das Jahr 1939 fielen die Verfilmungen von Werken zweier Romanautorinnen. Aus dem heiter-ernsten Briefroman »ich an dich« von Dinah Nelken entstand ein entwaffnend einfaches Filmmanuskript (D. Nelken schrieb es mit) und aus ihm ein Film, in dem sich das Sprichwort von den Gegensätzen, die sich anziehen, bewahrheitete. Brigitte Horney und Joachim Gottschalk – zu jener Zeit oft vor der Kamera zusammen – spielten die Hauptrollen, Viktor Tourjansky hatte die Regie. »Eine Frau wie Du« hieß dieser Bavaria-Film (U: 19. 10. 1939 in Neustadt). D. Nelkens Filmnovelle »Ein kleines Lied« machte schon seit Monaten Karriere in dem Film »Das Abenteuer geht weiter«. Die unleugbare Sympathie des Kinopublikums begleitete den Film »Ihr erstes Erlebnis« (Die Arbeitstitel: »Tochter aus gutem Hause« wie die literarische Vorlage, der Roman von Susanne Kerckhoff, und »Erstes Erleben«). Juliane Kay schrieb das Drehbuch. Die lustige Handlung sorgte dafür, daß die auf ein glückliches Ende ausgerichteten Grenzen des Films nicht überschritten wurden. Das glückliche Ende bedeutete: die Familie. Ilse Werner trat auf als ein junges, zum erstenmal schwärmerisch verliebtes Mädchen, das mit der Unbekümmertheit der Jugend für etwas kämpfen zu müssen glaubte, was es für die Liebe seines Lebens hielt. Johannes Riemann war der von ihr angeschwärmte Malerprofessor. Für die junge Ilse Werner bedeutete der Film einen künstlerischen Erfolg (Regie Josef Baky; U: 22. 12. 1939 in Köln; P: küw).

Zu gleicher Zeit glänzte Ilse Werner in dem Film »Fräulein«, der,

517

wie seine literarische Vorlage von Paul Enderling, für die Frauenarbeit agierte. Paul Enderling war bereits aus seiner bekannten Verfilmung »Die Umwege des schönen Karl« die 1938 Carl Froelich realisiert hatte, zumindest in Berlin berühmt geworden.

Das Jahr 1939 war überaus reich an neuen Kriminalfilmen. Darunter gab es mehrere Romanverfilmungen. Die meisten von ihnen (oder, genauer gesagt, fast alle) standen nicht nur im Dienst der reinen Unterhaltung, sondern hatten auch erzieherische Aufgaben zu erfüllen. Der Name Axel Rudolph tauchte bereits 1938 in dem Kriminalpolizei-Film »Mordsache Holm« auf. Ein Jahr später wurde sein Roman »Aktenbündel M 2-1706/35« bei der Terra verfilmt. Ein junges Mädchen, das auf eigene Faust Detektiv spielte, geriet in ein Chaos verbrecherischer Umtriebe: Industriespionage. »Der Polizeifunk meldet« hieß der Film, den Rudolf van der Noss gestaltete. Das brave Mädchen spielte die Nachwuchsschauspielerin Lola Müthel (U: 28. 7. 1939).

Die Polizei löste nach Jahren »das große Rätsel einer Mordnacht«, einen Kriminalfall um den Tod einer Sängerin. Ferdinand Marian, Käthe Dorsch und Gisela Uhlen waren die Hauptdarsteller dieser dramatischen Ereignisse in dem Film »Morgen werde ich verhaftet« nach dem gleichnamigen Roman. (Regie: Karl Heinz Stroux, U: 7. 6. 1939). Eine überaus große Reklame begleitete den Kriminalfilm »Sensationsprozeß Casilla«. Eduard von Borsody, der Regisseur des Films, und Ernst von Salomon schrieben das Drehbuch nach einem Roman von Hans Possendorf: mit zahlreichen Lücken – so die Kritik – im Vergleich zur Handlung des Kriminalromans. Der Film zeigte Rechtsanwälte, Richter, Angeklagten und Zeugen im amerikanischen (!) Gerichtssaal. Heinrich George setzte seine große schauspielerische Erfahrung ein. (U: 8. 8. 1939). Auf amerikanisch, diesmal aber ging es um Brasilien, wurde auch »Der grüne Kaiser« gestimmt. So hieß auch seine literarische Vorlage, ein Roman von Hans Medin. Paul Mundorf (Regie) und Geza von Cziffra (Buch) schufen einen Streifen, der der »üblichen Filmunterhaltung« diente bzw. dienen sollte. Der Film brachte »eine unwahrscheinliche Menge Unwahrscheinlichkeiten«, scherzte die Betrachtung. Es handelte sich um einen internationalen Hochstapler, der sich neben erheblichen Reichtümern auch eine Doppelexistenz zugelegt hatte. Auf die kriminalistische Spannung schien der Regisseur nicht den entscheidenden Wert zu legen. Gustav Dießl als der internationale Großschieber, René Deltgen, der zweimal wegen Totschlags unschuldig auf der An-

518

klagebank sitzen mußte, und Carola Höhn (mit der nicht nur in Deutschland verspotteten Badewannenszene, in der sie »etwas Unerlaubtes« zeigte) waren die darstellerischen Säulen dieses kitischigen Filmes. »Allerdings hat der Roman Hans Medins in der starken Veränderung von Geza von Cziffras Drehbuchbearbeitung in psychologischer Hinsicht vieles von seinem ursprünglichen Reiz verloren«, konstatierte der Film-Kurier (U: 15.2.1939 in Wien).

1939 liefen in den deutschen Kinos zwei Krimis nach Frank F. Brauns Romanen: »War es der im dritten Stock?«, von Carl Boese mit Henny Porten in der Hauptrolle gestaltet, und »Dein Leben gehört mir« nach dem bekannten Roman »Akte Fabreani« (1938), wo Johannes Meyer die Regie führte. Die bewährten Drehbuchautoren W. Wassermann und C. H. Diller standen dem Regisseur Meyer zur Verfügung. Trotzdem gelang es ihm nicht, aus diesem Wirrsal der Tatmotive – ein Mädchen kämpft um Ehre und Glück ihrer Mutter – die nötige Spannung zusammenzuballen, ohne die ein Kriminalfilm schlecht auskommt. Karin Hardt, Dorothea Wieck, Karl Martell und Ivan Petrovich spielten die Hauptrollen (31.10.1939). »Kennwort Machin«, ein gut aufgebauter Film, zeigte die Abkehr vom Schema. Erich Waschneck inszenierte ihn nach dem Roman »Herr Borb besitzt unser Vertrauen« von C. V. Rock mit Paul Dahlke und Viktoria von Ballasko (U: 30.10.1939)[48]. »Ursula schwebt vorüber«, ein Roman des Ostpreußen Walter Harich, lieferte den Stoff für den Kriminalfilm »Verdacht auf Ursula«, den Karl Heinz Martin, nach einem Drehbuch von Roland Schacht, mit sehr viel Liebe fürs Detail inszenierte. Natürlich ging es auch in diesem dunklen Kriminalfall nicht nur um die Entlarvung des Täters, sondern auch um Liebe. Der Film, in Prag für die Bavaria gedreht, hatte eine sehr gute Rollenbesetzung (u. a. A. Uhlig, V. Staal, G. Weiser, K. Haack, F. Kampers, H. Junkermann). In Frankfurt am Main erlebte er seine Uraufführung (26.10.1939).

Max W. Kimmich und Charles Klein verfaßten – nach einer wahren Begebenheit in Stockholm – den Text zu dem Krimi »Der Vierte kommt nicht«. Kimmich war zugleich, zum erstenmal in Deutschland, der Regisseur eines abendfüllenden Films. D. Wieck, E. Wendt, W. Hinz und F. Marian waren die vier wichtigsten Namen auf der Darstellerliste. Mit dem Prädikat »künstlerisch wertvoll« versehen, startete der Film am 9.3.1939 (Wien) in den deutschen Kinos. Bald danach, am 18. März, wurde im Reichssender Breslau erstmals das Drehbuch dieses Films als Hörspiel gesendet.

519

Bei der Terra realisierte Erich Engel »Zentrale Rio« – mit zwei tüchtigen Kriminalkommissaren (Leo Peukert, H. Zesch-Ballot) und schönen Frauen (Leny Marenbach, Camilla Horn) – nach dem Roman von Rudolf Dortenwald (U: 5.10.1939). Wichtiger als die Präsentation der Polizei war die Darstellung psychologischer Probleme in zwei weiteren Verfilmungen. »Die Frau ohne Vergangenheit« war ein Drama über die verschüttete Vergangenheit einer Frau (Sybille Schmitz), die ihr Gedächtnis verloren hatte. Den sie behandelnden Arzt spielte Albrecht Schoenhals (auch privat ein Dr. med.). Den Film drehte der Gast aus Italien, Nunzio Malasoma, als literarischer Vorwurf diente eine Novelle von Curt J. Braun (U: 18.7.1939). Albert Schoenhals spielte die Hauptrolle in dem Film »Roman eines Arztes«, den Jürgen von Alten nach Motiven des Romans »Heimkehr ins Leben« von C. R. Dietz bei der Aco-Film drehte. Camilla Horn und Maria Andergast waren seine Filmpartnerinnen (U: 15.9.1939).

Eines der besten Lustspiele des Jahres 1939 – so die Presse – war »Hochzeitsreise zu dritt«, das Hubert Marischka mit J. Riemann, P. Hörbiger, T. Lingen und M. Andergast drehte. Herbert Ernst Groh – von Rundfunk und Schallplatten bekannter Liedersänger – sang im Film seine neuen Schlager. F. B. Cortans Roman »Hochzeitsreise ohne Mann« war die literarische Grundlage des Films (U: 30.10.1939 in Chemnitz). Derselbe Zeitgenosse kam 1941 wiederum auf die Leinwand in dem Film »Am Abend auf der Heide«. Jürgen von Alten (Regie) und Thea von Harbou (Buch) schufen den Film mit Magda Schneider in der Hauptrolle (U: 11.11.1941 in Wien).

Dreißig größere oder kleinere Prosawerke aus dem deutschen Sprachraum lieferten im Jahre 1939 ihren Stoff für abendfüllende Spielfilme. 1940 waren es dagegen nur 17 Werke und Autoren, darunter ein Schweizer und eine Österreicherin. Das waren die Folgen des Kriegsausbruchs. Die Zahl der hergestellten Filme sank drastisch, es wuchs dagegen die politische Steuerung. Einige von den Verfilmungen des Jahres 1940 sind an anderen Stellen dieses Buches besprochen worden, darunter die bedeutendsten oder bekanntesten, wie »Das Mädchen von Fanö«, »Die Geierwally« oder »Kora Terry«, die im Dienste mehr oder weniger gehobener Unterhaltung standen, oder »Der Fuchs von Glenarvon«, der im Zusammenhang mit der Besprechung der antienglischen Filmpropaganda erwähnt ist.

Die Präsenz von Frauen- und Familienfilmen war selbstverständlich sehr erwünscht. Im Geiste der Zeit stand der Roman »Kamerad

Mutter« (1935) von Christel Broehl-Delhaes, ebenso wirkte sein filmisches Bild (allerdings nicht das genaueste), von Paul Verhoeven unter dem Titel »Aus erster Ehe« inszeniert. Der Film nahm Stellung zu den inneren Problemen zwischen der zweiten Frau eines Wissenschaftlers und ihren beiden halb erwachsenen Stiefkindern. Aus der Liebe zum Mann fand die Frau die Kraft, aus allen Irrungen und Wirrungen dieser beiden jungen Menschenkinder unter eigenen Opfern den Weg zum gemeinsamen Glück zu erkämpfen. Schauspielerisch überzeugende Figuren schufen – so die Betrachtung – Franziska Kinz und Ferdinand Marian in den Rollen der Eltern. Zum ersten Male trat in einer größeren Rolle Maria Landrock auf. Karl Schönböck als leichtsinniger Frauenheld und Paul Bildt mit Erich Ponto (zwei humorvolle professorale Typen) ergänzten die Liste der Haupthelden des Films (U: 12. 2. 1940 in München). Andere Frauenprobleme schilderte »Herz ohne Heimat«, ein Film in der Regie von Otto Linnekogel. Im Hintergrund des Geschehens stand Renate Uhl mit ihrem Roman »Die beiden Dirsbergs«. A. Uhlig und A. Schoenhals spielten hier die Hauptrollen. Die Uraufführung des Films veranstaltete man in dem pommerschen Ostsee-Bad Misdroy (6. 8. 1940). Sorglose Lustigkeit herrschte in der Adaption der Novelle »Herz geht vor Anker« von Marie Luise Becker, auf lustig war »Beates Flitterwoche« gestimmt, auf lustig und bayerisch. Nach dem Roman »Mukkenreiters Flitterwochen« wurde dieser Film bei der Peter-Ostermayer-Filmproduktion (für die Ufa) gedreht. Paul Ostermayer leitete das Spiel, an dem vor allem Friedl Czepa und Paul Richter als Haupthelden teilgenommen hatten (30. 8. 1940 in München). Der Film »Seitensprünge« diente selbstverständlich nicht dem Lob des Ehebruchs. Der Österreicher Alfred Stöger drehte ihn in Prag (Parrandov) für die Bavaria mit Geraldine Katt und Hans Brausewetter. Motive aus dem gleichnamigen Roman von Hellmut Lange lagen diesem Lustspiel zugrunde (U: 2. 2. 1940 in Rostock).

Abenteuer präsentierte das Lustspiel »Ein Mann auf Abwegen« nach dem Roman »Percy auf Abwegen« (1936) von Hans Thomas. Hans Albers spielte die Hauptrolle, und Hilde Weißner war seine schöne Partnerin. Das genügte, um ein breites Publikum zu gewinnen; außerdem gab es damals nur wenige Premieren von neuen Filmen (Regie: H. Selpin; U: 16. 2. 1940 in Hamburg). Mit Krimis war man damals – weisungsgemäß – sehr vorsichtig. Nur der heitere Roman »Haus Kiepergaß und seine Gäste« von Hannes Peter Stolp kam auf die Leinwand. An Prominenten standen vor der Kamera: Maria

Andergast, Gustav Fröhlich, Fita Benkhoff, Carsta Löck und Theo Lingen. Diesen Kriminalschwank inszenierte Charles Klein unter dem Titel »Ihr Privatsekretär« (U: 22.2.1940). Lustig, zugleich aber historisch und volkstümlich wirkte »Der Kleinstadtpoet«. Nach W. Utermanns Roman »Verkannte Bekannte« inszenierte Josef von Baky den Film mit Paul Kemp (U: 20.12.1940).

Hugo Maria Kritz gehörte zu den Unterhaltungsautoren, deren Prosawerk einen breiten Leserkreis hatte. Auch auf der Leinwand war er bereits vor Kriegsausbruch zu sehen. Im Kriege folgten weitere Verfilmungen. Für seinen Roman »Golowin geht durch die Stadt« (1939) machte zunächst die »Münchner Illustrierte Presse« eine gute Reklame. Danach kaufte die Bavaria die Filmrechte und verpflichtete R. A. Stemmle und E. Burri für das Drehbuch. Stemmle übernahm auch die Regie in diesem heiteren Abenteuerfilm, der zwischen lustspielhaften und grausigen Bildern hin- und hertrieb. Den Golowin spielte Carl Raddatz (U: 31.5.1940 in Göttingen). Kritz' frischgebackener Roman »Die heimliche Gräfin«, mit Wien um die Jahrhundertwende zum Thema, gab die Vorlage für eine gleichnamige Komödic, die bei der Wien-Film Geza von Bolvary (Regie) und Geza von Cziffra (Buch) – mit Aufnahmen in zwei Donau-Metropolen, Wien und Budapest, und mit Marte Harell und Wolf Albach-Retty – auf die Leinwand gebracht hatten. (U: 27.8.1942 in Wien; P: küw, vw). Gut gefielen vor allem die Schauspieler. Der Regisseur dagegen hatte weder ausgesprochene Komik noch intensive Spannung hervorzurufen verstanden. 1943 wurde auch der Liebesroman »Man rede mir nicht von Liebe« (1938) bei der Bavaria verfilmt. Curt J. Braun (Buch) und Erich Engel (Regie) leisteten gute Arbeit. Die sinnvolle Rollenbesetzung (H. Hatheyer, M. Wieman, F. Domin, E. Aulinger und unter den anderen Darstellern auch die unvergessene Partnerin Karl Valentins, Liesl Karlstadt) blieb auch nicht ohne Einfluß auf das Gesamtbild dieses Films (U: 17.9.1943 in München; P: küw).

Gern wurden als Stoff für Filmkomödien Heinrich Spoerls humorvolle Unterhaltungsromane ausgewählt. Stets mit Happy-End und mit konkreter gesellschaftlicher Zielsetzung, erfreuten sie sich besonders beim unpolitischen Publikum (obwohl ihr Autor persönlich in der NS-Zeit nicht immer unpolitisch war) großer Beliebtheit. Schon vor Kriegsausbruch machten im Kino große Karriere: »Der Maulkorb« (zweimal verfilmt) und die von Goebbels so hochgeschätzte und sogar als Muster für den Unterhaltungsfilm bezeichnete

64. Szene aus dem Film »Rembrandt«

65. Aus dem Film »Rembrandt«

Komödie »Wenn wir alle Engel wären« (1936). Im Krieg folgten drei weitere Verfilmungen von Spoerls Werken. 1941 entstand das Ehelustspiel »Der Gasmann« in der Regie von Carl Froelich und in dessen Filmstudio (für die Ufa), mit Heinz Rühmann, Anny Ondra und Will Dohm in den führenden Rollen (U: 1.8.1941).

»Der Gasmann«
Eine Filmkritik aus der Schweiz
»Eine geistig mittelmäßige Vorlage lieh dem Drehbuchautor Heinrich Spoerl den Stoff zu diesem Lustspiel... Statt eines Serienfilms zur reinen Unterhaltung hat Prof. Froelich, der alte Routinier der deutschen Filmproduktion, immerhin einen witzigen, unterhaltlichen Streifen voll fröhlicher Einfälle geschaffen. Die Produzenten haben aber der Versuchung nicht widerstanden, immer wieder durch eine Unze Frivolität und durch Hinweise auf unsaubere Verhältnisse die Wirkung beim Publikum ein wenig zu verstärken. Diese Art, eine Handlung, koste es was es wolle, da und dort mit unsauberen Mittelchen zu würzen, ist nicht nur billig; sie fälscht die richtige Perspektive, raubt dem Leben die so notwendige Note eines gewissen sittlichen Ernstes und stößt feinfühlige Zuschauer ab.«
Quelle: Der Filmberater, Luzern, Nr. 8a, September 1941.

Die Prosa-Verfilmungen der Jahre 1942 und 1943 erfüllten – mit einiger Verspätung, aber desto eifriger – die politische Aufgabe: »Ehret Eure ›groß‹deutschen Meister«. Zu der langen Reihe von biographischen Filmen kamen neue Werke: Wolfgang Amadeus Mozart, Ferdinand Raimund, Andreas Schlüter, Rudolf Diesel, Wilhelm Bauer, Friedrich List waren die Helden der verfilmten Romane oder anderer Veröffentlichungen. In diese Reihe wurde auch Rembrandt eingeschlossen. Rembrandt war »als Träger und Exponent echt germanischen Kulturwillens« ein wichtiger Faktor der NS-Politik in den besetzten Niederlanden. Rembrandt und sein Werk waren auch außerordentlich wichtig in der NS-Kunstpolitik.[49] Das wußten auch die Gegner genau. Seit Anfang 1941 berichtete die amerikanische Presse über die angeblichen Pläne Deutschlands, die berühmten Kunstwerke aus Deutschland nach Amerika zu verkaufen, um Devisen zu ergattern. Und da es schon manche Erfahrungen in dieser Hinsicht gab, riefen diese Behauptungen einen nicht geringen Eindruck hervor. In dieser Propagandaaktion schrieb z. B. »New York Herald Tribune« (13.2.1941), daß auch die bekannten Gemälde von Rembrandt, darunter »Der Mann mit dem Goldhelm«, jenes Bild, das einst allein Hunderte von Besuchern alljährlich nach Berlin zog, nun für Dollars ausgetauscht werden sollten. Die diplomatische Vertretung des Reiches in den USA dementierte selbstverständlich diese Nachrichten. In diesem politischen Klima fing man an, einen Rembrandt-Film zu drehen. Als literarische Vorlage galt der Roman »Zwischen Hell und Dunkel« (1934) von Valerian Tornius. Nicht nur den Roman, sondern auch die Geschichte änderte Hans Steinhoff, Regisseur und mit Kurt Heuser Verfasser des Drehbuches. Sie machten aus Rembrandt ein aus allen Poren dampfendes Genie. Äußerlich gesehen, zeigte der Film das Leben Rembrandts vom Höhepunkt seines Daseins, den Tagen vor Beginn seiner »Nachtwache«, bis zu seinem Tode in Armut und Vergessenheit. In Wahrheit versuchte aber dieses Werk, das Phänomen des künstlerischen Menschen überhaupt zu erfassen. Szenische Höhepunkte erreichte die Handlung im Augenblick des Todes der zweiten Frau des Malers und in den letzten Bildern, die den gealterten, äußerlich gebrochenen, aber innerlich glühenden Meister zeigten. Den theatralischen Auftritten war man nicht ganz entgangen. Je weniger der Kinobesucher von Rembrandt wußte, desto rückhaltloser konnte ihm der Film »Rembrandt« (U: 17.6.1942; P: küw) gefallen. Aber es gab im Reich Besucher, die in Deutschland den englischen (mit deutschen Untertiteln) Film »Rembrandt« gesehen hatten. Diesen Film hatte 1936 der berühmte Alexander Korda – das Buch schrieb Carl Zuckmayer – mit Charles Laughton in der Hauptrolle gedreht. In den USA befand sich der Film unter den besten ausländischen Filmen des Jahres. Die Außenaufnahmen des Steinhoff-Films wurden wochenlang in Holland gedreht. Eine riesige Zahl von Schauspielern und Komparsen stand dem Regisseur zur Verfügung. Das expressionistische Spiel von Licht und Schatten leistete mit der Kamera, ausgezeichnet, Richard Angst. Den Rembrandt spielte Ewald Balser (einen geeigneteren Rembrandt-Darsteller als ihn hätte man wohl kaum finden können), seine beiden Frauen wurden von Hertha Feiler und Gisela Uhlen verkörpert. Elisabeth Flickenschildt verkörperte (fast) überzeugend die Magd Geertje, die versuchte, mehr von Habgier als von Zuneigung zum Meister erfüllt, sich zwischen Rembrandt und dessen Frau zu drängen, um nach deren Tod an ihre Stelle zu treten. Nur dem äußeren Anschein nach war der Film ein unpolitisches Werk. Die Schweizer Zeitung »Volksrecht« (26.8.1942) bemerkte treffend: »Unter völliger Wahrung der Neutralität« haben wir festgestellt, »daß im

525

Rembrandt-Film die Beauftragten von Rosenberg und Goebbels die Hand im Bild haben.«

Walter Lieck, der Autor und Schauspieler (im Film war es seine Aufgabe, überwiegend finstere Gestalten, Schurken aller Schwärzegrade darzustellen), dem die Verfilmung seines Stückes »Annelie« zumindest in Deutschland einen Namen gemacht hatte, gehörte auch zu den verfilmten Romanautoren. Nach Motiven seines Romans entstanden die »Liebesgeschichten« (Buch: Gustav Kampendonk), die Viktor Tourjansky für die Ufa drehte. Die Handlung spielte im Berliner Künstlermilieu und erstreckte sich auf die Zeit 1890–1930. Die gute Besetzung (Willy Fritsch, Elisabeth Flickenschildt, Walter Franck, Hannelore Schroth, Hans Meyer-Hanno), gute Musik (Peter Kreuder) und die engagierte Arbeit des Regisseurs blieben nicht ohne Einfluß auf das Gesamtbild des Films (U: 3.3.1943 in Leipzig; P: kw).

Der Roman »Die Unheimliche Wandlung des Alex Roscher« von Curt Corinth war zwar ein »Krimi«, aber sein wirklicher Held war ein Zollbeamter. Unter dem Arbeitstitel »Der Spiegel der Helena« drehte Paul May für die Bavaria (in Prag und Kitzbühl) diesen Film mit Anneliese Reinhold, Viktoria von Ballasko und Rudolf Prack in den Hauptrollen. Kern der Handlung war der Diebstahl eines Meisterwerkes antiker Goldschmiedekunst, des Spiegels der Helena, aus einem Museum. Der Film unter dem Titel wie seine literarische Vorlage erhielt eine interessante musikalische Untermalung (W. Zillig). Mit dem Prädikat »volksbildend« versehen, erlebte er seine Premiere in München (23.9.1943).

»Gefährtin meines Sommers« erregte weit über die pflichtmäßig interessierten »Fachkreise« hinaus großes Aufsehen. Der Film basierte auf dem gleichnamigen Roman aus dem Jahre 1938 von Klaus Erich Boerner. Das Drehbuch schrieb Thea von Harbou, und Fritz Peter Buch drehte diesen Streifen bei der Berlin-Film (Atelieraufnahmen in Amsterdam und in Den Haag). Es war ein Film um einen Arzt aus innerer Berufung, der nicht in die große Stadt gehen wollte. Solche Tendenzen kamen der ideologischen Erziehung des Volkes entgegen, obwohl das Interesse an solchen Themen beim Kinopublikum merklich gesunken war. Selbstverständlich handelte der Film auch über die Liebe. Paul Hartmann spielte den Landarzt Dr. Claudius, seine Jugendfreundin, die Pianistin Angelika Rink, war Anna Dammann. In einer rasanten Schnittfolge wurde ihr künstlerischer Weg und Aufstieg skizziert. Der Impresario der Pianistin und ihr Ver-

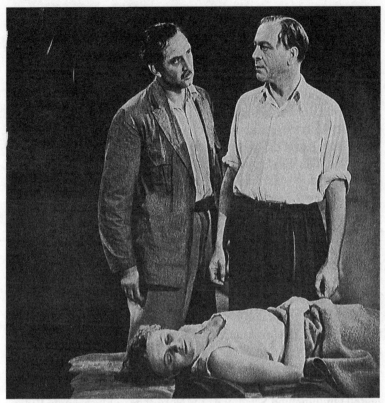

66. *Gustav Knuth, Viktoria von Ballasko und Paul Hartmann in »Gefährtin meines Somers«*

lobter (O. E. Hasse) sowie die anderen »Bewerber« ließen bis zum Schluß die Frage offen, für wen sie sich entscheiden werde. Eine Tat des Dr. Claudius brachte diese Entscheidung. Es gab prächtig gespielte Rollen: Viktoria von Ballasko als die Müllerin Hanna Polenz, Gustav Knuth als ihr Peiniger. Eduard von Winterstein spielte den Vater der Pianistin. Noch vor der Uraufführung gab man bekannt: »Gefährtin meines Somers« erhielt die Prädikate »künstlerisch wertvoll« und »volkstümlich wertvoll«. Eine feierliche Premiere fand im Breslauer »Capitol« am 22. März 1943 statt. Der Breslauer Rundfunk bereitete aus diesem Anlaß eine Sendung vor: eine Unterredung mit den in Breslau anwesenden Mitwirkenden beim Film. Der Autor des Romans war nicht anwesend: Er fiel bei Stalingrad. »Das Reich«, sonst eher sparsam mit seinen Äußerungen zum Thema

Film, urteilte (28.3.1943): »Obwohl dieser Film kein Reißer ist und weit über der billigen Preislage des Publikumsgeschmackes liegt, ist er ein Erfolg.«

Paul Martin inszenierte eine andere wechselvolle Geschichte eines Landarztes, der in jungen Jahren in eine kleine Stadt kam und sich mühevoll seine Praxis aufbauen mußte. Eine Gutsbesitzerin, eine Baronin (Leny Marenbach), war der einzige Mensch, der dem Arzt (Carl Raddatz) im Anfang offenherzig entgegentrat, und aus dieser Freundschaft wuchs langsam eine stille Liebe. »Das war mein Leben«, hieß der Film, und seine literarische Grundlage bildete eine Erzählung des erfahrenen Filmautors Gustav Kampendonk. Der Film paßte gut in die Zeit eines traurigen Exodus der Großstadtbewohner aus den luftgefährdeten Bezirken. Jedoch nicht mit allen Einzelheiten. Der Satz des alten Dorfarztes, zu einem alten Bauern gesprochen, »lieber ein schlechtes Leben als ein guter Tod« war geschnitten worden, »da die Frage Leben oder Tod heute ein so elementares Wesen angenommen hat, daß der Satz mißverstanden werden könnte«, meinte der Reichsfilmdramaturg.[50] Übrigens spielte Carl Raddatz seine Rolle gut, besonders in den Altersszenen. Die Presse zeigte bei der Besprechung des Film eine gewisse Gleichgültigkeit (U: 24.10.1944; P: küw, vb).

Ein kleiner literarischer Text Max W. Kimmichs lieferte den Stoff für »Nacht ohne Abschied«. Der Regisseur Erich Waschneck verlegte Handlung und Schauplatz ins Nordische: zunächst eine Robinsonade zu Zweit, danach eine Liebestragödie mit psychologisch interessanten Szenen. Anna Dammann (als Frau Karin), Hans Söhnker (als Rittmeister Nyborg) und Karl Ludwig Diehl spielten die Hauptrollen. Ein neues Leben mit dem Gefährten der einen Nacht zu beginnen, erscheint Karin unmöglich, so daß sie freiwillig den Tod in den Wellen sucht. Am Danziger Meer wurden die Außenaufnahmen gedreht, im Ufa-Palast in Danzig fand auch in Anwesenheit von A. Dammann die Uraufführung des Films statt (4.3.1943).

Auch die letzten Romanverfilmungen standen, mit nur wenigen Ausnahmen, im Dienste der »politisch zuverlässigen« Unterhaltung. Zu den ersten Filmpremieren des Jahres 1944 gehörte »Die Feuerzangenbowle« nach dem erfolgreichen Roman von Heinrich Spoerl. Den Film inszenierte Helmut Weiß, und das Drehbuch schrieb der Romanautor selbst. Heinz Rühmann und neben ihm Karin Himboldt spielten die Hauptrollen. Im deutschen Kino gab es mit dieser gelungenen Filmkomödie eine neue Attraktion (U: 28.1.1944; P: kw).[51]

»Sommerrausch« von Josephine Schneider-Foerstl wurde als Komödie von Gerhard T. Buchholz (Buch) und Fritz Kirchoff (Regie) mit Carola Höhn und Paul Richter bei der Ufa auf die Leinwand gebracht (U: 4. 8. 1944 in Graz). Eine Liebesgeschichte in der Havellandschaft zeigte – ein Durchschnittserfolg beim Publikum – »Junge Herzen« nach dem Roman »Ohne Sorge in Sanssouci« von E. W. Dröge. Boleslaw Barlog drehte den Film bei der Ufa, mit den Debütanten Harald Holberg und Ingrid Lutz in den Hauptrollen (U: 30. 11. 1944). Barlog realisierte auch die Verfilmung – das Buch schrieb Wolf Neumeister – des Romans »Der grüne Salon« (1938) von Hertha von Gebhard. Margarete Haagen, Jutta von Alpen, Paul Klinger und Hans Brausewetter standen dem Regisseur diesmal zur Verfügung (U: 27. 12. 1944; P: küw). Der Film wies eher schwache Kassenergebnisse auf. Die weitere Verfilmung eines Gebhardt-Stoffes, »Schwester Jette« (Liebesprobleme im Lazarett-Milieu), wurde Ende 1944 von der Filmabteilung des ProMi abgelehnt. »Das Rätsel Manuela« von Anna Elisabeth Weihrauch lieh seinen Stoff der musikalischen Liebeskomödie »Es lebe die Liebe«, die Erich Engel für die Bavaria (in Prag) mit Johannes Heesters und Lizzi Waldmüller drehte (U: (U: 24. 5. 1944 in München). In sehr freier Abwandlung von Rudolf G. Bindings Novelle »Opfergang« entstand der gleichnamige Farbfilm.

Bereits 1940 erhielt Erich Ebermayer im Einverständnis mit der Witwe des Autors Kluge und dem Verleger des Romans »Die Zaubergeige« den Auftrag, das Werk für die Verfilmung vorzubereiten. Der Roman, der als Kurt Kluges größtes literarisches Werk galt (Volkspreis für die Dichtung, 1942), schilderte das Schicksal eines Musikers und seinen Kampf um Anerkennung (Regie: Herbert Maisch).

Nach der Novelle »Der Majoratsherr« von Alfred von Hedenstjerna inszenierte Hans Deppel einen gleichnamigen Film[52] mit Willy Birgel und Viktoria von Ballasko (U: 26. 5. 1944 in Schwerin). Hans Deppe inszenierte auch – mit Axel Eggebrecht und Peter Francke als Drehbuchautoren – die Ehekomödie »Ein Mann wie Maximilian« nach Riesi Flierl. Der im Sommer 1944 zensierte Film wurde erst am 13. März 1945 erstaufgeführt.[53] In einer ganz anderen Szenerie entstand der Film »Der große Preis« nach dem Roman »Werkmeister Berthold Kramp« von Rudolf Hoepner. Die Handlung war der Werkspionage gewidmet. Karl Anton drehte den Film mit Gustav Fröhlich, Carola Höhn und Otto Wernicke (U: 19. 5. 1944 in Stuttgart; P: vw).

Unvollendet blieb die Verfilmung des Romans »Die Sterngeige«

(1938) von Alfred Karrasch (Verfilmungsrechte 15 000 RM). Nach einem Drehbuch von Ernst Hasselbach und Per Schwenzen drehte G. W. Pabst höchstpersönlich diesen Kriminalfilm um den Diebstahl einer Stradivari-Geige. Zur Seite standen ihm im BarrandovAtelier die Prominenten Paul Wegener, Erich Ponto, Irene von Meyendorff, Harald Paulsen, Will Dohm, Theodor Loos und Werner Hinz. Der Einmarsch der sowjetischen Truppen unterbrach die Arbeiten an dem Film »Die Schenke zur ewigen Liebe«: Zunächst in Dittersbach bei Waldenburg (Niederschlesien) in der Kohlengrube »Glück auf«, danach in Babelsberg. Diesmal ging es um die Verfilmung eines gleichnamigen Bergmannsromans aus dem Jahre 1935 von Walter Vollmer. Alfred Weidenmann inszenierte diesen Film mit Carl Raddatz in der Hauptrolle. Ihren letzten Dienst beim NS-Film leisteten mehrere Darsteller und Darstellerinnen, die von anderen, kriegswichtigen Verpflichtungen befreit waren: Monika Burg, Maria Koppenhöfer, Berta Drews, Josef Sieber, Albert Florath, Günther Lüders, Karl Dannemann, Paul Bildt, Hans Zesch-Ballot, Gustav Püttjer, Karl Hannemann, Paul Rehkopf, Ernst Rotmund u. a. Der Film blieb unvollendet.

In Arbeit befanden sich zu Ende des Krieges folgende Verfilmungen: »Das Gesetz der Liebe«, ein Film um Liebe und Spionage, nach Fred Andreas' gleichnamigem Roman (Buch: Ernst von Salomon) von Hans Schweikart für die Bavaria (in Prag) mit Hilde Krahl, Ferdinand Marian und Paul Hubschmid gedreht (U: 3. 2. 1950 in Göttingen) und in Prag (Radlitz-Atelier) die Kriminalkomödie »Der große Fall« (»Hölle ahoi« von Georg Mühlen-Schulte als Vorlage). Karl Anton gestaltete letztere als Regisseur für die Tobis, Gustav Fröhlich war der Filmheld. Dieser Streifen wurde erst nach dem Kriege von der Defa fertiggestellt (U: 20. 12. 1949 in Berlin-DDR). Carl Boese realisierte für die Ufa (in Prag) die musikalische Komödie »Der Posaunist« nach Heinz Schwitzkes Novelle. Für den Film wurden der Komponist Kurt Schröder, unter den Darstellern Paul Dahlke, Sabine Peters und Ludwig Körner engagiert. Der Film ging erst 1949 in die Kinos. Die Arbeit an der Verfilmung der Novelle »Umarmt das Leben« von Fritz von Woedtke – Regie führte Gustav Fröhlich – blieb unvollendet. Das satirische Lustspiel »Peter Voss, der Millionendieb« nach dem gleichnamigen Roman von E. G. Seeliger aus dem Jahre 1913, mit Viktor de Kowa in der Hauptrolle, brachte Karl Anton bei der Tobis nicht zum Abschluß. Nach dem Krieg vollendete die Defa diesen Film.

Für sein Bühnenwerk »Das Nürnbergische Ei« wurde Walter Harlan zum Ehrenmitglied des Lippisch-Westfälischen Uhrmacher- und Goldschmiede-Verbandes und des Zentralverbandes der Deutschen Uhrmacher ernannt. Das Stück behandelte die Erfindung der Taschenuhr durch den Nürnberger Schlossermeister Peter Henlein. In Deutschland bekannt, erschien es auch als englische Ausgabe in New York (1927). Und Nürnberg war im Dritten Reich, bis zum Kriegsausbruch, in Mode, in Mode waren die großen Deutschen, die deutschen Erfindungen usw. usw. Veit Harlan übertrug das Stück seines Vaters ins Filmische. »Das unsterbliche Herz« hieß das Werk, und Peter Henlein war auch Hauptgestalt des in der Dürer-Zeit spielenden und mit Bach-Musik garnierten (Alois Melichar) Films. Der streng historische äußere Rahmen allerdings bei durchaus gegenwartsnaher Sprache und zu sehr modernisierter Kleidung verstärkte die Brisanz des Films. Während der umfangreichen Außenaufnahmen in Nürnberg (Kamera Bruno Mondi) ließ Gauleiter Streicher dem Film alle Unterstützung angedeihen. Unter seiner Protektion fand auch am 31. 1. 1939 die festliche Uraufführung in der »Stadt der Reichsparteitage« statt. Zur Ur-Aufführung kamen 100 deutsche Journalisten und die Preisträger (rund 50 an der Zahl) der anläßlich dieser Premiere von den einzelnen deutschen Sendern veranstalteten Wettbewerbe nach Nürnberg. Nach der Vorstellung rief Gauleiter Streicher von der Loge aus dem Regisseur auf der Bühne zu, er würde nie einen größeren Film als diesen drehen. Dieser Film, führte er aus, und wandte sich vornehmlich an die Presse, dürfe nicht mit dem Verstand, mit dem Intellekt betrachtet werden: Allein das Gefühl, das Herz müsse sprechen, um den Erfolg anzuzeigen.[54] Anläßlich dieser Aufführung wurde eine Sonderausstellung der seltensten Uhren eröffnet. Regisseur Harlan und der Träger der Hauptrolle, Heinrich George, erhielten vom Reichsinnungsmeister des deutschen Uhrmacherhandwerks kostbare Uhren als Erinnerungsgabe der deutschen Uhrmacher. Die überaus große Reklame (Presse, Rundfunk, sogar Fernsehen) und die Neugier bescherten dem »künstlerisch wertvollen« Film volle Häuser in Deutschland. Der Norddeutsche Lloyd, wohl als der erste deutsche Veranstalter, zeigte den Film im Bordkino der »Europa« dem internationalen Publikum.

Unter den Abenteuerfilmen der »großdeutschen Ära«, die im Bühnenschaffen ihren Handlungsstoff fanden, ist an erster Stelle »Wasser für Canitoga« zu nennen. Das Schauspiel schrieb Hans José Rehfisch, vor 1933 einer der am meisten gespielten Autoren in

Deutschland. Das Stück entstand 1936, und der Autor versteckte sich hinter dem Pseudonym Georg Turner. Emil Burri, Peter Francke und Walter Zerlett-Olfenius bearbeiteten den Stoff für den Film, Herbert Selpin inszenierte ihn als Regisseur. »Wasser für Canitoga« war ein typischer Hans-Albers-Film. Der »blonde Hans« kam diesmal kanadisch. Er verkörperte mit salopper Selbstironie (manchmal aber ein bißchen »zu theatralisch« ehrliches Tramp-Heldentum: Er opferte sich für eine gute Sache. Peter Kreuder schuf die Musik, darin einen Knüller, zu dem Fritz Beckmann die Worte schrieb: »Good bye, Johny, good bye Johny, schön war's mit uns zwei'n, aber leider, aber leider, kann's nicht immer so sein.« Hans Albers und das Lied machten den Film unvergeßlich. Der »künstlerisch wertvolle« Film erlebte seine Uraufführung am 10. 3. 1939 in München. Anläßlich der Berliner Premiere am 17. 3. 1939 im Ufa-Palast am Zoo sprach am Vorabend im Fernsehsender Herbert Selpin über seine Arbeit an diesem Film. Die wichtigsten Mitspieler von Hans Albers, Charlotte Susa, Hilde Sessak und Peter Voß, zeigten sich auch dem Fernsehpublikum. Die Kritik bezeichnete den Film als einen »guten Reißer«, der überall, wo er aufgeführt werde, volle Häuser garantiere. Aber die Essener »Nationalzeitung« bemerkte z. B. ironisch: »Wenn Albers das Leben aufs Spiel setzt, um der Gesellschaft einen Dienst zu tun – und geht auch die Liebe dabei zum Teufel –, gut. Aber wenn er zum Schluß bejubelt wird als der Retter, sich dann einsam beiseiteschleicht, hin zum Fahnenmast, und im Zusammenbrechen noch die Schnur erfaßt, die sich löst, so daß die wehende kanadische Flagge herunterkommt und seine Leiche zudeckt, so ist das eine Konzession an den verdorbenen amerikanischen Kinogeschmack, die eine Bavaria eigentlich gar nicht mehr nötig hat.«[55] Kanada war bald auch ein Kriegsgegner. Der Schluß des Films wurde geändert.

Es gab zu dieser Zeit noch einen anderen Abenteuerfilm, der ein Bühnenstück als literarische Vorlage hatte. »Dschungel« hieß das Schauspiel, datiert auf das Jahr 1939, Josef Maria Frank war sein Autor. Nach dessen Motiven entstand der Film »Vom Schicksal verweht«, von Nunzio Malasomma in Rom gedreht. Der Film, wie das Tropenstück voller Spannung und Abwechslung, enthielt »alle« filmisch-technischen Möglichkeiten. Die Handlung konnte sich von der Schablone nicht lösen: Ein guter, ehrlicher deutscher Forscher, Peter Fischer (Albert Schoenhals), sein Gegner (Rudolf Fernau) und in der weiblichen Hauptrolle Sybille Schmitz als eine Ärztin. Der auf Magazineffekte eingestellte Film war mehr gut gemeint als gut gemacht. (U: 24.7.1942).

Keine Aufführungszahl eines anderen Stückes vermag sich mit dem Bühnenerfolg von Karl Bunjes Militärschwank »Etappenhase« zu messen.[56] Nach einem Drehbuch von Sigmund Graff drehte Joe Stöckel einen gleichnamigen Film – Günther Lüders spielte die Titelrolle –, in dem das neue wehrpolitische Klima des Deutschen Reiches zu bemerken war (U: 16.3.1937). Ein Jahr später war Carl Bunje (mit Axel Eggebrecht) der Schöpfer eines Drehbuches zu dem Film »Musketier Meier III«, der denselben »wehrerzieherischen« Zielen diente. Der beliebte Komiker Rudi Godden spielte den Haupthelden des Films, Joe Stöckel hatte die Regie (U: 17.3.1938). Im Krieg lieferte Karl Bunje noch einmal seinen literarischen Stoff für einen Film. Carl Boese inszenierte bei der Terra »Familienanschluß«. Unter Mitarbeit von Karl Bunje schrieb Hermann Pfeiffer das Drehbuch. Der Film mischte Lustspielmotive mit solchen des Schwankes. Sein rheinländisches Kolorit verdankte er vor allem dem ehemaligen Kapitän Barkhahn (von Ludwig Schmitz gespielt) und seiner Frau (Olga Limburg). Karin Hardt und Hermann Speelmans waren auch in Hauptrollen zu sehen (U: 11.7.1941).

Auf der Liste der erfolgreichen Autoren von »Heimatstücken«, denen der Anschluß an den Film gelang, befand sich auch Paul Schurek. Sein niederdeutsches Volksstück »Weiße Wäsche« wurde von Paul Heidemann (Regie) und Felix von Eckardt (Buch) inszeniert, mit Harald Paulsen, Günther Lüders und Carla Rust. (U: 22.9.1942; P: aw). Der norddeutsche Bauernschwank »Floh im Ohr« wurde 1941 von Exl-Leuten in Wien uraufgeführt. Wolf Neumeister schrieb danach ein Drehbuch, Paul Heidemann übernahm die Regie, und bald kam das Stück auf die Leinwand. Sabine Peters und Fritz Genschow spielten die Hauptrollen (U: 2.3.1943).

Wie Ludwig Ganghofers Romane, so lieferten auch die bayerischen Bauernschwänke (die echten und die nachgemachten) den erwünschten Stoff zu Filmen, in denen die sogenannte reine Unterhaltung in einer Symbiose mit »Volkserziehung« stand. Vor 1938 gab es mehrere Verfilmungen dieser Art. Franz Seitz war hier ein verdienstvoller Produzent und Regisseur. Auf dem mit charakteristischen Gestalten und kraftvollem Leben gesegneten Boden spielte auch die erste Verfilmung dieses Regisseurs in der »großdeutschen« Zeit: »Die Pfingstorgel«. Die »Pfingstorgel« von Alois Johannes Lippl erklang zuerst auf der Bühne im Jahre 1933. 1938 wurde das Stück verfilmt

mit M. Andergast, H. Stelzer, E. Aulinger, G. Waldau und J. Eichheim (U: 9.5.1939). Im Kriege war Max Neal & Co der bevorzugte
Autor bei den Verfilmungen dieser Art, 1940 mit dem Schwank »Das
sündige Dorf«. Wenn zwei Eheleute, bekannt als Vorbild der Tugend
und Moral, über 20 Jahre lang ängstlich bemüht gewesen waren, eine
»schwache Stunde« ihres Daseins voreinander zu verbergen, so
konnte das schon zu Komplikationen führen, dennoch mit dem
glücklichen Ende einer Doppelhochzeit und einer Verlobung. Joe
Stöckel hat dem gleichnamigen Film der Bavaria »durch seine verständnisvolle Regie einen flotten und spannenden Ablauf gesichert.
Er gibt den Darstellern auch selbst »in der dankbaren Rolle als präch-
tiger, schuldbeladener Schwerenöter, der von seinem Eheweib nicht
gerade sanft behandelt wurde« (aus einer Filmbetrachtung). Die resolute Bäuerin, die ihm zur Seite steht, wurde von Elise Aulinger
gespielt. Aber im Mittelpunkt des Films stand Hansi Knoteck. Von
dem Schwank Neals »Der siebte Bua« war im Bavaria-Film »Der siebente Junge« (Arbeitstitel: »Liebesurlaub«) nichts als die Anekdote
geblieben, daß sich ein Mann, der bereits sechs Knaben hatte, beim
siebten Kind um die Patenschaft einer hochgestellten Persönlichkeit
bemüht, um dann schließlich zu erfahren, das das siebte Kind ein
Mädchen ist. Die ganze übrige Handlung des Films hat Alois Johannes Lippl, der Regisseur und Drehbuchautor, dazuerfunden. Das
siebte Kind des Kommerzienrats Krollinger (von Joe Stöckel gespielt) und der schönen, siebenfachen Mutter (Dagny Servaes) schuf
allerlei Verwicklungen. Dennoch war das Lustspiel eine unverhüllte
Werbung für die kinderreiche Familie. Viele – vor allem Münchner –
Künstler fanden sich in diesem Film zu gemeinsamer Arbeit zusam-
men: von den Damen Heli Finkenzeller, Maria Nicklisch, Elise
Aulinger; von den Herren der immer (in der Filmhandlung) zum
Abenteuer mit einer schönen Frau bereite Karl Schönböck, Hans
Holt, Gustav Waldau, Friedrich Domin, Josef Eichheim u. a. (U:
11.11.1941 in Innsbruck). Durch die Gastspiele der Bayern-Bühne
(München) war die Satire »Der scheinheilige Florian« von Max
Neal & Philipp Weichand auch zahlreichen Theaterzuschauern im
Reich außerhalb Bayerns bekannt. Joe Stöckel inszenierte sie fürs
Kino. Mit Ludwig Schmid-Wildy verfaßte er auch das Drehbuch, mit
einer charakteristischen Titelrolle, die er selbst spielte. Die bekann-
testen Münchner Schauspieler wie Erna Fentsch, Josef Eichheim,
Elise Aulinger, Adolf Gondrell und Ernst Waldow wirkten im Film
mit (U: 3.12.1941 in Stuttgart; P: vw). Ein weiteres Stück »Der

Hochtourist«,[57] war schon 1931 bei der Ufa durch Alfred Zeisler mit Otto Wallburg verfilmt worden (U: 27.11.1931). Die Vorführung dieses Filmes war nach 1933 aus »rassischen« Gründen verboten. 1942 wurde dieser Schwank bei der Bavaria erneut verfilmt. Diesmal hatten die am Film Mitwirkenden eine einwandfreie Ahnentafel. Joe Stöckel (mit Ludwig Schmid-Wildy zugleich Drehbuchautor), spielte den Haupthelden[58] (U: 21.12.1942 in München).

Joe Stöckel inszenierte den Bauernschwank »Die keusche Sünderin« nach Friedrich Forsters »Antiquitäten«. Mit Elise Aulinger spielte er in dem Film auch die Hauptrolle (U: 14.12.1943 in München). Ein bayerisches Filmlustspiel entstand nach dem Theaterstück »St. Pauli in St. Peter« von Maximilian Vitus. Unter dem Titel »Der rettende Engel« gestaltete Ferdinand Dörfler das Kinostück – mit dem Verfasser des Stückes zugleich der Drehbuchautor –, ohne großes Aufsehen mit seinem Werk zu erregen (U: 19.4.1940 in Weimar). Das bayerische Dorfmilieu versuchte O. C. A. zur Nedden in seinem Theaterstück »Der Stier geht los« vorzustellen. Erst in Gestalt eines Filmes – Richard Billinger und Werner Eplinius schrieben das Drehbuch – gelang es dem Stoff, die Gunst des Publikums zu finden. Routinier Carl Boese drehte den Film mit Heli Finkenzeller, Geraldine Katt und Hans Fidesser (U: 14.2.1941).

Der erfolgreichste Repräsentant dieser Gattung war unstreitig der Niederdeutsche August Hinrichs. Die von ihm für eine plattdeutsche Laienbühne in Oldenburg geschriebene »Swinskomödi« (1930) hatte bald als »Krach um Jolanthe« einen ungeheuren Erfolg auf den Bühnen des Deutschen Reiches und im Ausland.[59] Bereits 1934 drehte Carl Froelich, nach einem Buch von Robert A. Stemmle, einen gleichnamigen Film mit Marianne Hoppe, Olaf Bach, Marieluise Claudius und Albert Lieven. Der Film riß die Besucher zu Beifall hin wie im Theater (U: 18.8.1934, P: kbw). Er kam wiederholt in Neuaufführungen auf die Leinwand. Im Krieg, als die Fleischversorgung zum Problem wurde, allerdings weniger. Als nächstes schrieb Hinrichs »Wenn de Hahn kreiht« (1933), ein Stück, das unter dem Titel »Wenn der Hahn kräht«, ebenfalls ein sehr breites Theaterpublikum fand. Mit Axel Eggebrecht zusammen schrieb Hinrichs das Drehbuch und Carl Froelich inszenierte einen gleichnamigen Film: Heinrich George, Marianne Hoppe und Hans Brausewetter spielten die Hauptrollen (U: 23.3.1936 in Stettin; P: kw). Das Jahr 1937 brachte die Verfilmung von Hinrichs' »KdF«Komödie »Petermann fährt nach Madeira«. Nachdem erwiesen war, daß die Bühnenwerke von Hinrichs alle Voraussetzungen für eine publikumswirksame Verfilmung in sich tragen, wurde auch das 1939 entstandene Stück »Für die Katz« (»För de Katt«) verfilmt im gleichnamigen Streifen. Unter Hinrichs' Mitarbeit am Drehbuch inszenierte Hermann Pfeiffer den Film bei der Terra. Man drehte ihn im Museum Cloppenburg, dem größten deutschen Freilichtmuseum (U: 13.9.1940 in Hamburg). Tief im Kriege wollte die Terra noch das Theaterstück »Der Musterbauer« von Hinrichs auf die Leinwand bringen. Goebbels hatte »grundsätzlich keine Bedenken«, hielt aber »das Vorhaben doch für ziemlich dumm«.[60]

Die ein bißchen über das nur unterhaltende Theaterstück hinausgehende, von Humor erfüllte Komödie »Schneider Wibbel« von dem erfolgreichen Schriftsteller Hans Müller-Schlösser, Düsseldorfer von Geburt und Gemüt, erlebte tausende und abertausende von Aufführungen. Das Thema kam auch zum Film: Paul Henckels inszenierte 1931 bei der Aco-Film den Film »Schneider-Wibbel« als Regisseur und zugleich als Titelheld. Das rheinische Volksstück aus der Zeit der französischen Rheinlandbesetzung 1912 gewann mit seiner Thematik in der Zeit der erhöhten politischen Spannung vor dem Ausbruch des 2. Weltkrieges an Bedeutung. Das Duo der bewährten Autoren, B. E. Lüthge und H. Käutner, nahm das Stück als literarische Vorlage zum gleichnamigen Film, Viktor de Kowa feierte sein Debüt als Filmregisseur (Majestic-Film). Erich Ponto als der berühmte Schneider Anton Wibbel in der Haupt- und Residenzstadt des damaligen Großherzogtums Berg, Düsseldorf, ferner von Meyendorff und Fita Benkhoff in den weiblichen Hauptrollen waren die wichtigsten Darsteller in diesem Bildstreifen. Der Film, der im Hinblick auf sein Milieu und die zugrundeliegende Handlung im Westen des Deutschen Reiches einem ganz besonderen Interesse des Publikums begegnete, wurde am 18. August 1939 gleichzeitig mit der Uraufführung in Düsseldorf (wo auch das Theaterstück seine erste Premiere am 14.7.1913 erlebt hatte) in insgesamt 17 Großstädten des rheinisch-westfälischen Bezirkes gestartet. Der Film erhielt das Prädikat »künstlerisch wertvoll«, obwohl er nicht nur im Dienste der Kunst stand. Auch der deutsche Rundfunk zeigte damals Interesse an diesem Thema.[60]

Bekannt als Regisseur bei Theater und Film hatte Hans Schweikart auch als Bühnenautor des leichten Genres Erfolg. Zwei seiner Werke erhielten die filmische Fassung. 1938 entstand »Lauter Lügen«. An der Originalfassung des gleichnamigen Lustspiels hat das Drehbuch Bernd Hoffmanns nicht zu viel geändert. Dieser Terra-Film »ist

ebenso lieb wie frech, spannend wie komisch, blitzlustig wie heiter-
philosophisch«, lobte die Kritik. In dem Film wurde gelogen, gelogen
nach Strich und Faden. Und aus diesen Lügen entwickelte sich eine
Unzahl von »Sensationen«. Während das brave Frauchen sich die
zarten Finger »wundarbeitete« (als Pressefotografin), hatte der
Mann nichts im Kopf als »Dummheiten« und Flirts. Die beiden Riva-
linnen waren Hertha Feiler als angetraute Frau und Hilde Weißner,
im ruhigen Bewußtsein ihrer Schönheit, als die Frau, die glaubt, den
Mann (Albert Matterstock) auf ihre Seite ziehen zu können. Und als
humorvolle Ergänzung die männerbespöttelnde (im Film) Fita Benkhoff. Die Frau kämpfte um ihren Mann, in der Filmversion mit Erfolg. Die happy-endende Scheidungsreise wurde am Schluß zugefügt.
Der Stoff, das gute Spiel, das gelungene Regie-Debüt Heinz Rühmanns und die auf moderne Tanzrhythmen gestimmte Musik von
Michael Jary gaben dem Film unterhaltsame Werte (U: 23. 12. 1938 in
Hamburg; P: küw). Auch die erfolgreich im Theater gespielte
Schweikart'sche Ehekomödie »Ich brauche Dich« paßte damals ins
politische Konzept. Der Autor übertrug sie – als Regisseur und Mitverfasser des Drehbuches (Urheberrecht des Stoffes kosteten
30 000 RM) – gegen Ende des Krieges ins Filmische. Ein gleichnamiger Film hatte eine zwar kleine, aber exzellente Besetzung: u. a. M.
Hoppe, W. Birgel, P. Dahlke und F. Benkhoff (U: 12. 5. 1944 in Kiel;
P: küw).
   Der gebürtige Danziger Georg Zoch hat als Autor oder Regisseur
bei rund 80 Filmen mitgewirkt. Auch als Bühnenautor war er dem
breiteren Publikum bekannt (Die Bauernkomödie »Gans, du hast
den Fuchs gestohlen«, Kriminal-Stücke »Jenny und der Herr im
Frack« und »Eine Uhr schlug dreimal«). Sein Bühnendebüt, die Komödie »Jenny und der Herr im Frack « (das Stück wurde am 2. 2. 1939
in Freiburg/Br. uraufgeführt), kam auch auf die Leinwand. Einen
gleichnamigen Film inszenierte Paul Martin mit Gusti Huber, Johannes Heesters und Paul Kemp (U: 25. 11. 1941 in Wien; P: vw). Im
Hintergrund der Filmkomödie »Ein Mann für meine Frau« stand
auch ein Theaterstück von G. Zoch & K. Lerbs. Hubert Marischka
drehte diesen Streifen mit Magda Schneider und Johannes Riemann
(U: 26. 11. 1943 in Magdeburg).
   Von dem Filmregisseur und Drehbuchautor Jürgen von Alten
stammte das kleine Spiel »Rote Mühle«, das zwischen Schwank und
Volksstück pendelte. Die heitere Handlung des Films, mit zahlreichen Verwicklungen (alles der Kinder (!) wegen) spielte sich zwi-

schen dem Vergnügungslokal »Rote Mühle« und der Wäscherei von Frau Mahnke ab. Die ehrbare – trotz der nächtlichen Ausflüge – Frau Mahnke wurde von Ida Wüst gespielt, Grethe Weiser trat als Bardirectrice auf, Theo Lingen spielte den Oberkellner, und Franz Grothe komponierte die Musik mit neuen Schlagern (U: 11.1.1940). Nach dem Theaterstück »Drei blaue Augen« von Geza von Cziffra, der auch mit Erich Ebermayer das Drehbuch schrieb, inszenierte Hubert Marischka »Oh, diese Männer«. Paul Hörbinger, Georg Alexander und Johannes Riemann servierten das lustige Durcheinander, und am Ende des Films erklärte Grethe Weiser, spitz und trotzdem versöhnlich: »Och, diese...« Als Ort der Handlung gab der Film Zoppot an. Das bekannte Ostsee-Bad wurde aber als Film-Zoppot im Atelier (Rosenhügel-Wien) aufgebaut. (U: 12.9.1941 in Hamburg).

Noch 1933 galt Fritz Peter Buch als politisch unzuverlässig. Er wurde daher aus dem Dienst im Theater in Frankfurt a.M., wo er Oberspielleiter war, entlassen. Aber schon nach ein paar Jahren war er gleichermaßen als Bühnenschriftsteller wie als Filmregisseur bekannt. Der Konjunktur entsprechend, wählte er einen Kreis von Themen, der der »Blu-Bo«-Doktrin nahestand. Nicht unbegabt, hatte er Erfolg. Seine Komödie »Ein ganzer Kerl« stand an der Spitze der Erfolgsstücke der Spielzeit 1938/39: Das Stück brachte es seit der Uraufführung im Januar 1938 auf 1630 Aufführungen an 100 Theatern. Buchs Komödie von den »ganzen Kerlen« kündete von der Treue zur Heimat und zur ererbten Scholle. Der »ganze Kerl«, der mit fast unmenschlicher Energie versuchte, das heruntergewirtschaftete und verschuldete Gut Jobshagen wieder auf die Beine zu bringen, war das zielbewußte Fräulein Jule. Bereits 1939 wurde das Stück bei der Tobis ins Filmische übertragen. Der Autor des Stückes schrieb selbst das Drehbuch, er übernahm auch die Regie. Der Inhalt, auch der Text, waren zu einem großen Teil dieselben geblieben. Hinter dem unterhaltsamen, komödienhaften Geschehen spürte der Beschauer den ernsteren Sinn. »Die Liebe zur Heimat und der Einsatz für die Aufgaben, die das Leben in der Heimat stellt, sind mehr wert als die Lockungen der ›weiten Welt‹«, war auch in den Filmbetrachtungen zu lesen. Mit den herrlichen Landschaftsbildern (Märkischer Gutshof), mit dem Hauch des Abenteuers, mit Heidemarie Hatheyer, die in ihrem Spiel eine sorgfältige Schule verriet, ferner mit Albert Matterstock, Flokina von Platen, Paul Henckels, Albert Florath und Paul Bildt gewann der Film, so wie früher das Bühnenwerk, einen Publikumserfolg (U: 22.12.1939 in Stettin; P: küw).

Das im süddeutschen Milieu wurzelnde Volksstück »Die Pfingst-orgel« von Alois J. Lippl lieferte die wirkungsvollsten Episoden dem gleichnamigen Film des Regisseurs F. Seitz. Es ging in diesem bayeri-schem Schwank um einen fahrenden Musikanten, der mit drei ande-ren von Rummelplatz zu Rummelplatz zog und sich in die Tochter eines reichen Bauern verliebte. Maria Andergast und Hannes Stelzer spielten die Hauptrollen (U: 9.5.1935). Wie schon früher im Thea-ter, so gefiel jetzt im Kino die lustige Moritat. Lippls anderes Büh-nenstück »Der Engel mit dem Saitenspiel« eroberte sich auch meh-rere Bühnen, und die Berliner Premiere im Schillertheater (April 1939) wurde von der Presse als Bühnenerfolg bezeichnet. Das Stück stand im Dienste der Idee des Kinderreichtums. Die Terra kaufte die Verfilmungsrechte, und Curt J. Braun und Helmut Weiß schrieben ein Drehbuch. Die Regie übertrug man Heinz Rühmann. Des Regis-seurs junge Ehefrau Hertha Feiler und Hans Söhnker spielten ein Liebespaar. Neun Monate später wurde ein Kindlein geboren, das keinen Vater hatte: denn vorgestellt hatten sich Männlein und Fräu-lein nicht in ihrer Liebesnacht. Die Mutter, ein kluges und gebildetes Mädchen, schlug sich und ihr Kind tapfer durchs Leben, auf der Su-che nach dem Vater. Das Thema, mit guten Pointen im Dialog, und das hervorragende Spiel der Hauptdarsteller sicherten dem Film einen guten Empfang beim Publikum. Im Danziger Tobis-Palast kam es sogar zu Ovationen. In Hamburg wurde der Film im Januar und Februar 1945 in drei Theatern gespielt. Mit folgenden Resultaten:

Lessing-Theater	50 Vorstellungen	36 713 Besucher	79 % bes. P
Schauspielhaus	32 Vorstellungen	30 916 Besucher	66 % bes. P
Theater an der Reeperbahn	37 Vorstellungen	33 300 Besucher	80 % bes. P

Die Presse reagierte allerdings kühler als das Kinopublikum. So je-denfalls äußerte sich der Regisseur des Films, Heinz Rühmann (U: 19.12.1944; P: küw).

»Herr Rühmann rief an und brachte folgendes vor:
Sein Film ›Engel mit dem Saitenspiel‹ sei beim Publikum ein großer
Erfolg gewesen. Außerdem habe er dem Minister gut gefallen und
müsse als geschmackvoller und gepflegter Unterhaltungsfilm angese-
hen werden. Die Presse habe den Film zum Teil außerordentlich
schlecht, zum Teil sogar gehässig kritisiert. Insbesondere Herr Fiedler

bringe über den Zeichentrickfilm ›Der Schneemann‹ in der D.A.Z. eine lange positive Betrachtung, während er den Rühmann-Film mit allgemeinen Bemerkungen abtue. Herr Rühmann bat, solche Betrachtungen zu unterbinden, weil sie keine Kunstbetrachtungen, sondern reine Kritiken seien, die in offensichtlichem Widerspruch zur Stimmung des Publikums ständen.«

Quelle: Dr. Müller-Goerne an den Gruppenführer Hinkel
BA, R 109 II vorl. 5

Der tüchtige Meister des deutschen Unterhaltungsspiels, Leo Lenz, hatte sich schon vor Jahrzehnten nicht nur die deutschsprachigen Bühnen erobert, sondern hat sich mit seinen zahlreichen Bühnenwerken auch einen bleibenden Platz in der Geschichte des deutschen Theaters erspielt. Das Schaffen dieses vielgerühmten Bühnenautors war auch für den Film verlockend. »Ehe in Dosen«, ein Lustspiel, das Leo Lenz zusammen mit Ralph Arthur Roberts schrieb, löste 1939 Johannes Meyer aus der Enge der drei Bühnenakte heraus. Eine ganze Reihe von besten Namen fand sich auf der Darstellerliste: Leni Marenbach, Johannes Riemann, Grethe Weiser, Ralph Arthur Roberts, Hilde Weißner, Hilde Hildebrand, Rudolf Platte, Willy Schur u. a. Der Film sollte Optimismus verbreiten, aber es war keine gute Zeit für den Optimismus (U: 18. 8. 1939 in Elbing). 1940 wurde von Carl Boese (Astra-Film) das Lustspiel »Polterabend« (das Stück mit heiteren Verwicklungen schrieben Leo Lenz und Waldemar Frank gemeinsam) in der Art einer »Kriminalkomödie« verfilmt. Mit Grethe Weiser, nett wie immer, die gern und viel redete. Den männlichen Gegenpart bestritt Ralph A. Roberts. Camilla Horn, Maria Andergast und Rudi Godden spielten die weiteren Hauptrollen (U: 21. 3. 1940). Die letzte Verfilmung kreiste ebenfalls um Ehethemen: »Ehe man Ehemann wird«. Nach dem Lustspiel »Hochzeitsreise ohne Mann« von Lenz inszenierte Alwin Elling diesen Film mit Ewald Balser und Heli Finkenzeller. (U: 3. 10. 1941 in Guben).

»Der ungetreue Eckehart«, ein Schwank aus dem Jahre 1913 von Hans Sturm, kam bereits 1931 auf die Leinwand. Carl Boese realisierte damals diesen Film mit R. A. Roberts in der Titelrolle. Eine wiederholte Verfilmung erfolgte zu Anfang des Krieges. Das Lustspiel um die Ehe, voller Situationskomik und Pointen, wurde von Hubert Marischka (Buch und Regie) inszeniert mit »Garanten« der Heiterkeit: Hans Moser, Theo Lingen, Lucie Englisch, Else Elster und Rudi Godden. Der ungetreue Eckehart war, genau wie in dem

Schwank (oder vielleicht auch ungenau), die treueste Seele von der Welt: der Ehebruch kam, jedenfalls im Film, aus der Mode. Wie die Presse berichtete, wurde der Film ohne Ausschnitte zensiert. Und in den Filmkritiken schrieb man über »Lachtränen und Lachstürme« (U: 25.1.1940). Der Film war zwar konventionell, aber mit besten Fachkenntnissen gemacht.

Im Dienste der politisch bedingten Unterhaltung stand der Film »Casanova heiratet« (1940), nach dem Theaterstück »Ein großer Mann privat« von Harald Bratt. Bratts Kömödie »Schützenfest« lieferte auch den Stoff für den Film »Das schwarze Schaf«, den Friedrich Zittau und Walter Janssen (Dialogregie) 1943 in der Prag-Film drehten (U: 29.2.1944). Drei Theaterstücke verkaufte Eberhard Foerster zu dieser Zeit der deutschen Filmindustrie. 1939 wurde das Lustspiel »Verwandte sind auch Menschen« (1937) verfilmt. Einen gleichnamigen Film gestaltete Hans Deppe. Als Verfasser des Drehbuchs zeichnete der ehemalige Reichsfilmdramaturg Peter Hagen (d. i. W. Krause) verantwortlich. Hermann Braun und Else von Möllendorf hatten die tragenden Rollen (U: 19.1.1940 in Beuthen). In seinem »Frauen-Zyklus« inszenierte Helmut Käutner (Buch und Regie) Foersters »Frau nach Maß« mit Leny Marenbach und Hans Sönker (U: 23.3.1940 in Heidelberg). Die Komödie »Seine Majestät Gustav Krause« lieferte den Stoff für den Film »Der Seniorchef« (Regie: Peter Paul Brauer; U: 27.11.1942).

»Marguerite: 3«, das gern im Theater gespielte Stück von Fritz Schwiefert um die begehrenswerte Marguerite und ihre Bewerber, ging auf die Leinwand in einer Inszenierung von Helmut Käutner und Axel Eggebrecht (Buch) und Theo Lingen (Regie). Gusti Huber spielte die Marguerite, Hans Holt, Franz Schafheitlin und Hermann Thimig waren die männlichen Hauptdarsteller. Auch der Regisseur des Films stand vor der Kamera, und Peter Igelhoff, der die Musik schrieb, spielte sich selbst. Der Film wurde auf dem neuen Kodak Plus X-Material hergestellt. (U: 22.5.1939[62]). »Marguerite« war ein Hymnus auf die Liebe und die Ehe, »Sophienlund« dagegen, auch ein vielgespieltes Theaterstück, ein Hymnus auf die Familie als Lebensform. Helmut Weiß und Fritz von Woedtke erdachten die verwickelten Familienangelegenheiten für die Bühne, Fritz Peter Buch und Helmut Weiß gestalteten sie schriftstellerisch für den Film, Heinz Rühmann leitete das Spiel. Irgendwo an den Ufern der Havel, auf einem märchenhaft schönen Landsitz, spielte die Handlung (Kamera: Willy Winterstein). Der Familienvater, ein literarischer

Schwerverdiener, war Harry Liedtke (der im Film nach langer Pause wieder erschien), Käthe Haack spielte seine Frau, Hannelore Schroth die Tochter. Hart am Rande einer Familientragödie, steuerte schließlich die Handlung einem glücklichen Ausklang zu (U: 26. 2. 1943; P: kbw).

Paul Helwig ist mit seiner ersten Arbeit relativ spät hervorgetreten. Diese aber, das Lustspiel »Flitterwochen« (1938), wurde zu einem der größten Erfolge. Es gab wohl kaum eine Bühne, die es nicht gespielt hat. Am Anfang des Krieges verfilmte Paul Heidemann es für die Tobis. Der Film hatte zunächst den Arbeitstitel »Flitterwochen in Gefahr«, danach »Sabine und der Zufall« und erst seit März 1940 »Mein Mann darf es nicht wissen«. Das junge Paar, das so außerordentlich glücklich aus Verwicklungen hervorging, spielten Mady Rahl und Hans Nielsen (U: 3. 3. 1940 in Wien). Axel Ivers' Bühnenschaffen war auch von Erfolg begleitet. Der aus Danzig gebürtige Chefdramaturg des Wiesbadener Theaters stand sehr oft mit seinen Lustspielen auf den Theaterzetteln. Vielleicht die größte Popularität gewann sein Kriminalstück »Parkstraße 13«, im Winter 1938/39 die erfolgreichste Nummer der Komischen Oper in Berlin. Zuvor schon hatten die Rundfunkhörer die Sache als Sendespiel »Verhör um Mitternacht« kennengelernt. Mit Olga Tschechowa, Hilde Hildebrand, Ivan Petrovich und Theodor Loos verfilmte Jürgen von Alten das Stück bei der Astra-Film (U: 4. 5. 1939). Der überaus fleißige Bühnen- und Filmautor Dr. Felix Lützkendorff war – im Gegensatz zu Axel Ivers – stark politisch engagiert. Aus seinem Bühnenschaffen wählte allerdings der Film nur einen heiteren Stoff aus: die Komödie »Liebesbriefe«. Im Dezember 1939 am Berliner Staatstheater uraufgeführt, wurde sie danach auf zahlreichen Bühnen gespielt. Hans H. Zerlett (Regie) und Karl G. Külb (Buch) übertrugen sie mit Käthe Haack und Hermann Thimig tief im Krieg ins Filmische (U: 21. 1. 1944).

Toni Impekoven, weiten Kreisen bekannt durch seine zahlreichen Bühnenwerke leichteren Genres, war auch für den Film ein interessanter Partner. Die bekanntesten Verfilmungen waren mit dem »Kleinen Hofkonzert« verknüpft. Kurz vor dem Kriegsausbruch wurde sein Theaterstück »Das Ekel« (das er mit Hans Reimann geschrieben hatte) bei der Tobis verfilmt. Hans Moser brillierte in diesem Film, den Hans Deppe von der Regie her gestaltete. Es ging um eine positive Wandlung, die aus einem »Ekel«, das mit Gott und der ganzen Welt in dauerhafter Fehde lag, einen »liebenswerten Zeitgenossen« machte (U: 4.8.1939). Alfred Möller und Hans Lorenz, das bekannte Duo von Lustspielautoren, lieferte fürs Kino sein Erfolgsstück »Rätsel um Beate«. Ein anderes bekanntes Duo von Drehbuchautoren, W. Wassermann und C. H. Diller, schrieb das Filmmanuskript. Johannes Meyer inszenierte diesen Liebesroman mit L. Dagover und A. Schoenhals in den Hauptrollen (U: 4.2.1938 in Hamburg). 1941 lieferten Möller und Lorenz ihr Stück »Intermezzo am Abend« für die musikalische Komödie »Alles für Gloria«.

Astrologie als Lebensinhalt eines alten Mannes und ein Traum waren die Grundlagen der Kriminal- und Liebeskomödie »Alles Schwindel« nach dem Theaterstück von Dietrich Loder. Bernd Hofmann (Buch und Regie) bot unter seinen Darstellern eine Fülle bekannter Namen auf (Gustav Fröhlich und Ruth Hellberg, ferner Grethe Weiser, Hans Brausewetter, Max Gülstorff u. a.), die durch ihre Routine dem anspruchslosen Film Niveau garantieren konnten (U: 10.4.1940 in Dresden). In dem Film »Glück unterwegs« (1944) konnte man etwas aus dem Stück »Die Reise nach Paris« (1936) von Erich Walter Schäfer finden. Nach dem Lustspiel »Das jüngste Gericht« von Friedrich Lichtenecker drehte Franz Seitz bei der Wien-Film einen gleichnamigen Streifen, und es waren fast ausnahmslos Wiener Künstler, die ihm das Gesicht gaben (U: 12.1.1940). Bei der Terra verfilmte Boleslaw Barlog das Volksstück »Kind auf Aktien« von Erich Paetzmann (Filmtitel: »Unser kleiner Junge«; U: 13.2.1941).

»Kollege kommt gleich«, die Kellner-Komödie von Wilhelm Utermann aus dem Jahre 1940, gehörte zu den erfolgreichsten Lustspielen der Kriegszeit. Nach einem gleichnamigen Drehbuch von Curt J. Braun – die Verfilmungsrechte wurden 1942 für 20000 RM erworben – drehte Karl Anton den Film 1943 bei der Tobis. Carola Höhn und Albert Matterstock waren die Hauptdarsteller. Auch der Film lieferte wie das Lustspiel gute Unterhaltung (U: 2.11.1943). 1944 galten allerdings alle Stoffe aus dem Kellnermilieu als unerwünscht. Die Tobis versuchte auch Utermanns Lustspiel »Das Dementi« auf die Leinwand zu bringen. Die Verfilmungsrechte kaufte sie 1944 vom Autor für 30000 RM[63] und bestellte ebenfalls Karl Anton zum Regisseur. Der Film »Verlobte Leute« (Buch Rolf Meyer) mit Axel von Ambesser und Else Reval blieb unvollendet. Vollendet, aber nicht aufgeführt wurde die Komödie »Jan und die Schwindlerin« von Per Schwenzen. Den Film drehte der Regie-Debütant Hans Weißbach

1943/44 bei der Ufa; er wurde von der Zensur nicht freigegeben. Die Verbotsgründe blieben unbekannt[64].

Vier Verfilmungen von deutschen Theaterstücken blieben zur Zeit des Dritten Reiches ohne Premiere. Erich Engels' Kriminal- und Grusellustspiel »Freitag, der 13.«, an den Bühnen gern gespielt, vom Autor selbst fürs Kino inszeniert, mit Fritz Kampers, Rudolf Fernau, Angelika Hauff und Fita Benkhoff. Die Zensur ließ zwar das parodistische Lustspiel zu, aber die Uraufführung fand erst nach dem Krieg (31.1.1950 in Düsseldorf) statt. Bei Kriegsende war die Liebeskomödie »Mit meinen Augen« zensurbereit, die vorher als gleichnamiges Bühnenstück von Curt J. Braun Erfolge erzielte. Erst in den Nachkriegsjahren kam dieser Film – Olga Tschechowa und Willy Birgel spielten die Hauptrollen – unter dem Titel »Im Tempel des Venus« in die Kinos. Zwei Filme befanden sich noch in Arbeit. »Eine alltägliche Geschichte«, eine Liebeskomödie nach Johannes von Spollorts »Tintenspritzer«, drehte Günther Rittau, mit Gustav Fröhlich und Marianne Simson. Der Film wurde erst nach dem Krieg von der Defa fertiggestellt (U: 26.11.1948 in Berlin-Ost). »Philine«, Jo Hanns Rößlers erster dramatischer Versuch, erlebte seine szenische Uraufführung in der »Komödie« am Berliner Kurfürstendamm (7.9.1943). Viktor de Kowa und Marie Bard spielten damals die Hauptrollen. Die Bavaria erwarb die Verfilmungsrechte und drehte (in Prag) diese Komödie »für verliebte Leute« mit Winnie Markus und Siegfried Breuer. Theo Lingen, mit dem Autor zusammen auch Verfasser des Drehbuches, hatte die Regie und wirkte als Schauspieler mit. Erst nach dem Krieg wurde der Film (bei der Bavaria) fertiggestellt.

Die Autoren aus Österreich

Nach 1938 versuchten die maßgebenden Kulturpolitiker deutscher und österreichischer Provenienz, die herausragenden Vertreter des Wiener Volkstheaters, Ferdinand Raimund und Johann Nepomuk Nestroy, im Sinne der »großdeutschen Einheit« umzumünzen. Der tüchtigste Vertreter der »großdeutschen Theaterwissenschaft«, der braune Professor Heinz Kindermann, veröffentlichte 1940 die Biographie »Ferdinand Raimund«, über die ein zeitgenössischer Kritiker schrieb: »Raimund wird in diesem Buch Mittel zum Zweck der Demonstration, mit den Anschauungen der dinarisch-nordischen Gedankenwelt auch die Geistesleistungen des ostmärkischen Raumes in das gesamte großdeutsche Geschehen einzubeziehen.«[65] Raimund, dem Komiker und Volksdichter, dessen wehmütiges Lied »Brüderlein fein« damals noch, wenigstens in Österreich, in aller Munde war, wurde 1942 bei der Wien-Film ein biographischer Film gewidmet. Mit diesem Film, der den Titel »Brüderlein fein« trug, lieferte Hans Thimig seine zweite Inszenierung. Mit sicherer Kennerschaft zeichnete er das Wiener Lokalkolorit der Biedermeier-Zeit. Seinen typisch wienerischen, nicht »ostmärkischen« Charakter verdankte der schöne Film nicht nur dem Regisseur (zugleich mit Otto Emmerich Groh, dem Verfasser des Drehbuches), sondern auch den hervorragenden österreichischen Künstlern: Hans Holt und Marte Harell in den Hauptrollen, Winnie Markus, Hermann Thimig, Paul Hörbiger, der den Grillparzer, Raimunds gütigen Mentor, spielte und anderen (U: 29. 1. 1942 in Wien; P: vw).

»Brüderlein fein«
Eine Filmkritik aus der Schweiz
»Aus dem themenreichen Leben des Wiener Komödiendichters Ferdinand Raimund werden in diesem Film drei Liebesgeschichten erzählt: Zuerst seine Liebe zur Wirtstochter Toni Wagner, die später seine Lebensgefährtin wird, obwohl ihm ihr Vater das Haus verwehrt; dann zur Soubrette Luise Gleich, der Tochter des Komödiendichters, deren losen Charakter Raimund noch rechtzeitig erkennt, und die er darum am Hochzeitstage sitzen läßt, um sie aber unter dem Druck des Publikums doch noch heimzuführen (wenn auch nicht zu einem wirklichen Eheleben); zum dritten zu einer Kollegin, Therese Krones, die er an einen reichen Baron verliert und die eines frühen Todes stirbt. An deren Totenbett findet Raimund schließlich seine Toni wieder. So wird der Kreis von Freunden, Ängsten, harten Enttäuschungen und tröstenden Freundesdiensten geschlossen; der Film will also kaum eine Biographie in dem Sinne sein, daß er uns ein richtiges Bild des Dichters bieten möchte, wenn auch die dargestellten Episoden ihren historischen Grund haben. Sonst müßte man bemängeln, daß der Charakter des Dichters zwar reichhaltig, aber immer noch zu einseitig gezeigt werde, daß gerade sein Dichtertum zu sehr verborgen bleibe usw. Aber damit hätte man der Liebe, die Raimund bei seinem Publikum (zu dem wir Schweizer so gar wenig gehören) genießt, doch wieder einen schlechten Dienst erwiesen. Im Rahmen des Dargestellten entsteht ein wohltuend geschlossenes, sympathisches Bild, in dem das Bild der damaligen Zeit ohne Aufdringlichkeit in seinem unverkennbaren Charme zum Leben

gebracht wird. Hans Holt als Raimund, Hermann Thimig als dessen
Freund, Paul Hörbiger als Grilparzer bringen eine bereits selten ge-
wordene Wärme in den Film, wie sie ja zu Raimunds Stücken gehört.
Daß sie nicht zu süßlich werde, dafür sorgte die Tragik der Hand-
lung...«
Quelle: Der Filmberater, Luzern, November 1942

Hans Thimig, der herausragende Nestroy-Interpret, übertrug auch
dessen satirische Posse »Der Zerrissene« ins Filmische. Franz Gribitz
schrieb diesmal das Buch (20 000 RM). Der Film wurde bei der Wien-
Film gedreht: mit Hans Holt, Hermann Thimig, Attila Hörbiger und
Friedl Czepa in den tragenden Rollen (U: 2. 5. 1944).

Die »weltanschaulich« gewünschte Verfilmung von Anzengrubers
Drama um einen Erbschaftsstreit, »Der Meineidbauer« (1872), gab
beinah dem ganzen Exl-Bühnen-Ensemble (Eduard Köck in der
Hauptrolle, ferner Anna Exl, Ilse Exl, Ferdinand Exl, Ludwig Auer)
die Gelegenheit, auf die Leinwand zu kommen. In einer der Haupt-
rollen war auch Otto Wilhelm Fischer zu sehen. Den Film realisierte
Leopold Hainisch bei der Euphone-Film (für die Tobis) nach dem
Drehbuch von Jacob Geis mit viel Pathos, auch in der Musik, die
Rudolf Kattnig schuf (U: 19. 12. 1941 in München; P: vw).

»Der Meineidbauer«
Eine Filmkritik aus der Schweiz
(...) »Die geschlossene Enge des Bergmilieus, in dem der Film spielt,
bedingt eine gewisse Beschränkung in den filmischen Mitteln, und die
Eintönigkeit bringt es mit sich, daß man oft das Gefühl hat: diese Szene
habe ich schon einmal gesehen. ›Der Meineidbauer‹ ist einer der besten
Unterhaltungsfilme seiner Art, aber auch er überrascht uns kaum ein-
mal durch eine neue Situation.«
Quelle: Der Filmberater, Luzern, Nr. 2, Februar 1942.

Anzengrubers beste Komödie »Die Kreuzelschreiber« (1872), auch
aus der Welt der Bauern, sollte ebenfalls auf die Leinwand kommen.
Im gleichnamigen Film führte Eduard von Borsody Regie, und der
am Ende des Dritten Reiches zum Star hochgeputschte Emil Hess
spielte neben Fritz Kampers die Hauptrolle. Bei Kriegsende befand
sich der Streifen in der Synchronisation (Filmkomponist: Werner
Bochmann) [66]. Die Uraufführung erfolgte erst nach dem Krieg, in
dem »demokratischen Sektor Berlins« (7. 4. 1950).

»Krambambuli«, die einst so bekannte Findelhundgeschichte aus der Novelle von Marie von Ebner-Eschenbach, erhielt 1940 eine unkonventionelle Verfilmung. Die Verfilmungsrechte wurden von der Erbin, der Gräfin Kinsky, für lediglich 4000 RM erworben.[67] Karl Köstlin drehte den Film mit Viktoria von Ballasko, Rudolf Prack und Sepp Rist in den Hauptrollen (U: 10.5.1940; P: küw, vb).

Die »jüdische Dekadenzliteratur« aus Österreich war im Dritten Reich selbstverständlich verfemt. Das Drama »Liebelei« (1896) von Arthur Schnitzler kam noch am Anfang des Dritten Reiches auf die Leinwand. Max Ophüls drehte den Film mit so hochkarätigen Schauspielern wie Olga Tschechowa, Magda Schneider, Luise Ullrich, Gustav Gründgens, Paul Hörbiger, Wolfgang Liebeneiner, obwohl einige von diesen Darstellern erst später in den Olymp der Filmschauspieler aufrücken sollten. Der Film »Liebelei« gefiel dem Publikum, aber nicht den Behörden. Bald nach seiner Leipziger Uraufführung (10.3.1933) und Berliner Premiere (16.3.1933) wurde er verboten. Hermann Bahr dagegen, obwohl »als typische Erscheinung der liberalen Spätzeit« gewertet,[68] war mindestens ein »Arier« und dazu sehr berühmt, nicht nur im Bereich des deutschen Sprachraumes. Seine Bühnenwerke, besonders die lustspielhaft verpackte Kritik an der Wiener Gesellschaft der Sezessionszeit, erfreuten sich großer Beliebtheit. Im ProMi hatte der erfolgreiche Bühnenautor keine Gegner. Nur Alfred Rosenberg & Co. blieben erbarmungslose Gegner Bahrs. Trotz alledem wurden seine Lustspiele wie »Das Prinzip«, »Wienerinnen«, »Der Meister«, »Die Kinder«, »Die gelbe Nachtigall« und »Das Konzert« auf den reichsdeutschen Bühnen ziemlich oft gespielt. Der Film zeigte dagegen Zurückhaltung. Die erste Verfilmung (im NS-Deutschland) kam erst 1943. Theo Lingen, Regisseur und mitspielender Darsteller, verfaßte zusammen mit Franz Gribitz und Jakob Geis ein Drehbuch nach dem Stück »Die gelbe Nachtigall«. Der Wiener Dichter schrieb diese Komödie anno 1898 und gab ihr damals den Titel »Der Star«. Es ging um das immer gültige Problem des künstlerischen Erfolges, besonders um den stets schwierigen Anfang und all die Hindernisse und Schwierigkeiten, die ein unbekannter, anonymer Künstler (im Film von Johannes Riemann gespielt) überwinden mußte. Theo Lingen hat den für 30000 RM erworbenen Stoff stark aufgelockert und vor allem der Musik viel Raum geschaffen. Unter Verwendung von Opernmelodien und eines Liedes von Carl Millöcker schuf Oskar Wagner sie. Elfie Mayerhofer, Paul Kemp und Will Dohm waren die wichtigsten Partner Riemanns.

Der Film kam auf die Leinwand unter dem Titel »Das Lied der Nachtigall«. Diese musikalische Komödie wurde bei der Bavaria gedreht, in München fand auch ihre Uraufführung statt (7.1.1944; P: aw). Es wurde ferner, diesmal bei der Tobis, Hermann Bahrs weltbekanntes »Konzert« (1909) ins Filmische übertragen. Das Stück erhielt bereits 1931 eine filmische Version: Paramount drehte den Film in Paris. Es gab damals auch eine deutsche Fassung, in der die Hauptrollen von Oscar Karweis, Olga Tschechowa und Walter Jansson gespielt wurden. Ein Jude als Hauptdarsteller, und die USA als Co-Produzent, das wäre für die Zustände im Dritten Reich zu viel gewesen. Eine »echt deutsche« und »reinrassische« Verfilmung des »Konzerts« entstand 1944 unter der Leitung des Regisseurs Paul Verhoeven. Für die Verfilmungsrechte (bis 1945 bzw. 1951) bezahlte die Tobis insgesamt 70 000 RM.[69] Die bekannten Drehbuchautoren Wassermann und Diller schrieben das Drehbuch (20 000 RM). Harry Liedtke (Prof. Heink), Käthe Haack (Frau Heink) und Gustav Fröhlich (Dr. Jura) spielten die Hauptrollen, Theo Mackeben gab die musikalische Untermalung. Der Film wurde zensiert, erhielt aber vom ProMi keine Prädikate. Und bei der Dienststelle fehlte sogar »Imprimatur«. Der Grund: »Der Ehebruch steht im Mittelpunkt dieses Lustspiels«[70] (U: 27.10.1944).

Dem lange im Weimarer und NS-Deutschland lebenden österreichischen Dichter Richard Billinger wurden schon vor 1939 viel Anerkennung und Erfolg zuteil. Seine dichterische Welt war die Welt des erdgebundenen Landvolks, das noch den alten Naturmythen gegenüberstand. Mit diesen Tendenzen konnte der Kleist-Preis-Träger (1932) in der NS-Zeit als der »Blut-und-Boden-Ideologie« nahestehend gelten. Im ProMi geschätzt, hatte der Dichter eigentlich nur in den Kreisen um Alfred Rosenberg keine gute Presse: »Seine Mischung von derber, triebhafter Bäuerlichkeit und raffiniert städtischem Literatentum ist nicht erfreulich«, meinte man dort.[71] Billingers Schauspiele waren beim Publikum beliebt – als Theaterstücke auf der Bühne, einige als Opern vertont. Billinger kann als einer der bekanntesten und in seiner Zeit auch prominentesten Dichter im Dritten Reich angesehen werden. Selbstverständlich war er auch erfolgreich im Verkauf seiner Stoffe an die Filmindustrie. Darunter gab es auch Schauspiele. Billingers »Der Gigant« (1937) lieferte die literarische Grundlage (die Verfilmungsrechte – auf 9 Jahre – betrugen 16 000 RM) zu dem Farbfilm »Die goldene Stadt« (1942). Ein Jahr danach wurde sein Schauspiel »Gabriele Dambronne« ins Filmische übertragen (Verfilmungsrechte – auf 7 Jahre – 23 000 RM). Schon das Bühnenwerk erzielte bei seiner Uraufführung im Berliner Staatstheater (16. 2. 1939) einen starken Erfolg. Regie führte Jürgen Fehling, Billingers beliebter Regisseur, die Hauptrolle eines tapferen Nähmädels spielte die große (auch in ihrer Bescheidenheit) Wienerin Käthe Gold. Das Stück wurde unter dem Titel »Am hohen Meer« aufgeführt. Diese rührende Geschichte inszenierte Hans Steinhoff für die Terra-Film, mit Per Schwenzen als dem Mitverfasser des Drehbuches. Zum ersten Male hatte Gusti Huber, die Gestalterin vieler Lustspielpartien, eine tragische Rolle im Film. Vorher spielte sie diese Rolle im Burgtheater. In der sehr guten Rollenbesetzung fanden sich auch die Namen von Siegfried Breuer, Christl Mardayn, Ewald Balser, Eugen Klöpfer, Annie Rosar, Theodor Loos, eine »Wien-Berlin-Mischung« von Prominenten der Bühne und des Films. Der hauptsächlich im Wiener Milieu spielende Film hatte auch hier seine Uraufführung (11. 11. 1943). Das Werk erhielt das Prädikat »künstlerisch wertvoll« aus guten Gründen. Es zählte zu den erfolgreichsten Filmen jener Zeit. Nur die Dienststelle Rosenberg äußerte weltanschauliche Bedenken.[72] Die Terra kaufte auch die Filmrechte für Billingers Theaterstück »Melusine« (1941 für 12 000 RM auf 7 Jahre) und verpflichtete Hans Steinhoff und Werner Eplinius für das Drehbuch. Steinhoff übernahm auch die Regie, und für die wichtigsten Rollen wurden Olga Tschechowa, Angelika Hauff, Siegfried Breuer und Friedrich Domin verpflichtet. Der Film »Melusine« (Arbeitstitel »Die schöne Melusine«) hatte sich vorgenommen, die alte Sage von der schönen Melusine – überall dort, wo sich das Fischweib zeigt, ist Unheil zu erwarten – zu entrümpeln und ihr eine neue Deutung zu geben. Und dennoch brachte sie Unheil: der 1943/44 hergestellte Film wurde von der Zensur nicht freigegeben. Ohne Angabe von Gründen.[73] Diese müßte man nur im Filmthema suchen: Solche Liebesprobleme waren nicht auf die »Not der Zeit« abgestimmt.

Viel Glück, vielleicht auch bessere Beziehungen, hatte der Österreicher Franz Gribitz beim Film; nicht nur als Lieferant von Filmmanuskripten. Fünf von seinen Theaterstücken – einen Namen als Lustspielautor hatte er sowieso schon – kamen zwischen 1939 und 1944 auf die Leinwand. Die soziale Wertigkeit und die ästhetischen Grundsätze des Komischen wurden selbstverständlich zeitgemäß dem Politischen angepaßt. Sein heiteres Volksstück »Das Glück wohnt nebenan« wurde 1939 in Wien (Algefa) verfilmt. Hubert Marischka schuf einen gleichnamigen Film, als Regisseur und Mitverfasser des Drehbuches. Die Musik, mit alten österreichischen Weisen garniert, stammte von Fred Raymond. Maria Andergast und Wolf Albach-Retty spielten die Hauptrollen, aber das Darstellerverzeichnis enthielt weitere bekannte Namen wie Olly Holzmann, Grethe Weiser, Ralph Arthur Roberts, Hilde Hildebrand, Annie Rosar. Berlin war also auch dabei (U: 22.12.1939 in Hamburg). »Herz modern möbliert«, eine Verwechslungskomödie, gleichnamig mit dem Bühnenstück, inszenierte Theo Lingen 1940 bei der Majestic-Film (Buch: Curt J. Braun). Hilde Krahl zeigte in einer ihr durchaus liegenden Rolle ein werktätiges, darum aber nicht weniger charmantes junges Mädchen. In einem Rhythmus zwischen Scherz, Ernst und Ironie wurde das Herz ihres Gegenspielers (Gustav Fröhlich) »modern möbliert«. Gusti Huber, Theo Lingen, Paul Henckels und Walter Lieck gehörten zu den wichtigen Mitspielenden (U: 29.9.1940). 1942 besorgte erneut Theo Lingen, diesmal in der Berlin-Film, die Regie bei der weiteren Verfilmung eines Gribitzschen Werkes. Gribitz schrieb diesmal selbst das Filmmanuskript. Das Werk hieß, so wie auf dem Theaterplakat, »Liebeskomödie«. Magda Schneider, Lizzi Waldmüller, Johannes Riemann, Albert Matterstock und unter den anderen selbst der Regisseur glänzten in dieser in der Welt des Theaters verankerten Komödie (U: 15.1.1943; P: aw). Das Jahr 1942 brachte ferner die Gribitzsche Komödie »So ein Früchtchen« (Lubitz-Film) auf die Leinwand. Die Musik hatte in diesem musikalischen Lustspiel eine gewichtige Rolle: Frank Fux schuf sie mit dem bekannten Foxtrott »Es klopft mein Herz, bumm, bumm«. Alfred Stöger leitete das Spiel. Lucie Englisch, Maria Andergast, Fita Benkhoff, Paul Hörbiger und Will Dohm garantierten schon mit ihren klingenden Namen einen Erfolg (U: 26.6.1942). Das Gribitzsche Lustspiel »Es fing so harmlos an« verdankte seine filmische Gestalt dem Maestro Theo Lingen (Regie, mit Gribitz Autor des Drehbuches und Rolle). Der gleichnamige Film wurde in Prag, mit Johannes Heesters, Inge List und Christl Mardayn in den Hauptrollen, für die Bavaria hergestellt (U: 20.10.1944 in München).

Mit zwei Lustspielen war Stefan von Kamare im deutschen Film der NS-Ära vertreten. Das erste, »Der junge Baron Neuhaus« (1933), wurde von Gustav Ucicky (Buch und Regie) gleich nach seinem Erscheinen bei der Ufa verfilmt. Eine Schar von publikumswirksamen Schauspielern (u. a. Viktor de Kowa als Titelheld, Käthe von Nagy, Hans Moser, Christl Mardayn, Annie Rosar, Rudolf Carl, Oskar Sima), ferner die gute Musik von Alois Melichar, gaben dem

Film eine nicht geringe Anziehungskraft (U: 14. 9. 1934; P: kü). Bei
der zweiten Verfilmung wurde dem Bühnenlustspiel »Leinen aus Irland« (1929) der Stoff zu einem gleichnamigen Film entnommen, der
»im Gegensatz zu dem Original einen ernsten Grundton, eine weltanschauliche Problematik und eine politische Note haben sollte.«[74]
Dieses gesinnungsstarke »Libretto« schrieb Harald Bratt für die
Wien-Film. Es war der zweite abendfüllende Bildstreifen des neugegründeten Filmkonzerns. Er wurde im Rosenhügelatelier von Heinz
Helbig gedreht. Die Story dieses 0,7 Mio RM teuren Propagandafilms war in Alt-Österreich nach 1900 angesiedelt. Der ehrgeizige,
elegante, aber zugleich bitterböse Dr. Kuhn – einst war Kohn sein
Name – (von Siegfried Breuer gespielt), versuchte als Generalsekretär der Libussa A. G., einer großen Textilfirma in Prag, durch Machenschaften einen bestimmenden Einfluß in seiner Branche auf dem
Weltmarkt zu erobern. Er bemühte sich deswegen im Handelsmini-
sterium um eine Genehmigung, Leinen aus Irland zollfrei einführen
zu können. Das würde dem Textilkonzern einen großen Auftrieb geben, gleichzeitig aber die böhmischen Weber ruinieren. Dr. Kuhn will
zugleich die schöne, blonde Lilly (von Irene von Meyendorff gespielt) heiraten, die die Tochter des Kommerzienrats Kettner und
Besitzer der Libussa (gespielt von Otto Tressler) ist. Die beiden
Pläne wurden aber von einem unbestechlichen Beamten des Ministeriums (von Rolf Wanka dargestellt) vereitelt. Die Karikatur des Dr.
Kuhn wurde im Film durch die Gestalt seines Onkels, Sigi Pollak (!),
ergänzt, gespielt von Fritz Imhoff. In dem Film wurden zugleich mindestens drei Trends der NS-Propaganda gebündelt: man zeigte etwas
von der Götterdämmerung in der damaligen österreichisch-ungari-
schen Monarchie, man rechtfertigte die Annexion Böhmens, man
zeigte endlich die »brutale Hinterlist« der Juden.[75] (U: 16. 10. 1939;
P: skw).

Einen gesinnungsstarken Stoff lieferte Otto Emmerich Groh. Sein
Schauspiel »Die Fahne« (1936) erhielt in dem »Gouverneur« eine
filmische Gestalt (das Buch schrieben Emil Burri und Peter
Francke). In einem Staat im nordöstlichen Europa (hier entstanden
gewisse Probleme mit Finnland) ging der Gouverneur Werkonen als
Sieger aus dem Kampf mit dem Parlamentarismus hervor und errichtete eine Militär-Diktatur. Wichtig ist aber auch in der Filmhandlung
die Ehre eines Fahnenregiments. Die Gestalt des Gouverneurs, »von
zwingender Männlichkeit« (so in den Film-Betrachtungen), verkörperte Willy Birgel. Ihm zur Seite stand Brigitte Horney. Auch die

junge Hannelore Schroth war im Vordergrund der Filmhandlung zu sehen. Ein politisch »starker« Film brauchte eine entsprechende Musik: Diese Aufgabe übernahm Wolfgang Zeller. Viktor Tourjansky führte die Regie. Bald bekommt er, zugleich auch das Paar Horney-Birgel, einen neuen, politischen Auftrag: den Film »Feinde« zu drehen. Zuvor wurde aber »Der Gouverneur« uraufgeführt am 21. 4. 1939 in Bochum, und mit dem Prädikat »künstlerisch wertvoll« honoriert. Weit größere (und politisch »ein bißchen« bessere) Reklame für O. E. Grohs Bühnenschrifttum war die Verfilmung von »Baron Trenck, der Pandur« (1934). Nach einem Drehbuch von Walter Zerlett-Olfenius inszenierte Herbert Selpin den Abenteuerfilm »Trenck, der Pandur«, mit Hans Albers, diesmal auf historisch, in der Titelrolle eines Pandurenmajors aus Ungarn. Die Handlung spielte in der Regierungszeit Maria Theresias. Die Kaiserin wurde von Käthe Dorsch dargestellt. Damen spielten überhaupt eine große Rolle in diesem Film, und sie wurden von Sybille Schmitz, Hilde Weißner und Elisabeth Flickenschildt (u. a.) vertreten. Politisch lag der Film, insbesondere in Beziehung auf Ungarn und Alt-Österreich, im »Geiste der Zeit«. Nicht arm an Unterhaltungswert, fand er auch ein breites Kinopublikum (U: 23. 8. 1940 in Wien; P: vw).

Das österreichische Bühnenschaffen wurde in der Filmkomödie dieser Zeit von dem berühmten Komiker Theo Lingen repräsentiert. Es wurden im Krieg seine zwei Bühnenwerke verfilmt. Das Rätsel des ersteren, einer Kriminalkomödie »Was wird hier gespielt?« löste sich übrigens auf der Leinwand ein wenig anders als auf der Bühne, und eigentlich, so damals die Kritik, sogar netter und überzeugender. Hier war Theo Lingen nicht nur der verfilmte Autor, sondern auch der ein eigenes Theaterstück verfilmende Regisseur, übrigens erstmalig im Fach der Filmregie. Neben Fita Benkhoff spielte er auch die Hauptrolle (U: 19. 7. 1940 in Düsseldorf). Theo Lingens Dienerlustspiel »Johann« ging 1942, nach der Berliner Uraufführung, über viele deutsche Bühnen. Diesmal inszenierte Robert A. Stemmle die Verfilmung, mit Hilfe der bewährten Autoren Ernst von Salomon und Franz Gribitz, die das Buch schrieben. In dieser satirischen Komödie spielte das Paar Fita Benkhoff und Theo Lingen die Hauptrollen. Der Film näherte sich dem Originalstoff durchaus anders (so die Kritik): der Johann war mehr Kasperle geworden (U: 3. 12. 1943 in Nürnberg).

Der Österreicher Fritz Gottwald wurde zunächst dem deutschen Kinopublikum durch sein Berliner (!) Volksstück »Tip auf Amalia«

bekannt. Sein gleichnamiges Theaterstück gab die Vorlage für diesen Tobis-Film, den Carl Heinz Wolff mit Olly Holzmann, Jaspar von Oertzen, Rudolf Schündler, Oskar Sabo, Trude Hesterberg, Willi Schur u. a. drehte. Es ging in der Handlung um vier Hausangestellte, die bei dem verstorbenen Millionär und Tierfreund bis zu seinem Tode beschäftigt waren und danach eine große Erbschaft erwarteten, weil der Alte keine Erben hinterlassen hatte. Ende gut, alles gut – die Vier wurden Besitzer einer Gastwirtschaft (U: 23. 3. 1940 in Königsberg). Gottwalds satirisches Lustspiel »Liebe ist zollfrei« war gegen die »schlampige österreichische Systemregierung« (mit kleinen Bissigkeiten gegen die Eidgenossen) gerichtet. Aus diesem Lustspiel entstand ein gleichnamiger, echt österreichischer Film. E. M. Emo leitete das Spiel, dessen Drehbuch Fritz Koselka schrieb. Der Streifen wurde auch bei der Wien-Film gedreht. Hans Moser trat als tragikomischer Zollbeamter auf, andere prominente Wiener Schauspieler wirkten mit. »Diesem und jenem Zuschauer«, schrieb ein Breslauer Filmkritiker, »mag vielleicht doch die Frage nahegelegen haben, ob der würdelose wirtschaftliche und moralische Ausverkauf Österreichs durch eine Systemregierung der geeignete Hintergrund für ein Moser-Lustspiel« sei (U: 17. 4. 1941).

»Liebe ist zollfrei«
Eine Filmkritik aus der Schweiz
»Ein Staat, der so nahe dem Bankrott ist, daß er die Zölle verpachtet, ein Ministerialkabinett, das mehr oder weniger aus Hampelmännern besteht... Existiert diese Regierung aber nicht irgendwann und irgendwo, sondern versetzt sie der deutsche (Wiener!) Produzent ausgerechnet nach dem Österreich von 1923, dann hört man die Sprache politischer Absicht und der zeitgebundenen Interessen zu laut, als daß die Kunst noch zu Wort kommen könnte. Wir haben keinen Bedarf an solchen nicht ganz ehrlichen Geschichtsbildern... Hans Moser tut hier dem Nachkriegs-Österreich das gleiche an, was Heinz Rühmann in »Die Umwege des schönen Karl« dem früheren Regime in Deutschland antat. Seinetwegen kann der Film wohl mit einem gewissen unverdienten Erfolg rechnen, bei uns auch darum, weil die Schweiz in den Gestalten eines grotesken, aber kaum beleidigenden Bankdirektors und eines sympathischen Zollbeamten ebenfalls vertreten ist.«
Quelle: Der Filmberater, Luzern, Nr. 8a, September 1941.

Hans Moser war auch der Held der gleichnamigen Verfilmung der Gottwaldschen Komödie »Reisebekanntschaft«. Elfriede Datzig, Wolf Albach-Retty und Lizzi Holzschuh spielten unter der Regie von E. W. Emo mit. Auch dieser Streifen wurde bei der Wien-Film hergestellt (U: 14. 4. 1943). Bei der Wien-Film wurde auch die Verfilmung des Theaterstückes von Gottwald »Das Mädchen am Fenster« vorbereitet. Hans Thimig führte diesmal Regie, Gusti Huber und Wolf Albach-Retty spielten die Hauptrollen. »Herzensdieb« und danach »Wie ein Dieb in der Nacht« hieß das Werkchen, das sich bei Kriegsende erst in der Musiksynchronisation befand.

Seriöser war »Das Recht auf Liebe« gemeint, nach dem Stück »Vroni Mareiter« von F. K. Franchy. Erich Ebermayer und O. Ernst Hesse zeichneten für das Buch verantwortlich, Joe Stöckel, ein Spezialist für Hochgebirgs-Filme, hatte die Regie. Magda Schneider und Viktor Staal, die die Hauptrollen spielten, paßten vielleicht nicht so genau in das Bauernhofmilieu (U: 20. 11. 1939 in Lübeck).

Die neue erzählende Prosa der Österreicher fand ebenfalls im Film ihren Niederschlag. Einen gesinnungsstarken Stoff lieferte Irmgard Wurmbrands Roman »Wetterleuchten um Barbara« (1940). Hier waren sogar drei Haupttrends des NS-Kulturbetriebes vertreten: NS-Bewegung, groß-deutsche Idee und Blu-Bo-Propaganda. Dieser Film »um die harte Zeit der Ostmark« entstand gleich nach dem Erscheinen des Romans und wurde bei Rolf-Randolf-Film gedreht. Im Film kämpften die Bauern (zähe an der unwirtlichen Scholle hängend) gegen die Heimwehr und das Krukenkreuz. Die NS-Bewegung gewann bei ihnen täglich mehr an Boden. Der Film schloß mit den März-Ereignissen des Jahres 1938. Werner Klinger (Regie) und Sepp Allgeier (Kamera) hatten gemeinsam die Berge Tirols zum Schauplatz dieser Ereignisse werden lassen, die Partitur Herbert Windts unterstrich die dramatisch aufwühlende Handlung. Sybille Schmitz, Attila Hörbiger, Viktor Staal, Oskar Sima, Maria Koppenhöfer, ferner Eduard Köck und Ilse Exl von der Exl-Bühne waren die darstellerischen Säulen dieser Propagandastreifen (17. 10. 1941 in Coburg; P: sw). Auf fast reine Unterhaltung war die Verfilmung von Elisabeth Gürts Roman »Eine Frau für 3 Tage« (1941) gestimmt. Eine gleichnamige Filmkomödie gestalteten Fritz Kirchhoff (Regie) und Thea von Harbou (Buch) mit Hannelore Schroth und dem UK-gestellten Carl Raddatz (U: 28. 4. 1944 in Dortmund; P: aw). Im Dienste der Unterhaltung standen auch die Verfilmungen von Franz Habls Novellen. Nach der Erzählung »Die Augen« entstand der Film »Der verzauberte Tag«. Im Sommer 1943 begannen die Dreharbeiten, und sie zogen sich in die Länge: Die Zensur verlangte immerfort Änderungen (Regie Peter Pewas). Erst nach dem Krieg kam der Film in die Kinos.[76] Auch der Film »Am Abend nach der Oper« – nach der Novelle »Der Fund« – den A. M. Rabenalt mit G. Huber und S. Breuer realisierte, gelangte, obwohl zensiert, erst nach dem Krieg als »Überläufer« in die Kinos der sowjetischen Besatzungszone.

Zu den Verfilmungen ohne Premiere gehörte auch »Regimentsmusik« nach dem gleichnamigen Roman des Chefdramaturgen der Wien-Film, Hans Gustl Kernmayr (Urheberrechte für 10000RM), den ebenfalls A. M. Rabenalt[77] bei der Bavaria mit H. Hatheyer (als Gabriele von Wahl), D. Domin (Herr von Wahl) und S. Breuer (Dr. Rottweil) drehte. Der Film – eine Seltenheit für die damalige Zeit – erzählte über die Verhältnisse aus der Zeit des Ersten Weltkrieges. Laut Archivquellen wurden die Dreharbeiten am 11. 7. 1944 abgeschlossen, danach kamen die »Verbesserungen«, und über den Abschluß der Dreharbeiten berichtete die Presse im Oktober 1944. Der Film wurde nicht zensiert. »Die Einwände gegen ›Regimentsmusik‹ sind grundsätzlicher Natur« – schrieb der Reichsdramaturg an Goebbels – »Die Mängel dieses Films sind nicht auf ein Versagen von Regie oder Darstellung, sondern ganz überwiegend auf die ›antiquierte und peinliche Problematik‹ des Stoffes zurückzuführen«.[78] Nach zahlreichen Änderungen lag der Film im April 1945 beim ProMi. Goebbels hatte den Film (mindestens bis zum 4. April) nicht besichtigt.[79]

Die deutschsprachige Literatur aus der Schweiz

Zu den willkommenen Autoren aus dem Land der Eidgenossen gehörte vor allem Gottfried Keller. Er kam in die Geschichte des deutschen Films der NS-Ära mit vier Verfilmungen. 1934 erhielt sein Roman »Regine« eine gleichnamige filmische Fassung. Erich Waschneck (Buch und Regie) schuf sie bei der Fanal-Filmproduktion mit Luise Ullrich und Olga Tschechowa. Auch Adolf Wohlbrück war noch in einer der Hauptrollen zu sehen (U: 7. 1. 1935; P: küw). Zur gleichen Zeit wurde das »Fräulein der sieben Aufrechten« ins Filmische übertragen. Frank Wysbar (Regie und mit H. F. Köllner Verfasser des Drehbuches) drehte »Hermine und die sieben Aufrechten) bei der Terra, mit Heinrich George, Karin Hardt, Albert Lieven und Paul Henckels – und mit der »heroischen« Musik von Herbert Windt.

Der Film enthielt »erzieherische« Akzente, die vor allem im ProMi hochgeschätzt wurden (U: 11. 1. 1935; P: skbw). Ein begeistertes Publikum fand dagegen Helmut Käutners (Regie und Buch) Film »Kleider machen Leute«, worin Heinz Rühmann den armen Schneider spielte und neben ihm Hertha Feiler auftrat (U: 16. 9. 1940). Seit 1941 beschäftigte man sich bei der Terra mit der Verfilmung der Novelle »Romeo und Julia auf dem Dorfe«. Erst im Sommer 1943 fing man mit den Außenaufnahmen (Kamera: Friedel Behn-Grund) an. Die Dolomiten bildeten den landschaftlichen Hintergrund. Eduard von Borsody war für die Regie verantwortlich. Er schrieb auch das Drehbuch, »ohne jedoch aus Rücksicht auf die filmischen Notwendigkeiten sich sklavisch an das Geschehen der Vorlage zu halten«, berichtete die Fachpresse. Rosa Marten und John Pauls-Harding – zwei vom Nachwuchs – waren die Vroni und der Friedel, mit denen das Schicksal es im Film am Ende doch noch gut meinte. Der fertiggestellte Film »Jugendliebe« gelangte nicht zur öffentlichen Aufführung während der Zeit des Dritten Reiches. Noch am 4. 4. 1945 wurden bei der Zensur »notwendige Änderungen konstatiert«[80].

Der Unterhaltungsromancier und Star der Leihbüchereien, John Knittel, erschrieb sich mit seinen spannenden, aber nicht gedankenlosen, zuweilen utopisierenden Roman beim europäischen Leserpublikum in den dreißiger und vierziger Jahren Millionen-Erfolge. So wie seine Romane, fanden auch seine dramatischen Dichtungen im Dritten Reich Aufnahme. Allerdings nicht immer für den Zweck der reinen Unterhaltung. Kurz vor Kriegsausbruch mußte sich Knittel sogar an das Auswärtige Amt wenden, um zu verlangen, daß sein Drama »Protektorat« (1935) in Deutschland nicht mehr aufgeführt werden dürfe, denn manchmal mache man die Aufführung geradezu zu einer antifranzösischen Propagandaveranstaltung. Seinen bekannten Best-Bestseller »Via mala« (Roman, 1937 auch Schauspiel[81]) wollte man bei der Ufa bereits 1941 verfilmen (die Verfilmungsrechte erwarb man auf 10 Jahre für 75 000 RM). Die prominentesten Schauspieler waren zunächst für diesen Film vorgesehen (Luise Ullrich, Karl Ludwig Diehl, Marianne Hoppe, Werner Hinz, Eugen Klöpfer, Werner Krauss). Erst im Sommer 1943 kam es zu den ersten Aufnahmen, jedoch mit anderen Darstellern. Das Buch stammte von Thea von Harbou. Die Presse warnte: Der Leser des Romans »Via mala« könne in dem Film nicht eine auf die Leinwand projizierte Romanhandlung erwarten dürfen. Der Regisseur Josef von Baky und der Autor mit seinem Thema hatten wenig Glück. Am

19.3.1945 wurde der Film »wegen seines düsteren Charakters zur Zeit zurückgestellt« und nur für das Ausland freigegeben.[81] Und eine ausländische Premiere war schon damals nicht mehr so leicht.[82]

Mit zwei Verfilmungen der Peter-Ostermayer-Produktion war der Schweizer Erzähler Ernst Zahn verknüpft. 1938 wurde sein Roman »Frau Sixta« (1925) Vorlage zum gleichnamigen Film. Gustav Ucicky drehte ihn mit Franziska Kinz, Gustav Fröhlich und Ilse Werner. Der Film hatte in Deutschland eine gute Presse (»Ein Film um eine herrliche Frau und einzigartige Mutter«, »Ein Film vom Glauben an die Heimat«, »Ein Film vom deutschen Herzen«) und erhielt das Prädikat »künstlerisch wertvoll«. 1942 lieh Ernst Zahn mit seiner Novelle »Der Schatten« (1903) dem Film »Violanta« den Inhalt. Paul Ostermayer (Regisseur und Co-Autor) drehte ihn (für die Ufa) zum ersten Male in Prag. Die Außenaufnahmen entstanden in der Umwelt der Alpen, in Tirol, bei Kufstein. Die Handlung des Films folgte der dichterischen Vorlage, milderte aber einigermaßen deren dramatische Lösung. Auch mußte sie den Anforderungen der Blu-Bo-Ideologie genügen. Der Film zeigte den Leidensweg eines braven Mädchens, das auf einem verrufenen Hof zusammen mit seinen heruntergekommenen Eltern lebte. Einem reichen, aber nichtsnutzigen Burschen gelang es, das Mädchen zu verführen, doch er flüchtete bald darauf in die Fremde und blieb verschollen, während sein aufrechter und arbeitsamer Bruder (H. Schlenck) die Liebe des Mädchens gewann. Als Bäuerin hielt die junge Frau Einzug auf seinem Hof, ohne allerdings dem Mann ihr erstes Liebeserlebnis zu beichten. Alles ging gut, bis nach Jahren die Heimkehr des unwürdigen Marianus (R. Häußler) eine neue, komplizierte Situation schuf. Am Ende war aber der Lebensweg frei von Schatten der Vergangenheit. Das Bauernmädchen wurde von Anneliese Reinhold verkörpert, einer Schauspielerin – so in einigen Betrachtungen – deren Begabung zu denken gebe. Sie wirkte aber im Film wohl etwas zu städtisch. In der Schweiz wurde der Film freundlich angenommen. Die »Luzerner Neuesten Nachrichten« (22.8.1942) bemerkten zum Thema des Films: »Wir sind bald bereit, einen Film, der eigentlich schweizerische Menschen schildert und nun in fremdes Milieu versetzt ist, zu verurteilen und eine instinktive Abneigung dagegen zu empfinden. Dies ist bei ›Violanta‹ gar nicht der Fall. Der Film ist so sauber, so verhalten und unpathetisch, so ganz einfach erfüllt vom fast internationalen Charakter der Bergmenschen, daß er uns von Herzen anspricht.«

Hier muß an erster Stelle über Shakespeare gesprochen werden. Der große Stratforder hatte beim deutschen Tonfilm kein Glück. Während es in der Ära des Stummfilms zahlreiche Verfilmungen gab, wurde im Dritten Reich keines von Shakespeares Werken verfilmt. Die deutschen Kinobesucher konnten auch nicht den englischen Film »As You Like It« (1937, Regie Paul Czinner) und den amerikanischen Film »A Midsummer-Night's Dream« sehen, weil sie mit deutschen Exil-Filmleuten gedreht waren und darum verboten wurden. Nur der amerikanische Film »Romeo and Juliette« (1936, Regie Georg Cukor) ging in die deutschen Kinos. 1943 begannen, auf Goebbels' Anweisung, Vorbereitungen zur Verfilmung des »Kaufmanns von Venedig«. Von Veit Harlan stammte das Drehbuch – Goebbels hatte Einwände[83] – Harlan sollte auch die Regie führen. Wie er die Rolle des Shylock verfilmt hätte, ist unschwer zu erraten. Werner Krauss war für diese Rolle vorgesehen.[84] Er hatte sie schon in der berüchtigten Lothar-Müthel-Inszenierung am Wiener Burgtheater gespielt (Erstaufführung am 15. 5. 1943). Der bekannte Wiener Kritiker Oskar Maurus Fontana schrieb über den Auftritt des Schauspielers: »Werner Krauss gibt mit dem Shylock in Stimme, Gang, Bewegung eine Spottgeburt des Ghettos, einen mauschelnden Caliban, stellenweise unheimlich, aber im Grunde lächerlich. Sein Shylock erregt Abscheu und Ekel und löst diese lastenden Empfindungen in einem befreienden Gelächter über soviel abgrundtiefe Häßlichkeit, Niedertracht und Dummheit... Brausender Beifall.«[85] Trotz des Engagements von Harlan wurde der Film nicht mehr gedreht.[86]

George Bernard Shaw, sehr oft – auch im Kriege – auf den deutschen Bühnen, hatte beim deutschen Film ebenfalls kein Glück. Nur »Pygmalion« kam zur Zeit des Dritten Reiches auf die Leinwand. Erich Engel inszenierte den Film mit Jenny Jugo und Gustaf Gründgens (U: 2. 9. 1935; P: kw). In der politischen Atmosphäre des Sommers 1939 kam der Film in inspirierten Neuaufführungen wieder heraus. Im Krieg (mindestens in den ersten Jahren) war er in Reprisenaufführungen weiterhin zu sehen. Über eventuelle weitere Shaw-Verfilmungen während des Krieges gab es nur Pläne. Ein von Jürgen von Alten verfaßtes Exposé über das Bühnenstück »Der Teufelsschüler« sollte höchstpersönlich der Präsident der RSK, Hanns Johst, als Drehbuchautor »zu einem antienglischen Film auswerten«.[87] Das Filmprojekt zerschlug sich jedoch. Oft im Theater des Dritten Reiches gespielt, blieb Bernard Shaw nicht nur im Dienste der gehobenen Unterhaltung. Sein Werk wurde auch zur antienglischen Propaganda ausgenützt.[88]

Oscar Wilde, ständig im eisernen Repertoire des deutschen Theaters, erhielt nach 1933 sogar neue Bühnenbearbeitungen. Hier war Karl Lerbs der verdienstvolle Übersetzer und Bearbeiter. Vor und nach 1933 war auch dieser Schöpfer der englischen Salonkomödie des ausgehenden 19. Jahrhunderts ein willkommener Gast beim deutschen Film. 1935 verfilmte Heinz Hilpert »Lady Windermeres Fächer« »die erste Verfilmung dieses Stückes in Deutschland gab es 1926), mit Lil Dagover, der »grande dame« des deutschen Films und Gattin des Münchner Filmproduzenten Georg Witt, bei dem der Film entstand, in der Titelrolle. Auch das Drehbuch hatte prominente Autoren: Karl Lerbs, Bernd Hoffmann und Herbert B. Fredersdorf. Insgesamt lieferte der Film gute Unterhaltung (U: 25.10.1935; P:küw). Im gleichen Jahr erfolgte die Verfilmung von Wildes Komödie »Ein idealer Gatte«, nach einem Drehbuch von Thea von Harbou und in der Regie von Herbert Selpin. K. L. Diehl, B. Helm und G. Alexander spielten die Hauptrollen (U: 6.9.1935). Den Wilde-Film »Eine Frau ohne Bedeutung« drehte 1936 Hans Steinhoff. Wieder war Thea von Harbou (mit Bernd Hoffmann) die Drehbuchautorin, und die Prominenten von der Bühne, Käthe Dorsch, Gustav Gründgens und Marianne Hoppe spielten die Hauptrollen (U: 26.10.1936; P: küw). Erst nach Kriegsausbruch galt Oscar Wilde als unerwünscht; 1942 stand er auf dem Verzeichnis verbotener englischer und amerikanischer Schriftsteller.[89]

Das breiteste Theaterpublikum gewann die geschickte Komödie von Brandom Thomas, »Charleys Tante«, die, mehrmals verfilmt, auch nach dem Krieg erneut als Musical in aller Welt Furore machte. Robert A. Stemmle (Buch und Regie) inszenierte das Stück, mit Paul Kemp, Jessie Vihrog und Carola Höhn in den Hauptrollen und mit anderen Prototypen der Heiterkeit wie Ida Wüst, Fita Benkhoff und Rudolf Platte in den Nebenrollen. Der 1934 vertonte Grotesk-Schwank aus der Stummfilmzeit (1925) fand erneut ein weites Echo (U: 17.8.1934).

Selten, und nur bis 1941, waren amerikanische Autoren auf der Bühne oder Leinwand zu sehen. Und wenn schon, dann mit problemlosen Werken. Avery Hopwoods Name tauchte schon 1931 auf der deutschen Leinwand auf, und zwar in dem Schwank »Ich heirate meinen Mann« (Paramount-Mehrsprachenproduktion), aber erst sein

anderer Schwank, »Der Mustergatte«, erreichte den Gipfel des Erfolges. Dem gelungenen Text, der Regie (Wolfgang Liebeneiner),
vor allem aber Heinz Rühmann, der die Titelrolle spielte (mit Leny
Marenbach, Heli Finkenzeller und Hans Söhnker), verdankte das
verfilmte Werkchen seine außergewöhnliche Popularität. 120 Kopien
dieses Films gingen in die Kinos (eine Kopie erhielt Hitler). Nach
zwei Jahren Laufzeit erreichte er eine Rekordzahl von Zuschauern:
Fast drei Millionen[90] (U: 13. 10. 1937; P: küw). Ein Pendant bildete
Hopwoods Lustspiel »Unsere kleine Frau«, verfilmt in einer deutsch-
italienischen Gemeinschaftsproduktion. Paul Verhoeven drehte den
Film im Cinecitta-Atelier in Rom. Käthe von Nagy spielte die Titelrolle, Albert Matterstock und Paul Kemp waren in weiteren Hauptrollen zu sehen. Die Uraufführung des Films organisierte man auf
dem Hapag-Dampfer »Milwaukee« (11. 9. 1938).

Französische Literatur

Wie im deutschen Theater, so fand auch im Film die französische
Literatur zur Zeit des Dritten Reiches nur wenig Eingang. Und wenn
schon, dann mit den sogenannten leichten Texten, die nur der Unterhaltung dienten.[91] 1936–1939 lieferten sechs Prosatexte französischer Provenienz die Unterlage für deutsche Spielfilmproduktionen:
1936 im ersten deutschen Opticolor-Farbspielfilm »Das Schönheitsfleckchen« (799 m) nach Alfred de Mussets »La Mouche«, in der Regie von R. Hansen und C. Froelich – mit Lil Dagover als Marquise de
Pompadour (U: 4. 8. 1936; P: kbw). 1937 inszenierte Gerhard Lamprecht (E. Ebermayer war Mitverfasser des Drehbuches) »Madame
Bovary« nach Gustave Flauberts gleichnamigen Roman: Pola Negri
spielte die Titelheldin (U: 23. 4. 1937). Wolfgang Liebeneiners Regie-
Arbeit (das Buch schrieb Bernd Hofmann) war »Yvette« nach G. de
Maupassant: Käthe Dorsch spielte die Hauptrolle (U: 25. 3. 1938).
Das Jahr 1938 brachte auch die Verfilmung von »Carmen«, eine Co-
Produktion mit Franco-Spanien (die Ausnahmen wurden z. T. in Se-
villa gedreht)[92]. Die Hauptrolle spielte Imperio Argentina. Im Film
»Andalusische Nächte« lernte man eine ganz neue Carmen kennen,
die mit der Figur der gleichnamigen Bizet'schen Oper charakterlich
nichts mehr zu tun hatte. Das Drehbuch (von Ph. L. Mayring, F.
Andreas und F. Rey) näherte sich mehr der Novelle Prosper Meri-
mées (U: 5. 7. 1938). Das Genie der Novelette, Guy de Maupassant,

war im deutschen Film mit seinem Entwicklungsroman »Bel ami«
vertreten. Willi Forst war der Schöpfer dieses Filmes als Produzent,
Mitverfasser des Drehbuches, Regisseur und Hauptdarsteller. Der
Film »Bel ami«, mit sehr beschränkter Haftung für Originaltreue,
war kaum weniger geistreich als der Stil Maupassants. Schauspielerisch war er eine Hit-Parade (O. Tschechowa und I. Werner als die
eleganten Damen, L. Waldmüller als ein charmantes Dienstmäd-
chen, ferner H. Hildebrand, J. Riemann, A. Wäscher, W. Dohm
u. a.). Der Film lebte vor allem von dem Bel-ami-Chanson. Theo
Mackeben führte das Bel-ami-Motiv durch den ganzen Film. Der
Film lieferte gute Unterhaltung, aber, vielleicht, nur der Schlager
machte Geschichte. Am 21. 2. 1939 in Berlin uraufgeführt, erhielt er
im April den (deutschen!) Untertitel: »Der Liebling schöner
Frauen«. »Bel ami« – wie hast du dich verändert, schrieb die Filmbetrachtung und äußerte zugleich die Meinung, in dem Film werde die
französische Gesellschaft zu wenig satirisch gezeigt. Der verbreitete
Klatsch, Forst wolle in dem Film ein satirisches Bild von Goebbels
zeichnen, veranlaßte den Propagandaminister (so meinte man), das
Werk nicht nach Venedig zur Biennale zu senden, obwohl ein solches
Projekt bestand. Der Film erhielt auch keine Prädikate. Mehr die
politische Situation als Goebbels' Vorurteile spielten hier, des Verfassers Meinung nach, die entscheidende Rolle. In den »Unheimlichen
Wünschen« nach Balzac war es dem Regisseur Heinz Hilpert glänzend gelungen (vielleicht mit Ausnahme der ein bißchen langweilig
betrachteten letzten Sequenzen des Films), das altfranzösische Milieu in seiner romantisch-symbolischen Stimmung bildmäßig zu erfassen. Die Romantik des Films wurde durch die phantasievolle Klang-
kulisse von Wolfgang Zeller noch unterstrichen. O. Tschechowa, K.
Gold, E. Flickenschildt, H. Holt, E. Balser, P. Dahlke und A. Wäscher waren die prominentesten Namen aus dem Darstellerverzeichnis. Der Film wurde kurz nach Kriegsausbruch zensiert und am
6. 10. 1939 in Karlsruhe uraufgeführt. Die Berliner Premiere fand erst
am 24. Mai 1940 statt.

Von französischen Bühnenwerken übernahm der deutsche Film
auch das leichte Genre. Marcel Pagnols »Fanny« wurde von Fritz
Wendhausen (Buch und Regie) in dem Film »Der schwarze Walfisch«
inszeniert, mit E. Jannings, A. Salloker und M. Gülstorff in den
Hauptrollen (U: 19. 2. 1934). André Birabeaus satirische Komödie
»Fistan« gab die Vorlage für den Film »Mein Sohn, der Herr Minister«. Wieviel von solch heiterem Vorwitz durch die Übertragung

und Bearbeitung (Buch von H. G. Külb und E. Kahn) verlorenging, ließ sich nur im Vergleich mit dem Original feststellen. Die Glossierung des Parlamentarismus' – im Dritten Reich erwünschte Tendenz – blieb allerdings bestehen. Veit Harlan führte Regie, Hans Moser, Heli Finkenzeller, Paul Dahlke und Hilde Körber (des Regisseurs damalige Frau) spielten die Hauptrollen (U: 6. 7. 1937; P: küw). »Der Florentiner Hut«, Eugène Labiches »Klassiker« unter den französischen Schwänken des vorigen Jahrhunderts, wurde von Wolfgang Liebeneiner ins Filmische übertragen. Es war ein gelungener Unterhaltungsfilm mit Heinz Rühmann. Die (offizielle) Uraufführung des Films fand am 4. 4. 1939 in Magdeburg statt (P: küw).

Nach Kriegsausbruch wurde die französische Literatur vom deutschen Film ferngehalten. Vorschriftsgemäß. Eine Lockerung des Verbots, von dem aber zeitgenössische und überhaupt politisch unbequeme Werke ausgenommen blieben, kam erst 1943. »La falle journée oů le mariage de Figaro« von Beaumarchais sollte zu Ende des Krieges verfilmt werden. »Ein Film mit heiterer Färbung«, schrieb man während der Vorarbeiten. Im Hintergrund sollte der Film jedenfalls »einen historisch-revolutionären Zug« erhalten: Figaro versteht nicht nur zu lachen, sondern auch zu kämpfen. Die Dreharbeiten an dem Film wurden vom 26. 5. bis zum September 1944 geführt, die vorausgesehenen Kosten dieses Farbfilms betrugen etwa 1,6 Mio. RM. Die Schlußarbeiten wurden durch das Kriegsende unterbrochen[93], und der Streifen blieb unvollendet.

Skandinavische Literatur

In Deutschland herrschte traditionell großes Interesse an skandinavischer Literatur. Mit Recht beanspruchte Deutschland, zur Weltgeltung der skandinavischen Literatur entscheidend beigetragen zu haben. Im Zeichen der »Blutsgemeinschaft« suchte das Dritte Reich dieses Faktum für seine politischen und rassischen Ziele auszunutzen. So galt z. B. Henrik Ibsen als ein »Künder der nordischen Seele« und »Verherrlicher des Führer-Ideals«. Ibsen-Verfilmungen gab es zur Zeit des Dritten Reiches fünf: eine Rekordzahl. Ibsens besonders hoch geschätztes Drama »Peer Gynt« – in Deutschland nicht selten mit Faust verglichen – erlangte damals auch dadurch einen besonderen Platz, weil einer der Übersetzer, Dietrich Eckart, Hitlers einziger intimer Freund gewesen war. Nicht selten gerieten »Peer-

67. *Luise Ullrich und Viktor Staal in »Nora«*

Gynt«-Aufführungen zu einer direkten NS-Propagandaveranstaltung[94]. Die im Grunde undramatische Struktur dieses im Epischen wurzelnden Gedichtes und die Fülle seiner kurzen Einzelbilder den Gesetzen des Films (ähnlich war es im Theater) gefügig zu machen, verlangte nicht nur starke Impulse vom Darstellerischen und von der Regie her, sondern auch ein filmisch gut gestaltetes Drehbuch. Die »Peer-Gynt«-Verfilmung (eine zweite, die erste erfolgte bereits 1918) realisierte im Jahre 1934 die Bavaria. Josef Stolzing-Czerny, Richard Billinger und Fritz Reck-Malleczewen schrieben das Buch, Fritz Wendhausen übernahm die Regie, und die Musik besorgte – selbstverständlich mit Motiven aus der Grieg-Suite – Giuseppe Becce. Hans Albers spielte die Hauptrolle, Marieluise Claudius war Solveig, und Lucie Höflich trat als Ase auf. Die Kritik – damals existierte sie

563

auch noch als Begriff – war geteilt in ihren Äußerungen, das Publikum eher zurückhaltend. Hans Albers half, die Kasse zu machen (U: 17.12.1934; P: küw). 1935 folgte die Verfilmung von »Stützen der Gesellschaft«, nach einem von Georg C. Klaren und Peter Gillmann verfaßten Drehbuch. In der Regie des »deutschen Skandinaviers« Detlef Sierck und mit Heinrich George, einen Enthusiasten der skandinavischen Bühnenliteratur, in einer der Hauptrollen (U: 21.12.1935; P: küw). Erich Ebermayer und Hans Steinhoff schrieben »nach Motiven von Ibsen« das Drehbuch zu den Film »Ein Volksfeind«. Und sie haben in der Tat das Werk von Ibsen wesentlich verändert. In allen Einzelheiten entstand ein richtiger NS-Propagandafilm, den Hans Steinhoff bei der F.D.F. inszenierte. Heinrich George verkörperte den kraß antidemokratischen Helden, Herbert Hübner, Franziska Kinz, Ernst Legal, Albert Florath, Carsta Löck, Fritz Genschow und andere prominente Schauspieler der Berliner Bühnen spielten mit (U: 26.10.1937 in Lübeck; P: küw).

Während diese drei Verfilmungen von den »maßgebenden Stellen« für gut befunden wurden, fand die vierte, die gegen Kriegsende entstand, weniger Anerkennung. »Nach Motiven des Schauspiels von Henrik Ibsen« (für die Verfilmungsrechte bezahlte man 30000 RM), so kennzeichneten die Drehbuchautoren Harald Braun (der auch Regie führte) und Jacob Geis ihren »Nora«-Film und setzten sich damit, wenn sie auch ihre Verwurzelung im Ibsenschen Thema bekundeten, von dem berühmten Werk ab. Sie wollten, so hieß es, das Puppenheim aus der kleinbürgerlichen Enge lösen. Luise Ullrich – ihre wichtigsten Mitspieler waren V. Staal als Dr. Helmer und F. Kinz als Helmers Mutter – fand für die Nora schöne Töne des Spielerischen. Sie erschien – im Gegensatz zum Drama – ohne Kinder. Im Zeichen einer großen Premiere ging im Salzburger Festspielhaus die Uraufführung des Films vonstatten, eingeleitet vom Mozarteum-Orchester, das »Ases Tod« von Grieg spielte (14.2.1944). Dieser Ufa-Film galt nach dem Krieg bei einigen Kritikern als Beispiel für die »innere Emigration« der deutschen Filmkunst. Vielleicht hatten wirklich das ProMi und die NS-Filmbetrachtung eine andere Aussage erwartet. Offiziell aber bemängelten einige Kritiker nur die große Abweichung der Filmhandlung vom Stoff des Dramas. Der Film-Kurier (25.2.1944) bemerkte versöhnlich: »...der große Gefühlsroman des Werkes ist mit seiner ganzen Substanz, mit allen wesentlichen dramatischen Akzenten im Film erhalten geblieben – wenn auch die Einzelheiten oft ein anderes Gesicht tragen als das Schauspiel Ibsens«.

Der zweite große norwegische Dramatiker, Björnstjerne Björnson, war in mehreren Übersetzungen in Deutschland bekannt. Zwar fanden nicht alle seine Stücke im Dritten Reich Eingang in die Theaterspielpläne, doch wurde seine Professorenkomödie »Geographie und Liebe« oft und mit Erfolg gespielt. Öfter noch das Lustspiel »Wenn der neue Wein blüht«, dessen Titel in Deutschland im allgemeinen der Wortfassung »Wenn der junge Wein blüht« bekannt war. Das Stück wurde auch im Berliner Fernsehen aufgeführt (24. 4. 1941). 1943 wurde es (zum zweitenmal) ins Filmische übertragen. Nach dem Buch von Per Schwenzen verfilmte Fritz Kirchoff es für rund 1,4 Mio. RM bei der Terra. Henny Porten (als Frau Arvik) gab diesem Film ein besonderes Gesicht, O. Gebühr und R. Deltgen spielten die anderen Hauptrollen. Der bekannte Operettenkomponist E. Künneke besorgte die Musik des Films. Mit Zustimmung der Behörden, darunter auch des »Rasse- und Siedlungshauptamtes-SS«, wurde der Sohn des Dichters zur Uraufführung nach Deutschland eingeladen[95] (U: 25. 9. 1943 in Trier). Den Erfolg des Films darf man als mäßig bezeichnen.

Knut Hamsuns politische Anschauungen, seine sehr weitgehende persönliche Annäherung an das NS-Regime, nicht zuletzt die Thematik seiner Werke, die sich für die »Blu-Bo«-Ideologie oder sogar für antisemitische Propaganda mißbrauchen ließ, sicherten dem großen norwegischen Dichter im Dritten Reich eine privilegierte Stellung. Hamsuns Bücher waren weit verbreitet, einige verfilmt worden. So drehte Carl Hoffmann 1935 nach der gleichnamigen weltbekannten Novelle den Film »Viktoria«, zu dem Robert A. Stemmle das Drehbuch schrieb. Luise Ullrich, Mathias Wieman und Alfred Abel spielten die Hauptrollen (U: 27. 11. 1935; P: küw). Hamsuns Roman »Pan« wurde 1937 von Olaf Fjord (Regie und Produktion) mit Marieluise Claudius und Christian Kayßler ins Filmische übertragen (U: 27. 8. 1937). Die Verfilmung des weltbekannten Romans »Segen der Erde« – Hamsuns besonderer Herzenswunsch (die Verfilmungsrechte verkaufte er für 60 000 RM) – begann auf Anweisung von Goebbels im Herbst 1944 durch Veit Harlan. Nach den ersten gedrehten Szenen wurden die Arbeiten an dem Film eingestellt.

»Die Bären« von Lars Hansen lieferten die literarische Vorlage für den Polarfilm »Nordlicht«. Hans Leip und Herbert B. Fredersdorf entnahmen diesem Stück vor allem das bekannte Enoch-Arden-Motiv: Ein Totgeglaubter kehrt heim und findet die Frau, die einst ihm gehörte, an der Seite eines Anderen. Fredersdorf führte auch Regie, mit R. Deltgen, F. Marian, H. Sessak und O. Wernicke in den tragenden Rollen (U: 20. 9. 1938 in Magdeburg).

Schwedens Literatur war nur mit wenigen Vertretern im deutschen Film der NS-Ära repräsentiert. 1937 schuf Hans H. Zerlett (Buch und Regie) bei der Euphono das Drama »Revolutionshochzeit«. Der Stoff entstammte einem Theaterstück des Schweden Sophus Michaelis, und die Originalfabel blieb im wesentlichen unverändert. Das Stück war übrigens bereits in der Stummfilmzeit zweimal verfilmt worden. In Zerletts »künstlerisch wertvoller« Verfilmung spielten Brigitte Horney und Paul Hartmann die Hauptrollen. Bei der Verfilmung der schwedischen Literatur gab es auch zwei Namen von Weltruf: Selma Lagerlöf und Hjalmar Bergmann. Die Novelle der großen Dichterin »Das Mädchen vom Moorhof« inspirierte den gleichnamigen Film, den Detlef Sierck 1935 bei der Ufa drehte. Das Manuskript schrieb P. L. Mayring, mit Änderungen, die dem »Geiste der Zeit« entsprachen. Hansi Knoteck verkörperte die Titelgestalt (U: 30. 10. 1935). Mitte März 1939 begannen die Vorarbeiten an der Verfilmung des Romans »Gösta Berling« (1891): Im Rahmen der Gustaf-Gründgens-Produktion der Terra. Gründgens war als Träger der Titelrolle vorgesehen und zugleich zum Regisseur bestimmt. Für die künstlerische Ausstattung war sein enger Mitarbeiter am Gendarmenmarkt, Traugott Müller, verpflichtet worden. Hermine Körner und Marianne Hoppe sollten die weiblichen Hauptrollen verkörpern. Dann kam es aber zu einer Verschiebung der Termine. Man brauchte für den Film die Winteraufnahmen. Erst im Oktober und November konnte man diese Szenen in Schweden drehen. Wegen des Kriegsausbruchs wurden die Arbeiten an dem Film bei genau 103 479,49 RM bereits entstandenen Herstellungskosten jedoch eingestellt.[96] Aber erst später verzichtete man definitiv auf diese Verfilmung. Der überaus produktive Schriftsteller Hjalmar Bergmann, im deutschen Theater kein Unbekannter, sogar populär, kam nur mit seiner Familienkomödie »Schule des Lebens«[97] auf die Leinwand. Curt J. Braun schrieb das Buch, Paul Verhoeven inszenierte den Film »Ein glücklicher Mensch«. Die Schauspieler Ewald Balser, Viktor de Kowa, Maria Landrock, Gustav Knuth, Erich Ponto, Curd Jürgens, Eduard von Winterstein u. a. waren die perfekte Besetzung für eine Komödie voller Witz und mit einer Prise Gefühl (U: 15. 10. 1943; Pküw).

Die originelle Komödie von Axel Breidahl »Aufruhr im Damenstift« repräsentierte im Film das Schrifttum Dänemarks. Das Stück wurde nach seiner deutschen Erstaufführung im Hamburger Schauspielhaus (9.2.1940) auch an vielen anderen deutschen Bühnen mit großem Erfolg gespielt und sofort für den Film erworben. In Wiens Schönbrunner Atelier drehte man den Streifen (Algefa-Film). F. A. Andam, der Regisseur und Mitverfasser des Drehbuches, ließ den Film – wie es in dem Stück auch der Fall ist – ganz ohne Männer spielen. Maria Landrock war die Hauptheldin Kamma, ein hübsches adeliges Fräulein, das als arme Waise in ein Damenstift aufgenommen worden war. Ein Kind, das sie nach einem Versuch, Zugang zu einem inhaltvolleren Leben zu gewinnen, mit ins Stift brachte, wird auch zum Hauptthema der Handlung. Seinetwegen war sie fast zum Selbstmord getrieben worden. Erst in letzter Minute rettete das Eingreifen einer Stiftsdame sie vor dem Schlimmsten (U: 29.6.1941 in Bremen). Der Film »erreicht in keiner Beziehung, weder in der Regie, noch in der darstellerischen Leistung, noch auch in der atmosphärischen Erfassung des Milieus das Vorbild von ›Mädchen in Uniform‹«, beurteilte ein Kritiker aus der Schweiz[98] das Werk. Aber sowohl das Theaterstück als auch seine Verfilmung waren den sozialpolitischen Verhältnissen des NS-Staates gut angepaßt.

Die Autoren aus Italien

Im Gegensatz zum Theater, wo, insbesondere nach 1938, das italienische Bühnenschaffen (bis 1943) oft zu sehen war[99], zeigte der Film im Dritten Reich kein großes Interesse an der Literatur des befreundeten Italien. Eine rein politische Angelegenheit war die Verfilmung des Napoleon-Dramas »Hundert Tage«, das Mussolini gemeinsam mit Forzano, dem bewährten Theater- und Filmregisseur, Dramatiker und Puccini-Librettisten, geschrieben hatte. Nach seiner Weimarer Erstaufführung ging das Stück 1934 über zahlreiche deutsche Bühnen. Wohl nicht nur aus rein künstlerischen Gründen hatte man das Stück auch im Wiener Burgtheater und im Stadttheater in Basel aufgeführt. Das Stück wurde in einer italienischen und einer deutschen Version verfilmt. Napoleon wurde im Film wie in den wichtigsten Bühnenaufführungen von Werner Krauss gespielt. Krauss erhielt von Mussolini persönliche Anweisungen, wie er die Rolle zu spielen habe. Neben Krauss wirkten in dem von Franz Wenzler inszenierten Film andere Darsteller »der ersten Garnitur« mit: Gustav Gründgens, Eduard von Winterstein, Fritz Genschow, Elsa Wagner, Ernst Legal u. a. Dem Meister Giuseppe Becce wurde die Musik anvertraut (U: 22. 3. 1935). Der Film fiel beim Publikum durch. Es gab auch zwei weitere Mussolini-Forzano Theaterstücke: »Caesar« und »Cavour«. Über eine eventuelle Verfilmung von »Caesar« sprach man in Rom mit Gründgens. Letztlich ohne Ergebnis. Forzano hatte dagegen mehr Glück.

Von den mehr als 80 Theaterstücken, die der Dramatiker Giovacchino Forzano verfaßt hat, fanden einige beim deutschen Publikum gewissen Anklang, wenn auch sein Schaffen und Name für die »schöpferische Gemeinschaft der Achse Rom-Berlin« herhalten mußten. Sein völlig unpolitisches Stück »Ein Windstoß« (Un colpo di vento) hatte schon, mit dem Altmeister Ermete Zacconi in der Hauptrolle, einer italienischen Filmfassung Gevatter gestanden. Diese liebenswürdig-skeptische Komödie von der Wandlung eines Griesgrams zum Menschenfreund wurde am 12. 6. 1940 im Staatlichen Schauspielhaus zu Dresden, unter der Regie von Rudolf Schröder und mit Erich Ponto und Manja Behrens in den Hauptrollen, in Deutschland feierlich erstaufgeführt. Für die Tobis verfilmte Walter Felsenstein – zur Zeit des Dritten Reiches war das seine einzige Filmregie – diese Komödie mit dem nicht mehr jungen Publikumsliebling Paul Kemp in der Hauptrolle. Felsenstein schrieb auch mit Roland Schacht das Drehbuch (Die Verfilmungsrechte auf 10 Jahre betrugen 17 500 RM). Der Filmheld, Kunsthändler Rigattieri, ein Junggeselle und Sonderling, machte sich mit seinem Wahlspruch: »Ich erweise keine Gefälligkeiten und erwarte auch keine« bei Hausbewohnern unbeliebt. Aber ein Windstoß schlug die Tür zu, und der Menschenfeind stand unversehens im Nachthemd auf dem Treppenflur. Die Mitbewohner waren durchaus nicht geneigt, ihn aus dieser peinlichen Situation zu befreien. Als der Alte nachts seinen Trübsinn spazierenführte, begegnete er auf dem Ponte Vecchio einem betrogenen Mädchen, das sich das Leben nehmen wollte, und nahm sich seiner an. Dies war der Wendepunkt in seinem Leben. Aus dem filmisch guten Stoff entstand ein etwas zusammenhangloser und langweiliger Film. Walter Felsenstein war es nicht gelungen, die drei Stileinheiten: italienisches Lustspiel, deutsche Inszenierung und Charakterstudie von Paul Kemp, zusammenzubringen. Nur die positiven erzieherischen Akzente wirkten im Film ziemlich stark (U: 9. 7. 1942 im Atrium, Tauentzien-Palast und U. T. Friedrichstraße in Berlin).

Guglielmo Zorzis Bühnenkomödie »Gefällt euch meine Frau?«, in der deutschen Bearbeitung von Roland Schacht, hatte ihre deutsche Erstaufführung im Stadttheater Elbing (2. 12. 1942). Die Wien-Film nahm gleichzeitig das Erfolgsstück zur Verfilmung mit Paula Wessely in der Hauptrolle an (Verfilmungsrechte auf 7 Jahre – 50 000 RM). Hans Thimigs guter Blick (Regie und mit Hugo Maria Kritz Verfasser des Drehbuches – 13 000 RM – hat es zu einem fein abgestimmten Filmlustspiel »Die kluge Marianne« verwandelt. Es war ein Loblied auf die Ehe. Hermann Thimig war als Ehemann der Partner von Paula Wessely, es spielten auch Attila Hörbiger, Hans Holt und Will Dohm mit (U: 10. 6. 1943 in Wien).

Die Flamen

In Übereinstimmung mit großdeutschen Plänen stand das flämische Schaffen im Blickfeld der Öffentlichkeit. Auf den Roman »Die Hochzeitsreise« von Charles de Coster wies der gleichnamige Film der Ufa im Jahre 1939 hin. Der Dichter war in Deutschland besonders durch sein umstrittenes Meisterwerk »Tyll Ulenspiegel« bekannt. Den Roman »Die Hochzeitsreise« schrieb de Coster zwar in französischer Sprache, aber – so die NS-Betrachtung – »in Geist und Form durchaus germanisch«. Dieses Hohelied der ehelichen Liebe, das 1870 erschien, aber erst 1916 die Übertragung ins Deutsche erhielt, geriet sehr schnell in Vergessenheit. »Es ist kein Zufall«, kommentierte der Film-Kurier (7. 1. 1939) die Dreharbeiten an dem Film, »daß gerade Deutsche es waren, die ihn neu entdeckten und zu Ehren brachten, wie sie im Weltkrieg nach der Besetzung Belgiens auch dem flämischen Volke die Möglichkeit schufen, seine unverjährbaren Rechte wieder anzumelden.« Es sollte auch kein Zufall sein, »daß der Frontsoldat Karl Ritter aus seinen persönlichen Kriegserinnerungen heraus sich dieses flämischen Themas bemächtigte.« Karl Ritter war nicht nur Regisseur, sondern, mit Felix Lützkendorff, auch Verfasser des Drehbuches. In Françoise Rosay fand der Regisseur den gewünschten Frauentyp für die Hauptdarstellerin. Mathias Wieman, Angela Salloker, Elisabeth Wendt und Paul Dahlke ergänzten die Liste der Hauptgestalten im Film (U: 4. 4. 1939). Dem Werk war kein großer Erfolg beschieden.

Stijn Streuvels weltbekannter Roman »Der Flachsacker« (1907, deutsch 1918), wurde 1942/43 sowohl für die Bühne als auch für den Film umgedichtet (Verfilmungsrechte 8000 RM). Am 9. Januar 1943 fand die Theaterpremiere statt: im Bremer Schauspielhaus. Für den Film »Wenn die Sonne wieder scheint« schrieben Konrad Beste und

Philipp Lothar Mayring das Drehbuch. Die Regie hatte Boleslaw Barlog. Der hartgesichtige Paul Wegener spielte den alten Bauern, ihm zur Seite stand die Bäuerin, Maria Koppenhöfer, Paul Klinger trat als Sohn auf. Obwohl politisch bedingt, war der Film mit nicht geringen künstlerischen Ambitionen geschaffen worden. Man erwartete aber keine Rekordzahlen an Besuchern. Nur eine kleine Anzahl von Kopien wurde hergestellt (U: 4. 6. 1943 in Münster; P: küw, vw).

Auch bei der Terra, ebenfalls mit Boleslaw Barlog als Regisseur, wollte man den Roman »Tierarzt Dr. Vlimmen« von A. Roothaert verfilmen (Verfilmungsrechte auf 12 Jahre 20 000 RM). Hans Söhnker spielte den Haupthelden. Bei Kriegsende war der Film erst in der Musik-Synchronisation.

Ungarische Autoren

Als Produktionsgebiet für die heitere Gattung war das befreundete (mindestens offiziell) Ungarn willkommener Lieferant deutscher Theater. Die erfolgreichsten Stücke fanden auch den Weg auf die Leinwand. So zum Beispiel die damals bekanntesten Importe aus Ungarn, Stefan Donats Komödie »Kitty und die Weltkonferenz«. Sie eroberte zunächst das Berliner Theaterpublikum in der Komischen Oper (seit Kriegsanfang in »Künstlertheater« umgetauft). Der Film hatte seine unbekannte Vorgeschichte bei der Bavaria. Für die Arbeit bei der Verfilmung war dort A. M. Rabenalt vorgesehen. »Ich verpflichte mich Ihnen gegenüber zur Mitarbeit an dem Treatment und Drehbuch des Stoffes, Weltkonferenz von Stefan Donat, nach Richtlinien, die Sie zu erteilen berechtigt sind, und verpflichte mich weiterhin zur Führung der Filmregie, falls Sie einen Film zu diesem Drehbuch herstellen, gegen ein Gesamthonorar von 7000 RM«, bestätigte der Regisseur Rabenalt.[100] Es ist nicht einfach, feststellen zu können, warum dieser äußerst billige Vorschlag letztendlich abgelehnt wurde. Helmut Käutner übergab man schließlich das Stück als Regisseur und Drehbuchautor zur Übertragung ins Filmische (Boleslaw Barlog war sein Regieassistent). Es war eine amüsante Glossierung des internationalen Konferenzbetriebes, und das Spiel drehte sich um Kitty, die Maniküre des Konferenz-Hotels in Lugano. Es gab Stimmen, daß der Film besser sei als das Stück. Die junge Nachwuchsschauspielerin Hannelore Schroth war die Kitty (auf der Bühne spielte diese Rolle Friedl Czepa), Paul Hörbiger der Hotelportier,

68. Kitty (Hannelore Schroth) in »Kitty und die Weltkonferenz«

69. Hilde Krahl und Hans Holt in »Der Postmeister«

Fritz Odemar der englische Minister und Max Gülstorff ein Finanz-schieber. Der gelungene Unterhaltungsfilm machte keine große Ki-nokarriere. Am 25. 8. 1939 wurde er in Stuttgart uraufgeführt, für den 29. August hatte die Terra im Düsseldorfer Europa-Palast eine Inter-essentenvorführung geplant, die aber abgesagt wurde. Danach wurde es um den Film still, und erst am 3. 10. 1939 fand im Gloria-Palast die Berliner Erstaufführung statt. Am nächsten Tag schrieb die Kritik: »Die satirischen Randbemerkungen über Englands Politik, obwohl sehr zart dosiert, fallen gerade in heutiger Zeit auf fruchtba-ren Boden.« Erst nach Chamberlains »Nein« – es war die Antwort auf Adolf Hitlers »Friedensangebot« – wurde der Film zurückgezogen. In einem »Nachruf« hieß es: »Der vorjährige Bühnenerfolg des gleichnamigen Lustspiels von Stefan Donat mußte unausbleiblich einen Film hervorbringen. Wie das Bühnenstück, so ist auch die Zeit, in die es uns führte, bereits verjährt und besitzt nicht mehr unser unmittelbares Interesse.«[101]

Es wurden zwei Lustspiele des (damals) erfolgreichen ungarischen Autors Paul Barabas verfilmt. Der erste Film »Frau am Steuer« ging auf das Theaterstück »Männer haben es leicht« zurück. Es war eine moderne Ehegeschichte, in der Lilian Harvey eine junge Frau spielte, die für eine Zeitlang das Steuer (im Leben) an sich riß. Willy Fritsch war ihr Ehegatte. Noch einmal und zum letztenmal sah man das klassische Ufa-Liebespaar von einst, Lilian Harvey und Willy Fritsch, in einem Film zusammen. Die Harvey verließ Deutschland zum zweiten Male. Die Filmhandlung spielte in Ungarn – die Außen-aufnahmen (Kamera: Irmen-Tschet) wurden in Budapest und in einem kleinen ungarischen Ort gedreht. Aus dem Problem weib-licher Berufsarbeit entstand eine Satire auf die Ehe, auf die kleinen Reibereien und Machtkämpfe zwischen Mann und Frau. Sie, Gene-ralsekretärin in einer Bank, wanderte endlich an den Platz zurück, »wo sie hingehörte«, in das Haus als Hausfrau. Paul Martin (auch Mitverfasser des Drehbuchs) führte die Regie, eine Reihe bewährter Lustspielkräfte wurde für den Film verpflichtet (Leo Slezak, Georg Alexander, Grethe Weiser, Rudolf Platte u. a.). Von Harald Böhmelt stammte die umrahmende Musik. Der Film startete am 20. 6. 1939 und wurde bis zum Sommer 1942 gespielt. Sowohl die Ausbürgerung Lilian Harveys als auch das Thema selbst – die Frauen mußten inzwi-schen immer mehr in die Betriebe – stellten den Film unter Verbot. In dem Film »Intimitäten« inszenierte Paul Martin auch das andere Lustspiel von Paul Barabas: »Es klingelt zum dritten Mal«. Ein junger, verliebter Schauspieler, Peter Korff (Viktor de Kowa), mußte sich im Laufe der bewegten Filmhandlung in viele Masken werfen, um ein Beisammensein seiner geliebten Erika (Gretl Schörg) mit einem als Graf Dorndorff sich aufspielenden Hochstapler (Harald Paulsen) unmöglich zu machen. Im Dezember 1944 wurde der Film beendet, und im Januar 1945 vor Goebbels aufgeführt. Von der Zensur nicht freigegeben, wurde er erst nach dem Krieg uraufgeführt (3.2.1948).[102]

Ihre Theaterstücke (oder auch Drehbücher) lieferten die Brüder Vaszary dem deutschen Film. Im Film »Geliebter Schatz« hatte Paul Martin die Komödie »Babusch« (Geschichte eines Liebesbriefes) von Gábor von Vaszary zu einem mit sprühenden Dialogen ausgestatteten Filmschwank bearbeitet, der in seiner guten Besetzung (D. Kreysler und J. Riemann in den Hauptrollen, ferner H. Paulsen, I. Wüst, L. Slezak, E. Waldow und L. Peukert) wirklich »die« Unterhaltung bot (U: 3.8.1943; P: vw). Eine Abenteuergroteske entstand dagegen aus dem Stück »Ich vertraue Dir meine Frau an« von Johann von Vaszary. Kurt Hoffmann realisierte einen gleichnamigen Film bei der Terra mit Heinz Rühmann. Dem beliebten Komiker wurde – in der Filmhandlung – eine sehr hübsche, »ein bißchen fremdartig wirkende« Lil Adina (so bei einigen Betrachtern, die nicht wußten, daß es um eine höchst protegierte Schauspielerin ging) anvertraut, die Frau des auf Abwegen wandelnden Freundes (Paul Dahlke). Rühmanns neuer Beitrag zum Junggesellen-Thema erwies sich als Erfolg (: 2.4.1943 in München; P: kw, vw). Im November 1944 gab Goebbels seine Zustimmung zur Verfilmung des Lustspiels »Sag die Wahrheit« von Johann von Vaszary. Das Vorhaben (der vorgesehene Regisseur war Helmut Weiss) wurde nicht realisiert.[103]

Große Popularität gewannen im deutschen Theater die Komödien von Johann von Bokay, der damals zu den erprobten ungarischen Schriftstellern der heiteren Muse gehörte. Zwei von seinen Bühnenstücken, nämlich »Die Gattin« (für das Stück erhielt der Autor den Vojnitz-Preis der Budapester Akademie) und »Ich liebe vier Frauen«, wurden in dem Ufa-Film »Die Gattin« gekoppelt (Buch: Thea von Marbou). (Für die Verfilmungsrechte bezahlte die Ufa insgesamt 40000 RM.) Dieser hübsche Film war eigentlich nur ein Dialog für die Filmheldin, von Jenny Jugo virtuos gespielt. Der Film, von Georg Jacoby inszeniert, glänzte ferner mit den Namen von Willy Fritsch, Viktor Staal, Hilde von Stolz und Hans Brausewetter (U: 31.8.1943).

Eine heiter-bissige Satire auf jene Sorte von Eltern, die ihre Kinder nicht erziehen, sondern verziehen, war das verfilmte Theaterstück »Meine Tochter tut das nicht« von Kálmán von Csathó. H. H. Zerlett (Buch und Regie) drehte den Film bei der Euphono-Film mit Geraldine Katt in der Hauptrolle. Sie hatte diese Rolle mit Erfolg schon ein Jahr früher im Berliner Theater in der Saarlandstraße gespielt. Neben ihr waren R. A. Roberts, R. Wanka, R. Platte, L. Carstens und H. Hildebrand die Hauptsäulen des Films (U: 1. 6. 1940 in Gießen).

Einen Beweis für die Unterstützung des deutsch-ungarischen Kulturaustausches bildete die Verfilmung der dreiaktigen Komödie »Wildvogel« des Ungarn Ernst Innozent Vincze, die nach ihrer deutschen Erstaufführung im Hamburger Thalia-Theater im Januar 1942 (deutsche Bearbeitung von Paul Mundorf) auch über andere Bühnen des Reiches ging. Die Komödie handelte vom Schicksal einer schönen Frau, Wildvogel genannt, die vor ihrer zweiten Hochzeit mit einem Gelehrten steht. G. T. Buchholz schrieb auf dieser Grundlage ein Drehbuch, das Johannes Meyer bei der Berlin-Film als die Filmkomödie »Wildvögel« mit Leny Marenbach und Volker von Collande in den Hauptrollen ins Filmische übertrug (U: 21. 12. 1943).

Der bewährte Romanschriftsteller und bekannte Journalist Alexander Márai lieferte mit seinem Schauspiel »Das letzte Abenteuer« den Stoff für einen mehr seriösen Film. Das Stück wurde ziemlich oft an den deutschen Bühnen gespielt (1942 erschien es in München im Druck) und hat Erfolge erzielt. Nach Motiven dieses Stückes wurde bei der Ufa in der Regie von Gerhard Lamprecht das Drama »Du gehörst zu mir« gedreht. Willy Birgel, Lotte Koch und Viktor Staal spielten die Hauptrollen (U: 2. 3. 1943 in Tilsit).

Zu den willkommenen Dramatikern jener Zeit zählte Ferenc Herczeg, »ein ungarischer Dichter aus deutschem Blut«, der »der großzügigen Assimilierungspolitik des Magyarentums« erlag, »nicht ohne gewisse deutsche Charaktereigenschaften, Nüchternheit, Zurückhaltung, Gemessenheit und Treue gegen die Welt, der er entwuchs, sein Leben lang zu bewahren.«[104] Herczegs elegantes Boulevardstück »Der Blaufuchs« (1917), das über mehrere Bühnen in Deutschland ging, erhielt 1938 eine filmische Version im gleichnamigen Ufa-Film von Viktor Tourjansky. Zarah Leander, mit Erfahrungen von der Bühne, gestaltete, weniger sang, die Hauptrolle. Die Handlung dieser musikalischen Komödie – Komponist Lothar Brühne – spielte in Ungarn. Eine Frau, die nicht in glücklicher Ehe lebt, lernt den Mann kennen, der ihr »Ideal« ist. Dieser verliebt sich in die schöne Frau, zieht sich aber zurück, als er erfährt, daß sie die Frau seines besten Freundes ist. Um den geliebten Mann dazu zu bringen, daß er seine Liebe eingesteht, flirtet sie inzwischen mit einem als Don Juan bekannten Operettentenor. Inzwischen verliebt sich der Ehemann in die Kusine seiner Frau, eine Modezeichnerin. Und zum Schluß kommen alle zueinander. Willy Birgel, Paul Hörbiger, Karl Schönböck, Jane Tilden spielten die anderen Hauptrollen (U: 14. 12. 1938 in Düsseldorf).

Im Sommer 1939 wagte der Filmverleih die Neuaufführung der deutsch-ungarisch-österreichischen Produktion aus dem Jahre 1933 »Rakoczy-Marsch«, ebenfalls eine Herczeg-Verfilmung. Das Liebesdrama mit Camilla Horn und Gustav Fröhlich (auch Co-Regisseur) in den Hauptrollen war einst unter Mitarbeit des im Dritten Reich verfemten Operettenkomponisten Paul Abraham gedreht worden. Im Plan stand eine neue Verfilmung, die aber nicht realisiert wurde.

»Tanz mit dem Kaiser«
Eine Filmkritik aus der Schweiz
»Der Tanz mit dem Kaiser gehört zu jener Art von historischen Kostümfilmen, in denen mit großem Aufwand möglichst genau die Atmosphäre einer Zeitepoche eingefangen wird. Hier handelt es sich um den österreichischen Hof zur Zeit der Kaiserin Maria Theresia. Hofschranzen in blendenden Livrées kriechen durch die Vorräume der kaiserlichen Gemächer, während Hofdamen in rauschenden, unbequemen Krinolinen artig sich verneigen. Damit wäre so ziemlich alles in Ordnung, und wir hätten nichts einzuwenden, denn der Film ist recht geschickt aufgenommen und bietet eine Fülle von prächtigen Szenen. Auch darstellerisch befriedigt der Film durchweg. Was wir beanstanden, ist die Art, wie der Geist, der an diesem Hofe herrscht – wenn er auch im großen und ganzen richtig getroffen sein mag – zur Darstellung gebracht wird. Gewiß waren diese höfischen Menschen keine Heiligen, und die Atmosphäre, in der sie sich bewegten, war recht leichtsinnig und frivol. Aber es gibt gewisse Dinge, die ein edeldenkender Mensch zart verschweigt und lieber im Dunkeln läßt. Es widerstrebt unserem Gefühl für Billigkeit und Anstand, daß man auf den frivolen Seiten eines Hofes, wie es hier geschieht, mit offensichtlichem Wohlgefallen verweile. Der ganze Inhalt des Streifens erschöpft sich schließlich in einer Reihe von höchst dubiosen Spielereien mit unumstößlichen sittlichen Begriffen... Ein Film also, den

wir trotz technischer und darstellerischer Qualitäten nicht empfehlen können.«
Quelle: Der Filmberater, Luzern, Nr. 1a, Januar 1942.

Ein weitbekannter Unterhaltungsfilm der Ufa entstand aus der Verfilmung der historischen Komödie »Die Nacht in Siebenbürgen« von Nikolaus Asztalos. Das Stück hatte bei seiner Uraufführung im Budapester Nationaltheater einen nachhaltigen Erfolg und kam am 5.5.1940 gleichzeitig in Leipzig, Frankfurt am Main und Breslau zur deutschen Erstaufführung. Auch das deutsche Theaterpublikum schenkte diesem Lustspiel großes Interesse. Darauf entstand 1941 ein Jacoby-Rökk-Erfolgsfilm »Tanz mit dem Kaiser«. Die Bearbeiter des Stückes für die deutsche Bühne, Friedrich Schreyvogl und Geza von Cziffra, waren auch die kompetenten Drehbuchautoren, Franz Grothe schrieb die Musik, die eine nicht geringe Rolle im Film spielte. Es war eine Story um Kaiser Josef II., den Sohn Maria Theresias. Im Mittelpunkt stand jedoch nicht der Kaiser selbst, sondern eine siebenbürgische Schloßherrin. In einer verliebten Nacht hat sie, eine hübsche Witwe (Marika Rökk), sich mit einem Kavalier vom Wiener Hof eingelassen, den sie für den Kaiser selbst hielt, ohne daß er sich ernstlich dagegen wehrte (Wolf Albach-Retty). Da gab es dann ein lustiges Quiproquo, als sie eines Tages in der Hofburg auftauchte. Und schließlich mußte Maria Theresia höchstselbst das Schlamassel in Ordnung bringen. Der »Täter«, in der Person des kaiserlichen Adjutanten, wurde zu »lebenslänglicher Ehehaft« verurteilt. So nett der Film war, die richtige Atmosphäre des Theaterstückes hatte er – so einige von den Betrachtungen – nicht. Sowohl das Theaterstück als auch der Film kokettierten mit historischen Gewändern. Im Film blitzte aber nur weniger subtil die politische Aktualität hervor (U: 19.12.1941 in Wien; P: vw). Die Verfilmungsrechte verkaufte Asztalos dem deutschen Film für 16000 RM.

Slawische Autoren

Slawische Literatur bedeutete in Deutschland (und nicht nur in Deutschland) vor allem: russische Literatur. Vor 1933 waren Tolstoi, Dostojewskij, Gogol oder Puschkin in den deutschen Filmen von Zeit zu Zeit zu sehen, um hier nur beispielsweise den Gustav-Gründgens-Film »Eine Stadt steht Kopf« nach Gogols »Revisor« mit Jenny

Jugo, Hermann Thimig, Szöke Szakall, Aribert Wäscher, Fritz Kampers u. a., zu erwähnen (U: 21.1.1933). Seit der NS-Machtübernahme hatten die deutschen Filmproduzenten weitgehende Zurückhaltung gegenüber russischer Literatur gezeigt. Nicht nur antisowjetische, sondern z. T. auch antirussische Auffassungen (wenn von eindeutig prozaristischen, also auch antisowjetischen Akzenten abgesehen wird) lagen dem zugrunde. Dafür waren mehr noch als sonst politische Gründe maßgebend, d. h. die Ostpolitik des Dritten Reiches, das »nationalsozialistische Empfinden und Gedankengut«. Vor August 1939 gab es nur zwei Verfilmungen von russischen Werken. 1937 inszenierte Veit Harlan »Die Kreutzersonate« nach Tolstoi (Buch von Eva Leidmann). Die Hauptrollen spielten Lil Dagover – der Film wurde bei der G.-Witt-Film GmbH gedreht –, Peter Petersen, Albrecht Schoenhals und Veit Harlans erste Frau Hilde Körber (U: 11.2.1937; P: küw). Ein Jahr später folgte eine Dostojewskij-Verfilmung. Nach einem Drehbuch von Peter Hagen und Alois J. Lippl drehte Gerhart Lamprecht den »Spieler« nach dem gleichnamigen Roman. Es war die erste Verfilmung dieses Werkes (1888 deutsche Ausgabe), obwohl Dostojewskij ein begehrenswerter Autor für die Filmemacher war.[105] Lida Baarova (in der Rolle der Nina Kiriloff) und Albrecht Schoenhals spielten die Hauptrollen, in der Darstellerliste waren auch die Namen von Hannes Stelzer, Hilde Körber, Eugen Klöpfer und Hedwig Bleibtreu verzeichnet. Der Film »Der Spieler« (dem »Führer« wurde er noch unter dem Titel »Roman eines Schwindlers« vorgeführt) wurde von der Filmprüfstelle mit dem Prädikat »künstlerisch wertvoll« honoriert und am 1.9.1938 in Stuttgart uraufgeführt. Die Berliner Premiere erfolgte am 27.10. d. J. Drei Tage danach wurde der Film von der Zensur verboten.[106] Der Grund lag nicht bei Dostojewskij. Der bekannte russische Dichter gehörte im nationalsozialistischen Deutschland zu den willkommenen Schriftstellern. Lida Baarova war dagegen – zu dieser Zeit »persona non grata«.

Was die russische Literatur betrifft, so gab es wesentliche Änderungen zwischen August 1939 und Juni 1941; dennoch schien im Reich auch damals »ein Import neurussischer (d. h. sowjetischer, B. D.) Autoren keineswegs vordringlich und geraten.«[107] Man blieb also bei den Klassikern. Im Theater jedenfalls, denn im Film wurde hier nur wenig gemacht. Signum temporis war »Der Postmeister«, ein Streifen der Wien-Film in Anlehnung an Puschkins Novelle. Es gab schon einmal einen russischen Stummfilm, der sich eng an Puschkins

577

Erzählung hielt und der 1926 auch unter dem Titel »Der Postmeister« in Deutschland gezeigt wurde (Regisseur Moskwin). In dem Gustav-Ucicky-Film »Der Postmeister« aus dem Jahre 1940 lieferte die Erzählung des russischen Dichters eigentlich nur die Vorgeschichte der Handlung. Der Drehbuchautor, Gerhard Menzel, gestaltete Dunjas Schicksal zur Tragödie. Hilde Krahl spielte (sehr gut) diese Rolle und Heinrich George den sie vergötternden Vater. Siegfried Breuer, mit großen Erfahrungen, glänzte in der Rolle des Verführers (U: 29. 4. 1940 in Wien; P: kbw). Der Film gewann sowohl im Reich als auch im Ausland ein breites Publikum. Nach Juni 1941 wurde er in Deutschland und in den besetzten Gebieten weitergespielt.

Schon während des Ersten Weltkriegs wurde das Drama der polnischen Schriftstellerin Gabriela Zapolska »Tamten« übersetzt und in Berlin und Wien mit Erfolg gespielt. Mit politischen Zielen im Hintergrund, da es sich um ein antizaristisches Freiheitsdrama handelte.[108] Zur Zeit des Dritten Reiches wurde das Drama »Tamten« von Alfred Mühr umgearbeitet und, von Reklameaktionen begleitet, als Stück »Der weiße Adler« in Köln erstaufgeführt (20. 5. 1936). Auf der Leinwand erschien es als Film »Die Warschauer Zitadelle« ein Jahr später. Fritz Peter Buch inszenierte diesen Film als Regisseur mit Alfred Mühr als Verfasser des Drehbuchs. Im Film spielten u. a. Werner Hinz, Viktoria von Ballasko, Paul Hartmann, Lucie Höflich und Agnes Straub mit (U: 6. 9. 1937; P: skw). Ein Jahr nach der Premiere galt der Film schon als unerwünscht, wie die Freiheit Polens selbst.

Das leichte, moderne polnische Repertoire war, als jetzt schon nicht mehr bekanntes Vorhaben, mit dem Namen Roman Niewiarowicz verknüpft. Sein Theaterstück »Ich liebe Dich!« war von 1937 bis zum Frühjahr 1939 in Deutschland viel gespielt worden. Für das Stück interessierte sich auch der Film. Wie auf der Bühne sollten auch im Film nur zwei Personen mitwirken (ferner Hund und Katze). Es sei das erste Mal in der Filmgeschichte, so kündigten die Schöpfer dieses Films an, daß ein abendfüllender Film mit nur zwei sprechenden Personen gezeigt werde. Ort der Handlung war eine Villa im Berliner Grunewald (Atelier), Drehbuchautor war Felix von Eckardt, Regisseur Herbert Selpin, das Schauspielerpaar: Luise Ulrich und Viktor de Kowa. »Adam und Eva« hieß der Arbeitstitel des Films. Der Film – jedenfalls diese Fassung – wurde nicht gedreht.[109]

Film und Jugend

*»Die filmische Betreuung der Jugend, die vor dem Kriege, als Eltern-
haus, Schule und Hitler-Jugend in wohlausgewogener Zusammenarbeit über die Entwicklung der jungen Generation wachen konnten, ein
Problem zweiter Ordnung war, ist heute in den Brennpunkt des Interesses gerückt, weil sie geeignet erscheint, an der Lösung der Fragen, die
die Sicherheit, das Wohl und die Erziehung der deutschen Jugend be-
treffen, in besonderer Weise mitzuhelfen. Der Film ist infolge der ihm
innewohnenden Suggestivkraft berufen, als Ausgleichsfaktor für manche vorübergehend eingeschränkte Erziehungs-, Bildungs- und unter
Umständen sogar Erholungsmaßnahmen eingeschaltet zu werden.«*
Quelle: A. U. Sander: Jugend und Film, Berlin 1944, S. 9.

Als mit der NS-Machtübernahme dem totalitären Staat und der Partei die körperliche, geistige und sittliche Erziehung der deutschen
Jugend übertragen wurde, bestand kein Zweifel darüber, daß auch
der Film dieser Aufgabe dienstbar gemacht werden mußte. Es galt,
den Jugendlichen auf filmischem Gebiet »autoritär zu führen« und
ihn zum »sachverständigen Filmbesucher« heranzubilden. Aber erst
die Kriegsvorbereitungen und der Krieg selbst machten den Film zum
wichtigsten Instrument der politischen Beeinflussung der Jugend.
Und trotzdem: Spielfilme, die ganz speziell auf die Jugend ausgerichtet waren, gab es in Deutschland, auch nach 1933, nur wenige. Der
jugendliche Filmbesucher war vor allem auf »jugendgeeignete« Er-
wachsenenfilme angewiesen.

»Jugendfreie« und »jugendwerte« Filme

Ein wesentlicher Teil deutscher bzw. ausländischer Filmproduktion
war Jugendlichen im Reich nicht zugänglich. Das sogenannte Ju-
gendschutzalter, d. h. das Alter, das die Grenze für die Zulassung der
Jugendlichen zum Filmbesuch bildete, war allerdings wiederholt –

wie in der Gesetzgebung und Publizistik fast aller Länder – Gegenstand von Erörterungen. Das Reichslichtspielgesetz vom 16.2.1934 unterwarf Filme, die vor Jugendlichen gezeigt werden sollten, einer besonderen Prüfung. Dieses Gesetz legte auch die Altersgrenze auf 18 Jahre nach oben hin fest, während nach unten hin keine Altersangabe erfolgte. Es wurde nur die Bedingung gestellt, daß sich Kinder unter 6 Jahren »in Begleitung der Erziehungsberechtigten oder desjenigen, dem die Sorge für die Person oder die Obhut obliegt« befinden mußten. Für die Wiedereinführung der Sechsjahresgrenze kämpften die Lichtspieltheaterbesitzer vergeblich.[1] Laut Gesetz konnten bestimmte Filme (grüne Zensurkarte) schon vom 14. statt vom 18. Lebensjahr an (blaue Zensurkarte) besucht werden. Die Innehaltung der gesetzlichen Altersgrenze wurde durch eine Zusammenarbeit von Polizei, Hitler-Jugend (Streifendienst der HJ) und Theaterbesitzern, im Krieg auch von Wehrmacht und Waffen-SS überwacht. Mitten im Krieg mußte man einige Änderungen einführen. Bei den jungen Angehörigen der Wehrmacht und des Reichsarbeitsdienstes fand die Altersgrenze keine Anwendung mehr.[2] Für die unter 18jährigen der Wehrmacht und der verwandten Gliederungen wurde folgende Regelung getroffen: »Die Zugehörigkeit zu Wehrmacht und Reichsarbeitsdienst im Sinne der Polizeiverordnung rechnet erst vom Gestellungstage ab. Angehörige des Reichsarbeitsdienstes, die aus diesem z. B. nach Beendigung der Dienstpflicht wieder ausgeschieden sind, unterliegen erneut der Polizeiverordnung, sofern sie noch nicht 18 Jahre alt sind. Marine- und Luftwaffenhelfer der Hitler-Jugend und Besucher von Unteroffiziersvorschulen oder fliegertechnischen Vorschulen gelten nicht als Angehörige der Wehrmacht. Sie fallen daher, sofern sie noch nicht 18 Jahre alt sind, unter die Polizeiverordnung (das Verbot, Lichtspielvorführungen zu besuchen, die erst nach 21 Uhr endeten, B. D.) und unter das Lichtspielgesetz.«[3] Ein grundsätzliches Festhalten an der Achtzehnjahresgrenze – obwohl Gegenstand lebhafter Erörterung – blieb bis zum Kriegsende bestehen.

Im Durchschnitt der Jahre 1938–1944 wurden 22,5 % der deutschen Produktion an langen Spielfilmen für »jugendfrei« befunden (1935: 29,3 %). Rein statistisch gesehen, wollte man diesen Prozentsatz – zumindest bis zum Jahre 1942 – als günstig bezeichnen.[4] Ob diese Filme wirklich »jugendgeeignet« seien, stand schon damals zur Diskussion. Die »politischen Werte« des Nationalsozialismus wurden selbstverständlich nicht beanstandet. Der Zensurvermerk »jugendfrei« bedeutete also nicht, daß man einen solchen Film ohne weiteres in gesteuerten Filmveranstaltungen für die Jugend einsetzte. Erst die Schaffung des Sonderprädikats »jugendwert« hob solche Filme heraus, die man der Jugend zeigen sollte oder sogar mußte. Dieses Prädikat verdankte seine Entstehung einer Anregung des Schauspielers Mathias Wieman (1. Hitler-Jugend-Filmtage 1937), ferner dem Vorschlag des Reichsjugendführers (2. Hitler-Jugend-Filmtage Wien 1938) und dann dem entsprechenden Erlaß des Reichspropagandaministers aus dem Jahre 1939. Es hatte keine steuerlichen Auswirkungen und wurde unabhängig von jeglichen materiellen Erwägungen erteilt. Der erste Spielfilm, der das Prädikat »jugendwert« erhielt, war Karl Ritters »Pour le mérite«. Bis zum Ende des Dritten Reiches wurden 31 abendfüllende Spielfilme mit diesem Prädikat ausgezeichnet. Es hieß: Der Maßstab, der angelegt werde, sei streng.

Anteil der ganz oder bedingt jugendfreien abendfüllenden deutschen Spielfilme an der Gesamtproduktion (1938–1944)

Jahr	Gesamt- angebot Stückezahl	Jugend- verboten Stückezahl	Jugendfrei Stückezahl = %	Jugendfrei ab 14 Jahren Stückezahl = %
1938	99	57	21,7 %	19,8 %
1939	111	68	35,5 %	12,2 %
1940	85	61	13,6 %	6,8 %
1941	67	33	12,6 %	10,7 %
1942	57	38	5,13 %	6,8 %
1943	78	42	8,6–11 %	19,5–25 %
1944	64	35	5,8– 9 %	12,8–20 %
1945			5	0,0 %

Zusammengestellt vom Verfasser auf der Grundlage des A. Bauer-Spielfilmalmanachs.

Staatspolitische Schulfilmveranstaltungen

Im Oktober 1933 wurden in den Volks-, Mittel- und Höheren Schulen (in den allgemeinbildenden und Fachschulen) die sogenannten »Staatlichen Schulfilmveranstaltungen« eingeführt. Diese obligatorischen Veranstaltungen fanden zunächst einmal im Monat statt. Über die Auswahl der »staatspolitischen Pflichtfilme« bestimmten das Reichserziehungsministerium und das ProMi, zur Durchführung wurden die Gaufilmstellen der Partei einbezogen. Die Eltern begegneten diesem Novum größtenteils mit Mißtrauen und Unzufriedenheit. Es kam sogar zu Protestaktionen. U. a. wurde der Eintrittspreis (0,20 RM) beanstandet.[5] In seinem Erlaß vom 26. 6. 1934, in dem die »Gemeinsamen Richtlinien« über die staatspolitischen Veranstaltungen veröffentlicht waren, wurden die Schulaufsichtsbehörden ermächtigt, Unterrichtszeit für diese Veranstaltungen freizugeben und diese Vorführungen als Bestandteil des Unterrichts zu betrachten.[6] Die Zahl der Filmveranstaltungen wurde zugleich von 10 auf 4 im Schuljahr vermindert und auch der Eintrittspreis auf nur 15 Rpf festgesetzt. Für 10 % der Besucherzahl konnte man unbemittelten Kindern Freikarten zur Verfügung stellen. Es fehlte weiterhin nicht an Protesten und Aufklärungsaktionen.[7] Die Jugend, die in geschlossenen Klassenverbänden ins Kinotheater getrieben worden war, zeigte nicht immer die Neigung, dem Geschehen auf der Leinwand zu folgen. Im Zuschauerraum entwickelte sich ein dynamisches Eigenleben. Die »staatspolitischen Pflichtfilme« weckten nicht immer Interesse bei der Jugend. Sie wurden nicht selten mit entsprechenden Kürzungen vorgeführt, die das Reichserziehungsministerium verfügte.

Der Kriegsausbruch blieb nicht ohne Einfluß auf die Qualität und Quantität der Schulfilmveranstaltungen. Bereits 1939 wurden die Fachschulen von dem Zwang befreit. Mit Verspätung wurden die »Staatspolitischen Schulfilmveranstaltungen« in den eingegliederten Gebieten eingeführt, im Reichsgau Wartheland z. B. erst Ende Februar 1941: mit dem Film »Sieg im Westen«.[8] Für eine Weiterentwicklung war keine Zeit mehr. Mit einer Verfügung des Reichserziehungsministers vom 10. 2. 1942 wurden diese Veranstaltungen im Bereich des ganzen Schulwesens im Reich – »für die Kriegszeit« – eingestellt.[9] Als einziger Veranstalter geschlossener Vorführungen für die Jugend blieb die HJ übrig.

Jugendfilmstunden der Hitler-Jugend

Im System des NS-Totalitarismus sollten nicht nur die Schulfilmveranstaltungen allein an der Formung der jungen Generation mitwirken. Die filmische Betreuung der Jugend gehörte auch zum Aufgabenkreis der Partei und ihrer Gliederungen, vor allem der Hitler-Jugend. Die filmische Betreuung galt hier als eine Gemeinschaftsaufgabe der NSDAP und der HJ. Auch organisatorisch: Der Leiter der Hauptstelle Jugendfilm im Hauptamt Film der Reichspropagandaleitung der NSDAP war – bis zum Herbst 1944 – zugleich Verbindungsführer zur Reichsjugendführung und damit Abteilungsleiter im Presse- und Propagandaamt der Reichsjugendführung (RJF). Nach einer Vereinbarung zwischen RJF und RPL besaßen die Gaufilmstellen einen Stellenleiter Jugendfilm, der gleichzeitig in der Presse- und Propagandaabteilung der zuständigen HJ-Gebietsführung Hauptstellenleiter war.

Die »Jugendfilmstunden des Deutschen Reiches« verdankten ihre Entstehung – offiziell – einer Initiative der HJ-Organisation. Im April 1934 fand im Ufa-Palast in Köln die erste große Veranstaltung dieser Art statt. 1936 wurde in einer Anweisung der RFK festgestellt, daß der Begriff »Jugendfilmstunden« nur noch für die von der HJ veranstalteten Filmfeierstunden benützt werden dürfe. Zu dieser Zeit wurde auch diese Filmarbeit durch die festumrissenen Bestimmungen in den Dienstbetrieb der HJ übernommen. Die Teilnahme an den Jugendfilmstunden betrachtete man als Jugenddienst. An diesen Veranstaltungen sollten alle Jugendlichen bis zum vollendeten 18. Lebensjahr, aber auch die älteren Mitglieder der HJ teilnehmen. Ferner nahmen teil: die Jugendlichen der Napola und Lehrerbildungsanstalten, die Luftwaffen- und Marinehelfer aus den Reihen der HJ.

Millionen von Jungen und Mädchen wurden durch die Jugendfilmstunden in die Filmtheater geführt. Wie sah das aus? Ein Zeitgenosse berichtete darüber: »Schon der gemeinsame Aufmarsch in geschlossener Formation gibt der Vorstellung einer Hitler-Jugend-Filmstunde einen ganz anderen Auftakt, eine ganz andere Resonanz. Sie wird, wenn die Plätze eingenommen sind, vertieft durch den Gesang der Lieder, die in der Hitler-Jugend eine so bedeutende Rolle spielen, weil sie, aus dem volksbewußten Geiste dieser Jugend geboren, immer wieder eine durch nichts zu übertreffende gemeinschaftsbildende Kraft offenbaren.«[10] Zu dem Hauptfilm gab es eine besondere Einführung. Handelte es sich um Filme, die einen besonders schwierigen Inhalt hatten, konnte danach der nächste HJ-Heimabend Klärung bringen. Es fehlte auch nicht an Ratgebern. Ferner gab die RPL seit 1937 das monatlich erscheinende Mitteilungsblatt »Der Jugendfilm« heraus. Die Zahl der Veranstaltungen und der teilnehmenden Mädel und Jungen schnellte sprunghaft in die Höhe, wie die nachfolgende Aufgliederung zeigt:

Spielzeit	Zahl der Veranstaltungen	Zahl der Besucher
1937/38	3 563	1 771 236
1938/39	4 886	2 561 489
1939/40	8 244	3 538 224
1940/41	12 560	ca. 4 800 000
1941/42	ca. 15 800	ca. 5 600 000
1942/43	ca. 45 300	ca. 11 215 000

»Jugendfilmstunden« wurden auch in der Freien Stadt Danzig und – im Kriege – in dem vom Deutschen Reich »betreuten« Ausland für die dortige deutsche Bevölkerung veranstaltet.

Alljährlich zum Herbst eröffneten der Reichspropagandaminister und der Reichsjugendführer die neue Spielzeit der Jugendfilmstunden gemeinsam. An diesen Tagen wurden auf Befehl des Reichsjugendführers in zahlreichen deutschen Filmtheatern parallele Jugendfilmstunden durchgeführt, in denen die Übertragung der Feierstunde und der Ansprachen abgehört wurde. In seiner Rede vom 5. 11. 1939 erklärte Goebbels: »Ich habe mich entschlossen, die deutschen Kinotheater an den Sonntagvormittagen für diese Zusammenkünfte zur Verfügung stellen zu lassen. Ich habe auch mit dem Reichsjugendführer Vorsorge getroffen, daß die geldlichen Voraussetzungen für diese sich regelmäßig wiederholenden Zusammenkünfte der deutschen Jugend gesichert werden.« Einer Anweisung der RFK nach, hatten die Filmtheater an Sonntagen monatlich einmal, und soweit die örtlichen Verhältnisse es erforderlich machten auch zweimal, zur Durchführung von Jugendfilmstunden zur Verfügung zu stehen. Für die schulpflichtigen Jahrgänge der HJ war es auch möglich, an Wochentagen von montags bis einschließlich freitags die Filmtheater zur Verfügung zu stellen. Es ging vor allem um Wintermonate, weil der Sommer durch Sport- und Lagerveranstaltungen besetzt war. Trotz der Schwierigkeiten und Geldverluste mußten sich die Filmverleiher und Theaterbesitzer dieser filmischen Betreuung der Jugend nolens volens anpassen. Nach den im November 1939 eingeführten Vorschriften stellten die Filmverleiher die Filme für die Jugendfilmstunden – nach einer Liste – kostenlos zur Verfügung. Die Kinobesitzer erhielten für jede Veranstaltung zur Deckung entstandener Kosten von der HJ nur 5 Rpf pro Platz. Der Eintrittspreis betrug dagegen für die Teilnehmer grundsätzlich 20 Rpf. Aus dieser Einnahme sollten alle Unkosten der Jugendfilmstunden bestritten werden. Den Verkauf und die Kontrolle der Eintrittskarten hatten schrittweise die Filmtheater übernommen. Nach der Vorführung wurde die Abrechnung erstellt und vom HJ-Bann an die Gaufilmstelle übersandt. Von der Gaufilmstelle erfolgte daraufhin zentral die Bezahlung der Theatermiete und der entstandenen Versandkosten usw. Die Veranstaltung als solche war steuerfrei. Im Hinblick auf den besonders politisch wichtigen Zweck der HJ-Filmstunden und das für sie erhobene geringe Eintrittsgeld ersuchte man 1941 die Gemeinden, von der Erhebung der Vergnügungssteuer für diese Veranstaltungen abzusehen. Nach der Unkostendeckung sollte nach Möglichkeit noch ein Betrag übrigbleiben, der dem eigenen HJ-Filmschaffen zugeführt werden sollte.

Die Möglichkeiten zur Erholung und Entspannung, zu Reisen, Sport und Theaterbesuch schrumpften im Krieg immer mehr zusammen. Dem Film erwuchs dadurch die Aufgabe, die fehlenden Möglichkeiten der Freizeitgestaltung in wachsendem Maß zu ersetzen. Mit dem 1. Mai 1943 wurden die Jugendfilmstunden auch auf kinolose Orte ausgedehnt. Zur Durchführung standen die Tonfilmwagen der Gaufilmstellen zur Verfügung. Die Filmvorführungen fanden nachmittags an den Tagen der üblichen abendlichen Erwachsenenvorstellungen statt. Sonntags waren die Jugendfilmstunden nicht nachmittags, sondern, soweit möglich, vormittags angesetzt. Der Filmwagen erschien durchschnittlich nur einmal monatlich im Ort, und der Besuch war infolgedessen sehr stark. An den Jugendfilmstunden nahmen in der Regel nur die noch nicht Vierzehnjährigen teil, während die über Vierzehnjährigen, sofern der Film für sie zugelassen war, lieber die Vorführungen für Erwachsene besuchten. Die Einführung der Jugendfilmstunden in den kinolosen Orten war, wie überhaupt das Aktivieren der Filmveranstaltungen auf dem flachen Lande, die Konsequenz der Binnenwanderung der Stadtbevölkerung infolge des Luftkrieges. Anläßlich der Eröffnung der neuen Spielzeit der Jugendfilmstunden erklärte Goebbels: »Ihr sollt hier im Einerlei des harten Kriegsalltags Entspannung, aber auch Aufrichtung und Erbauung finden.«

Die Auswahl von Filmen war für die Jugendfilmstunden von größter Bedeutung: jedenfalls für die vom Lenkungsapparat. Für die Filmverleiher und Kinobesitzer dagegen waren die Jugendfilmstunden ein notwendiges Übel. Anfangs verwendete man zur Vorführung in den Jugendfilmstunden nur ältere Filme. Später, d. h. vor allem im Kriege, wurden solche Filme bald nach dem Anlaufen in den Lichtspieltheatern freigegeben, die der Jugend »besondere Werte« vermittelten. Die RFK legte dazu folgende Anweisung fest: »Alle für Jugendfilmstunden zugelassenen Filme stehen in Zukunft zur Durchführung von Filmfeierstunden der Jugend im Soforteinsatz zur Verfügung. Sie können unmittelbar nach der Reichsuraufführung im Rahmen des regulären Spielprogramms der Filmtheater in Jugendfilmstunden gezeigt werden. Das örtliche Erstaufführungsrecht ist selbstverständlich zu beachten.«[11] Weniger günstig sah die Sache in den kinolosen Orten aus. Hier standen die mit dem Prädikat »staatspolitisch wertvoll« oder »staatspolitisch besonders wertvoll« versehenen Filme drei Monate, alle übrigen jugendfreien Filme sechs Monate nach Reichsuraufführung für diesen Einsatz zur Verfügung. Daneben wurden – nach wie vor – alle »geeigneten« älteren Filme, soweit sie nicht gerade für Repriseneinsätze gebraucht wurden, für die Jugendfilmstunden ausgewertet.

Es gab auch Jugendfilmstunden besonderer Art, z. B. aus Anlaß der Verpflichtung der Jugend, im Rahmen der von der HJ geleisteten Berufsaufklärung (die Sonderformationen: Reiter-HJ, Marine-HJ, Motor-HJ, Flieger-HJ und Nachrichten-HJ waren unmittelbare Rekrutierungsreserven für die Spezialtruppen der Wehrmacht), ferner auch »Wochenschau- bzw. Kulturfilm-Jugendfilmstunden«. Die »Wochenschau-Jugendfilmstunden« (auch mit Eintrittsgeld von 20 Rpf) gehörten zu den fakultativen Filmveranstaltungen.

Die Jugendfilmstunden wurden auch in den letzten Monaten des Dritten Reiches veranstaltet. Noch im März 1945 wurde der Einsatz des Films »Kolberg« im Rahmen der Jugendfilmstunden »in verstärktem Maße« angeordnet.[12]

Jugendspielfilme

Jugendspielfilme (Filme über Jugend, mit Jugend und – vor allem – für die Jugend) gab es im Dritten Reich erstaunlicherweise wenig. Vor dem Krieg aus kommerziellen Gründen, im Krieg dagegen war es überhaupt schwer, den Bedarf an Filmen zu decken. Aber nicht nur quantitativ, sondern auch qualitativ ging es dem Jugendspielfilm nicht rosig. Der Film »Emil und die Detektive« nach dem gleichnamigen Roman von Erich Kästner (1928, ferner als Theaterstück 1930), der seit 1930 Millionen Menschen – vor allem Jugend – in die Kinos lockte[13], blieb in der NS-Zeit ein unerreichbares Beispiel. Noch im Jahre 1944 schrieb ein kompetenter Fachmann für den NS-Jugend-

70. Aus dem Film »Kopf hoch, Johannes«

spielfilm über das Werk: »Der Erfolg konnte bisher von keinem anderen deutschen Jugendspielfilm übertroffen werden. In Europa und Amerika brachte dieser Film noch nach Jahren wochenlang volle Häuser. Die Presse überschlug sich in Lobeshymnen. Selbst Amerika sollte sich an diesem Musterbeispiel für: ›Kinderführung vor der Kamera‹ ein Beispiel nehmen. Und: das Ausland nahm sich ein Beispiel! Das Ausland arbeitete weiter! Deutschland jedoch ließ sich die Führungsvollmacht einfach wieder aus den Händen gleiten.«[14] Aus politischen Gründen wurde »Emil« im Dritten Reich wenig gespielt.[15] Auch schufen die politischen Gründe kein geeignetes Klima für die Gestaltung von Unterhaltungsfilmen für die Jugend. Diejenigen, die gedreht wurden, dienten mehr der »NS-Erziehung« als der Unterhaltung.

Der erste abendfüllende Jugendspielfilm entstand bereits 1933. Hans Steinhoff drehte diesen Film »vom Opfer der deutschen Jugend« mit jugendlichen Darstellern und Berufsschauspielern. Unter den letzteren war auch Heinrich George. Der Film ging unter dem Titel »Hitlerjunge Quex« in die Kinos und machte Schlagzeilen im

587

Reich und im Ausland (U: 19.9.1933 in München; P: kbw). Der Streifen blieb bis in die späten Kriegsjahre im »eisernen Repertoire« der Kinos.

Für den Kinder-(Jugend-)Spielfilm engagierte sich Fritz Genschow als Regisseur, Co-Produzent und Schauspieler. Sein bekannter Film aus dem Jahre 1937 (Tobis-Degeto) hieß »General Stift und seine Bande«. Es war ein Film mit Kindern als Hauptdarstellern, es spielten aber auch Erwachsene mit, u. a. Ilse Stobrawa, Paul Mederow und der Regisseur Fritz Genschow. Genschow gestaltete auch kurze Spielfilme wie »Jungjäger« (u. a. mit Renée Stobrawa, Helga Marold und dem Regisseur in den Rollen), »Die Mühle von Werbelin« (mit einer Gruppe Berliner Kinder, Eduard Wenck, Willi Schur und Paul Mederow), wo die Kameradschaft und produktive Aktivität der Kinder in der Ferienzeit gezeigt wurde, oder, auch im Ferienmilieu, »Die Sänger von der Waterkant«. Hier traten im Film neben den Berliner Kindern die Mitglieder des Mozart-Chors auf. Fritz Genschow gestaltete auch einige Märchenfilme. Kurze Spielfilme für die Kinder schufen ferner Richard Groschopp (»Bommerli«), Kurt Rupli (das Märchen »Das Hemd des Glückes«) oder Curt Oertel (»Pole Poppenspäler«). Auf einen abendfüllenden Jugendspielfilm mußte man länger warten.

Nach einer Idee und unter Mitautorenschaft von Toni Huppertz drehte 1940 die Majestic-Film den Streifen »Kopf hoch, Johannes«. Der Film war vor allem für die Jugend gedacht, daneben aber auch zur zeitgemäßen Unterrichtung der Erwachsenen.[16] Den Regieauftrag erhielt Viktor de Kowa. In einem Interview, bald nach dem Einzug der deutschen Truppen in Paris, sagte er (FK, 20.6.1940): »Die Aufgabe, ein Abbild zu schaffen von dem Leben dieser jungen Generation, dieser zukünftigen Führerschaft Großdeutschlands – das ist eine Arbeit, für die man sich ehrlich und ohne Vorbehalte begeistern kann.« Die Story dieses Films war mit der Erziehungsarbeit der »Napola« (Nationalpolitische Erziehungsanstalt) verbunden, in der »ein aufgeschlossener, herzlicher, leistungs- und verantwortungsbewußter Geist die junge Mannschaft formt«. Der Filmheld, Johannes, der verwöhnte Sohn eines Gutsbesitzers »mit Offizierscharakter«, kam blasiert und unkindlich von den argentinischen Verwandten seiner verstorbenen Mutter nach Deutschland zurück (die deutschfreundliche Neutralität Argentiniens nicht zu vergessen!). Der Vater sah die einzige Möglichkeit, den Sohn wieder »geradezubiegen«, darin, daß er ihn einer »Napola« anvertraute. Dort stellte der Filmheld die Kameraden auf verschiedene Geduldsproben. Am Ende siegte aber die verlogene NS-Wahrheit: Johannes wird ein vollwertiges Mitglied der »Napola«, »ein ganzer Kerl«, sein Vater heiratet die Schwester seiner Frau, die mit Johannes aus Argentinien gekommen war. Der junge, bis zu seinem tragischen Ende mit nationalsozialistischen Ideen betäubte Schauspieler Klaus Detlef Sierck, Albrecht Schoenhals und Dorothea Wieck spielten die Hauptrollen, Leo Peukert, Volker von Collande, Otto Gebühr, Hans Zesch-Ballot und Eduard von Winterstein traten in den wichtigeren Nebenrollen auf. Die Oberste Leitung der Nationalpolitischen Erziehungsanstalten zeigte volles Entgegenkommen. Im Schloß Oranienstein bei Diez an der Lahn konnte Viktor de Kowa einige Zeit mit der Jugend leben, essen und spielen, um das Leben in der dortigen Napola kennenzulernen und es danach im Film zu gestalten. Mit Erfolg? A. U. Sander urteilte: »Der Film ist im Wollen steckengeblieben, er hat noch nicht die Stufe des überzeugenden Könnens erreicht«[17] (U: 11.3.1941).

Reichsjugendführer Axmann übernahm die Schirmherrschaft über den 1941 gedrehten »Jakko«. Die literarische Vorlage lieferte der gleichnamige Roman von Alfred Weidenmann. Es war eine unkonventionelle Art des Jugendbuches, das eine Welt zeigte, in der nicht nur von Uniformen und der Fahne die Rede war. Über das Buch – es erschien 1939 in Stuttgart – schrieb die Kritik: »Man möchte dem Buch auch viele erwachsene Leser wünschen.« Den Film gestaltete Fritz Peter Buch (Regie und Drehbuch). Jakko war ein elternloser Artistenjunge, der von einem kleinen Wanderzirkus weggelaufen war und dann in einer norddeutschen Stadt seine Heimat fand. Es war ein weiter Weg für den verwahrlosten Jungen, sich aus dem ungebundenen, zigeunernden Zirkusleben in geordnete bürgerliche Verhältnisse hineinzufinden. Den kleinen Jakko spielte Norbert Rohringer, neben ihm Eugen Klöpfer, Aribert Wäscher, Albert Florath, Hans Meyer-Hanno, Carsta Löck, Hilde Körber, Trude Hesterberg, um nur die wichtigsten Darsteller zu erwähnen. Bei den Atelieraufnahmen in Johannisthal wirkten Berliner Schulkinder mit, bei den Außenaufnahmen in und bei Danzig standen die dortigen Marine-Hitlerjungen vor der Kamera (U: 12.10.1941; P: sw, vb). Bis zum 31.5.1942 hatte der Film nur 1,76 Mio. RM Inlandeinspielergebnisse. Der Züricher »Tages-Anzeiger« (29.8.1942) beurteilte den Streifen: »Das Buch ist ein wenig dürftig. Man hat es mehr mit einzelnen Episoden als mit einer durchgehenden, zwingenden Handlung zu tun, und das Ganze zielt auf eine Verherrlichung der Tugenden, die in der Hitler-Jugend gepflegt werden. Ein nur schwach umkleideter Tendenzfilm.« Und die Leipziger Jugendfilm-Forscherin A. U. Sander schrieb über den Film: »Während das Buch ›Jakko‹ zügig geschrieben ist und ungekünstelten Jungengeist atmet, sind im Film störende Schwülstigkeiten enthalten, über die man nur den Kopf schütteln kann. Sogar St. Pauli fehlt nicht, mit Neptun und Reeperbahn, Seejungfrau, sowie Hintertreppendiebstahl und Komplizenmord. Der schlanke, schwarzhaarige, temperamentvolle Zirkusjunge des Romans ist zur Wirkungsminderung im Film muttersöhnchenhaft blond arisiert, – man hat es zu gut mit ihm gemeint. Man raubte ihm damit Saft und Kraft. Er wurde in eine liebenswürdig lächelnde Schablone gepreßt.«[18]

Die weiteren abendfüllenden Jugendspielfilme hatten grundsätzlich das Gruppenerlebnis im Mittelpunkt der Handlung. Das beweisen schon die Filmtitel. So zunächst der Ufa-Film »Jungens«, der eine literarische Vorlage in dem Roman »Die 13 Jungens von Dünnendorf« von Horst Kerutt hatte. Eine Abenteuergeschichte mit vielen, großzügig angenommenen (Un-)Wahrscheinlichkeiten. Fischerdorf an der Kurischen Nehrung, Schmugglermilieu und dreizehn Hauptdarsteller mit tatenhungrigen Jungenherzen – diese Rollen wurden von den Jungen aus der Adolf-Hitler-Schule in Sonthofen gespielt. Diese Stärke und Kraft befreit das Dorf von allen dunklen Machenschaften. Robert A. Stemmle war der Regisseur, und die Musik zu diesem gezielten »Werbefilm für die Solidarität der Jugend zugunsten von Volk und Vaterland« (Fred K. Prieberg) schuf der bedeutende Komponist Werner Egk (unter Mitarbeit von Ludwig Preiss). Egks Musik enthielt auch einen Marsch, der vom Filmproduzenten den Titel »Marsch der deutschen Jugend« bekam und sogar auf einer Telefunken-Schallplatte »verewigt« wurde (U: 2.5.1941).

Weniger auf Unterhaltungseffekte als auf kriegsbedingte Probleme der Jugend-Erziehung und Disziplin war Roger Graf Normans Film der Terra »Himmelhunde« gezielt (»Schweinehunde, die immer erst an sich denken und nach den Gründen eines Befehls fragen, statt ihn einfach auszuführen, können wir nicht brauchen«). Im Schwäbischen Land am Hornberg hatten die »frisch-fröhlichen HJ-Segelflieger« ihr Schulungslager. Hier wurde ihre Begeisterung für das Fliegen in militärische Bahnen gelenkt. Die Luftwaffe brauchte viele und die Besten (U: 20.2.1942 in Berlin). A. U. Sander summierte zusammenfassend: »Der gute Wille, einen zünftigen Jugendfilm auf die Beine zu stellen«, sei »von beiden Streifen abzulesen«.

Der Publikumserfolg war mäßig. Man spürte die Halbheit und erwärmte sich nicht. Auch die Jugend blieb reserviert. Sie fühlte:»Das sind wir nicht. Der Handlungsauftrag des Drehbuches, der Wortlaut der Dialoge, die Zuspitzung der Konflikte überzeugen uns nicht.«[19] Nach Probeaufnahmen mit Jungen der »Napola« in Potsdam begannen am 3. 4. 1939 die ersten Aufnahmen zu dem »Pimpfe«-Film »Kadetten«. »Ein Jugendfilm, in dem gezeigt wird, aus welchem Holz die künftigen Offiziere geschnitzt sein müssen«, schrieb der Film-Kurier (4. 4. 1939). Karl Ritter drehte ihn für die Ufa, mit Felix Lützkendorf war er auch der Verfasser des Drehbuches.[20] Wie in den Filmen »Unternehmen Michael« oder auch »Urlaub auf Ehrenwort«, so schilderte er auch in den »Kadetten« nicht ein Einzelschicksal, sondern das einer Gemeinschaft. Die Fabel war nicht nur heldisch, sondern auch preußisch ausgerichtet. Während des Siebenjährigen Krieges machten die Russen einen Vorstoß auf Berlin. Als sie wieder abziehen mußten, führten sie die 4. Kompanie des Potsdamer Kadettenkorps, hundert neun- bis zwölfjährige Kadetten, als Gefangene mit. Die Jungen – die Gegenüberstellung der verschiedenen Jugendtypen war markig profiliert – bissen die Zähne zusammen und zeigten weder Furcht noch Schwäche. Unter ihnen Klaus Detlef Sierck, Sohn des (damals schon) bekannten Amerika-Regisseurs. Von ihrer Haltung beeindruckt, fand sich der ehemalige preußische Rittmeister (Mathias Wieman) zurück, der nach der Niederlage bei Kunersdorf zu den Russen übergelaufen war, weil er sich vom König zu Unrecht gemaßregelt gefühlt hatte: Er übernahm den Schutz von des »Königs kleinsten Kerls«, leitete ihren Kampf gegen die russischen Verfolger, verschanzte sich mit ihnen in einem alten Fort und ging, obwohl die Jungen ihren freien Abzug nicht mit seiner Auslieferung an die Russen erkaufen wollten, den Kosaken entgegen, deren Oberst er erschießen konnte, ehe er selbst im feindlichen Feuerhagel den Heldentod fand. Er hatte aber so die Zeit gewonnen, die die preußischen Soldaten brauchten, um zum Entsatz des Forts heranzueilen. Der Film wurde bei Produktionskosten von 860 000 RM bis August 1939 fertiggestellt. Am 16. dieses Monats informierte der Film-Kurier: »Der Karl-Ritter-Film ›Kadetten‹ wird auf dem Tag der Hitler-Jugend des Reichsparteitages des Friedens in Nürnberg uraufgeführt.« Aus außerpolitischen Gründen (Annäherung zur Sowjetunion) wurde der Film nicht zensiert und zur Aufführung nicht zugelassen.[21] Den späteren Einsatz des einstweilen zurückgestellten Filmes sah Goebbels bereits im Herbst 1939 vor.[22] Die feierliche Uraufführung fand endlich am 2. 12. 1941 in Danzig statt. »Kadetten« war der erste deutsche Jugendspielfilm, »der ›seinem‹ Publikum ein Lied geschenkt hat zum Nachhausetragen und Weitertragen« (A. U. Sander). Das Kadettenlied, das Herbert Windt komponierte, wurde gesungen, gepfiffen und marschierte noch Wochen und Monate später mit.

Am 25. Oktober 1942, anläßlich der Eröffnung der Jugendfilmstunden 1942/43, wurde in Gegenwart von Goebbels – der oberste Gleichschalter der deutschen Jugend Axmann war ebenfalls anwesend – der nächste »Pimpfe«-Film, »Hände hoch!«, uraufgeführt. Diesmal ging es um einen typischen Jugendfilm mit erzieherisch »fehlerlosen« Spannungen in der Handlung. Die Fabel war genau dem Zeitgeschehen angepaßt: Die Kinder aus dem luftgefährdeten Ruhrgebiet fanden in einem KLV-Lager in der befreundeten Slowakei ihre zweite Heimat. Erdacht für die Jugend, geschaffen durch die Jugend, war dieser Film zugleich für die Eltern bestimmt: In Filmvorführungen der Partei bekamen sie diesen Streifen über das ungestörte Leben ihrer Kinder in der Hohen Tatra zu sehen. Der Film wurde von den Behörden mit hohen Prädikaten honoriert (staatspolitisch und künstlerisch wertvoll), von der Presse gelobt und von der Jugend gut angenommen.[23] Bis Ende August 1943 wurden bereits mehr als drei Millionen Besucher dieses Films gezählt. Davon waren 75 % Jugendliche und der Rest Eltern. Alfred Weidenmann, der Regisseur des Films, erntete Lorbeeren.

Im Herbst 1943 fing man in der Ufa an, einen neuen Film über (und für) die »Soldaten von morgen« zu drehen. Wiederum übernahm Alfred Weidenmann die Regie (10 000 RM). Er schrieb auch (für 15 000 RM), zusammen mit dem »HJ-Dramatiker« Herbert Reinekker (9000 RM), das Drehbuch. Am Anfang der Dreharbeiten stand der Titel des Films noch nicht fest. »Jugend von heute« oder »Schritt ins Dunkel« (so im Deutschen Kulturdienst) sollte er zunächst heißen; oder »Schritt ins Leben« (so bei Walter Kempowski in seinem bekannten Roman »Tadellöser & Wolff« und im Film-Kurier vom 4. 1. 1944). Später entschied man sich für einen neuen, verführerisch schönen Titel: »Junge Adler«. Für den Film hatte der Regisseur vierzehn »rassisch einwandfreie« Jungen eigens aus der Allgäuer Elite-Schule für den nationalsozialistischen Nachwuchs in die Ufa-Studios geholt. Unter ihnen war auch der spätere Film-Star Hardy Krüger. Erinnerungen daran kamen dann im autobiographischen Roman »Junge Unrast«, ähnlich in dem erwähnten Roman von Walter Kempowski, der über die Teilnahme der jugendlichen Statisten bei den Außenaufnahmen in Warnemünde schrieb. Der junge Tiroler Dietmar Schönherr war in seiner ersten Rolle als einer der jugendlichen Hauptdarsteller zu sehen. Selbstverständlich traten im Film auch bewährte Berufsschauspieler auf: Willy Fritsch als Ausbildungsleiter, Albert Florath als ein jovialer, alter Freund der Jugend, Josef Sieber als Pilot oder Paul Henckels als Lateinlehrer. Der Film spielte in Lehrlingswerkstatt und -heim eines großen deutschen Flugzeugwerkes, in dem der Nachwuchs für die Luftfahrtindustrie herangebildet wurde. Er zeigte eine nach militärischen Grundsätzen gegliederte Gemeinschaft der Jugend anstelle der Familie. Die Jungen lernten und arbeiteten zugleich in dem Flugzeugwerk. »Das Fliegen« war für sie »ein Stück Religion«, zunächst, wenn möglich, auf einem Segelflugzeug. Gehorsam und Disziplin, aber auch Kameradschaft waren die Pfeiler, auf denen das ganze erzieherische System ruhte. Es gab natürlich auch Schwierigkeiten bei dieser Erziehung. Sportliche Ausbildung stand an erster Stelle, aber die »Intellektuellen« konnten auch Freude am Lateinunterricht finden. Das wirkte beruhigend auf die Eltern (U: 24. 5. 1944; P: skw). Der Film war auch als Exportware gedacht: im Rahmen der »Achse« natürlich. Auf einer Sonderveranstaltung wurde er den Diplomaten vorgeführt. Der Botschafter Japans, Oshima, beurteilte ihn enthusiastisch, und der bulgarische Gesandte erklärte: »Solche Jugend, wie ich sie im Film im Filmtheater erlebt habe, wird kein Churchill jemals überwinden.«[24] Für die Besucher im Reich war der Film »Junge Adler« – manche Kreise der Jugend ausgenommen – kein Ereignis. »Der Film interessiert nur einen Teil des Publikums«, meldete man aus Salzburg, in Oberstdorf und Wilhelmshaven gab es nur ein Durchschnittsergebnis, über Erfolge sprach man in Hameln und Gießen. Dagegen meldete Düsseldorf (UT-Kino) das schlechteste Ergebnis, das in diesem Theater bisher erreicht wurde.

»Bravo, kleiner Thomas« – der Stoff war bereits am 29. 3. 1943 genehmigt worden – ist der letzte Spielfilm, der an dieser Stelle zu erwähnen wäre. Die Verzögerung der Atelierarbeit verursachte eine Erhöhung der Produktionskosten (0,9 Mio. RM) dieses sonst billig kalkulierten Streifens. Auch dieser Film enthielt erzieherische Akzente: Gemeinschaftswerte, Kameradschaft, Sportertüchtigung, Opferbereitschaft, sogar Heldentum. Und das alles bei spannender Handlung, mit sparsamen Dialogen (Buch: Odo Krohmann). Aus verschiedenen KLV-Lagern hatte man unter Tausenden 23 Jungen (von 10 bis 13 Jahren) ausgesucht, ungefähr so viele, wie man für zwei »Mannschaften« brauchte. Der Kern der Handlung war nämlich mit dem Fußballspiel verknüpft. Nach einem verlorenen Spiel der »Sperlinge« gegen die »Krähen« konnten die ersteren nicht Revanche üben, weil der Ball entzweiging. Die Schuld am verlorenen Spiel traf den kleinen Thomas (von Hans Töller gespielt): Er schoß ein Selbsttor. Der von ihm selbstverfertigte Fußball aus Lumpen wurde von der Mannschaft der »Sperlinge« abgelehnt, und er selbst wurde jetzt nur als Ersatzmann geduldet. Als eines Tages Monika, ein kleines Mädchen, in den Kanal fiel, fand Thomas als einziger den Mut zum Rettungssprung. Der glückliche Vater stellte dem Retter als Belohnung für seine heldenhafte Tat einen Wunsch frei. Thomas wünschte sich das, was seine Kameraden ihm rieten: einen Fußball. Im nächsten Spiel durfte Thomas gegen die »Krähen« mitspielen. Aber es kam zu weiteren Komplikationen: Die zerbrochene Schaufensterscheibe beim Bäcker Knoll (gespielt von Rudolf Reif), das Problem der Wiedergutmachung, weil Thomas zeitweise als Dieb, der den Bäcker bestahl, angesehen wurde. Am Ende war aber alles wieder in Ordnung. Diese Erziehungs-Etüde (Arbeitstitel: »Junges Blut«) inszenierte der »aus dem Polnischen kommende« Regisseur Johannes Fethke. Unter den wenigen Erwachsenen spielte Elise Aulinger die Rolle von Thomas' Mutter. Der Film wurde in Prag gedreht und bereits im Sommer 1944 zensiert.[25] Aber erst im Februar 1945 kam er in die Kinos. Es war keine Zeit mehr, dem Film größeres Interesse zu schenken.

Berichtsfilme aus der Welt der Jugend

Hierher gehörten diejenigen Filme, die auf der Zensurkarte den Vermerk »Enthält keine fortlaufende Spielhandlung« trugen. Es waren vor allem Filme, die in Verbindung mit dem Presse- und Propagandaamt der Reichsjugendführung gedreht wurden. Diese Sparte umfaßte verschiedene Kurzfilme (Normal oder Schmal-Ton, manchmal noch stumm) mit reportageartigen Verfilmungen geschlossener Erlebnisse bzw. Ereignisse. Eine große Rolle spielten hier Filme über die »sportliche Ertüchtigung« der deutschen Jugend. Eine andere wichtige Gruppe bildeten Filme über die vormilitärische Ausbildung der Jugend oder Arbeitseinsatz-Filme und Reportagen von politischen Veranstaltungen.

Zu den bekanntesten – und, wie man behauptete, jugendwirksamen – HJ-Sportfilmen zählte man den Streifen »Aus der Geschichte des Fähnleins Florian Geyer« (647 m). Zwei Fähnlein führten ein Wintergeländekampfspiel durch und zeigten bei dieser Gelegenheit anerkennenswerte Fahrleistungen. Der Film wurde im Winter 1939/40 bei Ladis (Tirol) gedreht, mit etwa hundert Pimpfen aus der »Ostmark«[26]. Eduard Wieser (auch Mitverfasser des Drehbuches) führte Regie, an der Kamera stand Albert Höcht. Der Film wurde am 25. Juni 1940 zensiert und für den Verleih freigegeben: mit hohen Prädikaten. Die Sportaktivität der HJ-Einheiten zeigten ferner der Schmalfilm »Die Schlacht am grünen See« (1940), der Kletterfilm »Bergsommer« (1941; 530 m; P: vb) von Eduard Wieser und mit Albert Höcht an der Kamera, ferner der bekannteste von diesen Streifen, »Chieminger Seeschlacht« (1943; 548 m; P: s, vb; Produktionskosten: 53000 RM). Unverhüllte vormilitärische Ausbildung der HJ wurde deutlich in dem Streifen »Soldaten von morgen« (490 m) aus dem Jahre 1941. Der Film zeigte das Wandern, Klettern, Rudern, Reiten, Schwimmen, Springen, Boxen, Segelfliegen, Fechten und auch Schießen. Es fehlte auch nicht an starken »weltanschaulichen«, mit der Kriegslage verknüpften Akzenten. Den Film schuf Alfred Weidenmann (Buch und Regie) bei der DFG, aber im Verleih der Bavaria und im Auftrage der RJF (P: skw, vb)[27]. Der »Individualismus« im Sport-Film der HJ trat viel seltener hervor. So schilderte 1942 der Streifen »Auf dem Wege zur Meisterschaft« (446 m; P: vb) die »Kampf«-Erlebnisse des zwölfjährigen Jungmädels Bärbel, das zu den Entscheidungsläufen nach Garmisch kommen sollte. Diesen BDM-Eislauffilm gestaltete A. E Schneider, der auch mit B. Höcht hinter der Kamera stand. Die HJ in Garmisch wurde selbstverständlich auch in den »Gemeinschaftsfilmen« gezeigt: 1939 in dem Schmalfilm »4. Winterkampfspiele der HJ in Garmisch-Partenkirchen« (P: sw, vb).

Zu den »Gemeinschaftsfilmen« des BDM gehörte der Streifen »Alle Segel klar« (411 m), mit dem Buch und unter der Regie von Clarissa Patrix. Der Film entstand bei der Herbert-Dreyer-Film und wurde ganz kurz vor Kriegsausbruch zensiert. Eine Gruppe von Mädchen, Schülerinnen einer Yachtschule (die Aufnahmen wurden auf der Yachtschule in Flensburg gemacht), zeigte im Film ihre sportlichen Kenntnisse – alles nach militärischem Kommando. »Glaube und Schönheit« (453 m), ein DFG-Film von Anfang 1940, präsentierte junge Mädchen bei Sport und Spiel, marschierend und singend, aber auch bei der hauswirtschaftlichen Arbeit. Zu dieser Sparte zählten freilich filmische Reiseberichte. Die Auslandreisen der HJ waren freilich vor allem mit dem befreundeten Ausland verknüpft. Der 1936 und, als zweite Fassung, 1940 entstandene Streifen »Fahrtenbuch Albanien« schilderte Erlebnisse einer HJ-Gruppe auf der Reise durch dieses Land. »HJ-Führer im Fernen Osten« zeigte 30 HJ-Führer auf ihrer Japanreise im Jahre 1938. Die RJF war der Auftraggeber dieses Streifens, der seit 1939 als Schmalfilm in den Veranstaltungen der HJ eingesetzt wurde. Nach Kriegsausbruch konnte man solche weiten Reisen nicht mehr organisieren, aber europäische Länder standen weiterhin zur Verfügung. Im April 1943 ließ die Zensur den Schmalstummfilm »Pimpfe erleben Ungarn« (258 m; P: vb) zu. Es gab ferner eroberte Länder, wohin man reisen durfte. Eine Reichsjugendfahrt auf der Donau zeigte der Streifen »Die Nibelungen auf Fahrt« (1938). »Auf Ostkurs« (562 m) – 1941 im Auftrage des Reichsverkehrsministeriums gedreht – schilderte die Erlebnisse einer Berliner HJ-Gruppe, zunächst beim Bau von Schiffsmodellen und danach auf einer Fahrt als Passagiere der »Tannenberg«; dann weiter zu Fuß oder im Bus nach Königsberg, die Küste entlang (mit Ostseebad Cranz), über Masuren und Marienburg nach Danzig. Am Ende des Films lief die »Hansestadt Danzig« vom Seedienst Ostpreußen aus dem Zoppoter »Hafen« aus.

Blitzerfolge nationalsozialistischer Erziehung in der Napola (»Mit Liebe und eiserner Disziplin werden die Besten der deutschen Jugend hier erzogen« mit stark wirkenden HJ-Aufmärschen (Regie Johannes Häussler, Musik Georg Blumensaat) zeigte der Film mit Spielhandlung »Unsere Jungen« (530 m) [28]. Er erhielt auch eine spanische Fassung (»Nuestra juventud«).

Dem Grundsatz »Einsatz der Jugend« wurden die Erlebnisse verschiedener HJ-Einheiten bei einigen DFG- (für die RPL) -Filmen untergeordnet. 1935 entstand der Berichtsfilm »Jugend erlebt Heimat« (1191 m) mit Bildern aus dem ganzen Reich. »Heime der Hitlerjugend« (357 m) propagierte die Idee der HJ-Jugendheime (1938; P: sw). Den Film »Der Marsch zum Führer« (»Marschtritt Deutschland«) begann man bereits im Sommer 1938 in Bergen (Rügen) zu drehen. Der längere Film (1324 m) zeigte »begeisternde Bilder von deutscher Jugend, die im Norden, Süden, Osten und Westen des Reiches mit wehenden Fahnen nach Nürnberg aufbricht«. Im Film war die wechselnde Landschaft zu sehen und danach der triumphale Einzug in das Nürnberger Stadion während des Reichsparteitages 1938. Der Schluß blendete über auf die Festung Landsberg, wo Hitler

»Mein Kampf« geschrieben hatte. Zu dem Film schrieb Georg Blumensaat eine von Fanfaren durchklungene, hymnische Musik. Nach zahlreichen Änderungen wurde der Film erst im Januar 1940 zensiert (P: sw, küw, vb). »Hochland-HJ« (382 m) hieß ein Bavaria-Film A. E. Schneiders, ein Bericht von der Tätigkeit der HJ in Bayern in der Zeit von 1933 bis 1940.

Der 1939 gedrehte und am 30. 1. 1940 zensierte Streifen »Die Erde ruft« (Goebbels: »Gute Aufnahmen«, »schlechter Text«) suchte die Jugend für das Leben und die Arbeit auf dem Lande zu begeistern. Der Film (Regie Günther Böhnert, Musik Hans Steinkopf) schilderte die Tätigkeit der HJ und des BDM im Landdienst. Aufruf: »Jugend aufs Land! Der Landdienst ist die Bauernschule des deutschen Volkes« (527 m; P: sw, küw, vb). »Kriegseinsatz der Jugend« (591 m) präsentierte die einsatzfreudige Jugend bei Feuerwehr und Luftschutz, bei Ernte- und Bürohilfe, bei Kinderbetreuung usw. (P: sw, küw, vb). Der Film wurde auch als Lehrfilm eingestuft, und seit Sommer 1940 stand er im breiten Einsatz. Die Arbeit des Landdienstes der HJ in den polnischen zum Reich eingegliederten Gebieten schilderte der RPL-Film aus dem Jahre 1941 »Ostland – deutsches Land« (324 m) mit starken antipolnischen und antisemitischen Tendenzen.[29] »Außer Gefahr« (699 m) gab »einen lebendigen Einblick in die harmonische Gemeinschaft, die sich in den KLV-Lagern zwischen den Jungen und Mädeln aus allen Schichten unseres Volkes gebildet hat.«[30] Den Film realisierte 1942 A. Weidemann (P: sw, vb). Die HJ im Ferienlager (mit Sport, Unterricht und Musik) war in dem Streifen »Jugend musiziert« (469 m) zu sehen. Nach einem gutgebauten Manuskript drehte Alfred Stöger diesen Film mit E. W. Fiedler hinter der Kamera und mit R. Perak als Komponist. Alle diese Jugendberichtfilme wurden auch für Erwachsene in den öffentlichen Kinos eingesetzt.

Im Jahre 1942 wurde durch die Reichsjugendführung – später im Rahmen der Ufa-Sonderproduktion – die Filmschau »Junges Europa« ins Leben gerufen. Sie wurde mit der Wochenschau gekoppelt und obligatorisch vorgeführt, es entfiel sogar die Verpflichtung zur Vorführung eines Kulturfilms. »Junges Europa« erschien zum ersten Male mit der Wochenschau Nr. 624 am 22. 8. 1942 in den Kinos. Die politische Bedeutung dieser Filmschau hob die NS-Presse stark hervor: »Geschichtsschreibung unserer Zeit«, »Eine Jugend kommt durch den Film zur Sprache, die das junge Europa repräsentiert«. Es wurden darin bewußt Ausschnitte aus dem Leben der Jugend anderer (befreundeter) Länder gebracht. In dieser Reihe erschienen insgesamt acht Filme. Der Name ihres Gestalters, Alfred Weidenmann, wurde im Vorspann nicht erwähnt.

	Datum	Länge	Prädikate
»Junges Europa« I	22. 8. 1942	363	sw, küw, vb
»Junges Europa« II	24. 10. 1942	409	skbw, vb
»Junges Europa« III	21. 12. 1942	415	sw, kuw, vb
»Junges Europa« IV	19. 3. 1943	376	sw, vb
»Junges Europa« V	1. 7. 1943	363	sw, küw, vb
»Junges Europa« VI	18. 11. 1943	388	skbw, vb
»Junges Europa« VII	16. 5. 1944	407	sw, vb (?)
»Junges Europa« VIII Z:	?. 12. 1944	419	skbw, vb

In der Filmschau 2 erklang zum erstenmal das Kriegseinsatzlied mit dem Refrain: »Faßt an, Kameraden, faßt an! Wenn am Ende dieses Krieges einst am Tag des großen Sieges unser Führer um sich schaut, soll er leuchtend neben den Armeen auch die Banner seiner Jugend sehn.« In dieser Filmschau gab der Oberstammführer Weidenmann »ein klares Bild der Kriegsaufgaben« für die Jugend. Es waren zu sehen »Ausschnitte aus der Arbeit der Nachrichten-Hitler-Jugend, vom Ernteeinsatz der Jungen und Mädel und von der Kinderlandverschickung.« Auch der neue »Held des Tages«, Hauptmann Marseille, tauchte noch einmal auf der Leinwand auf. Hier noch, als Beispiel, eine kurze Inhaltsangabe der Filmschau Nr. 7, die mit der Wochenschau Nr. 714 gekoppelt in die Kinos ging. Diese Schau enthielt folgende Sujets: die Jugend der Slowakei (mit Tatra-Gebirgsaufnahmen), Rumäniens Jugend in der Rüstungsproduktion, an Spaniens heiligen Stätten (mit antikommunistischen Akzenten), Eltern besuchen die KLV-Lager, Fronturlauber als Gäste des BDM, Pioniere von morgen (über die »Wehrertüchtigung« der HJ), Major von Gaza bei seinen jungen Kameraden, Fuchsjagd der zukünftigen Gebirgsjäger, Jugend schafft für die Front.

Die letzten Pläne im Bereich des NS-Jugendfilms

War das ein Scherz? – könnte man heute fragen. Hanns J. Wille, mit der Planung und dramaturgischen Betreuung der Jugendfilmproduktion betraut, postulierte noch Ende März 1945: »Der bisher schon hervorgetretene Mangel an Jugendfilmen macht sich heute um so stärker bemerkbar, als der sich an die Jugend wendende Film berufen sein müßte, die gegenwärtige Einschränkung von Erziehungs-, Bildungs- und Entspannungsmöglichkeiten der Jugend auszugleichen. Deswegen ist gerade jetzt dem Film als jugendpublizistischem Führungsmittel im weitesten Sinne die dringend erforderliche Geltung und Auswirkung zu verschaffen.« Der Autor dieses Aufsatzes trat bei dieser Gelegenheit mit neuen Vorschlägen und Themen auf.[31]

Der Unterrichtsfilm

Rein theoretisch gesehen, sind Unterrichtsfilme nach ausschließlich pädagogischen Gesichtspunkten geplante und gestaltete Filme (eine Abart des Kulturfilms), die unmittelbar im Klassenunterricht oder in den Hochschulen eingesetzt werden sollen. Die Voraussetzungen des Unterrichtsfilms im Dritten Reich gingen weiter. Der MinErl. vom 26.6.1934 über die Einführung des Unterrichtsfilms in den Allgemeinbildenden Schulen des Deutschen Reiches bestimmte: »Der nationalsozialistische Staat stellt die deutsche Schule vor neue große Aufgaben. Sollen sie erfüllt werden, so müssen alle pädagogischen und technischen Hilfsmittel eingesetzt werden. Zu den bedeutungsvollsten der Hilfsmittel gehört der Unterrichtsfilm. (...) Erst der neue Staat hat die psychologischen Hemmungen gegenüber der technischen Errungenschaft des Films völlig überwunden, und er ist gewillt, auch den Film in den Dienst seiner Weltanschauung zu stellen. Das hat besonders in der Schule, und zwar unmittelbar im Klassenunterricht, zu geschehen.« Zur Leitung und einheitlichen Durchführung dieses Vorhabens schuf der Reichsminister für Wissenschaft, Erziehung und Volksbildung (RWEV) die Reichsstelle für den Unterrichtsfilm mit dem Sitz in Berlin. 1940 wurde diese Reichsstelle in Reichsanstalt für Film und Bild in Wissenschaft und Unterricht (RWU) umbenannt. Das Arbeitsgebiet der RWU war der planmäßige Einsatz des Films, d. h. besonders des Schmalfilms, in den Hochschulen, Allgemeinbildenden Schulen und Fachschulen.

Der RWU unterstanden die Landesbildstellen, die die eigentliche Arbeit der Filmstellen in den Schulen leiteten. Nach dem Stand von 1942 betrug die Zahl der Landesbildstellen des »Großdeutschen Reiches« insgesamt 35 + 1, davon selbst im »Altreich« 24. In Österreich gab es vier Landesbildstellen (Wien, Linz, Graz, Innsbruck), in der

Tschechei zwei: für den Sudetengau in Reichenberg und für das Protektorat Böhmen-Mähren in Prag. Oberschlesien hatte eine gemeinsame Landesbildstelle mit Sitz in Oppeln, Gau Wartheland eine Bildstelle in Posen und Gau Danzig-Westpreußen eine in Danzig. Übrigens gab es in Danzig bereits vor 1939 eine Bildstelle, die, obwohl die Freie Stadt Danzig kein Bestandteil des Deutschen Reiches war, in Zusammenarbeit mit dem RWEV stand. Ferner gründete man die Landesbildstelle in den annektierten Gebieten Frankreichs (Straßburg, und Luxemburg in Luxemburg). Es entstand sogar eine Landesbildstelle Ostland mit Sitz in Riga. Für das Generalgouvernement schuf man dagegen eine Zentralstelle für Film und Bild in Krakau, die der Hauptabteilung Wissenschaft und Unterricht der »Regierung des GG« unterstand.

Leistungen der RWU

Es wurden hergestellt:

Bis zum 1. 1. 1941	Bis zum 1. 4. 1942	
230	250	Filme für Allgemeinbildende Schulen (außerdem 71 in Produktion)
72	100	Filme für Berufs- und Fachschulen (außerdem 8 in Produktion)
17	27	Filme für Landwirtschaftliche Berufs- und Fachschulen (außerdem 14 in Produktion)
424	460	Filme für die Hochschulen (außerdem 218 in Produktion)

Es wurden ausgeliefert:

41 759	43 889	Schmalfilmvorführungsgeräte
324 673	454 968	Filmkopien (16 mm) in einer Länge von 52 776 288 m
650 000	2 000 000	Lichtbilder (Schul-Kernreihen)

Die Filmarbeit in der Schule war völlig auf den 16 mm breiten, stummen Schmalfilm abgestellt (10 bis 15 Min.). Von den Vorführungsgeräten in den Landesbildstellen sind hier vor allem zu erwähnen: Standard (Siemens) und Kinox (Zeiss-Ikon), ferner Iso und Super

(Agfa), Pantalux und Selekton (Bauer). Unter den Filmen gab es verschiedene Themengruppen, wie z. B. Schaffendes Volk, Aus fernen Ländern (hier gab es auch Filme mit kolonialpolitischen Tendenzen).

Aus dem Reich der Natur, Geschichte (darunter auch direkte Kriegsfilme wie »Stapellauf des Kreuzers Prinz Eugen« (F 214), »Fallschirmjäger« (F 239) – der übrigens zu den beliebtesten Filmen gehören sollte, »Pioniere schlagen eine Brücke«, »Eine Batterie geht in Stellung«, »Bau eines Flugzeuges« usw.[33]

Der Krieg hat die Einsatzmöglichkeiten des deutschen Unterrichtsfilms nicht nur territorial erheblich erweitert.[34] Die gesamte Bild- und Filmorganisation des Schulwesens wurde auch den kämpfenden Truppen zur Verfügung gestellt. Nach der Einführung des totalen Kriegseinsatzes wurden bei der RWU und den nachgeordneten Bildstellen weitgehende Einschränkungsmaßnahmen vorgenommen.

Märchenfilme für die Kinder

Das Problem des Märchenfilms betrachtete man im Dritten Reich ständig als durchaus ungelöst. Es bliebe auch ein ungelöstes Rätsel – so damals die Kritiker –, »warum ausgerechnet die Amerikaner als Erste auf die Idee verfielen, in lustigen Trickfilmen die deutsche Märchenwelt zu filmischem Leben zu erwecken«. Noch zu Anfang des Krieges beklagte sich der Film-Kurier: »Es beschämt uns, denn wir Deutsche gerade sind es, die die Verpflichtung haben, auf diesem Gebiet voranzugehen. Wir haben Verpflichtungen dem Märchen gegenüber, vor allem auch dem Schatz deutscher Märchen, die wertvolles Kulturgut sind.«[35]

Zwar war die Familie der Märchenfilm-Produzenten in Deutschland nicht klein. Bereits 1928 hatte Alf Zengerling, ein opferwilliger Mann, den ersten deutschen Märchenfilm – das »Rotkäppchen« (536 m) – herausgebracht.[36] Er war auch später dem Märchenstoff treugeblieben. Mit seinen Filmen gewann er nicht nur die deutschen Kinder – in dieses Kino-Kinderparadies spazierten als Zuschauer nun auch gerne die Mütter und, nach Möglichkeit, Väter hinein –, sondern auch den ausländischen Markt. Es waren Schauspielerfilme, in die viele Naturaufnahmen einbezogen wurden. Von seinen neueren (seit 1933) abendfüllenden Kinderspielfilmen waren die bekanntesten »Hänsel und Gretel«, »Frau Holle«, »Der gestiefelte Kater« und »Dornröschen«. Im Sommer 1939 gestaltete Alf Zengerling (Buch und Regie) den ersten orientalischen Märchenfilm: »Die verzauberte Prinzessin« (1687 m). Die Außenaufnahmen wurden mit den Darstellern in Sarajewo, Mostar und Ragusa gedreht, literarische Vorlage war die Erzählung »Der Rubin« von Friedrich Hebbel. Der Film wurde am 16. 10. 1939 für die Vorführungen zugelassen. Er erhielt keine Prädikate und hatte – offiziell – nicht die beste Presse. Bis 1940 entstanden bei der Produktion Zengerling der abendfüllende Film »Rumpelstilzchen« (1736 m) sowie der Kurzfilm »Der Hase und der Igel« und »Der Froschkönig«. Das Erbe der Zengerlingschen Märchenfilmproduktion wurde gewissermaßen von der Firma »Naturfilm Hubert Schonger« in Berlin angetreten. Seit 1938 entstanden bei dieser Firma rund 40 Filme verschiedener Art für die Kinder: Schauspielerfilme, Buntzeichentrickfilme, Hohnsteiner Kasperfilme und sogar ein (?) Puppentrickfilm. Im Sommer 1939 wurden die Aufnahmen zu dem Hubert Schonger-(Buch und Produktionsleitung)-Film »Schneewittchen und die sieben Zwerge« nach dem Märchen der Brüder Grimm beendet. Zum Unterschied von Walt Disneys »Snow White and the Seven Dwarfs« in prächtigem farbigen Technicolor-Rahmen war Schongers Schwarz-Weiß-Film von menschlichen Schauspielern dargestellt, und zwar von Elisabeth Wendt, Marianne Simson, Ludwig Berger und sieben Liliputanern als Zwerge. Von Norbert Schultze stammte die Musik. Die Herstellungsarbeiten zogen sich in die Länge. Er war der letzte abendfüllende (2108 m) Schauspielerfilm für die Kinder, der in der Zeit des Dritten Reiches entstand. Am 7. 10. 1942 wurde er zensiert. Ihm wurden keine Prädikate zuerkannt. Walt Disneys »Schneewittchen« dagegen wurde in Deutschland nicht gezeigt – eine Ausnahme bildeten der »Führer«[37] und andere Große des Reiches[38] – wohl gerade zum Schutze dieses deutschen Films. Die Erfolge des Disneys-Werks in zahlreichen Ländern der Welt waren in der deutschen Filmwelt und auch im ProMi gut bekannt. Als »Ersterscheinung dieser Art« mußte der Film »einen besonderen Ertrag bringen«, aber er verdient sein Geld in Ländern, »in denen man nicht ohne weiteres unseren Geschmack als vorherrschend annehmen kann«, so beurteilte ein ProMi-Referent das Ereignis und fügte hinzu: »Der Disney-Film ›Schneewittchen‹ ist m. E. entgegen der Auffassung seiner Bewunderer eine geschmacklich völlig verfehlte Darstellung des deutschen Märchens.«[39]

Zwei Versionen hatte H. Schongers lustiger Märchenfilm »Tischlein deck' dich« mit Paul Henckels in der Hauptrolle (Musik von Norbert Schultze). Zu den bekanntesten Märchenfilmen dieser Firma gehörten ferner »Frieder und Caterlieschen« nach den Brüdern Grimm (Lucie Englisch spielte die Hauptrolle) aus dem Jahre 1940, »Hänsel und Gretel« aus demselben Jahre und »Das tapfere Schneiderlein« (1941). In Berlin beschäftigten sich mit der Herstellung von Kinderfilmen Fritz Genschow (in Zusammenhang mit der Degeto) und Kurt Stordel, ebenso wie einige andere Werbe- und Kulturfilmproduzenten. Stordel war Kunstmaler von Beruf. Seine Frau und der Komponist Fritz Wenneis standen ihm hilfreich zur Seite. Von ihm wurden einige Zeichentrickfilme hergestellt. Als Konkurrenz für Mickey Mouse schuf er das lustige Trio: Purzel, Brumm und Quak. In München war mit der Kinderfilmproduktion die Firma Gebrüder Diehl verbunden (in Zusammenarbeit mit der Reichsanstalt für Film und Bild). In München wurden im März 1944 auch die Aufnahmen zu dem Film »Der kleine Muck« beendet. In Friedrich Forster-Burggrafs Bühnenfassung des Hauffschen Märchens fand er die Vorlage, die filmgerecht ausgebaut wurde. Der kleine Willy Puhlmann spielte den Muck, Gustav Waldau den guten Mond und Elise Aulinger die böse Frau Ahazie. Auch andere bekannte Schauspieler aus München wirkten im Film mit. Franz Fiedler und Carl Peters inszenierten ihn, Ruth Hoffmann schrieb das Buch, an der Kamera stand Karl Attenberger, und die Musik schuf Fritz Wenneis. Ein paar Kinderfilme entstanden bei der Boehner-Film in Dresden, bei Körösi & Bethke in Berlin und einigen anderen Auftragsproduzenten. Im September 1944 wurden drei Filme der Boehner-Film zensiert und alle mit den Prädikaten anerkennungswert und volksbildend versehen: »Reise nach dem Mond« (674 m), »Der fliegende Koffer« (743 m) und »Kasper und Seppel im Urwald« (663 m). Vielleicht ging es um die letzten Produktionen dieser Art im Dritten Reich.

Filmvertrieb

Verleihbezirke des Großdeutschen Reiches

Am 17. Mai 1939 wurden für das »Großdeutsche Reich« 79 364 408 Einwohner gezählt. 50,4 % von ihnen lebten in Gemeinden unter 10 000 Einwohnern. Das »Großdeutsche Reich« war zu dieser Zeit noch identisch mit dem »Großdeutschen Filmwirtschaftsraum«. Er war in sieben Verleihbezirke eingeteilt, deren Direktionen sich in folgenden Städten befanden: Berlin, Leipzig, Hamburg, Düsseldorf, Frankfurt a. M., München und Wien. Nachstehende Zusammenstellung zeigt diese Einteilung:

Die Größe der Verleihbezirke
(Stand vom 17. 5. 1939)

Verleihbezirke	Ein- wohner	Hiervon in Orten über 10 000 Einw. %
Verleihbezirk Berlin –		
Ostdeutschland	12 230 566	58,6
Berlin	4 338 767	100
Mark Brandenburg	3 009 232	36,9
Pommern	2 394 029	34,4
Ostpreußen	2 488 538	35,8
Verleihbezirk Leipzig –		
Mitteldeutschland	18 835 851	42,9
Sachsen	5 232 929	55,6
Thüringen	1 744 323	38,2
Provinz Sachsen	3 618 701	44,4
Anhalt	431 686	56,3
Schlesien	4 863 933	40,7
Sudetenland	2 944 279	22,4

Verleihbezirke	Ein-wohner	Hiervon in Orten über 10 000 Einw. %
Verleihbezirk Hamburg – Norddeutschland	9 531 306	52,6
Hamburg	1 712 843	100
Schleswig-Holstein	1 589 119	44,3
Hannover	3 513 565	35,4
Mecklenburg	900 589	37,7
Braunschweig	583 922	47,7
Oldenburg	576 951	52,9
Bremen	413 759	91,1
Lippe	187 281	26,1
Schaumburg-Lippe	53 277	–
Verleihbezirk Düsseldorf – Westdeutschland	13 125 131	67,2
Westfalen	5 210 972	63,9
Rheinprovinz	7 914 159	69,4
Verleihbezirk Frankfurt – Südwestdeutschland	9 559 290	40,7
Baden	2 503 225	41
Hessen	1 468 468	39,5
Mainfranken	841 011	27
Saarpfalz	1 892 623	44,2
Hessen-Nassau	2 669 929	43
Kreis Heilbronn	184 034	41,9
Verleihbezirk München – Süddeutschland	9 609 692	37,4
Bayern ohne Pfalz und Mainfranken	3 333 327	37,1
Württemberg ohne Kreis Heilbronn	2 714 854	40
Tirol-Vorarlberg	487 667	28,9
Hohenzollern	73 844	–
Verleihbezirk Wien – Südostdeutschland Ostmark ohne Tirol-Vorarlberg	6 472 572	43,7

Noch vor der offiziellen Gründung der staatlichen Fachgesellschaft Ufa-Film GmbH wurde am 2.1.1942 die »Deutsche Filmvertriebs GmbH« (DFV) konstituiert und am 2.4.1942 mit einem Kapital von 5 Mio. RM ins Handelsregister eingetragen.[1] Am 1.6.1942 nahm sie ihre Tätigkeit auf. Damit war der Filmvertrieb in dieser Gesellschaft zusammengefaßt. Die bisherigen Vertriebsorganisationen der Bavaria, Tobis und Ufa überführten ihre Geschäfte in die DFV, die dann sämtliche Filme der sieben Produktionsfirmen: Bavaria-Filmkunst, Berlin-Film, Prag-Film, Terra-Filmkunst, Ufa-Filmkunst und Wien-Film im Inland betreute. Neben den deutschen Filmen übernahm die DFV eine Anzahl von ausländischen Spitzenfilmen. Im Rahmen der DFV arbeiteten vier Vertriebs-Direktionen, die Direktion Nord (mit Sitz in Berlin und unter der Leitung von Dr. Oscar Kalbus), die Direktion West (mit Sitz in Frankfurt/M.), die Direktion Süd (mit Sitz in München) und die Direktion Mitte (mit Sitz in Berlin). Diesen Vertriebsdirektionen waren zwanzig Zweigstellen untergeordnet. Nach einer Inventur vom 31.5.1944 verfügte die DFV über 595 zugelassene Filme mit 37000 Kopien. Bis zum 30.9. d. J. waren davon zweitausend ausgefallen. Von den 35 000 Kopien war etwa ein Drittel abgespielt. Zur Verwendung blieb ein Bestand von 26 634 Kopien.[2] Stets überstieg die Nachfrage das Angebot.

Eine führende Stellung im Kinderspielfilm-Verleihwesen hatte die Jugendfilm-Verleih GmbH in Berlin. Die vier weiteren deutschen Jugendfilmverleihfirmen: Rolandfilm in Düsseldorf, Czerny-Film in Wien, Roland-Film in Frankfurt am Main und Schnöd-Film in Mainz bildeten mit der Jugendfilm-Verleih GmbH eine Interessengemeinschaft. Die Jugendfilm-Verleih GmbH war auch bemüht, die Entwicklung des Kinderspielfilms sowohl quantitativ als auch qualitativ voranzutreiben. Die RPL unternahm im Sommer 1944 im Rahmen der Totalisierungsmaßnahmen Schritte, diese Firmen zu liquidieren und den Jugendfilmverleih in die Hauptstelle Jugendfilm des Hauptamtes Films der RPL einzugliedern.[3] Jedoch ohne Erfolg.

Auch beim Spielfilm blieb eine begrenzte Zahl der Privatverleiher bestehen. Ihre Bewegungsfreiheit war allerdings stark eingeschränkt.[4]

Im Juni 1944 wurde die Einstufung der Spielfilme in drei Klassen angeordnet. Filme, die wegen ihrer Regieleistungen oder ihres großen Unterhaltungswertes in die Klasse 1 gekommen waren, erhielten eine bevorzugte pressemäßige Vorbereitung. Die Produktionspressestellen gaben während der Dreharbeiten ein Sonderheft für diese

Filme heraus. Die Klasse 2 enthielt Filme, die normal liefen. Die Filme der Klasse 3 sollten dagegen in den schlechtesten Theatern gespielt werden, und zwar mit der Auflage, sie bereits nach einer Woche wieder abzusetzen. Das bedeutete, daß das Einspielergebnis dieser Filme eine erhebliche Minderung erfuhr. Dieser Eingriff in das Vertriebsgeschehen ließ große wirtschaftliche Schwierigkeiten befürchten. Man beschloß also, in die Klasse 3 vor allem Filme, die nicht oder weniger politisch tragbar waren, einzustufen. Die Beurteilung zeigte in der Regel die Tendenz, möglichst viele Filme der Klasse 2 zuzuordnen. Diese Einstufung blieb nicht ohne Einfluß auf die Einspielergebnisse.

Wegen Rohstoffmangels mußten auch die Kopienauflagen stärker als es dem Ausfall von Filmtheater entspricht herabgesetzt werden. Von ursprünglich 180 bis 200 – zu Anfang des Krieges – war die Zahl auf durchschnittlich 140–150 zurückgegangen. Nach dem Stand vom November 1944 erhielten Filme der Klasse 1 im allgemeinen 160 Kopien, der Klasse 2 140 Kopien und der Klasse 3 110 Kopien.[5] Weitere Herabsetzungen folgten. Die Kopien wurden auch langsamer angeliefert, sei es aus Mangel an Rohfilm, sei es, um die Menschen und Maschinen in den Kopieranstalten gleichmäßiger auslasten zu können. Die folgende Übersicht bekannter Filme aus den Kriegsjahren 1943/44 soll diese Aussagen veranschaulichen. Die Zahl der Kopien von einigen Filmen betrug: »Immensee« – 200, »Die Frau meiner Träume« – 140, »Der weiße Traum« – 175, »Schrammeln« – 200, »Zirkus Renz« – 207, »Tonelli« – 180, »Gabrielle Dambronne« – 200, »Das Bad auf der Tenne« – 200, »Nora« – 180, »Die Feuerzangenbowle« – 200, »Fritze Bollmann« – 55, »Sommernächte« – 110, »Kollege kommt gleich« – 170, »Familie Buchholz« und »Neigungsehe« je 180, »Meisterdetektiv« – 120 und »Romanze in Moll« – 200.[6] Schon im Dezember 1944 folgte eine weitere Beschränkung. Eine Vereinbarung der DFV mit dem ProMi bestimmte für die Filme der Klasse 1 – 110, der Klasse 2 dagegen nur noch 90 Kopien. Sofern das ProMi die Auflagen anders zu bemessen wünschte, wurde das jeweils angegeben.

Großdeutscher Kinopark
Kinodichte

Von insgesamt 93016 Filmtheatern in der ganzen Welt befanden sich 1938 über zwei Drittel aller Kinos, nämlich 63243, in Europa. Die

Angaben stützten sich auf eine Untersuchung des Handelsministeriums in den USA. Diese Zusammenstellung wies folgende Zahlen auf:

USA	16 228 Lichtspieltheater	alle Ton
UdSSR	30 000 Lichtspieltheater	8000 Ton
Deutschland	6 700 Lichtspieltheater	6650 Ton
England	5 300 Lichtspieltheater	alle Ton
Frankreich	4 600 Lichtspieltheater	3750 Ton
Italien	4 049 Lichtspieltheater	3800 Ton
Spanien	3 500 Lichtspieltheater	1600 Ton
Schweden	1 907 Lichtspieltheater	alle Ton
ČSR	1 305 Lichtspieltheater	1245 Ton
Belgien	1 100 Lichtspieltheater	950 Ton
Polen	769 Lichtspieltheater	743 Ton

Die stärkste Kinodichte in Europa wies Belgien mit 1100 Filmtheatern (525 000 Sitzplätze) auf. Hier gab es 135 Filmtheater auf eine Million Einwohner. Danach folgten England mit 109, Frankreich mit 100, Deutschland mit 77, Holland mit 38 und die Schweiz mit 30 Lichtspieltheatern.

Gliederung der Fimtheater nach Anzahl der Plätze
(Stand 1942)

Gesamtzahl		
6537 Filmtheater mit	2 651 749 Sitzplätzen	
darunter:		
3385 täglich spielende mit	1 731 596 Plätzen	
3152 nicht täglich spielende mit	920 153 Plätzen	
bis 300 Plätze	2765 Filmtheater	
301– 500 Plätze	2265 Filmtheater	
501– 750 Plätze	957 Filmtheater	
751–1000 Plätze	349 Filmtheater	
1001–1250 Plätze	141 Filmtheater	
1251–1500 Plätze	30 Filmtheater	
1501–2000 Plätze	22 Filmtheater	
über 2000 Plätze	8 Filmtheater	

Quelle: Zahlen zur deutschen Filmwirtschaft 1939–1944. Berlin (1945. Maschinenschr. autogr.)

608

Die Zahl der Filmtheater im »Altreich« betrug im Oktober 1938 5446. Auf Österreich entfielen mehr als 870 und auf das Sudetenland etwa 300 Filmtheater. Insgesamt standen 2,4 Mio. Sitzplätze zur Verfügung. In den statistischen Angaben nach 1939 wurden auch die weiteren eingegliederten Gebiete berücksichtigt, mit Ausnahme des Protektorats Böhmen und Mähren und des Generalgouvernements (aber mit Bezirk Bialystok).

1942 stand Deutschland mit der Zahl seiner Kinotheater – abgesehen von den USA – an erster Stelle. Nach den Angaben aus den Archivquellen betrug im August 1942 die Zahl der Kinotheater im »Großdeutschen Reich« (mit Ausnahme des Protektorats Böhmen und Mähren, des Generalgouvernements und von anderen besetzten, jedoch nicht eingegliederten Gebieten) insgesamt 6832. Dagegen befanden sich am Ende desselben Jahres im gesamten »großdeutschen Raum« – laut veröffentlichten Angaben – rund 8600 Kinotheater, darunter im »Großdeutschen Reich« 7042 (mit 2,758 Mio. Sitzplätzen), im Protektorat Böhmen und Mähren 1115 und im Generalgouvernement rund 200.

Veränderung des Bestandes an Filmtheatern im Oktober 1942 und 1943 und im März 1944 in den Großstädten

Stadt	Zahl der Spielstellen:		
	Oktober 1942	Oktober 1943	März 1944
Berlin	399	357	251
Wien	221	221	221
Hamburg	117	51	55
München	78	77	78
Köln	44	18	22
Leipzig	48	48	33
Essen	42	26	29
Litzmannstadt	13	13	14
Dresden	35	36	36
Breslau	38	36	37
Frankfurt a. M.	53	53	47
Dortmund	31	21	22
Düsseldorf	27	16	16

Quelle: Zahlen zur deutschen Filmwirtschaft 1939–1944 (Berlin 1945: Maschinenschrift, autogr.)

Die Kinozahl und das Platzangebot verschlechterten sich in einigen Städten wesentlich. Insbesondere in Berlin, Hamburg, Köln, Essen, Düsseldorf und Dortmund fielen sehr viele Kinos den Bomben zum Opfer. Die vorstehenden Zahlen sprechen für sich selbst.

Aus den bedrohten Großstädten evakuierten die Behörden Millionen von Menschen. Dieses ausgewanderte Heer der Interessenten stürzte sich auf die Vergnügungsstätten am Ort der Umquartierung, sofern die Evakuierten nicht auf das flache Land geschickt worden waren, wo es im Umkreis von Kilometern nicht einmal ein Kino gab. Und der Krieg, mit den Zerstörungen, die er mit sich brachte, dauerte noch an.

Mitte 1942 ergab sich für die Städte des Großdeutschen Reiches mit acht und mehr Kinos die folgende Anzahl von Lichtspieltheatern:[8]

Berlin	400	Mainz	17
Wien	221	Wuppertal	17
Hamburg	117	Graz	15
München	79	Stuttgart	15
Frankfurt a. M.	54	Solingen	14
Leipzig	48	Straßburg	14
Essen	42	Wiesbaden	14
Köln	41	Karlsruhe	13
Breslau	38	Litzmannstadt	13
Dresden	35	Augsburg	12
Dortmund	31	Halle / S.	12
Hannover	30	Lübeck	12
Magdeburg	30	Bonn	10
Düsseldorf	29	Kattowitz	10
Duisburg	29	Ludwigshafen	10
Bremen	27	Kassel	9
Stettin	27	Krefeld-Uerdingen	9
Nürnberg	25	Oberhausen	9
Danzig	22	Offenbach / Main	9
Gelsenkirchen	22	Aussig	8
Königsberg	21	Braunschweig	8
Mannheim	21	Darmstadt	8
Bochum	18	Hindenburg O / S.	8
Chemnitz	17	Recklinghausen	8
Kiel	17	Wesermünde	8

Bis zum 1. 8. 1943 hatten die Bomben 237 Kinos im Reich vernichtet. Das bedeutete noch keinen katastrophalen Ausfall. Seit Herbst 1943 forderte der Luftkrieg jedoch immer mehr Opfer unter den deutschen Filmtheatern. Die Filmwirtschaft bemühte sich, durch entsprechende Maßnahmen die Folgen dieser Theaterausfälle zu mildern. Ähnlich wie die Ufa haben auch andere Theaterbesitzer nach Möglichkeit ihre beschädigten Theater behelfsmäßig wieder hergerichtet oder Ersatz gesucht. In kleineren Orten wurde die Zahl der Spieltage pro Woche erhöht resp. zum täglichen Spiel übergegangen. In größeren Orten wurde die Zahl der Vorstellungen erhöht.[9] Im Mai 1944 äußerte eine Exil-Zeitung: »Im Ruhrgebiet kam es vor, daß kein Kino im Ort mehr benutzbar war, so daß in irgendwelchen Tanzsälen ein provisorisches Kino eingerichtet wurde. Im Berliner Spielplan sucht man z. B. vergeblich nach den drei Uraufführungstheatern rund um die Gedächtniskirche: Ufa-Palast am Zoo, Gloria-Palast, Capitol.«[10] In der Reichshauptstadt mußte man wirklich einige große Erstaufführungstheater zu Uraufführungstheatern erklären, wie das »Alhambra« am Kurfürstendamm oder das »BTL« in der Potsdamer Straße.[11]

An den Wiederaufbau völlig zerstörter Kinos war noch weniger zu denken als an den Neubau von Wohnhäusern. Für Filmtheater wie für jedes andere Gebäude hatte das Reich auf Grund der Kriegssachschädenverordnung Ersatz zu leisten. Trotzdem wurde 1943 ein »Gemeinschaftsfonds für Kinobau« gegründet, als eine zusätzliche »Neubau-Steuer« für die Kinobesitzer. Infolge der glänzenden Konjunktur erzielten allerdings die meisten Kinobesitzer beträchtliche Mehreinnahmen. Der Neubau bzw. der Aufbau war für die Friedenszeiten vorgesehen. Von den völlig zerstörten Kinotheatern hat die Ufa lediglich den Ufa-Palast in Mühlheim und den Eden-Palast in Berlin-Neukölln neu aufgebaut und in Betrieb genommen. 1944 fing man auch an, die Standard-Holzbau-Kinos in Serienbau herzustellen (500 000 RM). Diese »Barackenkinos« verfügten über 500 Sitzplätze.[12]

Im Jahre 1943 waren von insgesamt 7199 gewerblichen Spielstellen im Durchschnitt 6752 in Betrieb: am 31. 12. 1943 = 6561 und am 31. 3. 1944 = 6517.[13] Die Zahl der besetzten Plätze in Prozent der Aufnahmefähigkeit ging ständig in die Höhe. Noch 1931 und 1935 betrug sie lediglich 27,4 bzw. 28,1 %. 1939 betrug diese Zahl 41,5 % und im Jahre 1942 68,5 %. In dem Spieljahr 1942/43 betrug der Ausnutzungsgrad bereits 72 %. Der Zuwachs war viel bedeutender in den kleineren (also weniger luftgefährdeten) Gemeinden. So betrug der Ausnutzungsgrad in den Gemeinden unter 50000 Einwohner 88,5%, 50000 bis 100000 Einwohner = 71,7%, von 100000 bis 200000 Einwohner = 66% und über 500000 nur 58%.[14]

Nach Beginn der sowjetischen Offensive an der Ostfront im Januar 1945 strömten immer neue Nachrichten über den Ausfall der Kinotheater nach Berlin. Die Kinovorführungen in Kattowitz wurden vom 19. 1. an eingestellt, zwei Tage nach der schnellen Evakuierung der deutschen Filmleute aus Krakau. Am 20. 1. schlossen die Kammerlichtspiele in Oppeln ihre Pforten, der Kristall-Palast in Liegnitz und der Ufa-Palast in Görlitz wurden für die Aufnahme von Flüchtlingen beschlagnahmt. Am 21. 1. mußte das Münz-Theater in Königsberg – zunächst wegen Kohlenmangels – den Betrieb einstellen, ebenfalls am 20. 1. wurden die Aufführungen in Posen und einen Tag später in Bromberg abgesetzt. Am 9. 2. ordnete der Reichsverteidigungskommissar für Sachsen die Schließung der Filmtheater in allen Orten des Gaues Sachsen an. Durch Bombenangriffe wurden weitere Kinotheater zerstört: In Berlin am 3. 2. der Germania-Palast, die Ufa im Europahaus und die Ufa am Potsdamer Platz. Der große Luftangriff vom 13. zum 14. 2. zerstörte die Dresdener Kinos.[15] Es gab aber auch Nachrichten über Neueröffnungen: so am 1. 2. über das neueröffnete Bunker-Kino in Kiel.

Die knappe Stromversorgung verursachte rigorose Einschränkungsmaßnahmen. In einer geheimen Blitzvorlage vom 18. 1. 1945 schlug der Leiter Propaganda im ProMi Goebbels vor, »alle täglich spielenden Filmtheater an einem Tag in der Woche zu schließen, wobei der Sonnabend und der Sonntag ausgenommen bleiben« sollten.[16]

Kinotechnische Einrichtungen

Wie für alle anderen Teilgebiete der Filmproduktion, brachte die Tonfilm-Ära auch für die Kinotheatertechnik eine weitgehende Umgestaltung. Die bis dahin ziemlich primitiven Wiedergabeeinrichtungen mußten durch Tongeräte erweitert werden. Es gab ständige Verbesserungen der Projektionsmaschinen, insbesondere der seit 1909 entwickelten »Ernemann-Projektoren«. Mit dem Zeiss-Ikon-Projektor E (Ernemann) -VII-b, den man 1936 einführte (und bis 1951 in Dresden gebaut) hatte, erreichte die Entwicklung ihren vorläufigen

71. Der Vorführraum eines modernen Großkinos

72. Eine moderne
Tonfilmkamera

Abschluß und Höhepunkt. Die Kinotechnik hatte einen Standard erreicht, der nicht mehr die gleichen stürmischen Fortschritte zuließ wie in den Jugendjahren des Films. Eine Ausnahme bildete, was verständlich ist, die Projektionsapparatur für den Farbfilm.

Die Herstellung von Projektionsapparaten konnte man nach 1939 aus kriegsbedingten Gründen kaum erweitern. Der wachsende und modernisierte Kinopark schuf ständig neue Probleme. Auch an den Kriegsfronten mangelte es an Filmapparatur. Im Oktober 1942 erhielt Goebbels vom Führer eine Anweisung, die die Fertigung einfacher Vorführapparate für Frontkinos wünschte. Man unternahm entsprechende Schritte, jedoch mit wenig befriedigenden Resultaten. Die Lage verschärfte sich nach den ersten großen Luftangriffen, bei denen Lichtspielhäuser nicht selten mit ihren Vorführungsgeräten zerstört wurden. Für die Behelfskinos brauchte man auch Projektionsapparate. Zahlreiche Dienststellen aus den luftbedrohten Gebieten baten bereits im Sommer 1943 sowohl das ProMi als auch das Reichsinnenministerium um Hilfe. Goebbels verfaßte einen flammenden Appell. Aufgrund eines Erlasses des Reichsministeriums des Innern erfolgte nachfolgende dringende Umfrage (6.8.1943): »Da die Herstellung neuer Vorführapparaturen bis auf weiteres unmöglich ist, bleibt nur der Ausweg, daß nunmehr auf die zahlreichen Apparaturen zurückgegriffen wird, die in Dienststellen der Partei und des Staates, der Kommunalbehörden und Wirtschaftsorganisationen noch vorhanden sind. (...) Gebraucht werden Normalfilmapparaturen für Ton- oder Stummfilm, Schmalfilmapparaturen (16 mm) für Tonfilme sowie das gesamte erforderliche Zubehör.«[17]

Bildwerfer, Verstärker und Lautsprecheranlagen sowie Gleichrichter und Umformer gehörten ständig zu den meistgesuchten Filmgeräten. Bis 1943 war aber mindestens der Bedarf an Ersatzteilen für die meistgebrauchten Vorführgeräte vollständig gedeckt.

Besitzverhältnisse

Ein Filmtheatermonpol entstand im Dritten Reich nicht. Im allgemeinen behauptete sich der mittelständische Charakter des Kinobesitzes, im Kriege vom ProMi sogar gefördert. Dagegen waren die privaten Kino-Ketten nicht erwünscht. Durch eine Anordnung der RFK vom 11.7.1940 machte man den Anschluß weiterer Filmtheater für Kinobesitzer genehmigungspflichtig. Derjenige, der bereits ein Kino besaß, konnte nicht ohne weiteres ein zweites oder drittes hinzuerwerben. Die Genehmigung dazu sollte vielmehr nur dann erteilt werden, wenn sich das alte Theater in baulicher und technischer Hinsicht innen und außen in einwandfreiem Zustand befand und den Anforderungen eines modernen Kinotheaters entsprach.

Die großen Uraufführungskinos im Reich erfaßte die Ufa in ihrem Theaterpark, in der bereits 1918 gegründeten »Ufa« Theater-Betriebs-GmbH. Durch Neubauten, Erwerbungen, Pacht usw. vergrößerte sie ständig die Zahl ihrer repräsentativen Vorführungsstätten. 1933 umfaßte ihr Theaterpark 97 Kinos mit 106302 Plätzen in 47 Städten. Zur Zeit des Dritten Reiches wuchs der Ufa-Theaterpark noch schneller. Selbst in der kurzen Zeit von Juni bis November 1938 wurden ihm acht Theater angegliedert, darunter die größten: »Capitol« in Köln (2000 Sitzplätze), »Europa-Palast« in Düsseldorf (1741) sowie »Capitol« (2000) und »Odeon« (1072) in Dortmund.

Die Entwicklung des Theaterparks der Ufa
(der Stand an eigenen Theatern, Beteiligungs- und Regietheatern)

1939 = 139 Theater mit 148 371 Plätzen in 56 Städten
1940 = 140 Theater mit 148 916 Plätzen in 57 Städten
1941 = 154 Theater mit 158 539 Plätzen in 68 Städten
1942 = 159 Theater mit 162 171 Plätzen in 69 Städten

Die Neugründungen im Kriege betrafen vor allem die besetzten Gebiete: Im »Altreich« befanden sich im Jahre 1942 insgesamt 115 Ufa-Theater. In der Reichshauptstadt besaß die Ufa im Jahre 1942 insgesamt 17 eigene Theater, darunter: Ufa-Palast am Zoo (mit 2314 Plätzen), Capitol am Zoo (1279), Gloria-Palast (1197), Tauentzienpalast (1052), Marmorhaus (600), Ufa-Theater Kurfürstendamm (823), Ufa-Theater Wagnitzstraße (1909) und Ufa-Theater Alexanderplatz (1008). In anderen Großstädten des Altreichs besaß die Ufa nach dem Stand vom 31. 5. 1942 98 eigene Theater mit 98 111 Sitzplätzen in 48 Städten. In Breslau gab es sogar acht Ufa-Theater: das größte war der Ufa-Palast (mit 1148 Sitzplätzen), ferner Beh-Lichtspiele, Gloria-Palast, Kristall-Palast, Matthias-Lichtspiele, Scala, Tauentzien-Theater und Tivoli. Die Stadt Essen besaß zwei große Ufa-Theater: Lichtburg (1952) und Ufa-Palast Schauburg (1896), die Hamburger Metropole fünf: darunter eines der größten Lichtspieltheater im Reich: Ufa-Palast mit 2661 Sitzplätzen. Köln hatte vier Theater (darunter Ufa-Palast mit 1912 Sitzplätzen), Königsberg in Ostpreußen zwei (Capitol und Münz-Theater), Leipzig fünf (darunter Capitol mit 1706 Sitzplätzen), München drei (darunter Ufa-Palast mit 2175 Sitzplätzen) und Stettin zwei (darunter Ufa-Palast mit 1512 Plätzen). Zu den größten Beteiligungstheatern der Ufa gehörten das Hansa-Theater in Bremen (1092), das Apollo-Theater in Düsseldorf, vielleicht das größte Kinotheater des Reiches (mit 2850 Sitzplätzen), Ufa-Theater Oberstraße in Hannover (1316) und Universum in Stuttgart (1573).

Im Zuge der »Neuordnung« des deutschen Filmwesens im Jahre 1942 übernahm die Universum-Film AG auch den Verleih und den Vertrieb der Filme. Zu den wichtigen neugegründeten Tochtergesellschaften gehörte die Deutsche Filmtheatergesellschaft mbH mit einem Kapital von 10 Mio. RM. In ihr sollten allmählich die repräsentativen Vorführungsstätten vereinigt werden. Für die neue Gesellschaft waren etwa fünf Prozent des gesamten Theaterparks mit einem etwas größeren Anteil an Sitzplätzen vorgesehen. Am 1. 6. 1943 wurden die Ufa-Theater in diese Gesellschaft überführt. Die Deutsche Filmtheatergesellschaft verfügte damit über einen Park von insgesamt 205 Kinotheatern mit 210 372 Sitzplätzen.[18]

In seiner Anordnung vom 12. 2. 1942 bestimmte der Präsident der RFK, daß »juristische Personen« künftig Lichtspieltheater nicht mehr betreiben dürften. Damit wurde das Recht der verschiedenen Konzerne und Gemeinden zur Errichtung und Unterhaltung von Lichtspieltheatern zweifelhaft. Es wurden zugleich auch andere Einschränkungen eingeführt, die das – durchschnittlich – sehr gute Geschäft der Kinobesitzer im Blick hatte. Künftig durfte ein Kinobesitzer nicht mehr als vier Unternehmen betreiben oder an nicht mehr als vier Unternehmen beteiligt sein. Bei Theatern mit mehr als 800 Sitzplätzen durfte er nur drei Theater betreiben, wenn in einem diese Zahl erreicht war; nur zwei, wenn beide über 800 Sitzplätze oder mehr verfügten. Die Mitspielstellen in kleineren Orten waren dabei nicht berücksichtigt.

Mit den Verordnungen des Jahres 1942 war die Organisation des Filmvertriebs nicht vollendet. Das Hauptamt für Kommunalpolitik der NSDAP vertrat den Standpunkt, daß den Gemeinden das Recht zustehe, Lichtspielhäuser zu errichten und zu erhalten. Da die RFK hartnäckig einen entgegengesetzten Standpunkt vertrat, mußte eine Entscheidung der Partei-Kanzlei herbeigeführt werden.[19] Es kam danach zu einer Ergänzungsanordnung des Präsidenten der RFK vom

5. 9. 1944. In ihr wurde festgestellt, daß die umstrittene Anordnung des Präsidenten der RFK vom 12. 2. 1942 für die Gemeinden nur nach Maßgabe besonderer Richtlinien des ProMi gelten sollte. Diese Richtlinien waren am 1. 9. 1944 ergangen und hatten folgenden Wortlaut: »In Zukunft können die deutschen Gemeinden entgegen der bisherigen Regelung neben der Deutschen Filmtheater-Gesellschaft Lichtspieltheater errichten, erwerben und betreiben. Ich bestimme daher in Ergänzung meiner Richtlinien über den Betrieb von Filmtheatern vom 28. 9. 1943 folgendes: 1. Die Deutsche Filmtheater-Gesellschaft hat die Aufgabe, soweit das Reich aus kulturpolitischen, repräsentativen oder aus Gründen der Filmauswertung Interesse daran hat, Filmtheater zu betreiben. 2. Gemeinden haben das Recht... neue Filmtheater zu errichten und im Privatbesitz befindliche... zu erwerben und zu betreiben. 3. Die Gemeinden können ihre Filmtheater durch von ihnen bestellte Geschäftsführer selbst betreiben oder durch Pächter betreiben lassen.«[20]

Wanderkinos der NSDAP

Die regelmäßige Durchführung von politisch gesteuerten Filmvorführungen in den kinolosen Orten, aber auch die Organisation der politisch wichtigen Sonderveranstaltungen übernahm die Reichsamtsleitung Film in der Reichspropagandaleitung der NSDAP (RPL). Diese Organisation bezeichnete man im Dritten Reich als die größte politische Filmorganisation der Welt. Mit Stolz natürlich. Nach dem Stand von 1935 gab es im Deutschen Reich 32 Gaufilmstellen, 771 Kreisfilmstellen und 22 357 Ortsgruppenfilmstellen. 350 Tonfilmwagen und rund 25 000 Funktionäre waren in dieser Organisation gruppiert. Der deutsche Kinopark erfuhr durch diese motorisierten Kinos eine wesentliche Ergänzung. Die RPL – Hauptamt Film – besaß einen eigenen Zentralverleih; die Leihgebühr betrug (1937) 20 RM pro Film und Spieltag. Die Zahl der Tonfilmwagen wuchs ständig. Auch wuchs der Kopieneinsatz: 1936 = 450 Spielfilme, 1937 = 584, 1938 = 732, 1939 = 1161, 1940 = 1110. Noch schneller wuchs der Einsatz von Wochenschau-Kopien: 1939 = 1174 und 1940 = 7286.[21] Sofort nach Ausbruch des Krieges wurde eine große Anzahl der von den Gaufilmstellen für den »normalen« Arbeitseinsatz eingespannten 750 Tonfilmwagen (so die Presse), spielfertig mit Bedienungspersonal und Filmen versehen, für die Wehrmacht abgestellt.

617

Die Wehrmacht sorgte für den unmittelbaren Einsatz an der äußeren Front. Die motorisierten Tonfilmwagen folgten den marschierenden Truppen auf dem Fuße. Sie versorgten zahlreiche Ruhestellungen und Lazarette, viele Arbeits- und Umsiedlerlager mit Filmen. Das Programm der Bespielung der kinolosen Orte für das übliche Publikum im Reich wurde vernachlässigt. Im »normalen Einsatz« befanden sich (Anfang des Krieges bis Mitte 1940) 200 Tonfilmwagen im Altreich, 12 in den besetzten polnischen Gebieten, 13 in Holland, 78 in Frankreich-Belgien, 2 in Dänemark und 16 im Südosten. Der größte Teil war also für Wehrmachtszwecke eingesetzt. Die filmische Betreuung der Wehrmacht wurde – damals ein sehr wichtiges Problem – aus Treibstoffbeständen der Wehrmacht bestritten. Die Presse berichtete: Vorstellungen finden überall dort statt, wo Soldaten sind, manchmal nur wenige Kilometer hinter der Front. Das Programm ist sehr vielseitig. Es umfaßt die Wochenschauen, gute Kulturfilme, Spielfilme, darunter auch solche vom Schaffen der inneren Front wie »D III 88« oder »Verräter«, lustige Filme wie »Etappenhase«, »Drei Unteroffiziere«, »Musketier Meier III«, »Das Verlegenheitskind«, »13 Stühle« usw. Schon Ende 1939 ging »aus den Meldungen der Truppenteile hervor, daß die bei Filmvorführungen Wert auf nichtmilitärische Filme legen. Dieses Bedürfnis wird sich bei längerer Kriegsdauer naturgemäß steigern«, berichteten die kompetenten Wehrmachtstellen.[22] 1940 schrieb man von mehr als 1000 Tonfilmwagen und etwa 45000 Angestellten und Mitarbeitern. Die filmische Betreuung der Wehrmacht wies (In- und Ausland) folgende Zahlen auf: 1939 = 5,4 und 1940 = 19,8 Mio. Besucher. Im Jahre 1941 hatte die RPL – laut Pressemeldungen – täglich rund 1140 Tonfilmwagen im Einsatz, und mit diesen führte sie mehr als 92 Mio. Besuchern – Soldaten in den Operationsgebieten und »Volksgenossen« in kinolosen Orten – die Spielfilme und Wochenschauen vor. Eigentlich erst tief im Kriege, nach den großen Evakuierungsaktionen aus den bombengefährdeten Städten, lenkte man erneut größere Aufmerksamkeit auf die kinoarmen bzw. kinolosen Gebiete. Eine Aktivierung des Filmeinsatzes auf dem flachen Lande und in kleineren Städten wurde bei einer Arbeitstagung des Hauptamtes Film beschlossen, die im Juli 1944 unter dem Vorsitz des Stabsleiters der RPL, Hadamowsky, und des Leiters der Filmabteilung im ProMi tagte. Bis zu dieser Zeit zog aus der Filmarbeit der NSDAP der Reichsschatzmeister für die Partei Gewinne, »die in keinem Verhältnis zu den Lizenzen« standen. Die Verwaltungsdienststellen der Partei hüteten »gegenüber den politischen Führungsstellen ängstlich das Geheimnis der Gewinn- und Verlustrechnung«.[23] Aber zu Ende des Krieges sahen die Möglichkeiten nicht mehr so rosig aus. Übrigens wurden nun die Filmangelegenheiten der NSDAP dem ProMi überwiesen.

Die übrigen Filmvorführer

In der Statistik des Jahres 1939, vor Kriegsausbruch, wurden noch andere Gruppen von Filmvorführern erwähnt. So gab es 76 Wandervorführer, von denen einige in Diensten der Gaufilmstellen standen, andere dagegen befaßten sich nur mit der Vorführung von Märchen-, Schmal- oder Stummfilmen. Es gab weiterhin 267 Werbefilmvorführer mit 1518 Spielstellen, 119 gemeinnützige Spielstellen mit 867 Vorführungsstätten und 441 kirchliche Spielstellen mit 498 Vorführungsstätten. Filme kirchlich-konfessioneller Art, die z. B. von solchen Firmen wie »Missionsfilm GmbH« oder »Caritas-Lichtspielgesellschaft« hergestellt wurden, galten übrigens immer mehr als unerwünscht.[24] Einen starken »weltanschaulichen« Kampf gegen diese Filme führten ständig die Agenten der Dienststelle Rosenberg.

Die Theaterbühnen im Dienste des Films

Am 20. 8. 1944 ließ Goebbels in seiner Eigenschaft als Reichsbevollmächtigter für den totalen Kriegseinsatz (seit 25. 6. 1944) eine seiner schwerwiegenden Verordnungen bekanntmachen. Zehn Tage vorher hatte er angeordnet, daß »der gesamte deutsche Nachwuchs für Film und Theater geschlossen in die Rüstungsindustrie übergeführt« werden sollte. Nun verordnete er: »Sämtliche Theater, Varietés, Kabaretts und Schauspielschulen sind zum 1. September zu schließen.« Die Frage der Verwendung der durch die Maßnahmen der totalen Kriegsführung stillgelegten Theater verursachte weitere Kompetenzstreitigkeiten zwischen dem ProMi und dem Hauptamt für Kommunalpolitik der NSDAP. Im Zuge des der Deutschen Filmtheater-Gesellschaft vom ProMi erteilten Auftrages sollten zahlreiche Theater als Filmtheater umgestaltet werden. Die Sache wurde letztendlich in der vom Hauptamt für Kommunalpolitik gewünschten Weise entschieden. Die entsprechende streng vertrauliche Empfehlung lautete: »Wenn bei der Errichtung von Lichtspieltheatern in vorübergehend geschlossenen Sprechbühnen aus besonderen Gründen in Einzelfällen die eigene Tätigkeit der Gemeinden ausgeschlossen sein sollte, dann wird die Übertragung der Geschäftsführung an die Deutsche Filmtheatergesellschaft mbH in Frage kommen. Der Deutsche Gemeindetag hat... eine dahingehende Empfehlung ausgesprochen. Selbstverständlich sollte diese Empfehlung, die sich auf einen Erlaß des RMfVuP v. 22. 9. 1944 stützt, keineswegs generell den Betrieb dieser Lichtspielhäuser durch die Gemeinden in eigener Regie ausschließen.«[25]

Seit den ersten Septembertagen 1944 übernahm die Deutsche Filmtheater-Gesellschaft mbH zahlreiche Theater: das Apollo-Theater in Köln (3. 9.), das Stadttheater Halberstadt (22. 9.), die Platza Berlin (23. 9.), das Metropol-Theater-KdF Varieté in Posen (29. 9.), am 10. 10. den Admiralspalast in Berlin, der mit rund 2000 Plätzen von jetzt an an der Spitze aller Ufa-Theater im Reich stand, das Opernhaus in Nürnberg (13. 10.), das Rose-Theater mit seinen 1000 Sitzplätzen in Berlin (27. 10.), das Central-Theater (Operettenhaus) in Dresden (28. 10.), das Schauspielhaus in Breslau (14. 11.), das Opernhaus Düsseldorf (19. 11.) und das Stadttheater Graudenz (30. 11.). Ferner andere Theater, u. a. das berühmte Hamburger »Theater an der Reeperbahn«.[26] Für die Aufführung von Filmen war ebenfalls die würdige, bereits am 30. Juni 1944 mit Wagners »Götterdämmerung« geschlossene Wiener Staatsoper bestimmt. Der erste Film sollte, laut Anweisung aus Berlin, der Ende 1944 fertiggestellte Streifen »Philharmoniker« sein. Der Bürgermeister von Wien weigerte sich, seine Zustimmung dazu zu geben. Er befürchtete Demonstrationen des Publikums, weil die Wiener meinten, der Begriff »Philharmoniker« beziehe sich auf die Wiener Philharmoniker. Hans Hinkel drohte, keinen Film mehr für die Aufführung in der Oper freizugeben.[27] Letztendlich entschied er sich für einen »anderen wertvollen Premierefilm für das Haus«.[28]

Degeto-Kulturfilm

Die Degeto-Kulturfilm GmbH (Tobis) versorgte nicht nur Filmtheater, Organisationen usw., sondern auch die Heimkino-Freunde. Außer den einzelnen Kopien lieferte sie (seit 1936) die sogenannten Degeto-Schmalfilm-Schränke im 8-mm- und im 16-mm-Format mit einer durchschnittlichen Länge von 15 bis 17 bzw. 30 bis 33 Metern.

Jeder der Degeto-Schränke umfaßte Themen wie Sport und Spiel, Kunst, Zeitgeschichte, Kabarett und Komik, ferner auch Märchenfilme. Die Kopien wurden auf Silberfilm hergestellt. Im Laufe eines Jahres erschienen jeweils zwei Degeto-Schränke. 1941 trat die Degeto zum erstenmal mit einer eigenen Schmalfilm-Schau auf der Leipziger Frühjahrsmesse auf. Es war der Degeto-Schrank Nr. 4, der Filme enthielt wie »Die Helden von Narvik«, »Südseeparadies«, »Das Land der Kirschblüte«, »Kristina Söderbaum« und zum erstenmal vier lustige Zeichentrick-Filme für Kinder. Seit Mai 1939 erschien in ungefähr monatlichen Folgen der Degeto-Weltspiegel, der Bilder vom Zeitgeschehen enthielt. Eine ganze Reihe von Kulturfilmen, kurzen Spielfilmen und auch umkopierten abendfüllenden Spielfilmen stand ständig im Verleih. Bei dem Mangel an Normalkopien wuchs die Rolle des Schmalfilmeinsatzes ständig. Im Mai 1943 debattierte man zu diesem Thema auf dem »Europäischen Schmalfilmkongreß« in Agram.

Für den Einsatz im öffentlichen und privaten Dienst hatte die Filmstelle des Nationalsozialistischen Reichsbundes für Leibesübungen zahlreiche Schmalfilme im 16-mm-Format. 1942 wurde der Schmalfilm-Vertrieb monopolisiert. Im Rahmen der Universum Film AG wurde die Gesellschaft Deutscher Schmalfilm-Vertrieb mbH (Descheg) gegründet. Ihr wurden auch die Tochtergesellschaften in den besetzten Gebieten angegliedert.

Besucherzahlen
Der Kinobesuch im Spiegel der Statistik

Zwischen dem Besuch in deutschen Filmtheatern und dem in anderen – vergleichbaren – Ländern war vor und nach 1933 ein erheblicher Unterschied. Für 1936 ergab sich folgendes Bild: In England besuchten wöchentlich 41,3 % der Bevölkerung ein Kino, in den USA 34,2 %, in Frankreich 16 % und im Deutschen Reich nur 8,6 %. Verschiedene Ursachen haben hier mitgewirkt: Kinodichte, Eintrittspreise, Angebot an Filmen, soziale und kulturelle Unterschiede, Gewohnheiten usw. usw. Deutscherseits erläuterte man diesen Zustand (schon im Krieg, im Rahmen der antienglischen Propaganda) wie folgt: »Der Engländer geht aus Langeweile in den Film, auch aus Mangel an Theatern außerhalb Londons sowie aus Mangel an Stätten abendlicher Zusammenkunft mit Freunden. England kennt für die breite Schicht des Mittelstandes nicht die Fülle von Gasthäusern, die es in Deutschland gibt. Der Engländer flieht auch aus der Öde seiner Behausung oder dem ewigen Einerlei an schlecht wärmenden Kaminen in das Filmtheater. Die Männer und Frauen in den USA suchen im Film die Befriedigung einer äußerlichen Sucht nach gutem Leben. In weiten Gebieten der USA erklärt sich der starke Besuch der Filmtheater gleichfalls aus Mangel an Sprechbühnen.«[29]

Besucherzahlen aus 23 Großstädten des »Altreichs« (1937–1938)

Großstadt	Einwohnerzahl am Jahresende 1938	Besucherzahlen in 1000 1937	1938	im Jahre 1938 pro Kopf der Bevölkerung
1. Berlin	4334613	64592	67566	15,6
2. Hamburg	1689119	21772	23316	13,8
3. München	818000	9293	10154	12,4
4. Köln	766978	9421	10038	13,1
5. Leipzig	702640	8602	9409	13,4
6. Essen	669813	6700	7173	10,7
7. Dresden	634351	6745	7208	11,4
8. Breslau	623221	6900	7239	11,6
9. Frankfurt a. M.	549573	6356	6775	12,3
10. Dortmund	548460	4651	5446	9,9
11. Düsseldorf	528258	5663	6230	11,8
12. Hannover	470200	5433	5940	12,6
13. Stuttgart	456071	3142	3448	7,6
14. Duisburg	437181	4489	4968	11,3
15. Nürnberg	422968	3269	3696	8,7
16. Wuppertal	406260	3230	3697	9,0
17. Bremen	346167	3868	4107	11,9
18. Königsberg	342273	3736	3843	11,2
19. Magdeburg	332625	4938	5470	16,4
20. Chemnitz	331050	3995	4012	12,1
... Stettin	274195	2855	2984	10,9
... Gleiwitz	118990	793	885	7,4
... Bonn	101670	1440	1577	15,5

Die Zahl der Besucher deutscher Filmtheater stieg ständig Jahr um Jahr. Laut Statistik wurden überall, vor allem aber in den Städten,

Zunahmen erzielt. In den erfaßten 53 Großstädten (100000 Einwohner und mehr) des »Altreichs« stieg die Besucherzahl von 1937 bis 1938 sogar um 7,8 Prozent. Es gab aber auch hier beträchtliche Unterschiede. Auf den Kopf der Bevölkerung entfielen in den Großstädten zwischen rund 7 und 16 Besuche im Jahre 1938. An der Spitze stand, als die filmfreudigste Stadt, Magdeburg mit 16,5, Berlin mit 15,6 und Bonn mit 15,5 Besuchen pro Kopf der Bevölkerung. Magdeburg nahm zugleich den ersten Rang an Zahl der Plätze – pro Kopf der Bevölkerung – in den Gaststätten ein.

Im Jahre 1939 betrug der Kinobesuch in »Großdeutschland« bereits 10,5 % je Kopf der Gesamtbevölkerung bzw. 12,2 % je Kopf der Bevölkerung in Gemeinden mit Filmtheatern.[30] Die kinolosen Orte blieben bis 1943 vom Film vernachlässigt. Die Tonfilmwagen der Partei leisteten vor allem ihren Frontdienst. Und im Krieg wurde das Kino wirklich zur beliebten und immer mehr bevorzugten Unterhaltung von Millionen. Die Leute sahen sich jetzt lieber und öfter Filme an als in der Friedenszeit, wo sie zwischen verschiedenen Unterhaltungen wählen konnten (Sportveranstaltungen, Nachtlokale, Zirkus usw.). Dazu verdienten jetzt alle, und sie verdienten relativ gut. Es war Geld fürs Kino da, mehr als je zuvor, denn man hatte keine Gelegenheit, in den Geschäften uneingeschränkt einzukaufen. Aber weiterhin gab es beträchtliche Unterschiede beim Kinobesuch in den verschiedenen Städten. Für das Jahr 1940 ergab sich folgendes Bild: In Bonn besuchten jährlich 24,6 % der Erwachsenen ein Kino (diese Zahl bedeutete zugleich den Rekord im Reich), in Wien 23,5 %, in Berlin 20,8 %, in Leipzig 20,2 %, in Köln 20,1 %, dagegen in Remscheid nur 11,7 %.[31]

In dem für die deutsche Filmwirtschaft besten Jahr 1943 betrug die offizielle Zahl der Filmbesucher rund 1116500000. In Wahrheit waren es sogar noch reichlich mehr Leute, denn die Statistik, der diese Zahl entnommen wurde, zählte nur versteuerte Eintrittskarten. Diese Statistik umfaßte auch »nur« den »großdeutschen Filmwirtschaftsraum«, der nicht gleichbedeutend mit dem Begriff »Großdeutschland« war. Er setzte sich nämlich aus folgenden Gebieten zusammen: dem »Altreich«, den »Alpen- und Donau-Reichsgauen« (d. h. Österreich), dem Reichsgau Sudetenland (aber ohne Protektorat Böhmen und Mähren), der »Freien Stadt Danzig«, den an- bzw. eingegliederten polnischen Gebieten (ohne Generalgouvernement, aber mit Bezirk Bialystok), ferner aus Elsaß-Lothringen und Luxemburg.

Besuch der Filmtheater in 28 Städten Großdeutschlands in den Jahren
1933–1943

Stadt:	Zahl 1943 in 1000	1933 = 100	Besuch je Kopf der Bevölkerung: 1933	1943
Beuthen	3169	256,0	12,3	31,4
Wien	59049	210,6	15,0	30,6
Breslau	14828	284,4	8,3	23,5
Königsberg (Pr)	8673	316,6	8,6	23,2
Gleiwitz	2708	496,0	4,9	23,1
Leipzig	16181	291,4	7,8	22,9
Saarbrücken	3007	226,9	10,3	22,6
Dresden	13733	260,2	8,2	21,8
Berlin	92800	190,3	11,5	21,4
Elbing	1813	515,1	4,9	21,1
Frankfurt a. M.	11402	233,0	8,8	20,6
Braunschweig	3951	514,3	4,6	20,4
Solingen	2854	302,3	6,7	20,4
Kiel	5561	343,7	7,4	20,3
Darmstadt	2316	360,7	6,9	20,1
Weimar	1295	243,4	10,9	19,6
Worms	967	462,7	4,1	19,0
Karlsruhe	3234	404,8	5,0	17,0
Oldenburg	1336	545,3	3,7	16,9
Lübeck	2583	332,9	5,8	16,7
Köln	11446	160,0	9,4	15,9
Würzburg	1647	265,6	6,1	15,3
Nürnberg	5675	221,1	6,3	13,4
Oberhausen	2499	179,1	7,3	13,0
Essen	8109	156,6	7,9	12,2
Bochum	3072	150,4	6,5	10,1
Düsseldorf	5322	121,1	8,8	9,8
Wuppertal	3796	150,9	6,2	9,4

Quelle: Zahlen zur deutschen Filmwirtschaft 1939–1944 (Berlin 1945 Maschinenschrift, autogr.)

Trotz des enormen Anwachsens der Kinofreudigkeit im Krieg gab es 1943 nur 12,4 Filmbesuche je Kopf der Bevölkerung bzw. 20,2 in Gemeinden mit Filmtheatern. Eigentlich stieg der Kinobesuch erheblich, und nur die besetzten polnischen Gebiete, mit politisch bedingtem geringem Kinobesuch, allmählich auch der Luftkrieg, »zogen« die Statistiken nach unten.

Besuch je Kopf der Bevölkerung im Kalenderjahr 1943
(in einigen von den 139 Gemeinden mit 50 000 und mehr Einwohnern)

1. Metz	41,7	.... Luxemburg	21,7
2. Aussig	34,2	.... Straßburg	21,7
3. Reichenberg	32,6	.... Mühlhausen	20,1
4. Bonn	31,6	.... Bielefeld	19,3
5. Beuthen	31,4	.... Stolp	18,8
6. Wien	30,6	.... Mannheim	18,6
7. Allenstein	30,3	.... Stettin	18,3
8. Karlsbad	30,3	.... Hannover	17,2
... Magdeburg	27,8	.... Freiburg (Br.)	17,1
... Oppeln	27,6	.... Hamburg	16,9
... Innsbruck	26,9	.... Leverkusen	16,0
... Göttingen	26,3	.... Münster	13,5
... Koblenz	25,5	.... Dortmund	12,1
... Linz	25,3	.... Posen	11,8
... Heidelberg	23,7	.... Leslau	8,2
... Tilsit	23,6	.... Litzmannstadt (Lodsch)	7,9
... Kattowitz	23,5	136. Bialystok	6,5
... Königsberg	23,3	137. Sosnowitz	6,2
... Salzburg	22,6	138. Grodno	5,2
... München	22,5	139. Bendsburg	2,7
... Wiesbaden	22,0		

Quelle: Zahlen zur deutschen Filmwirtschaft 1939–1944 (Berlin 1945 Maschinenschr., autogr.)

1944 betrug die Zahl der Kinobesucher im »Großdeutschen Filmwirtschaftsraum« noch rund 1 101 000. Für die Großstädte fiel aber die Bilanz nicht optimistisch aus. In den dreizehn Gemeinden mit 500 000 und mehr Einwohnern sank die Besucherzahl von 28 302 000 im Oktober 1942 auf 24 018 000 im Oktober 1943 und auf nur 20 508 000 Im März 1944.

Insgesamt lag aber 1944 der Theaterbesuch bis einschließlich Juli noch über dem Vorjahr, im August und September betrug das Besucherminus jedoch schon 6 %.[32] Im August erlitten weitere Städte erhebliche Besuchereinbußen gegenüber dem Vormonat, besonders im Vertriebs-Abschnitt West (Kaiserslautern von 129 000 im Juli auf 62 000 im August, Straßburg von 485 000 auf 292 000, Koblenz von 240 000 auf 123 000, ferner Dortmund, Wuppertal, Bonn, Wiesbaden, Mannheim u. a.), aber auch im Vertriebsabschnitt Nord (Magdeburg von 806 000 im Juli auf 660 000 im August, Bremen von 534 000 auf 330 000, ferner Stettin, Cottbus, Brandenburg, Braunschweig u. a.) und im Bezirk Süd (Stuttgart von 355 000 im Juli auf 118 000 im August).[33]

Selbstverständlich waren das Folgen des Luftkrieges. Entsprechend wuchs die Besucherzahl in den weniger gefährdeten Städten. In 67 Gemeinden mit 50 000 bis 100 000 Einwohnern betrug sie: Oktober 1942 = 7,885 Mio., Oktober 1943 = 8,646 Mio. und März 1944 = 128 Mio. Besucher.[34]

Veränderung des Filmtheaterbesuches im Oktober 1942 und 1943, ferner im März und August 1944 in den Großstädten

| Stadt: | Zahl der Besucher in 1000: | | | |
	Oktober 1942	Oktober 1943	März 1944	August 1944
Berlin	9 186	8 188	4 712	4 935
Wien	4 835	5 665	5 540	4 064
Hamburg	3 355	1 325	1 770	1 528
München	1 501	1 337	1 610	671
Köln	1 587	776	739	617
Leipzig	1 424	1 449	857	1 155
Essen	1 004	650	698	538
Litzmannstadt (Lodsch)	342	454	548	436
Dresden	1 133	1 247	1 279	1 333
Breslau	1 233	1 379	1 438	1 274
Frankfurt a. M.	1 002	627	362	501
Dortmund	958	544	572	478
Düsseldorf	742	377	383	331

Quelle: Zahlen zur deutschen Filmwirtschaft 1939–1944 (Berlin 1945; Maschinenschrift, autogr.); BA, R 109 II, vorl. 66: Schreiben der DFV v. 1. 12. 1944 (streng vertraulich).

Die Hauptgründe für den Rückgang der Besucherzahlen lagen – so in einer Sitzung der Firmen- und Produktionschefs vom 13. 11. 1944 – »in der zunehmenden Zerstörung von Filmtheatern, die durch Errichtung von Ersatztheatern und Umstellung von Sprechtheatern nicht ausgeglichen werden« konnte, »im Ausfall von Spielstellen infolge Feindbesetzung oder Frontnähe, in der Zunahme der Alarme, besonders im ganzen Westen, und im Mangel an ausreichenden Mengen von Positiv-Rohfilm.« Hinzu kamen »als verstärkende Momente: verlängerte Arbeitszeit und sonstige Erschwerungen des Theaterbesuchs.«[35]

Trotz der furchtbaren Situation, trotz der schrecklichen Luftangriffe blieb das Verlangen nach Entspannung weiterhin groß. In den deutschen Zeitungen konnte man von langen Warteschlangen lesen, die sich vor Kinokassen drängten. Es waren vor allem Menschen, die sich aus dem allzu grauen Alltag in die Welt der Illusion flüchteten. Eine Kinokarte zu kaufen, war längst kein finanzielles Problem mehr, vielmehr ein Problem der Zeit oder des Glücks. Zu Ende des Jahres 1944 schrieben die Film-Nachrichten sogar einen Leitartikel über die »gerechte Verteilung der Filmtheaterkarten«.[36]

Eintrittspreise, Eintrittskarten

Den Kinoeintrittspreis empfand man in breiten Kreisen der Bevölkerung, von den Arbeitslosen ganz zu schweigen, als recht hoch kalkuliert. Auch im national-»sozialistischen« Kino blieb die Teilung nach Klassen bestehen. Die Massen sahen den Film in den Vorstadttheatern für 50 Pfennig, die »oberen Zehntausend« bezahlten im Uraufführungstheater 2,50 RM für einen Kinosessel. Eine Regelung in bezug auf die Eintrittspreise wurde allerdings eingeführt. Auch die Abrechnungskontrolle zwischen Kinotheater und Verleih wurde neu geregelt.

Der Durchschnittseintrittspreis betrug: 1933 = 72, 1934 = 75, 1935 = 76, 1936 = 78 Pf.; 1940 betrug er (ähnlich wie im letzten Friedensjahr 1938) = 83 Pf. Im Jahr 1943 stieg er auf 86 Pf. und im August 1944 auf 87 Pf., was selbst die DFV als einen sehr hohen Eintrittspreis bezeichnete.[37] Das Ansteigen des Durchschnittseintrittspreises war nicht auf eine Erhöhung zurückzuführen: Die Preise waren seit Jahren stabil. Es wuchs nur der Anteil der teuren Plätze. Zwischen den verschiedenen Städten gab es hier beträchtliche Unterschiede.

Durchschnittseintrittspreise um 1942/44 in einigen von den
39 Gemeinden mit 50000 und mehr Einwohnern

1. Stuttgart	1,15 RM		... Hannover	0,89 RM
2. Dessau	1,07 "		... Tilsit	0,89 "
3. Aachen	1,06 "		... Bremen	0,88 "
4. Salzburg	1,06 "		... Frankfurt am Main	0,87 "
... München	1,02 "		... Köln	0,84 "
... Allenstein	1,01 "		... Wien	0,84 "
... Münster	1,01 "		... Stettin	0,81 "
... Nürnberg	1,00 "		... Posen	0,81 "
... Danzig	0,99 "		... Düsseldorf	0,80 "
... Bonn	0,93 "		... Oberhausen	0,77 "
... Berlin	0,91 "	138.	Ratibor	0,70 "
... Wiesbaden	0,90 "	139.	Aussig	0,69 "

Quelle: Zahlen zur deutschen Filmwirtschaft 1939–1944 (Berlin 1945; Maschinenschrift, autogr.)

Im August 1944 fanden geheime Gespräche über die geplante Einführung einer Kriegsabgabe in Höhe von 50% des Eintrittsgeldes für Kino-, Theater-, Sport- und sonstige Veranstaltungen statt. Die Vergnügungssteuer für Filmvorführungen – die Vergnügungssteuersätze schwankten 1943/44 zwischen 8,2 und 5,3% – wollte man bei dieser Gelegenheit liquidieren. Die Filmwirtschaft wehrte sich. Auf dem Gebiet des Sports waren bereits die für die Veranstaltungsabgabe besonders interessanten Pferderennen, aber auch sämtliche deutschen Meisterschaften mit ihren Massenveranstaltungen eingestellt worden. Nach der Schließung der Theater würden etwa 75% der Veranstaltungsabgaben aus den Filmtheater-Umsätzen fließen. Auch aus psychologischen Gründen schien es nicht zweckmäßig, diese Kriegszuschläge einzuführen.[38] Das Reichsfinanzministerium ließ nach.

Es gab selbstverständlich verschiedene Ermäßigungen, es gab auch Vorstellungen (Jugend, Kinder, Partei, Reprisen- bzw. Kurzfilm-Aufführungen), für die der Eintrittspreis niedriger kalkuliert war. Bei den Jugendvorstellungen betrugen die Eintrittspreise – Beispiel Stettin im Jahre 1940 – für Kinder 0,40 RM und für Erwachsene 0,70 RM. Das Eintrittsgeld bei den Vorstellungen für Kinder betrug – Beispiel Königsberg im Jahre 1942 – 0,30 bis 0,50 RM und für Erwachsene 0,50 bis 0,80 RM. Bei den Filmfeierstunden der Ortsgruppen der NSDAP betrug der Eintrittspreis um 0,60 RM.

Der Krieg führte eine besondere Art von Eintrittspreisermäßigungen ein: solche für die Wehrmacht. Zunächst gab es nur eine Eintrittspreis-Ermäßigung für Mannschaften bis zum Obergefreiten einschließlich. Mit einer Verordnung der Reichsfilmkammer vom 15. Februar 1940 wurden die Filmtheater verpflichtet, Mannschaften und Offizieren der drei Wehrmachtsteile, Angehörigen der Waffen-SS sowie Angehörigen des männlichen Arbeitsdienstes, soweit diese die gelbe Armbinde mit der Aufschrift »Deutsche Wehrmacht« trugen, eine Eintrittspreisermäßigung bis zu 50 % zu gewähren. Die Ermäßigung galt nicht für die Uraufführungen.

Der totale Krieg verursachte eine weitgehende Vereinfachung bei den Preisstufen, den Ermäßigungs-Sätzen, und damit auch bei den Eintrittskarten selbst. Eine Anordnung der RFK vom 1. 11. 1944 verfügte die Einführung der Einheitseintrittskarten. Es ging um volle Vereinfachung. So wurden z. B. die Karten nicht mehr mit dem Namen des Kinotheaters und Ortes bedruckt. Die bisher vorhandenen 12–15 je nach Größe verschiedenen Platzgruppen wurden auf höchstens drei Preisstufen und Platzkarten zusammengelegt und in den kleineren Filmtheatern (bis 400 Plätze) sogar Einheitseintrittspreise eingeführt. Darüber hinaus wurden die bisher gewährten verschiedenen Preisermäßigungen (z. B. für Wehrmacht, Kriegsversehrte oder Jugendliche) einheitlich, und zwar auf den bisher höchsten Ermäßigungssatz von 50 % festgesetzt, so daß für alle diejenigen, die Preisermäßigung genossen, der bisher billigste Eintrittspreis infrage kam. Diese Vereinfachung sollte bis zum 1. 4. 1945 völlig in Kraft treten.[39]

Die Erfolgsfilme

»An den Kosten für den einzelnen Film läßt sich die Bedeutung ermessen, die das Regime dem betreffenden Film zusprach«, und »an den Einspielergebnissen wird sichtbar, welche Bedeutung das Publikum den Filmen beimaß«.[40] Die guten Einspielergebnisse eines Films bedeuteten also zugleich seinen Erfolg bei den Zuschauern. Mit Vorbehalt: Der Totalitarismus erfand das System des gesteuerten Filmeinsatzes, insbesondere im Rahmen der Sonderveranstaltungen für breitere Schichten der Bevölkerung (Schule, Partei und ihre Gliederungen, »KdF«, Wehrmacht usw.). Das freiwillige »Inskinogehen« war, mindestens bei manchen Filmen, fragwürdig. Verdächtig war die

amtliche Qualifizierung und Honorierung (Prädikate, Preise usw.).
Manchmal veröffentlichte man halbamtliche Bestseller-Listen. So
auch wurden von den Filmen der Spielzeit 1935/36 folgende Filme als
die künstlerisch und zugleich politisch besten verzeichnet: »Friesennot« (Regie Peter Hagen), »Der höhere Befehl« (Gerhard Lamprecht) und »Traumulus« (Carl Froelich). Gleichzeitig wählte man
fünf Spielfilme als die »nur-künstlerisch« besten aus: »Fährmann Maria« (Frank Wysbar), »Mazurka« (Willi Forst), »Pygmalion« (Erich
Engel), »Viktoria« (Carl Hoffmann) und »Wenn der Hahn kräht«
(Carl Froelich). Nur selten gab es so etwas wie »Untersuchungen«,
deren Ergebnisse bei der Beantwortung der Frage »Gefiel der Film
wirklich?« hätten behilflich sein können. Darüber gab es eher polizei-
liche als soziologische Untersuchungen.[41]

Der sehr bekannte Reichsparteitag-Film »Triumph des Willens«
fand wahrscheinlich keine Anerkennung bei den deutschen Arbeitern. So sah die Sache zumindest in den Augen der Stettiner Gestapo
aus. Die Welt des Arbeiters werde darin zu wenig berücksichtigt,
hieß die Begründung.[42]

Pressekommentare waren verdächtig. In einem System mit gelenk-
ter Presse mußten sie verdächtig sein. Übrigens: Was der Journalist
über einen Film schrieb (oder schreiben durfte), war nicht immer mit
seiner eigenen Meinung identisch. Es war aber zugleich nicht leicht,
über einen Film, der beim Publikum durchfiel, enthusiastisch zu
schreiben. Einige Wochen vor Kriegsausbruch wurde im Rahmen der
Reichspresseschule unter den Schülern, Journalisten in Ausbildung,
eine Umfrage nach den fünf eindrucksvollsten Filmen veranstaltet.
Die meisten Stimmen (26) entfielen auf »Urlaub auf Ehrenwort«.
Diese von Kilian Koll geschriebene und von Karl Ritter 1937 verfilmte Geschichte aus der Zeit des Ersten Weltkriegs wurde schon
früher nicht selten als eines der stärksten Filmerlebnisse von der
Filmkritik bezeichnet. Der Zarah-Leander-Film »Heimat« erhielt 16
Stimmen, Goetz' »Napoleon ist an allem schuld« bekam 12, »Das
unsterbliche Herz« von Vater und Sohn Harlan ebenfalls 12, aber
»Pour le mérite« nur 11 und »Unternehmen Michael« 10.

Ebenso wie interessante Themen brachten auch beliebte Darsteller einem Film Besuchererfolge. So erreichten z. B. vor dem Kriege
die Heinz-Rühmann-Filme jeweils durchschnittlich 1 Mio. Besucher,
was (damals) relativ viel war. Allein sein »Mustergatte« hatte fast
3 Mio. Besucher, und das war wirklich viel.[43]

Wegen des Mangels an Spielfilmen und bei der damaligen Nachfrage gab es im Krieg kaum einen Film, der einen fulminanten Durchfall erleben konnte. Selbstverständlich gab es längere oder kürzere Warteschlangen vor den Kinokassen und größere oder kleinere Spielergebnisse. Einen Überblick zu diesem Thema lieferten die Filmberichte der DFV über Einsatz und Erfolg der angelaufenen Filme.[44] Über die finanziellen Ergebnisse im allgemeinen informierten manche Berichte des ProMi. So hatten z. B. in der Zeit vom 1. 6. 1943 bis 31. 1. 1944 »Immensee« und »Das Bad auf der Tenne« die größten Kassenerfolge. Ihnen folgten »Gabriele Dambronne«, »Tonelli« und »Zirkus Renz«.[45]

Die DFV-Zweigstelle Düsseldorf-Benrath meldete:
»Die Besucherziffern in unserem Verleihbezirk können längst nicht mehr als Unterlage für die Beurteilung der Zugkraft eines Films dienen. Wir hatten in der Berichtszeit Tage..., wo von den Vormittagsstunden zwischen 9 und 10 Uhr an bis in den späten Nachmittag ununterbrochen öffentliche Luftwarnung bestand, die zum Teil mehrmals durch Fliegeralarm und akute Luftgefahr verstärkt wurde.«
Quelle: BA R 109 II, vorl. 66; DFV, Filmbericht Nr. 27 vom 2. 12. 1944.

Eine unveröffentlichte Aufzeichnung vom 13. 11. 1944 erwähnte die Erfolgsfilme der »großdeutschen« Ära. An der Spitze aller Filme stand »Die goldene Stadt« mit 12,5 Mio. RM Einspielergebnis. Der Film wurde bis zu dieser Zeit von 31 Mio. Menschen im Inland gesehen, ohne Einrechnung von Wehrmacht- und Parteivorführungen. Der Cziffra-Film »Der weiße Traum« stand an erster Stelle der Schwarz-Weiß-Filme. Es folgten die Erfolgsfilme »Immensee«, »Die große Liebe« und »Wiener Blut«. An 6. Stelle rangierte »Wunschkonzert« (mit 8,8 Mio. RM Einspielergebnis), obwohl der Film hauptsächlich bereits 1941 abgespielt wurde. Die weiteren Stellen der Liste nahmen folgende Spielfilme ein: »Schrammeln«, »Zirkus Renz«, »Die Frau meiner Träume«, »Münchhausen«, »Frauen sind doch bessere Diplomaten«, »Altes Herz wird wieder jung«, »Annelie«, »... reitet für Deutschland«, »Hab mich lieb« und »Feuerzangenbowle«. Zu den Erfolgsfilmen dieser Liste zählten auch: »Fronttheater«, »Damals«, »Die große Nummer« und »Sophienlund«.[46] Es gibt noch eine spätere Liste (vom 12. 1. 1945), in der u. a. die Filme mit den niedrigsten Einspielergebnissen verzeichnet waren. Die letzte Stelle nahm hier der Emo-Film »Wien 1910« (2,1 Mio. RM) ein. Zu den »Versagern« gehörten ferner »Die Degenhardts«

(3,5 Mio. RM), »Paracelsus« (3,5 Mio. RM), der Weidenmann-Film »Junge Adler« und Käutners »Romanze in Moll« (4,5 Mio. RM). Zu den »Besten« zählte Harlans »Opfergang« (10 Mio. RM).[47]

Die deutsche Filmproduktion in den Augen des obersten Anführers

Joachim C. Fest: »Hitler liebte vor allem Gesellschaftskomödien mit plattem Witz und sentimentalem Ausgang. Heinz Rühmanns ›Quax der Bruchpilot‹ oder dessen ›Feuerzangenbowle‹, Weiß-Ferdl's Dienstmannkomödie ›Die beiden Seehunde‹, Willi Forsts Unterhaltungsrevuen, aber auch zahlreiche ausländische Produktionen, die teilweise in den öffentlichen Filmtheatern nicht gezeigt werden durften, gehörten zum Vorzugsrepertoire und wurden bis zu zehnmal und häufiger vorgeführt.«[48]

Kopien der gewünschten Filme erhielt der »Führer« unentgeltlich. Die Aufnahme eines Filmes in das Filmarchiv des Berghofes galt als besondere Anerkennung und Auszeichnung. Das private Filmarchiv Hitlers umfaßte mehrere Werke, vor allem aus der deutschen Filmproduktion.[49] So z. B. gab es hier aus dem Jahre 1932 den Luis-Trenker-Film »Der Rebell«, der wegen seines »großdeutschen« Süd-Tiroler Themas von Mussolini in Italien verboten war, von den Produktionen des Jahres 1933 das weltbekannte Werk Hans Steinhoffs, »Hitlerjunge Quex«, und der ebenfalls stark politisch wirkende Gustav-Ucicky-Film »Flüchtlinge« mit Hans Albers und Käthe von Nagy in den Hauptrollen (Staatspreis 1. 5. 1934). Die deutsche Filmproduktion des Jahres 1934 war u. a. mit dem »Schimmelreiter« (nach Theodor Storm), dem Schwank »So ein Flegel« mit Heinz Rühmann (Regie Robert A. Stemmle), mit Willi Forsts »Maskerade« (Paula Wesselys großer Erfolg) und Carl Froelichs Propagandastreifen um den weiblichen Arbeitsdienst »Ich für Dich – Du für mich« vertreten. Aus dem Jahre 1935 waren es: Steinhoffs »Der alte und der junge König« (mit Emil Jannings und Werner Hinz), Gerhard Lamprechts »Barcarole«, mit »jüdischer Musik« von Offenbach und mit Lida Baarova und Gustav Fröhlich in den Hauptrollen, der weltbekannte »Triumph des Willens«, Willi Forsts »Mazurka« (mit Pola Negri), Peter Hagens »Friesennot«, die von Hans Steinhoff verfilmte Komödie Max Dreyers »Der Ammenkönig« und Gerhard Lamprechts Kriegsfilm »Der höhere Befehl«. Von den Filmproduktionen des Jahres 1936 waren es: der preisgekrönte Emil-Jannings-Film »Traumulus« (Regie Carl

Froelich), »Mädchenjahre einer Königin« mit Jenny Hugo (Regie Erich Engel), der norddeutsche Schwank »Wenn der Hahn kräht«, der Luis-Trenker-Film »Der Kaiser von Kalifornien«, Karl Ritters Spionage-Film »Verräter«, die »Glückskinder« (Lilian Harvey und Willy Fritsch) von Paul Martin, »Das Mädchen Irene« von Reinhold Schünzel mit Lil Dagover und Viktor Tourjanskys »Stadt Anatol«, ein Film, der auf den »Führer« einen großen Eindruck machte. Von den Filmen des Jahrganges 1937 gefielen Hitler besonders: das Drama »Ball im Metropol« (Regie Frank Wysbar) mit Heinrich George in der Hauptrolle, die berüchtigte Gerhart-Hauptmann-Verfälschung »Der Herrscher«, der Hans-Albers-Film »Der Mann, der Sherlock Holmes war« (Regie Karl Hartl), Paul Martins »Sieben Ohrfeigen« mit Lilian Harvey und Willy Fritsch, Wolfgang Liebeneiners »Versprich mir nichts« (mit Luise Ullrich und Viktor de Kowa), Karl Ritters »Patrioten« (mit Lida Baarova und Mathias Wieman), der äußerst erfolgreiche Heinz-Rühmann-Film »Der Mustergatte«, die bekannte Kleist-Verfilmung »Der zerbrochene Krug« mit Emil Jannings (Regie Gustav Ucicky), Karl Ritters »Urlaub auf Ehrenwort«, ferner der bayerische Schwank »Meiseken« (Regie Hans Deppe). Unter den ausgewählten ausländischen Filmproduktionen befanden sich »Mickey-Mouse«-Filme und »Robinson Crusoe«.

Zu seinem 50. Geburtstag erhielt Hitler von Goebbels, so berichtete die Fachpresse, eine Sammlung von 120 Filmen, neu kopiert auf nichtbrennbares Material. Die Sammlung umfaßte Filme vom Anfangsjahr 1895 bis zur Jetztzeit. Der »Führer« war aber bald nicht mehr in der Lage, sich Filme anzuschauen. Es ging hier nicht nur um seine Arbeitsüberlastung. Henry Picker: »Ebenso wie er seit Kriegsausbruch keine Theatervorstellung mehr besucht hatte, war er der Meinung, sich auch an keinem Spielfilm freuen zu dürfen, solange ein Soldat an der Front auf derartige kulturelle Genüsse verzichten müsse.«[50] In dieser Haltung gab es nur äußerst seltene Ausnahmen.

Die Kinovorführungen auf dem Obersalzberg boten bis 1939 die Gelegenheit, Hitlers Urteile über die aufgeführten Filme kennenzulernen. Hitlers Bemerkungen und Reaktionen wurden selbstverständlich streng beobachtet und später von den Adjutanten dem ProMi überwiesen. Das blieb nicht ohne Auswirkungen. Aber nicht immer, manche Filme erhielten, bevor Hitler sie ansah, hohe Prädikate. Von den Filmvorführungen auf dem Obersalzberg im Jahre 1938 sind einige Beurteilungen Hitlers erhalten.[51] Die besten Noten erhielten bei dem »Führer« Filme wie: die Komödie »Eine Nacht im

Mai« mit Marika Rökk (Regie G. Jacoby), der Frauenroman »Ein Mädchen geht an Land« mit Elisabeth Flickenschildt (Regie W. Hochbaum), der Krimi »Der Fall Deruga« (Regie F. P. Buch) und Frank Wysbars »Ball im Metropol«. Gut fand er Filme wie das ostpreußische Drama »Stärker als die Liebe« (Regie J. Stöckel), »Frau Sixta« mit Franziska Kinz (Regie G. Ucicky), »Verwehte Spuren« (Regie V. Harlan), »Der Tag nach der Scheidung« (Regie P. Verhoeven), »Mädchen von gestern Nacht« (Regie P. P. Brauer) und der Jenny-Jugo-Film »Die kleine und die große Liebe« (Regie J. v. Baky). Es gefielen ihm Heinz Rühmann in »13 Stühle«, Zarah Leander in »Heimat«, Pola Negri in »Mazurka« und Hans Moser im »Kleinen Bezirksgericht«. Weniger Anerkennung fanden bei dem »Führer« Filme wie: »Kautschuk« (Darstellung nicht wirklichkeitsgetreu), das Drama »Am seidenen Faden« (Regie R. A. Stemmle) mit W. Fritsch und K. v. Nagy, »Eine Frau kommt in die Tropen« (Regie Harald Paulsen), Carl Froelichs »Die Vier Gesellen« mit Ingrid Bergmann (der Film erhielt das Prädikat künstlerisch wertvoll)[52], sowie die Dostojewski-Verfilmung von Gerhard Lamprecht »Der Spieler« mit Albert Schoenhals und Lida Baarova. Dieser Film wurde dem »Führer« noch unter dem Titel »Roman eines Schwindlers« vorgeführt und drei Tage nach der Berliner Premiere Ende Oktober 1938 von der Filmprüfstelle verboten, obwohl vorher mit dem Prädikat »künstlerisch wertvoll« honoriert, ebenso wie die deutsch-spanische Gemeinschaftsproduktion »Andalusische Nächte«, worin nur Imperio Argentina dem »Führer« gefiel. Zu den schlechtesten Filmen gehörten, nach Meinung Hitlers, u. a. Wolfgang Liebeneiners Drama um den reichgewordenen Strumpffabrikanten »Du und ich« mit J. Gottschalk und B. Horney (nach den ersten Minuten ließ Hitler die Vorführung dieses Filmes abbrechen), die Komödie »Nanu, Sie kennen Korff noch nicht?«, die als der schlechteste Rühmann-Film überhaupt bezeichnet wurde, H. H. Zerletts Film »Zwei Frauen« mit Olga Tschechowa und Irene von Meyendorff, die ostpreußische Komödie »Steputat & Co« von Carl Boese, ferner Filmchen wie »Was tun, Sybille?«, »Geld fällt vom Himmel« und »Das Gewehr über«, aber auch »Tanz auf dem Vulkan«, wegen der schlechten Darstellung Gründgens' und der schlechten Regie Steinhoffs.[53] Von den amerikanischen Filmen fanden Beifall des »Führers«: »Ritter ohne Furcht und Tadel« und »Smith With«; aber auf seinen Befehl wurde die Vorführung der Filme »Hyänen der Prärie«, »Tip of girls« und »König von Arizona« abgebrochen.[54] Auf Verlangen Hitlers beschaffte man für die Veranstaltungen des »Führers« den sowjetischen Film »Der Matrose von Kronstadt« und Walt Disneys »Schneewittchen«.

Im Kriege verzichtete Hitler auf seine Gewohnheit, sich nach dem Abendessen Filme anzusehen. Trotz seines generellen Interesses für Filmfragen konnte er daher keine Urteile über die laufende Filmproduktion abgeben, aber auch keine Entscheidungen bezüglich des deutschen Films treffen.[55] Mit ganz wenigen Ausnahmen: wie z. B. bei Verleihung von Titeln und Auszeichnungen (der Direktor der Bavaria, Schreiber, erhielt sein Kriegsverdienstkreuz im Führerhauptquartier am Neujahrstag 1944) oder bei der Beurteilung der Wochenschau bzw. von Kurzfilmen und einigen Spielfilmen. So ließ noch im Januar 1945 der Reichsorganisationsleiter Robert Ley mitteilen, daß der Film »Was nun?« über den Bau von Behelfsheimen »vor einiger Zeit vom Führer besichtigt worden sei und seine Zustimmung gefunden habe. Lediglich eine aus dem Film bereits entfernte kurze Einstellung, die den Führer mit Dr. Ley bei der Besichtigung von Baumodellen zeige, sei vom Führer beanstandet worden.«[56]

Einschränkungen im Kinobesuch

Der Zutritt zu Filmveranstaltungen im Dritten Reich war bis 1938, mindestens theoretisch, unbeschränkt. Allerdings brachte bereits die erste Phase der Judenverfolgungen die Pläne mit sich, im Rahmen der Isolierungsmaßnahmen den Juden auch den Zutritt zu den »arischen« Kulturveranstaltungen zu verbieten. Der Reichsverband Jüdischer Kulturbünde organisierte (1934–1941) ein eigenes, bescheidenes, streng bewachtes (»Be-Ka«-Hinkel) Kulturleben für die jüdische Bevölkerung – es gab auch hier besondere Filmvorführungen für die Juden[57] –, außerdem blieb den Juden noch bis zur »Kristallnacht« die Möglichkeit, die Kulturveranstaltungen der »Arier« zu besuchen. Erst durch die Anordnung Goebbels' als Präsident der RKK vom 12. 11. 1938 wurden die Juden von der Teilnahme an »Darbietungen der deutschen Kultur« ausgeschlossen.[58] Dem jüdischen Bevölkerungsteil ließ man danach nur eine beschränkte Möglichkeit des Kinobesuches im rein jüdischen Bezirk. Mit Genehmigung des ProMi konnte die Abteilung Theater und Musik des Jüdischen Kulturbundes, zunächst in Berlin, den allgemeinen und den jüdischen Spiel- und Kulturfilm zu Vorführungen »Nur für Juden« hinnehmen. Der Jüdische Kulturbund in der Reichshauptstadt errichtete eine

Filmbühne – es hieß: vorläufig – im Kulturbundsaal (Kommandantenstraße 58/59). Eintritt war nur gegen gültige Kulturbundkarten gestattet. Der Preis der Karten lag zwischen 0,90 bis 2,00 RM. Für die Betreuten der Jüdischen Winterhilfe waren freie Karten vorgesehen. Die Filmbühne wurde am 30. 12. 1938 mit dem amerikanischen Film »Chicago« eröffnet. In einer Zeit, als unter den deutschen Juden das Problem der Emigration das Hauptthema der Gespräche war, bedeutete »Chicago« keinen Zufall: Der Film erzählte vom Schicksal einer irischen Einwandererfamilie. Es folgten die Filme: »Lord Jeff«, »Unsere kleine Frau«, die amerikanische Filmoperette »Tarantella«, der Gustaf-Gründgens-Film »Tanz auf dem Vulkan« und der Heinz-Rühmann-Film »Nanu, sie kennen Korff noch nicht?«. Die jüdische Filmbühne in Berlin spielte im Prinzip mit wöchentlich wechselndem Repertoire. Da an jedem Wochentag (außer Freitag) zweimal und am Sonntag dreimal gespielt wurde, war jeder Film in 13 Aufführungen zu sehen. Der außerordentlich starke Besuch der ersten Vorstellungen erwies, daß die bedeutende Entfernung, die viele bis zu dieser Filmbühne zurücklegen mußten, kein entscheidendes Hindernis für den Besuch war.

Zum Programm des jüdischen Filmtheaters bemerkte Julius Bab im »Jüdischen Nachrichtenblatt« (6. 1. 1939) – verordnungsgemäß hatte der bekannte Kritiker Julius Israel Bab namentlich unterzeichnet – folgendes: »Daneben erwächst der jüdischen Filmbühne genau wie dem jüdischen Kulturbundtheater die Aufgabe, mit besonderer Sorgfalt spezifisch jüdische Werke auszusuchen und zu zeigen. Die Produktion eigentlich jüdischer Filmwerke ist bisher noch nicht groß, aber es scheint doch der jüdischen Filmproduktion in Polen mit dem ›Dybuk‹ ein Werk von hohem Wert gelungen zu sein. Die Leitung der jüdischen Filmbühne hier ist um den Erwerb und die Einrichtung dieser Schöpfung bemüht und hofft, sie in absehbarer Zeit den jüdischen Filmbesuchern zeigen zu können.«[59]

Die anderen Städte des Reiches hatten zunächst keine jüdischen Kinos. Rührend war ein Brief von Martha (Sara) Wertheimer aus Frankfurt a. M., den das »Jüdische Nachrichtenblatt« veröffentlichte (17. 1. 1939): »Wir in der Provinz schlagen ein jüdisches Blatt auf, und inmitten der Nachrichten, wie's mit unserer Wanderung zu den Enden der Welt weitergehen möge, steht die Ankündigung eines Films für die Unsern, im Jüdischen Kulturbund zu Berlin. Da schweben über dem Inserat nun leicht der Wunsch, der lächelnde Verzicht, der heitere Gleichmut und die schönste aller Freuden: Mitfreude, die um alle Tiefen und Weiten für die anderen weiß und zu sagen vermag, daß wir es ihnen gönnen.«

Die erste jüdische Lichtbildbühne in der Provinz wurde im Jüdischen Gemeinschaftshaus in Hamburg (Hartungstraße) im Januar 1939 gegründet.

Der Krieg brachte weitere Einschränkungen im Kinobesuch mit sich. Ein besonderes Problem bildeten die Filmvorführungen für ausländische Arbeiter und Kriegsgefangene, die in Industriebetrieben und in der Landwirtschaft arbeiteten. Hier handelte es sich sowohl um den Film als reine Unterhaltung, als auch um eine zielgerichtete Propagandaaktion. Und die Zahl der Ausländer wuchs ständig. Nach dem Stand vom April 1941 befanden sich im Reich Kriegsgefangene folgender Nationen: Polen = 47 019[60], Weißrussen = 2121, Belgier = 65 090, Franzosen = 1 192 428, Engländer = 23 137, Jugoslawen = 2349 und 15 162 Sonstige. Ferner beschäftigte man rund 1,5 Mio. ausländischer Arbeiter. Und Anfang 1943 waren in der deutschen Wirtschaft über 12 Mio. ausländische Arbeitskräfte, einschließlich der Kriegsgefangenen, eingesetzt.

Deutscherseits wurden vorschriftsgemäß die im Reich beschäftigten ausländischen Industriearbeiter seit 1942 durch die DAF betreut[61], die Landarbeiter dagegen durch den Reichsnährstand. Die Kriegsgefangenenlager unterlagen auch in Beziehung auf die kulturelle Betreuung dem OKW. Die Rolle dieser Stellen in der Gestaltung des kulturellen Lebens der ausländischen Arbeiter und der Kriegsgefangenen war mehr als bescheiden. Für die französischen Arbeiter und Kriegsgefangenen spielte auch die »Dienststelle für den französischen Arbeitseinsatz in Deutschland – Abteilung Kulturelle Betreuung« eine gewisse Rolle. Die französischen Arbeiter und Kriegsgefangenen – nach 1943 auch die italienischen Kriegsgefangenen – konnten noch auf die Botschaften und die im Reich tätigen Gesellschaften »Deutsch-Französische Gesellschaft« und »Deutsch-Italienische Gesellschaft« rechnen.

Die Richtlinien des ProMi vom 21. Mai 1941

»Slowaken und Kroaten. Sie verdanken ihre völkische Eigenständigkeit und ihre staatliche Selbständigkeit dem Führer, der sie von den Tschechen und der serbischen Unterdrückung befreit hat. Beide Völker haben bis ›Versailles‹ in den deutschen Kulturbereich gehört, und sich in ihm nach ihren eigenen Aussagen wohlgefühlt und sich entwickeln können.

Gegner: Serben, Griechen und Slowenen. Diese Stämme haben vor dem Eintreten Jugoslawiens in diesen Krieg ein großes Kontingent der zivilen Arbeitskräfte geliefert. Entsprechend unserer bisherigen politischen Haltung gegenüber den Serben ist dieses Volk von einer verbrecherischen Generalclique in den Krieg mit England hineingezogen worden. Sofern die Serben, Griechen und Slowenen sich anständig aufführen, sind sie entsprechend zu behandeln. Es ist ihnen klarzumachen, daß sie auf englische Hilfe nicht mehr rechnen können, daß sie nur in enger Zusammenarbeit mit dem Großdeutschen Reich völkisch weiter existieren können, daß mit anderen Worten alle kulturellen und materiellen Segnungen nur aus dem Reich kommen. Die Kriegsgefangenen dieser Völker können durch eine entsprechend abgestimmte Propaganda auf unsere Seite gezogen werden.«
Quelle: BA Koblenz, R 55 Nr. 1293 S. 10.

Die Arbeiter aus Osteuropa erfuhren in jeder Hinsicht die schlechteste Behandlung. Dennoch gab es auch hier politisch motivierte Unterschiede. Zwar sollte man »sämtliche Balkanstämme von deutschen Volksgenossen grundsätzlich fernhalten«, doch blieben die Slowaken und Kroaten gewissermaßen bevorzugt. Den Polen und – nach Juni 1941 – den sog. Ostarbeitern war von Anfang an die Teilnahme an öffentlichen kulturellen Veranstaltungen – einschließlich Kino – verboten.

Die vertraulichen Richtlinien des ProMi vom 21. Mai 1941
»Der Pole ist grundsätzlich dem Juden gleichzustellen. Der Pole ist Volksfeind als Mörder von 60 000 Volksdeutschen. Der Pole hat 1½ Millionen Deutsche aus den Grenzen seines ehemaligen Staates vertrieben und weitere Millionen innerhalb seines Staates verfolgt. Der Pole ist nach seiner russischen Veranlagung der schärfste Gegner des Deutschen.

Der Pole ist von Natur der geborene Verschwörer, Lügner, Großsprecher. Er ist maßlos in allen seinen Lebensäußerungen. Einer seiner wesentlichsten Charakterzüge ist Hinterlist und Falschheit. Er versucht grundsätzlich, durch kriecherisches Benehmen und den Schein einer demütigen Haltung sich Vorteile zu erringen, die er eines Tages gegen seinen Herrn ausführt.

Polnische zivile Arbeitskräfte müssen grundsätzlich streng und unnachgiebig angefaßt werden, jede Spur eines Entgegenkommens etwa unter dem schon gekennzeichneten liberalistischen Gesichtspunkt, man müsse seine Arbeitskraft fördern oder erhalten, ist grundsätzlich falsch. (...) Es ist notwendig, um die physische Kraft des Polen nicht herabzusetzen, ihn ausreichend zu verpflegen, wird darüber hinaus wider Erwarten das Bedürfnis empfunden, sich mit ihm seelisch auseinanderzusetzen, so ist er in jeder geeigneten Form darauf hinzuweisen, daß er und sein Volk sein Leben ausschließlich der Großmut des Deutschen verdanke. (...)

Gemeinschaftsbildung unter den Polen muß grundsätzlich vermieden werden. (...) Die freie Bewegung außerhalb der Lager ist schärfstens zu überwachen.

Die angegebenen Maßnahmen müssen soweit mit Schärfe durchgeführt werden, wie es zur Aufrechterhaltung der Ordnung in den Lagern notwendig ist, jedoch dürfen sie nicht zu einer negativen Berichterstattung an die Familienangehörigen im Generalgouvernement führen.«

Quelle: BA Koblenz, R 55, Nr. 1293, S. 11 f.

Die Arbeiter der übrigen Nationen waren, wenigstens theoretisch, nicht dieser »Privilegien« beraubt. In der Praxis wurde ganz verschieden verfahren, und es entschieden darüber die Lokalbehörden. Hinsichtlich des Kinobesuches gab es verschiedene Einschränkungen: Verbot (z. B. für die Arbeiter aus dem Protektorat Böhmen-Mähren oder Serbien) bis zur Einschränkung der Plätze auf einem getrennten Raum, gewöhnlich dem schlechteren Teil des Zuschauerraums.

Diese Einschränkungen riefen eine zu beobachtende Unzufriedenheit unter den Arbeitern aus den westlichen Ländern hervor, zumal die deutsche Seite gegen das frühere Versprechen verstieß. Natürlich mußte dieser Umstand auch hemmend auf die fortgesetzte Werbung von westlichen Arbeitskräften wirken. Auch wurde dadurch die Arbeitsleistung beeinflußt. Das Problem mußte sich zugespitzt haben, wenn sogar das ProMi sich zu einer Einmischung gezwungen sah. Am 18. 6. 1943 verordnete das Ministerium, daß die ausländischen Arbeiter im Reich, mit Ausnahme der polnischen Arbeiter und Ostarbeiter, ohne Einschränkung das Kino besuchen dürfen. In der Verordnung wurde auch die diskriminierende Beschränkung dieser Arbeiter auf bestimmte Plätze verboten.[62] (In den Kinos hingen sowieso überall ewige Schweißwolken, die Seifenzuteilung paßte in eine Streichholzschachtel.)

Praktisch hatte diese Verordnung keine größeren Nachwirkungen. Eine entschieden negative Stellung nahm die Polizei ein. Das Amt des Reichsführers SS und des Chefs der Deutschen Polizei richtete an das ProMi einen offiziellen Protest mit der Forderung, die Verordnung, mindestens teilweise, zu annullieren. Man schrieb u. a.: »Den ausländischen Arbeitskräften ist – mit Ausnahme der Polen und Ostarbeiter – der Besuch von Kino- und Theaterveranstaltungen im allgemeinen freigestellt. Verschiedentlich konnte jedoch beobachtet werden, daß besonders in kleineren Städten die Bedürfnisse der deutschen Bevölkerung beim Besuch von Kino- und Theatervorstellungen nicht befriedigt werden konnten, da die ausländischen Arbeitskräfte die Plätze bereits besetzt hatten. Es bedarf keiner Erörterung, daß insbesondere der deutsche Fronturlauber derartigen Zuständen verständnislos gegenübersteht, desgleichen müssen solche Wahrnehmungen beim deutschen Arbeiter Verbitterung hervorrufen, der im Gegensatz zum Ausländer nach Betriebsschluß noch persönliche Dinge zu erledigen hat und erst später dem Kinobesuch nachgehen kann. Einzelne Stellen sind aus diesem Grunde dazu übergegangen, in den Kinos bestimmte Stuhlreihen für ausländische Arbeitskräfte vorzusehen oder erst dann an die Ausländer Zutrittskarten zu verkaufen, wenn von seiten der deutschen Bevölkerung keine Ansprüche mehr gestellt werden. Die letztgenannten Maßnahmen sind bei den Dienststellen der Reichsfilmkammer bzw. den Reichspropagandaämtern auf erheblichen Widerstand gestoßen, da an sich festgesetzt wurde, daß die Ausländer im allgemeinen freien Zutritt zu den Lichtspielhäusern und Theatern haben. Es wäre nunmehr zu prüfen, ob nicht unter Berücksichtigung der Bedürfnisse der deutschen Bevölkerung in Orten, in denen nur ein oder wenige Kinos vorhanden sind, den ausländischen Arbeitskräften bestimmte Beschränkungen auferlegt werden. Es ist selbstverständlich, daß derartige Maßnahmen insofern eine Lücke haben würden, als der Ausländer mangels Kennzeichnung nicht immer als solcher erkenntlich ist. (Die polnischen Arbeiter und die sog. Ostarbeiter wurden mit einem ›P‹ bzw. ›Ost‹ an der Brust gezeichnet. B. D.) Eine Unterscheidung des Ausländers von Deutschen wird sich aber in kleineren Orten – um diese wird es sich in erster Linie handeln – ohne weiteres möglich machen lassen. Die beteiligten Stellen werden um Stellungnahme gebeten.«[63]

Das ProMi äußerte Bedenken. In einer Antwort an den »Reichsführer SS und Chef der Deutschen Polizei« hieß es u. a.: »Es ist zwar nicht zu bestreiten, daß die Millionenarmee fremdvölkischer Arbeiter die an sich schon vorhandene Platzknappheit in den Filmtheatern noch verstärkt. Daß aber den Fremdarbeitern ein Minimum an Zerstreuungen geboten werden muß, erscheint vor allem im Hinblick auf die teilweise sehr unbefriedigende Lage auf dem Gebiete der Unterbringung und Ernährung außer jedem Zweifel. Schließlich kann man von dem Fremdarbeiter nicht verlangen, daß er mit Lust und Liebe an seinem Arbeitsplatz ein Maximum an Leistungen aus sich herausholt, wenn er sich in der Freiheit Einschränkungen gegenübersieht, die er irgendwie als Kränkung empfinden muß. Wenn auch von Ihnen eine Ausnahmeregelung zunächst nur auf bestimmte Sonderfälle vorgeschlagen wird, kann mit Sicherheit damit gerechnet werden, daß alsbald unter Berufung auf diesen Sonderfall eine Flut von weiteren Anträgen eingehen wird, wenn nicht örtliche und unbefugte Stellen von sich aus direkt Sonderregelungen durchführen. Zweifelsohne würde in kürzerer Zeit überall in Deutschland der Kinobesuch von ausländischen Arbeitern entweder sehr eingeschränkt oder sogar durch örtliche Stellen eigenmächtig verboten sein. Ein allgemeines Durcheinander wäre die unvermeidliche Folge. (...) Wenn auch menschlich verständlich ist, daß sich einzelne Volksgenossen, die in einem Filmtheater keinen Platz mehr finden, über die ausländischen Arbeitskräfte aufregen, so kann dies doch kein Anlaß sein, die höheren Gesichtspunkte in der Behandlung dieser Frage zurückzustellen. Schließlich ist der Fremdarbeiter im allgemeinen nicht freiwillig ins Reich gekommen, seine Arbeitsleistung aber gehört mit den zu kriegsentscheidenden Faktoren, die letzten Endes von seinem Arbeitswillen abhängig ist und durch Zwangsmaßnahmen allein nicht erzielt werden kann. Es ist auch zu berücksichtigen, daß den Fremdarbeitern soziale Gleichstellung mit den deutschen Arbeitern zugesagt worden ist. Maßnahmen der vorgetragenen Art würden vor allem von den Westarbeitern diffamierend empfunden werden und hätten bestimmt negative Rückwirkungen auf die in Frankreich, Holland und Belgien laufenden Sauckelaktionen. Der deutsche Volksgenosse muß sich damit abfinden, daß der Krieg neben sonstigen Unannehmlichkeiten auch Millionen von Fremdarbeitern ins Reich gebracht hat, die unter anderem auch von Zeit zu Zeit ins Kino gehen. Es wird gebeten, bei auftretenden Beschwerden in diesem Sinne aufklärend zu wirken.«[64] Letztlich hatte aber das ProMi keinen entscheidenden Einfluß auf die Durchführung seiner Anweisungen durch die Lokalbehörden.

Die differenzierte Volkstumspolitik führte zu neuen polizeilichen Vorschriften, die nicht ohne Konsequenz (formell) auf den Kinobesuch blieben.[65] Mitte 1944 erhielten die im Reich eingesetzten Ost-arbeiter, die »durch Haltung und Leistung ihre Bereitwilligkeit zur Mitarbeit im Kampf gegen die jüdisch-bolschewistische Weltgefahr« bewiesen, zusätzlich einen Ärmelstreifen. Den so ausgezeichneten Ostarbeitern und -arbeiterinnen wurde der Besuch von öffentlichen Veranstaltungen und von Gaststätten sowie die Benutzung öffent-licher Verkehrsmittel innerhalb des Ortsbereiches gestattet. Demzu-folge wurden sie auch – so lautete eine entsprechende Verordnung der RFK – »zu den normalen Filmvorführungen in den Filmtheatern des Ortsbereiches« zugelassen. Hinsichtlich der übrigen Ostarbeiter blieb man bei den bisherigen Beschränkungen.[66]

Da die Wanderkinos der Partei unterstellt waren, wurden auch die Filmvorstellungen der Tonfilmwagen als offizielle Veranstaltungen der NSDAP angesehen. Anfangs durfte also nur die deutsche Bevöl-kerung daran teilnehmen, später kamen auch die Arbeiter aus jenen Ländern hinzu, die man als germanisch bezeichnete. Dafür gab es von Anfang an ernste Bedenken gegen den Besuch dieser Veranstaltungen von französischen Arbeitern. Schließlich kam man auf einen formalen Kompromiß, der in einer Dienstanweisung des ProMi seinen Nieder-schlag fand: »Wenn die Franzosen auch nicht als gleichberechtigt mit den deutschen Volksgenossen wie die Angehörigen von germanischen Nationen (Niederländer, Flamen, Wallonen, Dänen und Norweger) zugelassen werden dürfen, so könnte doch eine Bestimmung die Zu-lassung von Franzosen als Gäste ermöglichen, sofern der notwendige Platz in den einzelnen Vorführungen zur Verfügung steht.«[67]

Die polnischen Arbeiter und Ostarbeiter waren vom Besuch der normalen Vorführungen der Wanderkinos vollkommen ausgeschlos-sen. Bis Mitte 1944 gab es nur ausnahmsweise die sog. Sonderfilmver-anstaltungen. Im Zusammenhang mit der politischen und militäri-schen Lage des Reiches baute das ProMi von Mitte 1944 an diese Sonderveranstaltungen für Propagandazwecke aus. Sie wurden »in Filmtheatern mit Holzbestuhlung« durchgeführt. Es handelte sich hier meistens nicht um kulturelle Unterhaltung, denn es wurden grundsätzlich nur ausgesprochene Propagandafilme vorgeführt.[68]

Die bis 1943 besonders bevorzugte Lage der italienischen Arbeiter, einer recht großen Ausländergruppe im Reich (Mitte 1944 über 150000), änderte sich radikal nach der Kapitulation Italiens. Die Ar-beitermassen wurden in Zwangslager gebracht, ähnlich wie die italie-nischen Soldaten, wenn es ihnen überhaupt gelungen war, der Rache zu entgehen und in Gefangenenlager zu gelangen.

Die vertraulichen Richtlinien des ProMi vom 21. Mai 1941

»In der Behandlung der Italiener ist in jeder Weise ihre Eigenschaft als Volk der Achse zu berücksichtigen. Ihre völkische Eigenstämmigkeit muß ihnen gelassen und gesichert werden. Sie muß gefördert werden dadurch, daß man ihren kulturellen Bestrebungen Unterstützung zukommen läßt, daß man ihnen aber sehr deutlich klar macht, daß ihre Achtung als Volk von ihrem persönlichen Auftreten im Reich abhängig ist. Auf diese Weise muß erreicht werden, daß die Italiener, über die wegen ihres Auftretens lebhafte Klagen aus allen Teilen des Reiches einlaufen, von ihren eigenen Leuten zur Verantwortung gezogen werden. Durch geeignete Maßnahmen, die aber so vorsichtig formuliert werden müssen, daß sie keinen Anstoß erregen, ist dafür zu sorgen, daß die Italiener (Männer und Frauen) unter sich bleiben und keine Gelegenheit zu intimen Beziehungen mit Reichsdeutschen finden. Bei der bekanntgewordenen Vorliebe deutscher Mädchen für das südländische Temperament der Italiener ist die Gefahr um so vordringlicher, als sich bereits in großem Umfange Folgeerscheinungen aus dem Verkehr zwischen Italienern und deutschen Mädchen ergeben haben.«

Quelle: BA Koblenz, R 55, Nr. 1293, S. 8.

Mit der Gründung der »Repubblica Sociale Italiana« nahm das Interesse für die Lage der Italiener im Reich zu. Man erkannte immer mehr die Notwendigkeit einer propagandistischen Einwirkung auf sie. Diesem Zweck sollte auch der Film dienen. Bereits im Dezember 1943 begann man mit der Intensivierung der Filmpropaganda unter den Italienern im Reich.[69] In Frage kamen zunächst nur deutsche Filme mit italienischen Dialogversionen oder Titelvorlagen. Die Auswahl der Filme wurde genau kontrolliert. Neben den Spiel- und Kulturfilmen kann auch die Wochenschau zum Einsatz: die für Italien bestimmte Fassung »La settimana Europea«. Sie wurde im Rahmen der Auslandswochenschau bei der Wien-Film hergestellt. Es wurden auch einige – politisch zuverlässige – italienische Filme zugelassen, wie z. B. Vittorio de Sicas »Maddalena Zero in Condotta«.[70] Die praktischen Resultate dieser Propagandaaktion waren nicht befriedigend. Der Staatsminister Meissner wandte sich in seiner Eigenschaft als Präsident der »Deutsch-Italienischen Gesellschaft« in dieser Angelegenheit noch im Dezember 1944 an das ProMi: »Es scheint mir notwendig und ist auch ein von italienischer Seite geäußerter Wunsch«, schrieb er, »die Filmbetreuung für die italienischen Arbeiter in Deutschland, die bisher sehr vernachlässigt worden ist, auf das stärkste zu aktivieren. Diese Filmbetreuung soll nicht nur der Unterhaltung und Steigerung der allgemeinen Arbeitsfreudigkeit der Arbeiter dienen, sondern auch die Grundlage für eine politische und propagandistische Beeinflussung bilden.«[71] Und trotzdem sollten die Italiener, jedenfalls nach Meinung französischer Arbeiter, bevorzugt sein. Die Sicherheitspolizei meldete über die Äußerungen der französischen Arbeiter im Reich, daß die italienischen Verräter »bessere Möglichkeiten als die Franzosen hinsichtlich Kinobesuch haben.«[72]

Die Deutsche Schmalfilmvertriebsgesellschaft mbH in Berlin verfügte über eine recht große Zahl deutscher Schmalfilme, darunter auch fremdsprachige Spielfilme, die speziell zur Vorführung in den Lagern für ausländische Arbeiter und Kriegsgefangene bestimmt waren. Es gab aber immer Schwierigkeiten mit den Vorführgeräten für Schmalfilme, da man die Apparatur vor allem für die deutschen Frontsoldaten benutzte. Noch größere Schwierigkeiten hatte man mit der Projektionsapparatur für Normalfilme. Um sie auch nur teilweise zu überwinden, organisierte man im Einvernehmen mit der DAF auch in Frankreich eine Sammlung von Kinoapparatur, hauptsächlich von Projekten für Schmalfilme zur Anwendung für die französischen Arbeiter und Kriegsgefangenen. Der erste Transport der von Frankreich gelieferten Apparate wurde im Juli 1944 bei einem Bombenangriff vernichtet, die weiteren Lieferungen konnten erst im Oktober 1944 verwendet werden.[73]

Die für ausländische Arbeiter oder Kriegsgefangene zugelassenen Filme waren hauptsächlich deutsche Produktionen. Aus den Quellen ist zu schließen, daß man erst Ende 1943 begann, mit großen Einschränkungen, für sie auch Filme aus deren Ländern zu spielen. Diese Filme unterlagen aber einer zusätzlichen Zensur im ProMi.[74]

Das Vorführen von englischen oder amerikanischen Filmen für Kriegsgefangene aus angelsächsischen Ländern war grundsätzlich verboten, auch wenn man diese Filme als ganz apolitische Streifen betrachtet hatte. Die angelsächsischen Kriegsgefangenen durften nur englisch synchronisierte Deutsche Wochenschauen bzw. englisch betitelte deutsche Filme zu sehen bekommen. Solche Filmkopien wurden nicht nur im Hinblick auf die Kriegsgefangenen vorbereitet: Sie waren auch für die englischsprachigen Freiwilligen der Wehrmacht bestimmt[75] und für die englischen Bewohner der Kanal-Inseln. Die Propaganda-Staffel in Paris hatte auf der Insel Jersey ihre Außenstelle. Die britischen Einwohner dieser Inseln erhielten – außer englisch synchronisierten Wochenschauen – verschiedene Unterhaltungsfilme wie »Es war eine rauschende Ballnacht«, »Paradies der Junggesellen«, »Die Geierwally«, »Der Mustergatte«, »Der Stern von Rio«, aber auch Filme wie »U-Boote westwärts«, »Heimkehr«, »Der Herrscher«, »Auf Wiedersehen, Franziska«, »Mutterliebe« oder »Das Herz der Königin«. Ferner zahlreiche Kulturfilme, u. a. »Bayreuth, die Stadt Richard Wagners«, »Michelangelo« oder Propagandafilme wie »Schiff ohne Klassen« und »Die Bauten Adolf Hitlers«.[76]

Noch größere Einschränkungen als bei den Kriegsgefangenen waren bei dem Einsatz des Films in den Konzentrationslagern zu beobachten. Seit 1941, und später, wurden in einigen KZ – Buchenwald, Dachau, Auschwitz, Groß-Rosen, Dora-Mittelbau u. a. – Filmvorführungen veranstaltet. Einmal im Monat oder seltener. Veranstalter war die SS, und sie kassierte auch das Eintrittsgeld (30 Rpf.). Das Repertoire beschränkte sich auf deutsche Filmproduktionen.[77]

Wiederaufführungen

Wie ein Theaterstück, so ist (nicht selten) auch der Film keine Zeitschriftennummer, deren Gültigkeit nur für Geschichtsinteressierte ihre Erscheinungszeit überlebt. Selbst die erfolgreichsten Filme schöpfen ihr Potential an möglichem Kinopublikum nicht aus, was die Nachaufführungen beweisen. Schon damals befanden sich in den Großstädten (bzw. größeren Städten) Kinos für die »Filme von gestern«, wie z. B. in der Hauptstadt des Reiches die Pflegestätten des alten Films, »Kurbel« und »Kamera«, oder das Hamburger Waterloo-Theater, wo auch der alte Film eine besondere kulturelle Pflege erfuhr. Der NS-Totalitarismus erfand aber auch die neuen, politisch-motivierten Reprisen-Aktionen, die sich nicht an den einzelnen Kinofan wendeten, sondern an die Volksmassen.

Im Frühjahr 1939 kamen in die Kinos – im Rahmen der »Wehrertüchtigung« der »Volksgenossen« – neben den Neuerscheinungen aus der Gattung »Soldaten-Filme« auch zahlreiche ältere Streifen, die zum Thema das Soldatentum und den Krieg, insbesondere den Ersten Weltkrieg, hatten. Bei großer Reklame zeigte man »Verräter«, den Spionagefilm, in dem der Einsatz von Fliegern, Panzerwagen und Hochseeschiffen präsentiert wurde, einen anderen Spionage-Film aus der Zeit des Ersten Weltkrieges »13 Mann und eine Kanone« (Regie J. Meyer, 1938), der das eherne Gesetz der Kameradschaft und das Ferngeschütz 500 zeigte (das Marschlied aus diesem Film wurde in der Wehrmacht gesungen), den bekannten Karl-Ritter-Film aus dem Jahre 1937 »Urlaub auf Ehrenwort« (das Lied »Die Vöglein im Walde« erlebte erneut eine Renaissance), den U-Boot-Film »Morgenrot« (1933) – »Denn wir fahren gegen Engelland« wird bald wieder gesungen – den Kaperkrieg des Hilfskreuzers »Emden« in dem Film »Heldentum und Todeskampf unserer Emden« und »Stoßtrupp 1917«, beide Streifen aus dem Jahre 1934; ferner »Standschütze Brüggler« und »Im Trommelfeuer der Westfront« aus dem Jahre 1936 und viele andere. Die Filme wurden bis zum Frühjahr 1940 gespielt: in Normalvorführungen, in Sonderveranstaltungen und besonders oft in den Sondervorstellungen für die Jugend. Seit September 1939 sollte das frühe deutsche Kriegskino den Zuschauer nicht von seiner neuen Lage ablenken, sondern ihn darauf hinweisen. Verglichen mit Kriegs-Wochenschauen, erreichten die früheren Kriegsfilme selbstverständlich geringere Zuschauerzahlen.

Im Spätsommer 1939, kurz vor Kriegsausbruch, setzte in den Kinos des Reiches eine »russische Welle« ein. Es kamen zahlreiche Reprisen von Filmen mit russischen Themen, selbstverständlich nicht im Zeichen von Hammer und Sichel, sondern im Schatten des russischen Doppeladlers. Nicht der manifeste Inhalt dieser Filme, sondern die Erfordernisse der Propaganda zählten. Der 1. September 1939 legte dem bisher geförderten Genre der »Frontfilme« über Stoffe aus dem Ersten Weltkrieg einige Einschränkungen auf. Im September wurden als Reprisen Wolfgang Liebeneiners »Ziel in den Wolken«, in den Jugendvorstellungen »Drops wird Flieger« (Regie Fritz Genschow) und sogar »Rivalen der Luft« des in Amerika weilenden Regisseurs Frank Wysbar gezeigt. Man spielte weiterhin (oder erneut) den bekannten U-Boot-Film aus dem Jahre 1933 »Morgenrot« in den Massenvorstellungen unter dem Motto »Denn wir fahren gegen Engelland«. Die Kinoprogramme wiesen auch Filme wie »Im Trommelfeuer der Westfront«, einen »Dokumentar«-Film aus dem Jahre 1936, »Stoßtrupp 1917« aus dem Jahre 1934[78], »Soldaten-Kameraden« aus dem Jahre 1936 auf, um nur Beispiele zu geben. Erst der Feldzug in Frankreich setzte diesen Themen fast völlig ein Ende.

Die politisch-bedingten Reprisen-Aktionen verordnete das ProMi aus Anlaß von anderen wichtigen Ereignissen. So wurde ein verstärkter Einsatz »großer nationaler Filme« nach der Verkündigung des

Deutschen Volkssturms angeordnet. Die Filmabteilung des ProMi hatte den Deutschen Filmvertrieb angewiesen, in einer Reprisenaktion »wertvolle deutsche Filme« kurzfristig einzusetzen. Die Liste der vorgeschlagenen 33 Spielfilme wurde zunächst Goebbels vorgelegt. Er änderte sie grundsätzlich. Seiner Meinung nach waren nur 17–18 Filme für diese Aktion geeignet.[79]

Die »nationalen Filme«, die sich, nach der Auswahl der Filmabteilung im ProMi, für den verstärkten Einsatz am Ende des Jahres 1944 eigneten, waren:

Der alte und der junge König	Regie	Hans Steinhoff, 1935
Annelie	"	Josef von Baky, 1941
Bismarck	"	Wolfgang Liebeneiner, 1940
Carl Peters	"	Herbert Selpin, 1941
Der Choral von Leuthen	"	Carl Froelich, 1933
Die Degenhardts	"	Werner Klingler, 1944
Die Entlassung	"	Wolfgang Liebeneiner, 1942
Friedrich Schiller	"	Herbert Maisch, 1940
Der Fuchs von Glenarvon	"	Max W. Kimmich, 1940
Der große König	"	Veit Harlan, 1942
GPU	"	Karl Ritter, 1942
Germanin	"	Max W. Kimmich, 1943
Heimkehr	"	Gustav Ucicky, 1941
Der Herrscher	"	Veit Harlan, 1937
Jud Süß	"	Veit Harlan, 1940
Der Kaiser von Kalifornien	"	Luis Trenker, 1936
Kampfgeschwader Lützow	"	Hans Bertram, 1941
Der Katzensteg	"	Fritz Peter Buch, 1938
Leinen aus Irland	"	Heinz Helbig, 1939
Lieselotte von der Pfalz	"	Carl Froelich, 1935
Mein Leben für Irland	"	Max W. Kimmich, 1941
Ohm Krüger	"	Hans Steinhoff, 1941
...reitet für Deutschland	"	Arthur Maria Rabenalt, 1941
Schwarzer Jäger Johanna	"	Johannes Meyer, 1934
Stukas	"	Karl Ritter, 1941
Trenck, der Pandur	"	Herbert Selpin, 1940
U-Boote westwärts	"	Günther Rittau, 1941
Über alles in der Welt	"	Karl Ritter, 1941
Das unsterbliche Herz	"	Veit Harlan, 1939
Der unendliche Weg	"	Hans Schweikart, 1943

Verräter	”	Karl Ritter, 1936
Ziel in den Wolken	”	Wolfgang Liebeneiner, 1938
Die Rothschilds	”	Erich Waschneck, 1940

Quelle: BA, R. 55 Nr. 663 S. 149f.

Eine entsprechende Anordnung über diese Volkssturm-Film-Aktion wurde Ende Oktober veröffentlicht:[80] »Um das Programm der deutschen Filmtheater dem Ernst und der Größe unserer Zeit anzupassen, sind die Vertriebsfirmen angewiesen worden, den Filmtheatern ab sofort Reprisenfilme soldatischen und nationalen Inhalts anzubieten. Es handelt sich um folgende Filme: ›Annelie‹, ›Die Affäre Roedern‹, ›Bismarck‹, ›Der Choral von Leuthen‹, ›Diesel‹, ›Die Degenhardts‹, ›Die Entlassung‹, ›Friedrich Schiller‹, ›Der Fuchs von Glenarvon‹, ›Der große König‹, ›Junge Adler‹, ›Kameraden‹, ›Der Katzensteg‹, ›Mein Leben für Irland‹, ›Ohm Krüger‹, ›...reitet für Deutschland‹, ›Schwarzer Jäger Johanna‹, ›Standschütze Brüggler‹.« Der Einsatz dieser Filme wurde als ein Zeugnis für das kulturelle Verantwortungsbewußtsein bewertet. Die Liste wurde nachträglich mit dem Film »Der unendliche Weg« ergänzt. Die beiden Listen, die der Film-Abteilung des ProMi und die des Propagandaministers, sind für die Geschichte des deutschen Films von großer Wichtigkeit. Die Auftraggeber beurteilten hier selber den propagandistischen Wert der im Dritten Reich gedrehten Filme. Ende 1944 liefen die neuaufgeführten Filme relativ gut. Eine Ausnahme bildete der »Film der Nation«: »Die Entlassung«.[81]

Vor dem Krieg wurden oft Filme nach dem Ablauf ihrer Prädikate nicht der Filmprüfstelle »zur erneuten Prädikatisierung vorgelegt, sondern vom Verleih aus Marktgründen zurückgezogen«.[82] Im Januar 1939 erhielten eine Verlängerung der Prädikate aus dem Jahre 1935: »Das Mädchen Johanna« (Regie G. Ucicky) und der bekannte Pola-Negri-Film »Mazurka«. Anfang 1940 erhielten Verlängerungen: (zum zweiten Male) Hans Steinhoffs »Hitlerjunge Quex« (1933) und Karl Hartls »Gold« (1934), außerdem folgende Streifen aus dem Jahre 1936: der Harry-Piel-Film »90 Minuten Aufenthalt«, Carl Froelichs »Traumulus«, Karl Ritters »Verräter«, der Luis-Trenker-Film »Der Kaiser von Kalifornien«, »Drei Mäderl um Schubert« von E. W. Emo sowie »Schlußakkord«, das Melodrama des in den USA weilenden Regisseurs K. D. Sierck. Außerdem bekamen die soldatischen Filme immer wieder Verlängerungen.

Im Krieg stellte ständig ein nicht geringer Fonds alter Filme das wichtige Kontingent in den Spielplänen der Kinotheater. Aus politischen Gründen, wie schon erwähnt, aber auch als Maßnahme, die in wirtschaftlichen Kategorien zu bewerten ist. Das Publikum zeigte sich diesen Wiederaufführungen – meistens – zugänglich. In den besetzten Gebieten konnten diese Filme nicht selten als »Neuheiten« gelten. In einer Sonderaktion im Jahre 1940 wurden dem deutschen Kinopublikum u. a. nachfolgende Spielfilme vorgeschlagen: »Das Flötenkonzert von Sanssouci«, ein Gustav-Ucicky-Film aus dem Jahre 1930 mit Otto Gebühr und Renate Müller, der Kriminalfilm »Die Stunde der Vergeltung« von Paul Wegener mit Gustav Fröhlich und Lida Baarova, im Jahre 1936 gedreht, Erich Waschnecks »Streit um den Knaben Jo« (mit Willy Fritsch, Lil Dagover und Maria von Tasnady) aus dem Jahre 1937, »Amphitryon« aus dem Jahre 1935 mit Willy Fritsch, Käthe Gold und Adele Sandrock (man sprach kaum über den Regisseur Reinhold Schünzel), ferner Paul Martins »Fanny Elsler« mit Willy Birgel und Lilian Harvey (1937). Aus dem Jahre 1932 Karl Hartls »Die Gräfin von Monte Christo« (mit Brigitte Helm, Rudolf Forster und Gustaf Gründgens) und die Ganghofer/Ostermayr-Filme aus den Jahren 1936–1938: »Der Jäger von Fall«, »Gewitter im Mai« und »Der Edelweißkönig«. Von den abendfüllenden Kulturfilmen wurden vorgeschlagen: »Von Königsberg bis Berchtesgaden« (Otto Trippel), »Auf den Spuren der Hanse« (Walter Hege), »Palas Brautfahrt« (Friedrich Dahlsheim), »Reineke Fuchs« (L. Starewitsch), »Symphonie des Nordens« (J. Sandmeier), »Achtung Australien! Achtung Asien!« (Colin Roß) und »Tiergarten Südamerika« (Prof. H. Krieg).

Noch später, in der Zeit unzureichender Produktion, war der häufigere Rückgriff auf die alten Filme ein Problem von größter Wichtigkeit. Aus der Archivruhe holte man immer mehr Werke hervor. Aus den sogenannten »Wunschvorstellungen« in den verschiedenen Städten wuchs eine vom Staat organisierte Großaktion. Ein halbes Jahrzehnt nach dem Uraufführungstag des Films »Der zerbrochene Krug« kam die Schöpfung Emil Jannings' an der gleichen Stelle – Berliner Ufa-Palast am Zoo – zur feierlichen Wiederaufführung (11. 9. 1942). Aus diesem Anlaß sprach F. Hippler zur Frage des Repriseneinsatzes. »Der zerbrochene Krug« wurde in zahlreichen Kopien auch in der Provinz eingesetzt.[83]

Die politischen Verhältnisse, die der Krieg schuf, trugen aber gleichzeitig dazu bei, daß auch viele Unterhaltungsfilme aus dem Kinomarkt zurückgezogen wurden. Eine Aufstellung der »Cautio«

(Max Winkler) vom Oktober 1939 wies 36 Spielfilme auf, die noch bis August/September 1939 in den deutschen Kinos liefen. Bei der Terra ging es um Filme wie »Zauber der Bohème« mit M. Eggerth und J. Kiepura, Geza von Bolvarys Werk aus dem Jahre 1937, drei Filme mit Pola Negri: »Tango Notturno« (1937, Regie Fritz Kirchhoff), »Die fromme Lüge« (1938, Regie Nunzio Malasomma) und »Moskau-Schanghai« (1936, Regie Paul Wegener), die propolnische und antizaristische Geschichte »Die Leuchter des Kaisers« (1936, Regie Karl Hartl), aber auch »Hundert Tage«, das 1935 verfilmte Mussolini-Forzano Schauspiel um Napoleon (Regie Franz Wenzler). Von der Ufa waren es u. a. der Sängerfilm mit J. Kiepura und M. Eggerth »Mein Herz ruft nach Dir« (1934, Regie Carmine Gallone) und der Carl-Lamac-Film aus dem Jahre 1935 »Ich liebe alle Frauen«, ebenfalls mit Kiepura, diesmal mit Lien Deyers. Das Operettenmilieu im »Bettelstudent« machte den gleichnamigen G. Jacoby-Film mit M. Rökk und J. Heesters (1936) für den deutschen Zuschauer nicht mehr zuverlässig. Unter den zurückgezogenen Filmen befand sich sogar der erste NS-Staatspreis-Film (1934) »Flüchtlinge« mit Hans Albers.[84] Und ein Kuriosum: Frank Wysbars »Fährmann Maria« (1936) wurde im Rahmen der Wunschvorstellungen in Stettin noch 1942 gezeigt. Wysbar, ein Emigrant in den USA, war bereits 1940 aus der RFK ausgestoßen worden.

Die Werbung
Presse

Die Möglichkeit, damals irgendeine Tageszeitung zu finden, in der kein Wort von Film oder Kino stand, war gering. Diesem zweifellos universellsten Ausdrucksfaktor begegnete man fast ständig in der Tagespresse. Film und Kino als Stoffobjekt gehörten zu den bedeutendsten Bestandteilen der aktuellen Sparten und des Feuilletons. Musikveranstaltungen, Theater, sogar Rundfunk standen hinter der totalen Anziehungskraft des Films zurück und fanden in der Tagespresse eine eingeschränktere Behandlung, als sie dem Film zuteil wurde.[85] Man schrieb viel, aber einseitig. Am 28. 11. 1936 erging eine Anordnung des Propagandaministers, die Kunstkritik als Ausdruck »jüdischer Kunstüberfremdung« und »individualistischer Willkür« verbot. An ihre Stelle trat die »Kunstbetrachtung« fast ohne freie Wahlmöglichkeit des Standpunktes. Die Veränderung war im journalistischen

Aufgabenbereich zu suchen. Sie vollzog sich weniger im Beruflich-Handwerklichen als im »Weltanschaulich«-Politischen. Die NS-Filmbetrachtung gehörte mehr und mehr zur unmittelbaren bzw. mittelbaren Gesinnungsführung. Oder sie wurde zur bloßen Nachricht degradiert. Die Zahl der Tageszeitungen mit eigenen Filmbeilagen wuchs von rund 80 im Jahre 1935 auf etwa 120 im Frühjahr 1939. Nach Kriegsausbruch mußte eine Reihe von Zeitungen ihre Filmbeilagen einstellen, aber es kamen neue Titel dazu, nämlich in den besetzten Gebieten. Für die Mehrzahl der Kinobesucher war die Filmkritik insofern von Bedeutung, als die Schauspieler genannt, Umrisse der Handlung mitgeteilt wurden oder sogar die Aussicht auf Befriedigung der Kinobedürfnisse deutlich gemacht wurde.

Autogramme
»Obwohl wiederholt in der Presse darauf hingewiesen wurde, Autogrammbitten einzustellen, um für die Kriegsdauer die Künstler und vor allem die Post nicht zu überlasten und außerdem Papier zu sparen, wuchs die Zahl der Zuschriften an die Künstler von Woche zu Woche an. In Zukunft werden Autogrammbitten von Künstlern grundsätzlich nicht mehr erfüllt. Trotzdem eingehende Zuschriften bleiben unbeantwortet. Die beigelegten Bildpostkarten werden der Ausschmückung von Wehrmachtunterkünften und das Rückporto dem Kriegs-WHW zugeführt werden.«
Quelle: Verordnungsblatt der NSDAP. Gau Ostpreußen, Folge 19. Königsberg, 1. Juli 1943.

Dem Film war eine nicht geringe Zahl von Fachzeitschriften (Zeitungen) gewidmet.[86] Es gab zwei Tageszeitungen: die ältere »Lichtbildbühne« (1939 ca. 3700 Exemplare der Auflage) und die wichtigste, der 1918/19 als Organ des Reichsverbandes Deutscher Filmtheater e. V. gegründete »Film-Kurier« (1939 rund 9000 Exemplare der Auflage). Die beiden Zeitungen wurden am 1. 7. 1940 vereinigt. Mit dem 4. 1. 1944 schluckte der Film-Kurier auch die 1916 gegründete illustrierte Wochenschrift »Der Film«. Mit dem 20. 9. 1944 stellte der »Film-Kurier« sein Erscheinen – »vorläufig« – ein. Als Wochenschrift wurden danach die »Film-Nachrichten – Mitteilungsblatt für den Gesamtbereich des deutschen Filmschaffens« gegründet. Die erste Nummer kam am 7. 10. 1944 heraus. Bis Ende März (?) 1945 erschien diese Zeitschrift als einziges Fachorgan des deutschen Films.[87] Für die breiten Massen standen andere Zeitschriften zur Verfügung: die größte Wochenschrift »Filmwelt« (1939 = 165 000 Auflage), die »Filmwoche« (1939 = 58 000 Auflage), ferner die »Film-Illustrierte«. Die Wochenschrift »Mein Film in Wien« (gegründet 1926) überlebte zwar den »Anschluß«, wurde aber bald eingestellt. Die einzige Monatsschrift »Der deutsche Film« erschien in den Jahren 1936 bis 1943 unter der Schirmherrschaft der RFK. Es war keine Zeitschrift für den Massenleser wie die 1924 gegründete »Film-Rundschau« (als Manuskript gedruckt). Die Filmamateure hatten »Film für alle«, eine Zeitschrift, die noch im Krieg erschien. Die filmtechnischen Fachorgane wie »Filmtechnik« und »Kinotechnik« durchbrachen nur in seltenen Fällen ihre engumgrenzte Lesergemeinschaft. Die Auflage beider Organe betrug 1939 etwa je 2000–3000 Exemplare. Auch viele Gaufilmstellen hatten eigene Veröffentlichungen.[88] Kurz nach Kriegsausbruch wurde ihre Ausgabe eingestellt.

Breit ausgebaut war der Pressedienst der einzelnen Filmgesellschaften, Produzenten und Filmverleiher zugleich. Nach Kriegsausbruch war die Werbung vor allem auf das Ausland gerichtet. »Das große Interesse am deutschen Film«, hieß es in einem Bericht vom Januar 1940, »hat die Auslandspressestelle der Ufa veranlaßt, ihre Informationen in 15 Sprachen herauszugeben. Diese Informationen erscheinen deutsch, englisch, französisch, italienisch, spanisch, holländisch, portugiesisch, norwegisch, schwedisch, flämisch, rumänisch, bulgarisch, jugoslawisch, tschechisch und in einem amerikanischen Englisch.«[89] Die »Neuordnung« vom Jahre 1942 brachte hier einige organisatorische Änderungen. Bei den neuen Filmvertriebsgebieten (Nord, West, Süd, Mitte) wurden eigene Presseabteilungen gegründet, deren Aufgabe darin bestehen sollte, die Beziehungen zu der Bezirkspresse zu pflegen. Die Arbeit sämtlicher Bezirkspresseabteilungen wurde von der ebenfalls neu geschaffenen Zentralpresseabteilung in Berlin gesteuert und laufend überwacht, der gleichzeitig die Presseabteilungen der Produktionsgesellschaften sowie die Presseabteilungen bei den Auslandsgesellschaften unterstellt waren. Im Rahmen der Heimat-Front-Kontakte gaben die Filmkonzerne eigene Betriebszeitungen heraus: so die Bavaria (seit 1940) »Bavaria-Feld-Post«, die Wien-Film »Wien-Film-Band«.

Daß der deutsche Film zum Thema der Pressebesprechungen im Ausland wurde, war eine Selbstverständlichkeit. Man schrieb viel oder wenig, gut oder schlecht, aber man schrieb. Das beweisen auch nicht selten die Seiten dieses Buches. Es gab Länder, wo das politisch bedingte Interesse für den Film aus Deutschland und für die deutschen Filmkünstler überdurchschnittlich war. So z. B. Italien, wo zeitweilig sogar die deutsche Fassung einer italienischen Filmzeitschrift erschien. Das Niveau dieser Zeitschrift war allerdings nicht allzu hoch. Auch fehlte es ihr an Eleganz.

Streng vertrauliche Informationen aus Rom
»Verführen Sie uns bitte nicht zu Indiskretionen; d. h. fragen Sie z. B. nicht, wie alt Doris Duranti oder Irasema Dilian sind, ob Johannes Heesters die Absicht hat, irgendeine seiner Bewunderinnen zu heiraten, ob Zarah Leander größer als Rossano Brazzi ist oder ob mir persönlich Isa Miranda besser als Marielle Lotti gefällt. Dazu und zu ähnlichen Fragen ist ein für allemal folgendes zu sagen: Schauspieler und Schauspielerinnen – darunter auch Doris Duranti und Irasema Dilian – sind nicht älter und nicht jünger, als ihre Rolle es verlangt. Als Beispiel gelte Luise Ullrich, die in dem Film ›Annelie‹ die Geschichte eines ganzen Lebens: d. h. vom Säugling bis zur Großmutter spielt... Johannes Heesters hat mir einmal verraten, daß er erst dann heiraten wird, wenn er keine Briefe mehr von seinen Anhängern bekommt. Bis dahin soll er keine Zeit zum Heiraten haben. Über die Körpermaße Zarah Leanders ist Folgendes zu sagen: sie ist kleiner als der Zyklop Polyphemo, aber entschieden größer als die Pygmäen Mittelamerikas.«
Quelle: Film (Rom), vom 7.7.943; Antworten an die Leser Antonio Latanzas.

Mit dem deutschen Film beschäftigte sich auch das gegnerische Ausland. Verschiedenartig, aber meistens, was verständlich, wenig sympathisierend. Die in London erscheinende »Die Zeitung« (23.4.1943) nutzte den alten und einst vielgeübten Scherz aus, um aus Filmtiteln den Verlauf einer Begebenheit zu bauen. Sie schrieb: »›Der Chef‹, ›Der Gipfelstürmer‹, wollte ›Einmal der liebe Herrgott sein‹. ›Das heilige Ziel‹ in ›Geheimakten W.B.I.‹ seit ›1923‹ niedergelegt, und auf ›Alarmstufe 5‹ gebracht, stand ihm mit dem ›Wahlspruch‹ ›Alles für Gloria‹ vor Augen. Auf ›Die Fahrt ins Abenteuer‹ nahm er ›Ein ganzes Volk‹ mit und sagte zu jedem: ›Dein Leben gehört mir!‹. ›So fing es an‹. Mancher ›Floh im Ohr‹ warnte ihn vor ›Leidenschaft und Leid‹. Dennoch wagte er den ›Frankreichfeldzug‹, und ›Die Ahnung‹ ließ ihn glauben, es würde alles wie ein ›Wunschkonzert‹ ablaufen. Doch da kam ›Der Windstoß‹ ›Im Osten‹. Die ›Organisation (war) Todt‹, und ›Die große Nummer‹ versagte. ›Alarm‹,

›Panik‹, ›Germanin‹, noch so stark eingetrichtert, erwies sich als nutzlos. Es zeigte sich: ›Wer zuletzt lacht‹ siegt, und ›Die Wildnis starb‹.«
– »Das ist nun nicht nur ein Querschnitt durch Vergangenheit, Gegenwart und Zukunft der Nazi-Historie«, so ergänzte sie ihre nicht nostalgisch, sondern mit einem gehörigen Schuß Ironie geschriebene »Erzählung« unter dem Titel »Vom ›Chef‹ zur ›Sterbenden Wildnis‹«, »sondern wir sind auch mitten in der glorreichen Zeitgeschichte des Nazi-Films. Denn die Titel, zur Erzählung gereiht, sind jene ›moderner‹ deutscher Filme, wie sie während der letzten Monate in Berlin, München, Wien, Prag und Budapest entstanden.« Und zum Schluß schrieb »Die Zeitung«: »Und Millionen, die des Tages harren, da der gipfelstürmende ›Chef‹ endgültig in die Tiefe gestürzt sein wird und das ›Sterben der Nazi-Wildnis‹ beginnt.« Dieser Aufsatz konnte selbstverständlich nicht als Ausdruck eines fachkritischen Standpunkts betrachtet werden. Er zeigte aber, wie damals die deutsche Filmproduktion beobachtet (es ging hier manchmal um Arbeitstitel) und beurteilt wurde.

Rundfunk

Auch im Rundfunk wurde der Film allmählich zum häufigen und gerngehörten Gast. Vor Kriegsausbruch und in der ersten Zeit des Krieges bedeuteten die Rundfunksendungen über den Film eine Werbung, lieferten aber zugleich Unterhaltung. Die erste große Rundfunksendung über einen Film war dem Streifen »Der alte und der junge König« gewidmet (6.2.1935). Danach folgten Sendungen über: »Triumph des Willens«, »Fährmann Maria«, »Olympia-Film«. Die regionalen Sender (z. B. Köln, Breslau, Königsberg) traten mit eigenen Radio-Sendungen über den Film auf. Der Reichssender München brachte seit dem Frühjahr 1939 regelmäßig am Donnerstag Sendungen unter dem Motto »Unsere Filmschau«. Später im Kriege benötigte der Film solche Reklame immer weniger. So wurde z. B. die »Klingende Filmillustrierte« stillgelegt. Erst nach zahlreichen Einstellungen von Filmzeitschriften wurde diese Sende-Reihe erneuert (März 1944).

Es gab im Rundfunk verschiedene Sonderaktionen, die mit dem Film verbunden waren. Im Zusammenhang mit der Uraufführung von »Das unsterbliche Herz« (1939) veranstalteten alle Sender des »Großdeutschen Rundfunks« eine Reihe von Sendungen, in denen

Ausschnitte aus diesem Film zu Gehör gebracht wurden. In diesen Sendungen gab es auch Interviews mit dem Regisseur Veit Harlan und mit den Hauptdarstellern (H. George, K. Söderbaum, P. Wegener, M. Bohnen) und weiteren Mitarbeitern. Viele der Sender verbanden damit einen originellen Wettbewerb – drei der Gewinner wurden als Gäste der Gauleitung Franken und der Tobis zur Uraufführung nach Nürnberg eingeladen. Vom Reichssender Breslau wurde am 18. 3. 1939 erstmals ein Filmdrehbuch als Hörspiel gesendet: »Der Vierte kommt nicht«, ein »Krimi«, von M. W. Kimmich und Charles Klein geschrieben. Hier auch wurde ein Jahr später, aus Anlaß der bevorstehenden Uraufführung des antienglischen Films »Der Fuchs von Glenarvon« ein Hörspiel von Kurt Paque und R. H. Düwell urgesendet (19. 4. 1940). Vor der Uraufführung des Krimis »Kriminalkommissar Eyck« (2. 2. 1940 in Düsseldorf) wurde die Handlung des Films zum Thema eines Hörspiels. Gegen Mitte des Krieges wurde im Rundfunk die Filmmusik bevorzugt. Franz Grothe, der verantwortliche Leiter der Abteilung »Gehobene Unterhaltungsmusik«, veranstaltete Sendungen wie »Filmmusik ohne Film« im Berliner Rundfunk. Eine andere beliebte Reihe von Rundfunksendungen wurde unter dem Motto »Erinnerungen an gute Filmmusik« gegeben.

Der Film leistete dem Rundfunk Gegendienste. Es gab Filme über den Rundfunk oder den Rundfunk im Film. 1938 realisierte Dr. Hans Cürlis einen Lehrfilm über die Jüngsten im Rundfunk: »Hier spricht das Kind.« In den Spielfilmen der »großdeutschen Ära« wie »Die Stimme aus dem Äther« (1939) oder »Wunschkonzert« (1940) wurde der Rundfunk zum äußerst wichtigen Faktor der Filmhandlung. Daneben gab es Kurzfilme. »Diener des Volkes« hieß der 1939 bei der Bavaria gedrehte Kulturfilm über den deutschen Rundfunk. Peter A. Horn drehte diesen Streifen, und das bekannte Orchester des Deutschlandsenders unter Karl List wirkte mit. Es gab auch normale Werbefilme. So gelangten z. B. im April 1939 sechs Kurzfilme zur Uraufführung (z. T. in Farben und Trickzeichnungen), die »das Verständnis für den deutschen Rundfunk wecken sollten«: »Und es beginnt ein neuer Tag« (Farbtrick), »Der Störenfried« mit Darstellern, u. a. Eugen Rex, und mit der Schlußtendenz: »Der Rundfunk gehört dem ganzen Volk« (Regie Carl Heinz Wolff), »Hansemanns Traumfahrt« (Farbtrick), »Rundfunk hören – Miterleben«, »Für jeden etwas« und »Schlacht um Miggershausen« (Werbung auf dem Lande). Nach Kriegsausbruch ließ die Werbung für den Rundfunk nach.[90] Über die Tätigkeit des deutschen Rundfunks in der Kriegszeit berichtete der 1944 bei der Lex-Film gedrehte Kurzfilm (383 m) »Rundfunk im Kriege«. Der Streifen zeigte u. a. die Tätigkeit des Reichssenders Berlin, den Einsatz von Reportern im Reich und an den Fronten, die Konzertveranstaltungen und die Ansprache Hans Hinkels.

Die übrigen Werbemittel

Hier muß man vor allem den »Illustrierten Film-Kurier«, die umfangreichste deutsche Programmserie aus der Vorkriegszeit – und der Zeit des Krieges bis 1944 – erwähnen.[91] Neben dem »Illustrierten Film-Kurier« wurde auch das »Programm von Heute« als Filmprogramm verkauft. Aus Sparsamkeitsgründen verlangte Dr. Winkler schon zu Anfang des Jahres 1943 die Einstellung beider Serien. Seit 1938 erschien fast zu jedem Spielfilm eine Werbebroschüre, einige Filme wurden mit eleganten Sonderheften honoriert. Eine größere Rolle (im Vergleich mit heutigen Zuständen) spielten die Filmplakate. Auch damals gab es heftige Diskussionen über deren künstlerischen Wert. Auf die Gestaltung der Filmplakate lenkte auch die Filmpresse von Zeit zu Zeit ihre Aufmerksamkeit, und der »Film-Kurier« »kämpfte« um die Entkitschung derselben. Als Antwort organisierten die Filmkonzerne Plakatwettbewerbe. Europäischen Ruf erwarb sich als künstlerischer Plakatgestalter Prof. Hans Wagula, jahrelang im Dienste der Gebrauchsgraphik stehend. Bei einem Wettbewerb der Tobis erhielt sein Plakat-Entwurf für die »Geierwally« den 1. Preis. Aber das Gros – so die Beurteilungen der Fachzeitschriften – ließ weiterhin zu wünschen übrig. Nach Kriegsausbruch mußten die Plakate – das war auf die Verdunkelung zurückzuführen – ausgesprochen auf die Tageswirkung angelegt werden. Dies erforderte eine entsprechende farbliche, aber auch kompositorische Umstellung. Über etwaige Erfolge in diesem Bereich schrieb man wenig. Im Sommer 1942 begann im Rahmen der Sparmaßnahmen die Auslieferung von Filmplakaten in dem neuen Format DIN A 1 (54,4 zu 84,1 cm), wesentlich kleiner als die bisherigen Plakate (95 zu 138 cm). Die neuen Plakate durfte man nur in vier Farben herstellen. Durch die Verordnung der RFK vom 14. 2. 1944 wurde die Anfertigung von gedruckten Film-Bildplakaten und Programmankündigungen verboten.[92] Für die im Ausland eingesetzten Filme wurde eine besondere Genehmigung verlangt. Anfang September 1944 wurde den Filmtheatern jegliche Werbung durch Standfotos, Plakate und ähnliches untersagt. Auch Künstlerpostkarten durften nicht mehr verkauft werden. Die »Ufa-Abreißkalender« mit Fotos von Filmdarstellern und -darstellerinnen wurden zum letzten Male 1942 herausgegeben.

1940 unternahm der Ufa-Buchverlag die Herausgabe von Film-romanen, deren Handlung sich auf die Ufa-Filme stützte. Diese Romane sollten mit reichem Bildmaterial aus den jeweiligen Filmen illustriert werden. Der erste war Geza von Cziffras »Es war eine rauschende Ballnacht«. Es folgten: »Das Lied der Wüste« von H. Te-strup, »Mutterliebe« und »Frauen sind doch bessere Diplomaten« von H. Flemming, »Das Herz der Königin« und »Der Weg ins Freie« von H. Braun, »Der liebe Augustin« von H. Sassmann, »Dreimal Hochzeit« von H. G. Kernmayer und »Auf Wiedersehen, Franziska« von Heinrich Heining. Selbstverständlich fehlten nicht in dieser Reihe Filme wie »Die Rothschilds« und »Jud Süß« – mit Autoren, die unter Pseudonymen schrieben.

Langsam wuchs die Zahl der Drehbücher, die auch als Lesebücher vorlagen, wie ein Roman oder ein ähnlich geartetes literarisches Pro-dukt. Rolf Lauckner machte den Anfang mit »Bismarck« und »Eine kleine Nachtmusik«. Ihm folgten Franziska Kinz (ein unverfilmter Stoff) und 1942 Heinrich Spoerl mit »Das andere Ich«, bekannt aus dem Hilde-Krahl-Film.

Die Sparmaßnahmen machten bald allen großangelegten Plänen ein Ende. Aber bis in die letzten Monate des Krieges erschienen als Broschüren die sogenannten »Bild- und Textinformationen« als Wer-bematerial für die einzelnen Filme. Sie sind in der Bibliographie die-ses Buches verzeichnet.

Es gab Filmstunden des Winterhilfswerkes (zu Anfang des Krieges des Kriegs-Winterhilfswerkes), und seit 1936, auch nur bis in die er-sten Kriegsjahre, veranstaltete man im ganzen Reich die Volkstage des Films. Als Veranstalter traten die Filmverleihfirmen und Kinobe-sitzer auf. An diesen Tagen gab es, außerhalb der normalen Spielzeit, Film-Freizeitveranstaltungen, deren Zweck es war, »allen Volksge-nossen gute und mit Prädikaten ausgezeichnete Filme der deutschen Produktion näherzubringen«. Das symbolische Eintrittsgeld betrug 10 Pfennig, die meistens dem (Kriegs)-Winterhilfswerk zugeführt wurden. Während des Filmvolkstages am Sonntag, dem 5.3.1939, war der Zutritt zu diesen Veranstaltungen mit dem Erwerb der

Propaganda-Schrift des RFK »Von der Filmkiste zur Filmkunst« verbunden.

Im Dienste der Film-Werbung standen auch »die Zusammenkünfte der Kunstschaffenden«, die in Berlin stattfanden. Hier sprach man u. a. über den Film, und die Presse berichtete nach Möglichkeit darüber. Der Kriegsausbruch brachte hier eine Unterbrechung. Erst im September 1940 sprach man erneut – weisungsgemäß – zum Thema: der historische Film. Veit Harlan, Herbert Maisch und Wolfgang Liebeneiner waren diesmal die Diskutanten. Liebeneiner wies auf das Verantwortungsgefühl der Regisseure hin, da alle historischen Filme »unwillkürlich« zur Gegenwart in Beziehung gesetzt würden und darum größte Wirkung ausübten.

Der Film und das Fernsehen

Film gab es schließlich auch im Fernsehen. Die ersten Filmsendungen in Berlin (Sender Witzleben) wurden probeweise bereits am 5. 3. 1930 vorgenommen. Der erste Fernsehfilm, ein Film aus dem Leben der HJ, wurde auf der Rundfunkausstellung 1935 gezeigt. Zum Thema Fernsehprogramm schrieb 1935 der Wissenschaftliche Pressedienst: »Das Programm umfaßt zunächst Tonfilme, die speziell für den Fernsehfunk ausgewählt werden und von Filmverleihfirmen zu beziehen sind... nicht zu kompliziert... Ebenso soll sich das Programm ähnlich wie das der allgemein bekannten Kinos verhalten und gleichermaßen von Woche zu Woche geändert werden. Auf eine besonders zusammengestellte Wochenschau wird der nach den praktischen Gesichtspunkten des Fernsehens ausgewählte Spielfilm folgen. Dabei wird dafür gesorgt, daß den Filmbühnen keine Konkurrenz gemacht wird, indem man solche Stücke wählt, die ihre Uraufführung bereits seit längerer Zeit hinter sich haben.«[93] Die Fernsehempfänger wurden vor allem in einigen Postämtern der Reichshauptstadt eingerichtet. Im Preis lagen sie zwischen 600 und 3000 RM.

Der Fernsehsender Berlin war ein Unternehmen, das mit der RFK, dem Reichssender und der Reichspost zusammenarbeitete. Mit Rücksicht »auf die besondere Bedeutung des Fernsehwesens für die Flugsicherung und nationalen Luftschutz« erhielt auch der Reichsminister der Luftfahrt gewisse Kompetenzen.[94] Kurz vor Kriegsausbruch wurde der Fernsehrundfunk von der Deutschen Reichspost für die Öffentlichkeit freigegeben. Am 15. 8. 1939 wurde die »Reichspost-Fernseh-Gesellschaft mbH« in das Handelsregister Berlin eingetragen. Keine Konkurrenz, so hieß es, für das Theater, das Konzert oder für den Film. »Dem Fernsehrundfunk sind aus seiner Eigenart heraus ganz besondere Gebiete vorbehalten, die sich grundsätzlich vom Rundfunk und Film, die beide der Fernsehtechnik am nächsten kommen, unterscheiden.«[95] Der neue Einheitsempfänger war bereits für 650 RM zu erwerben.

Nach dem 1. September 1939 stand das Fernsehen vor allem im Dienste des Krieges. In zehn, später in mehr als 50 Lazaretten in der Nähe von Berlin wurden Fernsehempfänger aufgestellt. Die im Fernsehstudio Grunewald aufgenommenen Sendungen konnten von den leichter verwundeten Soldaten angeschaut werden. Nach den Berechnungen des ProMi betrug die Zahl der Zuschauer in den Lazaretten im Jahre 1942 rund 1200 Soldaten.[96] Fernseh-Veranstaltungen organisierte man auch im Kuppelsaal des Reichssportfeldes, denen 2000 Soldaten beiwohnen konnten.

Für seine Sendungen schuf das Fernsehen auch eigene unterhaltende Filme. Aber auch Filme anderer Art. 1940 entstand z. B. »Berühmte Gewölbe«, ein Film, den Karl Heinz Uhlendol (Regie) und Max Zubeil (Kamera) drehten. Auf dem Zelluloidstreifen wurden die dunklen Räume des historischen Blutgerichts in der Pregelstadt (mit Aufnahmen aus dem übrigen Alt-Königsberg), ferner die berühmte Weinstube am Berliner Gendarmenmarkt, Auerbachs Keller in Leipzig und der Bremer Ratskeller »festgehalten«. Neben Film- und Theaterdarbietungen zeigte man Varieténummern und Sport. Es gab auch Vorträge bekannter Persönlichkeiten aus Politik, Wissenschaft, Kultur, und, selbstverständlich, der Wehrmacht. Hierbei wieder hatte sich das Fernsehspiel als hervorragendes Mittel seinen Platz im täglichen Sendeprogramm geschaffen.

Im Fernsehen (damals sagte man meistens: im Fernsehrundfunk) begegnete man bereits vor dem Kriege manchen Künstlern, die dem Publikum von der tönenden Leinwand her bekannt waren. So hatten die Fernseh-Teilnehmer am 18. 1. 1939 die Gelegenheit, das Entstehen von Fragmenten des Kriminalfilms »Der Vierte kommt nicht« mit dem Regisseur Max w. Kimmich und den Darstellern Charlott Daudert und Werner Scharf unmittelbar mitzuerleben. Diese Sendung stand unter der Gesamtleitung von R. H. Düwell. Am 29. 1. 1939 wurden im Fernsehstudio Kristina Söderbaum und Veit Harlan von R. H. Düwell interviewt; sie sprachen über den Film »Das unsterbliche Herz«. Im April 1940 präsentierte in einer Großsendung (Regie Kurt Paque) »Film von heute« der Produktionschef der Tobis, Ewald von Demandowsky, eine Reihe von Themenschnitten aus den Tobis-Filmen: »Robert Koch«, »D III 88«, »Die Reise nach Tilsit« und »Eine kleine Nachtmusik« mit einer Reportage von Alfred Braun dazu. Am 4.6.1942 zeigte das Fernsehprogramm eine Gruppe von bekannten Schauspielern, darunter Paul Hartmann, Grethe Weiser, Lizzi Waldmüller, Rudolf Platte und die bekannte Sängerin Erna Berger.

In den Kinos zeigte »Zeit im Bild« in dem Kurzfilm »Wir senden Frohsinn – wir spenden Freude« die Fernsehübertragung einer Unterhaltungsveranstaltung aus dem Großen Sendesaal des Berliner Rundfunks mit Kurt Engel, Ilse Werner und den Scala-Girls (1942).

Das Fernkino

»Wird... das Fernkino das Kino der Zukunft sein? Werden die Leute sich daran gewöhnen, Tonfilme auf einer quadratmetergroßen Fläche, aus einem Kasten, der wie ein Lautsprecher aussieht, zu Hause zu genießen, so wie sie sich daran gewöhnt haben, Konzerte im Wohnzimmer durchs Rundfunkgerät zu hören?... Niemand hat bei uns in Deutschland – in Amerika mag das anders sein –, wenn er ins Kino geht, die Vorstellung, auszugehen. Es bliebe also die Frage, ob der Film qualitativ durch die Einengung auf eine sehr viel kleinere Bildwand leidet. Die Filmleute selbst, die sich in den Schneideräumen Filme auf noch viel kleinerer Projektionsfläche anzusehen gewöhnt sind, überwinden diese Hemmung sehr rasch... Der Preis der Fernkinoapparatur ist zweifellos ein wichtiger sozialer Faktor, aber immerhin als Einwand zeitbedingt... Es ist ohne weiteres klar, daß das Fernkino, wenigstens bei uns in Europa, mit Methoden der kapitalistischen Privatwirtschaft nicht organisiert werden kann. Das Verhältnis zwischen Filmproduktion und Fernkinohörerschaft (beziehungsweise Fernkinoseherschaft) läßt sich finanziell kaum anders festlegen als das zwischen dem Rundfunk und seiner Hörerschaft. Alle Fernkinohörer zahlen eine bestimmte Pauschalgebühr für die Benutzung ihres Gerätes, wobei es gleichgültig bleibt und aus technischen Gründen auch gleichgültig bleiben muß, wie viele Filme, Fernsehspiele oder andere noch möglichen Fernsehprogramme sie ansehen... Eine auf Fernkinobetrieb eingestellte Filmindustrie kann nur gemeinschaftlich und einheitlich (was soviel bedeutet wie staatlich) organisiert werden ... Und dies endlich wissen wir gewiß: daß der Film, dieser charakteristische Schrittmacher und Weggenosse unseres Zeitalters, erst seine be-

sondere Wirkungsform gefunden haben wird, wenn er sich von einer ihm wesensfremden Verbreitungsart – zuerst der Schaubude, dem Kintop, dann den Prunktheatern – losgelöst hat. Erst dann kann er, dem Rundfunk gleich, tatsächlich alle Menschen ohne Unterschied ihres Aufenthaltsortes erreichen, die sich von ihm erreichen lassen wollen oder seiner Suggestion nicht zu entziehen vermögen… Das Kino ist nur eine Durchgangsform. Sie wird überwunden werden.«
Quelle: Edmund Th. Kauer: Der Film, Berlin 1943, S. 49 ff.

Die Meinungen darüber waren selbstverständlich geteilt. »So stellt also das Fernsehen keinesfalls eine Konkurrenz des Films dar«, meinte man zum Beispiel im Film-Kurier (14. 2. 1942). »Es wird vielmehr später durch seine aktuellen Bildberichterstattungsmöglichkeiten eine Ergänzung des Rundfunks innerhalb seines Sendeprogramms bilden. Im Kriege aber bleibt es ein Unterhaltungsmittel für unsere verwundeten Soldaten in den Lazaretten…, und die großen und kleinen Darsteller des deutschen Films stellen sich gern zu seiner Verfügung.«

Am 12. März 1943 fand im Kuppelsaal des Berliner Reichssportfeldes das Jubiläum der 100. Veranstaltung statt. Erst nach den großen Luftangriffen vom November 1943 wurden die Fernsehsendungen in Berlin stark eingeschränkt.[97] In Paris fanden sie zeitweise ihre Fortsetzung. Weiterhin aber befaßte sich in der Berliner Filmtechnischen Zentralstelle die Arbeitsgruppe VIII (Fernsehen) mit der Fernseh- und Funktechnik in der Anwendung auf den Film[98]

Der erste (?) Kurzfilm, der die technischen Grundlagen des Fernsehens schilderte, war der 1935 hergestellte Streifen »Das Auge der Welt« (350 m). Der Film zeigte zuerst die Übertragung von Bild und Ton und die Entstehung des Fernsehbildes auf dem Bildschirm der Braunschen Röhre. Anschließend daran folgte die Darstellung des Zwischenfilm-Verfahrens, der Tonfilmübertragung und des Gegenseh-Verfahrens, ferner auch Ausschnitte aus einem Kulturfilm und Übertragung aus dem Opernhaus. »Schreibendes Licht« – Ein Film von der modernsten Technik unserer Zeit (Regie Erich Schwabe, Musik Norbert Schultze) – hieß der nächste Film, der in zwei Fassungen erschien: 1935 (363 m) und 1937 (451 m). Bei der Erklärung arbeitete der Film vielfach mit Zeichen- und Sachtrick oder mit eingebauten Standfotos. Er zeigte den ersten Fernsehsender für Bild und Ton in Berlin-Witzleben (1934), den Berliner Funkturm, die Aufnahmen von den Olympischen Spielen (der Kommentar sprach vom ersten größeren Einsatz des Fernsehens) und das Fernsehen auf der Rundfunkausstellung 1936 in Berlin. Der Film erhielt auch eine Schmalausgabe.

Für den Welt-Post-Kongress 1939 in Buenos Aires wurde bei der Ufa ein Kurzfilm mit frei erfundener Spielhandlung hergestellt, in dem der Einsatz von Fernsehtechnik (Fernsehstube, Fernsehaufnahmewagen bei der Arbeit in einem Stadion) im Dienst der Kriminalpolizei, die sich mit einem Auto-Unfall beschäftigte, geschildert wurde. Der Film, »Wer fuhr II A 2992?« (477 m) wurde erst im Oktober 1939 zensiert. Und im Rahmen des Ufa-Wirtschaftsfilmes entstand als ein Lehrfilm der Streifen »Fernsehen«. Im September 1944 wurde die zweite Fassung dieses Films zensiert (674 m; P:aw). Noch im Jahre 1945 wurde eine Schmalausgabe dieses Films genehmigt (365 m).

Der deutsche Weg im Farbfilm

»Der Grundsatz, daß an einem Mittel der Propaganda und der Volks-führung nicht verdient werden soll wie an einem Objekt normaler ge-schäftlicher Betätigung, wurde von der Leitung der Ufa auch auf den Farbfilm angewandt. Die weitgehende Befreiung des deutschen Films vom amerikanischen Einfluß machte es möglich, eine deutsche Erfin-dung des Farbfilms in Ruhe ausreifen zu lassen und in Freiheit von fremden Patenten zu entwickeln.«

Quelle: Otto Kriegk: Der deutsche Film im Spiegel der Ufa, Berlin 1943, S. 276

Die Anfänge

Die Vorgeschichte des Farbfilms geht bis in das Jahr 1897 zurück: Man kolorierte per Handzeichnung oder sogar mit Maschinen Film-streifen. Die ersten Farbfilm-Patente in Deutschland stammen aus den Jahren 1910 und 1911. Die Geschichte des Farbfilms, die Herstel-lung von Farbfilmen auf fotografischem Wege, fing später an.

So wie einst der Ton, stellte auch die Farbe grundsätzlich für den Film einen Fortschritt dar. Hollywood war hier mit dem Technicolor-Verfahren der weltbekannten amerikanischen Firma Kodak dem deutschen Film an Schnelligkeit voraus. In Deutschland wurden vor dem Krieg bei der Ufa studienhalber Arbeiten daran durchgeführt, wobei man sich bemühte, die eigenen Farbfilme den bezüglich der Produktionstechnologie guten Farbfilmen der USA entgegenzustel-len. Man begann mit der Ausarbeitung eines Zweifarbenverfahrens (ufacolor). Neben dem Werbefilm stellte der Kulturfilm seine Pro-duktion als erster für die Erprobung der neuen Verfahren zur Verfü-gung. »Bunte Tierwelt« gilt als der erste deutsche Farbfilm nach dem Ufacolor-Verfahren (1931). In der Vorkriegszeit entstand ebenfalls das Siemens-Berthon-Farbfilmverfahren (Opticolor), dem jedoch ein endgültiger Erfolg versagt blieb. Nach diesem Verfahren drehten

Carl Froelich und Rolf Hansen den ersten deutschen Farbspielfilm »Das Schönheitsfleckchen« mit Lil Dagover als Marquise de Pompadour (1936). Eine für die künstlerischen Anforderungen tragbare und technisch verhältnismäßig einfach verwertbare Lösung brachte dann der Dreifarbenfilm nach dem substraktiven Agfa-Negativ-Positiv-Verfahren, das bei der IG-Farben mit Unterstützung der Ufa und der Afifa entwickelt wurde. 1937/38 kam eine Vereinbarung zustande, die das gemeinschaftliche Arbeiten auf dem Gebiet der Farbfilmentwicklung vorsah. Infolge dieser Vereinbarung entstand auf dem Ufa-Gelände in Babelsberg ein modernes Farbfilmlaboratorium.[1]

Fast die ganzen verfügbaren technischen und wissenschaftlichen Hilfsmittel der Ufa (und ihrer Tochtergesellschaft Afifa) waren auf die Entwicklung der Farbfilmaufnahme-, Bearbeitungs- und Wiedergabetechnik konzentriert. Im August 1939 wurde bei der Ufa einem Kreis von Fachleuten der Druckfarbenindustrie und des Films ein neuer, großenteils in Farben gedrehter Film »Aus der Welt der Farben« erstmalig vorgeführt. Der Film enthielt, neben einer wissenschaftlich-technischen Erfassung der Materie, zahlreiche farbige Aufnahmen aus dem Schaffen des Chemikers und des Facharbeiters. Er zeigte auch die Anwendung der Druckfarben in der Praxis und lieferte einen Beitrag zur Berufserziehung.[2] Zu dieser Zeit gelang der IG-Farben nach langen und kostspieligen Versuchen das Kopieren von Farbaufnahmen. Die Öffentlichkeit des totalitären Staates (und zugleich die Weltöffentlichkeit) mußte aber auf diese Nachricht noch ziemlich lange warten. Es gab weiterhin Probleme, es gab auch Geheimnisse, und man war hier sehr zurückhaltend. Erst im Februar 1940 bekamen die Medien eine weniger mehrdeutige Nachricht: »In München wurde vor kurzem die erste Farbfilmkopie gezeigt. Mit dieser neuen deutschen Großtat unserer Chemie steht der Film vor einer neuen Epoche: Der Farbfilm wird nun nicht mehr lange auf sich warten lassen und den Schwarz-Weiß-Film bald ganz verdrängen.«[3]

Von der Technik des Farbfilms

»Bei dem vorgeschrittensten System, dem von den IG-Farben ausgearbeiteten, dient als Aufnahmematerial ein Film, der außer Zwischenschichten und Rückschicht, die im Bilde nicht in Erscheinung treten, drei Farbemulsionen trägt, genauer gesprochen drei farbempfindliche Emulsionen, und zwar, übereinander, eine blauempfindliche, eine grünempfindliche und eine rotempfindliche. Aus diesen drei Farb-

schichten baut sich später, gewissermaßen als Durchblick durch drei übereinanderliegenden Ebenen, das Farbbild auf. Der technische Vorgang bei der Aufnahme entspricht dem gewöhnlichen bei der Schwarzweißaufnahme. Dagegen ist die Entwicklung schwieriger und besteht aus mehreren Arbeitsgängen, in denen das ursprünglich belichtete Negativ unmittelbar ins farbige Positiv entwickelt wird. Hierin liegt eine der großen Schwierigkeiten, denn nur Amateurfilme und allenfalls gewisse Kulturfilme und Lehrfilme können es sich leisten, auf eine mögliche Kopie beschränkt zu sein. Der industriell hergestellte, für den Vertrieb bestimmte Spielfilm aber bleibt auf sehr kostspielige Methoden der Kopiervervielfältigung angewiesen.«
Quelle: Edmund Th. Kauer: Der Film, Berlin 1943, S. 57f.

Noch vor Kriegsausbruch stellte die Ufa eine Reihe von Kultur- bzw. Werbe-Filmen in Farbe (Gasparcolor, Pantachrom) her, die weit über die pflichtmäßig interessierten Fachkreise hinaus nicht geringes Aufsehen erregten. Die wichtigsten Kulturfilme gehörten zur Sparte Biologie. Es waren: »Bunte Tierwelt« (257 m), »Bunte Fischwelt«, »Hochzeiter im Tierreich« (377 m), »Tiergärten des Meeres« (382 m), »Wasserfreuden im Tierpark« (240 m). Ferner zwei Filme aus dem Golf von Neapel (Leitung und Gestaltung Dr. Ulrich K. T. Schulz): »Tintenfische« (395 m) [4] und »Farbenpracht auf dem Meeresgrund« (385 m) [5], die 1938 auf der Biennale in Venedig präsentiert wurden. Aus dem Bereich der körperlichen Erziehung kam »Rhythmus und Tanz« (356 m), und aus der Sparte Länder- und Völkerkunde stammten »Herbst in Sanssouci« (239 m), »Potsdam« (303 m) und der stark politisch gefärbte Film (Gasparcolor) aus dem Jahre 1937 »Erntedankfest auf dem Bückeberg« (263 m). Als internationale Versionen (Filme mit Zwischentiteln) gingen in die Welt: »Erntedankfest auf dem Bückeberg«, »Bunte Tierwelt«, »Wasserfreuden im Tierpark«, »Rhythmus und Tanz«, »Herbst in Sanssouci«, »Potsdam«, »Bunte Fischwelt«, »Hochzeiter im Tierreich«, »Tintenfische« und »Farbenpracht auf dem Meeresgrund«. Einige von ihnen erhielten sogar fremdsprachige Fassungen. So die biologischen Filme »Coloured Creatures« und »Aquatic Revels at the Zoo«, ferner »Autumn in Sanssouci« und »Rhythm and Dancing« die englische, und »Jours d'automne à Sanccouci« und »Rhythm et Danse« die französische Fassung. Der bekannteste Werbefilm war »Panik durch Ping-Pong« (Gasparcolor und schwarz-weiß), ein Zeichentrickfilm aus dem Jahre 1938 (162 m), der für Metallabgabe warb. Im Jahre 1939 gab es ferner

Farbfilmversuche anderer Art. So z. B. »Tanz der Farben«, ein Farb-spielversuch, in dem sich bunte Linien, Punkte und Flächen im ka-leidoskopischen Wechsel nach dem Rhythmus der Musik (Oskar Fischinger) bewegten. Er gehörte – so die Pressenotizen – zu den Farb-Kurzfilmen (152 m), in denen dem Schöpfer (Hans Fischinger) eine künstlerische Verwendung der Farben gelungen war. Der Film ging im Tobis-Verleih in die deutschen Kinos. Unter den Rundfunk-Werbefilmen aus dem Jahre 1938, die im April ihre Kinopremieren erlebten, befanden sich auch die Farbtrick-Filme »Hansemanns Traumfahrt« und »Es beginnt ein neuer Tag«.

Für den Farbfilm interessierten sich nicht nur die Professionellen aus der Kinobranche. Er war auch sehr reizvoll für den Schmalfilm-Liebhaber. Bereits im Mai 1939 wurden im Amateurfilmwettbewerb Farbfilme, die auf Agfacolor- und Kodachrom-Filmen hergestellt waren, bei der Entscheidung der Jury als hervorragend beurteilt.

Mit den zur Verfügung stehenden Mitteln ließen sich schon damals gewisse Reisereportagen, die einen unbestreitbaren Wert darstell-ten, herstellen. Einen solchen Farbfilm von der Wunderinsel Bali – den ersten – hatte im Frühjahr 1939 der Osnabrücker Arzt G. Mahn auf einer Reise nach Bali und Indien aufgenommen. Die erste Vor-führung, die in einem kleinen Kreis von Berliner Filmfachleuten er-folgte, erregte nicht geringes Aufsehen. Der interessante Schmalfilm wurde danach am 15. 12. 1940 in Osnabrück zum ersten Male öffent-lich und anschließend in einer Reihe anderer deutscher Städte ge-zeigt. Bei dem BDFA wurden die besten Farbfilme mit Preisen hono-riert. Noch im Herbst 1942 erhielt beim Amateur-Wettbewerb in München der Schmalfilm »Unsere grüne Isar« (von H. Feierabend) den dritten Preis. Der Streifen zeigte den Isarlauf vom Ursprung im Karwendel bis zur Mündung in die Donau.

Die Produktionsbedingungen im Kriege

Bei der Produktion der Farbfilme spielte die Ufa mit ihren Produk-tionsstätten in Babelsberg die größte Rolle. Für die Gestaltung der deutschen Farbfilmproduktion waren später auch Prag und Wien von herausragender Bedeutung. Sowohl die Filmtechnische Zentralstelle als auch die technischen Leitungen in Prag und in Wien haben viel darangesetzt, um die Farb-Negativ-Entwicklung zu beschleunigen. Diese Pläne konnten jedoch – insbesondere in Wien – nicht eingehalten werden. Neben der Farbmonatsschau und Kurzfilmen konnte Babelsberg entwicklungsmäßig drei Filme nebeneinander bearbeiten (Sommer 1944). In Prag liefen die Entwicklungsmaschinen – seit Sommer 1944 – zunächst für kurze Filme. Wien beabsichtigte im Oktober 1944 einen Farbfilm zu drehen, jedoch die Positiv-Anlage sollte erst später zum Laufen kommen.[6] Sogar die Bavaria hatte – bereits im Oktober 1940! – mit der IG-Farbenindustrie eine Vereinbarung unterzeichnet, wonach die IG-Farben die »Rezepte, Vorschriften, Konstruktionsunterlagen und Geräte hinsichtlich der Verarbeitung und Verwendung vom Agfacolor-Film« zur Verfügung stellen sollte.[7]

Mit der Herstellung von Farbzeichenfilmen wurden verschiedene Filmfirmen auch außerhalb des »großdeutschen Filmwirtschaftsraumes« beauftragt. Im »Altreich« selbstverständlich vor allem die Deutsche Zeichenfilm in Berlin (mit Ausweichbetrieben in Wien und München-Dachau) ferner die Bavaria-Filmkunst. Im Protektorat die Prag-Film, die »Descheg« in Prag (mit Betrieb in Zlin). Im Auftrag der Deutschen Wochenschau arbeitete die Potsdamer Firma Fischerkösen-Film (mit Betrieben in Potsdam und Den Haag). Von Fall zu Fall erhielten die Amsterdamer Gesellschaften Tonder-Boumann und Joop Geesink (Puppenfilme) Aufträge. In die Produktion wurden auch die Dansk Tegne ok Favrefilm in Kopenhagen und Les Gemeaux in Paris einbezogen.[8]

Die Inangriffnahme von Farbfilmen konnte wegen der beschränkten Kapazität der Kopieranstalten nur streng planmäßig erfolgen. Der Reichsbeauftragte für die deutsche Filmindustrie, Dr. Winkler, mußte die Firmen mehrmals bitten, ihre Farbfilmvorhaben so weit wie möglich einzuschränken. »Durch die kriegsbedingten Verhältnisse«, appellierte er im Sommer 1942, »sei es nicht möglich, daß in nächster Zeit schon jede Firma einen Farbfilm herstellen könne.«[9] Und trotzdem sagte das ProMi allen Filmkonzernen im Reich eigene Farbfilmvorhaben zu bzw. genehmigte sie. So waren für das Jahr 1944 im ganzen 11 Farbspielfilme vorgesehen: bei der Ufa = 4, bei der Tobis = 2, bei der Terra = 2, bei der Wien-Film = 2 und bei der Bavaria = 1.[10]

Zu den genannten Problemen traten neue hinzu. Waren die Schwierigkeiten bisher bei der Kopienherstellung dominant, so stellte sich jetzt – mindestens ebenso bedeutsam – die Frage der ausreichenden Beschaffung von Rohfilmmaterial. Dies betraf zunächst den sogenannten Sicherheitsfilm. »Schon in allernächster Zeit wird das Agfacolor-Material nicht mehr auf Sicherheitsgrundlage geliefert, da die Lieferanten des Rohmaterials in Westdeutschland in Mitleidenschaft gezogen wurden«, erhob im November 1944 die Leitung der deutschen Filmwirtschaft ihre warnende Stimme.[11] Die Probleme wurden jedoch sehr rasch größer, umfangreiche Bemühungen um sparsamen Materialverbrauch wurden notwendig. In diesem Bemühen beabsichtigte noch im März 1945 der Reichsbeauftragte Dr. Winkler, einen Bildstreifen »Wir sparen Farbfilm« zu drehen. Hinkel gab seine Zustimmung, aber auch einen Rat: ». . . diesen Film im Bereich der Bavaria zu gestalten und die Angelegenheit bis auf Weiteres als ›geheim‹ zu halten.« Vorher mußte man noch die Genehmigung des Ministers einholen.[12]

Die deutschen Agfa-Color-Spielfilme

Bereits vor Kriegsausbruch sah der Filmzuschauer immer häufiger den Farbfilm. Die farbigen Zeichentrick- und Kulturfilme zählten nicht mehr. Unaufhörlich wuchs die Zahl der farbigen Spielfilme. Das Signal dazu gaben verschiedene Produzenten in den USA. Dann kamen die Großen der Branche: die Paramount und die sich zunächst zurückhaltende Metro-Goldwyn. Und in Deutschland war es noch nicht so weit. Vorsichtig waren auch deshalb die offiziellen Äußerungen: »Schwarz-weiß ist weder tot, noch hat es den Anschein, als würde es sich zu sterben anschicken. Wer sein Begräbnis erwartet, muß sich also wohl mit Geduld wappnen.«[13]

Erst am 31.10.1941 konnte der erste deutsche abendfüllende Spielfilm nach Agfacolor-Verfahren uraufgeführt werden. Nach langer Arbeit[14] und unter größten technischen Schwierigkeiten schuf Georg Jacoby ihn bei der Ufa. »Frauen sind doch bessere Diplomaten« hieß der Bildstreifen. Als Drehbuch (K. G. Külb) nahm der erfahrene Filmemacher einen unbeschwerten, wirklichkeitsfremden Lustspielstoff. So entstand, als eine musikalische Komödie aus der Biedermeierzeit (Musik Franz Grothe), ein getanztes, gespieltes und gesungenes Operettenmärchen um eine schöne Tänzerin (Marika Rökk) und einen herzenbrechenden Rittmeister (Willy Fritsch), die solche in der Welt der Operette wichtigen Dinge wie diplomatische Siege und Niederlagen austauschen. Es war der elfte deutsche Film, in dem Marika Rökk auftrat, der siebte Jacoby-Rökk Film – und der erste, den der bekannte Regisseur mit M. Rökk als seiner Frau machte. Unter den zahlreichen mitwirkenden Schauspielern waren auch Georg Alexander, Leo Peukert und Ursula Herking zu sehen. Die verantwortungsvolle Kameraarbeit leisteten Konstantin Irmen-Tschet und Alexander von Lagoris. Eine schwere Aufgabe stand auch vor dem Filmarchitekten Erich Kettelhut.

Die technische Wiedergabe dieses Filmes erinnerte noch sehr an buntbemalte Puppen. Aber es ging hier nicht nur um eine präzise, farbige Wiedergabe der Wirklichkeit. Nicht nur ein technisches Kunststück, sondern auch eine neue Kunstform war der Farbfilm. Es zeigte sich hier sehr deutlich, welch schwerwiegende künstlerische Veränderungen mit dem technischen Fortschritt Hand in Hand gehen. Der Farbfilm verzichtete auf die Schwarzweiß-Polarität und damit auf ein erprobtes dramatisches Element. Und für den Beschauer gewann das Element Farbe im Film eine überakzentuierte Bedeutung. Das Farbbild drängte seine Aufmerksamkeit von dem menschlichen Geschehen in die Randbezirke des farbigen Scheins ab. So ergab diese technische Neuerung im Film zunächst einen Rückschlag in der künstlerischen Entwicklung. Im Zusammenhang mit der Premiere von »Frauen sind doch bessere Diplomaten« erhob Nausikaa Fischer eine warnende Stimme: »Es ist nach diesem ersten Experiment, das sich auf den unbetretenen Boden filmischen Neulands begibt, noch keineswegs ein Urteil zu fällen oder gar anzusehen, wohin Ausbau und Vollendung dieses Versuchs noch führen können, aber vielleicht kann gerade beim Film nie früh genug davor gewarnt werden, über den verblüffenden Erfolgen der Technik nicht die ursprünglichen Gesetze der Kunst des Films außer acht zu lassen.«[15]

Der zweite Farbfilm, »Die goldene Stadt«, wurde zu einem Riesenerfolg. In diesem Film, der nicht nur mit der Farbe lockte, sondern auch durch seine filmische Gestaltung und die darstellerischen Leistungen, war sogar der Titel vieldeutig. »Die goldene Stadt« war ein Beinahme für die schöne Moldau-Metropole Prag, aber zugleich ein Begriff fürs städtische Leben. Seit je hat man den Spielfilmen allen Ernstes eine nicht geringe Schuld an der Landflucht zuschieben wollen. Und nicht ohne gute Gründe. Der Film »Die goldene Stadt« war gegen die Landflucht gerichtet. Aber er hatte nicht nur eine sozialpolitische, sondern auch eine nationalpolitische Aufgabe zu erfüllen: Es ging im Film um ein deutsches Siedlungsgebiet. Die literarische Vorlage lieferte Richard Billinger, das Drehbuch schrieben Alfred Braun und Veit Harlan (nicht nur in diesem Film ergänzten sich die beiden vortrefflich), der letztere übernahm auch die Regie. Die Hauptrolle war ganz gut auf Kristina Söderbaum zugeschnitten, und sie spielte sie ausgezeichnet. Neben ihr Rudolf Prack, Paul Klinger, Kurt Meisel und Eugen Klöpfer in weiteren Hauptrollen. Die bemerkbar starke musikalische Untermalung stammte von Hans-Otto Borgmann, garniert mit Motiven von Smetanas Musik. Der Film – und Kristina Söderbaum – triumphierte am Lido und gewann ein begeistertes Publikum überall dort, wo er gezeigt wurde. Für die besetzten slawischen Gebiete schien er propagandistisch weniger erwünscht zu sein.[16] (U: 24.11.1942; P: kbw).

»Die goldene Stadt«
Eine Filmkritik aus der Schweiz
»Prag heißt diese Märchenstadt. Einem lieben und unschuldigen Bauernmädchen aus dem Böhmischen Wald wird sie zum Verhängnis, als es gegen den Willen seines Vaters heimlich hinfährt. Trunken von den bezaubernden Eindrücken folgt es seinem wilden Blut und wird das Opfer eines halt- und gewissenlosen ›Verwandten‹, welcher sie schwer enttäuscht. Also geknickt kehrt das Mädchen heim, doch wie der Vater es nicht aufnimmt, geht es in der Verzweiflung denselben Weg, den seine Mutter gegangen ist: ins Moor, das der störrische Vater nicht hat entwässern wollen. Der Zuschauer ist zwar dankbar, daß nicht um jeden Preis ein billiges ›happy end‹ gesucht wird, aber andererseits ist er niedergeschlagen. Warum, fragen wir, immer wieder diese Ausbreitung seelischer Roheiten, wozu diese Ausmünzung einer reichlich schwülen, sinnlichen Atmosphäre? Warum hier wiederum das uneheliche Kind? Man vermißt auf weiten Strecken die feinen, zarten Zwischentöne im Ausdruck. Auch die tonlich musikalische Begleitung wünschte man sanfter abgestimmt und gedämpfter. Geradezu entzückt ist man jedoch von der Kameraführung, welche mit Hilfe einer vollendeten Farbfilm-Technik eine herrliche Pracht zu entfalten vermag. In leuchtenden Bildern zieht die ›goldene Stadt‹ an unsern Augen vorbei, und viele ländliche Aufnahmen gedeihen zu überzeugender Echtheit. Käme dieser Aufwand und das technische Können einem erbaulicheren Werke zu Gute, wir könnten beglückt unser Lob spenden. Unter den Darstellern sticht Kristina Söderbaum in manchen Szenen durch eine tiefempfundene Fraulichkeit hervor. Aber auch die andern Rollen wären lebendig genug, um uns zu fesseln und zu interessieren. Der Inhalt und einige fast widerliche Szenen in Prag nötigen zu den Reserven.«
Quelle: Der Filmberater, Luzern, Nr. 15, Dezember 1942.

73. *Szene aus dem Film »Münchhausen«*

Der dritte deutsche Farbspielfilm war »Das Bad auf der Tenne«
(seine Fertigstellung lag zeitlich vor dem Film »Münchhausen«), und
er gehörte noch zu den ersten Experimenten. Das war zugleich der
erste Farbfilm der Tobis. Eigentlich wollte diese Filmgesellschaft ihre
Tätigkeit im Bereich des farbigen Spielfilms mit einem anderen Vorhaben inaugurieren lassen: mit der Verfilmung von G. Kellers Novelle »Romeo und Julia auf dem Dorfe«. Vielleicht aus technischen
Gründen mußte man auf das Projekt verzichten.[17] Der Fabel des
Films »Das Bad auf der Tenne«, die Rolf Meyer, Herbert Tjadens
und der Regisseur des Films, Volker von Collande, nach einem Text
von Rolf Meyer gestalteten, lag ein Komödienstoff zugrunde: Der
idyllische Frieden eines kleinen niederländischen Ortes schien durch
eine Badewanne bedroht zu werden. Die hübsche Gattin des Bürgermeisters erlag den Reizen eines ungewohnten Bades. Und weil der
Bürgermeister mit aller Strenge seiner Frau das Baden im Hause als
unanständig verbot, badete seine Gattin auf der Tenne. Hier wurde
sie von vielen männlichen Bewohnern des Ortes belauscht, was zu
weiteren Komplikationen führte. Heli Finkenzeller, Will Dohm, Ri-

671

chard Häußler und Gisela von Collande waren die darstellerischen Säulen dieses historischen (es ging um Flandern um 1700) Sittenschwankes. Goebbels war von dem Film nicht gerade erbaut, was nicht ohne Konsequenzen auf die Honorierung mit Prädikaten und das Rekommandieren des Films blieb (U: 31. 7. 1943; P: vw).

In den Farbfilmen »Die Goldene Stadt« und »Bad auf der Tenne« war eins der schwierigsten Probleme des Farbfilmes, nämlich die Blenden und Übergänge, – in einigen Ansätzen – gelöst worden. Im Anfang gab es bei den Überblendungen unerfreuliche Mischungserscheinungen und danach beim Schnitt harte Kontraste. Man mußte sich für die Blende nun statt um formverwandte Gegenstände wie beim Schwarzweißfilm um farbverwandte Übergänge bemühen, und man erreichte dabei einen Fortschritt.

Zur Feier ihres 25jährigen Bestehens brachte die Ufa den Jubiläumsfilm »Münchhausen« heraus, einen Film um den (Roman-)Helden abenteuerlicher Begebenheiten. Dieser Film hatte eine kaum bekannte Vorgeschichte. Mit der Münchhausen-Story beschäftigten sich schon im Frühjahr 1940, nicht nur darstellerisch, sondern auch schriftstellerisch, die bekannten Schauspieler Werner Krauss und Eugen Klöpfer. Sie schrieben gemeinsam die Komödie »Münchhausens Abenteuer«. Das Werk sollte, mit den beiden Verfassern in den Hauptrollen, auf einer Berliner Bühne zur Uraufführung kommen und wurde zugleich zur Verfilmung erworben.[18] Im Vorspann des »Münchhausen«-Films aus dem Jahre 1943 waren aber diese Namen nicht zu finden. Den Text schrieb ein gewisser Berthold Bürger. Josef von Baky war der Regisseur.

Hans Albers:
»Münchhausen war ein Draufgänger, ein Sieger, ein Gaukelspieler und – ein Philosoph! In allem aber war er, allem bösen Leumund zum Trotz, ein leidenschaftlicher Freund jener Wahrheit, die man eine höhere oder auch tiefere nennen kann. Darin nämlich steckt der Witz und die grandiose Pointe, und deshalb lieferte mir der phantastische Baron die Rolle meines Lebens. So wahr ich ein Münchhausen bin.«
Film-Kurier vom 3. März 1943.

Wohl selten wurde ein Film mit solcher Spannung erwartet. Deuteten doch zahlreiche Berichte während der langen Aufnahmezeit darauf hin, daß hier ein Versuch unternommen werde, die deutsche Farbfilmkunst durch ein Werk von größten Ausmaßen ein gutes Stück weiterzutreiben. Und die Darsteller! Die zahlreichen Gestalten des figurenreichen Spiels waren sehr gut besetzt. Hans Albers trug die Philosophien des lügenfrohen Geschichtenerzählers mit weltmännischer Eleganz vor. Die »Rolle seines Lebens, meinen wir«, schrieb »Der Angriff« (5.3.1943). Den Frauen in seinem Bannkreis gaben Brigitte Horney als Katharina II. (mit der Münchhausen sich in ein amouröses Abenteuer verstrickte) und Ilse Werner als Isabella »den ganzen Reiz und Marianne Simson als ›körperlose‹ Mondfrau wenigstens das gefällige ›Haupt‹-Stück ihrer verführerischen Weiblichkeit«.[19]. Käthe Haack spielte die alternde Gattin, den dämonischen Cagliostro Ferdinand Marian, den alternden Casanova Gustav Waldau und den Sultan Leo Slezak. Die Bauten stammten (vor allem) von Emil Hasler, und eine sinnfällige musikalische Untermalung schuf Georg Haentzschel. Werner Krien war der Kameramann des Films, den er als seinen 10. deutschen Film selbständig drehte, während Irmen-Tschet die Trickaufnahmen besorgte.

Der Film zeigte eine weitgehende Virtuosität in der Beherrschung des modernen technischen Apparates. Das Agfa-Color-Material war beim »Münchhausen« in der Wiedergabe der Farben korrekter geworden, aber zugleich empfindlicher gegenüber Schwankungen des Lichtes. Und über die Überwindung mancher Schwierigkeiten bei den Außenaufnahmen in Venedig schrieb O. Kriegk:

»Einige Szenen dieses Films spielen am Canale Grande während des Karnevals. Die für einen phantastischen Film notwendige Buntheit war durch die Karnevalskostüme gegeben. Man nahm bei der Planung des Films an, daß die Stadt Venedig noch mehr Farbe geben würde als die Kostüme. Als die Mitarbeiter des Produktionsleiters und des Regisseurs in Venedig eintrafen, um die Vorbereitungen für die Aufnahmen zu treffen, stellten sie plötzlich fest, daß im Auge der Kamera Venedig eine zwar von der Sonne hell erleuchtete, aber im übrigen nur graue Stadt ist. Die Sonne hat die natürlichen Farben der Paläste ausgelaugt. Es bedurfte einer erheblichen Aufmachung der Paläste, der Gondeln, der Brücken des Canale Grande mit buntem Papier und einer wesentlichen Verstärkung der Buntheit der Kostüme gegenüber der ursprünglichen Planung, um einen Farbenrausch zu erreichen. Hier sah die Kamera weniger Farbe, als das von der Erinnerung getäuschte Auge annahm.«[20]

Als Tag der offiziellen Uraufführung gilt der 5. März 1943.[21] »Münchhausen« erhielt hohe Prädikate: »künstlerisch besonders wertvoll« und »volkstümlich wertvoll«. Er fand ein begeistertes Publikum und eine emphatische Kritik. Sogar die NS-Monatshefte befaßten sich mit dem Film im positiven Sinne. Im Heft Nr. 157 befand sich – als einzige Filmkritik des Heftes – eine Besprechung aus der Feder von Frau Dr. Nausikaa Fischer. Bei dem Hauptamt Kunstpflege (Dienststelle Rosenberg) stieß diese Betrachtung nicht auf Verständnis. »Diese Art der Filmbetrachtung in der von Reichsleiter Rosenberg herausgegebenen führenden kulturpolitischen Zeitschrift der Bewegung«, stellte man dort fest, »fordert zu entschiedenem Widerspruch heraus. Das Filmmanuskript hierzu hat Erich Kästner geschrieben. Kästner ist uns alten Nationalsozialisten aus der Systemzeit her als führender Kulturbolschewist und Mitarbeiter der Weltbühne noch sehr gut bekannt. Dieser Umstand allein hätte genügen müssen, um dem Film ›Münchhausen‹ von vornherein mit großer Zurückhaltung gegenüberzutreten.«[22]

Bald durften auch die Zuschauer im Ausland über das fabulierfreudige Filmmärchen staunen. In einigen Ländern genoß der Film fast kultische Verehrung. Münchhausens literarische Gestalt erlebte eine Renaissance. Bald nach der Uraufführung des Films erschien, im April 1943, der Sammelband »Münchhausen« in einer Nacherzählung von Wilhelm von Scholz. In einigen Ländern (Holland, Belgien, Schweden) regte der »Münchhausen«-Erfolg Verleger dazu an, die Geschichten Münchhausens neu herauszubringen.

»Münchhausen« – eine Filmkritik aus Paris
»Man versteht, daß die Vertreter Hollywoods, die den Münchhausenfilm beim letzten Kinokongreß in Lissabon gesehen haben, vor Staunen ihr Kaugummi verschluckten. Die schöne Arbeit, die seit drei Jahren von den deutschen Farbfilmspezialisten geleistet wird, die Verwirklichung eines Werkes von solcher Bedeutung durch ein Land, das einen gigantischen Krieg führt, sind zugleich Siege der europäischen Filmkunst. Der Münchhausen-Erfolg in Paris wird alle Rekorde schlagen. Das Publikum ist begeistert.«
Quelle: »Je suis partout«. Zit. nach: Film-Kurier v. 4.4.1944

Im Reich lief »Münchhausen« bis in die letzten Wochen des Krieges. Im März 1945 spielten noch das riesige »Kino«-Theater Plaza und »Onkel Tom« in Berlin diesen Film bei fast vollen Häusern.

Die folgende Produktion, »Immensee«, löste in Deutschland bei Presse und Publikum – insbesondere bei den weiblichen Besuchern – Begeisterung aus. Auch im Ausland war der Film ein raschender Erfolg.

674

»Immensee«
Eine Filmkritik aus der Schweiz
»Beim Farbfilm ›Immensee‹ ist gegenüber den ersten Agfa-Color-Fil-
men eine derartige Besserung zu konstatieren, daß der Beschauer oft
lange Zeit sich nicht der Farbe kritisch bewußt wird, und das ist ein
gutes Zeichen. Das Drehbuch zu ›Immensee‹ haben Veit Harlan und
Alfred Braun zusammen geschrieben, und sie erwecken in der Handlung mit bemerkenswerter Einfühlungsgabe die lyrisch-zarte und elegi-
sche Grundstimmung der Erstlingsnovelle des Husumer Dichters. Namentlich ist die dem Geschehen angepaßte Musik Wolfgang Zellers
zuweilen von strahlender sinfonischer Farbigkeit, und der Operateur
Bruno Mondi, Deutschlands bester Kameramann, hat bezaubernde
Landschaftsbilder und Idylle vom Gutshof Immensee geschaffen, so
daß dieser Film allein schon optisch ein Genuß ist.«
Quelle: »Tagesanzeiger« (Zürich). Zit. nach: Film-Kurier v. 22. 2. 1944

Parallel zu »Immensee« drehte man die Außenaufnahmen zum Farbspielfilm Nummer 6. Rudolf G. Bindings »Opfergang«, eine seiner
ersten, weitverbreiteten Novellen, gab – mindestens theoretisch – die
literarische Vorlage für einen gleichnamigen Film (Für den gekauften
Stoff sollten 50 000 RM in die Schweiz gehen). Veit Harlan, der
80 000-RM-Regisseur dieses Films, und Alfred Braun zeichneten für
das Buch verantwortlich (der erstere für 25 000, der andere für
10 000 RM). Kristina Söderbaum (Pauschalgage 60 000 RM) spielte
die Aels, Carl Raddatz (Pauschalgage 23 000, Voranschlag 40 000)
den Albrecht, und Irene von Meyendorff (Pauschalgage 12 500, Voranschlag 15 000) trat als Octavia auf.[23] Eine pathetische, rührende,
zugleich aber ganz unglaubliche Ehe- und Liebesgeschichte, in der
zwei Frauen um die Seele des geliebten Mannes ringen. »Aus der
zarten Erzählung« – schrieb in ihrer Filmkritik die schwedische Zeitung »Aftontidingen« – »ist ein grober, realistischer Film geworden,
der in keiner Weise dem entspricht, was eigentlich erzählt werden
sollte. In der Kameraarbeit und in den Farbbildern liegt die Poesie,
die in dem ganzen Film hätte liegen müssen.«
Die offizielle Uraufführung des Films fand am 8. 12. 1944 in Hamburg, gleichzeitig im »Lessing-Theater« und »Passage-Theater«,
statt. Veit Harlan und Kristina Söderbaum waren mit dem Hamburger Oberbürgermeister die Ehrengäste. Die Berliner Erstaufführung
(gleichzeitig in den Filmtheatern »Tauentzien-Palast«, Ufa-Alexan-
derplatz und Ufa-Wojnitzstraße) erfolgte am 29. 12. 1944. Die Zen-

675

Lfd. Nr.	Filmtitel	Film-Prod.	Jahr	Regisseur
1.	Frauen sind doch bessere Diplomaten	Ufa	1941	Georg Jacoby
2.	Die Goldene Stadt	Ufa	1942	Veit Harlan
3.	Das Bad auf der Tenne	Tobis	1943	Volker von Collande
4.	Münchhausen	Ufa	1943	Josef von Baky
5.	Immensee	Ufa	1943	Veit Harlan
6.	Opfergang	Ufa	1944	Veit Harlan
7.	Die Frau meiner Träume	Ufa	1944	Georg Jacoby
8.	Große Freiheit Nr. 7	Terra	1944	Helmut Käutner
9.	Kolberg	Ufa	1945	Veit Harlan
10.	Die Fledermaus*	Terra	1945	Geza von Bolvary
11.	Ein toller Tag**	Ufa	1945	Oscar Fritz Schuh
12.	Wiener Mädeln*	Wien-Film	1945	Willi Forst
13.	Das kleine Hofkonzert*	Tobis	1945	Paul Verhoeven
14.	Wir beide liebten Katharina**	Terra	1945	Arthur Maria Rabenalt
15.	Shiva und die Galgenblume	Prag-Film	1945	Hans Steinhoff
16.	Der Puppenspieler**	Ufa	1945	Alfred Braun

* vollendet erst nach dem Kriege
** unvollendet

surbehörde beantragte bei Goebbels das Prädikat »künstlerisch wertvoll«, der Film wurde jedoch mit »künstlerisch besonders wertvoll« honoriert.[24] Im Reich wurde der Film zum Ereignis. Von allen Seiten strömten meistens enthusiastische Filmkritiken. Die Filmtheater meldeten: Passau-Residenz-Th.: »Das Publikum war begeistert über das herrliche Farbenspiel sowie auch über das Spiel der Kristina Söderbaum, Carl Raddatz' und Irene von Meyendorffs... Nach unserer Meinung und der Ansicht einer großen Besucherzahl ist dieser Farbfilm infolge seiner seriösen Handlung dem Farbfilm ›Die Goldene Stadt‹ überlegen«; Salzburg-Festspielhaus: »Der Film gefällt hier außerordentlich und wird als überragendes Filmwerk höchster schauspielerischer Leistungen bezeichnet«; Breslau UT-Rialto: »Die drei Hauptdarsteller beeindrucken das Publikum stark, wobei hervorgehoben werden muß, daß zum erstenmal nicht Kristina Söderbaum, sondern Irene von Meyendorff an erster Stelle zu nennen ist. Der Andrang zu den Vorstellungen war so groß, daß teilweise nur unter Zuhilfenahme der Polizei Ordnung geschaffen werden konnte«; Leipzig-Capitol: »Spitzenergebnis«.[25]

»Opfergang« – Filmkritiken aus Schweden und aus der Schweiz
(...) »In der Presse beider Länder hat der Film eine sehr unterschiedliche Beurteilung gefunden. Allgemeine Anerkennung findet die Farbtechnik. So heißt es z. B. in der Züricher Zeitung ›Die Tat‹: ›Wer sich mit Farbenfotografie befaßt, weiß, wie eindeutig überlegen der Agfa-Film den amerikanischen Erzeugnissen dieser Art ist.‹ Sehr widersprechend sind dagegen die Urteile bei der künstlerischen Bewertung des Films. Auch in den zustimmenden Kritiken, die in der schwedischen Presse überwiegen, ist häufig ein ironisierender Unterton festzustellen. Auf das literarische Vorbild nehmen die schwedischen Kritiken im Gegensatz zu den Schweizer Rezensionen kaum Bezug. Beanstandet wird die ›Unwirklichkeit der Handlung‹ dieses filmischen ›Triangel-Dramas‹ und der ›Überschwang an Sentimentalität‹. Im Vordergrund des Interesses steht in Schweden naturgemäß die Schwedin Kristina Söderbaum, die das Publikum herzlich gefeiert hat. Die Schweizer Kritiken sind demgegenüber fast durchweg sehr unfreundlich, sie steigern sich zum Teil zu gehässigen Ausfällen. Verschiedentlich wird die Atmosphäre des Films als übertrieben luxuriös getadelt, die Maskeradenszenen als ›rheinische Karnevalsorgie‹ und die begleitenden Engels-Chöre und Streichertuttis als ›akustisches Narkotikum‹ bezeichnet. Auch Harlan, der einmal ›der robuste Schwergewichtler unter den deutschen Filmschaffenden‹ genannt wird, steht als Regisseur und Drehbuchverfasser im Kreuzfeuer der widerstreitenden literarischen und regietechnischen Auffassungen und Urteile. (...) ›Tagesanzeiger‹: Eine Wolke von Reichtum und Luxus verbreitet sich über diesen Film, so daß sich nicht leicht ein grellerer Kontrast denken läßt zwischen dem heutigen Kriegs-Deutschland und Friedens-Deutschland, wie es hier erscheint. ›Die Tat‹: Unbestritten aber ist die Tatsache, daß die literarische Vorlage innerlich vollständig ausgehöhlt wird durch die entsetzliche Oberflächlichkeit, welche uns in letzter Zeit vor allen deutschen Filmen erschrecken läßt. Was für uninteressante Schauspieler, so eine

bürgerliche Sportzero wie dieser Carl Raddatz oder erst die blonde Salongans Irene von Meyendorff!«
Quelle: BA, R 109 II, vorl. 15; Information (ORR Dr. Bacmeister) an Minister Goebbels vom 13.1.1945.

Nach zwanzig Jahren schrieb die »Frankfurter Rundschau« (11.2.1965): »Nur um dreieinhalb Minuten gekürzt, wurde der faschistische Gefühlskitsch ›Opfergang‹... wieder ab 16 Jahre zugelassen.«

Mit dem Ausstattungsfilm »Die Frau meiner Träume« hatte im Sommer 1944 das deutsche Kino eine neue Attraktion. Übrigens fanden solche beschwingten Operetten-Filme fast in allen Besucherkreisen immer guten Anklang. Georg Jacoby – mit Johann von Vaszary auch Verfasser des Drehbuches – gestaltete seinen zweiten Farbfilm wiederum mit Marika Rökk. Neben ihr stand der begabte Theaterdarsteller Wolfgang Lukschy vor der Kamera. Obwohl geschminkt, hatte das bäuerliche Milieu Kärntens in diesem Revuefilm einen gemäßen Bildstil. Die gute Kameraarbeit (K. Irmen-Tschet), die äußerst gelungene Musik (Franz Grothe) und das ausgezeichnete Spiel Marika Rökks verliehen dem Film Glanz (U: 26.8.1944). Die Männerwelt war von M. Rökk hingerissen, die reichhaltigen Schlagermelodien begeisterten das breiteste Publikum: Alles sang und pfiff diese Melodien. Im Danziger Ufa-Palast war der Andrang zu diesem Film derartig gewaltig, daß es täglich einige Verwundete gab und viele Fensterscheiben dabei in Trümmer gingen. In Cuxhaven (etwa 35 000 Einwohner) sahen den Film 24 000 Menschen. Natürlich muß man hier die Matrosen hinzuzählen.

»Die Frau meiner Träume« eroberte auch das breite, oft sogar das breiteste Publikum im Ausland. Über den Erfolg dieses Films in Portugal wurde noch im März 1945 an das ProMi gekabelt: »Zweitkopie Traumfrau in Porto Ende Februar mit sensationellem Erfolg... angelaufen – stop – Presse feststellt einstimmig europäische Führung in Farbe und Filmschaffen – stop – Marika Rökk wird als beste Schauspielerin der Welt bezeichnet... stop – alle amerikanischen und portugiesischen Premierenrekorde mit Traumfrau weit übertroffen...«[26] Auch nach dem Krieg sah man den Film gern. Als »Kriegsbeute« wurde er sogar in den öffentlichen Vorführungen in Leningrad gezeigt.

Die Dreharbeiten an dem Film »Große Freiheit Nr. 7« standen im Blick der Öffentlichkeit; man zitierte in der Presse Käutners Worte

678

74. *Hans Albers und Hilde Hildebrand. Szene aus dem Film*
»Große Freiheit Nr. 7«

über seinen »Farbfilm ohne Farbe«. Der zunächst vorgesehene Titel
»Die Große Freiheit« (zeitweilig auch »Auf der Großen Freiheit«)
wurde bald geändert. Der »Film-Kurier« (22.7.1943) bemerkte
dazu: »Gewiß, die ›Große Freiheit‹ ist für viele, die ›auf der Reeperbahn nachts um halb eins‹ noch Lust zu einem Seitensprung hatten,
ein Begriff, aber die Filmfreunde jenseits von Elbe und Alster hätten
wohl kaum etwas mit einem Titel ›Große Freiheit‹ anfangen können.
Da jedoch dieser Straßenname zugleich von symbolhafter Bedeutung
für das Geschehen des Films ist, dessen Hauptrollen von Hans Albers, Ilse Werner und Hans Söhnker gespielt werden, fand man die
glückliche Lösung: ›Große Freiheit Nr. 7‹«. Die Außenaufnahmen –
vor allem die Hafenszenen – wurden nicht ohne Schwierigkeiten im
stark zerbombten Hamburg im Herbst 1943 gedreht, Ergänzungen
aber auch in Flensburg. An dem schon fertiggestellten Film – in die
1. Klasse war er bereits eingestuft – wurden von Goebbels Schnitte
angeordnet. Infolgedessen entstanden zwei Fassungen des Films:
eine für das Ausland und eine andere für das Inland. Noch vor der
Zensur entstand ein Streit um den Ort der Uraufführung. Durch sei-

nen RPA-Leiter Diewerge versuchte Gauleiter Forster, den Film zur Uraufführung nach Danzig zu bekommen. Hans Albers war gegen die Premiere in seiner zerbombten Heimatstadt. Er wurde dafür gerügt.[27] Die Premiere erfolgte schließlich – mit der Exportfassung – am 15. Dezember 1944 in Prag. Die Inlandsfassung wurde von der Zensur letztlich nicht freigegeben.[28] Somit blieben die wenigen Szenen, die in der Panorama-Sendung Nr. 2 noch während der Dreharbeiten dem Publikum gezeigt worden waren, das Einzige, was der normale Zuschauer im Reich von diesem Film zu Gesicht bekam.

»Große Freiheit Nr. 7« stand im Verzeichnis der abendfüllenden Farbspielfilme als die Nummer 8. Von den übrigen acht Farbspielfilmen, die sich bereits in der Herstellung befanden, wurde – bis zum Kriegsende – nur das bekannte Durchhalte-Opus »Kolberg« bevorzugt vor allen übrigen Farbfilmen[29] fertiggestellt, zensiert und aufgeführt. Ende 1944 (November, Dezember) befanden sich in Schluß- bzw. Dreharbeit folgende Farbfilme: »Die Fledermaus« – 120000 RM bezahlte die Terra für Verfilmungsrechte (auf 7 Jahre) der bekannten Operette (Ende November verließ die Terra-Produktion »Fledermaus« die Hallen I und II auf dem »Barrandfels«) – der Beaumarchais-Film »Ein toller Tag«, »Wiener Mädeln«, selbstverständlich bei der Wien-Film (die Dreharbeiten wurden im November beendet), ferner »Das kleine Hofkonzert« (Tobis), »Wir beide liebten Katharina« (Terra), »Pole Poppenspäler« bei der Ufa (zunächst als 5. Farbfilm geplant) und »Shiwa und die Galgenblume«, auf Weisung Hinkels von der Terra an die Prag-Film abgegeben, um dort die Farbfilmkapazität auszuwerten.[30]

Die Ausstattungsoperette »Die Fledermaus«, vom 20.6. bis 16.11.1944 im Atelier in Prag (Ablieferung war auf den 15.4.1945 geplant), wurde erst nach Kriegsende von der Defa fertiggestellt.[31] Dem elften Film lieferte »Figaros Hochzeit« von Beaumarchais (Buch: Walter Lieck) den Stoff. Den Film inszenierte Oscar Fritz Schuh mit Carl Hoffmann an der Kamera. Ilse Werner spielte die Susanne, Kurt Meisel war der Figaro. Auf der Darstellerliste standen auch Paul Hartmann, Lola Müthel, Elisabeth Flickenschildt, Aribert Wäscher und Ernst Waldow. Der zwölfte Film »Wiener Mädeln« entstand in Wien – als erster Farbfilm der »Wien-Film« – und war Willi Forsts Werk: Er war der Produzent (für die Wien-Film), der Regisseur, der Drehbuchautor (mit Franz Gribitz) und der Hauptdarsteller. Die Wien-Film beantragte für Willi Forst: für Regie 80000 RM, für Drehbuch 100000 RM und für die Rolle 120000 RM. Die Reichsfilmintendanz bewilligte insgesamt 120 000 RM.[32] Dieser aufwendige Operettenfilm – übrigens der letzte der großen österreichischen Filme in dieser Gattung – drehte sich um die Person des Komponisten Carl Michael Ziehrer. Seit 9. 3. 1944 in Prag, seit 15. 6. 1944 in Wien gedreht, war »Wiener Mädeln« bei Kriegsende erst im Schnitt. Die Zensurvorlage war zunächst für den 11. 4. 1945 vorgesehen. Die Verspätung hatte nicht nur technische Schwierigkeiten im Hintergrund. Es gab in diesem Film neben anderen musikalischen Themen auch Fragmente der Musik von Sousa, die sich als »nichtarisch« erwies. Erst 1949 wurde »Wiener Mädeln« fertiggestellt und als der beste Film des Jahres mit einem Pokal honoriert. Eine andere Fassung – die Änderungen betrafen vor allem die Musik und die Schlußsequenzen – wurde in der sowjetischen Zone Deutschlands hergestellt.

Weil in dem Grunewald-Atelier der geplante Film »Hochzeitsreise wie noch nie« vom Reichsdramaturgen abgeblasen wurde, begann man schon im Juni 1944 mit den Bauten für den Film »Das kleine Hofkonzert«, die aufgrund früherer Dispositionen eigentlich erst am 15. September hätten beginnen sollen.[33] Das reizvolle Lustspiel von Paul Verhoeven und Toni Impekoven aus dem Jahre 1935 kam bereits ein Jahr nach seiner Theaterpremiere zum ersten Male auf die Leinwand (U: 18. 12. 1936). Detlef Sierck übertrug es ins Filmische. Martha Eggerth und als ihr Partner Johannes Heesters, damals noch am Beginn seiner glänzenden Karriere, Otto Treßler und Rudolf Klein-Rogge standen auf den ersten Plätzen des Darstellerverzeichnisses. Nach Kriegsausbruch wurde der Film zurückgezogen. M. Eggerth, als Gattin Jan Kiepuras, und Detlef Sierck, als Emigrant, paßten mit ihren Namen nicht mehr in die neue Wirklichkeit. Das Theaterstück selbst erfreute sich dagegen weiterhin großer Beliebtheit, auch im Ausland. Im November 1940 erlebte es im Stockholmer Dramatischen Theater eine glanzvolle und – vielseitig – erfolgreiche Premiere: Unter den Zuschauern befanden sich sowohl der schwedische König als auch der deutsche Gesandte in Stockholm. Die wiederholte Verfilmung dieses Stückes war vor allem als eine musikalische Komödie gedacht. Paul Verhoeven inszenierte sie (der Film war seit 25. 7. 1944 in Arbeit) mit zahlreichen hochkarätigen Darstellern – u. a. Elfie Meyerhofer und Hans Nielsen – und mit Wolfgang Zeller als Filmkomponist. Die Außenaufnahmen wurden 1944 zum größten Teil in dem bezaubernden historischen Städtchen Rothenburg ob der Tauber gedreht. Hinter der Kamera stand der Meister Fritz Arno Wagner. Den vorgesehenen Aufnahmen in Coburg und Bayreuth

(Festspielhaus) setzten sich die Denkmalpflegebehörde wie auch der Gauleiter Waechtler energisch entgegen. Die entstandenen Schwierigkeiten konnte man nur zum Teil lösen. Bei Kriegsende befand sich der Film in der Musik-Synchronisation. Erst nach dem Krieg wurde er von der Defa fertiggestellt und am 15. 4. 1949 in Berlin (Ost) zum ersten Male dem Publikum präsentiert.

Die letzten drei Filme blieben unvollendet. »Wir beide liebten Katharina« drehte Arthur Maria Rabenalt mit Angelika Hauff, René Deltgen und Norbert Rohringer in den Hauptrollen. Ein Teil des Films wurde vom 30. 8. bis 26. 11. 1944 in Mainfranken und Würzburg gedreht, noch vor der Zerstörung der Stadt beim Luftangriff (Kamera Werner Krien). Bei Kriegsende war der Film zu 75 % abgedreht. Die Ablieferung war für den 15. 6. 1945 geplant. »Shiva und die Galgenblume« war ein Kriminalstoff, in dessen Mittelpunkt der Diebstahl eines Bildes und eine Falschmünzeraffäre standen. Es war die erste Farbfilmregie Hans Steinhoffs, zugleich seine letzte Filmregie. In Prag wurde der Film seit dem 6. 1. 1945 gedreht (die vorgesehenen Kosten betrugen 2,3 Mio. RM), und die Darstellerliste umfaßte erstaunlich viele Namen. Kein Zufall, es war zugleich eine Liste von »Begnadeten«, die vom gefährlichen Kriegsdienst befreit waren. Unter ihnen befanden sich – um nur die bekanntesten Namen zu erwähnen – Hans Albers, Aribert Wäscher, Elisabeth Flickenschildt, Grethe Weiser, Eugen Klöpfer, Harald Paulsen, der Kollaborateur aus Polen, Boguslaw Samborski (hier als Gottlieb Sambor), Theodor Loos, Jakob Tiedtke, Werner Stock, Hilde Hildebrand, Herbert Hübner, Karl Hannemann, Erich Dunskus, Albert Florath, Edmund Rotmund, Kurt Vespermann, Hubert von Meyerinck. Die Dreharbeiten wurden von Berlin aus streng überwacht. Sie waren bis zum Ende April vorgesehen. Die Schauspieler dachten vor allem an das Kriegsende. Für einige war die Prager Zeit »eine rauschende Ballnacht«. »Herr Albers wartet auf eine Leistungsprämie nach Beendigung des Shiva-Films«, notiert Hans Hinkel in einem Vermerk (9. 4. 1945) nach seiner Rückkehr von der Prag-Dienstreise.[34] Der Shiva-Film war bei Kriegsende nur zur Hälfte abgedreht.

Darüber hinaus bestanden noch andere Vorhaben. Das bekannteste und, amtlicherseits, wichtigste war mit der Verfilmung des Shakespeare-Dramas »Der Kaufmann von Venedig« verknüpft. Mit den Vorarbeiten wurde Veit Harlan im Sommer 1944 bei der Ufa beauftragt. Er sollte das Drehbuch schreiben und die Regie führen. Die

75. *Kristina Söderbaum und Kurt Meisel in »Die goldene Stadt«*

ersten Dreharbeiten waren für Oktober vorgesehen, und der Film sollte als Nummer 6 erscheinen. Weil es um einen Staatsauftrag ging, sollte sogar der Marika-Rökk-Film »Die Puppe« nicht wie vorgesehen in Farbe, sondern schwarz-weiß gedreht werden.[35] Die Dreharbeiten wurden danach auf Ende Januar, später auf Anfang März verschoben. Es ging um ein von Harlan geschriebenes Drehbuch, mit dem Goebbels, wie schon erwähnt, nicht einverstanden war.[36] Allerdings war die Besetzungsliste schon vorbereitet. Werner Krauss, natürlich in der Titelrolle, ferner Kristina Söderbaum, Ulrich Haupt, Otto Treßler, Hans Brausewetter, Käthe Dyckhoff, Heinz Lausch, Erich Ponto, Paul Bildt, Gustav Dießl. Vorgesehen waren auch Paul Wegener, Horst Caspar und Joachim Brennecke. Der Platz hinter der Kamera war für den bewährten Harlan-Mitarbeiter Bruno Mondi reserviert.[37] Harlan wartete vergeblich: Die Sache wurde nicht mehr entschieden.

Dafür begann man mit den Vorarbeiten zu dem Schwarz-Weiß-Film »Mädel mit Zukunft« mit Marika Rökk. Und dennoch sollte »Die Puppe« in Farbe gedreht werden. Die Dreharbeiten verlegte man auf Anfang März. Fest standen der Regisseur (Georg Jacoby) und die Hauptdarstellerin (Marika Rökk). Hans Holt oder Wolf Albach-Retty sollten als Partner der Ungarin auftreten. Als Kameramänner waren K. Irmen-Tschet oder W. Krien vorgesehen. Für den Film wurden auch das Ballett Sabine Ress und anderen Tänzerinnen verpflichtet. Auch hier blieb es bei den Plänen. Die Terra hatte im Plan den Storm-Film »Der Sperling«, unter der Regie von Erich Engel oder Paul Verhoeven bzw. Alfred Braun. Carl Raddatz und Ilse Werner (oder Angelika Hauff) sollten die Hauptrollen spielen. Bei der Wien-Film stand 1944 im Plan der Farbfilm »Die ewigen Jagdgründe« (nach Karl May), mit M. W. Kimmich als Regisseur und einem etwa 5,5 Mio. RM hohen Kostenvoranschlag; die Bavaria wollte dagegen das Vorhaben »Sarrasani« realisieren. Siegfried Breuer sollte hier die Titelrolle spielen, vorgesehen waren die Regisseure Anton, Zerlett, Rabenalt oder von Borsody. Die beiden Filmprojekte wurden wegen ihres Umfangs und des notwendigen Aufwands auf unbestimmte Zeit zurückgestellt. Als Ersatz für »Sarrasani« wurde der Bavaria der Film »Der blaue Strohhut« zugesagt. Ab Januar 1945 wollte V. Tourjansky den Film in Prag drehen.[38] J. Heesters, O. Tschechowa, T. Lingen und H. Moser bzw. F. Marian waren für die wichtigsten Rollen vorgesehen. Den Drehbeginn bestimmte man danach für Anfang März. Doch weder den »Blauen Strohhut« noch andere Farbfilmprojekte konnte man damals noch realisieren. Oder – konnte man doch?

Für das Frühjahr 1945 bereitete die Tobis den »kriegswichtigen Farbfilm« »Am Brunnen vor dem Tore« vor. Der Regisseur, Paul Verhoeven, und die drei darstellerischen Säulen des Films – Horst Caspar, Hildegard Knef und Käthe Haack – waren schon gewählt.[39] Im März liefen noch die Vorarbeiten.[40]

...zum Zwecke der Motivsuche für den Film »Am Brunnen vor dem Tor«

Der Reichsfilmintendant   *Berlin, den 1. März 1945*
An die
Tobis-Filmkunst GmbH
Berlin Grunewald
Es wird Ihnen hiermit bestätigt, daß Ihre Mitarbeiter Herr Erdmann, Architekt, Herr Fritz Arno Wagner, Kameramann, Herr Fritz Klotzsch, Herstellungsgruppenleiter, zum Zwecke der Motivsuche in der Umgebung Berlins für einen kriegswichtigen Film ein Fahrrad be-

nutzen dürfen. Die Durchführung dieses Dienstvorhabens liegt im
Reichsinteresse, so daß von einer Beschlagnahme des Fahrrades abzu-
sehen ist.

Heil Hitler!
i. A.
gez. Dr. Müller-Goern

Quelle: BA, R 109 II vorl. 65

Kultur- und Propaganda-Kurzfilme der Kriegszeit

Den Anfang der deutschen Filme nach dem Agfacolor-Dreifarben-
verfahren bildet vermutlich »Ein Lied verklingt«, ein Kurzfilm mit
Spielhandlung (800 m). Der Film entstand 1939 bei der Meteor-Film
und wurde am 18. 4. 1939 im Berliner Capitol in einer Sondervorführung erstaufgeführt und am 23. 5. d. J. zensiert. Da die Farbwieder-
gabe noch nicht zufriedenstellend war, verzichtete man darauf, Kopien herzustellen. Die weitere Geschichte dieses Films liegt noch im
Dunkel. Ihm folgten die ersten kurzen Kulturfilme: »Bunte Kriechtierwelt« und »Thüringen«, die 1940 bei der Ufa entstanden. Im Januar 1941 wurde bei der Ufa (Herstellungsgruppe Dr. N. Kaufmann)
der schöne Film »Rügen« fertiggestellt. Im selben Jahr bekam er am
Lido eine Medaille. Dr. Ulrich K. T. Schulz schuf im Krieg
(1941–1943) bei der Ufa den eindrucksvollen Ostpreußen-Film »Wüste am Meer« und bei der Terra den biologischen Film »Friedliche
Jagd mit der Farbkamera« (518 m).[41] Der Film zeigte schöne Landschaften, Tiere und – was im Krieg besonders von Bedeutung war –
das Reich der Pilze. Auf Anregung des Jablunkauer (Schlesien)
Verkehrsbüros drehte Walter Bever-Mohr 1941 zwei farbige Bildstreifen: Der erste war mehr ein farbiger Bildbericht zur Verkehrswerbung, während der zweite, »Beskidenland – neues deutsches
Grenzland«, laut Presseberichten »so voller kulturpolitischer Bedeutung« steckte, daß er die Auszeichnung ›staatspolitisch wertvoll‹,
›künstlerisch wertvoll‹ und ›volksbildend‹ erhielt. Größere Beachtung schenkte man dem »Wolkenspiel«, einem Film, den Martin Rikli 1943 mit Hilfe von Schwenkaufnahmen des Zeitraffers
drehte. Auf der 3. Reichswoche für den Deutschen Kulturfilm in
München (1943) wurden zwei farbige Zeichentrickfilme: »Verwitterte Melodie« und »Armer Hansi« mit Preisen bedacht.
Die Produktion von Kulturfilmen hing davon ab, welche Lücken

bei den Kopieranstalten jeweils vorhanden waren. Die Kopieranstalten erhielten die Weisung, zunächst alle Spielfilme zu entwickeln und zu kopieren und sollten jeweils die Farbkulturfilme in den Zwischenräumen bearbeiten.[42]

Aus der Reihe der verschiedenen Produktionen seien hier folgende genannt: der Landschaftsfilm (Agfa-Color) »Märkische Fahrt«, von N. Kaufmann und K. Rupli 1942 bei der Ufa gestaltet, der »Aufklärungs«-Film »Warnfarben-Tarnfarben« (P: kw, vb), der bei der Bavaria 1943 entstandene »Künstler bei der Arbeit« (365 m; P: küw, vb) und der zu gleicher Zeit gedrehte Film »Die Große Deutsche Kunstausstellung 1943« (361 m; P: sw, küw, vb). Im Sommer 1944 drehte man bei der Prag-Film einen Streifen um Gregor Mendel, mit Herbert Thallmayer an der Kamera und Kurt Rupli als künstlerischem Oberleiter. Hier entstand auch der erste und zugleich der letzte farbige Zeichenfilm »Hochzeit im Korallenmeer« (303 m; P: vb). Es war ein groteskes Märchen aus der Welt der vielen Lebewesen unter Wasser. Horst von Möllendorf, der künstlerische Leiter der Zeichenfilmabteilung bei der Prag-Film, hatte die Idee für diesen Film und lieferte die ersten Entwürfe. Über hundert Zeichner und Koloristen arbeiteten an ihrer Realisierung. Im Dezember 1944 wurde ein weiterer Zeichenfilm »Das dumme Gänslein« (370 m; P: kuw) zensiert, er entstand bei der Fischerkösen-Filmproduktion.

Im Rahmen des RDV-Programms wurden 1944 mehrere Kurzfilme in Farbe als Unteraufträge bei Privatfirmen gedreht. So bei Dr. Zehenthofer: »Wiener Kostbarkeiten aus 5 Jahrhunderten«, »Balthasar Neumann und Würzburg«, »Unser täglich Brot« und »Salzburger Harmonien«; bei Dr. Cürlis: »Romantisches Burgenland«, »Wegbereiter der klassischen Kunst« und »Das deutsche Wort«; bei Otto Tippel: »Bodensee-Fischerei«.[43] Bei der Geyer-Werke AG entstand in wenigen Kopien der Jugendfilm »Der Lügenbrei«.

Für die breite Öffentlichkeit war das in Farbe gedrehte »Panorama« bestimmt, das jedoch nur selten und mit Verspätungen 1944 in die Kinos kam. Selbstverständlich wurden auch mehrere kurze Farbfilme an den Fronten gedreht, die aber danach nur in geschlossenen Veranstaltungen gezeigt wurden, z. B. »Gebirgsjäger im Kaukasus« (Wien-Film) aus dem Jahre 1944; 1943 entstand bei der Mars-Film die Frontwochenschau »Front in Farbe hergestellt« (258 m). Es wurde von Goebbels entschieden, daß der Film auf der Biennale in Venedig laufen solle. Dieses Festival fand jedoch 1943 nicht statt. Bei der Mars-Film entstand ferner »Alarm am Pass« (441 m), wahrscheinlich nur in vier Kopien.[44]

Die Farbfilmberichte von der Front
Farbbrief Nr. 3
(...) »Die Farbfilmberichter müssen ganz besonders darauf bedacht sein, in sich geschlossene Berichte – sog. Stories – zu liefern, keine Schnittbilder. Belichtetes Material muß baldmöglichst ausgelegt werden, weil sonst durch längeren Verbleib des belichteten Materials in der Kassette das latente Bild zurückgeht und später bei der Entwicklung Farbstörungen auftreten können... Bei Farbfilmaufnahmen müssen Schwenks besonders ruhig und langsam ausgeführt werden, da sonst Farbsäume auftreten, die eine Unschärfe auf der Leinwand bedingen. Dieselbe Erscheinung – nur noch in verstärktem Maße – trat bei Nahaufnahmen von schnell bewegten Objekten auf. Deshalb sind diese zu unterlassen. Von Schwenkaufnahmen soll grundsätzlich möglichst wenig Gebrauch gemacht werden. Neben einer aktuellen Schwarz-Weiß-Auswertung in der Wochenschau werden die Farbfilmberichte auch in einer monatlich erscheinenden 400–600 Meter langen Monatsschau... ausgewertet.« (...)
Quelle: BA (Militärarchiv, RW 4/v. 794; OKW/WPr/F – Mai 1944

Es gab natürlich auch als Stummfilme gedrehte Schmalfilmproduktionen (16 mm) im (Agfa-)Color-Verfahren. Ein Teil von ihnen war für die breitere Öffentlichkeit bestimmt, etwa »Der Geburtstag des Führers« (50 m) oder die etwas späteren Sportfilme des NSRL aus den Jahren 1940–1941: »Unsere sonnige Welt«, »Sonne, Eis und Schnee« und »Jugendfest der Freundschaft«. Daneben entstanden zahlreiche Amateurproduktionen. Stellvertretend sei hier Eva Braun, Hitlers Lebensgefährtin, erwähnt, eine leidenschaftliche, mit fast »professionellem Geschick arbeitende Filmamateurin« (BA-Koblenz). Sie arbeitete mit Agfa-Movex-Kamera (11 mm) und schuf (z. T. in Farbe) Filme von erheblichem geschichtlichem Wert. Einige davon sind als »Die bunte Filmschau« (2419 m) erhalten.

Sonderaufgaben des Farbfilms im Kriege

Im Auftrage des »Führers« fotografierten die Spezialisten des farbigen Kulturfilms die Wand- und Deckenmalereien des Großdeutschen Reiches, die durch den Krieg, insbesondere durch den Luftkrieg, gefährdet waren. Von 1943 bis zum März 1945 wurden die Wandmalereien in rund 1000 Bauwerken erfaßt, so daß tausende von farbigen Lichtbildern entstanden: Im März 1945 zählte die Sammlung rund 100000 Aufnahmen. Zu dem Kreis namhafter Lichtbildner, die diesen »Führer«-Auftrag durchführten, gehörten u. a. Prof. Hege und Ursula von Loewenstein (inmitten dieser Arbeit traf sie der Tod), Paul Wolff und Helga Glaßner. Die Fototrupps fotografierten u. a. die gotischen Fresken in Burg und Soest, die Bartholomäuslegende aus dem Jahre 1427 in Frankfurt am Main und die Fresken von Jörg Ratgeb im Karmelitenkloster ebendort, sowie die Deckenmalereien von Mathias Karger im Rathaussaal in Augsburg. Aus der Barockzeit fotografierte man zahlreiche Kunstwerke in Österreich, u. a. die Fresken in der Salzburger Residenz. Eine große Anzahl der fotografierten Kunstwerke war bis zum Ende des Krieges in Staub und Asche zerfallen.

Technik und Kunst

Seit 1942 – nach den ersten, größeren Erfolgen – diskutierte man im Dritten Reich viel über den Farbfilm. Zum Lieblingsschlagwort vieler Farbfilmdiskussionen erwuchs die Goethesche Farbenlehre. Inwieweit die in ihr niedergelegten Erkenntnisse den modernen Farbfilm befruchten könnten, blieb allerdings offen. Die Farbenfilmtechnik durfte selbstverständlich von ihr keine Befruchtung erhoffen, wenn überhaupt etwas, dann die Farbenfilmgestaltung. Auf rein technische Aufgaben war die Filmtechnische Zentralstelle eingestellt. Hier befaßte sich die Arbeitsgruppe VI (Farbfilmtechnik) mit dem technischen Fortschritt im Bereich des Farbfilms.

Vom 1. bis 3. Oktober 1942 tagte in Dresden ein Arbeitssymposion »Film und Farbe« mit grundlegenden Vorträgen und Filmvorführungen. Der politische Veranstalter war selbstverständlich das ProMi (Staatssekretär Gutterer war der Schirmherr). Die Deutsche Kinotechnische Gesellschaft (DKG), die Deutsche Gesellschaft für Photographische Forschung (DGPF) und der Deutsche Farbenausschuß

(DFA) lieferten ihren wissenschaftlichen bzw. technischen Beitrag. Die Materialien dieser Tagung wurden als ein Buch in der Schriftenreihe der RFK veröffentlicht. Als Band 10 dieser Schriftenreihe (Max Hesse Verlag, Berlin) erschien 1943 das Buch »Farbfilm-Technik« von Dr. Richard Schmidt und Dr. Adolf Kochs, mit einem Geleitwort des Reichsfilmintendanten Fritz Hippler. Das – in einer Auflage von 15 000 Exemplaren – war eigentlich die erste deutschsprachige Farbfilmkunde. Im dritten Teil des Buches wurde die Technik des Agfacolor-Verfahrens behandelt. Innerhalb weniger Wochen war das Werk vergriffen. Im September 1944 tauchte das Problem einer Neuauflage auf. Es galt diesmal, das Buch auch nach »Edelvaluta-Ländern« zu exportieren.

Im Hinblick auf die Einführung des Farbfilms hatte im Frühjahr 1943 der Vorsitzende des DFA angeregt, eine Vortragsreihe im Reich zu veranstalten, durch die die Filmschaffenden in die Grundprobleme des Farbsehens eingeführt werden sollten. Entsprechend dieser Anregung nahm die DKG die Vortragsreihe »Einführung in die Welt der Farbe« in ihre geplante filmtechnische Berufsschulung in Form von filmtechnischen Abendlehrgängen auf. Diese Vortragsreihe wurde noch im Jahr 1944 fortgesetzt.

Auch in den späten Kriegsjahren waren die verfügbaren technischen und wissenschaftlichen Hilfsmittel der Filmindustrie für die Weiterentwicklung der Farbfilmaufnahme-, Bearbeitungs- und Wiedergabetechnik konzentriert. Die gesamte Entwicklung fiel aber in Jahre mit unvermeidlichen Behinderungen für alle nicht unmittelbar dem Krieg dienenden Arbeiten. Die Existenz der Farbfilmproduktion wurde durch die Dauer des Krieges immer stärker von anderen Industriezweigen bedroht, die ebenfalls kriegswichtige Rohstoffe benötigten, die zur Herstellung des Farbfilmrohmaterials Verwendung fanden. Auch die Luftangriffe blieben nicht ohne Einwirkungen. Die Presse schrieb aber optimistisch, daß nach Kriegsbeendigung die Farbfilm-Übertragung die Schwarz-Weiß-Übertragung verdrängen werde.

Das Agfacolor-Verfahren verlangte eine bedeutend strengere Arbeitsweise. Im Atelier war an die Stelle der Schätzung des Aufnahmelichtes die genaue Messung mit geeigneten Geräten getreten. Es war auch notwendig, Farbkomponenten zu schaffen, die die Lichtempfindlichkeit der Photoschicht immer weniger beeinflußten. Die strenge Farbzensur brachte Resultate. In den Filmen des Jahres 1943 war z. B. die sonnengebräunte Haut schon verschwunden. Die menschliche Haut erschien fast in natürlicher Farbtönung.

Die »Überwindung der Farbe« war zwar wesentliche, dennoch nicht einzige Schwierigkeit des Farbfilms. Das Farbbild wurde im Film viel mehr als das Schwarzweißbild zum totalen Bild, dort wo es um Gesamteindruck ging. »Die Farbe dürfe nicht zum Star werden«, mahnte Willi Forst. Der Farbfilm mußte auch auf das Schnittempo des Schwarzweißfilms verzichten und ging beinahe ganz auf das gemäßigte Szenenfolgetempo der Theaterbühne zurück. »Für stark bewegte Dramatik ist und bleibt der Schwarzweißfilm zuständig«, konstatierte 1943 E. T. Kauer.[45] Helmut Käutner – ein Praktiker – war dagegen anderer Meinung: »Wahrscheinlich wird nach Beseitigung der technischen Schwierigkeiten jeder Film ein Farbfilm sein, ohne auf die Ausdrucksmittel des Schwarzweißfilms verzichten zu müssen. Rembrandts Bilder sind ohne Zweifel mit Farben gemalt, und doch ist ihr hervorstechendster Reiz und Wert das Hell- und Dunkel-Spiel von Licht und Schatten, das in der farbigen Reproduktion stärker ist als in der Schwarzweiß-Wiedergabe. Der Tonfilm löste den Stummfilm auf, weil er neue künstlerische Gesetze zur Folge hatte, der Farbfilm nimmt den Schwarzweiß-Tonfilm in sich auf.«[46]

Wie weit gelang es dem deutschen Farbfilm mit seinen Erfahrungen zu kommen? Für den 4. Januar 1945 wurde Veit Harlan zum ProMi (Auslandsabteilung) bestellt. Im Pompejanischen Saal des Reichspropagandaministeriums sollte er einen Vortrag halten über das deutsche Farbfilmschaffen unter Hervorhebung seiner Farbfilme, die im Ausland besondere Erfolge zu verzeichnen hatten.[47] Über seine Ausführungen sind keine Notizen erhalten geblieben. Aber sein Kameramann, der erfahrene Praktiker Bruno Mondi, äußerte sich zu diesem Thema: »›Kolberg‹ hieß das Thema meiner jüngsten Arbeit. Es ist – nach der ›Goldenen Stadt‹, ›Immensee‹ und ›Opfergang‹ – Prof. Veit Harlans und damit auch mein vierter Farbfilm. Wir haben mithin beträchtliche Erfahrungen über Anwendung und Wirkung der Farbe im Film sammeln können. Und doch stehen wir noch am Anfang. Jeder Tag – ob Atelier- oder Außenaufnahmen angesetzt sind – bringt neue Erkenntnisse, weitet unsere Erfahrung.« Diese Worte wurden im Rahmen einer Diskussion zum Thema »Farbfilm« noch gegen Ende März 1945 veröffentlicht.[48]

Der deutsche Film im Ausland

Filmexport als Mitarbeit an der Weltgeltung Deutschlands

1933 betrug der Anteil des deutschen Films auf dem europäischen Kinomarkt rund 19%, während der amerikanische Film bis 50% erreichte. Nur in Österreich und der Tschechoslowakei – die sprachlichen Voraussetzungen spielten hier eine große Rolle – hatten die Filme aus Deutschland eine bevorzugte Stellung. Allen Schwierigkeiten zum Trotz unternahm das Dritte Reich Bemühungen, eine führende Position für die deutsche Filmproduktion auf dem Weltkinomarkt zu gewinnen: nicht nur aus ökonomischen Gründen, sondern auch aus Prestige- und Propagandarücksichten. »Filmschaffen ist Mitarbeit am nationalen Kulturgut – Filmexport ist Mitarbeit an der Weltgeltung der Nation«, lautete die Parole.

Trotz nicht geringer Bemühungen, immer wieder neue Wege zu finden, um sich durchzusetzen, stieß der deutsche Film der NS-Ära in fast allen Ländern Europas und in Übersee auf Schwierigkeiten. Die jährlichen Einnahmen der Auslandsabteilung der Ufa sanken von 1931/32 bis 1936/37 um nahezu 80%. Diese Tatsache war mit dem Boykott verbunden, dessen Grundlagen vor allem Voraussetzungen politischer Natur waren. Aber auch viele Filmproduzenten, besonders in den USA, nutzten die dem Nationalsozialismus gegenüber feindlichen Stimmungen aus, um die eigene Produktion und deren Ausfuhr zu steigern. Es erwies sich als notwendig, den Film ganz auf den Ertrag aus dem Reich oder aus dem von Deutschland geführten Raum einzustellen. Noch 1932/33 wurden ca. 40% der Produktionskosten vom Filmexport gedeckt, 1934/35 nur 12 bis 15%. Neben dem Boykott spielte der allgemeine Rückgang der Produktion eine Rolle, der mit den höheren Unkosten des Tonfilms eintrat, ferner die Weltwirtschaftskrise, mindestens zu Anfang der dreißiger Jahre. 1937 war der Ertrag aus dem Ausland auf 6 bis 7% der Herstellungskosten zurückgegangen.[1] Erst nach der Schaffung des »Großdeutschen Reiches«, durch die sich der deutsche Kinopark um 870 österreichische und 300 sudetendeutsche Filmtheater erhöhte, und infolge der weiter angestiegenen Besucherzahlen war der deutsche Film amortisationsfähig auf dem Binnenmarkt geworden. Die Fachpresse der Filmbranche beklagte sich aber weiterhin über die schwierige Lage des deutschen Filmexportes. Die wirtschaftliche Festigung und Unabhängigkeit des deutschen Films erlaubten eine freizügige Exportpolitik, d. h. eine billigere Belieferung der Filmtheater der kleineren Staaten. Der Grundsatz: Hier Geld – hier Film! ließ sich sowieso weder in Deutschland noch in einem anderen Filmexportland durchführen.

Die durch den Krieg bedingten Änderungen im politischen und wirtschaftlichen Leben Europas wirkten sich naturgemäß auch auf die Filmbranche stark aus. Die seit 1939/40 verminderte filmische Einfuhr aus Übersee machte das deutsche Filmschaffen zu einem Hauptversorgungsfaktor der europäischen Märkte und darüber hinaus. In einem geschlossenen Kreis von eingeweihten Personen der Filmbranche äußerte Goebbels: »Wenn ich heute den ganzen Südosten als einen zusammenhängenden Komplex ansehe oder den Osten oder den Norden oder einen großen Teil des Westens und mir vorstelle, daß allein diese Komplexe einmal unter die deutsche Führung geraten, d. h. wirtschaftlich, geistig, kulturell, politisch auf das tiefste von der deutschen Führungshegemonie beeinflußt und geführt werden, so kann man sich ungefähr vorstellen, welche Zukunftsaufgaben hier der modernen technischen Führungsmittel harren.«[2]

Die politische und wirtschaftliche Macht, die militärischen Erfolge, sicherten dem NS-Film nicht nur ungeheure Exportmöglichkeiten unter den aus der Machtstellung diktierten Bedingungen, sondern auch eine weitere Steigerung der Produktionsbasis sowie des in Besitz genommenen Kinoparks. Mit zynischer Offenheit sagte Goebbels: »Wir haben diese Basis nicht etwa durch den Film selbst errungen, sondern durch die militärischen Erfolge. Ich habe nun nichts unversucht gelassen, eine solche Situation weidlich auszunutzen. Sie können sich vorstellen, daß wir so günstige Verhältnisse, wie wir sie augenblicklich im besetzten Frankreich oder in Belgien oder in den Niederlanden oder im Südosten auffinden, niemals mehr antreffen werden.«[3] Mit ganz anderen Worten, die aber an die Öffentlichkeit gerichtet waren, zeichnete der deutsche Filmautor Dr. Otto Kriegk diese Situation: »Der Film kann niemandem aufgezwungen werden, weder in Deutschland noch in den von uns besetzten Gebieten, noch gar in den verbündeten Staaten oder in den neutralen Ländern. Die deutsche Propaganda, die nichts mit Zwang oder dem Versuch zu tun hat, den Menschen mit äußeren Mitteln zu beeinflussen, die den Menschen durch Weiterbildung der in ihm liegenden Keime zum

Kampf um die Erhöhung seiner seelischen, geistigen und körperlichen Leistungskraft entwickeln will, muß und will die Menschen gewinnen. Der deutsche Film muß als Werk der Volkskunst alle Europäer so ansprechen, daß sie ihn verstehen, wenn er zum europäischen Film sich entwickeln will.«[4]

Vor dem Krieg hatte die Ufa sechs eigene Vertriebsfilialen, und zwar in Frankreich mit einem ausgedehnten Zweigstellennetz, in Holland, in der Tschechoslowakei, in der Schweiz, in Ungarn und in den USA. In den Kriegsjahren wurden elf Ufa-Niederlassungen gegründet, nämlich in Belgien, Bulgarien, Dänemark, Italien, Holland, Jugoslawien (getrennt in Serbien und Kroatien), Rumänien, Schweden, Norwegen und Portugal. Allein schon aus kulturpolitischen Gründen galt es als wichtig, den Einsatz der deutschen Filme im Ausland selbst zu lenken, um nicht von den politischen Tendenzen bzw. rein materiellen Überlegungen der bisherigen Verleiher abhängig zu sein.

Die Statistiken zeigten, daß gewissen Filmkategorien einen besonders hohen Prozentsatz auslandgeeigneter Filme enthielten, wobei festzustellen war, daß nur mit wenigen Ausnahmen Auslandserfolge auch Inlandserfolge blieben. Zu den Versagern im Ausland rechneten die leitenden Männer von der deutschen Filmwirtschaft solche Streifen, die das Schicksal international weniger bekannter Persönlichkeiten schilderten (»Andreas Schlüter«, »Blutsbrüderschaft«, »Der Fall Rainer«), ferner die Darstellungen vom Auslandsmilieu, die für den Blick des Ausländers weniger verständlich blieben (»Anuschka«, »Die schwedische Nachtigall«, »Schicksal«), das ausgeprägte Lokalkolorit (»Der Ochsenkrieg«, »Der laufende Berg«, »Der scheinheilige Florian«, »Der verkaufte Großvater«) und einige historische Filme wie »Der liebe Augustin«, »Kameraden«, »Komödianten«, »Paracelsus«.[5] Faktisch umfaßte diese Versager-Liste zahlreiche weitere Produktionen. Erfolg oder Mißerfolg deutscher Filmproduktionen hingen naturgemäß nicht nur von dem Filmstoff, sondern auch von den darstellerischen Leistungen der Schauspieler ab. In Berlin wurde der Beliebtheitsgrad der Darsteller beim Publikum sehr genau beobachtet und registriert. Laut dort erarbeiteter Übersichten standen an der Spitze der beliebtesten Darstellerinnen im Ausland Marika Rökk, Zarah Leander, Kristina Söderbaum, Hilde Krahl, Jenny Jugo und Ilse Werner. Die Liste der begehrtesten Leinwandhelden führten Emil Jannigs, Heinrich George, Hans Albers, Paul Hartmann, Heinz Rühmann, Johannes Heesters, Ferdinand Marian, Carl Raddatz, Viktor de Kowa und Hans Söhnker an. Den Erwartungen des Auslandspublikums konnten – aus Berliner Sicht – Leni Marenbach, Lotte Koch, Jutta Freybe, Ewald Balser, Will Quadflieg, Richard Häußler und Volker von Collande weniger entsprechen. Auf deutliche Ablehnung bei der Verwendung in Hauptrollen stießen, nach diesen Unterlagen, Sybille Schmitz, Henny Porten, Margot Hielscher und Thea Weiss.[6]

Bis zum Geschäftsjahr 1943/44 stiegen die Erträge aus der Filmausfuhr. Das Gesamtergebnis betrug für diese Zeit 51,5 Mio. RM, die die deutsche Filmwirtschaft als Lizenzen erhielt.[7] Der Auslandsvertrieb des deutschen Films erreichte im Sommer 1944 seinen Höhepunkt. »Die militärische und politische Entwicklung« – so in einem Sachstandsreferat vom 13.1.1944 – »unterbrach jäh diese nicht nur in wirtschaftlicher, sondern auch in kultureller und propagandistischer Hinsicht überaus erfreuliche Erfolgssteigerung. Seit Juni dieses Jahres büßten wir über die Hälfte unserer Zweigstellen, darunter die wichtigsten und aktivsten, ein.«[8] Die militärische (und politische) Situation nach dem Sommer 1944 führte dazu, daß der deutsche Film zahlreiche Länder nicht mehr »bearbeiten« konnte. Die deutschen Zweigstellenleiter aus Paris, Brüssel, Bukarest, Sofia, Belgrad, Konstantinopel und Athen kehrten unter abenteuerlichen Begleitumständen nach Berlin zurück. Neben den entstandenen Investitionsverlusten entfielen auch die jährlichen Lizenz-Einnahmen. So in Belgien = 6,207 Mio. RM, Bulgarien = 0,244, Finnland = 0,450, Frankreich = 8,622, Griechenland = 5,500, die besetzten sowjetischen Gebiete und Teile des Generalgouvernements = 2,704, Rumänien = 1,304, Serbien = 2,140 und die Türkei = 0,075.[9]

In einigen Ländern Europas hat der Krieg die Filmproduktion negativ beeinflußt; er ließ die Produktion entweder beenden oder zumindest sich verzögern. Bis auf weiteres besaß jetzt das Deutsche Reich unter den Filmlieferanten der vielen europäischen Länder den ersten Platz. Aber bald erwies sich, daß die deutsche bzw. von den Deutschen kontrollierte Filmindustrie nicht in der Lage war, den Bedarf völlig zu decken. Quantitativ ging die Versorgung mit Spielfilmen zurück. Der Zug zur Entwicklung einer nationalen Filmkultur bedeutete für den deutschen Filmexport auch eine Grenze. Auch die kleinen Nationen, selbst solche, die bisher kaum eine eigene Filmerzeugung kannten, traten jetzt mit Filmproduktionen hervor. Die zwangsweise Isolierung von der US-amerikanischen Erzeugung ver-

694

stärkte die Bemühungen, auf dem Gebiete des Films möglicherweise autark zu werden.

Buchstäblich bis zum Ende des Dritten Reiches stand der deutsche Film im Propagandaeinsatz im Ausland.

Leiter Film im ProMi an Goebbels, 22. 11. 1944
»Die Auslandsabteilung der Universum-Film AG hat bereits 27 Kopien des Films ›Philharmoniker‹ in Auftrag gegeben, die Anfang Dezember d. J. zum Versand kommen. Der Film wird (außer im Protektorat und dem Generalgouvernement) in der Schweiz, in Schweden, Spanien, Portugal, in der Slowakei, in Ungarn, Dänemark, Norwegen und Italien zum Einsatz gelangen. Außerdem wird versucht werden, den Film über Schweden nach Finnland zu bringen. Die Premiere der ›Philharmoniker‹ in Zürich ist für Weihnachten in Aussicht genommen, für Stockholm im Februar n. J. und für Kopenhagen Anfang n. J. Für die übrigen Länder lassen sich die Premierentermine noch nicht übersehen. Die Auslandsabteilung der Ufa ist angewiesen, den Film in allen Ländern mit der größten Beschleunigung herauszubringen. Da der Film spanisch und italienisch synchronisiert werden muß, wird sein Einsatz in Spanien und Italien frühestens zum Saisonende möglich sein.«
Quelle: BA Koblenz, R 55, Nr. 665, S. 112

Noch gegen Ende Februar 1945 wurden Maßnahmen getroffen, die die Förderung des Umlaufs deutscher Filme im Ausland beabsichtigten. Für den Einsatz von Wochenschauen, Spiel-, Kultur- und Propagandafilmen durch die Landesgruppen der Auslands-Organisation der NSDAP wurden im Einvernehmen mit der Auli von der Filmabteilung des ProMi weitere finanzielle Mittel bereitgestellt. Beliefert wurden nach wie vor die Länder: Norwegen, Schweden, Dänemark, die Slowakei, Ungarn, Kroatien, Italien, die Schweiz, Spanien und Portugal. »Besonders in den neutralen Ländern Schweden, Schweiz und Portugal ist noch ein reiches Arbeitsgebiet gegeben«, schilderte der Leiter der Filmabteilung im ProMi dem Reichspropagandaminister.[10]

»Dem Vernehmen nach läuft zur Zeit noch ein erheblicher Teil unserer Filme in manchen dieser Länder, das hören wir insbesondere aus Frankreich, Finnland, Bulgarien und der Türkei. Leider sind aus dieser an sich erfreulichen Tatsache irgendwelche Eingänge für uns nicht mehr zu erwarten, denn sie werden von dort inzwischen wohl eingesetzten Feindvermögensverwaltern abkassiert.«[11] Die Niederlage des Dritten Reiches sollte jedoch – so meinte man mindestens in manchen Kreisen der deutschen Filmwirtschaft – keine Niederlage des deutschen Films sein. Die ausländische Konkurrenz Deutschlands in den Nachkriegsjahren sah man nur bei den Amerikanern und den Russen. »Die englische Filmproduktion« – meinte man ferner in Berlin – »ist keine Konkurrenz für uns. Es ist weiter anzunehmen, daß die Amerikaner eine französische und italienische Produktion schon aus rein wirtschaftlichen Überlegungen nicht wieder aufkommen lassen werden, zumindest nicht in den nächsten Jahren.«[12] Mit den exportgeeigneten Filmen wollte man deutscherseits weiterhin einen Kampf um die führende Rolle auf dem Kinomarkt der Welt führen.

»Der deutsche Film hat in ganz Europa schwer zu kämpfen, um das Feld zu behaupten, soweit es sich um Länder handelt, in denen wir überhaupt noch arbeiten können, und um wieder zu erobern, wo wir nach Kriegsende an den Auf- und Ausbau unserer alten Filmstützpunkte herangehen müssen. Daß der deutsche Film in der Lage war, es erfolgreich mit der stärksten, nämlich der amerikanischen Konkurrenz aufzunehmen, beweisen die letzten drei Jahre zur Genüge. Auch die Amerikaner wissen, daß von uns die stärkste Rivalität im Kampf um die Publikumsgunst zu erwarten sein wird. Ihren gewaltigen Anstrengungen müssen wir deshalb alle Kräfte entgegensetzen und schon jetzt in unseren deutschen Produktionsgesellschaften dafür Sorge tragen, daß eine möglichst große Zahl exportgeeigneter, insbesondere Farbfilme zur Verfügung steht, sobald wir unseren Export wieder aufbauen können.« (...).
Quelle: BA Koblenz, R 109 II vorl. 5; Protokoll vom 13.11.1944

Ein besonderes System der Beziehungen bestand in den Kontakten des NS-Films mit den verbündeten bzw. befreundeten Staaten. Hier war die italienische Filmproduktion der Hauptpartner, zugleich aber auch – nach 1939 in Europa – der größte Konkurrent. Das faschistische Italien und das Dritte Reich: zwei ähnliche politische Systeme, zwei ungleiche Verbündete (seit 1938) und Waffenbrüder (seit 1940), zwei grundverschiedene Diktatoren. Die Zusammenarbeit auf dem Gebiet des Films zwischen diesen beiden Staaten hatte von Grund auf einen ausgesprochen konjunkturellen Charakter. Die Unterschiede der Standpunkte und Interessen waren übrigens immer groß, und das nationalsozialistische System der Bewertung der kulturellen Errungenschaften anderer Nationen erleichterte ganz und gar nicht deren Überwindung. Das bereits im Jahre 1936 angesagte Abkommen über die kulturelle Zusammenarbeit[13] wurde in Rom erst am 23.11.1938 unterzeichnet.[14] Es wurde von beiden Seiten für verschiedenartige Maßnahmen ausgenutzt, die den Eindruck erwecken sollten, daß – ähnlich wie die politische – auch die kulturelle Zusammenarbeit Deutschlands und Italiens sich auf starke Grundlagen stützte, so auch auf dem Gebiet des Films. Der Eintritt Italiens in den Krieg schuf eine neue Gelegenheit, die übereinstimmende Partnerschaft zwischen beiden Staaten zu manifestieren.

Die Abhängigkeit des italienischen Filmmarktes vom ausländischen wurde erst seit 1939 lockerer. Im Zeitabschnitt 1932–1935 wurden in Italien insgesamt lediglich 105 Spielfilme hergestellt. 1036 stieg die Eigenproduktion auf 40, im Jahre 1937 auf 41, im Jahre 1938 auf 45 mit fünf Auslandsversionen und im Jahre 1939 auf 109 Filme mit 11 ausländischen Sprachversionen. Mit Ausnahme von ganz großen Erfolgsfilmen konnte der italienische Binnenmarkt die Produktionskosten der einheimischen Filme kaum amortisieren.

Wenn man den italienischen jährlichen Spielfilmbedarf auf 280 Bildstreifen beziffert, dann erweist sich, wie groß die Abhängigkeit des italienischen Filmmarktes vom Ausland war. Der deutsche Film deckte zunächst diesen Bedarf nicht. Betrübt meldete der Film-Kurier (10.3.1939): »Es läßt sich leider über besondere Erfolge, die in letzter Zeit in Italien mit deutschen Spielfilmen erzielt wurden, nicht viel berichten. Das italienische Publikum bekam in den letzten Monaten nur sehr wenige Filme zu sehen.« Die bestehenden Barrieren wurden aber rasch überwunden.

Die Ausübung des Monopols für den Ankauf, die Einfuhr, den Vertrieb und Verleih von Filmen ausländischer Herkunft in Italien, das durch Gesetzdekret vom 4. 9. 1938 errichtet wurde (und Januar 1939 in Kraft trat), wurde dem »Ente Nazionale Aquisiti Importazioni Pellicole Estere« (ENAIPE) übertragen, das zu dem genannten Zweck mit Sitz in Rom gebildet worden war. Der zahlenmäßige Bedarf der einzuführenden Auslandsfilme wurde innerhalb der Devisenkontingentsgrenzen, die der Devisenbewirtschaftungsminister festsetzte, durch das Ministerium für Volkskultur bestimmt. Die Einfuhr von Auslandsfilmen, die aufgrund von Austauschgeschäften oder aufgrund von Gemeinschaftsproduktionsabkommen, die in Italien die Herstellung von Filmen in mehreren Sprachversionen vorsahen, erfolgen sollte, unterstand der vorherigen Genehmigung des Devisenbewirtschaftungsministeriums, das im Einvernehmen mit dem Volkskulturministerium (Minculpop) und nach Anhören der ENAIPE entschied. Diese Einfuhr erfolgte außerhalb der laufenden Kontingente und der obigen Einfuhrquoten und durfte keineswegs Zahlungen an das Ausland zur Folge haben.

Insgesamt wurden 1939 in Italien 25 deutsche Spielfilme erstaufgeführt. Es gab unter ihnen die italienisch synchronisierte Fassung des Operetten-Films »Das Land der Liebe« (»Il Paese dell'Amore«), den preisgekrönten (Venedig 1938) Zarah-Leander-Film »Heimat« (»Casa paterna«), den mit Begeisterung aufgenommenen Film »Urlaub auf Ehrenwort« (»Sei ore di permesso«), ferner »Olympia – Fest der Schönheit«, »Pour le mérite«, »Kautschuk«, »Weiße Sklaven«, einige Luis Trenker-Filme und sonstige Filme des leichteren Genres. Im Jahre 1940 führte Italien 181 ausländische Spielfilme ein: Deutschland stand mit 59 Produktionen an erster Stelle. Die übliche Laufzeit deutscher Filme betrug durchschnittlich 30 Tage, aber »Der Feldzug in Polen« zum Beispiel hatte 73 Tage Laufzeit und »Robert Koch« 43 Tage.[15] 1941 wurden nach Italien insgesamt 150 ausländische Spielfilme importiert, von denen wiederum Deutschland den Hauptteil lieferte, nämlich 74 Bildstreifen. Die »Ohm Krüger«-Premiere erhielt einen besonders festlichen Rahmen: nach Rom fuhren Emil Jannings und der Regisseur Steinhoff. Jannings wurde danach vom Duce empfangen. Die Interessenvertreterin der gesamten deutschen Filmindustrie in Italien, die Germania-Film, erhielt am 5. 2. 1942 in Rom ein neues Geschäftshaus. Man sprach wieder sehr viel über die freundschaftliche Zusammenarbeit, obwohl sich schon

Wolken am filmischen Horizont zusammenzogen. Der deutsch-italienische Film-Poker begann.

Die erfolgreichsten Erstaufführungen Deutscher Spielfilme
im Jahr 1941 in Rom
(nach den Erstaufführungstagen)

Filmtitel	Premieren-theater	Tag der Premiere	Spieldauer in Tagen
»Ohm Krüger«	»Moderno«	7. 6.	18
»Jud Süß«	»Supercinema«	2. 10.	14
»Jud Süß«	»Corso Cinema«	2. 10.	13
»Der Postmeister«	»Moderno«	21. 3.	12
»Bismarck«	»Supercinema«	23. 12.	9
»Kora Terry«	»Barberini«	16. 12.	8
»Unternehmen Michael«	»Barberini«	29. 6.	8
»Andalusische Nächte«	»Quiniretta«	30. 4.	7
»Der Feuerteufel«	»Supercinema«	23. 6.	7
»Morgen werde ich verhaftet«	»Supercinema«	28. 7.	7
»Eine Nacht im Mai«	»Supercinema«	11. 8.	7

Aufgrund gesetzlicher Vorschriften, die durch die Internationale Filmkammer angeregt wurden, mußten die italienischen Lichtspielhäuser die Wochenschau sowie einen Kulturfilm in ihre Spielfolge aufnehmen. Das bisher vielfach (nicht nur in Italien) noch übliche Zwei-Filme-Programm wurde abgeschafft.[16] Zu gleicher Zeit (1941/ 1942) kamen in Italien innerhalb des Lichtspieltheatergewerbes Maßnahmen in Gang, die der einheimischen Filmproduktion die größte Rentabilität und wirtschaftliche Auswertung sichern sollten.[17] Um den Abstand zwischen Bedarf und Eigenproduktion zu verkleinern, wurden die Kontingentsvorschriften dahingehend geändert, daß die Kinos ebenso viele inländische wie ausländische Filme zeigen mußten.[18] Im Februar 1942 gelangte man zu einem Übereinkommen, aufgrund dessen die nach Italien eingeführten Spielfilme möglichst mit einem Kulturfilm ihres Landes aufgeführt werden sollten. Und umgekehrt.[19] Der Vorführungszwang für Kulturfilme sollte – so dachte man in Berlin – dem deutschen Kulturfilm einen besseren Eingang als bisher in die italienischen Filmtheater verschaffen. Eine Einigung konnte man nicht erreichen, wenngleich der Film-Kurier

(10. 6. 1942) meldete, daß die Frage des Filmaustausches mit Italien während der deutsch-italienischen Filmverhandlungen in Berlin »im Geist der kameradschaftlichen Verbundenheit« restlos geklärt worden sei. Goebbels war verärgert, was aus den Notizen seines Tagebuches zu entnehmen ist (23. 9. 1943): »Ich berichtete dem Führer von den Schwierigkeiten, die die italienische Filmindustrie uns während der vergangenen Jahre bereitet hat, und wie oft ich gezwungen war, Rücksicht auf Italien zu nehmen. Er ermächtigte mich, jetzt etwas energischer dagegen vorzugehen.«[20]

Der Abfall Italiens und die Gründung der italienischen Marionetten-Republik von Saló schuf eine neue Situation. Noch vor der Räumung Roms wurde die verbliebene technische Ausrüstung der Cinecittà nach Venedig verlegt. Im Februar 1944 begann man hier die Arbeiten an neuen italienischen Spielfilmen. Auch die römische Ufa-filiale zog nach Venedig um (bald wurde ihr Sitz nach Meran verlegt). Am 23. 3. 1944 wurde ein neues deutsch-italienisches Filmabkommen unterzeichnet. Die Saló-Italiener bezeichneten es als »Versailler Vertrag«. Von deutscher Seite konnten sie jedoch keinerlei Entgegenkommen erwarten.[21] Das Reich lieferte weiterhin eigene Spielfilme: Im Sommer 1944 erlebten in festlichem Rahmen ihre italienischen Premieren: in Turin »Germanin«, in Venedig »Der weiße Traum« und in Mailand »Das Bad auf der Tenne«. Die Auswertungsmöglichkeiten deutscher Filme in Italien betrugen allerdings jetzt nur 35–40 % der Auswertungsmöglichkeiten in diesem Lande vor der anglo-amerikanischen Landung. Seit Sommer 1944 arbeitete die Deutsche Wochenschau am Bau einer Kopieranstalt in Sterzing (Vipiteno) in Südtirol, »in der die für Norditalien, das Alpenvorland und das Adrianische Küstenland erforderlichen Spielfilme und Wochenschauen hergestellt werden« sollten.[22] Bis zum Herbst 1944 gelang es der Luce nicht, die aus Rom abtransportierten Maschinen in Venedig aufstellen zu können.[23] Die für Italien bestimmte Fassung der Deutschen Wochenschau, »La Settimana Europea« wurde in Wien hergestellt.[24] Ein Sachstandsreferat vom 13. 11. 1944 beurteilte die deutschen Interessen optimistisch: »Die Einnahmen in dem uns noch verbliebenen Gebiet sind trotz Bombardierungen, Sabotageakten, Störungen durch die militärischen Operationen... noch immer bemerkenswert gut.«[25] Die Lizenzerträge betrugen im Geschäftsjahr 1943/44 etwa 957 000 RM.

Zur Verstärkung des Sondereinsatzes in der »Italienischen Sozialen Republik« wurden im Jahre 1944 120 000 RM vom ProMi zur Verfügung gestellt. Mit Hilfe dieser Mittel gelang es, die Anzahl der Sonderfilmveranstaltungen wesentlich zu steigern. Allein im Dezember 1944 fanden – so im ministeriellen Bericht – 1177 Veranstaltungen dieser Art mit rund 200000 Besuchern statt. Diese filmische Betreuung erstreckte sich insbesondere auf die italienischen Wehrmachtsformationen, auf die Angehörigen der faschistischen Partei, auf die Kulturindustrie, die Mittel- und Hochschulen, sowie auf die Arbeiter in Fabrikbetrieben.[26]

Zu Beginn des Monats März 1945 hieß es in einem Bericht über die deutschen Aktivitäten in Italien:»Das Geschäft geht über Erwarten gut.«[27] Am 11.4.1945 beantragte die Filmabteilung des ProMi ordnungsgemäß bei Goebbels die Auszahlung von 142000 RM zur weiteren Verstärkung des Sonderfilmeinsatzes in Norditalien.[28] Am Tage zuvor fiel die Stadt Essen in die Hand des Gegners, und die 8. Britische Armee trat am adriatischen Küstenabschnitt zum Großangriff an.

Die Tschechoslowakei
Kinomarkt

Der Annexion des Sudetenlandes verdankte der deutsche Kinomarkt 300–350 Vorführungsstätten. Die spätere Zerschlagung der Tschechoslowakischen Republik ließ einen sehr aufnahmefähigen tschechischen Kinomarkt in deutsche Hände gelangen, der übrigens später nicht in den»großdeutschen« Filmstatistiken über Kinobesucher berücksichtigt wurde. Nach den amtlichen Angaben betrug die Zahl der Kinotheater am 15. März 1939 in

Böhmen	681	Kinos mit	241414	Sitzplätzen
Mähren	434	” ”	122681	”
Slowakei	153	” ”	45521	”
Karpatho-Ukraine	11	” ”	3167	”

Im Jahre 1942 gab es im Protektorat Böhmen und Mähren 1181 Kinos mit 424877 Sitzplätzen.[29] Auf ca. 6200 Einwohner kam ein Kino, je tausend Einwohner waren es 57 Sitze. Wanderkinos (insgesamt 247) hatten keine größere Bedeutung. Seit 1941 wurden auch im Protektorat die Schmalfilme stark propagiert. Am Ende dieses Jahres gab es 13 ständige Schmalfilm-Kinos, und ihre Zahl wuchs weiterhin.[30]

Groß-Prag besaß zu dieser Zeit 109 Kinotheater mit weit über 60 000 Plätzen, worunter sich allein 15 große Erstaufführungstheater am Wenzelplatz oder in unmittelbarer Nähe befanden. Zu den bekanntesten Premierentheatern gehörten: Adria, Blanik, Aleš, Lucerna, Koruna, Juliš, Pasaž, Praga, Světozor, Am Graben – und nur für die deutsche Bevölkerung »Deutsche Lichtspiele«. Kinotheater wie »Amerika« und »La Tricolore« mußten ihre Namen ändern. Zur »Gewährleistung und Regulierung des Einsatzes des deutschen Films« wurden einige der Schlüsseltheater von der Ufa übernommen. So »im Rahmen der Entjudung« in Prag: »Am Graben«, »Koruna«, »Aleš« und in Mährisch-Ostrau »Kosmos«. Die Ufa kaufte ferner in Mährisch-Ostrau das »Alfa-Theater« und in Brünn die Kinos »Capitol« und »Central«.[31]

Nicht ohne Spott schrieb die NS-Presse schon drei Tage nach der Besetzung der Moldau-Metropole: »Die jüngsten politischen Ereignisse im Raum der ehemaligen Tschechoslowakei haben bei den dortigen Filmtheaterbesitzern den Wunsch erweckt, endlich diejenigen deutschen Filme spielen zu können, die bisher für dieses Gebiet nicht zugelassen waren«. Die ersten kamen aus Wien: »Triumph des Willens«, »Der Herrscher«, »Olympia-Film 1« und »Der Berg ruft«.

Die Bilanz des abgelaufenen Jahres 1939 zeigte die ersten Folgen der eingeführten »neuen Ordnung«. Die Gesamtzahl der zur Vorführung freigegebenen Filme betrug nur 831 mit 809 325 m, gegenüber 1052 Filmen mit 1 045 760 m im Jahre 1938. Von diesem 831 Filmen waren 148 abendfüllende Filme dramatischen Inhalts und 94 Lustspiele, ferner 129 Kurzfilme und 338 Wochenschauen. Mit 285 Filmen nahm die deutsche Produktion die erste Stelle ein (1938 waren es insgesamt 251 deutsche Filme). An zweiter Stelle lagen »noch immer« (so die deutsche Berichterstattung) die Amerikaner, die allerdings mit 281 Filmen gegenüber 1938 fast um die Hälfte (427 Filme) zurückgingen. Die Tschechische Produktion konnte mit 220 Filmen (1938: 252) den dritten Platz auf dem Markte behaupten. Dann folgten mit großem Abstand: 12 englische, 11 französische, 8 italienische, 3 schweizerische, je 2 ungarische und holländische Filme und 1 russischer Film. Von den 242 freigegebenen abendfüllenden Filmen waren 92 deutscher, 89 amerikanischer und 41 tschechischer Herkunft.[32]

Noch einige Wochen nach der Gründung des Protektorats waren die Prager Premierentheater durch die Abschlüsse in der Hauptsache mit Filmen amerikanischer Herkunft vorbesetzt. Nur »untragbare« wurden sofort ausgesondert. Die Vorführung sowjetischer Filme

702

wurde verboten (29. 3. 1939). Im Oktober 1939 kam die Ufa mit einer tschechischen Uraufführung heraus, und zwar mit dem M. Frič-Film »Jiný vzduch« (»Andere Luft«), in welchem erstmalig die tschechische Philharmonie unter Václav Talich in die Spielhandlung einbezogen wurde, die Smetanas symphonisches Werk »Meine Heimat« zu Gehör brachte.

»Ein erfreuliches Zeichen«, berichtete Anfang 1940 die gleichgeschaltete tschechische Presse: Jede Woche wird ein tschechischer Film herauskommen. Das Produktionsprogramm der tschechischen Filmindustrie sieht für 1940 fünfzig neue Filme vor. Diese 50 Filme deckten aber noch immer nicht den wirklich vorhandenen Bedarf an tschechischen Filmen, während in der ehemaligen Tschechoslowakei in den letzten Jahren höchstens 20 Filme abgesetzt werden konnten. Dieser Plan erwies sich als unreell, der amerikanische Film wurde verdrängt, und die deutsche Filmindustrie war nicht in der Lage, den Filmbedarf zu decken. Es wurden daher immer mehr alte deutsche Filme aus den Archiven herausgezogen und nach Prag geschickt. Selbstverständlich bekam das Protektorat die neuesten Produktionen. Die Propagandafilme erhielten sogar von der Böhmisch-Mährischen Filmzentrale das eingeführte Prädikat: »Filme von besonderem Wert«. 1942 wurden mit diesem Prädikat honoriert: »Andreas Schlüter«, »Bismarck«, »Der große König«, »Diesel«, »Einer für alle«, »... reitet für Deutschland«, »Annelie«, »Robert Koch«, »Die große Liebe«, »Ich klage an«, »Jud Süß« und »Geheimnis Tibet«.[33]

Wie in allen anderen besetzten Ländern, so gab es auch im Protektorat von Zeit zu Zeit Boykottmaßnahmen der einheimischen Bevölkerung. Sie spielten allerdings keine allzu große Rolle. »Die Umsätze haben sich von Jahr zu Jahr in steil aufsteigender Kurve sehr günstig gestaltet«, »Unser Vertrieb wird erheblich durch 8 uns gehörige beste Uraufführungstheater in Prag, Brünn, Mährisch-Ostrau und Pilsen unterstützt«, hieß es in einem Sachstandsreferat (13. 11. 1944).[34] Und noch im März 1945 bezeichnete man deutscherseits das Filminteresse im Protektorat als ausgezeichnet.[35]

Das tschechische Filmwesen

Das tschechische Filmwesen im Protektorat Böhmen und Mähren wurde im Herbst 1939 in der vorläufigen Filmzentrale (Filmové ustředi) organisiert. In ihr waren alle Fächer der Filmschaffenden und Unternehmer zusammengefaßt. Nur die Mitgliedschaft bei den in der Zentrale zusammengeschlossenen Verbänden ermöglichte die Tätigkeit in den einzelnen Fachschaften: »Verband der Filmhersteller«, »Landesverband der Kinematographen« und »Tschechische-Film-Union«.[36] Irgendwelche wirtschaftliche Betätigung auf dem Gebiete des Filmwesens war Juden seit dem 15. 4. 1940 im Protektorat verboten[37] Der tschechischen Filmproduktion waren die Foja-Filmateliers (Prag- Radlitz – zwei große und eine kleine Synchronisierhalle) vorbehalten. Im Verlauf des nächsten Jahres wurden alle Filmorganisationen aufgelöst und liquidiert. Durch die Verordnung des Reichsprotektors vom 26. 10. 1940 wurde die Böhmisch-Mährische Filmzentrale errichtet. Dieser Filmzentrale mußte angehören (§ 3), »wer gewerbsmäßig oder gemeinnützig als Unternehmer Bildstreifen herstellt, vertreibt oder aufführt oder wer als Filmschaffender bei der Herstellung von Bildstreifen mitwirkt.«[38] Zum Vorsitzenden der Zentrale wurde Emil Sirotek ernannt. Eine Verordnung des Reichsprotektors (26. 10. 1940) schuf auch im Protektorat eine Filmprüfstelle. Der Vorsitzende wurde vom Reichsprotektor ernannt. Ein Beirat bestand aus drei deutschen und drei tschechischen Beisitzern. Als deutsche Vertreter wurden Vertrauensmänner von dem Befehlshaber der Sipo und des SD, dem Wehrmachtsbevollmächtigten und dem Reichsprotektor (Abteilung IV – Kulturpolitik) bestimmt.

Wie im Reich und in allen von Deutschland besetzten Ländern, so verminderte sich auch im Protektorat Böhmen und Mähren ständig das Angebot von Filmen.

Filme auf dem Kinomarkt des Protektorats

Jahr	abendfüllende Spielfilme	andere Filme	Insgesamt Anzahl	m
1938	318	734	1052	1 045 760
1939	242	589	831	809 325
1940	174	653	827	687 010
1941	134	541	675	546 946
1942	115	513	628	489 481

Quelle: J. Havelka, Filmwirtschaft in Böhmen und Mähren 1942, Prag 1943, S. 13

Der deutsche bzw. österreichische Film stand seit Jahren in der Tschechoslowakei an erster Stelle. In der Periode 1929/42 stellte er 44 aller aufgeführten Tonfilme, gefolgt von 35 englischsprachigen und 11 % tschechischen Tonfilme.

Abendfüllende Spielfilme auf dem Kinomarkt des Protektorats

Herstellungsland	Jahr			
	1939	1940	1941	1942
Böhmen und Mähren (ČS)	41	31	21	11
USA	89	33	6	–
Deutschland	92	98	74	69
Frankreich	8	–	–	–
England	7	–	–	–
Italien	5	12	17	27
Ungarn	–	–	2	1
Schweden	–	–	9	3
Dänemark	–	–	2	1
Holland	–	–	1	2
Japan	–	–	–	1

Quelle: J. Havelka, Filmwirtschaft in Böhmen und Mähren 1942, Prag 1943, S. 14

Das Angebot von tschechischen Filmen, wie die Zahlen der Tabelle beweisen, verminderte sich ständig. Im Oktober 1942 wurde von Dr. Hippler bekanntgegeben, »daß die tschechische Produktion nunmehr in kürzester Frist eingestellt werden müsse«.[39] 1943 sank die Zahl der tschechischen Spielfilme auf zehn, 1944 auf neun, und 1945 entstand nur ein einziger Film. Bereits in einer vertraulichen Niederschrift der Reichsfilmintendanz vom 21.7.1944 hielt man fest, daß »die tschechischen Filmschaffenden, insbesondere Regisseure und Stabsmitglieder, in Zukunft vorwiegend in deutschen Filmen, die nicht in Prag gedreht werden, eingesetzt werden sollen«.[40] Ergänzend beschloß man, daß die Tschechen nicht unter ihrem slawischen Namen auftreten durften.

Wegen des in Deutschland herrschenden Ateliermangels ordnete Goebbels an, unverzüglich die Prager Filmproduktionsstätten mit dem (billigeren) Hilfspersonal zu übernehmen. Im Rahmen der durchgeführten Enteignung auf Grund der Verordnung über das jüdische Vermögen im Protektorat (21. 7. 1939) oder auch mittels erzwungenen Ankaufs durch »Cautio«-Winkler wurden die Filmunternehmen, darunter als größtes die AB-Film AG (Hauptaktionär, mit 71 % Aktien, war Miloš Havel[41]), dann auch Slavia-Film und Elekta-Film AG (beide Firmen unterlagen den »Arisierungs«-Maßnahmen) in deutsche Hände übernommen.[42] Die Slavia-Film AG, eine Tochtergesellschaft der Elektafilm, beschäftigte sich bis Juli 1942 mit dem Verleih deutscher und tschechischer Filme. Bis 1941 stellte sie auch tschechische Filme auf eigene Rechnung her. Im Sommer 1942 wurde ihre Stillegung beschlossen, und die Geschäfte übernahm mit dem 1. 8. 1942 die Elekta-Film. Aus juristischen Gründen blieb die Firma im Handelsregister bestehen. Noch im Januar und Februar 1945 bemühte sich die Behörde des Reichsprotektors, diesen »unwürdigen« Namen auch im Handelsregister zu löschen. Man beschloß eine Namensänderung: Bohemiafilm AG.[43]

Zum Treuhänder der »AB«-Filmfabriken wurde noch am 16. 9. 1939 Karl Schulz vom Reichsprotektor bestellt. Die im Jahre 1932 erbauten und 1933 in Betrieb genommenen AB-Filmateliers, Europas modernste Atelieranlage, bestanden aus zwei großen und einer kleinen Halle. Eine völlig zeitgemäß ausgestattete Kopieranstalt war dem Betrieb angegliedert. Im November 1939 wurde Karl Schulz zum Treuhänder des zweitgrößten Filmateliers in Prag-Hostivař ernannt. Die sogenannten Host-Ateliers, eine große und zwei kleine Hallen, wurden 1933/34 durch entsprechenden Umbau einer Mühle eingerichtet. Wegen der dauernden finanziellen Schwierigkeiten, so betonte die deutsche Propaganda, waren sie oft stillgelegt.

Die Produktion von deutschen Filmen wurde in Prag bereits 1939 aufgenommen. Als erstes deutsches Unternehmen eröffnete am 7. 5. 1939 die Bavaria-Filmkunst den Reigen deutscher Hersteller in den Ateliers der Moldau-Stadt: Die Herstellungsgruppe Karl Schulz ging auf dem Barrandov erstmalig mit einem deutschen Film an die Arbeit. »Verdacht auf Ursula« (Arbeitstitel: »Ursula geht vorüber«) hieß der Film.[44] Er schilderte nach dem Roman von Walter Harich »Ursula schwebt vorüber« (Drehbuch von Roland Schacht) einen

Kriminalfall. Der bewährte Theaterregisseur Karl Heinz Martin hatte die Regie (U: 26.10.1939 in Frankfurt am Main). In den ersten zwei Jahren entstanden auf dem Barrandov neun Spielfilme der Bavaria, u. a. »Der Herr im Haus«, »Im Schatten des Berges«, »Was will Brigitte« und »Carl Peters«, der allein eine Drehzeit von September 1940 bis Januar 1941 in Anspruch nahm. Die Terra drehte den Film »Familienanschluß«. Auf dem Gelände der AB-Film wurden in dem gleichen Zeitablauf Außenaufnahmen für fünf deutsche Filme gemacht, und zwar: für die Bavaria »Feinde«, für die Terra »Kleider machen Leute«, Teile von »Jud Süß«, »Rosen in Tirol«, für die Tobis »Der große König«. Seit Herbst 1939 wurden in diesen zwei Jahren in den Ateliers in Hostivar ebenfalls vier deutsche Filme gedreht, und zwar für die Terra zwei Filme und für die Bavaria ein Film. In dem gleichen Zeitraum wurden in diesen Filmateliers und in den Foja-Ateliers in Radlitz, die nur von tschechischen Herstellern belegt waren, insgesamt 33 tschechische Filme gedreht. Von diesen entfielen auf die Ufa zwei Filme, auf die Tobis einer und auf die reichsmittelbaren Gesellschaften »Elektafilm« und »Slaviafilm« drei bzw. zwei tschechische Spielfilme.

Mit dem Generalversammlungsbeschluß vom 21.6.1940 übernahm der Berliner Rechtsanwalt Bruno Pfennig den Posten des Vorsitzenden des Verwaltungsrates, und der bisherige Treuhänder Karl Schulz wurde zum Geschäftsführenden Direktor und Betriebsführer ernannt. Der Name der Firma lautete: AB-Film Aktiengesellschaft. Die Presse im Reich berichtete über die Erfolge Karl Schulz' im Bereich des neuen Prager Filmwesens: Unter gewissenhafter Beachtung der vom Führer gegebenen Richtlinien für die kulturellen Belange und unter Berücksichtigung der besonderen wirtschaftlichen Verhältnisse im Protektorat organisierte er die Betriebe, wobei es ihm gelang, die tschechischen Arbeiter, Angestellten und Techniker, die vollständig übernommen wurden, in den Arbeitsprozeß so einzuschulen und ihre wirtschaftliche Lage so zu verbessern, daß die ganze Belegschaft, arbeitsfreudig und zufrieden, geschlossen hinter der Betriebsführung stehe. Dagegen durften die tschechischen Darsteller nur mit einer Sondergenehmigung des Reichsprotektors im deutschen Film mitwirken. Auf Veranlassung von Goebbels und mit der Zustimmung des Staatssekretärs K. H. Frank wurde für Lida Baarova eine Ausnahme gemacht: Sie durfte ohne Genehmigung im deutschen Film spielen.[44] Weitere »Ausnahmen« folgten.

Da zur Zeit des Krieges der Ausbau der Filmzentren in Berlin und

München eingestellt werden mußte, unternahm man den weiteren Ausbau der Atelieranlagen an der Moldau. Bis zum Juni 1942 baute man in Hostivař u. a. zwei große Produktionshallen, jede über 800 qm, in Barrandov (in Barrandfels umbenannt) dagegen drei weitere Hallen mit 4400 qm. Man kaufte neue Gelände hinzu, und bereits 1942 hatte die deutsche Filmindustrie in Prag mehr als 500000 qm an Grundstücksfläche.

Am 21. 11. 1941 wurde die AB-Film – die als eine deutsche Dachorganisation für die ganze Filmwirtschaft im Protektorat galt – offiziell in Prag-Film AG umbenannt. Die Leitung dieses Konzerns übernahm der bisherige Treuhänder Karl Schulz. Ende 1942 wurde er von seinem Amt enthoben und für eine Veruntreuung bestraft.[46] Zum Produktionschef wurde (ab 1. 1. 1942) Karl Tetting, Filmspezialist aus dem zweiten Glied, ernannt. Erst im April 1944 wurde er durch den erfahrenen Österreicher E. W. Emo ersetzt. So wie Jahre zuvor Karl Schulz wurde allerdings auch E. W. Emo infolge »verschwenderischen Verhaltens« seiner Aufgabe enthoben. Hinsichtlich der Produktion entschied Hinkel (im April 1945!), daß die Geschäfte der Prag-Film im Rahmen einer Arbeitsgemeinschaft von Hein (Wirtschaft), Koch (Kunst) und Schier (Produktionstechnische Belange) »in engster Zusammenarbeit geführt werden«.[47]

Die ersten abendfüllenden Spielfilme der Prag-Film kamen erst im Frühjahr 1943 in die deutschen Kinos. Es waren zwei harmlose Unterhaltungsfilme. Den einen realisierte Josef A. Holmann nach einem Drehbuch von Kurt Heuser mit Karin Hardt in der Hauptrolle. Der Film ging unter dem Titel »Liebe, Leidenschaft und Leid« (U: 2. 4. 1943 in Leipzig) in die Kinos. Den anderen Film, »Himmel, wir erben ein Schloß«, gestaltete Peter Paul Brauer. Die Buchvorlage des Films war H. Falladas Roman »Kleiner Mann, großer Mann – alles vertauscht« (U: 16. 4. 1943 in München). Bis zum Ende des Krieges drehte die Prag-Film 15 eigene Spielfilme.

Das von Bomben freie Prag wurde zu einem (fast) idealen Arbeitsplatz für viele deutsche Filmleute, die panikartig die luftbedrohten Gebiete verließen bzw. verlassen wollten. Wichtig war auch, daß das technische Personal keinen Wehrdienst leisten mußte. Im Jahre 1944 häuften sich allerdings die Beschwerden »über die Unsitte, daß Sonderleistungen mit Trinkgeldern an Werkmeister und Arbeiter honoriert werden«. Selbstverständlich wollte man amtlicherseits »diesen Unfug« bekämpfen.[48] In Prag arbeitete man weiterhin an zahlreichen deutschen Filmen oder Filmteilen. Es wäre schwer, eine genaue Zahl festzustellen. In der Zeit der größten Luftangriffe war es im Reich verboten, irgendwelche offiziellen Bemerkungen über die Benutzung der Prager Ateliers durch die Filmkonzerne aus dem Reich zu machen: um der Feindpropaganda keine neuen Argumente in die Hand zu geben. Am Ende des Krieges befand sich eine große Reihe der bekannten Darsteller des deutschen Films bei der Arbeit an neuen Filmen in Prag. Rein menschlich gesehen war aber Prag für sie, obwohl fast bombenfrei, auch kein Paradies. Im Februar 1945 schrieb man über die ständig »einlaufenden Klagen der sich in Prag aufhaltenden Darsteller und Darstellerinnen, daß sie weder wissen, mit welcher Kriegsdienstverpflichtungs-Gage sie zu rechnen und bisher kein Geld bekommen haben«.[49] Und in Lale Andersens Erinnerungen ist zu lesen: »Diese drohenden, feindlichen Gesichter der Tschechen um dich herum – also da möcht' ich das Kriegsende nicht erleben.«[50]

Prag-Film Aktiengesellschaft   *Prag-Barrandfels, den 18. 2. 45*
An die
Ufa-Film GmbH
<u>*Berlin*</u>
                          Vertraulich!
»Ich bringe Ihnen der Ordnung halber zur Kenntnis, daß gegen drei Filmschaffende, die bei der Herstellung des Films ›Leuchtende Schatten‹ beschäftigt waren, die Anklage nach § 1 Absatz 1 und 2 der Kriegswirtschaftsverordnung erhoben wurde und daß in der inzwischen am 14. d. M. stattgefundenen Verhandlung folgende Urteile erlassen sind:
Aufnahmeleiter Jerkot   *1 Jahr Freiheitsstrafe*
Produktionsleiter Hofer   *8 Monate Freiheitsstrafe*
Regisseur Géza von Cziffra   *6 Monate Freiheitsstrafe*
Die Anklage gegen Jerkot stützte sich im wesentlichen darauf, daß er am schwarzen Markt Lebensmittel, hauptsächlich aber Fleisch und Fleischkarten, angekauft und diese in Gewinnabsicht weiterveräußert habe. Die Herren Hofer und Cziffra wiederum haben Fleischkarten von Herrn Jerkot erworben und sind von diesem überdies ohne Markenabgabe verpflegt worden. Ob diese Angelegenheit noch weitere Kreise ziehen wird, entzieht sich meiner Kenntnis. Hinsichtlich der Herren von Cziffra und Hofer wurden im Auftrage des Produktionschefs, Herrn Emo, Ersuchen um Strafaufschub eingereicht. (...)
Quelle: BA Koblenz, R. 109 III, vorl. 37

Im März / April 1945 verhandelte die Prag-Film noch mit den Schriftstellern Max Ch. Feiler, Heinz Coubier und Hans Wolfgang Hillers
über neue Filmstoffe.[51]

In der Slowakei

Nach der Gründung des »selbständigen« slowakischen Staates mußten zahlreiche prinzipielle Fragen wirtschaftlicher und kultureller Art
gelöst werden, auch das Problem des slowakischen Filmwesens. Das
Deutsche Reich übernahm eine gewisse Schirmherrschaft bei der Regelung vieler Probleme der Filmherstellung und z. T. auch Filmauswertung.[52] »Nastup AG« hieß die neugegründete Monopolgesell-
schaft, die auch für die erste slowakische gleichnamige Wochenschau
sorgte. Im Januar 1940 wurde durch ein slowakisches Filmgesetz eine
Verleihorganisation geschaffen und damit die Filmauswertung zentralisiert. An der neuen Verleihgesellschaft waren der slowakische
Staat mit 51 %, slowakische Banken mit 40 % und die deutsche Seite
mit 9 % beteiligt.[53] Der deutsche Film besaß in der Slowakei keine
eigene Niederlassung, »da sich der slowakische Staat ein Monopol
auf den Filmvertrieb zu sichern verstanden hat«.[54] Der Kinopark
vergrößerte sich ständig, und 1943 erreichte die Gesamtzahl der Kinotheater 272. Die meisten waren in Preßburg (Bratislava). Die
Preßburger Kinos standen im Dienste sowohl der slowakischen Bevölkerung als auch der deutschen Minderheit bzw. der deutschen
Wehrmacht- und Polizei-Einheiten. Sie wurden folgendermaßen gegliedert: 1. Erstaufführungstheater: »Nastup«, »Tatra« und »Urania«
(vom Kulturamt der Deutschen Partei im August 1940 übernommen
und völlig umgebaut); 2. Nachspieltheater: »Atlon«, Metropol«, Us-
mer«; 3. Erste Wiederholungstheater: »Alfa«, »Lux«, »Scala«;
Zweite Wiederholungstheater: »Liga«, »Palace«, »Redoute«. Im Januar 1941 wurde in Preßburg ferner die Kulturbühne »Weltspiegel«
als ein deutsches Kulturfilmtheater eröffnet.[55] Die beiden Filmtheater der deutschen Volksgruppe, »Urania« und »Weltspiegel«, erhielten 1943 die modernsten technischen Einrichtungen. Die Bereisung
der deutschen Volksgruppengebiete durch Tonfilmwagen und die
Aufstellung von Tonschmalfilmgeräten war erst im Anfangsstadium.
Einen eigenen Bereich in der Filmarbeit der deutschen Volksgruppe
bildeten die Jugendfilmstunden in den Bannen der »Deutschen Jugend«. Der Verleihmarkt war von den deutschen Filmen beherrscht.

1942 waren von den insgesamt eingeführten 126 Spielfilmen 96 (76 %) aus Deutschland, 23 (18 %) aus Italien, vier aus Argentinien und je einer aus Spanien, Norwegen und Schweden. Auch 1943 nahm die deutsche Filmproduktion die erste Stelle im Einfuhrprogramm der Slowakei ein, und zwar mit 73 abendfüllenden Filmen. Italien war noch mit 18 Filmen beteiligt, aus Schweden kamen neun, aus Finnland drei und aus Spanien ein Film. Durch den deutschen Verleih erhielt ferner die Slowakei 16 Filme aus dem Protektorat Böhmen und Mähren und 8 aus Frankreich.[56] Die insgesamt 128 Filmtitel liefen in den slowakischen Kinos lediglich in 214 Kopien. Ein Mangel an Filmen war bemerkbar. Dies brachte eine merkliche Minderung deutscher anteiliger Lizenzerträge mit sich: 1943/44 betrugen sie nur 280 000 RM.[57] Aus kriegsbedingten Gründen war die Versorgung der Slowakei mit deutschen Filmen seit Mitte 1944 noch geringer. Zu den Arbeitsmöglichkeiten auf dem slowakischen Filmmarkt wurde Anfang März 1945 von deutscher Seite festgelegt: »In der Slowakei kann das Geschäft nur noch in Preßburg und im Waagtal durchgeführt werden. Dort ist es aber befriedigend.«[58]

Die slowakische Filmproduktion beschränkte sich in erster Linie auf die Arbeit an der Wochenschau »Nastup«[59], die zunächst von einer tschechischen Firma, seit dem Frühjahr 1940 von der Ufa in Wien hergestellt wurde.[60] Gleichzeitig trafen die Ufa und die Nastup AG ein Übereinkommen, demzufolge die Ufa ihre Auslandswochenschau der Nastup zur Verfügung stellte. Die »Nastup«-Wochenschau schuf die organisatorischen und technischen Grundlagen für das weitere slowakische Filmschaffen. So entstand eine Reihe slowakischer Kurzfilme, die vor allem für das Inland von Wert waren. Der erste Kurzfilm »Erinnere Dich« war den Auslandsslowaken gewidmet. Fremdenverkehr, Gesundheit, Schulwesen, aber vor allem die Landwirtschaft und die Folklore standen im Mittelpunkt. Die ersten vier der in slowakischer Eigenproduktion herausgegebenen Kulturfilme waren – die Filmtitel stammen aus den deutschen Presseveröffentlichungen – »Vollblut«, ein Film über das staatliche Gestüt von Topolschiansky[61], »Die Ernte«, ein Epos des Regisseurs Ján Fintora von der Arbeit des Bauern, »Unter freiem Himmel« (Regie Pal'o Bielik), ein idyllisches Bild des Lebens und der Arbeit der Hirten im oberen Grantal (Schafzucht und Erzeugung von Schafkäse) und »Für die Gesundheit des Arbeiters« desselben Regisseurs.[62] Im Tatra-Gebirge spielte die Handlung der Filme »Im weißen Paradies« und »Sommer in den Bergen«, beide in der Regie

von Eugen Mateičko. Der erste und der einzige slowakische abendfüllende Bildstreifen war ein Frontfilm, in vielem der Wochenschau
verwandt: »Von der Tatra zum Asovschen Meer« (Titel des Origi-
nals: »Od Tatier po Azovské More«). Seine äußere Gliederung war
durch den »siegreichen Vorstoß« slowakischer Soldaten der Heimat
bis zum Hafen Mariupol am Asovschen Meer gegeben (Regie: Ivan
J. Kovačevič). Der Film, 1942 hergestellt, lief auch in Berlin, Helsinki, Agram und anderen Städten des Auslands. Zum 5. Jahrestag
der Schaffung des slowakischen Staates entstand der Dokumentarfilm »Einmütig voran« (1944), ein Propagandastreifen, der die Anfänge des »unabhängigen« slowakischen staatlichen Lebens, den
Aufbau und die Beteiligung am Krieg zeigte, der letzte Film der
Tiso-Slowakei.[63]

Die Freie Stadt Danzig

Das »Staatsgrundgesetz« vom 1.9.1939 beschloß die »Wiederver-
einigung Danzigs mit dem Deutschen Reich«. Das Kinonetz der
Freien Stadt wurde jetzt offiziell zum Bestandteil des »großdeutschen
Filmwirtschaftsraumes«. Freilich herrschte hier auch vor dem
1.9.1939 der deutsche Film unumschränkt, denn auch die deutsche
Sprache herrschte hier fast vollständig vor. Die Stadt Danzig hatte
1938 = 19, 1940 = 20 Lichtspieltheater mit 8575 Sitzplätzen und im
Jahre 1942 bereits 33 Kinos. Die bekanntesten von ihnen waren: Ufa-
Palast (am Hauptbahnhof), UT Lichtspiele, Passage-Theater, Kino
Langer Markt, Capitol, Odeon, Gedania, in Danzig-Langfuhr Film-
Palast und Kunst-Lichtspiele, in Neufahrwasser Hansa-Lichtspiele,
in Oliva Roxy und Park-Lichtspiele. In dem bekannten Seebad Zoppot gab es ferner die Regina- und Luxus-Lichtspiele. Am 3.11.1939
wurde in der berühmtesten Straße der Mottlau-Stadt, der Langgasse,
der neuerbaute »Tobis-Palast« eröffnet. Dieses auf das modernste
eingerichtete Filmtheater, dem ein zweistöckiges Café mit 500 Plätzen und eine Kleinkunstbühne angegliedert waren, hatte einen Zuschauerraum mit 950 Sitzplätzen. Die Fassade des Theaters im Gie-
belstil fügte sich in die architektonisch gleichgeordnete Umgebung
harmonisch ein. Das modernste Filmtheater Danzigs war in Anwesenheit von Emil Jannings mit einer Festaufführung des Robert-
Koch-Films vor geladenen Gästen eröffnet worden.[64]
Nach der Schaffung des neuen Reichsgaues Danzig-Westpreußen

wurde die Freie Stadt mit ihren 410000 Einwohnern dem neuen Gau angegliedert. Danzig wurde Gauhauptstadt.[65]

Polen

Um 1933 war Polen an dem Boykott deutscher Filme beteiligt. Nachdem sich die Beziehungen zwischen Berlin und Warschau seit 1934 offiziell gebessert hatten, entstanden günstigere Verhältnisse für eine kulturelle Zusammenarbeit, auch im Bereich des Films. Bereits 1936 informierten die deutschen Medien mit Genugtuung: Mit 68 von Polen importierten deutschen Spielfilmen stehe das Reich nach den USA auf dem zweiten Platz in der Gesamteinfuhr.[66] In Warschau gründete die Ufa ihre inoffizielle Außenstelle. Sie hieß ganz neutral: Warszawska Spólka Kinematograficzna S. A.[67] Es kam auch zu deutsch-polnischen Co-Produktionen.

Die erste deutsch-polnische Co-Produktion (Polski Tobis Cinema) hatte den sächsischen Kurfürsten August den Starken zum Thema, der zugleich polnischer König war. Von der Regie her war der Film ein Werk des berühmten Schauspielers Paul Wegener, die Titelrolle spielte Michael Bohnen. Unter den zahlreichen sonst noch mitwirkenden deutschen Schauspielern befand sich auch Lil Dagover. Obwohl die Außenaufnahmen in Polen gedreht wurden, erhielten die polnischen Schauspieler nur Nebenrollen. Im Film wurden die deutschen Kultureinflüsse auf Polen tendenziös verherrlicht, behauptete man polnischerseits. Die feierliche Uraufführung dieses Filmes fand im Januar 1936 in Dresden statt. Der polnische Konsul in Leipzig schilderte ihren Verlauf:

»Am 17. d. Mts. fand in Dresden die Weltpremiere des Filmes ›August der Starke‹, veranstaltet durch das Polnisch-Deutsche Institut in Berlin, statt. Der polnische Botschafter Lipski aus Berlin war Ehrengast der Premiere. An der Veranstaltung haben alle Mitglieder der Landesregierung mit Reichsstatthalter an der Spitze, Oberbürgermeister Zörner, die höchsten Vertreter der dortigen militärischen Kreise und ein Vertreter der sächsischen königlichen Familie teilgenommen. Auf die Premiere folgte ein Empfang in den Sälen des Rathauses. Die sächsische Presse berichtete ausführlich über den mit der Premiere verbundenen Besuch des Botschafters Lipski in Dresden und ist der Meinung, daß die ehrenvolle Auszeichnung der Stadt die Bande zwischen Dresden und Polen stärken wird.«[68]

Die feierlichen Erstaufführungen dieses Films fanden in Gegenwart polnischer Künstler sowie der deutschen und polnischen offiziellen Vertreter auch in Leipzig und Berlin statt. Der Film erhielt die Prädikate »staatspolitisch wertvoll« und »künstlerisch wertvoll«, aber in den Betrachtungen schrieb man viel mehr über die Politik als über die Kunst.[69]

Die zweite deutsch-polnische Co-Produktion war die musikalische Komödie »Abenteuer in Warschau«. B. E. Lüthge (Buch) und Michael Jary (Musik) nahmen die Operette »Ein bißchen Komödie« von Franz Grothe als Grundlage, Carl Boese hatte die Regie. Der Film wurde 1937 u. a. auf den Straßen der polnischen Hauptstadt gedreht. Neben den deutschen Schauspielern (u. a. Paul Klinger, Georg Alexander, Robert Dorsay) wirkten die polnischen Schauspielerinnen Jadwiga Kenda und Mieczyslawa Cwiklińska mit (U: 1.2.1938).[70]

Schließlich kam noch »Ritt in die Freiheit«.[71] Die Story dieses Films erzählte die Geschichte eines Ulanen-Regiments im polnischen November-Aufstand 1830/31. Im Film (Regie K. Hartl) spielte Willy Birgel einen polnischen Offizier, der heroisch sein Leben für die Kameraden opfert. Das polnische Wehrministerium stellte den deutschen Filmleuten ein Ulanen-Regiment zur Verfügung. Die Außenaufnahmen (Kamera: Günther Rittau und Otto Baecker) wurden in der Gegend von Ostrolenka gedreht. Niemand konnte damals ahnen (?), daß diese Aufnahmen bald einem ganz anderen Zweck dienen könnten (U: 14.1.1937).

1936 drehte die Ufa ein paar Filme über die polnische Folklore: »Zwischen dem schwarzen und weißen Czeremosz« (an der damaligen polnisch-rumänischen Grenze), »Polnische Bauernfeste« und »Heimat der Goralen« (Tatragebirge) sowie Filme über polnische Städte: Warschau, Krakau und Wilna. Die polnischen Behörden protestierten gegen die Vorführungen des Wilna-Films, da dieser tendenziös die Armut der Stadt zeigte, und somit seine Verbreitung dem polnischen Staat schadete.[72]

Die für das Reich günstige Situation im Bereich des Filmexports nach Polen dauerte bis zum Frühjahr 1939. Am 16.5.1939 beschloß der Ausschuß des Verbandes der Polnischen Filmtheatergesellschaften: »Angesichts der Tatsache, daß die deutsche Seite die Bedingungen des deutsch-polnischen Filmvertrages vom Dezember 1937 nicht eingehalten hat, denn 51 deutsche Filme wurden in der vergangenen Zeit in Polen gespielt, während die Deutschen von den sieben gekauften Filmen nur einen gespielt haben, erklärt der Verband der Polnischen Filmtheatergesellschaften den Vertrag durch Verschulden der deutschen Seite für gebrochen und verbietet allen seinen Mitgliedern, den Kinotheaterbesitzern in ganz Polen, die Vorführung von Filmen, die deutscher Produktion oder deutschsprachig sind.«[73] In Deutschland spielte man auch früher fast keine polnischen Filme. Das Verbot war also vielmehr als eine Gegenmaßnahme auf die antipolnische Propaganda im Reich am Vorabend des Krieges zu bewerten.

Schon während des Polenfeldzuges beschäftigte sich der Film-Kurier mit dem Problem, welche Aufgaben dem deutschen Film im besetzten Polen durch den Krieg zuwuchsen. Es ging um eins »der kinoärmsten Länder Europas. In Großdeutschland kommt auf 33, in Polen erst auf 130 Menschen ein Kinoplatz«, schrieb die Zeitung.[74]

Die Gliederung der eroberten Gebiete

Die im »Deutsch-Sowjetischen Grenz- und Freundschaftsvertrag« vom 28.9.1939 vereinbarte Demarkationslinie zerschnitt Polen in zwei fast gleichgroße Teile: 188000 qkm nahm das Deutsche Reich, 201000 qkm annektierte die UdSSR. Nach Nationalität waren es ungleiche Teile: In den von der UdSSR übernommenen Gebieten gab es 38,2 % Ukrainer, 36 % Polen, 9,8 % Juden, 9,5 % Weißrussen.[75] »Das Hauptgebiet des ethnographischen Polen mit mehr als drei Viertel der Bevölkerung polnischen Volkstums befand sich mithin unter deutscher Hoheitsgewalt.«[76] Von dem Gesamtgebiet des deutsch-besetzten Polen entfiel fast die Hälfte auf die sogenannten eingegliederten Gebiete. Es wurden (nach Vorschriften des Sudetengau-Gesetzes) die Reichsgaue Danzig-Westpreußen und Posen (ab 29.1.1940 »Reichsgau Wartheland«) gegründet, andere Teile des annektierten Gebietes wurden den Provinzen Ostpreußen bzw. Schlesien angegliedert. Insgesamt lebten in den »eingegliederten Gebieten« ca. 9,7 Mio. Menschen, von ihnen ca. 80 % (nach deutschen Angaben) Polen. Der andere Teil des unter deutsche Herrschaft gefallenen polnischen Staates erhielt einen Sonderstatus: Generalgouvernement für die besetzten polnischen Gebiete. Am 16.8.1940 erließ der Generalgouverneur Hans Frank eine Verfügung, wonach diese Bezeichnung in »Generalgouvernement« umgeändert wurde. Damit war »dies Gebiet Bestandteil des Großdeutschen Reiches«.[77] Es behielt seine »eigene« Währung und eine Zollgrenze. In den »großdeutschen Filmwirtschaftsraum« wurde das Gebiet nicht einbezogen.

In den eingegliederten polnischen Gebieten

Die ersten deutschen Filmveranstaltungen in den »befreiten Gebieten« organisierten die Gaufilmstellen. Über einen solchen Filmeinsatz im Reichsgau Danzig-Westpreußen äußerte der dortige Gaupropagandaleiter: »So wurde die Gaufilmstelle vom ersten Tage des Krieges an im befreiten Gebiet eingesetzt und hat von September 1939 bis September 1940 insgesamt 4211 Veranstaltungen mit 1 138 415 Besuchern im Gaugebiet durchgeführt. Sie hat mit 14 Filmwagen Orte ohne ein eigenes Lichtspieltheater laufend bespielt und darüber hinaus bei der Truppenbetreuung mitgewirkt. Für die Wehrmacht, SS-Heimwehr und Polizei wurden 337 Veranstaltungen bei freiem Eintritt durchgeführt.«[78] Die Gaufilmstelle Wartheland erfaßte im Jahre 1941 1,5 Mio. »Volksgenossen« bei 6380 Filmveranstaltungen. Die Zahl der »roten Wagen« der Gaufilmstelle Wartheland wurde von 10 auf 15 erhöht. Im polnischen Teil Schlesiens (»Ost-Oberschlesien«) übernahm die Gaufilmstelle Schlesien (Breslau) die filmische Betreuung.

Zur Verwaltung des beschlagnahmten polnischen Vermögens wurde am 19. 10. 1939 die Haupttreuhandstelle Ost gegründet (Max Winkler), mit Außenstellen in Krakau, Danzig, Posen, Zichenau, Warschau und Kattowitz. Zur kaufmännischen Verwaltung der beschlagnahmten polnischen Theater in den eingegliederten Gebieten wurde im Rahmen dieser Haupttreuhandstelle-Ost die Allgemeine Filmtreuhand GmbH mit Zweigstellen in den neuen Gauen gegründet. Für die einzelnen Kinos bestellte man »bis zum Eintreten normaler Verhältnisse« kommissarische Verwalter. Ein Kino zu haben oder es (zunächst) als Treuhänder zu verwalten, war ein lukratives Geschäft. Die Besucherzahlen stiegen ständig. Es fehlte also nicht an Kandidaten. Die polnische Bevölkerung wurde von jeglicher Betätigung im Rahmen der RKK, also auch im Bereich des Filmwesens, ausgeschlossen. »Polen besitzen grundsätzlich nicht die für die Ausübung einer reichskulturkammerpflichtigen Tätigkeit erforderliche Zuverlässigkeit«, hieß es in den Richtlinien des ProMi vom 9. 3. 1940.[80] In Frage kamen nur »Reichs«- bzw. »Volksdeutsche«. Es fehlte nicht an Veruntreuungen. Über den Pg. Georg Schmidt, der Ende des Jahres 1939 die Filmtheater »Lido« und »Morskie Oko« in Gdingen (Gotenhafen) beschlagnahmte, urteilte zwei Jahre später die Danziger RPL: »Der ehemalige Gaufilmstellenleiter Pg. Georg Schmidt hat in jeder Richtung in schwerster Weise gegen die bestehenden Dienstvorschriften verstoßen, die Geschäfte nach eigenem Gutdünken geführt und seine Stellung für persönliche Zwecke mißträulich ausgenutzt.«[81] Und in Posen kam es sogar zu schweren Streitigkeiten zwischen den Agenten der Haupttreuhandstelle-Ost (Max Winkler) und den dortigen Besatzungsbehörden, in die sogar der Gauleiter Greiser und Goebbels einbezogen wurden.[82]

Im Vergleich zur Vorkriegszeit verminderte sich die Zahl der Kinotheater in den besetzten polnischen Gebieten beträchtlich. Im Reichsgau Wartheland gab es Anfang 1941 nur 51 Filmtheater in Betrieb.[83] Die Stadt Posen besaß z. B. vor dem Krieg 14 Kinotheater mit 7600 Sitzplätzen, jetzt nur sieben Kinos. Die Industriestadt Kattowitz hatte vor dem Krieg 27 Kinos mit 12 682 Sitzplätzen, jetzt nur zehn. Und in Sosnowitz, auch in Oberschlesien, verminderte sich die Zahl der Kinos von sieben (3479 Sitzplätze) auf zwei. Lodsch (Litzmannstadt) hatte vor dem Kriegsausbruch 37 Kinos (16 058 Sitzplätze), jetzt nur noch 13.[84] An einigen repräsentativen Theatern wurden bauliche und technische Verbesserungen vorgenommen. Auch zahlreiche Neubauten waren vorgesehen. Alle in kleinen Städten entstehenden Kinos sollten als Theater für Gastspiele und als Veranstaltungsräume Verwendung finden. Wegen des eingeführten »Baustops« konnte man diese Pläne nur teilweise realisieren. Anfang 1941 wurde z. B. in Plock ein Kulturhaus-Kinotheater (1100 Plätze) feierlich eröffnet. Als Bühnen-Festspiel wurde die Operette »Fledermaus« gezeigt, der erste Film war ein antipolnischer Streifen, »Feinde«.[85]

Im Generalgouvernement

Nach den Frontkinoveranstaltungen – auch hier waren die motorisierten Tonfilmwagen der Partei den marschierenden Truppen auf dem Fuße gefolgt – gab es, seit November 1939, Filmvorführungen der Wanderkinos für die zivile Bevölkerung: die deutsche und die ukrainische. Lautsprecherwagen der Amtsleitung Film fanden über die rein filmischen Aufgaben hinaus Verwendung für Bekanntma-

chungen an die Bevölkerung. Alle Kinotheater waren auch hier beschlagnahmt. Im November 1939 wurden sämtliche Filmvorführ-
rungsstätten und Filmverleihfirmen von dem »Treuhänder für sämtliche Lichtspieltheater im Generalgouvernement« übernommen.
Diese Betriebsstelle mit Sitz in Krakau besaß auch eine Außenstelle
in Warschau. Mit dem Filmverleih befaßte sich die »Film- und Propa-
gandamittel-Vertriebsgesellschaft mbH« (FIP), eine rein deutsche
Institution. Eine Verordnung über die kulturelle Betätigung im GG
(8. 3. 1940) bekundete: »Wer sich im Generalgouvernement öffentlich auf dem Gebiete der Musik, der bildenden Künste, des Theaters,
des Films, des Schrifttums betätigt, unterliegt der Aufsicht der Abteilung für Volksaufklärung und Propaganda im Amt des Generalgouverneurs.«[86] Im April 1940 übernahmen die Propagandaabteilungen
der neugegründeten Distrikte die politische Aufsicht über das Filmwesen.

Im besetzten Polen wurde im Unterschied zu der Tschechoslowakei, wo trotz der deutschen Einschränkungen und der Zensur zur
Zeit des Krieges manche sogar gute Spielfilme entstanden, das nationale Filmschaffen – ähnlich wie alle anderen Gebiete der polnischen
Kultur – von einem totalen Vernichtungsplan erfaßt. Die polnische
Filmproduktion wurde verboten.[87] Die FIP übernahm die Angelegenheiten der Filmproduktion. Eine Verordnung über die Erfassung
von Filmgerät (18. 10. 1940) führte zur Beschlagnahme aller Filmauf-
nahmegeräte (auch Teile der Geräte), aller Filmvorführungsgeräte,
ferner aller Schmal- und Normalfilme, ob belichtet oder unbelich-
tet.[88] Die modern ausgestattete Kopieranstalt »Falanga« in Warschau
mußte der FIP die Negativkopien von 86 Spielfilmen und 36 Kurzfilmen sowie die technischen Anlagen übergeben.[89] Das Filmschaffen
im GG war den kriegsbedingten Notwendigkeiten unterworfen. Die
gedrehten Filme bezogen sich auf eine Leistungssteigerung, insbesondere auf dem Sektor der Landwirtschaft. Hauptthema der bis
Frühjahr 1943 fertiggestellten 15 Filme, von denen nur wenige in
deutscher Sprache abgefaßt waren, mit einer Länge zwischen 200 bis
800 m pro Film, war die Ertragssteigerung in der Agrarwirtschaft,
nicht selten mit einer Rahmenhandlung versehen. Von allen dem
Thema gewidmeten Streifen war »Ordnung schafft Brot«, ursprünglich als Schmalfilm aufgenommen und erst später auf Normalfilm umkopiert, der bekannteste. Von diesem Film war eine ca. 400-Meter-
Fassung geschnitten worden, die auch im Reich als Kulturfilm lief.[90]
Im Rahmen der antisemitischen Propaganda drehte man hier auch

den berüchtigten Streifen »Zydzi wszy, tyfus« (Juden, Läuse, Typhus). Berlin versorgte die polnischen Kopieranstalten »mit Anträgen, die in erster Linie die Herstellung polnischer und ukrainischer Versionen deutscher Filme – synchronisiert oder untertitelt – sowie die Ziehung von Schmalfilmkopien für Reichsfirmen beinhalteten.«[91]

Die polnische Bevölkerung konnte fast ausschließlich nur Filme deutscher Produktion sehen. Nur einige frühere polnische Filme wurden zugelassen. Die deutschen Zuschauer erhielten aus dem Reich die Deutsche Wochenschau, für die polnische Bevölkerung existierte seit Mai 1940 die »eigene« Wochenschau: »Wiadomości Filmowe Generalnej Guberni« (Filmnachrichten des Generalgouvernements), später in »Tvgodnik Dźwiekowy Guberni Generalnej« (Tonwochenschau des Generalgouvernements) umbenannt. Das Niveau dieser Wochenschau muß man – auch unter rein politischen Aspekten gesehen – als primitiv bezeichnen. Die Themenauswahl war sehr begrenzt, und die Kommentare zielten meistens auf den naiven Teil des Publikums ab. Den Primitivismus machte man zur Regel. In einem Schreiben der Propagandaabteilung in Krakau, das an Goebbels gerichtet war, hieß es: »Im Osten dürfen vor den Deutschen nur die besten und neuesten deutschen Filme vorgeführt werden. Für Polen können weiterhin ausschließlich Filme mit niedrigem Niveau gespielt werden. Die Zahl der den Polen zur Verfügung stehenden Lichtspielhäuser ist nicht zu erhöhen.«[92]

Bis zum Kriegsbeginn mit der UdSSR gab es im GG lediglich 112 Kinotheater in Betrieb. Der Überfall brachte Änderungen. Aus den (bis September 1939) polnischen Wojewodschaften Tarnopol und Stanislawów (Stanislau), ferner aus dem restlichen Teil der Wojewodschaft Lwów (Lemberg) wurde der Distrikt Galizien geschaffen und am 1.8.1941 ins GG eingegliedert. Das GG umfaßte danach rund 145000 qkm mit (August 1942) ca. 18 Mio. Einwohnern, darunter schätzungsweise 200000 Deutsche. 1943 war die Zahl der Bevölkerung auf 15 Mio. zurückgegangen.

Bereits im Juli 1941 hatte der OKH-Propagandavoraustrupp U I – in Verbindung mit der Reichsfilmkammer – der FIP die filmische Betreuung der Kinotheater im Distrikt Galizien übertragen. Vom 20. Juli bis 29. August 1941 wurden durch die FIP 26 Filmtheater eröffnet und bespielt.[93] Einige Monate später berichtete der Film-Kurier (10.2.1942): »Es sind für Galizien 140 Lichtspielhäuser vorgesehen, von denen bereits 60 wieder in Betrieb sind... Die sprachliche

Gliederung des Gebietes macht es nötig, die Filme in drei verschiedenen Fassungen laufen zu lassen. Neben den deutschsprachigen Kopien laufen solche mit polnischen und ukrainischen Untertiteln.«

Als Grundpfeiler der deutschen Politik bestand auch im GG eine scharfe Trennung der polnischen Bevölkerung von den Deutschen. Der räumlichen Trennung diente die Errichtung besonderer Wohnbezirke für Deutsche in den Großstädten. Die nach außen hin restlos durchgeführte Trennung zwischen Deutschen und Polen war auch im Filmwesen zu beobachten. In größeren Orten gab es Lichtspielhäuser »nur für Deutsche«, die Spitzenfilme und Erstaufführungen brachten.[94] In anderen Häusern liefen (meistens) zweitklassige deutsche Filme mit polnischen bzw. ukrainischen Untertiteln. In kleineren Orten mit nur einem Kino fanden getrennte Aufführungen für Deutsche und Polen bzw. Ukrainer statt. Die polnische Bevölkerung war den Ukrainern nicht gleichgestellt.

Die vertraulichen Richtlinien des ProMi vom 21. Mai 1941
»Die Ukrainer gehören völkisch in denselben Kreis wie die Polen, sie sind aber aus politischen Gründen freundschaftlich zu behandeln. Die Behandlung der Ukrainer ist etwa der der freundlich gesinnten Balkanvölker gleichzusetzen. Sie sind auf ihre bevorzugte Stellung im Generalgouvernement hinzuweisen.«
Quelle: BA Koblenz, R 55 Nr. 1293, S. 12

Aufstellung über sämtliche in Betrieb befindliche Lichtpieltheater im Generalgouvernement (Stand von Mitte 1942)

Distrikt	D	P	U	D+P	D+U	P+U	D+P+U	Zusammen
Krakau	7	15	–	20	–	–	–	42
Radom	8	8	–	12	–	–	–	28
Lublin	3	5	–	8	–	–	–	16
Warschau	3	19	–	18	–	–	–	40
Lemberg	4	15	8	1	2	37	7	74
Insgesamt	25	62	8	59	2	37	7	200

Sitzplatzdurchschnitt je Theater: 411
D = für Deutsche
P = für Polen
U = für Ukrainer

Quelle: AAN Warszawa, Regierung GG, Nr. 1440/1, S. 4

In der »Hauptstadt des Generalgouvernements« Krakau – die Stadt zählte insgesamt rund 300000 Einwohner – waren nur acht Kinos in Betrieb. 1938 hatte diese Stadt 17 Kinos mit 9191 Sitzplätzen gehabt. Zwei »zivile« Kinos, »Scala« (mit 618 Plätzen) und »Urania« (ein Konzertsaal mit 1101 Plätzen), blieben als »Nur für Deutsche«-Theater.[95] Film-, Musik- und Varieté-Veranstaltungen fanden auch im Soldatenkino (Mogilskastraße 2) statt. Ferner auch im SS- und Polizeitheater (Invalidenplatz).[96] Im August 1943 erklärte sich der SS- und Polizei-Standortführer gegenüber dem Stadthauptmann von Krakau bereit, das Theater auch für zivile Bedürfnisse zur Verfügung zu stellen. Bedingung für die Benutzung durch zivile Personen war aber, daß das gesamte Publikum aus Deutschen bestehen mußte.[97] In Warschau (1938 66 Kinos mit 39920 Sitzplätzen) gab es 1942 19 Kinos, darunter »Helgoland« (922 Plätze), »Schauburg« (831) und »Kammerlichtspiele« (440) nur für die Deutschen. Die Stadt Lemberg (1938 23 Kinos mit 9623 Sitzplätzen) besaß 1942 für ihre rund 315000 Einwohner 17 Kinos. Drei von ihnen, »Casino« (598 Sitzplätze), »Olymp« (448) und »Viktoria« (615), waren nur für die deutschen Zuschauer zugelassen.[98]

Der Kinopark wurde zunächst nicht nur von Reichsdeutschen, Volksdeutschen oder Ukrainern, sondern auch von Polen geleitet.[99] Erst nach den Sabotageakten wurden völlig »zuverlässige« Kinoleiter eingesetzt. Die polnische Untergrundbewegung führte nämlich einen ständigen, jedoch nur zum Teil wirksamen Kampf gegen den NS-Film. Für die polnischen Patrioten war eine vorrangige Aufgabe »der Boykott der Kinos, die von verhältnismäßig vielen Zuschauern besucht wurden. Neben Kriegsgewinnlern und Personen mit opportunistischer Einstellung machte die Jugend einen bedeutenden Prozentsatz des Kinopublikums aus.«[100] Als Mahnungen in der Antikino-Aktion nicht halfen, ging man zu Taten über. »In den Kinos wurden ätzende und stinkende Flüssigkeiten ausgegossen. Die Filmapparatur wurde zerstört, es wurden bewaffnete Überfälle auf Lokale verübt, in denen Filme für das deutsche Publikum liefen.«[101]

Aktennotiz Trinks

»An mehreren Sonntagen wurden in Warschauer und Krakauer Kinos Sabotageakte verübt… Eine wirksame Maßnahme ist kaum durchzuführen, denn von Polen kann man nicht scharfes Durchgreifen gegen ihre eigenen Landsleute erwarten. Die Sabotageversuche in der Filmstelle in Lublin beweisen, wie wenig Verlaß in der Beziehung auf Polen

ist. Ein Pole, der etwas Einschneidendes gegen seine eigenen Lands-
leute unternehmen würde, würde wahrscheinlich von der Widerstands-
bewegung umgelegt werden. Im GG sind die Kinos anders zu bewerten
als im Reich.« (...)
Quelle: AAN Warszawa, Regierung GG, Nr. 1439, S. 26

Bis zum Herbst 1941 wurden im GG 147 deutschsprachige Filme, 109
deutsche Filme mit polnischen Untertiteln und 33 polnische Vor-
kriegsfilme gespielt.[102] Die Zahl der polnisch betitelten Kopien war
sehr gering, was nicht ohne Einfluß auf die Qualität der Filmvorführungen blieb.[103] Die Krakauer »Scala« (Karmelitenstraße) fing feierlich im November 1939 mit dem »Vogelhändler« an, endete Mitte
Januar 1945 mit der »Frau meiner Träume« und »Glück bei Frauen«.
Dazwischen gab es 246 Premieren von anderen Spielfilmen aus der
laufenden Produktion oder Neuaufführungen der älteren Bildstreifen. Ausländische Filme blieben eine Seltenheit.[104] Nach J. Spiker
betrug die jährliche Besucherzahl im GG im Durchschnitt rund
20 Mio., davon waren ungefähr zwei Drittel Polen.[105]
    Die Lage an der Ostfront hatte naturgemäß auch ihre Einwirkungen
auf das Generalgouvernement und damit auch auf den Sektor Film. In
der Stadt Lemberg und im Distrikt Galizien wurden 1944 mehrere
Kinotheater beschlagnahmt und mit Truppen bzw. Getreide belegt.
»Die wirtschaftliche Lage ist durch die zahlreichen Sabotageakte,
durch die Belegung von Theatern durch die Wehrmacht und durch die
Schließung sämtlicher polnischer Kinos in Warschau (im Rahmen der
Repressalien für das Attentat auf den höheren SS- und Polizeiführer,
B. D.) eine andere als noch vor zwei Monaten«, hieß es in einem
Fernschreiben aus Krakau vom 15. 2. 1944.[106] Der Aufstand in War-
schau brachte das Theatergeschäft fast völlig zum Erliegen. Deutsche
Filmleute schafften »teilweise unter Kampfeinwirkung eine ganze
Reihe von wertvollem Material« in drei Waggons ins Reich.[107]

Neuaufbau der deutschen Filminteressen in Frankreich,
Belgien und in den Niederlanden
Grundsätzliches

Im Unterschied zu Polen fanden die Deutschen in Westeuropa, vor
allem in Frankreich, eine hochentwickelte Filmindustrie und einen
umfangreichen Theaterpark vor. Das ProMi wollte »beide Bereiche

voll am Leben erhalten und für die deutschen Filminteressen aus-schöpfen. Der Weg, der dabei eingeschlagen wurde, führte nicht über Beschlagnahme des Filmvermögens (die Ausnahme bildete jüdischer Besitz in Holland), sondern über getarnte Beteiligungen und Neu-gründungen.«[108] Mit diesen Aufgaben wurde Dr. Alfred Greven als der Bevollmächtigte Goebbels' betraut. Als Fachmann, weniger als Mensch, genoß Greven das Vertrauen des Reichspropagandamini-sters. Auch Max Winkler, sein unmittelbarer Vorgesetzter, schätzte seine kaufmännischen Kenntnisse. In den von Max Winkler definier-ten Aufgaben Alfred Grevens hieß es: »Der von Herrn Reichsmini-ster Dr. Goebbels genehmigte Auftrag von Herrn Greven geht dahin, in meiner Vollmacht die gesamten Filminteressen des Reiches in den Niederlanden, Belgien und Frankreich (besetztes und unbesetztes Gebiet mit Ausnahme von Elsaß-Lothringen) wahrzunehmen, den Einsatz der von mir betreuten Firmen auf dem Gebiet des Filmver-triebs nach einheitlichen Gesichtspunkten auszurichten und die Grundsätze der Geschäftspolitik zu bestimmen sowie die Produk-tions- und Filmvorführungs-Interessen in besonderen Gesellschaften unter seiner Leitung durchzuführen. Demgemäß müssen die Leiter der Niederlassungen der Tobis und der Ufa die allgemeinen Weisun-gen und Richtlinien von Herrn Greven bei der Durchführung ihrer Aufgaben befolgen. Er trägt mir und meinem Auftraggeber gegen-über dafür die Verantwortung. Er trägt auch die politische Verant-wortung für die Richtigkeit seines Handelns.«[109]

Der »Ankauf« oder die Beschlagnahme von technischen Einrich-tungen für die Filmindustrie im Reich wurde in stets wachsendem Maße erst in den zwei letzten Kriegsjahren beobachtet. Für diesen Zweck gründete die Filmtechnische Zentralstelle eine Außenstelle in Paris.[110]

Frankreich

Zwischen Deutschland und Frankreich bestand seit Jahren nicht nur Konkurrenzkampf. Es gab auch Zusammenarbeit, sowohl im Be-reich der Produktion als auch des Filmaustausches. Jahrelang war ein Filmaustauschabkommen in Kraft, das jeweils durch Notenwechsel zwischen den beiden Regierungen niedergelegt wurde. Am 26. 12. 1938 wurde nun das deutsch-französische Abkommen bis zum 30. 6. 1939 verlängert. Für die Zeit vom 1. 7. 1939 bis 30. 6. 1940 wurde ein Abkommen im Sommer 1939 unterzeichnet.[111] Es nahm sogar die Gründung – in Paris und Berlin – besonderer Vertretungen in Aussicht. Der deutsche Film hielt in Frankreich eine relativ hohe Position. Von den 1938 in Frankreich erschienenen 426 Spielfilmen gab es: 239 aus den USA, 122 eigener Produktion, 26 aus Deutschland, 21 aus England und nur fünf aus Italien. Auch in der Zeit der großen politischen Spannungen blieb die Position des deutschen Films – abgesehen von den ständigen Boykottmaßnahmen einiger Verleiher und Kinobesitzer – unangetastet. Kurz vor dem Kriegsausbruch ging der Zarah-Leander-Film »Heimat« nach Paris, und im »Rex«, einem der größten und modernsten Kinos der Seine-Metropole, erlebte er seine französische Premiere. Zarah Leander sang im Film ihre Lieder französisch.

Bis zum Kriegsausbruch produzierte die Ufa im Reich für ihre französische Niederlassung »Alliance Cinématographique Européenne in Paris (mit Außenstellen in Algier, Bordeaux, Lille, Lyon, Marseille, Straßburg und Brüssel) jährlich einige Filme in französischer Sprache, die als »Vorspann« für die Vermietung der deutschen Filme in Frankreich (bzw. in Belgien) dienten. Es gab auch größere französisch-sprachige Ufa-Produktionen. Bei Kriegsausbruch lag der Fernandel-Film »C'est un mystère« (523 000 RM Kosten) fertig vor. Es gab zu dieser Zeit auch weitere neun Filme, die in Frankreich schon in Auswertung waren, ohne daß Erlöse nach Deutschland gelangten. Die »französischen Verluste«, die infolge des Kriegsausbruchs entstanden, bezifferte Max Winkler auf rund 1,6 Mio. RM.[112] Nach Juni 1940 wurden diese Schäden durch die Tätigkeit Alfred Grevens vielfach ersetzt. Seine Aufgaben umfaßten sowohl die Filmproduktion als auch den Erwerb und Betrieb von Kinotheatern als Voraussetzung für einen verstärkten und auch für die Zukunft gesicherten Absatz der deutschen Filme. Für die Überführung »der für den Filmeinsatz wesentlichen Schlüsseltheater in die Hand des Reichs und die Neuerrichtung und den Umbau von Filmtheatern in den im Osten, Westen und Süden zum Reich gekommenen Gebieten« stellte der Reichsfinanzminister dem ProMi allein im Jahre 1941 30 Mio. RM zur Verfügung.[113] Der überwiegende Teil dieses Geldes wurde im Westen, insbesondere in Frankreich, verbraucht. Dazu bedurfte es jedoch besonderer Verfahrensweisen. »Mit Rücksicht auf die französische Gesetzgebung und Mentalität« – so die »Cautio« – »erwies es sich als notwendig ... in den Theaterunternehmungen zunächst überhaupt keine deutschen Personen in Erscheinung treten zu lassen. Der

Erwerb von Theatern wurde deshalb getarnt von einem französischen Anwalt durchgeführt.«[114] Der politische Druck, die rassistische Gesetzgebung und die anomale filmwirtschaftliche Lage erleichterten diese Aufgabe. Die ersten Transaktionen wurden in diesem Bereich bereits im Herbst 1940 durchgeführt, als man absichtlich viel und mit deutscher Unterstützung darüber sprach, daß angeblich eine Verstaatlichung der Kinobetriebe in Vorbereitung sei. Für ein Spottgeld (20 Mio. Francs = 1 Mio. RM) kaufte Greven die Kinotheater der sogenannten »Siritzki-Kette« auf. Bis November 1940 nahmen die Deutschen folgende Lichtspieltheater in Besitz: in Paris: »Marivaux« (mit 1200 Sitzplätzen), »Le Français« (1300), »Olympia« (1800), »Moulin Rouge« (2000), »Max Linder« (800), »César« (300) und »Biarritz« (600); in Bordeaux: »Le Français« (1500), »L'Apollo« (1400) und »Le Capitole« (1500); in Toulouse: »Les Variétés« (2200); in Lyon: »La Scala« (1400); in Le Havre: »L'Empire« (1300), »L'Alhambra« (1200), »Le Capitole« (1000), »Le Majestic« (800) und »L'Olympia« (1200).[115] Im Sommer 1941 beauftragte Goebbels Alfred Greven, weitere Filmtheater zu erwerben, und zwar in der besetzten Zone Frankreichs, in der unbesetzten Zone, schließlich auch in Nordafrika.

In der unbesetzten Zone handelte es sich um 16 Kinotheater und zwar:

1. Theaterring Bel (6 Theater in Marseille, 2 in Toulon, je eins in Cannes, Nizza, Nimes und Antibes) sowie um eine Reihe durch Programmierungsverträge an den Theaterring Bel gebundene andere Unternehmen. Für diese Transaktion waren 45 Mio. Frs vorgesehen.
2. Das Kinotheater »Mondial« in Nizza (1,5 Mio. Frs)
3. Das Kinotheater »Rialto« in St. Etienne, daß größte Objekt in diesem wichtigen Industrieort (3 Mio. Frs)
4. Das Kinotheater »Eden« in Clermont (3,5 Mio. Frs)
5. Das Kinotheater »Rex« in Grenoble, das bedeutendste Kino in diesem Ort (4,5 Mio. Frs).[116]

Die Pläne zur Ausdehnung der deutschen Kinotheater-Interessen auf das französische Nordafrika befanden sich damals noch im Fluß. Man hielt aber nicht für ausgeschlossen, auf dem Wege über eine 50%ige Beteiligung in die beiden in Nordafrika bestehenden Kinotheaterringe einzudringen. Es handelte sich um ca. 35 Theater in Tunis, Algier und Marokko. Für diese Transaktion waren 30 Mio. Frs vorgesehen.[117]

Auf Weisung des Reichspropagandaministers erhielt Greven ebenfalls von »Cautio«-Winkler den Auftrag, einen möglichst großen Teil des französischen Filmexports an sich zu ziehen, und zwar durch Mitfinanzierung der französischen Produktionen (Paulvé, Soc. Universelle de Films, Guerlais, Richebé, Sofror und Pagnol) mit durchschnittlich 1 Mio. Frs pro Film oder durch den Ankauf bereits fertiggestellter französischer Filme zum Vertrieb nach bisher noch nicht belieferten Ländern, insbesondere, um den Absatz dieser Filme in nicht erwünschte Gebiete kontrollieren bzw. stillegen zu können.[118] Schließlich sollten im Rahmen desselben erwähnten Auftrags durch Greven Maßnahmen getroffen werden, um in Frankreich eine eigene Atelierbasis zu schaffen. Man führte mit dem Besitzer des Ateliers in Bilancourt entsprechende Gespräche. Ferner wurden mit der Direktion der Casino-Gesellschaft in Monte Carlo Verhandlungen zwecks Umbau des leerstehenden »Sporting Club d'Hiver« zu einem Atelier (10 Mio. Frs) aufgenommen.[119]

Noch 1940 gründete Alfred Greven treuhänderisch für die »Cautio Treuhandgesellschaft GmbH« die Continental Films S. A. in Paris als Produktionsgesellschaft. Die Finanzierung der Produktion der Continental Films erfolgte zunächst in Form von Auftragsfilmen durch Tobis und Ufa, die auch diese Filme in ihrem Vertrieb herausbrachten. In diesem Zusammenhang instruierte Winkler kaufmännisch: »Indessen muß darauf Rücksicht genommen werden, daß wir kein Interesse daran haben, erhebliche, in Frankreich zu versteuernde Gewinne entstehen zu lassen, und daß wir über die Vertriebsfirmen durch die Festsetzung der Lizenzen für die von ihnen vertriebenen deutschen Filme eine starke Möglichkeit, Gewinne und Verluste zu regulieren, besitzen.«[120]

In der besetzten Zone ging es um folgende Transaktionen:

1. Projekt Amiens: Neubau bzw. Wiederaufbau eines Kinotheaters in dieser fast vollständig zerstörten Stadt (vorgesehen 4 Mio. Frs)
2. Erwerb einer 40%igen Beteiligung (+ Programmierung) an dem wichtigen Kinotheater »Miramar« in Paris (2,5 Mio. Frs)
3. Erwerb einer 60%igen Beteiligung an dem wichtigen Kinotheater »Mont Rouge« (Vorort von Paris) (2 Mio. Frs)
4. Erwerb der 4 in Paris befindlichen Theater des Paris-Soir (5 Mio. Frs)
5. Erwerb der in Paris, Champs Elysees, gelegenen Theater: »Lord Byron« (2,5 Mio. Frs), »Le Paris« (3 Mio. Frs), »Le Triomphe« (6 Mio. Frs) und »Champs Elysées« (3 Mio. Frs)

6. 50%ige Beteiligung an einem Theaterneubau in Paris-Auteuil (2 Mio. Frs)
7. Erwerb des Kinotheaters »Rexy« in Lille (2,5 Mio. Frs)
8. Interessennahme an dem Theaterring Ponthet mit 8 Kinotheatern in Dijon, Episal, Nancy, Lunéville (in der sog. »verbotenen Zone«) mit 10 Mio. Frs
9. Interessennahme an Filmtheatern an der baskischen Küste in Bayonne, Biarritz, St. Jean de Luz und Pau mit rund 8 Mio. Frs
10. Beteiligung am Wiederaufbau eines größeren Kinotheaters in der zerstörten Stadt Rouen (5 Mio. Frs)

Im Frühjahr 1942 wurden im Zuge der Konzentration des Auslands-Filmvertriebsgeschäfts bei der Ufa AG die französischen Vertriebsstellen der Tobis an die Ufa abgegeben. Es wurden jedoch auch weiterhin zwei Verleihbetriebe, wenn auch unter einheitlicher Leitung, aufrechterhalten, nämlich der bisherige der Ufa und der bisherige der Tobis: S. A. Alliance Cinématographique Européenne (» A.C.E.«) und Tobis Films S. à. R. l. in Paris. Diese beiden Gesellschaften besorgten den Verleih von Filmen im Normalformat. Ihr Kapital wurde um 15 bzw. 6 Mio. ffrs erhöht. Eine neue Gesellschaft, »Le Comptoir du Format Reduit« in Paris (Kapital: 2 Mio. ffrs), deren Anteile auf die Deutsche Schmalfilmvertriebs GmbH (Descheg) übergingen, besorgte den Verleih von Spielfilmen im Schmalfilm-Format. Das Schmalfilmgeschäft hatte in Frankreich wesentlich größere Ausmaße als in Deutschland, da eine nicht geringe Anzahl von gewerbsmäßig betriebenen Theatern, insbesondere in ländlichen Gegenden, Schmalfilm-Apparaturen hatten. Als Ergänzung zu dem Schmalfilm-Verleihgeschäft betrieb die Acifor S.à.R.l. (Kapital 1 Mio. ffrs) das Schmalfilmapparaturgeschäft in Frankreich. Als Ergänzungsgeschäft zum Filmvertrieb wurde die Filmmusik deutscher Filme durch die S. A. Editions Filmatons in Paris ausgewertet, die bald als Editions Continental (Kapital 500 000 ffrs) durch die Continental Films übernommen wurde. Aufgabe: Verlagstätigkeit im Bereich der Musiken aus den Continental-Filmen und für die französischen Gebiete als Subverleger der deutschen Filme.

Die Herstellung französischer Filme erfolgte unverändert durch die Continental Films »im Interesse des Vertriebs der deutschen Filme und allgemein im Interesse der Verankerung der deutschen Filmwirtschaft in Frankreich.«[121] Einige der Continental-Filme wurden in Deutschland durch die Deutsche Filmvertriebs GmbH ausgewertet. Die Auswertungserlöse in Deutschland stellten einen wesentlichen Teil der Einnahmemöglichkeiten der Continental Films dar. Man beschloß aber, daß die in Deutschland anfallenden Einspielerlöse der Continental Films für Rechnung der Ufa-Film GmbH verbleiben sollten. Lediglich ein kleiner Festlizenzpreis wurde mit der Continental Films verrechnet. Die bilanzmäßig in Erscheinung tretenden Erfolgsmöglichkeiten der Continental Films waren daher erheblich beschnitten. Das Bilanzergebnis per Ende 1941 belief sich auf einen Verlust von rund 21 Mio. ffrs.[122]

Pariser Indiskretionen – von Rom aus gesehen
»Danielle Darrieux ließ sich von dem Regisseur Henry Décoin scheiden und hat in der Tat vor einiger Zeit den Filmsternhimmel aufgegeben, um dafür den ihr heiterer dünkenden Himmel eines neuerlichen Honigmondes einzutauschen, und zwar mit einem südamerikanischen Diplomaten.«

»Tino Rossi hinwiederum wurde durch seine Frau, eine arme Caféhausgeigerin, vor den Kadi geschleppt, um daselbst zur monatlichen Alimentenzahlung von 3000 Francs verdonnert zu werden. Da es dem Sänger keineswegs an Humor gebricht, entwarf er vor dem hohen Gerichtshof ein Gemälde des großen Elends, in welchem sich ein Schauspieler befindet, der gleich ihm im Jahr nur in ein paar Filmen auftritt. Die Gegenpartei erhob alsbald heftigen Einspruch und wies darauf hin, daß Tino Rossi sogar in diesen lausigen Zeiten einen mit hervorragenden Jahrgängen und Marken versehenen Wein- und Schnapskeller besitze. Selbstverständlich hat sie den Prozeß gewonnen.«
»Jean Gabin, der im französischen Zivilstandregister als Monsieur Jean Moncorgé geführt wird, hat seine Scheidung durch einen Vertreter feiern lassen. Derlei geschieht vielleicht zum ersten Mal in unserer sublunaischen Welt, wenn Ben Akiba nichts dagegen einzuwenden hat. Gabin wanderte im Jahre 1941 nach Amerika aus und beauftragte seinen Anwalt, die Angelegenheit zu betreuen.«
Quelle: »Pariser Neuigkeiten« in »Film« (Rom), v. 1.7.1943

Die deutsche Filmorganisation in Frankreich
(Stand vom 15.4.1941)

1. »Cautio«-Gesellschaften
   A. Continental Films S.à.R.l. Paris (Kapital 80 Mio. frs). Im Besitz der »Cautio«, treuhänderisch verwaltet durch

A. Greven sowie mit je einem Anteil von 10 000 frs durch zwei deutsche Vertrauensleute aus der Ufa und dem Büro-Greven.

Aufgabe: Herstellung französischer Filme für den Verleih der Ufa und Tobis in den französisch-sprachigen Gebieten.

B. Sté des Cinémas de l'Est, S.à.R.l. Paris (Kapital 500 000 frs).
Im Besitz der Continental und zweier Vertrauensleute.
Aufgabe: Betrieb von (z. Zt.) 17 Filmtheatern.

C. Sté Paris Exploitation Cinémas (S.P.E.C.) S.à.R.l. Paris (Kapital: 100 000 frs).
Im Besitz der Continental und zweier Vertrauensleute.
Aufgabe: Betrieb von (z. Zt.) 1 Filmtheater.

D. Sté de Gestion et d'Exploitation de Cinémas (S.O.G.E.C.) S.à.R.l. Paris (Kapital: 1 Mio. frs).
Im Besitz der Continental und zweier Vertrauensleute.
Aufgabe: Betrieb von (z. Zt.) 4 Filmtheatern.

E. Sté Splendid Cinéma Théatre S.à.R.l. Paris-Choisy de Roi (Kapital: 625 000 frs).
Im Besitz der Continental und zweier Vertrauensleute.
Aufgabe: Betrieb von (z. Zt.) 1 Filmtheater.

2. »Ufa«-Gesellschaft
A. Alliance Cinématographique Européenne S.A. Paris (Kapital: 2 Mio. frs; Erhöhung vorgesehen auf 15 Mio. frs).
Im Besitz der Ufa.
Aufgabe: Im wesentlichen Verleih deutscher Ufa- und Terra-Filme.

3. »Tobis«-Gesellschaften
A. Tobis Films S.à.R.l. Paris. (Kapital: 100 000 frs; Erhöhung vorgesehen auf 2 Mio. frs).
Im Besitz der Tobis (Berlin).
Aufgabe: Im wesentlichen Verleih deutscher Tobis- und Bavaria-Filme.

B. Tobis Degeto Films S.à.R.l. Paris (Kapital: 100 000 frs).
Im Besitz der Tobis (Berlin).
Aufgabe: Verleih von abendfüllenden Kulturfilmen, Verleih und Verkauf von Schmalfilmen.

C. Acifo S.à.R.l. Paris (Kapital: 100 000 frs).
Im Besitz der Tobis (Berlin).
Aufgabe: Vertrieb von Schmalfilmapparaten.

4. »Tobis Tonbild AG-Gesellschaft«

A. Compagnie française Tobis S. A. Paris. (Kapital: 2,25 Mio. frs).
Im Besitz der Internationalen Tobis Mij (Amsterdam).

Elsaß-Lothringen betrachtete man (ähnlich wie Luxemburg) als Bestandteil des Reiches.[123] Zugleich mit der Wiedereröffnung der Saartheater, die über ein Jahr stillagen, waren die Kinos im Elsaß dem deutschen Verleihbezirk eingegliedert. Bis zum 1.11.1940 mußten die Kinobesitzer mit den deutschen Verleihern zu den auch sonst im Reich üblichen Bedingungen abschließen. Dagegen waren die Lothringer Kinos, die viel stärker während der Kampfhandlungen gelitten hatten, zunächst noch vom Filmreferat des Chefs der Zivilverwaltung »kriegsmäßig« versorgt. Im Herbst 1940 spielten von den 101 Theatern im Elsaß 34, von den 103 Kinos in Lothringen nur 18. Anfang 1941 waren im Elsaß 42 Filmtheater wieder in Betrieb.[124] Die Besucherzahlen in Elsaß-Lothringen waren anhaltend gut. Das Publikum trat jedoch dem deutschen Film nicht ohne Vorbehalte entgegen. Es »kann immer wieder festgestellt werden, daß die Resonanz bei manchen Filmen, besonders bei Problemfilmen, unterschiedlich ist. Unterhaltende Filme haben jedoch durchschnittlich mit lebhaftem Anklang zu rechnen«, schrieb der Film-Kurier (14.1.1944).

Im besetzten Frankreich hatten Deutsche die Möglichkeit, französische Theater, Kinos usw. zu besuchen. In verschiedenen Orten bestanden ferner deutsche Soldatenkinos: in Paris »Marignan« und »Rex«. Am 9.1.1944 erhielten die Auslanddeutschen in Paris ein eigenes »Zivil-Kino«, um »das deutsche Denken vor fremdländischem Einfluß zu schützen«.[125] Das Kino gehörte der Auslandsorganisation der NSDAP (Gruppe Frankreich). Der antisowjetische Film »Dorf im roten Sturm« bildete den Auftakt.

Der Kinobesuch litt unter dem Wegfall der amerikanischen und sonstigen ausländischen Filme und – in Frankreich – unter der Produktionsstagnation. Die Zahl der Spielfilme auf dem französischen Kinomarkt betrug 1939 = 255, 1940 = 167, 1941 = 98, 1942 = 128, 1943 = 125 und 1944 = 55.[126] Einen wesentlichen Teil bildeten die deutschen Spielfilme: 1939 = 12, 1940 = 24, 1941 = 55, 1942 = 39, 1943 = 28 und 1944 = 8.[127] »Deutsche, italienische und französische Filme laufen in den Pariser Lichtspieltheatern in schöner Einträchtigkeit«, schrieb mitten im Kriege die deutsche Presse. Und die Menschenschlangen sollten »die ungeteilte Zustimmung eines Publikums, das Hollywood mehr und mehr zu vergessen beginnt«, überzeugend dokumentieren.[128] Man zeigte in Paris vor allem die neuen deutschen

730

Produktionen, sehr oft nachsynchronisiert. Es gab aber auch Reprisen, wie z. B. »Hitlerjunge Quex« (»Un jeune Hitlerien«), die angeblich (so die deutsche Berichterstattung) Erfolge erzielten. »Jud Süß« und »Die goldene Stadt« waren die deutschen Filme, die bis Anfang 1944 angeblich »den größten Erfolg errungen haben«, sie wurden dann aber vom »Münchhausen«-Film übertroffen.[129] Gute Ergebnisse erzielten in den Jahren 1943 und 1944 Filme wie »Der Schritt vom Wege« (»La chair est faible«), »Wiener G'schichten« (»Histoires Viennaises«), »Maskenball« (»Bal masqué«), »Der kleine Grenzverkehr« (»Le resquiler«) der Varieté-Film »Tonelli«, der hier unter dem Titel »La coupole de la mort« (Die Todeskuppel) lief, »Frauen sind keine Engel« (»Les femmes ne sont pas des anges«) und »Wir machen Musik« (»Vive la musique«). Übrigens sollte Ilse Werner (neben Marika Rökk) zu den am meisten geschätzten Darstellerinnen des deutschen Films gehören.[130] Die Synchronisation des Fridericus-Films »Der große König« wurde erst in der Zeit der Landung der Alliierten beendet.

In der besetzten Zone lief zunächst die französische Fassung der Deutschen Wochenschau – »Actualités Mondiales«. Im August 1942 wurde von der gemeinschaftlichen deutschen und französischen Zensur die erste für ganz Frankreich (einschließlich Nordafrika) bestimmte Einheitswochenschau »France Actualités« freigegeben. Später wurden einzelne Bilder für die verschiedenen französischen Gebiete (mit Ausnahme von Kriegsbildern) ausgewechselt.[131] Das Reich stellte 40 Prozent des Kapitals. Die Vorführung dieser Wochenschau wurde zur Pflicht in ganz Frankreich und in den überseeischen Besitzungen der Vichy-Regierung. Ausnahmen bildeten Elsaß-Lothringen, wo nur die Deutsche Wochenschau zugelassen worden war, und die Départements Nord und Pas-de-Calais.

Die obigen Départements unterstanden formal bis 13. 7. 1944 dem Militärbefehlshaber für Belgien und Nordfrankreich. Dafür gab es nicht nur militärische Gründe sondern auch nationale. In den beiden Départements des germanisch-romanischen Grenzlandes wohnten wie in Belgien Flamen, und eine bestimmte Politik ihnen gegenüber stand mit Plänen zur »Neuordnung« Europas in Verbindung. Dieser Politik diente auch der deutsche Film, insbesondere die Wochenschau. In der ersten Zeit der Besetzung wurde für diese Gebiete die belgische Fassung der deutschen Auslandswoche geliefert. Erst im Laufe des Jahres 1943 wurden hier die »France Actualités« eingeführt. Es handelte sich dabei um eine Absprache zwischen dem Botschafter in Paris, Abetz, und dem französischen Ministerpräsidenten Laval, der durch diese deutsche Konzession in seiner damals erschütterten Position gefestigt werden sollte. Den hervorgerufenen Eindruck, als schriebe das Reich die Norddépartements sozusagen ab, wollte man im ProMi mindestens mildern. »Wir werden versuchen«, versicherte Hinkel seinem vorgesetzten Staatssekretär, »unseren Vertrauensmann bei den France Actualités zu veranlassen, einzelne Motive der belgischen Fassung der deutschen Auslandswoche in die für Nordfrankreich bestimmte Ausgabe der France Actualités einzufügen.«[132] Und nach zwei Monaten folgte die Meldung: »In den letzten Wochen sind 19 Bilder aus dem belgischen Raum in die für die französischen Norddépartements bestimmte Fassung der France Actualités aufgenommen worden.«[133] So entstand im Stillen eine weitere, in den offiziellen Berichten nicht berücksichtigte Version der französischen Wochenschau. Insgesamt gingen 104 Nummern der »France Actualités« in die Kinos, mit einer Auflage von ca. 500 Kopien und einer Durchschnittslänge von 440 m. Die letzte Nummer (216 m) erschien mit dem Datum vom 4. 8. 1944.[134]

Im Laufe von vier Jahren drehte man in Frankreich 220 abendfüllende Spielfilme.[135] Im Vergleich zu dem wirklichen Bedarf war das sehr wenig. Dazu mangelte es ständig an Kopien. Die von Deutschland zugeteilten Rationen unbelichteter Rohfilme war derart kärglich, daß nicht selten die Zahl der hergestellten Kopien 30 nicht überstieg. Bei so wenigen Kopien war es unmöglich, einen Spielfilm zu amortisieren. Von Berlin aus gesehen, war der französische Film zum Absterben verurteilt. Offiziell verkündete man selbstverständlich einen anderen Standpunkt. Anfang 1943 erfuhr der deutsche Zeitungsleser: Das französische Filmschaffen habe »unter behutsamer deutscher Steuerung so viel Boden gewonnen, daß es heute mit einigem Abstand hinter den deutschen und italienischen Produktionen den dritten Platz auf dem Kontinent einnimmt und damit in Zukunft eine nicht unwesentliche Rolle im Wettbewerb des europäischen Films spielen dürfte. Auch hier erweist sich das verantwortliche gesamteuropäische Denken des Reiches.« Die Praxis sah jedoch völlig anders aus. In Richtlinien für den Export französischer Filme vom 1. 11. 1942 hieß es: »Im Generalgouvernement, in den besetzten sowjetischen Gebieten, in den Niederlanden, Norwegen und Jugoslawien sollen bis auf weiteres keine französischen Filme angeboten werden.« Die Conti-Produktionen wurden von den Ufa-Filialen in Frankreich, Belgien, der Schweiz, Griechenland, Rumänien und

Portugal vertrieben. In allen übrigen Gebieten verkaufte die Continental ihre französischen Filme selbst.[136]

Exchange meldet aus London vom 22. Juni 1943
»Die weltbekannte französische Schauspielerin Françoise Rosay hatte Paris am Tag des deutschen Einmarsches verlassen und befand sich in Tunis, als die Besetzung der Stadt durch die Achsentruppen erfolgte. Sie entfloh dann nach Sfax und erreichte Algier. In einem Interview erklärte die Schauspielerin über die Kollegen, die für Deutschland arbeiten: ›Am übelsten von allen ist Sacha Guitry, der es nicht notwendig hatte, seine Ehre für das Dritte Reich zu opfern. Maurice Chevalier ist mehr schwach als schlecht und ging tatsächlich zunächst nur nach Deutschland, um die französischen Kriegsgefangenen zu unterhalten. Er war dann nicht stark genug, um es dabei bewenden zu lassen. Harry Baurs Fall gehört auf das Gebiet der Geldgier. Hingegen sind Danielle Darrieux und Viviane Romance freiwillig und aus eigenen Stücken nach Berlin gegangen.‹ (...)
Quelle: PA, Deutsche Botschaft in Paris, Nr. 1143 a, o. S.; Fernschreiben v. 26. 6. 1943

Ein weitgehend unbekanntes Feld im Zusammenhang mit der Expansion des deutschen Films im Kriege waren die von Deutschland besetzten britischen Kanalinseln Jersey und Alderney. Sie wurden von Paris aus (die Pariser Propagandastaffel hatte auf den Inseln eine Außenstelle eingerichtet) filmisch betreut. Mehrere abendfüllende Spielfilme wurden, mit englischen Titeln versehen, auf die Leinwand gebracht. So waren, in erster Linie zu Unterhaltungszwekken, etwa »Es war eine rauschende Ballnacht«, »Die Geierwally«, »Der Mustergatte« und »Stern von Rio« zu sehen, stärker politisch sollten dagegen »U-Boote westwärts«, »Heimkehr«, »Das Herz einer Königin« oder »Auf Wiedersehen, Franziska« wirken.[137] Daneben ergänzten, ebenfalls englisch betitelt, einige Kulturfilme (u. a. »Michelangelo«, »Bayreuth, die Stadt Richard Wagners«), aber auch »Schiff ohne Klassen« und »Die Bauten Adolf Hitlers« sowie die englisch synchronisierte deutsche Auslandswoche das Programm.[138]

Im Zuge der Rückführungsmaßnahmen nach der Landung der Alliierten verlegte Greven die deutschen Filmfirmen von Paris zunächst nach Nancy, danach in den Raum von Saarbrücken.[139] Noch später amtierte er – weiterhin in der Funktion des Conti-Direktors – im Berliner Adlon bzw. in seinem Ausweichbetrieb in Lehnamühle bei Greiz (Thüringen). Die Continental-Film arbeitete hier weiterhin im Rahmen der »kriegswichtigen deutschen Produktionen«.

Belgien

Vor dem 10. Mai 1940 besaß Belgien mehr als 1100 Filmtheater für eine Bevölkerung von rund 8 Millionen Menschen. Das war die stärkste Kinodichte in Europa. Während nicht wenige Filmtheater in Flandern schon vor Kriegsausbruch deutsche Filme aufführten, standen diese in Wallonien und auch in Brüssel nicht selten auf der »schwarzen Liste«. Schuld daran waren, so behauptete die NS-Propaganda, die Juden. Hier hielt der deutsche Film eine durchschnittlich hohe Position. Nach deutschen Angaben importierte Belgien im Jahre 1938 aus Deutschland 80 Spielfilme (320 aus den USA). Der Kriegsausbruch änderte diese Situation zunächst nur wenig. Noch im Januar 1940 kam die Nachricht, daß Erich Engel einen deutsch-belgischen Gemeinschaftsfilm der Ufa drehen solle. Rubens, dessen Todestag sich im Mai zum 300. Male jährte, sollte die Hauptgestalt abgeben. Die Außenaufnahmen waren für März vorgesehen. Man wollte den Film in deutscher, flämischer und französischer Version herstellen.[140] Statt der Dreharbeiten kamen die Kampfhandlungen und die deutsche Besatzung mit weitergehenden Propagandamaßnahmen.

Die Richtlinien des ProMi vom 21. Mai 1941
»Belgien‹ besteht aus Flandern und der Wallonei. Es gibt keine ›Belgier‹. Die Wallonen sind französierte Kelten. Oberster Grundsatz: Flamen und Wallonen zu trennen. Die ›belgischen‹ und nordfranzösischen Flamen sind nach Möglichkeit mit den niederländischen Flamen... zu vereinigen. Bei Flamen und Wallonen ist der Reichsgedanke wieder zu wecken, der z. B. bei den Wallonen bis 1792 bestanden hat. Die Abwehrhaltung der Flamen gegen den Franzosen stärken und den Flamen davon überzeugen, daß er sich des romanischen Einflusses auf allen Kulturgebieten entledigen muß. Auch die Flamen sind mit dem großdeutschen Gedanken anzusprechen. Die Rex-Bewegung und ihr Führer Degrelle sowie seine Vertreter... dürfen nicht als Sprecher der ›Belgier‹ anerkannt werden, sondern nur als Sprecher für die Wallonei.«
Quelle: BA Koblenz, R 55 Nr. 1293, S. 7f.

Durch die Maßnahmen der deutschen Besatzungsbehörden wurde die Zahl der Filmtheater um ein gutes Drittel herabgesetzt: 1941 spielten in Belgien rund 770 Kinos. Der »rein arische« Filmverleih (1941 rund 70 Stellen) wurde in einer Filmkammer gruppiert, deren Vorsitz Jan Vanderheyden führte. Die »arischen« Kinoinhaber schlossen sich in einem neuen Theaterbesitzerverband zusammen. Der Verleih stand völlig unter deutscher Kontrolle. Hellmuth Schaefer leitete die Ufa-Films S.P.R.L., unter der Führung von Erich Motzkus übernahm »Tobis-Films« den Verleih der Tobis- und Bavaria-Filme. Diese zwei deutschen Verleihfirmen mit Sitz in Brüssel starteten im ersten Jahr ihres Bestehens 1940/41 mit etwa hundert Filmen. Bis 1942 waren schon etwa 200 Spielfilme im Umlauf: deutsche Filme.

Die deutsche Filmorganisation in Belgien
(Stand vom 15. 4. 1941)

1. »Cautio«-Gesellschaft
  A. Sté Bruxelloise de Cinéma Bruciné, Brüssel.
    Aufgabe: Betrieb (z. Zt.) eines Filmtheaters.
2. »Ufa«-Gesellschaft
  A. Ufa-Films S.P.R.L. Brüssel
    (Kapital: 100 000 bfrs).
    Im Besitz der Ufa.
    Aufgabe: Verleih deutscher Ufa- und Terra-Filme.
3. »Tobis«-Gesellschaften
  A. Tobis-Films S.P.R.L. Brüssel,
    (Kapital: 100 000 bfrs).
    Im Besitz der Tobis (Berlin).
    Aufgabe: Verleih deutscher Tobis- und Bavaria-Filme.
  B. Tobis-Degeto-Films S.P.R.L. Brüssel.
    (Kapital: 100 000 bfrs).
    Im Besitz der Tobis (Berlin).
    Aufgabe: Verleih abendfüllender Kulturfilme; Schmalfilmgeschäft.

Mit Ausnahme von einigen französischen Filmen (Continental) und italienischen Bildstreifen durften grundsätzlich keine anderen ausländischen Filme eingeführt werden. So wie in anderen Teilen des

»Neuen Europa« galt auch hier seit 1942 der Beschluß, daß im ganzen Land neben dem Hauptfilm, außer der Wochenschau, auch ein Kulturfilm laufen solle. Diese Maßnahme schuf besonders günstige Verhältnisse für den Absatz der deutschen Kurzfilme. Auch der Schmalfilm aus Deutschland gewann immer mehr an Bedeutung. Der Schmalfilm-Vertrieb erfolgte seit 1942 durch die der Descheg gehörigen Orbis Films S.P.R.L.

Die belgischen Kinotheater wurden durch die Sté Bruxelloise de Cinéma Bruciné in Brüssel betrieben. Nach dem Stand Anfang 1942 betrieb die Gesellschaft 4 Filmtheater und übernahm für weitere 10 die Programmierung.[141] Für das belgische Kinopublikum lieferten Ufa und Tobis deutsche Spielfilme in Originalform, nur mit flämischen bzw. französischen Aufschriften. Doubletten kamen selten vor, höchstens gab es dann französische Fassungen, die auch für das französische Kinopublikum vorbereitet waren. Deutsche Soldatenkinos in Brüssel (Mitte, Nord, Ost) spielten deutsche Fassungen von Filmen, dies tat auch von Zeit zu Zeit das dortige Soldatentheater. Es gab auch ein Lichtspielhaus der »Reichsdeutschen Gemeinschaft« und ein Wochenschaukino »Intercine«. Originalfassungen der deutschen Filme wurden daneben in zivile Kinos gegeben (»Acropole«, »Ambassador«, »Apollo«, »Eldorado«, »Palladium«, »Scala«, »Metropol«). Soldatenkinos bestanden auch in anderen größeren Städten Belgiens: in Antwerpen z. B. »Roxy« und »Astrid«.

Der deutsche Film beherrschte den belgischen Kinomarkt bis zum Sommer 1944. Es gab manchmal Boykottmaßnahmen seitens der Bevölkerung, es gab aber auch Erfolge. Zu den erfolgreichsten Filmen gehörten, wie fast überall, die Filme des leichteren Genres. Nach deutschen Pressemeldungen erbrachte auch der Film »Titanic« eine Rekordzahl von Besuchern. Im August 1944 berichtete die deutsche Presse über die gleichzeitigen Erstaufführungen des Films »Immensee« in Brüssel, Gent und Antwerpen und über einen starken Widerhall beim Publikum. Einige Wochen später wurde das Land von den Alliierten befreit.

Holland

Auf dem holländischen Kinomarkt war der deutsche Film vor 1939 kein seltener Gast. Im Jahre 1938 betrug die Zahl der deutschen nach Holland eingeführten Spielfilme 84 (USA = 338).[142] Wie in Belgien, so brachte auch in Holland der Kriegsausbruch 1939 kaum eine Änderung. Am 27. 10. 1939 gelangte »Robert Koch« zur festlichen Premiere im City-Theater der holländischen Residenzstadt Den Haag. Diese Aufführung erfolgte unter dem Protektorat des »Roten Kreuzes« und des niederländischen Tuberkulose-Fonds. Dem Film hatten die holländischen Behörden das Prädikat »künstlerisch wertvoll« verliehen. Unter den deutschen Gästen war bei der Premiere auch Emil Jannings anwesend. In einem Interview erklärte er: »Es gibt keinen Boykott oder keine Demonstration gegen ein Kunstwerk, wenn es stark und erhrlich ist.«[143] Selbstverständlich waren auch in Holland Boykott-Maßnahmen gegen den NS-Film zu beobachten, aber...

Nach einer deutschen Meldung vom Januar 1940 liefen in Holland die deutschen Filme »Wasser für Canitoga« acht Monate, »Das Abenteuer geht weiter« ebenfalls acht Monate, »Marguerite: 3« fünf Monate, »Salonwagen E 417« ebenfalls fünf Monate, »Grenzfeuer« drei Monate, »Ich bin Sebastian Ott« zwei Monate. Und der Film »12 Minuten nach 12« wurde als einer der spannendsten und am besten

Die zensierten Filme in Holland

	1939	1940	1941
Spielfilme:			
USA	322	137	–
Deutschland	79	81	82
England	30	15	–
Frankreich	73	40	–
Andere Länder	30	31	15
Holland	37	17*	48*
Kurzfilme:			
USA	736	260	–
Deutschland	173	208	208
England	40	21	–
Frankreich	89	30	–
Andere Länder	30	31	15
Holland	196	182*	365*

* Alle in Holland hergestellten Filme mußten in den Jahren 1940 und 1941 aufs neue der Zensur vorgelegt werden. Diese Zahlen umfassen also auch sämtliche noch aus den Vorjahres-Produktionen laufende Filme.

Quelle: Film-Kurier vom 6. 1. 1942

gemachten Kriminalfilme von der holländischen Presse hervorgehoben.[144]

»Als am 10. 5. 1940 die deutschen Armeen ihren Marsch im Westen antraten, um das westliche Europa von der Plutokratenclique zu befreien, wurde von dieser Säuberungsaktion auch das niederländische Staatsgebiet betroffen.« Sätze dieser Art waren damals auch in den deutschen Filmfachzeitschriften zu finden.[145] Der Krieg schloß zeitweilig die holländischen Kinos zu. Für die Betreuung der deutschen Soldaten im Bereich der Kinounterhaltung sorgte zuerst die Gaufilmstelle Westfalen-Nord.

Zu den ersten politisch wichtigsten Maßnahmen nach Mai 1940 im Bereich des holländischen Filmwesens gehörte die Ausschaltung von Nordamerika, Frankreich und England aus dem dortigen Filmmarkt. Nach der Besetzung wurden die Filme aus diesen Staaten, unter Gewährung einer kurzen Übergangsabwicklungsperiode, aus dem Verkehr gezogen. Die vollkommene »Arisierung« der Betriebe, sowohl im Verleih als auch im Theaterbesitz, galt als eine Selbstverständlichkeit.[145] Bei dieser Aktion verminderte sich die Zahl der Verleihfirmen von 50 im Jahre 1939 auf fünf im Jahre 1941. Es gab folgende Verleihfirmen: Ufa = für die Ufa-, Terra- und einen Teil der Wien- und DFE-Filme; Tobis = für die Tobis-, Bavaria- und einen Teil der Wien- und DFE-Filme; Sonora = für italienische; Aafa = für flämische Filme und Odeon. Einigen kleinen »arischen« Verleihfirmen wurde noch die Restabwicklung ihrer deutschen und holländischen Filmbestände und Verleih-Verträge bis zum 31. 12. 1942 zugestanden.

1941 betrug die Gesamtzahl der Lichtspieltheater in Holland 334 (im Jahre 1938, nach deutschen Angaben, 297), von denen drei (»Rembrandt« in Amsterdam, »Asta« in Den Haag und »Luxor« in Rotterdam) schon seit Jahren der Ufa gehörten und sechs (»Tivoli«, »Roxy« und »Passage« in Amsterdam, »Trianon« und »Rex« in Leiden und »Passaga« in Schiedam) »neuerdings« von der Tobis-Intercinema geführt wurden. Im Jahre 1939 hatte Amsterdam (bereits seit Jahren für das holländische Lichtspieltheatergewerbe führend) acht Premierentheater: »Tuschinski« (im Krieg in »Tivoli« umbenannt), »Rembrandt«, »City«, »Royal«, »Roxy«, »Passage«, »Alhambra« und »Rialto«, von denen die vier letzten im Krieg Zweitaufführungstheater geworden waren. Die beiden erstgenannten brachten Premieren von großen Tobis- bzw. Ufa-Filmen, während das »Royal«-Theater keine Filme mehr spielte, sondern nur Theaterstücke, Revue und Varieté brachte. Das »City«-Theater spielte abwechselnd Premieren, Zweitaufführungen, Revue und Varieté. Den Haag hatte 1939 sieben Premierentheater: »Asta«, »Passage«, »City«, »Metropole«, »Apollo«, »Odeon« und »Flora«, von denen sich die vier letzteren auf Zweitaufführungen umstellen mußten. Die beiden ersteren spielten Ufa- bzw. Tobisfilme. In Rotterdam wurden im Mai 1940 zahlreiche große und kleine Filmtheater zerstört. Für Premieren blieben nur »Luxor« (Ufa), »Arena« und »Capitol«.

Die deutsche Filmorganisation in Holland
(Stand vom 15. 4. 1941)

1. »Cautio«-Gesellschaft
   A. Internationale Tobis Cinema N. V. Amsterdam. (Kapital: 50 000 hfl).
      Im Besitz der Cautio (Berlin).
      Aufgabe: Betrieb von (z. Zt.) 6 Filmtheatern.
2. »Ufa«-Gesellschaften
   A. Ufa-Maatschappij voor Film en Bioscoopbedrijf N. V. Amsterdam.
      (Kapital: 1 Mio. hfl).
      Im Besitz der Ufa (Berlin).
      Aufgabe: Verleih deutscher Ufa- und Terra-Filme sowie Betrieb eines Theaters.
   B. N. V. Asta-Theater, Den Haag.
      (Kapital: 100 000 hfl).
      Im Besitz der Ufa Mij, Amsterdam.
      Aufgabe: Betrieb eines Filmtheaters.
   C. N. V. Bioscoop Mij »Luxor«, Rotterdam.
      (Kapital: 300 000 hfl).
      Im Besitz der Ufa Mij, Amsterdam.
      Aufgabe: Betrieb eines Filmtheaters.
3. »Tobis«-Gesellschaften
   A. Tobis Filmdistributie N. V. Amsterdam.
      (Kapital: 50 000 hfl).
      Im Besitz der Tobis (Berlin).
      Aufgabe: Verleih deutscher Tobis- und Bavaria-Filme.
   B. Tobis Degeto Films, Amsterdam.
      (Kapital: 20 000 hfl).
      Im Besitz der Tobis (Berlin).

739

Aufgabe: Verleih abendfüllender Kulturfilme; Schmalfilmge-
schäft.
4. »Tobis Tonbild AG – Gesellschaft«
A. Internationale Tobis Mij N. V. Amsterdam.
   (Kapital: 1,5 Mio. hfl).
   Im Besitz der Tobis Tonbild AG Berlin.
   Aufgabe: Besitz und Verwaltung von Patenten.

Im Rahmen der neuen »großdeutschen Wirtschaftspläne« wurden im
Frühjahr 1942 sämtliche deutschen Filminteressen in Holland an die
Universum-Film AG abgegeben.[146] Eine Ausnahme bildete (aus au-
ßenpolitischen Gründen) die Internationale Tobis Mij in Amsterdam, die als Tochtergesellschaft der Tobis Tonbild-Syndikat AG Berlin weiterhin in kleinstem Rahmen das Lizenzinkasso aus bestimmten
Gebieten besorgen sollte. Die Ufa AG konzentrierte diese Filminteressen kapitalmäßig in ihrer bisherigen Verleihgesellschaft, der Ufa-
Maatschappij voor Film en Bioscoopbedrijf in Amsterdam (1942: 1
Mio. hfl Kapital). Diese Gesellschaft verwaltete die Kapitalien folgender Tochtergesellschaften: Für den Verleihbetrieb in Holland bestand die N. V. Ufa/Tobis-Filmverhuur Kantoor (die früher Tobis
Film Distributie N. V. firmierte), die für den Verleih aller Filme der
staatsmittelbaren Gesellschaften in Holland zuständig war. Nur für
den Schmalfilm-Vertrieb, soweit dieser nicht von den Parteistellen
besorgt wurde, arbeitete die Nederlandsche Smalfilm Mij. N. V. in
Den Haag. Für den Atelierbetrieb bestand die Ufa Filmstad N. V. in
Den Haag (1942: Kapital 500000 hfl), die im Frühjahr 1942 »käuf-
lich« erworbene Ateliers in Amsterdam und Den Haag betrieb.
Diese wurden ausschließlich von der Berlin-Film benutzt. Für das
Theatergeschäft gründete man die Nederlandsche Bioscooptheater
Mij. N. V. (abgekürzt: Nebimij) aus der früheren Internationale Tobis Cinema (abgekürzt: Intercinema).
   Die Nederlandsche Bioscooptheater Mij. N. V. (1942: Kapital
250000 hfl) betrieb 14 Theater, die sich kapitalmäßig in deutschen
Händen befanden, darunter drei Theater, die seit Jahren das Eigentum der Ufa waren: »Asta« in Den Haag, »Luxor« (1354 Sitzplätze) in
Rotterdam und »Rembrandt« (1128) in Amsterdam. Die drei Häuser
waren als deutsche Kinotheater bekannt und dementsprechend von
der deutschen – nach der Besetzung wesentlich vergrößerten – Be-
sucherschicht frequentiert. Die Tatsache, daß sich weitere 11 Theater
in deutschem Besitz befanden, sollte nach außen nicht erkennbar

sein.[147] Es ging um folgende Kinos: »Tivoli« mit 1596 Sitzplätzen (früher unter dem Namen Tuschinski) in Amsterdam, das ähnlich dem Apollotheater in Düsseldorf als Varieté-Lichtspielhaus geführt wurde, obwohl in der ersten Zeit nach der Übernahme der Versuch gemacht wurde, ohne den kostspieligen Varietéteil auszukommen; ferner »Passage« (453) und »Roxy« (512) ebenfalls in Amsterdam, »Westend« (816) in Den Haag, »Passage« (942) in Schiedam, »Trianon« (556) und »Rex« (437) in Leyden, »Rembrandt« (1210) in Utrecht, »Cinema-Palace« (630) in Groningen, »Olympia« (784) und »Zentral-Theater« (650) in Nymwegen. Zum Teil waren auch Grund und Gebäude der genannten Theater Eigentum des Ufa-Konzerns und wurden durch verschiedene Tochtergesellschaften verwaltet.[148] Die deutschen Quellen berichteten über Verluste, die 1940 und 1941 durch den erheblichen Boykott der holländischen Bevölkerung entstanden. Der größte Boykott betraf »Tivoli« in Amsterdam.[149]

Verschiedene Stellen übten ihren Einfluß auf das niederländische Film- und Lichtspieltheatergewerbe aus. Der Niederländische Bioscoop-Bund (NBB) wurde einer »Umgestaltung« unterzogen. Alle »Nichtarier« warf man aus dieser Organisation hinaus. Die Zentrale wurde von Amsterdam nach Den Haag verlegt. In den letzten Monaten des Jahres 1941 wurde unter der Präsidentschaft von Prof. Goedewaagen eine niederländische Kulturkammer eingerichtet, in die der Film als sogenannte »Filmgilde« eingebaut wurde. Die Büros befanden sich in Den Haag. Dadurch war man in direkter Verbindung mit dem Departement für Volksaufklärung und Kunst und mit dem Filmreferenten des Reichskommissars. Von der Filmgilde waren nur vier Verleihbetriebe zugelassen, die die niederländischen Lichtspieltheater mit Spielfilmen versahen: 1. Ufa-Tobis-Filmverleih (deutsche Filme), Sonora-Filmverleih (italienische Filme), 2. Filmverleih-Odeon (Transit-Filme) und 3. Aafa-Filmverleih (holländische Filme.[150] Die holländische Spielfilmproduktion wurde übrigens stillgelegt. Von 1934 bis 1940 entstanden hier ca. 50 Spielfilme, von denen der größte Teil in den Cinetone Studios in Duivendrech bei Amsterdam und einige in den später gebauten Filmstad-Ateliers in Den Haag (oder in der Halle der Profilti Studios) aufgenommen wurden. Alfred Greven vertrat die Meinung, »daß es nicht unser Interesse sein kann, die holländische Eigenbrödelei und Absonderung dadurch zu unterstützen, daß wir den Holländern eine eigene Filmproduktion neu aufbauen, denn eine holländische Produktion hat es nicht gegeben, sondern es sind höchstens 2 bis 3 Filme im Jahr aus Spekulationsgründen

hergestellt worden.«[151] Die holländischen Ateliers wurden vorübergehend vom Militär belegt, später von der deutschen Filmindustrie übernommen (Die 1942 gegründete Ufa-Film Stad N. V.).[152] Gegen Ende
des Monats August 1944 wurden sie stillgelegt. Für Propagandazwecke drehte man in Holland einige »holländische«Kurzfilme.

Die Richtlinien des ProMi vom 21. Mai 1941
*»Die Holländer sind ein Stamm der Niederländer. Die Niederländer an
ihre historische Vergangenheit als Weltpioniere erinnern: Einsatz von
Niederländern in allen niederdeutschen Gebieten bis weit hinter die
Weichsel, niederländische Kolonien im asiatischen Raum, niederländische Kolonien in den Vereinigten Staaten. Niederländer mit dem
großgermanischen Gedanken ansprechen. Die staatliche Zukunft dieses Landes darf nicht berührt werden. Die Niederlande gehören in den
großgermanischen Bereich, d. h. sie bilden mit den Deutschen eine
kulturelle, sprachliche, blutsmäßige, geographische und wirtschaftliche Gemeinschaft. Die Niederlande sind darauf hinzuweisen, daß
ihre Staatsgeschichte erst vor 300 Jahren beginnt und daß die Geschichte ihres Volkes früher die des deutschen Volkes war.«*
Quelle: BA Koblenz, R 55 Nr. 1293, S. 7.

Auf dem holländischen Kinomarkt herrschten selbstverständlich die
deutschen Filme, obwohl ein Überangebot nicht zu bemerken war.
Die Holländer bevorzugten, wie fast überall, vor allem Filme des
leichten Genres. Bei dem Mangel an neuen Filmen wiesen aber auch
einige Propagandafilme relativ gute Besucherziffern auf. Von den 82
deutschen Filmen, die 1941 nach Holland eingeführt wurden, waren
die besten Erfolge, über das ganze Land gerechnet: Aus dem Tobis-
Verleih »Operette«, »Hauptsache glücklich«, »Jugend«, »Der ungetreue Eckehart«, »Traummusik«, »Ihr Privatsekretär«, »Herz modern möbliert«, »Kampfgeschwader Lützow« und »So gefällst du
mir«. Aus dem Ufa-Verleih »Der Gasmann«, »Das Herz der Königin«, »Der Postmeister«, »Kora Terry«, »Rosen in Tirol«, »Jud Süß«,
»Nanette«, »Wunschkonzert«, »U-Boot westwärts« und »...reitet
für Deutschland«. Die drei erfolgreichsten deutschen Filme des Jahres 1942 waren in chronologischer Folge: »Quax, der Bruchpilot«,
»Die große Liebe« und »Wiener Blut«. Alle diese Angaben stammten aus den deutschen Veröffentlichungen. Über Boykott schrieb
selbstverständlich die deutsche Presse nicht. Die gleichgeschaltete
holländische Presse[153], mindestens einige Zeitungen, stand der

742

deutschen Filmproduktion sehr positiv gegenüber. Im März 1942 zitierte triumphierend die deutsche Presse gute holländische Kritiken über das abscheuliche Propagandawerk der Wiener, »Heimkehr«. »Nieuwe Rotterdamsche Courant« hatte geschrieben: »Ucickys Film ist ausgezeichnet in der Beherrschung des Tempos und der Klarheit der Milieuschilderung. Er spricht eine deutliche, kräftige Sprache.« Und in Den Haag schrieb die Zeitung »De Residentiebode«: »›Heimkehr‹ ist ein Film, den man nicht leicht vergessen wird. Man kann ihm nicht entgehen. Der Film erzählt so zu Herzen gehend und brennend von dem großen Leid der einfachen deutschen Menschen in Polen, daß niemand sich der Wirkung entziehen kann.«

Noch im Juli 1944 berichtete der Leiter der Filmabteilung im ProMi dem Minister Goebbels, daß »der Aufbau der deutsch-niederländischen Wochenschau« vollzogen und »damit das deutsche Wochenschaumonopol in den Niederlanden für die Dauer von zunächst 10 Jahren gesichert« sei.[154] Wenige Monate später wurden die Zustände auf dem holländischen Filmmarkt wie folgt skizziert: »Seit der deutschen Besetzung konnte der Filmbedarf des Landes auf 90 Filme jährlich herabgedrückt werden, ohne daß Schwierigkeiten in der Filmversorgung eintraten. Hierzu steuern wir für 1944/45 50 Filme bei, während der Rest aus den übrigen europäischen Produktionen gedeckt werden muß. Wir haben in Holland, gestützt auf unseren ausgedehnten Besitz an besten Ur- und Nachaufführungstheatern in den wichtigsten Städten des Landes (13 Theater), den deutschen Film weitestgehend durchzusetzen vermocht (1943/44 = 6,8 Mio. RM Lizenzen). Während vor einigen Monaten noch eine beschränkte Filmversorgung der holländischen Theater durch Kuriere, Radfahrer und Sammelsendungen auf Lastwagen möglich war, sind jetzt sämtliche Kinos des Landes wegen Strommangel geschlossen... in Holland müssen wir die Betriebe vorerst aufrechterhalten, da laut Verfügung des Reichskommissars keine Entlassungen stattfinden dürfen.«[155] Der letzte Hinweis zum Geschehen auf dem Kinomarkt Hollands stammt von Anfang März 1945: »In Holland leidet das Geschäft unter Strommangel. Zuerst können nur unsere Theater Tivoli Amsterdam, Asta Den Haag und Luxor Rotterdam spielen.«[156] Bald aber kam die »planmäßige Räumung« Hollands, bei der die technische Ausrüstung ins Reich abtransportiert wurde.[157] Früher noch fiel die gesamte »Filmstad« in Den Haag den alliierten Bomben zum Opfer.[158]

Im Zeichen der »Blutsgemeinschaft« suchte das Dritte Reich die kulturellen Bindungen zwischen Deutschland und Skandinavien für seine politischen und rassischen Ziele auszunutzen. Dazu dienten verschiedene Veranstaltungen und Organisationen, wie z. B. die »Nordische Gesellschaft«. Selbstverständlich gehörte auch Skandinavien zu den Gebieten, wo der deutsche Film seinen Einfluß verbreiten wollte. Organisatorisch spielte hier die Ufa-Vertretung, Aktiebolaget Ufafilm, in Stockholm eine wichtige Rolle. Tätigkeitsbereich dieser Vertretung war nicht nur Schweden, sondern auch Dänemark, Norwegen und Finnland.

Dänemark

1938 spielten die Kinos Dänemarks – nach deutschen Angaben – 30 Filme aus dem Deutschen Reich. Die Zahl der Filme aus den USA betrug dagegen im selben Jahr 205. Der deutsche Film bemühte sich selbstverständlich darum, seinen Einfluß in Dänemark zu erweitern. Nach dem Kriegsausbruch war zunächst weitgehende Zurückhaltung gegenüber dem deutschen Film zu beobachten.[159] Dann kam die Nachricht, daß die sowjetischen Truppen den Kampf mit dem kleinen Nachbarn, mit Finnland, begonnen hatten. Die Stimmung in Skandinavien änderte sich. Im Dezember 1939 wurde in Kopenhagen »D III 88« vorgeführt, im Februar 1940 lief (laut den deutschen Nachrichten mit Erfolg) »Pour le mérite«. Im März 1940 wurde im Kopenhagener »Grand-Theater« (vor dem Einmarsch der deutschen Truppen bevorzugte Pflegestätte des deutschen Films) der Robert-Koch-Film nach mehr als 250 Aufführungen abgesetzt. Insgesamt hatten 196 000 Dänen diesen Film gesehen.[160] Bei außerordentlich großer Reklame weilten Anfang März 1940 H. Rühmann und H. Feiler in Kopenhagen, um dem Start ihrer Filme »Paradies der Junggesellen« und »Männer müssen so sein« beizuwohnen. Am 6. 4. 1940 wurde in Kopenhagen im Rahmen einer repräsentativen Mitternachtsvorstellung der Film »Feuertaufe« vorgeführt, in Anwesenheit von leitenden Persönlichkeiten des Landes und Mitgliedern des Königshauses.

»Sofort nach dem Einmarsch der deutschen Truppen wurde, dank dem Entgegenkommen der dänischen Behörden und der dänischen Filmkreise, eine völlig veränderte Situation geschaffen«, informierte der Film-Kurier (18. 4. 1940) den deutschen Leser. Der Beauftragte der RFK in Kopenhagen konnte es erreichen, daß ab sofort im World Cinema, Paladstheater, Kino Palacet, Palladium, D.S.B.-Kino und in sieben anderen Kinos, ferner auch in den Provinzstädten Aalborg, Aarhus, Odense und Horsens die deutsche Wochenschau gespielt wurde, daß die französischen und englischen Bilder aus der Paramount- und der Fox-Wochenschau sofort gestrichen und alle sogenannten antideutschen Filme bereits am Abend des 9. April abgesetzt wurden. Sämtliche großen Premierentheater Kopenhagens, mit Ausnahme des Palladiums, übernahmen sofort deutsche Filme in ihren Spielplan.

»Der deutsche Soldat kam nach Dänemark nicht als Eroberer sondern als Gast«, schrieb die deutsche Presse und wies auf das »mustergültige Auftreten deutscher Soldaten« hin. Und das ProMi instruierte: »Nordschleswigsche Frage darf nicht berührt werden, ruhige Behandlung der Bevölkerung, leichte Nachhilfe zur klaren Erkenntnis der politischen Lage Dänemarks, innere und kulturelle Abkehr von England notwendig, da Dänemarks Zukunft unlöslich mit dem Reich verbunden ist, wirtschaftlich, militärisch usw.[161] Die Besatzungszeit war natürlich für die Dänen eine schwere Zeit. Aber bis zum Ende des Krieges befand sich kein einziges der von den Deutschen besetzten Länder in so bevorzugter Stellung wie Dänemark.«

1941 besaß Dänemark im ganzen 351 Filmtheater (mit rund 113 000 Sitzplätzen), davon 54 in Kopenhagen. Die größten Kinos der Hauptstadt waren: »Paladstheater« (1728 Sitzplätze), »World Cinema« (1581), »Palladium« (1347) und »Saga« (1550). Die Organisation der Filmtheaterbesitzer, Verleiher und Produzenten gründeten die dänische Film-Union (27. 8. 1941), die den Charakter einer Filmkammer hatte und Mitglied der Internationalen Filmkammer war. Der deutsche Film war in Dänemark bisher durch verschiedene Verleih-Firmen vertreten. Nach der Besetzung hatte die deutsche Filmproduktion zwei eigene Vertretungen: Die Ufa-Film A. /S., die als größter Filmverleiher Dänemarks die Filme der Ufa, Terra, Bavaria und D.F.E. vertrieb, und die im September 1941 gegründete Tobis-Vertretung.[162] Im September 1944 eröffnete auch die Deutsche Wochenschau ihre Außenstelle in Kopenhagen. Hier wurde die allein in Dänemark laufende Wochenschau zusammengestellt (durchschnittlich 220 m). Ein Drittel entfiel auf dänische, ein Drittel auf deutsche und ein Drittel auf internationale Aufnahmen. Am Ende des Jahres 1941 lag der deutsche Film zum erstenmal an der Spitze der dänischen

Filmbilanz. Insgesamt kamen in diesem Jahr allerdings nur 175 Spielfilme auf die Leinwand. Davon entfielen 33,7% auf 66 deutsche Filme, 35,1% auf 44 schwedische, 10,3% auf 18 dänische, 5,7% auf 10 italienische, 3,4% auf 6 finnische, 1,1% auf zwei norwegische und ebenfalls 1,1% auf zwei ungarische Filme.

Die Zusammenarbeit zwischen den deutschen Verleihern und der dänischen Presse bezeichnete der deutsche Film-Kurier (8.1.1942) als vorzüglich. Die Ufa gründete in Kopenhagen zwei eigene Zeitschriften: ein Wochenblatt »Ufa-Kureren« (ab 1.12.1941) und ein technisches Monatsblatt »Ufa-Teknik« (ab 1.1.1952). Dennoch wuchs der Mangel an Spielfilmen ständig. Im Jahre 1942 wurden insgesamt nur 111 Spielfilme erstaufgeführt, von denen 49 deutsche, 28 schwedische, 20 dänische, 7 französische und 5 italienische Filme waren. Je einer kam aus Norwegen und aus den USA. Der größte deutsche Erfolg war in diesem Jahre Heinz Rühmanns »Quax, der Bruchpilot«.[163] Eine lange Laufzeit erzielte in Kopenhagen der Euthanasie-Film »Ich klage an«. Bei den Aufführungen in Kopenhagen verteilte man Stimmzettel. 70 Prozent der Besucher gaben ihre Stimme ab, darunter etwa 90% für die Freisprechung des Arztes, erfuhr danach der deutsche »Volksgenosse«.[164]

Dem vom 1.1.1943 an eingeleiteten Boykott der Filme aus den USA, den die Internationale Filmkammer verhängt hatte, mußte sich Dänemark – wenn auch nicht widerstandslos – anschließen. Ab 1. Januar 1943 fielen hier die amerikanischen Filme völlig aus.

Die dänischen Filme wurden von vier Produzenten hergestellt. An der Peripherie von Kopenhagen, im Stadtteil Valby, lagen die Ateliers der Nordisk-Films KO, einer der ältesten Filmfirmen der Welt.[165] Sie hatte einst internationalen Ruf. Das Aufkommen des Tonfilms beschränkte jedoch aus sprachlichen Gründen die Wirksamkeit ihrer Filme auf das eigene Land. Die anderen drei Filmproduzenten waren: Palladium, Asa und die im September 1941 neugegründete Apollon-Film. Davon stellten 1941 die Palladium sieben, Asa drei, Nordisk fünf Spielfilme und Apollon einen Spielfilm her. Es waren meist Lustspiele und Schwänke. Auch die Kurzfilm-Produktion war relativ groß (Dansk Kulturfilm). Erst am Anfang des Jahres 1945 kam die dänische Filmproduktion fast völlig zum Erliegen.

Mitte 1943 nahm die deutsche Besatzung in Dänemark weniger friedliche Formen an. Die deutsche Presse unterrichtete aber ihre Leser über die Kopenhagener Erfolge der deutschen Spielfilme. Anfang 1944 schrieb die dänische Presse lobend über Emil Jannings'

Spiel in dem Film »Altes Herz wird wieder jung«. Erfolge erzielten Filme wie »Lache, Bajazzo« (hier unter dem Titel »Nur ein Bajazzo«), »Damals«, »Gabrielle Dambronne« (unter dem Titel »Im Rampenlicht«), »Karneval der Liebe« und »Das Bad auf der Tenne« (unter dem Titel »Die Bürgermeisterin badet«). Im Sommer 1944 wurde mit Erfolg »Akrobat schö-ö-ön« und am Ende des Jahres »Der weiße Traum« gespielt. Über die wirklichen Verhältnisse auf dem dänische Kinomarkt berichtete ein Sachstandsreferat vom 13. 11. 1944: »Dieses kleine Land hatte zuletzt einen Jahresbedarf von etwa 135 Filmen, zu dessen Befriedigung wir jährlich durchschnittlich etwa 40–50 Filme beigesteuert haben. Auf die ihnen deutscherseits... garantierte weitgehende Autonomie pochend, haben es die Dänen bis vor einigen Monaten verstanden, einen großen Teil ihrer Termine immer wieder nichtdeutschen Filmen zuzuteilen (skandinavische und andere europäische Filme, besonders alte französische Filme). Erst in letzter Zeit konnte durchgesetzt werden, daß in den Kopenhagener Uraufführungstheatern jeder zweite Film ein deutscher sein muß und in den Nachspieltheatern und in der Provinz mindestens zwei deutsche Filme pro Monat gespielt werden müssen. Die fortschreitende Revoltierung des Landes läßt das Geschäft trotzdem zur normalen Entwicklung gelangen. Alle deutschen Filme werden vom Publikum boykottiert, so daß auch bei guten Filmen ein zu einem Viertel besetztes Haus die Regel ist.«[166] Anfang März bezeichnete eine Niederschrift »das Geschäft« in Dänemark »als befriedigend«, obwohl »durch unausgesetzte Sabotageakte erschwert«.[167] Die deutsche Presse berichtete dagegen über die Erfolge der Filme »Die Frau meiner Träume« und »Große Freiheit Nr. 7«.[168]

Norwegen

Das schöne Norwegen gehörte nie zu den Ländern mit einer hochentwickelten Filmindustrie. Dennoch hatte man hier bis zum Kriegsausbruch rund 50 Spielfilme hergestellt, und das Filminteresse war in diesem Lande immer sehr groß. Die Zahl der Kinotheater betrug rund 300. Bis Kriegsausbruch herrschte auf dem norwegischen Kinomarkt der amerikanische Film. Allein im Jahre 1939 liefen in den norwegischen Kinos 248 amerikanische Spielfilme. An zweiter Stelle kam im gleichen Jahr die französische Filmerzeugung mit 43 und erst an dritter Stelle die deutsche Filmindustrie mit 24 Filmen. Der schwedische Film war mit 20, der englische mit 11 Werken vertreten. Der eigene norwegische Film stand zahlenmäßig sehr im Hintergrund.[169] Im Dienste der deutschen Kriegsziele standen nach dem Polen-Feldzug die »Westwall«-Film-Aufführungen in Oslo. Die deutsche Presse publizierte danach die ausgewählten Stimmen der norwegischen Zeitungen, die über »eine riesengroße Arbeitsleistung«, »8. Weltwunder«, »die größte Festungsanlage der Welt«, die »verblüffend rasch eine halbe Million Arbeitsmänner unter der Leitung von Dr. Todt fertiggebracht haben«, schrieben. In Oslo wie in Kopenhagen und anderen neutralen Ländern wurde in der deutschen Botschaft der Film »Feuertaufe« vorgeführt: das grausame Polen-Beispiel sollte abschreckend wirken. Sonst verhängte zumindest ein Teil des norwegischen Publikums einen stillen Boykott über den Film aus Deutschland. Aber »Es war eine rauschende Ballnacht« (hier unter dem Titel »Symphonie pathétique« gespielt) und »Kautschuk« hatten in Oslos größtem Theater, der Saga, laut den deutschen Berichten »sensationelle, wochenlange Dauererfolge«.[170]

Nach der Besetzung Norwegens trat der deutsche Film das Erbe des ausgeschalteten amerikanischen Films an. Bereits 1940 betrug die Zahl der eingeführten deutschen Filme 79, im Jahr danach überschritt sie 115. Im weiten Abstand ließ der deutsche den schwedischen Film hinter sich, der 1941 mit schätzungsweise 20 Produktionen vertreten war. Fünf norwegische Spielfilme ergänzten die Bilanz.

Aufgrund eines am 30. 4. 1941 erlassenen Filmgesetzes wurde das Filmwesen in Norwegen nach »rassischen« Gesichtspunkten organisiert und straff zusammengefaßt. Um das Film-Gewerbe ausüben zu können, bedurfte es einer staatlichen Autorisation. Zum Chef des norwegischen Filmwesens wurde Leif Sinding ernannt.[171] Während es vor April 1940 ca. 30 Verleihfirmen in Norwegen gab, bestanden 1941 nur noch acht Verleihfirmen. Von ihnen befaßten sich drei fast ausschließlich mit dem Verleih von deutschen Filmen: »Kommunes Filmsentral« (Verleih für Ufa und Terra), »Efi« (Verleih für Tobis) und »Allianz« (Verleih für Bavaria und DFE).[172] Die deutsche Wehrmacht besaß ein eigenes Kinonetz. In Oslo das Soldatenkino »Viktoria«, dem ein Wochenschaukino angeschlossen wurde, zu dem auch die norwegische Bevölkerung Zutritt hatte. In jedem deutschen Soldatenheim in Norwegen befand sich ein entsprechender Saal, in dem es täglich Filmvorführungen gab.

In den zivilen Lichtspieltheatern – in ganz Norwegen, das sich etwa 2000 Kilometer hinstreckt, befanden sich nur ca. 240 Kinolokale –

beherrschte der deutsche Film die Spielpläne. Die deutsche Presse berichtete oft über die wirklichen oder übertriebenen Erfolge der deutschen Filme, insbesondere der Filme leichteren Genres (»Operette«, »Wiener Blut« u. a.). Natürlich war die Palette der vorgeführten Filme viel breiter und umfaßte auch Filme, die der direkten Propaganda dienen sollten. Sie wurden nicht selten von der Bevölkerung boykottiert.

Die norwegische Filmproduktion (vor allem »Norske Film A/S«) wuchs in den Kriegsjahren. 1940 bis 1944 stellte man 23 Spielfilme her, also relativ mehr als in der Friedenszeit. Es wurden auch mehrere Kulturfilme gedreht. Sie wurden von den Quisling-Behörden gefördert. Die norwegischen Kulturfilme – vor allem die Landschaftsfilme – waren auf den Kinomärkten sehr gesucht. Der bekannteste von ihnen, »Symphonie des Nordens« (in Zusammenarbeit mit der Ufa entstanden), vertrat das norwegische Filmschaffen 1938 in Venedig.[173] Der schöne Landschaftsfilm – Regie- und Kameraführung Julius Sandmaier; Ellinor Hamsun trat mit einem Prolog auf – wurde auch im Krieg oft in den deutschen Kinos gezeigt, sogar mit Sondervorstellungen anläßlich des deutschen Angriffs auf Norwegen.

Für die norwegische Bevölkerung blieb der Film auch in der Zeit des Kriegs eine beliebte Unterhaltung. Die Zahl der Kinobesucher stieg von 1940 bis 1944 fast um 50 %. Sie betrug im Jahre 1944 13,2 Millionen.[174] Zur Entwicklung des norwegischen Kinomarktes wurde im November 1944 festgestellt: »In Norwegen konnte der Filmbedarf auf jährlich 110 Filme herabgedrückt werden. Zur Befriedigung dieses Bedarfs steuerten wir jährlich 70 Filme bei. Das Filmgeschäft hat sich in Norwegen, abgesehen von gelegentlichen unbedeutenden Boykott-Versuchen, sehr befriedigend entwickelt.«[175] Die Entwicklung wurde von deutscher Seite auch in den folgenden Monaten als zufriedenstellend beobachtet. Noch im März 1945 meldete man: »Das Geschäft ist durchweg recht gut.«[176]

Schweden

Die Schwierigkeiten, mit denen der deutsche Film nach 1933 in Schweden zu kämpfen hatte, waren erst vor Ausbruch des Krieges geringer geworden. Und die Aufnahmefähigkeit des schwedischen Kinomarktes war relativ groß. Bei nur 6,2 Mio. der Bevölkerung besaß das Land im Jahre 1938 2049 Lichtspielhäuser, darunter aber 908

Kinos mit nur 1 bis 3 Vorstellungen pro Woche.[177] Die schwedische Eigenproduktion betrug im Jahre 1938 29 Spielfilme. Im Rechnungsjahr 1938/39 befanden sich insgesamt 323 Spielfilme im Verleih: aus den USA = 193, Frankreich = 52, Schweden = 27, Deutschland = 25, England = 11 und der UdSSR = 8. Die deutschen Filmproduktionen lieferten dem schwedischen Zuschauer nicht nur sogenannte reine Unterhaltung. Originell klingen heute Worte, die die bekanntesten schwedischen Zeitungen, nach der »Urlaub auf Ehrenwort«-Premiere im Januar 1939 geschrieben hatten, vorausgesetzt, daß sie von den deutschen Journalisten gut übersetzt und ehrlich ausgewählt wurden. »Dagens Nyheter« schrieb u. a.: »Der Film ist mit ruhiger und sicherer Meisterschaft erzählt, mit reifer Herrschaft über alle Mittel der Filmtechnik. Die Bilder fließen in geschicktem Rhythmus vorbei, gesättigt von unverfälschter Sachlichkeit... der deutsche Regisseur Karl Ritter zeigt, daß er den Wettbewerb mit seinen französischen Kollegen aufnehmen kann.« Und die »Stockholms Tidingen«: »Ein Kriegsfilm ohne Krieg und ohne Bitterkeit«, »der beste deutsche Film, den wir seit langem hier zu sehen bekommen haben.«[178]

In den ersten Kriegsmonaten September, Oktober, November 1939 war es unmöglich, so klagte die deutsche Presse, in Schweden irgendwelche deutschen Filme unterzubringen. Es gebe in Stockholm kein Erstaufführungstheater, das einen deutschen Film vorführen wolle. Und wie in der Landeshauptstadt, so sah es damals auch in Göteborg und Malmö aus. Ohne Erstaufführungen in diesen Schlüsselstädten ließ sich aber kein Film in den kleineren Provinzstädten durchsetzen.[179] Und trotzdem gab es am 26.10.1939 in Stockholm eine Premiere des deutschen Films, sogar im festlichen Rahmen und in Anwesenheit des deutschen Gesandten und vieler prominenter Persönlichkeiten. Der Film hieß »Es war eine rauschende Ballnacht«. Zarah Leander, die der Premiere beiwohnte, »wurde vom Publikum begeistert begrüßt«. Und »es gab rauschenden Beifall bereits während des Films, der sich zum Schluß zu großen Ovationen steigerte«, berichtete der Film-Kurier (28.10.1939). Es war vielleicht eine Ausnahme für den schwedischen Star. Sonst dauerte der Boykott an. Erst nach Ausbruch des sowjetisch-finnischen Krieges setzte ein überraschender Umschwung ein. Die Stimmung wurde günstiger für Deutschland, man zeigte wieder Interesse für deutsche Filme. »Es war eine rauschende Ballnacht« lief in Stockholm fast vier Monate. »Kautschuk« lief acht Wochen in Stockholm und überall in der schwedischen Provinz. Der Kulturfilm »Räuber unter Wasser« bekam in Stockholm begeisterte Kritiken.[180] Gute Pressestimmen erhielten »Männer müssen so sein« und »Capriccio«, beide Filme erzielten auch gute Kassen. »Opernball« wurde als ein Großerfolg bezeichnet, dem Publikum gefiel auch »Der Florentiner Hut«. Nach der Besetzung Dänemarks und Norwegens trat für den deutschen Film ein neuerlicher Umschwung in Schweden ein. Die erschrockene Bevölkerung besuchte die Kinos kaum, aber die deutschen Filme wurden überhaupt boykottiert. Danach wurde die Stimmung wieder günstiger: d. h. das Land fühlte sich unmittelbar bedroht und unternahm viel, um das Deutsche Reich nicht zu erzürnen. Aber auch das Deutsche Reich unternahm Schritte, um bei den Schweden bessere Stimmung für sich zu machen.

Im Januar 1942 wurde in Stockholm »Annelie« gespielt. Die Presse hob die Leistung Luise Ullrichs hervor. Im Februar 1942 lief in Stockholm »Stukas«. In der deutschen Presse fanden sich keine Bemerkungen über einen etwaigen begeisterten Empfang dieses Filmes. Bei dem Film »Ich klage an« wurden die gute Regie Wolfgang Liebeneiners und das gute Spiel Heidemarie Hatheyers in einigen schwedischen Zeitungen hervorgehoben. Im März 1942 wurde in Stockholm Heinz Rühmann erwartet, »Europas lustigster Mann«, laut »Svenska Dagbladet«. Rühmann war zur Premiere des Films »Quax, der Bruchpilot« eingeladen. Zur »Heimat«-Premiere fuhr Zarah Leander nach Stockholm. Mit Begeisterung wurde hier Kristina Söderbaum empfangen. Am 19. 6. 1942 wurde zwischen Schweden und dem Reich ein Filmabkommen geschlossen. Nach diesem Abkommen ließ die schwedische Seite die uneingeschränkte Einfuhr deutscher Filme nach Schweden zu, und Deutschland verpflichtete sich, 25 % seiner Einspielergebnisse in Schweden zum Ankauf schwedischer Filme zu verwenden. Das Abkommen wurde danach verlängert.[181]

Die Stalingrad-Wende brachte allmählich eine Änderung. Aber weiterhin konnte die deutsche Presse über die Erfolge der deutschen Filme in Schweden berichten. Die bekannteste Premiere eines deutschen Films im Jahre 1943 war mit der »Goldenen Stadt« verknüpft. Veit Harlan und Kristina Söderbaum waren anwesend. Der Film war ein Schlager der Saison, von vielen Kinotheatern gespielt, unter (nicht selten) lebhafter Anteilnahme eines jubelnden Publikums. Im Jahre 1944 machten Furore: »Der weiße Traum«, »Ein glücklicher Mensch«, »Hab mich lieb«, aber vor allem, wie die deutsche Presse berichtete, der Film »Immensee«, dessen schwedische Fassung den Namen »Die Seerose« erhielt. Seit Weihnachten 1943 wurde der Film mit außergewöhnlichem Erfolg gespielt. In Deutschland zitierte man die Äußerungen der Stockholmer Presse: »Meisterhafte Einheit von Spiel, Farbe und Musik.«

Inzwischen dauerte ein ständiger Kampf gegen die Einfuhr amerikanischer Filme nach Schweden an. Diesen Kampf führte das Reich mit allen zur Verfügung stehenden Mitteln. Das ProMi bat sogar die deutschen militärischen Stellen wiederholt darum, die im Schifftransitverkehr nach Schweden gehenden amerikanischen Filme zu beschlagnahmen. Diesen Wünschen entsprechend, hatten die deutschen Bewachungsstreitkräfte im Herbst 1943 in Christiansand bei Oslo eine größere Zahl amerikanischer Filme beschlagnahmt, die auf dem schwedischen Dampfer »Drottningsholm« nach Stockholm »eingeschmuggelt« werden sollten. Die Tatsache der Beschlagnahme und die Titel der konfiszierten Filme, die inzwischen bei der Betreuung der deutschen Truppen in Norwegen Verwendung fanden, erfuhr das ProMi aus der schwedischen Presse.[182] Erst nach Interventionen erhielt das Goebbels'sche Ministerium diese Filme. Es waren: ein Fliegerfilm des Regisseurs Archie Mays, »Crash dive« (Tiefflug, 1943); ein Melodrama vom Kriegsschauplatz in Afrika von Erich von Stroheim, »Five Graves to Cairo« (Fünf Gräber bis Cairo, 1943); ferner »So proudly we hail«, »Coney Island«, »Desperados«, »The Leopard Man« und »Alaska Highway«.

Am 22. 6. 1944 wurde von der Reichsstelle für den Filmaußenhandel das im Jahre 1942 zwischen der Reichsstelle und dem Foreningen Sveriges Filmproducenter geschlossene Filmabkommen gekündigt. Der Grund lag darin, »daß in zunehmendem Maße von schwedischen Filmproduzenten gegen Deutschland gerichtete Filme hergestellt wurden.«[183] Den Vertretern des deutschen Films wurde für die deutsch-schwedischen Gespräche aus Berlin die Richtung gewiesen: »Bei der gegenwärtigen Sachlage scheint es auf jeden Fall erforderlich, zu einer neuen deutsch-schwedischen Filmvereinbarung zu kommen. Deutsche Konzessionen, die hierbei den Schweden gemacht werden müssen, sollen den Verhandlungen überlassen bleiben. Zweckmäßigerweise wird die Hetzfilmfrage nicht in direkten Zusammenhang mit den Vertragsverhandlungen gebracht, jedoch den Schweden klargelegt, daß bei Fortsetzung einer Hetzfilmproduktion eine entsprechend verminderte Annahme schwedischer Filme nach Deutschland erfolge. Obwohl deutscher Filmeinsatz und Filmabkommen nicht in einem direkten Zusammenhang stehen, wäre zu erwarten, daß bei einem Scheitern der Verhandlungen die Schweden den deutschen Film absichtlich aus ihren Theatern herauslassen würden, ein Zustand, der augenblicklich nicht eintreten darf.«[184] Die Kündigung des deutsch-schwedischen Vertrages wurde letztlich zurückgenommen und das Abkommen bis zum 31.12.1945 verlängert. Die Vereinbarung enthielt allerdings eine »Hetzfilmklausel«. Dagegen wurde deutscherseits zugesagt, sofort ca. 2 Mio. Meter Rohfilm zu liefern und Schweden während der Vertragsdauer mit dem benötigten Rohfilm bevorzugt zu versorgen.[185]

Zu Ende des Krieges wurde aus den Kreisen schwedischer Verleiher und Theaterbesitzer immer wieder der Wunsch nach Reprisen deutscher Filme laut. Insbesondere die Filme »Der Kongreß tanzt«, »Zwei Herzen im ¾-Takt«, »Drei von der Tankstelle« und »Leise flehen meine Lieder« waren besonders stark gefragt. Aber auch weitere Filme mit Kiepura, Martha Eggerth, Wohlbrück usw. wurden in Schweden immer wieder gewünscht.[186] Diejenigen Filme, »gegen die keine besonderen thematischen Bedenken« bestanden, wurden deutscherseits zugelassen. »Diejenigen Filme jedoch, bei denen die Urheberrecht- und Lizenzfragen nicht einwandfrei geklärt« waren »oder bei deren Herausbringung die Ufa als Reichsunternehmen eine prestigemäßige Einbuße erleiden« könnte, sollten »der Pallas-Film zur Auswertung übergeben werden, die sie jedoch so herausbringen« mußte, »daß sie nicht den neuen deutschen Filmen Konkurrenz« machten.[187]

Über die Verhältnisse auf dem schwedischen Kinomarkt stellte Ende des Jahres 1944 ein Sachstandsreferat fest: »In diesem... stärkstens unter angelsächsischem Einfluß stehenden Lande konnte sich der deutsche Film in den letzten Jahren nur noch mit größten Schwierigkeiten behaupten. Von den jährlich 250 benötigten Filmen hat stets Amerika den Löwenanteil geliefert, während wir uns darauf beschränken mußten, dorthin eine sorgfältige Auswahl von jährlich etwa 20 Filmen zu liefern. Die selbst für diese geringe Zahl von Filmen ständig wachsenden Premierenschwierigkeiten konnten zu Beginn der vergangenen Saison durch rücksichtsloses Ausspielen unserer Rohfilmlieferungsmöglichkeiten teilweise behoben werden... Auch für die jetzige Saison konnten wiederum durch Einsetzen der Rohfilmwaffe die Premierenmöglichkeiten gesichert werden.«[188] In der Spielzeit 1943/44 erreichten die Lizenzen lediglich die Summe von 200000 RM.[189] Die Entwicklung wurde von deutscher Seite in den folgenden Monaten als zufriedenstellend beobachtet. Noch im März 1945 meldete man: »Sondererfolge: Frau meiner Träume, Opfergang, Die Feuerzangenbowle, Große Freiheit Nr. 7.«[190]

1938 gelangten in Finnland 315 Spielfilme zur Vorführung, im darauffolgenden Jahr waren es 273, 1940 nur 127 und 1941 172 Filme. Darin
dokumentierten sich die Auswirkungen des Krieges. Im Jahre 1939
gab es in Finnland 388 Kinotheater mit rund 110 000 Sitzplätzen. Zur
Zeit des sowjetisch-finnischen Winterkrieges 1939/40 waren die
größten Städte des Landes teilweise evakuiert, Viipuri (Wiborg) vollständig. Ein Land wie Finnland mit einer Gesamtbevölkerung von
lediglich 3,8 Millionen war von dem Krieg mit dem mächtigen Nachbarn so völlig in Anspruch genommen, daß etwa 50 Prozent der Filmtheater geschlossen wurden. In der kurzen Friedenszeit zwischen den
beiden Kriegen mit der UdSSR hatte Finnland bereits 435 Kinotheater mit rund 123 000 Sitzplätzen an 270 Orten. In Helsinki gab es 50
Kinos.[191]

Der amerikanische Film, der bis 1939 den finnischen Markt beherrschte,[192] war im Jahre 1941 um mehr als die Hälfte zurückgegangen, während der deutsche Film, der 1939 mit 37 Filmen in Finnland
vertreten war, im Jahre 1941 auf 56 abendfüllende Bildstreifen stieg.
Das benachbarte Schweden war an dem Filmaufkommen in Finnland
1941 mit 19 Spielfilmen, Finnlands eigene Produktion mit 14 Filmen,
Frankreich jetzt nur mit fünf, Dänemark mit vier Filmen, Italien lediglich mit zwei Filmen und Norwegen mit einem Film beteiligt. Die
deutsche Kriegswochenschau wurde in nur unbedeutender Anzahl
von Kopien angekauft, und man führte diese nur in wenigen Kinotheatern vor. So z. B. kaufte Finnland zunächst nur drei Kopien von
»Hammerschlag«, durch die Suomi-Film AG für den Einsatz bei der
finnischen Bevölkerung angeregt. Die Mittel dazu kamen von deutscher Seite.[193] Bei der Ufa-Sonderproduktion wollte man auch den
Dokumentarfilm »Finnland« drehen. Auftraggeber war die Propagandaabteilung des ProMi. Im Film wollte man den Kampf Finnlands
gegen die UdSSR hervorheben.[194] Er wurde wahrscheinlich nicht gedreht. Das tapfere Volk wehrte sich, sein Schicksal zu so später
Stunde unrettbar mit dem Deutschlands zu verbinden. »Deutschland
kann eine totale Niederlage als Volk überleben, dem finnischen Volk
droht die Ausrottung«, sagte Marschall Mannerheim.[195]

Nach einer dem ProMi zugekommenen Mitteilung aus Helsinki liefen dort die deutschen Filme auch noch nach dem finnisch-sowjeti-
schen Waffenstillstand mit der üblichen Reklame und ohne größere
Einschränkungen.[196] Es wurden lediglich die ausgesprochenen Pro-

pagandafilme und alle Bildstreifen, in denen deutsche Uniformen gezeigt wurden, aus dem Vertrieb zurückgezogen. So verbot die finnische Filmzensur zunächst nur ca. 20 deutsche Filme, u. a.: »U-Boote westwärts«, »Stukas«, »... reitet für Deutschland«, »Das Herz der Königin«, »Wunschkonzert«, »GPU«, »Ohm Krüger«, »Weiße Sklaven«, »Jud Süß«, »Kameraden« und »Titanic«. Aber eine Reihe deutscher Filme hatte sogar nach dem Waffenstillstand noch Premiere. So war auch mit »außerordentlich großem Erfolg in Helsinki« der Heinz-Rühmann-Film »Feuerzangenbowle« im Herbst 1944 angelaufen. Der im Frühjahr desselben Jahres gestartete Film »Immensee« lief weiterhin in Finnland unter starkem Interesse des dortigen Publikums.[197] Dennoch durften neue deutsche Filme nach dem Bruch der Beziehungen mit dem Reich nicht mehr nach Finnland eingeführt werden. Im ProMi hielt man es aber für möglich, daß auf inoffiziellem Weg neue deutsche Filme über Schweden nach Finnland gebracht werden könnten. Hinkel meldete darüber dem Reichspropagandaminister: »Die finnischen Verleiher deutscher Filme werden Mittel und Wege finden, um unsere Filme mit stillschweigender Duldung der finnischen Amtsstellen in den Lichtspieltheatern vorzuführen. Auf die Abführung von Lizenzen nach Deutschland müßte selbstverständlich verzichtet werden. ... Die weitere Lieferung deutscher Filme nach Finnland bietet uns folgende Vorteile: 1. Wir bleiben mit unseren Filmen in den finnischen Kinos. Die Erfahrungen haben gelehrt, daß man nur unter großen Schwierigkeiten einen Markt zurückgewinnen kann, den man eine Zeitlang ganz verloren hat. ... 2. Die finnische Bevölkerung kann sich aufgrund unserer neuesten Produktion ein Bild von dem Stand und der Leistungsfähigkeit des deutschen Films machen, was sich auch allgemein politisch günstig für uns auswirken wird. Wahrscheinlich wird der Film das einzige Propagandamittel sein, mit dessen Hilfe wir einen stärkeren Kontakt zum finnischen Volk aufrechterhalten können.«[198]

Im Lande der Eidgenossen

Die Schweiz gehörte zu den größten Filmkonsumenten in Europa, die schweizerischen Filmtheater zeigten seit jeher ein sehr internationales Gesicht. Das kam nicht nur daher, daß eine nennenswerte einheimische Produktion fehlte, sondern es hing auch von den Ansprüchen des verwöhnten Publikums ab. Der offene schweizerische

Markt, für den die Devisenfrage kaum eine Rolle spielte, bot einen Tummelplatz schärfster Konkurrenz. Mit ihrem großen Verbrauch stand die Schweiz hinter Großbritannien an zweiter Stelle in Europa.

Im Kampf um den Platz auf der schweizerischen Leinwand behauptete der deutsche Film eine vorzügliche Stellung. Das war verständlich, wenn man überlegt, daß von den rund vier Millionen Einwohnern des Landes fast drei Viertel die deutsche Sprache sprechen. Trotzdem war der deutsche Filmimport, nach den Amerikanern und Franzosen, auf den dritten Platz verwiesen. 1938 betrug der Spielfilmimport der Schweiz insgesamt 710 Filme, darunter aus den USA 351 (49,4%), aus Frankreich 155 (21,8%), Deutschland 109 (15,4%), England 28 (4%) und Italien 22 (3,1%).[199]

Nach den politischen Siegen und militärischen Erfolgen übte das Reich einen starken Druck auf die Schweiz aus. »Nicht einmal der Ablauf des von England entfesselten augenblicklichen Krieges hat die Schweizer umdenken gelehrt. Ihre Energien waren und sind aufs Geschäftemachen konzentriert, und dabei möchte man nicht gestört werden.«[200] So etwas konnte man in dem A. Rosenbergschen Hauptorgan lesen. Und eine andere NS-Zeitschrift schrieb warnend: »Kulturell blieb die Schweiz in ihrem deutschsprechenden Teile das, was sie trotz politischer Unabhängigkeit und staatlicher Selbständigkeit immer war, ein deutsches Land. Es gibt keine ›schweizerische Kultur‹. Gerade aber durch die deutsche Kultur müßte sich die Schweiz zu einer freundschaftlichen Gesinnung für das Reich verpflichtet fühlen.«[201] Und später war noch die Schweiz nach den Worten des »Schwarzen Korps« (11.9.1941) »das einzige Land, das sich vom Kampf gegen die bolschewistische Weltpest ausschloß und für den Abwehrkrieg Europas gegen die tödliche moskowitische Gefahr nicht nur nicht einmal eine schöne Geste, sondern auch noch hämische Betrachtungen übrig hatte«. Anlaß zu diesem Angriff gab die Erstaufführung des sowjetischen Films »Die sieben Tapferen« im Züricher Bellevue-Theater. »Die Schweiz kann gewiß sein, daß dieser passive Zustand gewollter Untätigkeit von Europa niemals vergessen wird und daß man sie zu gegebener Zeit in Rechnung stellt.«[202]

Im Bereich des Filmwesens war im Reich nicht selten über »gegen Deutschland gerichtete Zensurpraxis« zu lesen, und die Schweizer, die »das neuwerdende Europa nicht sehen« wollten, nahmen alles, »was aus den angelsächsischen Ländern kommt, mit liebedienerischer Ehrfurcht« hin. (FK, 12.1.1942) Und die Zensur war in der Schweiz alles andere als belästigend. Sie wurde am 20.9.1939 eingeführt und der Abteilung Presse und Funkspruch des Armeestabes unterstellt. Von der Zensur wurden in der Schweiz verboten: unter anderen die sogenannten Dokumentarfilme wie »Feldzug in Polen« und »Sieg im Westen«, ebenso Spielfilme wie »Kameradschaft«, »Flucht ins Dunkel«, »Kadetten«, »Wetterleuchten um Barbara«, »Carl Peters« und »Weiße Sklaven«, aber auch die Lessing-Verfälschung »Das Fräulein von Barnhelm«.[203] Der Euthanasie-Film »Ich klage an« wurde einzig in Zürich während drei Wochen gezeigt und nachher von den kantonalen Polizeibehörden verboten. Die deutsche Beschwerde wurde auf gerichtlichem Wege im Juli 1942 abgewiesen. Die übrigen Kantone folgten dem Verbot, so daß eine weitere Vorführung dieses Filmes in der Schweiz nicht mehr in Frage kommen konnte. Die Reaktion während der Vorführungszeit in Zürich war – so eine Meldung aus der Schweiz – sehr stark, die Aufnahme des Films geteilt. In der Hauptsache wurde der Film auch vom Publikum abgelehnt. Aber »wenn das Verbot nicht eingetreten wäre«, berichtete die Nordisk-Film, »so hätte der Film in der Schweiz Spitzeneinnahmen zu erzielen vermocht.«[204] Einige deutsche Filme wie z. B. »Kitty und die Weltkonferenz«, »Wer küßt Madeleine?« oder »Schwarze Rosen« wurden in der Schweiz erst nach Kürzungen freigegeben, desgleichen einige Kulturfilme wie »Mit Dr. Lutz Heck durch Kamerun«. Auf der Liste der verbotenen Filme standen aber auch Eisensteins »Panzerkreuzer Potemkin« und der bekannte RAF-Film von Alexander Korda »The lion has wings«.

Zu Anfang des Jahres 1942 berichtete der Film-Kurier: »Von Monat zu Monat mehr wird heute Deutschland, das immer schon an zweiter Stelle aller filmeinführenden Länder in der Schweiz stand, der Hauptlieferant dieses Landes.«[205] Der deutsche Film war von vier Verleihhäusern in Zürich vertreten: vor allem durch die Nordisk-Film AG, die die Filme der Ufa und der Terra, außerdem in der Westschweiz die Conti-Filme herausbrachte. Die Nordisk-Film war eine Filiale der Ufa, 1938 in Zürich reaktiviert. Die Tobis-Filmverleih AG in Zürich (diese Filiale wurde bereits 1935 gegründet) spielte in der Schweiz im Bereich des Filmvertriebs ebenfalls eine große Rolle. Ferner wurde der deutsche Film von der Neuen Interna-Film und Pandora-Film AG (in deren Rahmen Curt Oertel seinen berühmten Michelangelo-Film drehte) in der Schweiz vertreten.[206] Aus politischen, aber auch aus ökonomischen Gründen erfuhr der Absatz deutscher Kulturfilme und Wochenschauen eine beträchtliche Steigerung.[207] Auch der deutsche Schmalfilm kam im Kriege häufiger in die Schweiz.[208]

Zu Anfang des Krieges brachten die größten Kinotheater in der Schweiz meistens eine deutsche und eine französische Wochenschau, die kleineren beschränkten sich auf die Wochenschau nur eines Landes. Die bedeutendsten Theater zeigten weiterhin die amerikanische Wochenschau, besonders jene von Fox. 1941/42 wurde von den etwa 340 Lichtspieltheatern in der Schweiz in etwa 160 Häusern die deutsche Wochenschau gezeigt. Die Nordisk-Film brachte wöchentlich 21 Kopien heraus, davon 14 in deutscher und 7 in französischer Sprache. Die deutschen Wochenschauen hatten in der Schweiz nicht die beste Presse. Es ging nicht um die technische Qualität, sondern die Aggressivität der Texte führte zu abschätzigen und unfreundlichen Bemerkungen. Die Wochenschauen wurden in der Schweiz nicht zensiert.

Mit Genugtuung (weniger aber mit Genauigkeit) berichtete die Presse im Reich in der Saison 1939/40 über die Erfolge der deutschen Filme in der Schweiz. Überaus großen Erfolg habe »Es war eine rauschende Ballnacht« (mit der Premiere bereits am 14. 9. 1939 in Zürich), ebenso der Marika-Rökk-Film »Hallo Janine«. Erfolge hätten »Robert Koch« und »Mutterliebe«. »Das Lied der Wüste« wurde in der Weihnachtswoche 1939 im Züricher »Cinema Capitol« gezeigt, ebenfalls mit Erfolg. »Maria Ilona« hatte in Zürich und Basel sogar Großerfolg, und »die gesamte Presse zollte der schauspielerischen Leistung von Paula Wessely volle Anerkennung« (FK, 23. 1. 1940). Übrigens stand Paula Wessely, ihrer menschlichen Art nach, der schweizerischen Mentalität nahe. Bei einer Abstimmung über die beliebtesten Schauspielerinnen (bei der Schweizer Filmzeitung) erhielt die meisten Stimmen jedoch nicht Paula Wessely, sondern Zarah Leander. Danach folgten Jeanette MacDonald und Greta Garbo. Im Mai 1940 erlebte in Zürich im Urban-Kino (»das zu den besten am Platz gehört und dessen Besitzer übrigens keineswegs deutsch-feindlich eingestellt sind, z. B. haben in diesem Theater in letzter Zeit die Uraufführungen des ›Robert-Koch‹-Films und des Ufa-Films ›Mutterliebe‹ stattgefunden«)[209] der »Postmeister« seine Premiere. Wieder schrieb man im Reich von einem großen Erfolg. »Das schweizerische Publikum ist, wie sich bei der Aufführung unserer Filme immer wieder zeigte«, so schilderte die deutsche Gesandtschaft in Bern die Situation, »besonders aufnahmefähig für gute deutsche Spielfilme. Spielfilme, die eine bestimmte politische oder weltanschauliche Tendenz verfolgen, können, vor allem wenn diese Tendenz zu stark aufgetragen ist, hier nicht mit Erfolg rechnen.«[210] Die größten Kassenerfolge in der Spielzeit 1940/41 erzielten deutsche Spielfilme: »Ein Leben lang« (220000 Frs), »Das Herz der Königin« (180000), »Der Weg ins Freie« (160000), »Rosen in Tirol« (140000) und die »Geierwally« (120000). Je 180000 Frs erzielten zu gleicher Zeit die amerikanischen Filme wie »Mr. Smith goes to Washington«, »Der junge Edison« und »Rebecca«.[211] Über den Zarah-Leander-Film »Der Weg ins Freie« (der übrigens nicht nur im Dienste der reinen Unterhaltung stand) schrieb der »Filmberater« aus Luzern (Nr. 10a, Oktober 1941): »Der Film hatte (wenigstens in Zürich) bisher einen über Erwarten großen Publikumserfolg. Ein Beweis mehr, wie sehr ein Teil unserer Kinobesucher auf die Namen seiner Lieblingsdarsteller hört und wie wenig es bei vielen auf den künstlerischen Wert und den Inhalt ankommt. Die gleiche Feststellung mußten wir beim Film ›Ein Leben lang‹ mit Paula Wessely machen. Hier besorgt der Name Zarah Leander die Reklame. Es muß gesagt werden, ihre Schuld ist es nicht, wenn wir Reserven anbringen müssen. Ihr Spiel ist viel einfacher, sensationsloser als so oft; das Starartige früherer Werke ist kaum mehr spürbar, und auch mit ihrer Stimme geht sie haushälterischer um als in anderen Filmen.« Ein überragender Publikumserfolg war der W.-Forst-Film »Wiener Blut«. »Die Spieldauer in Zürich«, meldete die deutsche diplomatische Vertretung in der Schweiz, »ist seit 16 Jahren von keinem deutschen Film erreicht worden.«[212] Und der deutsche Film-Kurier (20.7.1942) bemerkte: »Bei hochsommerlicher Hitze schlug das ›Wiener Blut‹ die Rekorde«; aber es war auch »stärkstes Interesse für die Wochenschau« zu bemerken. Die deutsche Sommeroffensive an der Ostfront war hier die Ursache. Zu den wirklichen Erfolgsfilmen in der Schweiz gehörten zu dieser Zeit ferner: »Annelie« mit L. Ullrich und »Der Tanz mit dem Kaiser« mit M. Rökk. Die Künstlerin kam in die Schweiz, um den Premieren in Zürich und Basel beizuwohnen. »Stürmisch von Autogrammsammlern« verfolgt (auf dem Bahnhof wurde die Menge von zehn Polizisten in Schach gehalten), wurde sie ebenfalls vom breiten Kinopublikum während der Galavorstellungen sehr gefeiert.[213]

Die amerikanischen Filme in den Kinos der Schweiz 1941/1942
»Mr. Smith goes to Washington« (»Mister Smith geht nach Washington«, Regie: Frank Capra, Columbia).
»20 Mule Team« (»Maultierkarawane«, Regie: Richard Thorpe, MGM).

»Citizen Kane« (»Bürger Kane«, Regie und Buch: Orson Welles, Mercury).

»The thief of Bagdad« (»Der Dieb von Bagdad«, Prod.: Alexander Korda, United Artists).

»Boys Town« (»Die Republik der Strolche«, Regie: Norman Taurog, MGM).

»Penny Serenade« (»Das Leben geht weiter«, Regie: Georg Stevens).

»Waterloo Bridge« (»Waterloo-Brücke«, Regie: Mervyn Le Roy, MGM).

»The little Foxes« (»Die Wölfe«, Regie: William Wyler, RKO).

»The Flame of New Orleans« (»Die Flamme von New Orleans«, Regie: René Clair, Universal).

»The reluctant dragon« (»Walt Disney's Wunderland«, Regie: Walt Disney, RKO).

»A Yank in the R.A.F.« (»Ein Yankee in der R.A.F.«, Regie: Henry King, 20th Century-Fox).

»Blood and sand« (»Blut und Sand«, Regie: Roŭben Mamoulian, 20th Century-Fox, Technicolor).

»The Westerner« (»Der Mann vom Westen«, Regie: William Wyler, United Artists).

»That Hamilton Woman« (»Lady Hamilton«, Regie: Alexander Korda, United Artists).

»Mrs. Miniver« (»Mrs. Miniver«, Regie: William Wyler, MGM).

»That uncertain feeling« (»Eine unverstandene Frau«, Regie: Ernst Lubitsch, United Artists).

Eine Auswahl aus den schweizerischen Zeitungsreklamen.

Erst im Sommer 1941 wurde in der Schweiz »Pour le mérite« aufgeführt. Die Gründe waren nicht künstlerischer oder kommerzieller, sondern politischer Natur. Der erwähnte »Filmberater« (Nr. 7; Juli 1941) schrieb zu diesem Film: »Der Zuschauer steht diesem Vermischen von menschlich-persönlichem Ringen und Parteiprogramm, von zeitloser Schicksalgestaltung und zeitbezogener Rechtfertigung etwas fremd gegenüber. Man kann sich fragen, ob dieser Film unter dem Schweizer Publikum eine Mission zu erfüllen habe. Durch die Geschichte seit dem Erscheinen des Films ist seine Wirkung auch in seinem Mutterland überholt worden.« Der Film fiel beim Publikum durch. Der bekannte G. W. Pabst-Film »Komödianten« lief »im Kino Rex an der Bahnhofstraße, einem der größten Theater in Zürich schon zwei Wochen« und hatte »ausgezeichnete Besprechungen in der Tagespresse«, hieß es offiziell (FK, 5. 1. 1942). Doch in Wirklichkeit hatte der Film die schlechtesten Einspielergebnisse von allen deutschen Filmen, die zu jener Zeit in Zürich zur Aufführung gelangten.[214] Die deutsche Presse berichtete ferner: »Wie einst sein Vorgänger ›D III 88‹ lief der Bertram-Film ›Kampfgeschwader Lützow‹ schon zwei Wochen in Zürich.« Bei dem Film wurde allgemein seine technische Leistung gewürdigt, aber die Besucherzahlen waren nicht allzu hoch. Etwas mehr Besucher hatte der Film »U-Boote westwärts«, obwohl die Aufnahme des Films auch hier sehr umstritten war. Mißerfolge erlebten Filme wie »Frau Luna« oder »6 Tage Heimaturlaub«, keine Rekordwellen schlugen die H. Rühmann-Filme »Der Gasmann« und »Quax, der Bruchpilot«. Zurückhaltend stand das Publikum auch dem G.-Gründgens-Film »Friedemann Bach« gegenüber.[215] Größeres Interesse weckte »Du und ich«. Diesmal berichtete aber die deutsche Presse nichts darüber. Der Film wartete in der Schweiz lange auf seine Auswertung. Erst der tragische Tod Joachim Gottschalks, der in dem Film (neben Brigitte Horney) die Hauptrolle spielte, lenkte die Aufmerksamkeit auf diesen Streifen.[216] Der Hans-Moser-Film »Liebe ist zollfrei« dagegen wurde von einigen Zuschauern als »Spöttelei auf die Demokratie« empfunden. Der Film wurde zwar im Rex-Kino in Zürich mit einem gewissen Erfolg gespielt, danach kamen aber zahlreiche Absagen von Kinotheaterleitern.[217] Nach der Stalingrad-Wende änderten sich die deutschen Presseberichte über den Einsatz des deutschen Films in der Schweiz gegenüber den früheren kaum: »Hab mich lieb« fand »in der ganzen Schweiz« »ungeteilten Beifall« und »spontanen Applaus«, »Diesel« habe sich »auch mit seiner ernsteren Problematik durchzusetzen vermocht und stößt, insbesondere bei den anspruchsvolleren und technisch interessierten Kreisen auf ungeteiltes Interesse«. Der Mozart-Film »Wen die Götter lieben« habe sogar »einen sensationellen Erfolg« und bringe musikalische Nachwirkungen mit sich; »Die große Liebe« könne »einen sensationellen Erfolg in der Westschweiz aufweisen«.[218]

In Auswirkung des Krieges trat in der Schweiz zunächst eine gesteigerte Produktionstätigkeit des eigenen Films in Erscheinung. Auf die Gesamtbilanz des schweizerischen Kinomarktes hatte das kaum eine Wirkung. Die eigene Produktion war immer mehr von den Rohstoffrestriktionen betroffen. Vom Mai 1942 bis zum Anfang des Jahres 1943 kamen keine Lieferungen aus Deutschland in die Schweiz. Der eidgenössische Kinomarkt wehrte sich – nach Stalingrad sogar mutig

– gegen die expansionistischen Ziele des deutschen Films in der Schweiz. »Wenn durch Mangel an Rohfilmen die Schweizer Filmindustrie zum Erliegen käme«, schilderte die Agfa-Vertretung in Zürich die Situation, »würden dadurch die Kinotheater nicht in Verlegenheit geraten. Nach unseren Informationen sollen in letzter Zeit bereits 181 amerikanische Spielfilme in die Schweiz gekommen sein.«[219] Die eigene Produktion sank jedoch in der Schweiz erheblich.[220]

In den ersten Oktobertagen 1943 hatte Basel eine Sensation für die ganze Schweiz: die erste schweizerische internationale Filmveranstaltung. Eine vielseitige Filmausstellung (Kunst und Technik) war mit der Eröffnung des Schweizerischen Filmarchivs verbunden. Mit 46 Filmen in zehn Tagen, alten und neuen, zeigte man die »ganze« Welt des Films von ihren Anfängen bis zur Gegenwart. Es wurden 25 amerikanische, acht französische, sechs deutsche, zwei italienische Filme und je ein sowjetischer, ungarischer und schweizerischer Film präsentiert. Das »Großdeutsche Reich« war mit 5 + 1 Filmen vertreten.[221] »Die Schweizer waren betroffen«, schrieb »Neues Wiener Tageblatt« in einem Aufsatz »Echtes und verfälschtes Leben« (23. 10. 1943), wo von Anfang an klar war, was echt und was verfälscht sei, »als sie das ›Fest der Völker‹, den Olympiafilm Leni Riefenstahls, wiedersahen. Die Welt hat sich gespenstisch gewandelt. Die Bilder des Friedens erschütterten, der Engländer sitzt beim friedlichen Sport neben dem Deutschen, der Amerikaner neben dem Japaner. Man denkt nach: Fest und Frieden der Völker in Berlin, nicht in London oder in Washington.« In Basel sah das Schweizer Publikum zum erstenmal Emil Jannings in dem Lustspiel »Altes Herz wird wieder jung«. Szenen aus früheren Jannings-Filmen (eine Reportage: Jannings als Charakterdarsteller) gingen diesem Film voran. »Münchhausen« löste erneut bei Presse und Publikum – so in den deutschen Berichten aus der Schweiz – Begeisterung aus. Den Film »Ich klage an« konnte die deutsche Seite nur im geschlossenen Kreis von Ärzten und Juristen aufführen (Kommentar der deutschen Presse: Die Probleme werden in der Schweiz noch nicht verstanden). Beim Film »Paracelsus« – man war hier heimatlich angesprochen, da ein wesentlicher Teil des Films in Basel spielte – blieb dennoch der Erfolg aus.

Nach und nach wandte sich der schweizerische Kinomarkt vom deutschen Film ab. Zwar erlebten hier noch einige deutsche Filmproduktionen wirkliche Publikumserfolge. »Immensee« lief in Zürich 12

Wochen bei den besten Pressestimmen.[222] Im Juni 1944 wurde in Zürich der Film »Schrammeln« mit »starkem Beifall« erstaufgeführt. Auch »Der Verteidiger hat das Wort« erlebte zu dieser Zeit seine schweizerische Premiere, aber über Erfolge schrieb man diesmal nicht.

Die Schweiz wurde nach wie vor mit Filmen aus den USA beliefert, zum Teil auf dem Wege des Schmuggels. Deutscherseits tat man dagegen alles, was nur möglich war, um die Schweiz von der unkontrollierten Einfuhr abzuschneiden. Im Sommer 1944 lag beim Auswärtigen Amt eine Note der Schweizer Gesandtschaft wegen der Freigabe von vier von den deutschen Behörden an der schweizerisch-französischen Grenze beschlagnahmten amerikanischen Spielfilmen und wegen der Erteilung der Transit-Genehmigung für 80 in Lissabon für die Schweiz lagernde amerikanische Filme vor.[223] In der Schweiz protestierten die Verleiher laut. In der Filmabteilung des ProMi wurde das Problem eines eventuellen Boykotts des deutschen Films durch die Eidgenossen ganz ernst in Erwägung gezogen. Hans Hinkel schlug Goebbels folgende Gegenmaßnahmen vor: »Falls die Schweizer Filmverbände mit Billigung oder Duldung der Schweizer Regierung ihren Mitgliedern tatsächlich die Vorführung unserer Filme verbieten, so schlage ich vor, daß sich der deutsche Film unter keinen Umständen dem Schweizer Druck beugt... Die Schweiz benötigt den deutschen Film zumindest für die deutsch-sprachige Schweiz. Der Bedarf nach deutschen Filmen wird um so größer werden, als es uns gelingt, die Schweiz von der Zufuhr amerikanischer Filme abzuschneiden. Durch die Schließung der schweizer-französischen Grenze und durch die Unterbindung der Einfuhr über Genua wird die Transit-Sperre gegenüber dem amerikanischen Film allmählich effektiv. Die USA beschlagnahmt alle deutschen Filme, die in ihre Hände gelangen... Wir haben keine Veranlassung, den Amerikanern die Antwort auf ihre Boykottmaßnahmen schuldig zu bleiben... Wenn die Schweiz unsere Filme boykottiert, so werden wir Sperrmaßnahmen der verschiedensten Art über die Schweiz verhängen, z.B. Rohfilmsperre, Kinokohlensperre, Filmabnahmesperre gegenüber Schweizer Filmen im Reich und in den besetzten Gebieten.«[224] Die Verschuldung des Reiches gegenüber der Schweiz war aber schon derart hoch, daß man in Berlin mit den Sperrmaßnahmen ganz vorsichtig sein mußte.[225] Und in der Schweiz wurde wirklich von den beiden Kinotheaterverbänden Schweizerischer Lichtspieltheater-Verband und Association Cinématographique de la Suisse Romane eine Filmsperre unternommen. Zugleich lief in der Schweizer Presse die Kampagne gegen die Absperrung der Schweiz von den amerikanischen und englischen Filmproduktionen. Nach den Schweizer Protesten beschloß man in Berlin, »das Transitverbot dahingehend zu lockern, daß unbedenkliche Filme ohne Hetzfilmcharakter zur Durchfuhr in die Schweiz freigegeben werden sollten.«[226] Praktisch war das eine deutsche Kapitulation. Die Schweizer Filmsperre wurde offiziell am 24. 10. 1944 aufgehoben.[227] Und da die Schweiz ein wichtiger Lieferant von kriegswichtigen Stoffen und Arzneimitteln war, wurde auch die deutsche Rohfilmsperre aufgehoben.[228]

Die Eidgenossen gingen mit dem Boykott der deutschen Filme auch nicht so weit. Im Herbst erlebten in Zürich »Nora« und »Träumerei« ihre Premieren. Mit außergewöhnlichem Publikumserfolg war der Farbfilm »Opfergang« in der Schweiz angelaufen. In Zürich wurden nach 24 Spieltagen bereits 50000 Besucher gezählt. »Rekordzahlen«, – schrieb die Filmabteilung im ProMi dem Minister – »die selbst die Erfolge der amerikanischen Filme ›How green was my valley‹ und ›Mrs. Miniver‹ noch übertreffen.« Im allgemeinen waren dennoch die Kritiken in der Presse fast durchweg unfreundlich.[229] Im Februar 1945 wurden die Filme »Der Engel mit dem Saitenspiel« (hier unter dem Titel »Sieg der Herzen«) und »Um 9 kommt Harald« erstaufgeführt.[230] Kurz darauf schrieb die »Neue Zürcher Zeitung«, die weitestverbreitete aller Schweizer Zeitungen, über den Film »Das war mein Leben«: »Der Film überrascht aufs angenehmste.«[231] Anfang März beurteilte man die Schweizer Geschäfte als befriedigend: »›Opfergang‹, ›Die Frau meiner Träume‹, ›Große Freiheit Nr. 7‹ gehen sehr gut. Das Wochenschau-Geschäft trat sehr stark zurück.«[232] Ende März 1945 zitierten die deutschen »Film-Nachrichten« die Schweizer Kritiken über den Film »Große Freiheit Nr. 7«, der in der Schweiz unter dem Titel »La Paloma« anlief: »Weltwoche«: »Es ist ein schlichtes, an Pagnol erinnerndes Hafen- und Matrosenstück aus Hamburg. Was dem Film seine Wärme verleiht, ist vor allem das im Zentrum stehende kluge Spiel von Hans Albers«; »Tages-Anzeiger«: »Mit ihrem ersten Farbfilm ist der Terra ein großer Wurf gelungen. Helmut Käutner schuf hier eine meisterliche Arbeit.«[233]

Die Lizenzen für die deutschen Filme, die in der Schweiz 1943/44 gespielt wurden, betrugen nur 415000 RM. Weniger als in den früheren Jahren. Ende 1944 schilderte ein leitender Mann der deutschen Filmwirtschaft die deutsch-schweizerischen Filmgeschäfte: »Trotzdem die Schweiz stimmungsmäßig seit Kriegsbeginn gegen Deutschland eingestellt ist und sich nunmehr auch politisch, wirtschaftspolitisch und kulturpolitisch unter dem stärksten Druck der Alliierten befindet, hat es die überwiegende Deutschsprachigkeit bisher vermocht, dem deutschen Film nach wie vor, insbesondere in der ostschweizerischen Provinz, eine gute Stellung zu gewährleisten. Zu den ungefähr 200 Filmen, die die Schweiz jährlich braucht, steuern wir ca. 50 bei.«[234]

Auf der Iberischen Halbinsel
Spanien

Spanien gehörte schon vor dem Bürgerkrieg zu den »interessantesten« Filmländern, weil die Kinofreudigkeit der Bevölkerung ungewöhnlich hoch, die Eigenproduktion dagegen relativ klein war. Allerdings beherrschten die großen nordamerikanischen Filmgesellschaften den spanischen Markt so gut wie ausschließlich. Das autoritäre politische System brachte selbstverständlich große Änderungen, auch grünes Licht für den Export der deutschen – natürlich auch der italienischen – Filme nach National-Spanien. Nach Artikel 18 des Deutsch-Spanischen Kulturabkommens vom 24. 1. 1939 sollten auch die nötigen Vereinbarungen getroffen werden, um einen wirksamen Austausch zwischen den beiden Ländern auf dem Gebiet des Theaters und der Musik sicherzustellen.[235] Ferner sollten die vertragsschließenden Teile aufgrund des Artikels 19 ebenfalls auf dem Gebiet des Films und Rundfunks um die Förderung des gegenseitigen Verständnisses bemüht sein und Vereinbarungen treffen, um die Einfuhr von Filmen, insbesondere auch von Kultur- und Unterrichtsfilmen, des anderen Landes zu erleichtern.[236] Die Filmbeziehungen zwischen Deutschland und National-Spanien waren seit 1938 eng. Deutsche Filme und deutsche Wochenschauberichte liefen in all den Gebieten, die in der Hand von General Franco waren.[237] Im Zuge der deutschspanischen Filmannäherung wurde 1938 der erste Gemeinschaftsfilm »Andalusische Nächte« mit Imperio Argentina bei der Ufa mit der Hispano-Film gedreht.[238] Außerdem drehte die Hispano-Filmproduktion, die bereits im März 1937 in das deutsche Handelsregister eingetragen worden war, einige spanische Filme in Berliner Filmateliers. Für die deutsche Seite handelte es sich hierbei um eine Sache von größerem Ausmaß. »Bei der Verstärkung der kulturellen Führerschaft Spaniens in der ibero-amerikanischen Welt« – schrieb der

Film-Kurier (26. 6. 1939) – »hat die Eroberung des spanischen Marktes für die deutsche Filmindustrie auch mittelbar die größte Bedeutung.«

Am 26. 4. 1940 wurde zwischen der Reichsfilmkammer und den Filmabteilungen des spanischen Innenministeriums und Handelsministeriums ein neues deutsch-spanisches Filmabkommen in Berlin unterzeichnet. Außer der Zusicherung einer Vertiefung der gegenseitigen Zusammenarbeit auf dem Gebiet des Films umfaßte das Abkommen die Regelung des Spielfilm-, Kulturfilm- und Wochenschau-Austausches sowie die Zahlungsfragen. Es galt, die 1500 spanischen Filmtheater, in denen zur Zeit die deutschen Filme mit nur drei bis vier und die amerikanischen Filme mit acht bis 25 Kopien liefen, mit neuen Filmen zu versehen, und man rechnete hier auf eine starke Mitarbeit Deutschlands, das im Jahre 1939/40 80 Filme auf den spanischen Markt gebracht hatte.[239] Die spanische Hauptstadt erlebte 1940 66 deutsche Filmpremieren. Insgesamt wurden aber 1940 in Madrid nur 223 Spielfilme erstaufgeführt, im Gegensatz zu 381 im Jahre 1934. Die Filmbilanz 1941 umfaßte 66 deutsche Spielfilme. Es waren vor allem Unterhaltungsfilme. Die Propagandafilme wie »Ohm Krüger« oder »Jud Süß« wurden nur in geschlossenen Aufführungen gezeigt.[240]

Das Franco-Regime widmete den Filmangelegenheiten größte Aufmerksamkeit. Im Innenministerium gab es das Departamento Nacional de Cinematografia, das für Zensur im allgemeinen, für Vorzensur der Drehbücher und für Dreherlaubnis zuständig war. Ferner gab es auch die Gruppe Film im Sindicato Nacional des Espectatulo. Erhöhte Anteilnahme des Staates am Film drückte sich zunächst in einer Reihe von Verordnungen aus, die der Förderung des einheimischen Filmschaffens dienen sollten. Begrenzung der Einfuhr ausländischer Filme zum Schutze des eigenen Films (aber auch wegen Devisenersparnis), Förderung der spanischen Produktion und Ausfuhr waren die Tendenzen der Verordnungen aus den Jahren 1940 und 1941. Ein anderer Gedanke war der, die Einfuhrabgaben für ausländische Filme zu erhöhen und mit den daraus fließenden Mitteln den Aufbau der eigenen Produktion zu unterstützen. Es bestand auch die Verpflichtung, ähnlich wie in Italien, fast jeden ausländischen Film, soweit er nicht ohnehin in spanischer Sprache war, spanisch nachsprechen zu lassen.[241] Die Filmproduktion Spaniens konnte einen beachtlichen Aufschwung verzeichnen. Während sich die Zahl der Herstellerfirmen 1939 noch auf 11 belief, die insgesamt 15 Filme herausgebracht hatten, waren 1943 bereits 28 Firmen tätig. Das Land besaß 10 Ateliers, davon sieben in Madrid und drei in Barcelona. Mit Schauspielerkräften war Spanien reich gesegnet, doch fehlte es an Regisseuren und technischem Personal. Spanien selbst wollte im Jahre 1940 35 und im nächsten Jahr 80 Filme produzieren. 1940 sah Madrid die Erstaufführungen von 28 spanischen Spielfilmen, 1941 waren es unter rund 215 erstaufgeführten Spielfilmen 28 lange und zwei kürzere. 1942 war die Herstellung auf 52 Filme angestiegen, 1943 wieder auf 36 Bildstreifen gesunken. Im Jahr 1945 kamen nur 32 Spielfilme heraus. Außerdem entstand in den Jahren des Krieges eine größere Anzahl von Dokumentarfilmen.[242]

Nach dem Stand von 1943 sollte Spanien schon ca. 2970 ständige Kinotheater haben.[243] In einer nicht für die Veröffentlichung bestimmten deutschen Bearbeitung machte man Vergleiche, die das Jahr 1943 betrafen: Angebot an langen Spielfilmen in Deutschland 101, in Spanien 256, Plätze je 1000 Einwohner in Deutschland 29,5, in Spanien 69, aber Besuch je Kopf der Bevölkerung in Deutschland 12,4 und in Spanien nur 9,6.[244] Es gelang nicht, in Spanien deutscherseits Filmtheater zu erwerben, die als »Schaufenster«-Kinos für die Werbung des deutschen Films dienen konnten. Die Kinobesitzer-Verbände in Spanien waren in keiner Weise geneigt, ihre Häuser abzugeben, weil sie befürchten mußten, von den Amerikanern boykottiert zu werden, falls sie ein unter ihrer Kontrolle stehendes Theater in deutsche Hände geben würden.[245]

Nach den ersten guten Jahren kam für den deutschen Film in Spanien eine Flaute. Die Erstaufführungen von deutschen Spielfilmen wurden viel seltener. Im Herbst 1942 wurde in Madrid der Trenck-Film mit Hans Albers erstaufgeführt. Der Film lief hier unter dem Titel »Corazón de fuego« (Das Feuerherz) in nicht der besten – so die Pressestimmen – Synchronisation. Nach der spanischen Erstaufführung würdigte die Presse Madrids den Film »Der große König« mit anerkennenden Worten (1943). Im Sachstandsreferat vom 13. 11. 1944 wurde die Situation des deutschen Films pessimistisch beurteilt: »Die Zahl der deutschen Filme fällt im Vergleich zum Gesamtfilmverbrauch des Landes (ca. 200 Filme jährlich) mit jährlich etwa nur 10–15 Filmen nicht ins Gewicht. Der Hauptbedarf des Landes wird durch Amerikaner (ca. 120), Eigenproduktion (ca. 35), italienische Filme (ca. 15) sowie sonstige europäische und lateinamerikanische Produktionen gedeckt. Der deutsche Anteil an der Filmversorgung Spaniens ist so niedrig, weil ein Großteil unserer Filme der Zensur verfällt und wir mit Rücksicht auf die amerikanische Konkurrenz hier das Qualitätsprinzip besonders scharf handhaben müssen. Erfolgsfilme, wie neuerdings insbesondere ›Die goldene Stadt‹, ›Münchhausen‹, ›GPU‹ erreichen recht beachtliche Umsätze.[246] Die weitere Entwicklung hängt außer von der allgemeinen politischen Lage insbesondere davon ab, wieweit wir für unsere eigenen Filme den Rohfilm zur Verfügung zu stellen vermögen. Das ist in erster Linie eine Frage des Transportes. Zur Zeit werden aus Gründen der örtlichen Rohfilmknappheit nur fünf statt der benötigten 15 Kopien gezogen.[247] 1943/44 betrugen die Einkünfte aus den Lizenzen lediglich 500 000 RM.«[248]

Aufgrund eines im Dezember 1942 geschlossenen deutsch-spanischen Wochenschauabkommens sperrte die spanische Regierung im November 1943 die Einfuhr ausländischer Wochenschauen und ordnete die Errichtung der spanischen NO-DO-Woche als Staats- und Monopolwoche an. Nach dem Vertrag stellte die Deutsche Wochenschau der spanischen NO-DO-Woche den Rohfilm, ferner deutsche und internationale Wochenschaubilder, Filmgeräte… und einen Vertrauensmann zur Verfügung. Zunächst betrug die Zusammenstellung der NO-DO-Woche – nach deutschen Quellen: 40% aus Berlin gelieferte Bilder, 14% anglo-amerikanische Bilder und 46% Bilder aus Spanien, Portugal und Südamerika. Vom 1.1. bis zum 15.9.1944 bestritt die deutsche Seite 60% und die anglo-amerikanische 40% des ausländischen Teils der NO-DO-Woche. Mit der Besetzung Frankreichs und der dadurch verursachten Einstellung deutscher Rohfilmlieferungen kehrte sich das Verhältnis allerdings um. Es gelang zwar, jede Woche durch die Lufthansa deutsche Bilder nach Spanien zu schicken und umgekehrt spanische Lokalreportagen für die Deutsche Wochenschau laufend zu erhalten. Praktisch bedeutete das aber, daß die von Berlin gelieferten und in der spanischen Wochenschau veröffentlichten Bilder auf amerikanischem Rohfilm kopiert werden mußten.[249]

Für die Spielzeit 1944/45 waren insgesamt in Spanien 33 deutsche Spielfilme vorgesehen. Die Durchführung dieses Plans war davon abhängig, daß zunächst für die deutschen Filme das nötige Positivmaterial und das Material für die Durchführung der Synchronisationen geliefert wurde. Das hatte aber wiederum zur Voraussetzung, daß auch für den eigenen spanischen Bedarf die gleiche Menge an Material angeliefert wurde, da das Verteilungsprinzip in Spanien auf der Basis 50:50 beruhte. Die gleiche Abmachung hatte Spanien auch mit anderen Staaten für deren Filme getroffen.[250] Zu diesem Zeitpunkt war das Reich jedoch nicht in der Lage, auf dem Gebiet der Rohfilmlieferung seinen Teil der Abmachungen einzuhalten.

Erst im Sommer 1944 gelang es, in Madrid eine filialähnliche Organisation für den Verleih deutscher Filme in Spanien aufzubauen. »Wir haben für die Saison 1944/45 die spanische Verleihfirma ACE (Alianza Cinematographica Espanola) fest gemietet, die im vorigen Jahr lediglich 5 deutsche Spielfilme herausgebracht hat. Die ACE hat sich verpflichtet, mindestens 20 deutsche Spielfilme in der nächsten Saison in Spanien zu verleihen«, meldete der Leiter Film im ProMi dem Minister.[251] Die Auswahl der Filme und der für sie geeigneten Premierentheater erfolgte durch den Ufa-Vertrauensmann in Madrid, der 1944 sein Büro in der ACE aufgeschlagen hatte, um den gesamten Betrieb der Verleihfirma im deutschen Sinne zu überwachen. Darüber hinaus sollten noch, aufgrund alter Verträge, weitere 13–14 deutsche Spielfilme durch die spanischen Firmen »Cifesa« und »Hiaf« herausgebracht werden.

»Das Geschäft ist immer noch befriedigend. ›Die goldene Stadt‹, ›Münchhausen‹, ›GPU‹ haben gute Erfolge. ›Die Frau meiner Träume‹ ist von der Zensur nur mit großen Schnitten zugelassen worden«, hieß es noch in einem der letzten Berichte aus Spanien.[252]

Portugal

Bedeutend mehr Schwierigkeiten bereitete dem Reich der bescheidene Filmmarkt Portugals (1942 = 220 Kinos). Hier dominierten die amerikanischen Filme fast ausschließlich. Goebbels vertrat die Meinung, daß die jüdischen Kinobesitzer an den Schwierigkeiten bei der Verbreitung von deutschen Filmen in Portugal schuld seien.[253] Unter den wenigen Filmen aus Deutschland, die in Lissabon aufgeführt wurden, fanden sich dennoch von Zeit zu Zeit sogar Propagandafilme wie im Jahre 1939 »Der Westwall« oder 1941 »Sieg im Westen«. »In Portugal steht der deutsche Film im Wettbewerb mit der gesamten übrigen Weltproduktion und insbesondere mit dem nordamerikanischen Film, der hauptsächlich den Markt beherrscht«, schrieb der Film-Kurier (27.10.1942) und berichtete zugleich über die letzten Aufführungen von deutschen Filmen in diesem Lande: es waren »Operette«, »Trenck, der Pandur«, »Ein Leben lang«, »Zu neuen Ufern«, aber auch »D III 88« und »Stukas«, ferner »Robert

Koch«, der in Portugal in französischer Synchronisation präsentiert wurde.

Auch Portugal strebte, ungeachtet der hier ähnlich wie im Nachbarlande begrenzten Absatz- und Gewinnmöglichkeiten, eine eigene Filmindustrie an.[254] Zur Anregung war u. a. im Herbst 1943 eine Filmkunstausstellung im Lissaboner Badeort Estoril veranstaltet worden. Die Presse im Reich berichtete viel über die Beteiligung des deutschen Films an dieser Ausstellung.

Deutsche Filme in Lissabon

»Im Rahmen der Internationalen Filmausstellung, die gegenwärtig im Kasino des eleganten Lissaboner Badeortes Estoril stattfindet, fand zu Ehren der Filmschauspielerin Marika Rökk ein Galaabend statt, der zu einem Triumph für die Gäste aus Deutschland wurde. Der Abend bildete den Höhepunkt des deutschen Teils der Internationalen Filmausstellung, der mit dem Film »Verwehte Spuren« eingeleitet wurde, am zweiten Tag den Ufa-Film »Münchhausen« brachte und mit dem Rökk-Film »Der Tanz mit dem Kaiser« endete. Der Farbfilm »Münchhausen« wurde mit besonderer Aufmerksamkeit verfolgt, weil er das erste Zeugnis des deutschen Farbfilmschaffens in Portugal darstellte, das bisher nur nordamerikanische Farbfilme gesehen hat.«

Quelle: »Münchner Neuste Nachrichten«, v. 6. 10. 1943

In dem Film »Verwehte Spuren« lobte die portugiesische Presse die schauspielerischen Leistungen Kristina Söderbaums. Im Beiprogramm wurde der Farbfilm »Tanzende Farben« gezeigt. Die portugiesische Erstaufführung des Jubiläums-Films der Ufa, »Münchhausen«, gestaltete sich, so in einem Pressebericht, »zu einem ungewöhnlichen Erfolg. Publikum und Presse waren sich einig in größter Bewunderung, insbesondere der technischen Vorzüge des Agfa-Color-Farbsystems.«[255] Nach der Premiere von »Tanz mit dem Kaiser« trug Marika Rökk auf der Bühne einige Lieder aus ihren Filmen vor, und die berühmten portugiesischen Tänzer Francis und Ruth zeigten verschiedene Volkstänze.

Das große Interesse für den deutschen Film wurde nach der Ausstellung jedoch nicht geweckt. Deutsche Filme erschienen in Portugal weiterhin selten.[256] Anfang 1944 fand in Lissabon im »Ginasio« die Erstaufführung des Films »Der große König« statt. Das war ein politisches Ereignis, und der Premiere wohnten zahlreiche portugiesische und deutsche Ehrengäste bei. Im Frühjahr dieses Jahres gelangte endlich »Es war eine rauschende Ballnacht« in Lissabon zur Aufführung.

Mitte 1944 erwarb die Ufa, »um den Boykottaktionen der anglo-amerikanischen Filmfilialen entgegenzuwirken« (H. Hinkel), 75 % der Anteile der portugiesischen Filmverleihfirma Mundial-Film. Dadurch gelangte der deutsche Film in getarnter Weise in den Besitz einer eigenen Filiale in Lissabon. Die Mundial-Film pachtete danach auf 10 Jahre das Lissaboner Premierentheater »Ginasio« (850 Sitzplätze). Dieses Kino wurde unter Leitung eines Ufa-Architekten zu einem repräsentativen Theater umgebaut. Es wurde am 29.11.1944 mit »Frau meiner Träume« eröffnet. Um das Vorführen deutscher Filme auch in anderen Städten Portugals zu ermöglichen, kaufte ein der deutschen Gesandtschaft nahestehender Industrieller das neue Premierentheater »Julio Deniz« (1000 Plätze) in Porto. Die Lissaboner Ufa-Filiale schloß mit diesem Theater einen einjährigen Programmierungsvertrag. Die Saison in »Julio Deniz« wurde am 8.11.1944 mit dem Film »Die goldene Stadt« eröffnet, der dort einen großen Erfolg erzielen sollte. Dennoch konnte die Aufführung durch vermutliche Sabotage an dem Projektionsapparat erst mit einer Stunde Verspätung beginnen.[257] Die rechtzeitige Versorgung Portugals mit deutschen Filmen mußte man auf dem Luftweg sicherstellen.

Ein Sachstandsreferat (13.11.1944) schilderte die Situation des deutschen Films auf dem portugiesischen Kinomarkt: »Der deutsche Film hat in Portugal, dessen Filmverbrauch von insgesamt 200 Filmen hauptsächlich von Amerikanern bestritten wird (daneben spielen weder die einheimischen noch die sonstigen europäischen oder lateinamerikanischen Produktionen irgendeine Rolle), erst seit einem Jahr wieder an Bedeutung gewinnen können ... Wir verleihen in Portugal über zwei dortige Vertriebsfirmen, von denen uns die eine gehört (Ufa-Beteiligung 75 %), insgesamt ca. 20 Filme, die sich bereits sämtlichst im Lande befinden. Wir müssen es als einen großen Erfolg unserer jahrelangen Bemühungen betrachten, daß wir in diesem seit Jahrhunderten zur engsten angelsächsischen Sphäre gehörenden Lande unsere Spitzenfilme dem portugiesischen Publikum überhaupt zeigen können. Lizenzen haben wir aus Portugal bisher nicht herauswirtschaften können.«[258]

Noch im Februar 1945 kaufte die unter deutschem Einfluß stehende Finanzgruppe ein Filmtheater in Coimbra. Nach dem Umbau sollte es Anfang Mai 1945 spielfertig sein. »Damit wird trotz stärkstem Feindboykott die Lancierung deutscher Filme in genanntem Ort sichergestellt«, kabelte die deutsche Gesandtschaft aus Lissabon.[259] Im ProMi dachte man noch im März 1945 an einen Plan, in Portugal eine Filmproduktion unter deutschem Einfluß aufzuziehen. »Die im deutschen Film noch tätigen Personen«, stand in einer Antwort der Reichsfilmintendanz, »werden dringendst von der hiesigen Produktion benötigt, so daß eine Entsendung von Fachkräften nach Portugal nicht möglich ist.«[260] Vielleicht ging es manchen Personen überhaupt um die Möglichkeit einer Auslandsreise...

In den besetzten Gebieten der UdSSR

Verzögerungen und Reibungen, die nach der Eroberung Polens und später nach dem Einmarsch der deutschen Truppen im Westen bei der Nutzung der Wirtschaftskraft der besetzten Gebiete aufgetreten waren, sollten bei dem Rußlandfeldzug von vornherein durch detaillierte Planung weitestgehend vermieden werden. Lange ehe der deutsche Angriff auf die Sowjetunion erfolgte, begannen intensive Vorbereitungen für die systematische Ausbeutung des Landes nach seiner Eroberung. Für einige wichtige Bereiche sollten Monopolgesellschaften gegründet oder das alleinige Handelsrecht bereits bestehenden Firmen übertragen werden. So auch im Bereich der Filmwirtschaft.

Bereits einige Monate nach dem Überfall auf den sowjetischen Staat wurde auf Veranlassung des ProMi (Generalreferat Ostraum) die Zentralfilmgesellschaft Ost mbH (ZFO) mit Sitz in Berlin von Winklers »Cautio« gegründet.[261] Kurz darauf ergänzte man diese Struktur durch neugegründete Tochtergesellschaften: die Ostland-Film GmbH mit dem Hauptsitz in Riga und den Außenstellen in Reval (Tallinn), Kaunas, Minsk und Baranowice sowie die Ukraine-Film GmbH mit dem Hauptsitz in Kiew und Außenstellen in Dnjepropetrowsk, Saporoshje, Luzk, Proskurow, Melitopol, Nikolajew, Shitomir, Winniza, Tschernigow und Kriwoi Rog. Die Reichskommissare für Ostland – H. Lohse – und Ukraine – E. Koch – übergaben der Ostland-Filmgesellschaft (am 25. 11. 1941) und der Ukraine-Filmgesellschaft (8. 12. 1941) sämtliche Rechte im Bereich des Filmwesens.[262] Selbstverständlich waren hier die unter Militärverwaltung stehenden Gebiete ausgenommen.

Alfred Rosenberg, der nach der Einführung der Zivilverwaltung in den besetzten sowjetischen Gebieten (17. 7. 1941) zum »Ostminister«

ernannt wurde, begann Kämpfe mit dem »Goebbels'schen Filmimperium« zu führen. Es gelang ihm zunächst, für sein Ministerium 40% des Grundkapitals der ZFO (1942 betrug es insgesamt 1 Mio. RM) als Beteiligung zu bekommen.[263] Selbstverständlich war hier nicht das Geld wichtig, sondern es ging um die Kompetenzen und Einflüsse.

Die neu entstandenen Filmgesellschaften befaßten sich zuerst mit dem Vertrieb von Filmen, die im Reich hergestellt waren. Ihnen gehörte auch der vorhandene Kinopark. Die Zahl der Kinotheater im Bereich der ZFO verminderte sich gegenüber dem Stand vor 1939 und betrug im Jahre 1942: im Bereich des Reichskommissariats Ostland insgesamt 173 Kinos mit 58568 Sitzplätzen und in den Gebieten des Reichskommissariats Ukraine insgesamt 265 Kinotheater mit 87796 Plätzen. 1942 begannen in Estland, Lettland und Litauen die Vorarbeiten für die Reprivatisierung der von den Sowjets enteigneten Filmunternehmen. Grundsätzlich war beabsichtigt, die Filmtheater ihren früheren Besitzern zurückzugeben, insofern sie nicht Juden waren. Für die deutschen Rücksiedler war eine besondere Regelung vorgesehen. Im Reich gab es – insbesondere nach den deutschen Militärerfolgen im Sommer 1942 – viele Bereitwillige zur Übernahme der Kinotheater in den besetzten sowjetischen Gebieten. Man mußte bekanntmachen, »daß es vorläufig zwecklos« sei, »schriftlich oder mündlich derartige Wünsche, Filmtheater erwerben oder treuhänderisch übernehmen zu wollen, vorzutragen«. Die Kandidaten sollten auf die Beendigung des Krieges warten.[264]

Mitte 1943 gab es im Reichskommissariat Ostland weiterhin nur insgesamt 195 Kinotheater. Lettland (1939 rund 100 Lichtspiele) besaß 50 Kinotheater, von denen sich 17 in Riga befanden (darunter die bekanntesten: »Blasma«, »Daile«, »Grand-Kino«, »Kristal-Palace«, »Splendid-Palace«, »Venecija«, »Dzintarplis«, »Forum«, »Fortuna«). Eine erwünschte Ergänzung bildeten die Wanderkinovorführungen in den größeren Betrieben.[265] In Riga wirkten ferner die Wehrmacht-Lichtspielhäuser, im Sommer 1944 (die Front war in der Nähe) sogar fünf: »Aina«, »A. T.«, »Radio-Modern«, »Maska« und »Mona«. Litauen hatte zu dieser Zeit 57 Kinotheater (1939 etwa 85 Lichtspiele), darunter in Kaunas 11 (1939 – 16) und in Wilna 6. Der Mangel an Kinoplätzen in Wilna war ständig groß (bei rund 250000 Besuchern in jedem Monat). Im Mai 1944 wurde hier eines der beiden Standard-Holzbau-Kinos, das die ZFO mit der Ostland-Film dort erstellte, in Anwesenheit zahlreicher Gäste feierlich eröffnet. Das neu eröffnete Kino war das erste der Standard-Holzbau-Kinos, die in Ostland errichtet wurden. Das zweite Kino gleicher Bauart sollte einige Wochen später errichtet werden. Es waren die letzten Wochen der deutschen Herrschaft in Litauen. In Estland betrug die Zahl der Kinotheater 48 (Tallinn 12). Auch hier herrschte Mangel an Kinoplätzen, und der Bau von »Baracken-Kinos« stand im Plan. Im Generalkommissariat Weißruthenien bildeten die Kinotheater eine Seltenheit: auf einem riesigen Territorium befanden sich lediglich rund 40 Kinos. In der sehr zerstörten Stadt Minsk wurde das beste vorhandene Lichtspieltheater als Soldatenkino »Heimat« eingerichtet. Die einheimische Bevölkerung der Stadt erhielt erst im Sommer 1942 ein »eigenes« Kino: mit 400 Sitzplätzen. Mitte 1943 belief sich die Zahl der Kinotheater in der besetzten Ukraine auf rund 300.[266]

Filmtheater in den besetzten Gebieten der UdSSR (Stand vom November 1942)

Ostland-Film GmbH:

Insgesamt 173 Kinos mit 58 562 Sitzplätzen (ferner 5 Wanderkinos)

Zweigstelle Riga	56 Kinos
Zweigstelle Tallinn	45 Kinos
Zweigstelle Kaunas	53 Kinos
Zweigstelle Minsk	19 Kinos

Ukraine-Film GmbH:

Insgesamt 265 Kinos mit 87 796 Sitzplätzen

Zweigstelle Kiew	54 Kinos
Zweigstelle Luzk	59 Kinos
Zweigstelle Dnjepropetrowsk	57 Kinos
Zweigstelle Shitomir	52 Kinos
Zweigstelle Nikolajew	41 Kinos
Zweigstelle Krim	2 Kinos

Quelle: BA R 55, Nr. 506, S. 261f; Bericht der ZFO vom 11. 11. 1942

In den Kinotheatern der Reichskommissariate »Ostland« und »Ukraine« war die Distanz zwischen der deutschen und einheimischen Bevölkerung – sofern sie nicht als »Nur für Deutsche«-Institute galten – eine Selbstverständlichkeit. Vielleicht nur in Lettland etwas weniger.

Der deutsche Film wurde in den von den Deutschen besetzten Gebieten der UdSSR zum Monopolisten. Für die weißruthenische und ukrainische Bevölkerung war die Begegnung mit dem deutschen Film ein Novum. Die deutsche Presse berichtete manchmal über die gute oder sogar enthusiastische Aufnahme der deutschen Filme. Eine Angelegenheit, die heute schwer zu prüfen ist. Ging es doch um Filme eines Feindes, der, nach den gemachten Erfahrungen, immer mehr verhaßt war. Für die Bevölkerung der Baltischen Republiken war dagegen der deutsche Film keine Novität. In Estland war im Jahre 1938 Deutschland mit rund 24% an der Zahl aller gezeigten Filme beteiligt. Den Rest bildeten Importe aus anderen Ländern, insbesondere aus den USA. Die eigene Filmproduktion umfaßte nur Kurzfilme. Der einzige Filmhersteller in Estland war bis zum Einmarsch der sowjetischen Truppen »Eesti Kulturfilm« in Tallinn. Lettland wies im Jahre 1938 eine Einfuhr von insgesamt 529 kurzen und abendfüllenden Filmen auf, darunter aus den USA 254, Deutschland 148, der Sowjetunion 39, England 34 und Frankreich 19.[267] Auch Litauen importierte aus dem Reich nicht wenige Filme. Das Land wies im Jahre 1938 eine Einfuhr von insgesamt 750 kurzen und abendfüllenden Filmen auf, darunter aus den USA 300, aus Deutschland 256 und aus der UdSSR 74. 51 Filme galten als eigene Produktion. Bis zum Einmarsch der sowjetischen Truppen machten hier die Produktionen aus dem Reich wie »Robert Koch«, »Feldzug in Polen« und »Wolga, Wolga« die beste Kasse.[268] Nach Juni 1941 war der allgemein herrschende Mangel an Spielfilmen in den Reichskommissariaten »Ostland« und »Ukraine« – im Vergleich zu anderen besetzten Gebieten – weniger bemerkbar. Die relativ geringe Gesamtzahl von Kinovorführungen und die relativ kürzere Zeit der Besetzung spielten hier die Rolle. Bis 31.5.1943 kamen in Ostland und Ukraine insgesamt 446 deutsche Spielfilme zur Auswertung. Die größten finanziellen Erfolge erzielten: »Operette«, »Der Postmeister«, »7 Jahre Pech« und »Die goldene Stadt«. Am Ende dieser Liste standen »Zentrale Rio« und »Feinde«, den allerletzten Platz nahm der antisowjetische Film »Dorf im roten Sturm« ein.[269] Rein praktisch gesehen konnte man hier eine beliebige Anzahl von alten deutschen Filmen zum Einsatz bringen, manchmal sogar Filme, die im Reich aus irgendwelchen Gründen verboten wurden. Im Frühjahr und im Sommer 1944 liefen in Riga solche Filme wie »Das indische Grabmal«, »Bel ami«, »Der Postmeister« und sogar »Fanny Elsler« mit der ausgebürgerten L. Harvey. Das »Ausland« repräsentierten der »Nachtfalter« aus dem Protektorat Böhmen und Mähren und die deutsch-italienischen »Condottieri«.

Von Anfang an lenkte man die größte Aufmerksamkeit auf Filme, die der direkten Propaganda dienen sollten. Im Auftrage der Ufa schuf man für die ZFO bis zum Anfang 1942 sechs solcher Kurzfilme. Später kamen weitere hinzu. Die Betitelung bzw. Synchronisation dieser ersten Propaganda-Kurzfilme fand zunächst in Warschau statt.

Im Herbst 1942 begann man in der ZFO mit der Herstellung eigener Propagandafilme. Die Produktion wurde in Riga, Reval und Kiew aufgenommen. Die zur Verfügung stehenden technischen Einrichtungen waren sehr bescheiden. Die sowjetischen Ateliers in Minsk wurden bei den Kampfhandlungen zerstört, die in Kiew aufgeräumt. In Kiew gelang es nur, eine Kopieranstalt und Reparaturwerkstätten betriebsfähig zu machen. Es waren Vorbereitungen im Gange, die technischen Voraussetzungen für die Errichtung eines eigenen Produktionsateliers in Kiew zu schaffen. Über die Zukunftsaussichten für die deutsche Filmwirtschaft in der Ukraine schrieb noch am 30. 11. 1942 der Film-Kurier: »Mit der Eroberung der Krim ist Deutschland ein Gebiet zugefallen, das filmisch die besten Eigenschaften hat. Die Krim enthält alle vom Film benötigten Landschaftsformen und zeichnet sich durch Beständigkeit der Witterung aus.« Besser als in Kalifornien, meinten die anderen Berichterstatter. Bei der Produktion wurden meistens die aus dem Reich kommenden Regisseure und Dramaturgen beteiligt, in vereinzelten Fällen auch die einheimischen Theater- bzw. Film-Leute.[270]

Der Initiative Alfred Rosenbergs (die man allerdings im ProMi scharf beurteilte) verdankten Riga-Film GmbH und Kaukasus-Film GmbH (Deutsche Kaukasus-Filmgesellschaft in Berlin) ihre Entstehung. Gegenstand des Unternehmens war der alleinige Betrieb der im Kaukasusgebiet befindlichen, dem Film dienenden Unternehmungen aller Art (Lichtspieltheater, Filmproduktionsstätten, Ateliers, Kopieranstalten usw.).[271] Gleichzeitig gründeten die ZFO und das Rosenbergsche Ministerium gemeinsam die »Elbrus«-Filmarbeitsgemeinschaft GmbH in Berlin (zunächst als Prometheus GmbH). Ziel des Unternehmens war: »Durchführung von Vorarbeiten auf dem Gebiete des Filmwesens in neuen Ostgebieten.«[272] Nun wartete man auf die Zeit, in der das Operationsgebiet der Zivilverwaltung übergeben werden würde. Diese Vorbereitungen wurden durch die Stalingrad-Wende unterbrochen, doch die offizielle Auflösung der »Kaukasus-Film« fand erst am 21. 7. 1943 statt.[273]

Die vorrückenden sowjetischen Truppen brachten das Ende der Expansion des NS-Films in Weißruthenien, in der Ukraine und in den

Baltischen Republiken. In bezug auf die militärische Lage klang eine Presseinformation vom Ende Juli 1944 in Riga grotesk: »Die lettische Filmgesellschaft ›Riga-Film‹ ist eben dabei, einen neuen Spielfilm in lettischer Sprache zu drehen, dessen Titel ›Schwert und Pflug‹ lautet. Eigentlich ist es noch nicht ganz so weit, weil eben erst die Probeaufnahmen, der Dekorationsbau und ein Teil der Vorarbeiten beendet sind.«[274]

In Kürze verlor die ZFO ihr Einsatzgebiet vollständig. Die »Ukraine-Film« (»infolge der in der Ukraine eingetretenen Situation mußten wir von allen Spielfilmbestellungen absehen«, hieß es im Januar 1943)[275] evakuierte seit März bis nach Königshütte im Harz, wo die Ufi einen Verlagerungsbetrieb schuf. Die »Ostland-Film« fand für sich im November 1944 eine Unterbringung in Unterberg bei Posen.[276] Die ZFO wurde vom Tobis-Tonfilm-Syndikat übernommen, und mit der Herstellung der letzten Propagandafilme beschäftigte sich danach die Ufa-Sonderproduktion.[277]

Auf dem Balkan

Lange Zeit vor dem militärischen Überfall auf Jugoslawien und Griechenland und lange, bevor mit ihrem Beitritt zum Antikomintern-Pakt Ungarn, Rumänien und Bulgarien politisch an die faschistische Koalition gebunden wurden, waren die Ziele des NS-Staates in Südosteuropa fest umrissen. In diesen Staaten, die in der politischen Interessensphäre Deutschlands lagen, beobachtete man bereits vor Kriegsausbruch einen verstärkten Einsatz der deutschen Propaganda auf dem Sektor der Kultur: Musik, Theater, Film, Rundfunk. Auf die Balkanländer, als die naturgegebenen Austauschländer, wies 1938 Reichsminister Funk hin, bei der Beurteilung der Exportverhältnisse des deutschen Films. Nach Kriegsausbruch 1939 intensivierten die Deutschen entsprechende Maßnahmen. Die Richtlinien des ProMi und die Anweisung des Auswärtigen Amtes an die diplomatischen Vertretungen in Budapest, Bukarest, Sofia, Belgrad und Athen gaben dafür die amtlichen Grundlagen.[278] Die Ereignisse, die mit der Vorbereitung und danach mit der Führung des Krieges mit der Sowjetunion verknüpft waren, blieben selbstverständlich auch nicht ohne Einfluß auf Gehalt und Gestalt der nationalsozialistischen Propaganda in den Balkanstaaten. Die Vereinbarungen über kulturelle Zusammenarbeit, die das Deutsche Reich mit Ungarn (1936), Bulgarien (1940) und Rumänien (1942) unterzeichnet hatte, unterstützten diese Bestrebungen.

Ungarn

Die Filmbranche Ungarns hatte in den letzten Vorkriegsjahren fühlbare Krisen durchgemacht, und zeitweilig war die ungarische Filmerzeugung ins Stocken geraten. Der autoritäre Staat regelte das Filmwesen nach nationalen Gesichtspunkten. Im Jahre 1938 wurde die Ungarische Schauspiel- und Filmkammer gebildet. Zunächst standen die Leiter der Produktionsfirmen, der Verleihe und der Filmtheater noch außerhalb der Kammer. Im März 1939 wurde das ganze ungarische Filmwesen durch die Kammer erfaßt, auch die Kinobesitzer. Die Bestimmungen enthielten weitgehende Einschränkungen gegen die Juden. Oberster Schirmherr des ungarischen Filmwesens war der Minister für Unterricht und Kultur, oberste zuständige Behörde der Nationale Filmausschuß.

Die politischen Verhältnisse in Ungarn, die wirklich bestehenden traditionellen Verbindungen mit der deutschen, besonders der österreichischen Kultur, führten dazu, daß Ungarn als erster Staat ein Kulturabkommen mit dem Dritten Reich unterzeichnete (28.5.1936). Danach kam ein Abkommen über den Austausch von Spiel- und Kulturfilmen beider Staaten zustande. Nicht mit den in Berlin erwarteten Ergebnissen. Wurden noch 1936 immerhin 58 deutsche und österreichische Filme aufgeführt, so betrug die Zahl 1939 – nach größerem Rückfall in der Zwischenzeit – nur 38, das waren lediglich 18 % der in Ungarn gespielten Filme. Das empörte die deutsche Publizistik. Betrachte man die Sprachkenntnisse, die geistige Einstellung der breiten Massen des Ungarentums und die tatsächlichen deutsch-ungarischen Beziehungen, so war in den deutschen Kommentaren zu lesen, dann müsse man es als einen Mißstand bezeichnen, daß lediglich 18 % der Filme deutscher, aber 65 % amerikanischer, englischer und französischer Herkunft seien. Es sei mehr als verwunderlich, daß man beim Durchlesen der Budapester Kinoprogramme zuweilen wochenlang auf keinen einzigen deutschen Film treffe. Es sei mehr als grotesk, wenn man in den Lichtspieltheatern volksdeutscher Gegenden auf Wochen hinaus im Programm keinen deutschen Film angesetzt finde. Trotz des deutsch-ungarischen Filmabkommens!

Der englische und vor allem der französische Film erlebten in Un-

778

garn wirklich eine starke Steigerung. 1938/39 waren von 223 Spielfilmen 40 französischer Herkunft, und der amerikanische Film trat weiterhin stark hervor, er erreichte fast 40%. Theoretisch wurde selbstverständlich die eigene Filmproduktion bevorzugt. Seit 1939 mußten 30% des Beiprogramms und seit 1940 auch 25% aller Hauptfilme ungarischer Herkunft sein.

Der Krieg wirkte sich auf die ungarische Filmbranche stark aus: Außer den Änderungen der Marktverhältnisse, dem Gebietszuwachs des Landes und dem allmählichen Ausfall gewisser Staaten als Lieferanten für den ungarischen Filmmarkt brachte er zahlreiche weitere politische, kulturelle und wirtschaftliche Maßnahmen, die das ungarische Filmleben beeinflußten. Bereits im September 1939 stellte die ungarische Nationalbank die Zuteilung von freien Devisen für die Filmeinfuhr ein. In Zukunft sollten nach Ungarn nur noch Filme aus Devisenverrechnungsländern, also in erster Linie aus Deutschland und Italien, hereingelassen werden. Im Januar 1940 stellte die Nationalbank die Genehmigung für den Ankauf von französischen Filmen ein, angesichts – so lautete die Begründung – des geringen Handelsverkehrs zwischen Frankreich und Ungarn. Im Februar 1940 gründete man in Budapest ein der DIFU-Berlin ähnliches italienisches Filmunternehmen – die OLMA (Olasz Magyar Filmforgalmi Kft), d. h. Italienisch-Ungarische Film-Union. Die Zahl der italienischen Filme wuchs in Ungarn an, die »Luce«-Wochenschau lief in ihrer ganzen Länge. Übrigens wurden noch 1941 in Ungarn vier Wochenschauen gespielt, und zwar in allen Theatern des Landes (pflichtmäßig) die ungarische Wochenschau, die sich seit ihrer 500. Ausgabe Ungarische Weltwochenschau nannte. In über 500 Theatern wurden auch die deutschen Auslandswochenschauen, ferner die italienische Luce-Wochenschau und bis Anfang Dezember 1941 auch die Fox-Wochenschau gezeigt. Von den 170 in Ungarn im Jahre 1941 vorgeführten Spielfilmen entfielen auf die deutsche Produktion 43, die ungarische 38, die italienische 6, der Rest vor allem auf die amerikanische Produktion.[279]

Die deutschen Filme wurden von folgenden drei Verleihfirmen in Verkehr gebracht: 1. Ufa-Filmindustrie und Filmhandel AG, die den Verleih aller Ufa-Filme, der Terra-Filme und Wien-Filme der Ufa, ferner den Verleih der deutschen Auslandswochenschau umfaßte. Sie galt auch unter den ungarischen Verleihfirmen als die größte und machte auch den größten Umsatz im Lande. 2. Tobis-Film brachte die Tobis-Filme und Wien-Filme der Tobis und z. T. auch Rex- und

Bavaria-Filme. 3. Lena-Film, die die Filme der übrigen deutschen Firmen brachte. In der Hauptstadt Ungarns waren auch Kinos tätig, die zu den deutschen Filmkonzernen Tobis (»Corvin«) und Ufa (»Urania«) gehörten. Im Juni 1944 informierte Hinkel im ProMi den Staatssekretär: »Die Ufa besitzt in Ungarn bedeutende Interessen an zwei Normalfilm-Verleihgesellschaften, einer Schmalfilmvertriebsgesellschaft sowie zwei großen Premierentheatern.«[280] Die beiderseitige – in Ungarn und im Reich – Aufhebung der Kontingenteinschränkungen nutzte die deutsche Seite für die Steigerung der Ausfuhr ihrer Filme aus. Den deutschen Filmproduzenten standen auch unter privilegierten Bedingungen die Filmateliers in Budapest (Hunnia-Atelier) zur Verfügung. Der deutsche Zeitungsleser erfuhr über die begeisterte Aufnahme deutscher Filme in Budapest, unter denen sich solche Propagandastreifen wie »Carl Peters«, »Heimkehr«, »Annelie«, »U-Boote westwärts« (hier unter dem Titel »Jok Nyugatra«), »Ohm Krüger« (»Kruger Apo«) und »Jud Süß« befanden. »Von den deutschen Spielfilmen hatte unbestreitbar«, so schrieb der Film-Kurier (30. 1. 1942), »›Jud Süß‹ den größten Erfolg. Er lief sechs Wochen lang bei ausverkauften Häusern im Urania-Filmtheater.« Er gehörte »zu den erfolgreichsten Geschäftsfilmen und wurde bereits in über 400 ungarischen Lichtspieltheatern vorgeführt.« Das große Interesse weiter Kreise für diesen Film erklärte man mit dem Umstand, daß seine Vorführung mit dem Erscheinen der ersten Judengesetze in Ungarn zusammenfiel. Es kam zu Gewalttätigkeiten gegen die Juden, und die Vorführung des Films wurde eingestellt. Einen ebenfalls starken Erfolg sollte »Wunschkonzert« haben, über Erfolge schrieb man auch bei zahlreichen anderen Filmtiteln aus Deutschland. Der Zuschauer im Reich hatte dagegen selten die Möglichkeit, einen ungarischen Film zu sehen.

Die vertraulichen Richtlinien des ProMi vom 21. Mai 1941
»Unter den Balkanvölkern sind nach ihrer politischen Haltung und ihrer blutmäßigen Zusammensetzung am gefährlichsten die Magyaren. Man wird auf eine ebenso geschickte wie nachdrückliche Weise versuchen müssen, die Magyaren zu isolieren. Bei ihrer propagandistischen Erfassung müssen, entgegen der bei ihnen vorherrschenden Meinung, die Verdienste des Führers um die Ausdehnung Rumpf-Ungarns auf das ehemalige großungarische Gebiet besonders hervorgehoben werden.«
Quelle: BA Koblenz, R 55 Nr. 1293, S. 8f.

Unter den europäischen Partnern der Achse rückte Ungarn als Filmproduzent an die dritte Stelle. Nach den territorialen Änderungen verfügte Ungarn über rund 750 Kinotheater. Außerdem waren nahezu 200 Schmalfilmtheater in Betrieb. Die Hauptstadt besaß 85 Kinotheater, darunter zwölf (einschließlich »Corvin«) Premierentheater. Dazu kamen zwei Wochenschautheater. Insgesamt besaß das Land einen aufnahmefähigen Kinomarkt. Nach der Entfernung des amerikanischen Films, die im Jahre 1942 erfolgte, erreichte jedenfalls nicht die eigene Produktion die erste Stelle auf dem Kinomarkt, sondern die deutsche. Das Angebot deckte aber nie den eigentlichen Bedarf. Trotzdem machte die eigene Filmproduktion etwa 30 % des laufenden Kinorepertoires aus. 1941 wurden in Ungarn 43 eigene Spielfilme hergestellt, 1943 sogar 53.[281] In Ungarn drehte man auch einen farbigen Spielfilm (nach Agfa-Color-Verfahren). Es war ein historischer Bildstreifen unter dem Titel »Das sprechende Kleid«, den Geza Radványi mit Maria Tasnády und Pál Jávor in den Hauptrollen realisierte. Man sprach schon über die Uraufführung, die für Februar 1943 vorgesehen war.[282] Auch in dem ungarischen Kulturfilm »Die Madonna von Kalotaszeg« sollten die prächtigen Trachten der Bevölkerung in Farbe (Agfa-Color) gezeigt werden.[283]

1944 kam es zu einer Intensivierung der deutschen Kulturdarbietungen auf dem Balkan. Es ging um die Stimmung der Bevölkerung. Künstler aus dem Reich fuhren nach Budapest. Im Februar kamen der hier geborene Paul Hörbiger und Gretl Theimer. Die bekannten Künstler traten auch in anderen Städten auf, sogar im Rahmen der Truppenbetreuung. Am 11. Februar organisierten die Deutschen in »Corvin« eine feierliche Premiere des Films »Tonelli«, mit der weltberühmten Artistenfamilie Rivel als Ehrengast. Im März gab Hitler den Befehl, Ungarn zu besetzen. Im selben Monat wurden im »Urania«-Theater zwei bekannte deutsche Filme erstaufgeführt: »Geheimnisvolles Tibet« (23. 3.) und »Immensee« (30. 3.). Der schöne T.-Storm-Film lief unter dem Titel »Forgószél« und machte wirklich Furore. Es gab auch Neuaufführungen von deutschen Filmen. Der Film-Kurier vom 9. Mai 1944 berichtete: »Der Film ›Jud Süß‹, der anläßlich seines Erscheinens bereits einige Wochen in Ungarn mit gewaltigem Erfolg und Beifall gezeigt wurde, dann aber auf Betreiben der hinter der Kallay-Clique stehenden Juden und Judenfreunde vom Spielplan verschwinden mußte, wird in Ungarn wieder gezeigt.«

Der Einmarsch der deutschen Truppen in Ungarn und dessen politische Folgen ließen für das Reich auf dem ungarischen Filmmarkt günstige Möglichkeiten auch für die Realisierung seiner Filmwirtschaftspolitik als gegeben erscheinen. Die Richtung war klar formuliert: »Alle deutschen Maßnahmen sollen darauf hinzielen, daß die ungarische Produktion ungefähr halbiert wird, wobei allerdings anzunehmen ist, daß bei der gegenwärtigen Situation die Produktion sich von selbst entsprechend senken wird.«[284] Die Entwicklung schlug jedoch schon kurze Zeit später, nach dem Ausfall Rumäniens, um. Zunächst entstand eine Panik. »Die beweglichen Gegenstände und technischen Geräte, soweit sie nicht benötigt werden, sollen schon jetzt an die Grenze bzw. ins Reich zurücktransportiert und im Ernstfall auch Projektions- und Schmalfilmgeräte nach Deutschland verbracht werden«, hieß es in einer Anweisung.[285] Die Rahmenbedingungen für die Filmarbeit auf dem ungarischen Markt verschlechterten sich immer mehr. Im Oktober 1944 hieß es schon in Berlin: »Die Kinotheaterversorgung gestaltet sich immer schwieriger.«[286] Noch kurz vorher hatte man deutscherseits zur Gestaltung des Programmangebots in der ungarischen Donaumetropole den Film »Titanic« empfohlen, im Reich selbst wegen der ihm innewohnenden »Untergangsassoziationen« verboten.[287] Jetzt zeigte man den »Ertüchtigungsstreifen« »Junge Adler«.[288] Die ungarische Filmproduktion wurde nicht nur, wie von Berlin als Ziel vorgegeben, halbiert, sondern fast vollständig zum Erliegen gebracht. Sogar die einheimische Wochenschau wurde eingestellt. Ende 1944 ordnete der Film-Regierungskommissar an, daß die deutsche Wochenschau (Auslandswoche, Europa-Woche) in allen Filmtheatern Rest-Ungarns gezeigt werde.

Im Zuge der weiteren Verschlechterung der Situation brachte man im Dezember 1944 das ungarische Filmgut der Hunnia und anderer Filmproduktionsgesellschaften nach Österreich. Es folgten etwa 300 ungarische Filmschaffende. Zur Unterbringung der Produktionsgeräte wurde von der Wien-Film eine Fabrikhalle in der Nähe von Traunstein angemietet. Der Traum, auf österreichischem Boden die ungarische Filmproduktion fortzusetzen, erwies sich jedoch als unrealistisch.[289] Trotz dieser insgesamt schwierigen Sachlage wurde jedoch noch kurz vor dem Zusammenbruch des Reiches von seiten der deutschen Filmwirtschaft positiv vermerkt: »In Ungarn kann nur noch der Nordwest-Zipfel bearbeitet werden mit etwa 45 unbedeutenden Theatern. Das Geschäft bringt jedoch noch immer einen bescheidenen Überschuß.«[290]

Rumänien, das mit Bessarabien rund 19 Mio. Einwohner zählte, darunter, so übertrieb die NS-Propaganda, 800000 Volksdeutsche, besaß lediglich 290 Filmtheater mit ca. 100000 Plätzen. Bukarest allein hatte 62 Filmtheater, davon waren sechs Premierentheater. Seit seinen besten Zeiten, als der deutsche Film annähernd ein Drittel und mehr (1928 rund 40%) der hier freigegebenen Filme ausmachte, war er in der NS-Ära stark zurückgegangen. 1934 drosselte der Boykott ihn auf den tiefsten Stand: 10,5%. Die folgenden Jahre brachten eine Besserung der Lage, jedoch ohne daß der deutsche Film seine frühere Stellung zurückgewinnen konnte. 1938 betrug der Anteil Deutschlands vom Hundert aller Filme (Spiel- und Kulturfilme) 14,1%. Von den 1938 in Rumänien insgesamt aufgeführten 516 Spielfilmen waren 298 amerikanischer Herkunft. Aus Deutschland gab es 88, aus Frankreich 76 und aus England 54 Spielfilme. Das arme Land kaufte also überraschend viele Spielfilme. Die eigene Produktion (was meistens eine Co-Produktion mit anderen Ländern bedeutete) war klein. Wie die anderen großen Produzenten, so kämpfte auch Deutschland um den rumänischen Kinomarkt. Der Förderung des deutschen Films in Rumänien waren die in rumänischer Sprache abgefaßten Tobis-Presse-Mitteilungen sehr dienlich.[291] Im Frühjahr 1939 wurden auch, trotz der nicht geringen Unkosten, die einst eingestellten Ufa-Presse-Informationen eingesetzt. Die sogenannten weltanschaulichen Filme durften vor dem Kriege in den Bukarester Lichtspielhäusern nicht gezeigt werden. Jeden Sonntag wurden sie aber im Reichsdeutschen Heim den einheimischen Deutschen gezeigt.[292] Später sollte die deutsche Minderheit in Rumänien einen »Filmzug« aus Deutschland bekommen.[293]

Im Frühjahr 1940 wurde in Rumänien eine Staffel von 18 deutschen Spielfilmen angekündigt (u. a. »Das Herz der Königin«, »Ein Mann auf Abwegen«, »Nanette«, »Eine Frau wie Du«, »Stern von Rio«, »Mutterliebe«). Der Trenker-Film »Liebesbriefe aus dem Engadin« wurde sogar im Bukarester Stadtschloß vor König Karl II. und Großfürst Michael vorgeführt. 1941 wurden etwa 65% des gesamten rumänischen Filmbedarfs von der deutschen Produktion gedeckt. Zwei Firmen vertraten den deutschen Film in Rumänien: die O.C.R. und Avia. Die O.C.R. war der größte deutsche Filmverleih und brachte die Filme der Ufa, Tobis, Bavaria, Wien-Film und D.F.E. heraus. Die Avia vertrieb die Filme der Terra. Die meisten deutschen

Premieren fanden in Bukarest in der »Scala« und im »Trianon« statt, in der Provinz in Temeschburg und Kronstadt. Die deutsche Gesandtschaft veranstaltete am 19.3.1941 unter der Schirmherrschaft von General Antonescu eine feierliche Erstaufführung des Films »Bismarck«. Der Vorstellung wohnte auch König Michael mit Familie bei. Bei Beginn des Feldzuges gegen Sowjetrußland wurde der antikommunistische Propagandafilm »Weiße Sklaven« unter dem Titel »Rote Bestien« eingesetzt.[294] Die deutsche Presse schrieb ferner über die guten Spielergebnisse des Films »Jud Süß«.

Auf dem rumänischen Kinomarkt herrschte ein stiller Kampf zwischen dem deutschen und dem italienischen Film. Im Jahre 1942 wurde in Bukarest »Cineromit«, ein Unternehmen zur Förderung der heimischen Bestrebungen auf dem Gebiet des Filmschaffens, gegründet. An dem Aktienkapital von 250 Mio. Lei war nicht das deutsche, sondern das italienische Kapital beteiligt, und zwar die Ente Nazionale Industrie Cinematografiche. 1943 schritt Cineromit zur Ausführung eines Planes, der die Errichtung eines umfangreichen Filmstudios voraussah. In einer Vorstadt von Bukarest sollte auch für die Zukunft eine Filmstadt mit den modernsten Apparaten errichtet werden. Die Eigenproduktion steckte aber in Rumänien weiterhin in den Anfängen. Im Kriege entstand nur ein einziger rein rumänischer Spielfilm.

Jugoslawien

Jugoslawien bezog den gesamten Bedarf an Spielfilmen aus dem Ausland. Dieses Land stellte nur in einem geringen Umfang Filme her; meist waren es Kulturfilme, Wochenschaureportagen und Werbefilme.[295] Ende 1938 belief sich die Zahl der Filmtheater auf insgesamt lediglich 384, darunter 53 Stummkinos. Die Aufnahmefähigkeit des jugoslawischen Marktes wuchs aber ständig. Die Teilnahme des deutschen Films an der jugoslawischen Einfuhr war trotz des zu beobachtenden Boykotts von seiten der Verleiher und vor allem der Lichtspieltheater unmerklich gestiegen. Die Teilnahme der einzelnen Staaten am jugoslawischen Markt ergab 1938 folgendes Bild: Die Gesamteinfuhr betrug 329 Spielfilme, darunter aus den USA 180, aus Deutschland 70, Frankreich 49 und England 10. Der Kriegsausbruch im Jahre 1939 verursachte einen merkbaren Filmmangel. Es fehlten Devisen, insbesondere für amerikanische und französische Filme.

Günstiger stand es mit der Filmeinfuhr aus Deutschland. Da das Reich mit Jugoslawien in einem regen Güteraustausch auf dem Clearingwege stand, war der deutsche Film (und desgleichen auch die italienische Filmproduktion) von der Devisenzwangswirtschaft weniger betroffen.[296] Und weil die italienische Filmeinfuhr nach Jugoslawien sehr gering war, so waren die damaligen Verhältnisse gerade für die deutsche Filmeinfuhr besonders günstig, jedenfalls für die Einfuhr von Spielfilmen. Dagegen war es in den ersten Kriegsmonaten unmöglich, in Jugoslawien deutsche Wochenschauen unterzubringen. Erst nach fast halbjähriger Pause, während derer im Lande nur amerikanische bzw. andere fremdsprachige Journale gelaufen waren, lief seit Februar 1940 hier wieder die Ufa-Woche. Zunächst in Kroatien, in Zagreb, in zwei Theatern (»Central«, »Croatia«). Die amerikanischen Wochenschauen wurden weiterhin aufgeführt.

Über die Erfolge der deutschen Spielfilme in Jugoslawien berichtete die Presse im Reich sehr oft. Ob es aber nun um wirkliche Erfolge ging, das war schon damals nicht leicht zu beurteilen. Es fehlte ständig an Kino-Premieren, und die deutschen Produktionen waren Filme, die man nicht mit Bargeld bezahlen mußte. Im Oktober 1939 kam es zu erfolgreichen Premieren des Tschaikowskij-Films »Es war eine rauschende Ballnacht« in Belgrad (»Urania«) und in Zagreb (»Balkan-Palace« und »Astoria«). Im November berichtete die deutsche Presse über die Belgrader Erfolge des Films »Robert Koch«. Der Film erlebte kurz darauf Wiederaufführungen. In der ersten Hälfte des Jahres 1940 machte »Opernball« das Rennen, und mit Begeisterung nahm das Publikum den Film »Hotel Sacher« auf, in dem auch ein jugoslawisches Lied erklang. Volle Häuser brachten im Jahre 1940 die Filme »Hurra! Ich bin Papa«, »Das kleine Bezirksgericht«, »Ich bin Sebastian Ott«, »Sergeant Berry« und »Das Lied der Wüste«; Erfolge sollten auch die Filme »Heimat«, »Mutterliebe« und sogar den »Gouverneur« begleiten. Im Dezember 1940 erlebte Belgrad die feierliche Premiere des »Postmeisters« mit dem in der jugoslawischen Hauptstadt anwesenden Hauptdarsteller des Films, Heinrich George. Man schrieb große Worte über die weitere Zusammenarbeit im Bereich des Films. Politisch war eine solche, wie bekannt, unterschiedlich. Noch im Frühjahr 1941 dauerte die deutsche Offensive im Bereich der Kultur an. Auch des Films. Aus politischen Gründen wurde hier Kroatien bevorzugt. In Verbindung mit dem Lektorat der Deutschen Akademie München veranstaltete die Tobis eine »Deutsche Kulturfilmwoche« in Zagreb (21.–28. 3. 1941). Colin

Ross führte persönlich seinen Asien-Film vor. Unter den anwesenden Filmleuten aus dem Reich waren ferner Alois Melichar und Hans Bertram. Im Mai 1941 kamen aus Deutschland die uneingeladenen Soldaten.

Der Abteilungsleiter Propaganda im ProMi an Goebbels – 28. 8. 1941
»Die Propaganda im früheren Jugoslawien muß eine doppelte Richtung einnehmen, einmal in bezug auf die Volksdeutschen, zweitens im Hinblick auf die serbische Bevölkerung… Die deutsche Oberhoheit in diesem Gebiet bietet damit die Möglichkeit einer freien propagandistischen Gestaltung… Das Westbanat /im Schutzbereich des Militärbefehlshabers in Serbien/ mit seinen rund 250000 Volksdeutschen wird sich zu einem volkspolitischen Hochdruckgebiet entwickeln, das das Deutschtum im rumänischen Banat, in Slavonien, in der Batschka, in der Schwäbischen Türkei und in Syrmien auf das wirksamste beeinflußt. Damit wird gerade vom Westbanat aus der Wiederverdeutschungsprozeß in den Donauländern, insbesondere Ungarn, so angestoßen, daß die deutsche Gestaltung des Südostens eine feste Grundlage erhält.«
Quelle: BA Koblenz, R 55, Nr. 727, S. 169.

Seit der Zerstörung des unabhängigen Staates Jugoslawien hatten sich die Filmverhältnisse in diesem Lande zugunsten des deutschen Films verändert.[297] In Belgrad gründeten die Deutschen die Filmzentrale Südost-Film AG (Jugo-Istok Film A.D.) mit Paul Möbius (dem einzigen »Reichsdeutschen« in der Gesellschaft) als Direktor, die völlig den serbischen Kinomarkt (Verleih und Vertrieb) beherrschte.[298] Den deutschen Besatzungstruppen standen zwei Belgrader Soldatenkinos zur Verfügung: »Viktoria« (mit oberem und unterem Saal) und – seit November 1943 – »Neu-Europa«. Die zivile deutsche Bevölkerung hatte das Ufa-Filmtheater »Beograd« zur Verfügung. Anfang 1944 wurde in Belgrad auch ein Wochenschau-Kino gegründet. Und noch im Mai 1944 trug man sich in Berlin mit den Plänen, in Belgrad eine »richtige« Außenstelle der Deutschen Wochenschau zu gründen. Es stand auch im Plan, dort eine Kopieranstalt der Wochenschau zu schaffen.[299] Für die einheimische, nichtdeutsche Bevölkerung blieben einige Kinotheater geöffnet (in Belgrad: »Jadran«,»Terazije«, »Dvor«, »Takovo«, »Kosovo«), selbstverständlich vor allem mit den deutschen Filmen im Repertoire. Durch den deutschen Verleih kamen später auch einige Conti-

Filme und Filme aus dem Protektorat zum Einsatz. Die Filme wurden mit kyrillischer Schrift betitelt, nur selten synchronisiert. Italienische Filme bildeten eine Seltenheit. »Spisak filmova« (Verleihprogramm) für die Saison 1943/44 umfaßte 64 Spielfilme, darunter alte Produktionen.[300] Noch im September 1944 bezeichnete man in Berlin die Geschäfte als »außerordentlich gut«.[301]

Die »Südost-Film« lieferte auch Filme nach Albanien. Unter den 30 Spielfilmen (1944) befanden sich solche Streifen wie: »Der Fuchs von Glenarvon«, »Kampfgeschwader Lützow«, »Der Postmeister«, »Der weiße Traum«.[302]

Im Mittelpunkt der deutschen Propagandaaktivität stand in Serbien das Banat, d. h. die dort wohnende deutsche Minderheit. Groß-Betschkerek (Veliki Bečkerek), 1728 gegründeter deutscher Kulturmittelpunkt des Banats, wurde zum Hauptsitz des ganzen Strebens. Hier auch gründete man die Banat-Film AG als Filmverleiher der deutschen Filme. Die Stadt (rund 33 000 Einwohner) besaß sogar drei Lichtspieltheater (»Urania«, »Gloria«, »Deutsches Haus«), die im Dienste des deutschen Films standen. Der Mangel an Kinotheatern in der Provinz gab den Anlaß, sämtliche kinolosen Orte mit Tonfilmwagen zu betreuen und, soweit es möglich war, auch ständige Schmalfilmkinos zu errichten, mindestens in jenen Orten, wo noch kein anderes Lichtspielhaus bestand. Im ersten Jahr der Tätigkeit (1942) gab es insgesamt 1214 Vorführungen, davon 260 in ständigen Verleihkinos. Die Gesamtbesucherzahl betrug 243 766. Man veranstaltete ferner, wie im Reich, die »Jugendfilmstunden« und Sondervorführungen im Rahmen der Truppenbetreuung. Die deutschen Schulen erhielten 16 mm-Stummprojektoren (im Jahre 1942 = 29) und entsprechende Unterrichtsfilme. Der »Banater Beobachter« (15. 3. 1943) berichtete über die Filmarbeit unter den Deutschen auf dem flachen Lande: »Wir zeigen stets die neueste Wochenschau. In den reindeutschen Gemeinden die ›Deutsche Wochenschau‹ und in den Gemeinden mit gemischter Bevölkerung, wo auch Fremdvölkische zu den Veranstaltungen Zutritt haben, die ›Auslandswoche‹. Als Beiprogramm einen Kulturfilm. Dieses Programm dauert ungefähr 2–2½ Stunden. ... Wertvolle und schöne Filme werden nicht verstanden und ablehnend empfangen, wie ›Robert Koch‹. Aus diesem Grund trachten wir, bei der Auswahl der Filmprogramme stets Filme mit einfachem Einbau, ohne komplizierte seelische Probleme zu zeigen. Es eigneten sich am meisten die Bauernlustspiele und Stücke der ›Bavaria‹, Filme mit Kriegshandlung, die die große Aktualität bilden, und Lustspiele, die nicht viel Dialog, aber um so mehr Humor haben. Der Geschmack des Publikums bildet sich langsam... wo die Stimmung für alles Deutsche nicht besonders günstig war... neben der auf einem Tisch aufgestellten Apparatur auch die Pistole des Vorführers hingelegt wurde...«

Die Aufforderung zum Verlassen von Groß-Betschkerek im Herbst 1944 erfolgte so kurzfristig, daß nichts von den deutschen Filmeinrichtungen gerettet werden konnte.[303]

Nach der Gründung des »Unabhängigen Staates Kroatien« übernahm nicht Italien die führende Rolle auf dem kroatischen Kinomarkt, sondern das Deutsche Reich. Um die Sicherung der Priorität für die deutsche Filmproduktion bemühte sich die Super-Filmgesellschaft AG, die seit 1942 unter dem Namen Ufa-Kroatische Film AG auftrat. Sie besaß in Zagreb (Agram) drei eigene Filmtheater: »Capitol«, »Astoria« und »Olymp«. Sie belieferte auch in Zagreb unmittelbar das »Deutsche Wehrmacht-Kino« (seit 1943 »Europa«) und das Wehrmachttheater, wo meistens nicht die Theater-, sondern Filmvorführungen stattfanden (Eintritt frei). Selbstverständlich hatte auch die Ufa einen großen Einfluß auf die Programme der kroatischen Kinotheater (in Zagreb: »ABC«, »Croatia«, »Danica«, »Europa-Palace« und »Gradjanski«). Laut den im Reich kolportierten Nachrichten waren schon die ersten Monate des neuen Regimes eine große Zeit für die deutsche Filmproduktion. Der größte Erfolg von allen deutschen Filmen sollte »Jud Süß« sein, der alle früheren Rekorde schlug. Erst danach folgten die Unterhaltungsfilme »Kora Terry« und »Rosen in Tirol«. Die deutsche Kulturfilm-Festwoche in Zagreb (9.–16. 12. 1941) brachte den deutschen Kurzfilmen eine gute Presse. Die Super-Film AG veranstaltete jede Woche für die kroatische Presse Wochenschau-Sonderveranstaltungen. Der antijugoslawische Film »Menschen im Sturm« hatte zunächst in Zagreb eine Sondervorführung (mit politischen Anweisungen), und erst danach wurde er im Ufa-Capitol öffentlich erstaufgeführt (20. 3. 1942).

An zweiter Stelle nach Deutschland rangierte Italien auf dem kroatischen Filmmarkt. Die Italiener gründeten 1942 in Zagreb eine eigene Vertretung »Esperia-Film«. Im nächsten Jahr verschwand der italienische Film beinahe vollständig. Es gab auf dem kroatischen Kinomarkt auch Filme aus Ungarn und – via Berlin – aus dem Protektorat Böhmen und Mähren.

Die Marionetten-Regierung in Zagreb blieb nicht ohne eigene nationale bzw. nationalistische Ambitionen. Am 27. 1. 1942 unterzeichnete der kroatische Staatsführer zwei Gesetze, durch die das Film- und Rundfunkwesen im Sinne eines autoritären Systems geregelt wurden. Alle Probleme des Films wurden von dem Institut »Croatia-Film« übernommen, das unter der Aufsicht des Amtes für Volksaufklärung und Propaganda in Zagreb als höchster Instanz für Filmangelegenheiten (einschließlich Zensur) stand. Die bisherige staatliche Filmdirektion wurde aufgelöst. Die Tätigkeit der »Croatia-Film« erstreckte sich auf die Produktion inländischer Kultur-, Propaganda- und Reklamefilme sowie auf die Vermittlung beim Filmverleih. Ferner genehmigte und überwachte sie die Aufführung von ausländischen Filmen im Inland und kroatischen Filmen im Ausland.

Wie gesagt, war die eigene Filmproduktion Kroatiens bescheiden. Größere Bedeutung hatten die Dokumentar- und Kulturfilme wie: »Das schöne Kroatien« und »Die Wacht an der Drina« (beide auch als Schmalfilm), »Die Jugend Kroatiens«, der Propagandastreifen »Die Feier der Befreiung«, ferner die gelungenen Kulturfilme »Barock in Kroatien« und »Tamburiza« (typisch kroatisches Musikinstrument und das kroatische Volkslied). In dem ersten und einzigen abendfüllenden Spielfilm »Lisinski« wurden in breitfließender epischer Form die Schaffensjahre des berühmten kroatischen Komponisten Vatroslav Lisinski geschildert (Regie und Mitautor des Drehbuches: Oktavian von Miletić). Die feierliche Uraufführung dieses Films fand am 9. 4. 1944 in Zagreb statt.

Die nationalen Gefühle wurden auch auf den Namensschildern gefördert. Laut Verordnung des kroatischen Kulturministeriums wurden im März 1942 sämtliche internationale Kinonamen im Lande durch einheimische ersetzt. Sogar die drei deutschen Ufa-Theater in Zagreb mußten ihren Namen ändern, und zwar »Capitol« in »Dubrovnik«, »Astoria« in »Alka« und »Olymp« in »Velebit«.

Für den ständig wachsenden Bedarf an Filmen brauchte man immer mehr Kopien. Und die aus Deutschland gelieferte Ration war kärglich und verminderte sich ständig. In zahlreichen kleinen Orten, die fast eine Filmwüste waren, fing man Anfang 1942 programmäßig mit Vorführungen von Schmalfilmen an. Die Spezialautos wurden aus Deutschland geliefert. Der erste aufgeführte, abendfüllende Schmalfilm war der Propagandastreifen »Kampfgeschwader Lützow«. Diese Vorführungen veranstalteten die »Croatia-Film« und die »Svjetlotonfilm AG«. Seit Anfang 1943 wurde auch die Gründung von ortsfesten Schmalfilmtheatern gefördert. Bis zum Herbst dieses

Jahres hatten sechs ständige Schmalfilmkinobetriebe die Arbeit aufgenommen. Das Programm bestand aus abendfüllenden Unterhaltungs- und kurzen Dokumentar- und Kulturfilmen. Die Firma »Svjetloton« brachte bis zum Ende des Jahres 1943 mehr als 40 deutsche Spiel- und rund 50 Kurzfilme, die sonst in gewöhnlichen Lichtspieltheatern vorgeführt wurden. Alle diese Filme waren vom Normalfilm auf Schmalfilm umkopiert. Man mußte auch die Wochenschau von der Normalkopie auf Schmalfilm kopieren.[304] Die Erfahrungen Kroatiens auf dem Gebiet des Schmalfilms wurden in anderen Teilen des »großdeutschen« Filmwirtschaftsraumes propagiert.

Im Herbst 1943 wurde der italienische Filmlieferant aus dem kroatischen Filmmarkt vollständig verdrängt. Der deutsche Lieferant war aber bei weitem nicht in der Lage, die Nachfrage nach Filmen zu decken. Nach der deutsch-kroatischen Vereinbarung vom September 1943 sollte die Croatia-Film 60 Spielfilme aus Deutschland für das laufende Verleihjahr erhalten.[305] Die Vereinbarung wurde danach für die nächste Saison verlängert. 1944 gab es noch weiterhin »glanzvolle« Premieren von deutschen Filmen in Agram. »Der dunkle Tag«, »Romanze in Moll«, »Zirkus Renz«, »Der Verteidiger hat das Wort«, ferner auch »Junge Adler« waren die Filme, die zu den erfolgreichsten gehören sollten. Ein Sachstandsreferat vom 13.11.1944 schilderte die Situation auf dem kroatischen Kinomarkt: »In Kroatien war es uns trotz der von jeher dort bestehenden Schwierigkeiten gelungen, den deutschen Film auf breitester Basis einzuführen. Im Verlaufe der letzten Monate wurde das uns zugängliche Gebiet immer geringer, so daß nur noch das engere Stadtgebiet und die Gegend nördlich von Agram für die Filmbelieferung übrig geblieben ist... In Agram sind von 23 Lichtspieltheatern nur noch 4 bis 5 geöffnet, die übrigen wegen Strommangels geschlossen. Drei der geöffneten Kinos gehören uns; sie arbeiten mit rechtzeitig beschafften Aggregaten und sind deshalb von der Stromversorgung unabhängig.«[306] Die Lizenzen aus der Spielzeit 1943/44 betrugen ca. 1 Mio. RM. Noch im Februar 1945 schrieb die deutsche Presse über »den außerordentlichen Erfolg« des Films »Die Feuerzangenbowle« in Agram.

Der Film war in Griechenland seit der Stummfilmära populär. Aber auch in diesem Balkanland existierten für eine eigene Filmproduktion keine günstigen Vorausetzungen. Der ausländische Film herrschte in den Programmen der griechischen Kinos fast ausnahmslos vor. Deutschland war mit seinen Produktionen eher selten vertreten. Für Griechenland begann der Krieg im Oktober 1940, als Mussolinis Truppen die Kampfhandlungen begannen. Bis zu dieser Zeit bemühte sich die griechische Regierung, eine politisch neutrale Linie zu halten. Auch Berlin war daran interessiert. Anfang April 1940 organisierte die diplomatische Vertretung des Reiches in Athen eine feierliche Erstaufführung des »Robert-Koch«-Films. Es war ein politisches Ereignis. König Georg II. mit Kindern, die Diplomaten aus Schweden, Rumänien, Spanien, der Türkei und der Sowjetunion waren anwesend. Der deutsche Gesandte lud auch zahlreiche Vertreter der medizinischen Welt Griechenlands ein. Nach den »großen Ereignissen« des Jahres 1941 auf dem Balkan übernahm der deutsche Film seine vorherrschende Stellung in Griechenland. Die meisten Kinos in Athen, so schrieb Ende 1941 die deutsche Presse, boten den griechischen Zuschauern die Filme aus dem Reich. »Der Gouverneur«, »Spiegel des Lebens« und »Jud Süß« gehörten – so die Presse – zu den erfolgreichsten an der Kinokasse. Kurz darauf schrieb der Film-Kurier (16.1.1942): »Während die zwei größten Lichtspieltheater ›Pallas‹ und ›Orpheus‹ mit großem Erfolg ›Operette‹ bringen, ist das Programm auch der übrigen Lichtspieltheater mit deutschen Filmen besetzt: ›Sieben Jahre Pech‹, ›Das große Abenteuer‹, ›Das Herz der Königin‹.« Weitere erfolgreiche Premieren im Jahre 1942 hatten andere Unterhaltungsfilme wie »Königswalzer«, »Clarissa«, »Hochzeitsreise zu Dritt«; aber man zeigte auch Filme wie »Wunschkonzert« oder »Bismarck«. In Athen gründete die Ufa, als eine Tochtergesellschaft, die Hellas-Film AG, die den Filmverleih besorgte und den Betrieb des Kinotheaters »Ufa-Pallas« leitete. Wie in den anderen besetzten Ländern, so besaß die Wehrmacht auch in Griechenland »eigene« Soldatenkinos: in Athen »Viktoria«, »Esperos« und »Asty«, in Piräus »Pallas«.[307] Im einzigen Atelier in Athen entstanden zur Zeit der deutschen Besatzung nur wenige Filme. Es waren aber darunter zwei interessante abendfüllende Spielfilme: »E fonè tes kardias« (»Die Stimme des Herzens«; Regie: Demetrios Ioannopulos) und »Ta kirokrotemata« (»Beifall«; Regie: Giorgos Zavellas).

Im Juni 1944 kam aus Athen die Nachricht: Es wurde die erste grie-chische Filmgesellschaft, die EKEP, gegründet.[308] Thema des ersten Spielfilms, der im August begonnen werden sollte, war der Athener Rauschgiftschmuggel der Vorkriegszeit. Arbeitstitel des geplanten Filmes: »Narkotika« (Rauschgifte). Vier Monate später wurde das Athener Atelier bei der »planmäßigen Räumung« zerstört.

Bulgarien

Bulgarien (damals rund 6,3 Mill. Ew.) war kein größeres Filmpro-duktionsland gewesen. Nur gelegentlich waren bescheidene Ansätze gemacht worden, die sich auf einige kurze Wochenschaureportagen und Kurzfilme beschränkten.[309] Im Lande liefen fast ausschließlich ausländische Filme, unter denen eine ziemlich scharfe Konkurrenz herrschte. Der Markt war mit amerikanischen Filmen über-schwemmt. Die nach Bulgarien gelangenden Filme mußten einer be-sonderen Filmprüfstelle vorgelegt werden, deren jeweilige Zusam-menkunft durch den Kultusminister bestimmt wurde.[310] Nach den Erfahrungen der letzten Vorkriegsjahre konnte man sagen, daß die USA an der Filmeinfuhr nach Bulgarien mit 39 % beteiligt waren, gefolgt von Deutschland (36 %) und Frankreich (12 %). 1939 ver-fügte Bulgarien über 111 Filmtheater mit einem Gesamtfassungsver-mögen von rund 44000 Sitzplätzen. 1941 erhöhte sich die Zahl der Filmtheater auf 221, von denen 23 auf die Hauptstadt entfielen.[311] Insgesamt jedoch verminderte der Krieg den Kinobesuch der Bulga-ren. Ein gewisser Ausgleich ergab sich durch die deutschen Soldaten, die ausgiebig – seit März 1941 – die Kinos besuchten und sich vor allem die deutschen Filme ansahen. Der Filmimport war 1941 um ungefähr die Hälfte gesunken, und zwar vor allem durch den starken Rückgang der amerikanischen Filme, deren Aufführung am Ende desselben Jahres von der Propagandadirektion generell verboten wurde. Auf der anderen Seite war die Einfuhr deutscher Filme um fast 100 % gestiegen. Auch war der ungarische Film beachtlich nach vorn gekommen, ferner die italienische Produktion. Die beiden deut-schen Großfirmen, bisher durch Privatleute vertreten, gründeten im Jahre 1941 je eine bulgarische AG, Ufa und Tobis. Die Ufa brachte auch Terra-Filme heraus. Die dritte Vertretung deutscher Filme war das Kinotheater »Balkan« in Sofia, das die Filme der Bavaria und der »Deutschen Filmexport« zeigte.

Im Reich las man selbstverständlich über Erfolge der deutschen Filme in Bulgarien. »Ohm Krüger« sollte sogar einen »triumphalen Erfolg« erlebt haben, »Heimkehr« (hier unter dem Titel »Flüchtlinge«) ebenfalls. Nach der bulgarischen Erstaufführung des Films »Nanette« wurde die in Sofia anwesende Jenny Jugo vom Premierenpublikum mit großen Ovationen empfangen.

Das bulgarische Filmwesen unterstand einer staatlichen Inspektion, zunächst im Rahmen der Abteilung für höhere Bildung im Kultusministerium, ab Juli 1941 wurde es der staatlichen Propaganda-Direktion angegliedert.[312] Das bulgarische »Rassengesetz« – übrigens das erste solche Gesetz auf dem Balkan – wurde 1942 als »Gesetz über den Schutz der Nation« durchgeführt. Juden durften u. a. nicht Eigentümer bzw. Aktionäre im Bereich der Kulturanstalten (d. h. auch Theater und Film) sein. Im Jahre 1941 wurde auch die bulgarische Filmgesellschaft »Bulgarska Delo« (Bulgarisches Werk) ins Leben gerufen, die einstweilen bulgarische Dokumentarfilme und andere Kurzfilme herstellte: u. a. die bulgarische Wochenschau (250–300 m) in zehn Kopien. Diese Wochenschau lief neben der deutschen Auslandswochenschau in den Kinos Bulgariens. Einige Kopien der bulgarischen Wochenschau gingen sogar ins Ausland. Die ganz wenigen Spielfilme, die zur Zeit des Krieges gedreht wurden, waren mit stark politischen Akzenten versehen.[313]

Der deutsche Film in der Türkei

Die deutsche Filmwirtschaft verfügte auf dem türkischen Kinomarkt über keine umfangreichen technischen und ökonomischen Einrichtungen. Sie war überwiegend durch die Firma Necip Erses, mit Sitz in Konstantinopel, vertreten. Erst nach den deutschen politischen und militärischen Erfolgen wollte man die Situation etwas optimistischer sehen. Die Deutsche Botschaft in Ankara schrieb im Herbst 1941 zu diesem Thema: »Die Verbreitung des deutschen Filmes in der Türkei hat in der letzten Zeit recht erfreuliche Fortschritte gemacht. Es ist dafür gesorgt, daß im Laufe des Winters etwa 60 deutsche Filme und Kulturfilme in Istanbul, Ankara, Ismir und anderen Provinzstädten vorgeführt werden. Bei den Vorführungen in den großen Städten wird versucht werden, die Erstaufführungen dieser deutschen Filme zu einem gesellschaftlichen Ereignis zu gestalten.«[314] Die Hoffnungen erwiesen sich jedoch als irreführend. »Auf dem Filmgebiet« –

schrieb Anfang 1943 die deutsche diplomatische Vertretung in der Türkei – »liegen wir leider weiterhin, vor allem gegenüber dem amerikanischen Film, stark zurück... Das Publikum wünscht hier nicht Filme, die schwere, innerdeutsche Probleme behandeln, sondern Unterhaltungsfilme mit Tempo und Ausstattung, so wie sie die Amerikaner in technisch vollendeter, wenn auch manchmal inhaltlich etwas kitschiger Form anbieten. Es wäre zu erwägen, einen wirklich erstklassigen Filmfachmann zum Studium dieser Frage nach der Türkei zu entsenden, und endlich einmal an Ort und Stelle die Gründe für unser bisheriges Versagen auf diesem Gebiet festzustellen und Vorschläge für eine großzügigere Filmpropaganda auszuarbeiten.«[315]

Erst im Sommer 1944 gründete die Ufa ihre Filiale am Bosporus. Für deutsche Premieren wurde das Lichtspieltheater AR, nach einem Umbau zu den schönsten Kinos der Stadt zählend, benutzt. Zu den Erfolgsfilmen aus deutscher Produktion zählten die Streifen »Lache, Bajazzo«, »Der weiße Traum«, »Altes Herz wird wieder jung« und vor allem »Immensee« (ein Verleger beschloß, die zugrundeliegende Novelle in einer türkischen Ausgabe herauszubringen). Im Sommer wurde auch ein Vertrag, der die Lieferung deutscher Spielfilme für die Saison 1944/45 regelte, unterzeichnet.[316] Doch schon im Herbst dieses Jahres galt die Türkei für die deutsche Filmwirtschaft als so gut wie abgeschrieben.

Der deutsche Film in den USA

Zwar verhängten einige amerikanische Verleihfirmen den Boykott über die Filme aus dem Dritten Reich, doch lagen diese an der Spitze der amerikanischen Importbilanz. 1936 betrug der Import aus Deutschland 74 Filme (Import insgesamt: 235 Filme), 1937 = 69 (216), 1938 = 77 (269) und 1939 = 85 (272).[317] Im amerikanischen Filmimport des Jahres 1939 stand das Deutsche Reich mit 85 Filmen an erster Stelle. Es folgten England mit nur 44 Filmen, Frankreich = 36, Mexiko = 21, Italien = 16, Ungarn = 15, UdSSR = 13 und Schweden mit zehn Filmen.[318] Der Kriegsausbruch änderte die Proportionen. Im Jahre 1940 erhielten nur 35 deutsche Spielfilme den amerikanischen »Code Seal«. Die Italiener waren dagegen zu gleicher Zeit mit 42 Filmen in den USA vertreten.[319]

Aus Deutschland kamen nicht nur Spielfilme in die USA. Nach

deutschen Meldungen sollte der »Westwall-Film« »in New York mit großem Erfolg aufgeführt« werden und »begegnete bei Presse und Publikum dem größten Interesse«.[320] In einigen Kinotheatern New Yorks wurden auch die Propagandafilme »Der Feldzug in Polen« und »Sieg im Westen« vorgeführt. Der German-American Congress for Democracy organisierte deshalb Protestaktionen. Über die Erfolge der deutschen Filme in den USA schrieb man im Reich eher wenig, insbesondere nach Kriegsausbruch. Der deutsche Leser wußte aber z. B., daß der Film »Es war eine rauschende Ballnacht« in New York volle zwei Wochen lief, oder daß die Filme »Marguerite:3« im Garden-Theater und »Das Lied der Wüste« im Casino-Theater in New York Erfolge erzielten.

Deutsche Spielfilme auf dem Kinomarkt der USA im Jahre 1941

»Allotria«, 1936. Regie: W. Forst
»Arzt aus Leidenschaft«, 1936. Regie: H. H. Zerlett
»Bal paré«, 1940. Regie: K. Ritter
»Befreite Hände«, 1939. Regie: H. Schweikart
»Brand im Ozean«, 1939. Regie: G. Rittau
»Das Recht auf Liebe«, 1939. Regie: J. Stöckel
»Der Feuerteufel«, 1940. Regie: L. Trenker
»Der Postmeister«, 1940. Regie: G. Ucicky
»Der ungetreue Eckehart«, 1940. Regie: H. Marischka
»Der Vierte kommt nicht«, 1939. Regie: M. W. Kimmich
»Die barmherzige Lüge«, 1939. Regie: W. Klingler
»Die Drei um Christine«, 1936. Regie: H. Deppe
»Eine Frau wie Du«, 1939. Regie: V. Tourjanski
»Frau am Steuer«, 1939. Regie: P. Martin
»Hallo Janine«, 1939. Regie: C. Boese
»Heimatland«, 1939. Regie: E. Martin
»Hurra! Ich bin Papa«, 1939. Regie: K. Hoffmann
»Ihr erstes Erlebnis«, 1939. Regie: J. v. Baky
»Irrtum des Herzens«, 1939. Regie: B. Hofmann
»Kongo-Express«, 1939. Regie: E. v. Borsody
»Leidenschaft«, 1940. Regie: W. Janssen
»Liebesschule«, 1940. Regie: K. G. Külb
»Maria Ilona«, 1939. Regie: G. v. Bolvary
»Morgen werde ich verhaftet«, 1939. Regie: K. H. Stroux

»Nanette«, 1939. Regie: E. Engel
»Napoleon ist an allem schuld«, 1938. Regie: C. Goetz
»Opernball«, 1939. Regie: G. v. Bolvary
»Pfingstorgel«, 1938. Regie: F. Seitz
»Rheinische Brautfahrt«, 1939. Regie: A. J. Lippl
»Stern von Rio«, 1940. Regie: K. Anton
»Verräter«, 1936. Regie: K. Ritter
»Weißer Flieder«, 1940. Regie: A. M. Rabenalt
»Wer küßt Madeleine?«, 1939. Regie: V. Janson
»Wiener G'schichten«, 1940. Regie: G. v. Bolvary
Quellen: International Motion Picture Almanac; A. Bauer: Deutscher Spiel-
film-Almanach 1929–1950.

»Celluloid › War of Nerves‹«
. . .
»If the authorities wanted to strike at the roots of pro-Axis and anti-
democratic propaganda here in this country, they might drop into the
96th St. Theatre any time for the next few weeks and see the Nazi propa-
ganda Film › Victory in the West‹. . . .
But the Motion Picture Division of the State Department of Education
calls it a ›newsreel‹. Hence it can be shown here in New York without a
license that must be dispensed to all regular feature films that are played
here.
. . .
But over propaganda films such as the Nazi › Campaign in Poland‹ and
last year's › Blitzkrieg in the West‹ it could wield no surgeon's scalpel.
Both these feature length films were classified as newsreels. Both ran at
the same 96th St. Theatre which is now showing › Victory in the West‹.
‹ Campaign in Poland‹ packed the theatre for 13 solid weeks, and
› Blitzkrieg in the West‹ was only a little less successful, running for 10
weeks. «
Quelle: »New York Daily Mirror« v. 11.5.1941

Südamerika

Den deutschen Film kauften auch die südamerikanischen Staaten,
vor allem Argentinien, Brasilien, Mexiko und Chile. Auf dem argentinischen Kinomarkt war der deutsche Spielfilm im Jahre 1938 mit 20
Produktionen vertreten (ca. 8 % des Gesamtangebotes), die Nord-
amerikaner dagegen mit 323 und die Franzosen mit 52 Spielfilmen.

Nach September 1939 änderte sich die Situation bis zum Eintritt der USA in den Krieg kaum. Von Zeit zu Zeit hörte man in Deutschland über die Premieren von deutschen Filmen in Rio de Janeiro[321], Buenos Aires oder Santiago. Argentinien blieb dem deutschen Film auch nach Dezember 1941 treu, und das betraf nicht nur reine Unterhaltungsfilme. Im Oktober 1942 berichtete die Presse im Reich von der Premiere des Films »U-Boote westwärts« in Buenos Aires (der Film wurde auch in Santiago aufgeführt), im März 1943 las man über die Erstaufführung der Filme »Feldzug im Osten«, »Das Lied der Wüste«, »Der unsterbliche Walzer« und – angeblich mit einem besonderen Erfolg – »Jud Süß«. Noch am 26. 5. 1944 berichtete der deutsche Film-Kurier über die Aufführungen der Filme »Wunschkonzert« und »Frau Luna« in Buenos Aires. Ein Sachstandsreferat vom 13. 11. 1944 schilderte die Situation des deutschen Films auf dem argentinischen Kinomarkt: »In Argentinien hat der deutsche Film seit jeher neben dem amerikanischen und dem einheimischen Film nur gelegentlich eine Rolle spielen können. Unser seit Jahren für den deutschen Film in Argentinien tätiger Herr Biesler hat es trotz größter Schwierigkeiten fertiggebracht, noch in allerletzter Zeit laufend deutsche Filme in einem angesehenen Premierentheater in Umlauf zu bringen.«[322] Anfang März 1945 hieß es schon: »Aus Argentinien kamen keine Nachrichten, auch können Filme nicht mehr herübergebracht werden.«[323]

Der deutsche Film in Japan

Die Zahl der nach Japan gehenden deutschen Filme war vor 1939 überaus gering. Das Land, aus seiner nationalen Begrenzung nicht gelöst, suchte nur selten Anschluß an den ausländischen Film. Der dortige Kinomarkt wurde von der heimischen Filmindustrie völlig beherrscht. Die politische Annäherung brachte eine Änderung. Bereits im Frühjahr 1939 wurden mit Japan Verhandlungen abgeschlossen, mit dem Ergebnis, »daß Japan die Einfuhr von 39 Filmen deutscher und französischer Produktion gestattet, die auf dem Umweg über den mandschurischen Markt eingeführt werden«.[324] Unter diesen Filmen befanden sich die Olympia-Filme Leni Riefenstahls, deren Uraufführung im Sommer 1940 stattfand, sowie Spielfilme wie »Das Mädchen Irene«, »Stadt Anatol«, »Schlußakkord«, »Capriccio«, »Unternehmen Michael«, ferner die österreichischen Filme »Burgtheater« und

»Die ganz großen Torheiten«. Diese Filme kamen in Japan zur Aufführung: W. Forsts Film »Burgtheater« bereits im Oktober 1939, und zwar in den führenden Lichtspielhäusern Tokios. Er war der erste ausländische Film, der vom japanischen Kultus-Ministerium mit dem Prädikat »künstlerisch wertvoll« ausgezeichnet wurde. Der Kriegsfilm »Unternehmen Michael« erhielt dagegen das Prädikat »volksbildend und lehrreich«. Bei einer im Frühjahr 1940 in Japan durchgeführten Abstimmung über die zehn besten ausländischen Filme des Jahres 1939 wurden auch drei deutsche Filme mitgenannt: »Burgtheater«, »Das Mädchen Irene« und »Die ganz großen Torheiten«. Als Mittel der antienglischen Propaganda wurden in Japan die Filme »Morgenrot« (1940), »Wunschkonzert« (1942) und insbesondere »Ohm Krüger« eingesetzt. »Ohm Krüger« hatte seine Premiere in Tokio im Sommer 1943. Der Film wurde vom Unterrichtsministerium in Japan mit Auszeichnungen bedacht und für weitere Verbreitung durch Herstellung einer größeren Anzahl von Kopien vorgesehen.[325]

Die Konsequenzen des Krieges mit der UdSSR und den USA erschwerten die gegenseitigen Kontakte. Um für die deutschen Filme in Japan Reklame zu machen, bereitete der Deutsche Europasender im Frühjahr 1943 eine »Filmsendung nach Japan« vor. Es war eine Mischung von Musik und Wort aus den deutschen Filmen: es sprachen Henny Porten, Marika Rökk, Ilse Werner, Carl Froelich, Veit Harlan, Heinrich George und Emil Jannings. Diese Sendung wurde in ganz Japan ausgestrahlt. Der »Ufa-Beauftragte für Japan« kam erst im Herbst 1944 nach Tokio. Hans Hinkel berichtete seinem Chef Goebbels: »Deutsche Spielfilme, Kulturfilme und Wochenschauen sind in den letzten Jahren immer wieder periodisch nach Japan geschickt worden. Es wird angenommen, daß in Tokio demnächst auch neuere deutsche Spielfilme ihre Premiere erleben.«[326] Am 28. 9. 1944 lief in drei großen Premieren-Theatern Tokios als japanische Erstaufführung der antipolnische Film aus Wien, »Heimkehr«, bei großer Propaganda und in Anwesenheit der Vertreter des Staates. In Tokio, Osaka und Kobe gab es japanische Erstaufführungen von »Operette«, »Über alles in der Welt«, »Mutterliebe«, »U-Boote westwärts« und »Bismarck«. Über Tokio gingen die deutschen Filme auch in das von den Japanern besetzte Gebiet. So kam es im April 1944 – mit Unterstützung der japanischen Marine – zu einer Sondervorführung des Filmes »U-Boote westwärts« in Schanghai. Im Sommer 1944 lief in Hsinking (Mandschukuo) der Film »Bismarck«. Ein deutscher Kriegsfilm unter dem Titel »Visionen des Krieges« war der erste NS-Film in Hanoi (Frühjahr 1943).

Die Charakteristik des japanischen Kinomarktes wurde in einem Sachstandsreferat (13. 11. 1944) geschildert: »Japan hat einen Filmbedarf von bis zu jährlich etwa 600 Filmen stets überwiegend aus der eigenen, zahlenmäßig umfangreichen Produktion (ca. 400 bis 500 Filme jährlich) gedeckt. Von den Auslandsfilmen, deren Einfuhr schon seit Jahren stärkstens gedrosselt wurde, spielten bis zum Kriege die Amerikaner die Hauptrolle. Neben ihnen konnte sich der deutsche Film... eine beachtliche Stellung erringen. Die Japaner haben inzwischen den amerikanischen Film zwar ausgeschaltet, aber dem deutschen Film entsprechend erhöhtes Zulassungskontingent zur Verfügung nicht gestellt; als Grund hierfür gibt Japan Devisenschwierigkeiten an. Tatsächlich sind uns im vergangenen Jahr 12 Filme zur Aufführung zugebilligt worden, obwohl das Gesamtkontingent nur 10 Filme betrug. Wir benutzen jede der seltenen Gelegenheiten, um geeignete deutsche Filme nach Japan zu schicken.«[327] Im März 1945 stellte man in Berlin fest: »Mit Japan besteht nur selten Verbindung, doch scheinen unsere Filme dort nach wie vor befriedigend zu laufen.«[328]

Internationale Filmkammer

In dem Prozeß, das kulturelle Leben des »Neuen Europas« von NS-Deutschland abhängig zu machen, war Goebbels bemüht, die verschiedenartigsten Vorrichtungen auszunutzen. So unternahm er z. B. im Frühjahr 1941 den Versuch, eine Internationale Kulturkammer – selbstverständlich unter der strengen Hegemonie Deutschlands – ins Leben zu rufen. Man hatte sogar schon kollaborierende Persönlichkeiten ausgesucht, u. a. Joris und Hendrik Diels aus Belgien, Svend Borberg und Paul Klenau aus Dänemark, Finn Halvorsen, Arne van Erpekum-Sem, Hermann Wildenvey und Leif Sinding aus Norwegen. Aus verschiedenen Gründen gelang es nicht, diesen »strengvertraulichen Plan« (das Auswärtige Amt war darüber nicht informiert) zu verwirklichen,[329] und letztendlich beschloß Goebbels, sich wenigstens vorläufig mit teilweisen Lösungen zufriedenzugeben. So gelang es Goebbels, die 1935 gegründete Internationale Filmkammer[330] zu restituieren.

Mit Ansprachen von Carl Froelich als Präsident und Karl Melzer als Vizepräsident der RFK wurde am 16. 7. 1941 die Tagung der Internationalen Filmkammer (IFK) eröffnet. Die deutsche Presse schrieb über die anwesenden Vertreter von 18 Nationen aus 17 Ländern Europas. Die Beratungen fanden im Kameradschaftshaus der deutschen Filmkünstler in Berlin, z. T. auch auf einem Schiff der Weißen Flotte (Wannsee) statt. Die Delegierten vertraten die mit dem Reich verbundenen Staaten oder auch von ihm besetzte Länder – unter Ausschluß von Frankreich – sowie einige neutrale Staaten. Die Gastgeber, die übrigens einen direkten Druck auf die Vertreter des Films aus den unterworfenen Ländern ausüben konnten, gaben selbstverständlich den Ton dieser Beratungen an. Offiziell jedoch unterstrich man deutscherseits sehr stark, daß die reaktivierte IFK die Sicherung einer harmonischen Zusammenarbeit im Bereich des europäischen Films nach den Grundsätzen der vollen Gleichberechtigung zum Ziel habe. Beweis dafür sollten die »Wahlen« zu den neuen Ämtern der Kammer sein. So schlug Deutschland den – rein praktisch gesehen – wenig bedeutenden Posten des Präsidenten der Kammer – höflicherweise – dem Grafen Volpi di Misurata vor. Einer der Vizevorsitzenden wurde Carl Froelich, die übrigen zwei Vizevorsitzenden-Posten wurden den Vertretern Rumäniens und Schwedens angeboten. Die bedeutendste Funktion des Generalsekretärs übernahm Karl Melzer, weshalb auch, laut Statut, die Reichshauptstadt zum Hauptsitz der IFK wurde.

Am 21. Juli empfing Goebbels die Delgierten und hielt im Thronsaal des Reichspropagandaministeriums eine Ansprache an sie. Unverschämt sagte er u. a.: Ein glücklicher Start für die weitere Arbeit der internationalen Filmkammer gerade im europäischen Sinne sei es, daß diese in ihrem neuen Präsidenten, dem Grafen Volpi di Misurata, einen in der ganzen Welt angesehenen Namen für ihre Führung gewonnen habe. Wenn sich die Kammer Berlin zu ihrem Sitz erwählt habe, so könne er die Versicherung geben, daß die Geschäfte von hier aus so objektiv und gerecht wie nur möglich geführt werden würden und daß sich Deutschland dabei völlig uneigennützig als ehrlicher Makler betrachte . . . Deutschland liege nichts ferner als die Absicht, das Filmschaffen kleinerer Länder zu unterdrücken.

Es ist nicht verwunderlich, daß nicht alle Länder – insbesondere nicht die neutralen Staaten, die ihre (beinahe) volle Handlungsfreiheit behalten konnten – nach einer engen Zusammenarbeit mit der IFK strebten. Zum Beispiel hatten die Schweiz und Schweden zu Anfang nur ihre Beobachter darin, was Goebbels geradezu in Wut brachte. Er drohte mit verschiedenartigen Gegenmaßnahmen.[331] Es war eine Zeit, in der diese beiden Staaten mit der Gefahr der deutschen Invasion rechnen mußten. Trotzdem zog die Schweiz Anfang 1942 ihren Vertreter aus der IFK zurück. Goebbels notierte dieses Ereignis in seinem Tagebuch mit einer in ihrer Form beleidigenden Drohung: Diesen »kleinen Dreckstaat« wolle er völlig boykottieren (7. 5. 1942). Übrigens war dies eine unrealisierbare Idee. Dagegen hat im Herbst 1942 Portugal seinen Beitritt zur IFK bekanntgegeben.[332]

Im Frühjahr 1942 tagten in Rom die folgenden Mitglieder der IFK: Belgien, Böhmen-Mähren, Bulgarien, Kroatien, Dänemark, Finnland, Deutschland, Italien, Norwegen, Holland, Rumänien, die Slowakei, Spanien, Schweden und Ungarn. Thema war die Filmversorgung für »Europa« für die Jahre 1942/43.[333] Die Bilanz sah nicht optimistisch aus. Man sprach deswegen über eine »vernünftige Anpassung der Zahl der Uraufführungstheater an die Marktlage«. Die Situation sollte der Kultur- und Dokumentarfilm retten. Entsprechende Beratungen fanden im Mai 1942 in der Sektion für Lehr-, Kultur- und Dokumentarfilm der IFK während einer Tagung in Florenz statt.[334] Es fehlte aber auch an Spielfilmkopien. Diese Situation sollte der Schmalfilm retten. Entsprechende Beratungen fanden in Agram und Prag statt. Alljährlich sollten ferner die ordentlichen Tagungen der IFK stattfinden. Die erste fand in Budapest statt (29. 11. bis 3. 12. 1942) mit 120 Delegierten aus 18 Ländern. Als Gäste waren auch die japanischen Diplomaten aus Berlin und Budapest anwesend.

Die IFK diente dem Dritten Reich als ein wichtiges Instrument im Kampf gegen den amerikanischen Film. Bereits während der Beratungen der IFK in Berlin deckte Goebbels ganz offen das Problem der vollständigen Beseitigung des amerikanischen Films vom europäischen Kontinent auf (21. 7. 1941): »Es ist für meine Begriffe ein skandalöser Zustand, daß der erste Kulturkontinent auf die kulturelle Zufuhr aus einem Kontinent angewiesen ist, der nur bedingt eine eigene Kultur besitzt. Wenn die Internationale Filmkammer dazu dienen könnte, diese unwürdigen Verhältnisse zu beseitigen und uns zu einem wenigstens geistig gänzlich selbständigen Erdteil zu machen, der im künstlerischen Leben aus seiner eigenen Kraft und Substanz heraus zu leben in der Lage ist, dann können wir gelassen der amerikanischen Konkurrenz gegenübertreten.«[335] Im Augenblick der Proklamierung des Krieges mit den USA wurde bereits im

Reich und den von ihm einverleibten Gebieten das vollständige Verbot der Vorführung von amerikanischen Filmen zur Verpflichtung. Dieses Verbot trat langsam und mit gewissen Widerständen ebenfalls in den besetzten Ländern Westeuropas und auch in den mit dem Reich verbündeten Staaten in Kraft. Aber der mit dem 1. Januar 1943 geplante vollständige Boykott der Filme aus den USA konnte nur teilweise zustandekommen. Die neutralen Länder – und sogar das besetzte Dänemark – zögerten, entsprechende Beschlüsse zu fassen, bzw. verweigerten sogar die Beteiligung am Boykott. Den Widerspenstigen gegenüber begann das Deutsche Reich Repressionsmaßnahmen verschiedener Art anzuwenden.

Venedig im Schatten der Freundschaft: Mussolini – Hitler

Die Biennale in Venedig, die, wie das italienische Wort sagt, ursprünglich nur jedes zweite Jahr stattfinden sollte, war keine Biennale mehr, da sie bereits seit einiger Zeit jährlich veranstaltet wurde. Sie war die einzige internationale Veranstaltung, in deren Verlauf sich die Fortschritte des Films in anregender Gegenüberstellung zu messen pflegten. Seit 1938 beherrschten die politischen Interessen der »Achse Berlin-Rom« wie ein böser Traum das Festival und die Diskussionen. Aber die demokratische Welt war weiterhin zum Paktieren mit dem Totalitarismus auch im Bereich des Films bereit.

Die »Film-Rundschau« (7. 9. 1938) bezeichnete die Biennale des Jahres 1938 als einen »Deutschen Filmsieg in Venedig«. Die Ufa präsentierte hier die Spielfilme »Heimat« und »Urlaub auf Ehrenwort«, die Tobis die französisch-deutsche Produktion »Fahrendes Volk«, die erfolgreiche Komödie »Der Mustergatte« und die beiden Leni-Riefenstahl-Olympia-Filme: »Fest der Völker« und »Fest der Schönheit«. Deutschland zeigte außerdem zahlreiche Kulturfilme. Von den Ufa-Produktionen gab es »Flieger, Funker, Kanoniere«, die biologischen Kulturfilme von Ulrich K. T. Schulz »Gefiederte Strandgäste an der Ostsee« und »Der Bienenstaat«, die Farbfilme »Farbenpracht auf dem Meeresgrund« und »Tintenfische«, ferner Filme wie »Libellen«, »Natur und Technik«, »Lotsen der Luft« und ein Loblied auf die alltäglichen Berufe, zu deren Ausführung nicht nur handwerkliches Können, sondern auch persönlicher Mut gehören: »Artisten der Arbeit«[336]. Die Tobis zeigte folgende Kulturfilme: »Deutsche Rennwagen in Front« – über die deutschen Auto-Rennsport-Erfolge aus dem Jahre 1937, den RAB-Film »Schnelle Straßen«, die »Steilküste« mit der sogenannten Schmalen Heide an der Ostküste der Insel Rügen als Naturschutzgebiet[337], die »Schwarzwald-Melodie«, einen Film von der Arbeit der Schwarzwaldbauern, den der bekannte Kameramann Sepp Allgeier (hier auch als Buchautor und Regisseur) schuf, und den Film »Heide«, ein Werk von Wolf Hart (Regie, Buch, Kamera) mit Musik von Ernst Erich Buder, der die Lüneburger Heide zeigte. Deutschland erntete zwei Pokale: den Mussolini-Pokal für die »Olympia«-Filme und den Pokal des italienischen Unterrichtsministeriums für den besten Regisseur, den Carl Froelich als Schöpfer des Films »Heimat« erhielt. Zwei Medaillen gab es (für Heinz Rühmann in seiner Rolle als »Der Mustergatte« und den Film »Fahrendes Volk« für die künstlerische Gesamtgestaltung) und zwei Preise für Kulturfilme. Diese Parteinahme verursachte Proteste.

1939 wurde das Profil der Biennale noch mehr »frisiert« und die Anzahl der Preise beträchtlich vermehrt. Achtzehn Nationen schickten ihre Filme nach Venedig, sogar Japan; und zum ersten Male trat die Schweiz mit einem eigenen Spielfilm in Venedig auf. Ohne die Beteiligung zweier bedeutender Produktionsländer wie Frankreich und die USA konnte dennoch ein internationaler Filmkunstwettbewerb keinen gültigen Maßstab für das Weltfilmschaffen bedeuten. Frankreich hatte Pläne entwickelt, vom 3. bis 20. September in Cannes das »Festival International du Film« als eine »außertotalitäre Filmwoche« zu organisieren. Diese Pläne wurden durch den Krieg durchkreuzt. Erst 1946 entstanden diese Filmfestspiele und errangen ihre jetzige große Bedeutung.

Die Amerikaner, »nachdem sie sich durch die Ablehnung der offiziellen Einladung selbst aus der guten Gesellschaft der Filmschaffenden ausgeschlossen hatten« (so die Kommentare der NS-Presse), schickten dennoch einen Film nach Venedig. In einem gleichfalls am Lidostrand gelegenen Lichtspieltheater eines privaten Besitzers zeigten sie den Paul-Czinner-Film »Katharina die Große« (»Catherine the Great«), mit Elisabeth Bergner, »dem falschen Seufzer vom Kurfürstendamm«, in der Titelrolle. Die russischen Themen lockten damals die Filmemacher auch jenseits des großen Teiches. Die US-Katharina war allerdings kein bester Film. Goebbels, das unerreichbare Vorbild in der Haßpropaganda der totalitären Systeme gegen die Demokratie, neben Minister Alfieri in Venedig (mit Frau) anwesend, sagte bei einer Ansprache, die er vor der geistigen Elite Italiens in

Venedig hielt, daß allein im Dogen-Palast mehr Kultur lebendig sei als in manchem Parvenü-Staat, der sich heute unter der Flagge der Demokratie zum Hüter der Menschheitskultur aufspiele.

Die Gastgeber zeigten in Venedig »Abuna Messias (Abessinien-Propaganda stand im Hintergrund), ferner das Melodrama der Diana-Film aus dem Bauernleben, »Montevergine«, und »Traum der Butterfly« (»Premiere der Butterfly«) mit guten muskalischen Szenen und einem Aufgebot erster Schauspieler und Sänger. Selbstverständlich kamen auch die italienischen Dokumentarfilme zur Vorführung. Die wichtigste Rolle fiel aber von Anfang an den Deutschen zu. Die VII. Internationale Filmkunstausstellung im Palazzo del Cinema am Lido wurde mit der Welt-Uraufführung des Robert-Koch-Films am 8. August eröffnet. Deutscherseits war es ein großes und erstmaliges Wagnis, so kommentierte die NS-Filmbetrachtung. Erstmalig deshalb, weil Deutschland früher auf der Biennale noch nie mit einem so ausgeprägt deutschen Film vertreten war. Mit dem »Blaufuchs« oder »Bel ami«,[338] fuhren die Kommentatoren fort, könne man eher das Herz und den Beifall erobern, als mit der sehr ernsten und schweren Darstellung des wissenschaftlichen Lebenskampfes eines Forschers. Das Wagnis sei gelungen. »Robert Koch« werde dank der hinreißenden Menschendarstellung der beiden schauspielerischen Genies, Emil Jannings und Werner Krauss, zu einem ganz großen Erfolg. In der Reihe der »dokumentarischen« Filme wurde auch der Karl-Ritter-Film »Pour le mérite« am 11. August präsentiert. Der »Film-Kurier« berichtete am nächsten Tag: »Die heroische Haltung des Films, die packende Gestaltung und das starke Spiel der Darsteller hinterließen einen vorzüglichen Eindruck bei dem kritisch eingestellten Publikum, das mit Beifallsäußerungen nicht kargte. Stark wirkten ferner auf das Publikum – so in der Betrachtung – die Martin-Rikli-Kurzfilme »Flieger, Funker, Kanoniere« und »Flieger zur See«. Es wurden auch »Fallschirmjäger« und die Deutsche Wochenschau mit der großen Parade am Geburtstag des »Führers« gezeigt. In einer Sondervorstellung wurde der »Westwall« vorgeführt, »der einen tiefen Eindruck hinterließ«.

Im Dienste der Kriegspropaganda stand sogar der äußerlich neutrale musikalische Film »Es war eine rauschende Ballnacht«. Er wurde am 23. August gezeigt, und der »Film-Kurier« schrieb anläßlich dieser Festaufführung (25. 8.): »Wie wohl die ganze Welt, steht auch Venedig ganz unter dem Eindruck der politischen Entwicklung der letzten Tage, und insbesondere wird der Nichtangriffspakt zwi-

schen Deutschland und der Sowjetunion überall auf den Straßen...
eingehend erörtert... In diese Atmosphäre hinein kommt der deutsche Film von der großen Liebe des jungen russischen Komponisten Tschaikowskij ›Es war eine rauschende Ballnacht‹... War der Film selbst schon mit stärkstem Interesse erwartet worden, so ist der Zeitpunkt, an dem er dem Urteil der Welt gestellt wird, der denkbar beste, und es scheint fast, als konnte er nur an diesem Tage – und nicht am Tage der Eröffnung – seine Vorführung im Palazzo del Cinema erleben.«

Der Kriegsausbruch schob das »Urteil der Welt« und die Preisverleihung lange Zeit hinaus. Am 14.10.1939 traten die italienischen Mitglieder der Jury der Internationalen Filmkunstausstellung in Venedig zusammen, um über die Verteilung der Preise an die auf der letzten Biennale gezeigten... italienischen Filme zu beschließen. »Abuna Messias« (Regie Goffredo Alessandrini) erhielt den Mussolini-Pokal, »Montevergine« (Regie Carlo Campogalliani) den Pokal der Faschistischen Partei, und dem Film »Premiere der Butterfly« (Regie Carmine Gallone) wurde der Preis des Landwirtschaftsministeriums zuerkannt. Ferner erhielten drei Kulturfilme Preise. Erst Ende Dezember 1939 gab man bekannt, daß »Robert Koch« den 1. Biennale-Preis bekommen hatte. Dem Tschaikowskij-Film »Es war eine rauschende Ballnacht« erkannte man den Preis in der Gruppe »Bronze-Medaillen« zu. Zwei deutsche Kulturfilme: »Räuber unter Wasser« und »Können Tiere denken?« (Regie Fritz Heydenreich, P: vb) wurden mit Auszeichnungen bedacht. Gegen Ende Mai 1940 warf Venedig erneut seine Schatten voraus: Man gab bekannt, daß die VIII. Internationale Filmkunstausstellung am 8. August eröffnet werden würde. Sie sollte höchstens 18 Nachmittags- und 18 Abendvorstellungen umfassen. Zweck der Filmausstelung, so wurde, als ob nichts geschehen wäre, verkündet, sei »die festliche Vorführung und Auszeichnung solcher Filmwerke, die einen wirklichen Fortschritt der Filmkunst in künstlerischer, geistiger, wissenschaftlicher oder erzieherischer Hinsicht bedeuten«. Für die ausländischen Produktionen waren acht Pokale für abendfüllende Spielfilme, 6 Plaketten für abendfüllende Kulturfilme bzw. Kurzfilme und außerdem Medaillen vorgesehen.[339] Der Kriegseintritt Italiens durchkreuzte diese Pläne. Dennoch fand eine Filmschau in Venedig statt.

Im September 1940, genau drei Monate nach dem Kriegseintritt Italiens, traten auf dem Filmfestival von Venedig die Wahrzeichen des Krieges völlig an die Stelle des Friedensgewandes. Diese traditionelle Stätte friedlichen kulturellen Wettstreites mußte sich jetzt – so die Berichterstattung – »dem Ernst des Augenblicks anpassen« und auf dem Gebiet der Filmindustrie und Filmpropaganda »in wirksamer Weise zum Verständnis der schwerwiegenden Hintergründe einer besonderen und lehrreichen Lage beitragen«. Man gab der Filmschau den Namen »Deutsch-Italienische (in Italien »Italienisch-Deutsche«) Filmwoche« (1. bis 8. September). Die Organisatoren verzichteten auf den mondänen Rahmen des Lido. Minister Pavolini bezeichnete diese Veranstaltung (obwohl die Anzahl der teilnehmenden europäischen Staaten zurückgegangen war und die Vertretungen anderer Kontinente fehlten) als die bedeutendste, die Venedig bis jetzt dem Film gewidmet habe, und sein deutscher Kollege, Joseph Goebbels, schrieb als Einleitung zu dieser ersten Kriegsfilmschau folgende Worte: »Das deutsche und italienische Filmschaffen vereint sich mitten im Kriegsjahr 1940 wiederum zu einer gemeinsamen Schau, die Zeugnis ablegen soll von den künstlerischen Leistungen der letztjährigen Filmproduktion. Nichts vermag den Kulturwillen und die schöpferische Kraft der beiden jungen Völker deutlicher zu dokumentieren als diese Tatsache. Während sich die Filmindustrie unserer Feinde in einem Zustand der Desorganisation, ja der völligen Auflösung befindet, entfaltet sich das deutsche und das italienische Filmschaffen allen äußeren Schwierigkeiten zum Trotz, getragen von den weltanschaulichen Impulsen zweier großer Revolutionen, zu immer eindrucksvolleren und reiferen Leistungen.«

Je einen Pokal der Biennale 1940 erhielten »Der Postmeister« aus Deutschland und »Die Belagerung des Alkazar« aus Italien.

Die IX. Internationale Filmkunst-Ausstellung in Venedig (30. August bis 15. September 1941) unterschied sich von den früheren vor dem Kriege in bezug auf Internationalität kaum. Die »Neuordnung« Europas hatte solche Fortschritte gemacht, daß seitdem die Internationale Filmkammer auf neuer Grundlage wiederhergestellt werden konnte, und die 17 ihr angehörenden Länder waren sämtlich durch Delegationen in Venedig vertreten. So ungefähr die offizielle deutsche Berichterstattung zur Eröffnung der ersten Kriegs-Biennale. Goebbels dagegen schrieb anläßlich dieser Filmschau: »Der Film ist in diesem Kampf zu einer bewaffneten Macht geworden. Er richtet sich wie keine andere Kunst an die große Masse und hat Einfluß über Millionen von Menschen, denen er in beredtester und ausdrucksvollster Form die Probleme und Konflikte unserer Zeit vor Augen führt.«

Für den Wettbewerb schickten Filme nach Venedig: Deutschland, Spanien, Finnland, Belgien, Dänemark, Schweden, Norwegen, Ungarn, die Schweiz, das Protektorat Böhmen-Mähren. Dazu kam selbstverständlich noch das veranstaltende Land Italien und als einziger außereuropäischer Staat Argentinien. Das »Großdeutsche Reich« führte am Lido sieben Langfilme, drei aktuelle Filme (Wochenschau) und elf dokumentarische Filme vor. Die sieben abendfüllenden Spielfilme waren: »Heimkehr« (Wien-Film), »Ohm Krüger« (Tobis), »Operette« (Wien-Film), »Annelie« (Ufa), »Wunschkonzert« (Verleih Ufa), »Komödianten« (Bavaria) und »Ich klage an« (Tobis). Statt des letzten Films war zuerst die Tobis-Operette »Immer nur Du« vorgesehen. Es wurden auch folgende deutsche Kulturfilme im Wettbewerb vorgeführt: »Rügen«, »Friedliche Jagd mit der Farbkamera«, »Flößer«, »Kristalle«, »Dorfmusik«, »Kurenfischer«, »Landbriefträger«, »Männer im Hintergrund«, »Gleichklang der Bewegung«, »Fliegende Früchte«, »Flußkrebs«. Weitere Spiel- und Kulturfilme gelangten in Sonderveranstaltungen zur Aufführung. Für die feierliche Eröffnung der Biennale hatte man das abscheulich aggressive Werk der Wien-Film »Heimkehr« ausgewählt. Zu dieser Vorführung waren Paula Wessely, Attila Hörbiger und Gerhild Weber, ebenso der Regisseur Gustav Ucicky und der Autor Gerhard Menzel eingeladen. Zur Vorführung ihres Filmes »Annelie« war Luise Ullrich eingetroffen, Henny Porten, Hilde Krahl und Gustav Dießl zu den »Komödianten« und Ilse Werner zum »Wunschkonzert«. In den Kommentaren der deutschen Presse war zu lesen: »45 Hetzfilme gegen die Achsenmächte sind in Hollywood in Vorbereitung.«

Wie Deutschland, so zeigte auch Italien auf der offiziellen Filmschau sieben Spielfilme. In bezug auf die Gleichberechtigung der beiden Achsenmächte erklärte Minister Pavolini: »Wenn in Venedig nicht ein echter und angemessener Wettbewerb bestände, träte zwischen den verschiedenen nationalen Filmproduktionen leicht eine gewisse gegenseitige Nachahmung zum Vorschein. Es würde Unrecht sein, Italien deshalb in Nachteil zu setzen, weil es die Auswahl nur auf Filme erstrecken zu müssen glaubt, die zur Zeit noch unveröffentlicht sind, während die anderen Produktionen mit dem Resultat von mehr als zwölf Monaten Arbeit ankommen.« Auf Grund dieser Stellungnahme wurde auch die Vorführung der Filmleistungen der Jahresproduktion beschlossen, auch wenn sie dem Publikum bereits bekannt waren. Die sieben vorgeführten italienischen Filme waren:

»La corona di Ferro« (»Die eiserne Krone«, Prod. Lux-Enic), »Ragazza che dorme« (»Das schlafende Mädchen«, Pisorno), »Ore 9: lezione di chimica« (»9 Uhr: Chemiestunde«, Manenti), »I Mariti« (»Die Ehegatten«, Icar), »Nozze di sangue« (»Bluthochzeit«, Sovrania) und »Don Buonaparte« (Pisorno-Viralba). Die weiteren sieben, im kleineren Kreise der ausländischen Fachleute gezeigten italienischen Spielfilme waren: »Uomi sul fondo« (»Männer auf dem Grunde«, Produktion Scalera), »Piccolo Mondo Antico« (»Kleine alte Welt«, Ata-Ici), der Vittorio-De-Sica-Film »Maddalena, zero in condotta« (Magdalena, Null führt an«, Artisti Ass), »Addio, Giovinezza« (»Jugend, ade!«, Saric-Ici), Carl Koch's »Tosca« mit Imperio Argentina (Scalera), »Caravaggio« (Elica) und »Orizonte dipinto« (»Bunter Horizont«, Enic). Außerdem war Italien mit vierzehn dokumentarischen Filmen vertreten.

Das Protektorat Böhmen und Mähren zeigte in Venedig zwei Spielfilme: »Noční Motýl« (»Der Nachtfalter«) und »Advokát chudých« (»Der Armenadvokat«). Lebhaft war die Beteiligung Schwedens: mit zwei Kurzfilmen (darunter einem Reportagefilm »Ein Tag mit König Gustaf V. von Schweden«) und fünf Spielfilmen: »Ett Brott« (»Ein Vergehen«, Terra), »Romans« (»Romanze«, Europa), »Karl for sin Hatt« (»Edelmann«, Sandrew Bauman-Film), »Hem fran Babylon« (»Zurück aus Babylon«, Alf Sjoberg Siwertzfilm) und einem herrlichen Jugendfilm »Swing it, Magistern«, der das Leben in einer schwedischen Schule zeigte (Sandrew Bauman-Film). Norwegen führte den Film »Bastard« (Prod. Helge Lunde) vor. Finnland war vertreten mit »Regina, das schöne Blumenmädchen« (Suomen Film), Spanien mit der kitschig-sentimentalen Tragödie »Marianela« (Ufira), die Schweiz mit »Letters d'amore« (»Die mißbrauchten Liebesbriefe«, Praesens-Film) und »Der kleine Mann Mathias« (Gotthard), ferner mit einem dokumentarischen Film. Dänemark zeigte »Alle gaar rundt og forelsker sig« (»Alles geht und verliebt sich«), »Wette und gewinne« (Regie Toivo J. Särkkä für die Nordisk) und einem dokumentarischen Film. Ungarn war mit drei Hunnia-Spielfilmen vertreten: »L'Europe non risponde« (»Europa antwortet nicht«) in der Regie von Geza Pradany, mit Maria von Tasnády und Ivan Petrovich in den Hauptrollen, »Alter ego« (»Das andere Ich«) in der Regie von Frigyes Bán und Laszlo Kalmars »Fiamme« (»Flammen«). Außerdem zeigte Ungarn fünf dokumentarische Filme. Die Slowakei, Bulgarien, Belgien, Holland und Rumänien bereicherten die Opulenz der Festspiele mit Kurzfilmen.

Eher politisches Proporzdenken als Qualitätsbewußtsein hatte die Jury geleitet, als sie ihre Preise verteilte. Graf Volpi äußerte allerdings: Zweifellos sei Deutschland, das sich um die Fortentwicklung des europäischen Films höchste Verdienste erworben habe, allen anderen filmschaffenden Nationen weit voraus. Es erhielten den Mussolini-Pokal für den besten ausländischen Film: »Ohm Krüger«; den Pokal des Ministeriums für Volkskultur: »Heimkehr« (das hatte der Film nicht verdient); den Volpi-Pokal für die beste Schauspielerin (mit dem 20000 RM steuerfrei verbunden waren): Luise Ullrich (»Annelie«); die Goldmedaille der Biennale für die beste Regieleistung: G. W. Pabst (»Komödianten«); die Coppa der Biennale erhielt der Film »Ich klage an«. Außerdem bekamen Medaillen: Die Deutsche Wochenschau und die Kulturfilme: »Friedliche Jagd mit der Farbkamera«, »Flößler« und »Rügen«.

Francesco Cállari erinnerte sich an »Heimkehr«
»Meine Begegnung mit Attila Hörbiger fand in Venedig vor etwa zwei Jahren bei Gelegenheit der elften internationalen Filmschau statt. Er war mit seiner Gattin zur Uraufführung des von Ucicky geleiteten Films ›Heimkehr‹ erschienen, in welchem sie beide mitgespielt hatten. Nach der Vorführung saßen wir mit dem Regisseur und Melzer im Salon des Hotels Danieli. Gesprochen wurde über die verwickelte Vorbereitung des Films, seine Bedeutung und seinen politischen Wert. Hörbiger ergriff kein einziges Mal das Wort. Er saß schweigend und in sich gekehrt in seinem Sessel, hörte aber der Unterhaltung zu und stellte zu seiner lebhaften Befriedigung fest, daß seine siegreiche Paula den Mittelpunkt der Aufmerksamkeit bildete.«
Quelle: »Film« (Rom), vom 1.7.1943.

Die Coppa Mussolini für den besten italienischen Film heimste »La Corona di Ferro« (»Die eiserne Krone«) ein, ein Film des Regisseurs Alessandro Blasetti. Die übrigen italienischen und ausländischen Filme errangen an Preisen: Den Pokal der faschistischen Partei (Coppa des P.N.F.) der Scalera-Film »La Nave Bianca« (»Das weiße Schiff«), den Roberto Rossellini (die künstlerische Aufsicht hatte Francesco De Robertis) als eine Reportage, mit einer Fabel als Ergänzung, drehte, den Volpi-Pokal für den besten Schauspieler Ermete Zacconi (»Don Buonaparte«); die Trophäe der Biennale erhielt das Institut »Nazionale Luce« (Italien). Die Coppa der Biennale erhielten der Gottfried-Keller-Film »Die mißbrauchten Liebesbriefe«

in der Regie von Leopold Lindtberg (Schweiz), das spanische Melodrama »Marianela« (Regie: Benito Perojo) und der italienische Con-
sorzio-Icar-Film »I mariti«. Plaketten der Biennale gewannen, mit
Recht, das tschechische Filmdrama »Noční Motýl«, die schwedische
Jazz-Komödie »Swing it, Magistern!« und der norwegische Film über
die lappländische Folklore mit schönen Landschaftsaufnahmen »Bastard« (Regie Gösta Stevens). Medaillen für die Kurzfilme bekamen:
Spanien für »Boda en Castilla«, Rumänien für den antisowjetischen
Kriegsfilm »Romania in lupta contra Bolsevismului« (O.N.C.), Ungarn für die Magyar Filmroda-Balaton-Filme »Il mare ungherese«
und »La pesca sul Lago Balaton« und Italien für »Grano fra due bat-
taglie« (Luce), »Sosta d'eroi« (Incom), »Vertigine bianca« (Luce)
und »I pini di Roma« (Vela). Eine Rumänien-Ungarn-Kontroverse
verursachte der preisgekrönte ungarische Kurzfilm »Eine Nacht in
Siebenbürgen«. Man schrieb kaum darüber.

»Die eiserne Krone«
Eine Filmkritik aus der Schweiz
*»Dieser mit großem Wollen entworfene und mit reichen Mitteln ausge-
führte Film hat in Venedig und in Lugano die Meinungen durcheinander gebracht. Es handelt sich hier, das sei gleich vorweggenommen,
nicht um einen historischen Film, sondern um eine Phantasielegende,
die äußerlich in den Traditionen von ›Quo vadis‹ über Griffiths ›Into-
lerance‹ und Langs ›Nibelungen‹ zu Reinhardts und Dieterles ›Sommernachtstraum‹ steht. Mit viel Geld und großer Sorgfalt aus dem Originalstoff von Blasetti, Castellani und Pavolini ein Film, der uns an die
handlungs- und bilderreichen Heldensagen unserer Jugend erinnert.
Einige wollten darin nichts als eine blutrünstige Geschichte für das
Volk sehen, und einige glaubten sogar, man wolle es damit gegen die
Gewalt in der heutigen Zeit abstumpfen; einige Propagandisten fanden
dagegen gerade den Mangel an Propaganda aufreizend. Wir können
über soviel Scharfsinn nur staunen. Wir haben hier nichts anderes vor
uns als einen groß angelegten Versuch, in den Massen den unausrottba-
ren Friedensmythos der alten Volksdichtung wieder zu erwecken und
zugleich mit filmischen Mitteln in großem Rahmen poetisch zu arbeiten.«*
Quelle: Der Filmberater, Luzern, Nr. 10a, Oktober 1941.

»Das weiße Schiff«
Eine Filmkritik aus der Schweiz

»La nave bianca‹ ist nach »Männer auf dem Meeresgrund« (Uomini sul fondo) der zweite Großfilm des Centro Cinematografico der italienischen Marine, das ähnliche Aufgaben hat wie bei uns der Armeefilmdienst. Die Handlung schildert das Leben auf einem Großkampfschiff der italienischen Flotte, ein Seegefecht, wobei das Schiff einen Treffer erhält, und darauf das Leben der Verwundeten auf dem Spitalschiff ›Arno‹ des italienischen Roten Kreuzes. Das alles ist ohne Pathos erzählt und ohne die vordergründige Propaganda, die wir oft und oft zu sehen bekommen. Die Gesamtwirkung ist vielleicht etwas weniger frisch als im ersten Film, und der Anfang ist wohl ein bißchen lang geworden. Aber alles ist gekonnter, sicherer geworden, und man hat das Gefühl, daß diese Leute ihre Ausdrucksmittel gefunden haben. Nüchtern wird erzählt, in Einstellungen, die das sagen, was sie sagen sollen, und es ergibt sich der Eindruck von gefaßter Wirklichkeitsnähe und eine Anzahl von sehr interessanten Einblicken.«
Quelle: Der Filmberater, Luzern, Nr. 10, Oktober 1941.

Die Filmschau von 1941 zeigte mit aller Deutlichkeit, so in etwa die offizielle Berichterstattung, daß es die Aufgabe des Films sei, nicht nur einer künstlerischen und moralischen Verantwortung gerecht zu werden, sondern auch »die Erfolge der Waffen zu unterstützen und das große zeitgeschichtliche Geschehen dokumentarisch zu erfassen und im Bewußtsein der Menschen zu vertiefen«. Man schrieb aber auch viel, daß sich die Filmproduktion Europas von »verwerflichen Errungenschaften«, die von den Amerikanern stammten, und von der »europäischen Autarkie des Films« losgelöst habe. Der Antiamerikanismus »Made in NS-Germany« triumphierte im besetzten Europa.

Für die X. Internationale Filmkunstausstellung (30.8. bis 15.9.1942) wurden zunächst von den deutschen Firmen folgende Filme in Vorschlag gebracht: Bavaria: »Das große Spiel« und »Kleine Residenz«; Berlin Film: »Großstadtmelodie«; Prag-Film: »Liebe, Leidenschaft und Leid«; Terra: »Andreas Schlüter«, »Rembrandt« und »Fronttheater«; Tobis: »Das Bad auf der Tenne«, »Titanic«, »Der große Schatten«, »Die große Nummer«, »Symphonie eines Lebens« und »Entlassung«; Ufa: »Die goldene Stadt«, »Die große Liebe«, »Der 5. Juni«, »Diesel«, »Hab mich lieb«; Wien-Film – »Heimliche Gräfin«, »Wien 1910«, »Wiener Blut« und »Mozart«.[340]

Letztlich wurden nach Venedig sechs deutsche Spielfilme geschickt, und zwar: »Der große König«, »Wiener Blut«, »Die große Liebe«, »Die goldene Stadt«, »Andreas Schlüter« und »Der große Schatten«.[341] Ferner wurden die Kulturfilme »Holzzieher« (Wien-Film, Regie U. Kayser) und »Im Jagdrevier der Seeadler« (Bavaria-Film, Regie W. Hege) deutscherseits angekündigt. Außer Italien und Deutschland hatten ihre Teilnahme an dem Festival gemeldet: Dänemark, Finnland, Norwegen, Portugal, Schweden, die Schweiz, Spanien und Ungarn. Bei der Eröffnung waren Pavolini, Goebbels, Graf Volpi, Eitel Monaco und Fritz Hippler anwesend. Aus Deutschland kamen ferner Veit Harlan mit Kristina Söderbaum und Otto Gebühr. »Die ›Achsenmächte‹«, betonte in seiner Ansprache Generaldirektor Eitel Monaco, »haben den siegreichen Kampf der Waffen nur als notwendige und unentbehrliche Voraussetzung dafür angesehen, eine neue territoriale, wirtschaftliche, soziale und kulturelle Ordnung Gesamteuropas zu schaffen, und so hat auch die Filmkunst in Italien und Deutschland zu ihrem Teil die Verantwortung für diese hohe Aufgabe des geistlichen und materiellen Wiederaufbaus übernommen.«

Am 15.9.1942 wurde die Vorschau mit der Preisverteilung beendet. »Der große König« erhielt den Mussolini-Preis, »Die goldene Stadt« (»La città d'oro«) den Preis des Präsidenten der IFK, und den Volpi-Pokal – für die beste schauspielerische Leistung – bekam Kristina Söderbaum. Mit Preisen der Biennale wurden außerdem italienische und je ein ungarischer, rumänischer, spanischer und portugiesischer Film ausgezeichnet.

Ausländische Filme auf dem deutschen Kinomarkt

Der deutsche Zuschauer und der ausländische Film

Ebenso wie die sogenannten deutschen Spitzenfilme, hatten auch die besten Leistungen der Amerikaner, der Russen und später auch der Engländer und Franzosen vor 1933 in Deutschland meistens nur bescheidenen Erfolg. Sie gefielen in Berlin, ein paar anderen Großstädten, – aber selbstverständlich auch dort nicht in allen Kreisen der Bevölkerung. Nur selten gelang es ihnen, die deutsche »Provinz« zu erobern, meist nur dann, wenn der eine oder andere mitspielende Star sich besonderer Beliebtheit erfreute. Dem »Mann auf der Straße« waren diese Filme zu »hoch«. Sie beschäftigten sich mit psychologischen oder sozialen Problemen, denen der einfache Mensch in seinem täglichen Leben verhältnismäßig fremd gegenüberstand. Das typisch deutsche Empfinden und Gedankengut, das andersartige historische Verständnis waren hier maßgebend. Von Bedeutung war ferner die Zersplitterung des deutschen Volkes in religiöser, politischer und sozialer Hinsicht.

Es gab selbstverständlich zahlreiche ausländische Filme, vor allem die Filme aus dem »Schlager-Programm« der Hollywood-Küche, die in Deutschland ein breites, manchmal sogar begeistertes Publikum fanden.

Die Maßnahmen des NS-Staates

Aus außen- und innenpolitischen Gründen (der Film als das packendste Mittel der »Erziehung« oder der Agitation), wobei aber auch die ökonomischen Prämissen mitbestimmend waren, traf das Dritte Reich Maßnahmen, die auf eine sofortige drastische Beschränkung der Einfuhr von Filmen aus anderen Ländern hinzielten. Im totalitären System ist das nicht schwer zu schaffen. Bereits mit dem Beginn des ersten Jahres der NS-Herrschaft verringerte sich die Einfuhr ausländischer Filme nach Deutschland ständig: von 92 im Jahre 1933 bis auf 34 im Jahre 1939. Sehr geringe Zahlen, wenn man sie mit der

Einfuhr von ausländischen Filmen in anderen europäischen Ländern vergleicht. Diese Beschränkungen betrafen vor allem die nordamerikanische Filmproduktion, die – ähnlich wie dies in fast nahezu allen Ländern Europas der Fall war – ebenfalls in Deutschland in der Einfuhr dominierte. 1939 befanden sich auf dem deutschen Kinomarkt nur noch 20 amerikanische Filme, was auch so noch mehr als die Hälfte der überaus bescheidenen deutschen Filmimporte darstellte. Aus guten Gründen erblickte Goebbels gerade im Dominieren des amerikanischen Films das Haupthindernis auf dem Wege zu der weiteren Expansion des deutschen Films. Ungeduldig wartete er auf einen geeigneten Zeitpunkt, um einen Entschluß über die vollständige Entfernung der amerikanischen Filme aus dem deutschen Kinomarkt zu fassen, danach auch, nach Möglichkeit, aus Europa.

Abendfüllende Spielfilme auf dem deutschen Kinomarkt

Jahr	Ins-gesamt	Dt. Filme		Ausländische Filme			
		Zahl	%	Ins-gesamt	Öster-reich	England	USA
1933	206	114	55,3	92	8	–	64
1934	210	129	61,4	81	9	7	41
1935	188	92	48,9	96	17	6	41
1936	176	112	63,6	64	17	2	28
1937	172	94	54,7	78	14	2	39
1938	162	100	61,7	62	–	3	35
1939	145	111	76,6	34	–	–	20
1940	103	85	82,5	18	–	–	5
1941	81	67	82,7	14			
1942	87	57	65,5	30			
1943	101	78	77,2	23			
1944	77	64	83,2	13			

Die Zahl der ausländischen abendfüllenden Spielfilme – bis 1937 mit Österreich – die sich von 1933 bis 1945 im Dritten Reich auf dem deutschen Kinomarkt befanden (das bedeutete nicht immer, aufgeführt zu sein), betrug lediglich rund 600 Bildstreifen.

Die nach 1933 durch Erlaß verschiedener Verordnungen unübersichtlich gewordene Gesetzgebung über die Zulassung ausländischer Filme wurde 1936 zusammengefaßt: in dem Gesetz vom 11. 7. 1936 und der am 12. 7. 1936 erlassenen Neufassung der Verordnung über die Vorführung ausländischer Filme.[1] Hiernach mußten ausländische Filme, die in Deutschland öffentlich vorgeführt werden sollten, bei der Kontingentstelle-Berlin (die bis Juni 1942 der RFK angeschlossen war, danach mit der Filmprüfstelle vereinigt wurde[2]) angemeldet werden. Anmeldepflichtig für ausländische Filme war der Filmverleiher, der die Vorführungsrechte des Films für Deutschland erworben hatte. Das ProMi erteilte dem Verleiher eine »Unbedenklichkeitsbescheinigung«, womit der Film zur Zensurprüfung zugelassen war.[3] Kein Film durfte übernommen werden, bevor er nicht einmal öffentlich in Deutschland gelaufen war. Diese sogenannte »trade show« (§ 4 VO) diente zur Verhinderung des »Blindbuchens«, d. h. des Abschlusses von Verträgen, durch die Vorführungsrechte an einem Film auf den entsprechenden Verleiher übertragen wurden, ohne daß dieser den Film kannte. Nur eine bestimmte Anzahl ausländischer Filme – vor dem Kriegsausbruch 175 – konnte jährlich eine Unbedenklichkeitsbescheinigung erhalten. Für Lehr- und Kulturfilme wurde die Unbedenklichkeitsbescheinigung nur dann erteilt, wenn der Verleiher im Rahmen eines Kompensationssystems den Neuverleih der doppelten Länge deutscher Lehr- und Kulturfilme nachgewiesen hatte. Ausländische Filme, die ohne Änderung des Bildmaterials nachträglich mit deutscher Sprache versehen worden waren, also in deutscher Fassung laufen konnten, wurden nur dann berücksichtigt, wenn die deutsche Sprache ausschließlich von Deutschen eingearbeitet war. Deutscher im Sinne dieser Verordnung war, wer deutschen oder artverwandten Blutes war und die deutsche Staatsangehörigkeit besaß. Im § 15 dieser Verordnung waren auch Vergeltungsmaßnahmen gegen ausländische Hersteller vorgesehen. Danach blieb Deutschland als Absatzmarkt denjenigen Herstellern versperrt, die trotz Verwarnung »antideutsche Hetzfilme in der Welt verbreiten«. Auch den Herstellern ausländischer Staaten, in denen die Verwertung deutscher Filme »unter erschwerende Bedingungen gestellt« war, konnte gleichfalls die Erteilung der Unbedenklichkeitsbescheinigung verweigert werden. Praktisch hing also alles von den Entscheidungen des ProMi ab.

Der Verleih – z. T. auch der Import ausländischer Filme – war vor dem Kriegsausbruch dezentralisiert. In der Fachgruppe Filmaußenhandel der RFK waren 22 Mitglieder organisiert, ferner einige Kommissionäre und Agenten. Reichsverleiher gab es zwölf. Hierzu ka-

Angebot an langen Spielfilmen auf dem deutschen Kinomarkt
nach Herkunftsländern 1933–1938

Herstellungsland	Zahl der Filme					
	1933	1934	1935	1936	1937	1938
USA	64	41	41	28	39	35
Österreich	8	9	17	17	14	x
Frankreich	9	8	14	8	8	10
England	–	7	6	2	2	3
Tschechoslowakei	3	8	5	4	5	3
Ungarn	4	2	2	3	3	2
Italien	3	–	2	1	3	7
Polen	–	1	3	–	2	1
Dänemark	1	2	–	–	–	1
Holland	–	–	1	1	–	–
Japan	–	–	–	–	1	–
Schweiz	–	2	2	–	–	–
Schweden	–	1	3	–	1	–
Insgesamt	92	81	96	64	78	62

x als deutsche Filme betrachtet

Quelle: Jahrbuch der Reichsfilmkammer 1939, Berlin, S. 201

men vier Bezirksverleiher. Außerdem gab es dreizehn Einzelverlei-
her und Restauswerter. Im Kriege wurde der Import ausländischer
Filme im Rahmen des Ufi-Konzerns zentralisiert: als Einfuhrorgani-
sation fungierte die Transit-Film GmbH. »Laut Satzung der Gesellschaft bestand ihre Aufgabe im Handel mit ausländischen Filmen,
insbesondere der Steuerung des Imports ausländischer Filme, deren
Aufteilung auf die berechtigten deutschen Vertriebsfirmen und der
ständigen Kontaktnahme zu ›geeigneten‹ ausländischen Filmherstellern und Exportorganisationen.«[4] Die Transit-Film übernahm auch
den Vertrieb der ausländischen Filme (mit einigen Ausnahmen) in
den von Deutschland besetzten oder unter deutschem Einfluß stehenden Ländern. Dennoch kam es nie zu einer 100 %igen Zentralisierung des Verleihs ausländischer Filme. Für den Vertrieb der Filme
aus dem Ausland galten freie Verleiher als weitaus bequemer als die
staatliche Filmverleih-Firma. So informierte noch 1944 der Leiter
Film im ProMi seinen Chef Goebbels: »Wir sind immer gezwungen,

auch schwächere ausländische Filme aus politischen Gründen zu übernehmen und geben diese dann einer kleineren Verleihfirma... Bei diplomatischen Vorstellungen der betreffenden Länder über den ungenügenden Einsatz der Filme trifft dann die Schuld den privaten Verleih und nicht den reichsunmittelbaren Filmvertrieb.«[5]

Die Auswirkungen des Kriegsausbruches

Infolge der politischen Spannung vor dem Kriege und infolge des Krieges selbst wurden alle Filme der Feindstaaten aus dem öffentlichen Vertrieb zurückgezogen. Laut Anweisung des ProMi vom 16. 4. 1940 wurden als feindliche Staaten angesehen:[6] »1. Vereinigtes Königreich von Großbritannien und Nordirland mit den überseeischen Besitzungen, Kolonien, Protektoraten und Mandatsgebieten sowie die Dominions Kanada, Australischer Bund, Neuseeland und Südafrikanische Union. 2. Frankreich einschließlich seiner Besitzungen, Kolonien, Protektorate und Mandatsgebiete. 3. Ägypten. 4. Sudan. 5. Irak.« Polen war »kein feindlicher Staat«, »da es als Staat zu bestehen aufgehört« hatte.

Englische Filme standen übrigens selten in den Programmen der deutschen Kinos. Von den bekannten Produktionen wurde im Sommer 1939 der Indien-Film »Die Trommel« des Regisseurs Alexander Korda der Londons Film Produktions hergestellt. Ebenfalls der spannende Film »Gewagtes Spiel« (»Break the News«) des französischen Regiekünstlers René Clair mit Maurice Chevalier, Jack Buchanan und Jane Knight, ein Werk der Londoner Buchanan-Produktion, das in Venedig eine Medaille für das Drehbuch erhielt. Das Interesse am polnischen Film, der seit September 1939 verboten wurde, war im Dritten Reich gering. Sogar die Normalisierung der Beziehungen zwischen Polen und Deutschland im Jahre 1934 gab auf dem deutschen Filmmarkt nur wenigen polnischen Filmen eine Chance. Als Geste dem polnischen Filmwesen gegenüber empfand man die Einladung der Hauptdarstellerinnen von »Kreuzweg einer Liebe« (Regie J. Nowina-Przybylski), Irena Eichlerowna und Jadwiga Andrzejewska, zur Berliner Filmpremiere (18. 2. 1935). Das Melodrama war aber in Deutschland kein größerer Erfolg. Von den anderen polnischen Filmen kann man noch die Komödie »Ist Luzie ein Mädel?« (Regie J. Gardan), »Schwarze Perle« (Regie M. Waszyński) und »Seine große Liebe« (Regie M. Krawicz und S. Perzanowska) erwähnen. Viel-

leicht nur der letztere rief ein größeres Interesse hervor. Bei Kriegsausbruch verfügten die Ufa und Tobis über fünf weitere Filme, die sie
übrigens für einen niedrigen Preis in Polen aufgekauft hatten; diese
Filme wurden selbstverständlich in den Kinos des Reiches nicht mehr
aufgeführt.[7]

Grundsätzlich wurden ferner alle Filme (auch deutsche Produktionen) verboten, die durch ihre Darstellung geeignet waren, Sympa-
thien für die betreffenden feindlichen Länder zu wecken. Und da die
Zahl der Länder, die sich auf der anderen Seite der Kriegsfront befanden, wuchs, stieg auch ständig die Zahl der verbotenen Filme.

Neben politischen Gründen bedingten auch wachsende finanzielle
Probleme die gedrosselte Filmeinfuhr. In einer vertraulichen Anweisung des ProMi wurde deutlich erklärt: »Mit Rücksicht auf die zunehmenden Schwierigkeiten im Verrechnungsverkehr mit fast allen
europäischen Ländern und die Notwendigkeit, die Bezahlung der
kriegswirtschaftlich unentbehrlichen Einfuhr (...) können Zahlungen für nicht unmittelbar kriegswichtige Zwecke nur in einem sehr
begrenzten Umfang genehmigt werden.«[8]

Auch im Ausland führte das Reich ständig einen Kampf gegen die
sogenannten »Hetzfilme« oder Produktionen, an denen »Nichtarier«
beteiligt waren, und zwar mit allen ihm zur Verfügung stehenden Mitteln und bis in die letzte Zeit des Krieges.

In Zürich...

*»Da dem Generalkonsulat mitgeteilt worden war, daß der in großer
Aufmachung angekündigte Film über die norwegische Freiheitsbewe-
gung ›Der Tag wird kommen‹ Verunglimpfungen der deutschen Wehrmacht enthält, habe ich vorsorglich mit Schreiben vom 1. März
1945... die Kantonale Polizeidirektion um Prüfung des Bildstreifens
im Hinblick auf die Vereinbarkeit seiner Vorführung mit der schweizer
Neutralität gebeten. Der Polizeidirektor hat mit Schreiben vom
13. März 1945... mitgeteilt, daß der Film bei der Zensur in Bern bereits erheblich gekürzt wurde und nun zu keinen politischen Beanstandungen mehr Anlaß geben kann. Wie ich festgestellt habe, trifft dies
zu... Der Film war übrigens weder in der zu Gunsten der Schweizer-
spende für Norwegen groß aufgemachten Erstaufführung noch bei den
nachfolgenden Vorführungen befriedigend besucht, da Kriegsfilme bei
der hiesigen Bevölkerung kein Interesse erwecken.«*

Quelle: PA Bonn, Deutsche Botschaft Bern, Nr. 121; Schreiben des Dt. Ge-
neralkonsulats Zürich v. 16. 3. 1945.

Eine wichtige Waffe bildete in diesem Kampf die sogenannte »Rohfilmsperre« über die amerikanischen und englischen Filme. 1941 wurde nämlich angeordnet, »daß deutscher Rohfilm nicht mehr für das Ziehen feindlicher Filme verwendet werden darf und daß eine entsprechende Verwendungsklausel in die Verträge der Agfa sowie der sonstigen Rohfilmhersteller mit ihren ausländischen Kunden aufgenommen wird«.[9] Und weil das Reich der größte Produzent in dieser Branche in Europa war, blieb diese Bestimmung nicht ohne Folgen. Jedenfalls bis ungefähr in die Hälfte des Jahres 1944. Danach gab es große Probleme mit dem Rohfilm für die eigene deutsche Produktion.

Filmangebot in Deutschland in den Jahren 1942 und 1943
(Normalfilme 35 mm)

Land	Filme gesamt	Spielfilme	Filme gesamt	Spielfilme
	1942		1943	
Deutschland	578	57	587	78
Belgien	1	–	–	–
Böhmen-Mähren	2	1	2	2
Dänemark	–	–	1	1
Finnland	1	–	3	2
Frankreich	4	4	6	5
Italien	36	21	18	8
Japan	2	1	1	–
Kroatien	1	–	–	–
Niederlande	2	–	2	–
Slowakei	–	–	1	–
Schweden	1	1	–	–
Spanien	1	–	3	3
Ungarn	2	2	2	2

Quelle: BA R 109 III, vorl. 10; Filmherstellung und Filmangebote in Deutschland. Institut für Konjunkturforschung.

Der größte Lieferant von ausländischen Filmen blieb im Kriege Italien: allerdings nur bis zum Jahre 1943, und auch früher stets als ein nicht immer bequemer Konkurrent betrachtet. Ähnlich war es mit Spanien. Anfang 1939 wurde ein Deutsch-»Nationalspanisches« Kulturabkommen getroffen, das durch verschiedene Maßnahmen zu einer Intensivierung der gegenseitigen Filmbeziehungen führen sollte. Doch eigentlich nur wenige spanische bzw. deutsch-spanische Filme gingen in die deutschen Kinos. »Die Andalusischen Nächte«, die »Marokkanische Romanze« (»Stern von Tetuan«), ein Dokumentarfilm mit Spielhandlung aus dem Jahre 1939, »Temperament für Zwei«, ein Streifen der Hispano-Film von Florian Rey mit Imperio Argentina, der 1941 deutsch synchronisiert wurde, und »Sehnsucht ohne Ende – Sarasate«, eine romantische Geschichte aus dem Leben des berühmten spanischen Geigers Pablo de Sarasate und der italienischen Sängerin Adelina Patti (Regie und Buch von Richard Busch) blieben die wichtigsten Vertreter des spanischen Spielfilms. Stets versuchte Spanien, so im Sommer 1944 der Reichsfilmintendant, »alles zu tun, um seine eigene Filmproduktion mit Hilfe fremder Länder auf die Beine zu stellen«.[10]

Filme aus den Vereinigten Staaten

Den deutschen Kinomarkt belieferten vor allem die großen US-Firmen wie MGM, Paramount, 20th Century-Fox oder Warner Brothers. Die Bilanz war für die amerikanische Seite nach 1933 nicht mehr so günstig wie in früheren Jahren, aber über Verluste sprach man erst um 1939. Noch nach Kriegsausbruch wurden oftmals in den deutschen Werbemitteln, vor allem in der Presse, von der Paramount, Fox, Columbia Pictures, Universal Pictures und natürlich der MGM Filmangebote gemacht. Einige amerikanische Film-Trusts hatten in Deutschland bis in die erste Kriegszeit eigene Vertretungen: die Paramount (mit ihrem Vorführungsraum in der Friedrichstraße) und die MGM, die außer der Vertretung in der Reichshauptstadt die Filialen in Düsseldorf und Frankfurt a. M., ferner nach dem »Anschluß« in Wien unterhielten.

Bei den größten amerikanischen Lieferanten wurden vom 31. 1. 1933 bis zum 14. 3. 1940 nachstehende Zahlen von Spielfilmen (1500 m und länger) zensiert und für Deutschland zugelassen: bei der Paramount 141 und bei der MGM 153 Filme. Dazu kam eine größere Zahl von Kurzfilmen der beiden Filmgesellschaften.[11]

Die Paramount-Produktionen, die 1938 und in den nächsten zwei Jahren auf dem deutschen Kinomarkt auftauchten, umfaßten eine bunte Reihe von Unterhaltungsfilmen, die zwar auf die Kasse zielten, dennoch zugleich auf das deutsche Empfinden. In »Schiffbruch der

Seelen«, schrieb die Film-Rundschau (2.3.1938), erreicht Gary Cooper »einen Höhepunkt... nicht nur in seiner Darstellungskunst, sondern vor allem auch in seiner persönlichen Haltung, die sich fast bis ins Kleinste mit unserm deutschen Charakterideal deckt«. Typisch amerikanisch waren selbstverständlich Filme mit sensationellen Wild-West-Episoden wie »Frisco-Expreß« (Regie Frank Lloyd), »Geheimnisvolle Passagiere«(Regie Ralph Murphy), die »Spielhölle von Wyoming« mit Maria Blue und John Wayne (Regie Charles Barton) oder »Schüsse in der Prärie« (Regie Edward D. Venturni) mit William Boyd. Sensation lieferten Filme wie »Der weiße Tiger« (Regie Clyde E. Elliot) mit Colin Tapley und spannenden Urwaldszenen oder »Erpresser« (Regie Harold Young) mit Elina Landi und Kent Taylor. Alles Filme mit einkopierten deutschen Titeln. Eine deutsche Fassung erhielten die »Piraten in Alaska« (»Spawn of the North«, 1938) des Regisseurs Henry Hathaway, des Schöpfers von »Bengal« und »Schiffbruch«. Die durch ihren Publikumserfolg als »Dschungel-Prinzessin« in Deutschland bekanntgewordene Dorothy Lamour, ferner John Barrymore (Henry Fonda spielte ebenfalls mit) waren die darstellerischen Säulen dieses Films. Dorothy Lamour trat auch in den »Mexikanischen Nächten« (»Tropic Holiday«) des Regisseurs Theodor Reed auf. Dieser Film lief nur mit einkopierten deutschen Titeln. Eine deutsche Fassung erhielt der Kriminalfilm »Der große Betrug« (»Lady from Kentucky«, 1939), des Regisseurs Alexander Hall mit George Raft und Ellen Drew und mit interessanten Aufnahmen von Pferderennen, aber bei eher schlechten Pressestimmen in Deutschland. Bei »Mädchen in Schanghai« (mit Loretta Young und Charles Boyer) hatte die NS-Filmbetrachtung erneut die Gelegenheit, die »verlogene amerikanische Demokratie« zu bespötteln. Eine deutsch synchronisierte (übrigens gekürzte) Fassung erhielt der spannende Film aus der Kampfzeit zwischen den Nord- und Südstaaten Amerikas »Über die Grenze entkommen« (»The Texans«, 1938), in der Regie von James Hogan und mit Joan Bennett, Walter Brennan und May Robson. Der Film lief mit großer Reklame auch nach dem Kriegsausbruch weiter. Begleitet von nicht wenigen (und meistens guten) Pressestimmen, ging Anfang 1939 das Hollywood-Spektakel »König der Vagabunden« (»If I were King«) in die deutschen Kinos, ein schöner Film, erfüllt von Romantik und Abenteuer, um den französischen Dichter François Villon. Dieses Frank-Lloyd-Werk (Regie) aus dem Jahre 1938 mit Ronald Colman, einem der berühmtesten Liebhaber Amerikas in der Hauptrolle, gewann auch in anderen

Ländern der Welt ein breites Publikum. Im Reich lief der Film mit einkopierten deutschen Titeln, und er lief nur sehr kurz. Die Reihe der Jack-Drummond-Filme (Kaptain Jack Drummond, ein Nachfolger von Sherlock Holmes) umfaßte vier Nummern: »Scotland Yard greift ein« (»Bulldog Crummond's Revenge«, 1937) mit John Howard und in der Regie von Louis King, »Scotland Yard auf falscher Spur« (»Bulldog Drummond in Africa«, 1938) und »Scotland Yard erläßt Haftbefehl« (»Arrest Bulldog Drummond«, 1938) auch mit John Howard und in der Regie von Louis King bzw. James Hogan, und ferner »Scotland Yard blamiert sich« (»Bulldog Drummond's Secret Service«, 1939), den James Hogan mit John Howard realisierte. Die ganze Reihe wurde deutsch synchronisiert.

MGM-Filme verbanden sich für den durchschnittlichen Besucher auch mit anderen Film-Größen. Bis in das Jahr 1940 waren in den deutschen Kinos Filme mit dem berühmten amerikanischen Star Jeanette MacDonald zu sehen. Die Filmoperette aus dem Jahre 1936 »Rose Marie« (Regie W. S. van Dyke), worin die Schauspielerin mit dem bekannten Bariton Nelson Eddy auftrat, stand jahrelang in den Kinorepertoires. Erst durch das Kino gewann die Rudolf-Frimml-Operette ihre außergewöhnliche Popularität. Die Frimml-»songs« »Indian Love Call«, »Song of the Mounties« und »Rose Marie, I love You«, zum volkstümlichen Melodienbestand Amerikas geworden, gewannen auch das breite Publikum in Deutschland, ebenso wie das in anderen europäischen Ländern. Das berühmte Filmstar-Paar gefiel auch in der Metro-Operette des Regisseurs Robert Z. Leonard »The Girl of the Golden West« (»Im Goldenen Westen«), dem Spitzenfilm aus dem Jahre 1938 (mit einkopierten deutschen Titeln). Frimmls Operette »The Firefly«, die 1937 Robert Z. Leonard mit Jeanette MacDonald inszenierte (sie trat diesmal mit einem neuen Partner, dem in Europa noch wenig bekannten Allan Jones zusammen auf), machte als »Tarantella« (mit dem Weltschlager »Donkey-Serenade«) Furore. Endlich bewunderte auch das deutsche Publikum die MacDonald in der »Broadway Serenade«, ein Werk von Robert Z. Leonard aus dem Jahre 1939, das deutsch synchronisiert wurde. Volle Häuser brachten Filme mit Clark Gable: »Abenteuer in China« (»China Seas«, 1935), »Seine Sekretärin« (»Wife as Secretary«, 1936), worin seine Partnerin Jean Harlow war. Die »Filmsensation des Jahres« war »Der Werkpilot« (»Test Pilot«, 1938, Regie Victor Flemming), worin neben Clark Gable in der Titelrolle Myrna Loy und Spencer Tracy mitspielten. Der Film wurde in Venedig gezeigt, und seine Berliner Premiere (19. 8. 1938) war ein festliches Ereignis. In Deutschland hatte der Film eine sehr gute Presse und sogar die Empfehlungen des »Völkischen Beobachters«. Er paßte genau in die NS-Landschaft, wo Filme mit Fliegerthemen für Propagandazwecke besonders erwünscht waren. Warm schrieb die Presse über das deutsch synchronisierte Lustspiel »Seekadetten« (Regie Sam Wood) mit Robert Young, James Stewart und Tom Brain. Abenteuer und Sensation vertraten Filme wie »Die Stunde der Vergeltung« mit dem berühmten Wallace Beery und dem Liebling der Frauen, Robert Taylor, »Rivalen« (»Let Freedom Ring«, 1939) mit Nelson Eddy, Virginia Bruce und Victor McLaglen in der Szenerie des 19. Jahrhunderts, »Die Frau gehört mir« oder »Pazific-Expreß entgleist« (»Union Pacific«, 1939) mit Barbara Stanwyck und Joel McCrea, ein Film, der die deutsche Fassung erhielt. Nicht zu vergessen die alten und die neuen Tarzan-Filme, »ewig« im Kinorepertoire: »Tarzan, der Herr des Urwaldes« (»Tarzan, The Ape-Man«, 1932, Regie W. S. van Dyke), deutsch synchronisiert, und »Tarzans-Flucht« (»Tarzan Escapes«, 1935, Regie James McLay) mit einkopierten deutschen Titeln. »Tarzans Rache« (»Tarzan's Revenge«) entstand schon ohne Johnny Weissmüller bei der 20th Century Fox (1938), mit Glenn Morris in der Titelrolle und D. Ross Ledermann als Regisseur. Der Streifen wurde deutsch untertitelt. Auf ganz andere Töne waren die Filme mit Eleanor Powell gestimmt: der Revue-Film »Hoheit tanzt inkognito«, die lustigen »Südsee-Nächte« (»Honolulu«, 1938, Regie Edward Buzzell), wo sie mit Robert Young auftrat – der Film lief noch im Sommer 1940 in den deutschen Kinos – und in »Broadway Melody of 1936« (Regie Roy del Ruth), wo ihr Partner Robert Taylor war. Das Lustspiel »Das blonde Gespenst« mit Constance Bennett sollte, laut der Werbung in der deutschen Presse, »der komischste und frechste Film, der je über den großen Teich zu uns kam«, sein, das Lustspiel »Third Finger – Left Hand« (»Dritter Finger – linke Hand«) mit Myrna Loy und Melvyn Douglas (Regie Robert Z. Leonhard), war vielleicht das letzte MGM-Filmwerk, das noch 1940 mit den deutschen Titeln versehen wurde. Die seriösen Themen berührten Filme wie »Mutter«, das von Henry King gestaltete Hohelied der Mutterliebe, und desselben Regisseurs »Chicago« (1938) mit Tyrone Power und Alice Faye, ein monumentales Filmwerk, das die Entwicklung dieser Riesenstadt im sechsten und siebten Jahrzehnt des vorigen Jahrhunderts schilderte. Mit pädagogischen Tendenzen war »Manuel« (»Captains Courageous«, 1937) versehen, eine Filmdichtung von Victor Flemming mit Spencer Tracy in der Hauptrolle, mit der literarischen Vorlage in Rudyard Kiplings Roman »Fischerjunge«. »Lord Jeff« (1938, Regie Sam Wood) schilderte das Schicksal eines Waisenkindes, das Verbrechern in die Hände fiel.

Die Laufbahn des kindlichen Filmstars Shirley Temple, die zu so märchenhaften Erfolgen geführt hat und sie in der Rangliste der erfolgreichen Filmschauspielerinnen an die Spitze brachte, war um die Zeit des Kriegsausbruchs abgeschlossen. Bis zu dieser Zeit – und noch im Jahre 1940 – hatten die Filme des ersten Superstars der 20th Century-Fox auch in Deutschland eine nicht geringe Publikumswirksamkeit. Zwar bezeichnete hier die Filmbetrachtung die Shirley-Filme nicht selten als eine »seichte Verkitschung des ursprünglichen, frischen Kindertums«. Das störte aber die Regisseure in Deutschland nicht, diesen piepsigen und altklugen Kinderstar in einigen Filmen (z. B. »Schlußakkord«, »Seine Tochter ist der Peter«) nachzuahmen. Shirley-Filme spielte man in Deutschland für die Erwachsenen, aber auch in Sondervorstellungen für die Kinder. Die Liste der Shirley-Filme umfaßte: »Fräulein Winnetou« (»Susanna of the Mounties«, 1939, Regie William A. Seiler), die lustige Romanverfilmung »Heidi«, »Lockenköpfchen« (»Curly Top«), ein Film aus dem Jahre 1935, in Deutschland synchronisiert, »Rekrut Will Winkle« (»Wee Willie Winkie«, 1937, Regie John Ford), ebenfalls synchronisiert, und »Shirley auf Welle 303« (»Rebecca of Sunnybrook Farm«, 1938, Regie Allan Dwan) mit einkopierten deutschen Titeln. Zum Publikumsliebling wurde seit der Olympiade in Garmisch-Partenkirchen Sonja Henie. Der Revue-Film mit ihr, »Die Eiskönigin« (»Happy Landing«, 1938, Regie Roy del Ruth), ging deutsch synchronisiert in die Kinos. Ihr »rassisches Empfinden« wurde aber bald in NS-Deutschland scharf kritisiert. Die Produktionen der 20th Century Fox umfaßten ferner Regiewerke von Allan Dwan, das synchronisierte Lustspiel »Josette« mit Simone Simon, und »Suez«, Kriminalfilme verschiedener Sorte wie »Unter vier Augen«, mit Robert Taylor und Barbara Stanwyck an der Spitze – ein Versuch, historische Persönlichkeiten und Tatsachen (US-Präsident McKinley) mit einem freierfundenen Kriminalthema zu verbinden, romantische Geschichten wie »Frauenehre« (Regie Roy del Ruth), ebenfalls mit dem Publikumsliebling Robert Taylor, diesmal mit Loretta Young als Partnerin. Loretta Young trat mit Richard Greene und Walter Brennan in David Butlers Werk »Die goldene Peitsche« auf, einem Film, so in der Reklame, »von Liebe, Romantik, schönen Frauen, ritterlichen

Männern, edlen Pferden und schönen Landschaftsaufnahmen Kentuckys«.

Aus der Hollywood-Großküche stammten auch noch einige andere Bildstreifen, die der mehr oder weniger gehobenen Unterhaltung dienen sollten. Manche erwiesen sich als propagandistisch erwünscht. So lief Ende 1939 der Film »Entführt« (»Kidnapped«, 1938, Regie Alfred Werker). Es ging um eine Verfilmung von Robert Louis Stevensons Roman »Kidnapped« (1886) – in Deutschland unter dem Titel »David Balfour« bekannt – eine Episode aus dem schottischen Rebellenkampf gegen England. Die NS-Filmbetrachtung kommentierte, der Film sei »ein treffliches Beispiel des um seine wirtschaftliche Existenz kämpfenden schottischen Volkes gegen die Ausbeutung durch englische Steuerbehörden und damit ein Zeichen englischer Kampfmethoden überhaupt«.

Übrigens war die Existenz des amerikanischen Films auf dem deutschen Kinomarkt nur eine Frage der Zeit. Es fehlte nicht an Argumenten, die die deutschen Maßnahmen gegen den amerikanischen Film »rechtfertigten«: »Außer der Fox hat eine Reihe anderer amerikanischer Firmen... deutschfeindliche Filme hergestellt. Da jedoch diese Produzenten im Reich weder Filialen unterhalten noch ihre Filme anbieten, können keine Repressalien ergriffen werden...«, hieß es in einer Anweisung des ProMi. Mit »sofortiger Wirkung« wurden daher im Juli 1940 sämtliche Filme der Firmen RKO Pictures, United Artists, Warner Brothers, Samuel Goldwyn und einiger anderer in Deutschland verboten. Zunächst blieben die Filme der MGM und Paramount noch erlaubt, obwohl sich die beiden Firmen »gleichfalls verschiedene deutschfeindliche Entgleisungen hatten zuschulden kommen lassen...«[12] Einige Monate später, jedoch noch vor der Erklärung des Kriegszustandes zwischen Deutschland und den USA, wurden in Berlin besondere Listen zum vertraulichen Gebrauch vorbereitet. Es waren Listen der in amerikanischen »Hetzfilmen« mitwirkenden Darsteller und Regisseure sowie der in sonstigen amerikanischen Filmen mitwirkenden jüdischen Darsteller und Regisseure. Die ersterwähnte umfaßte 169, die andere etwa 250 Namen, »das vorläufige Ergebnis der bisher getroffenen Feststellungen«. Man fand hier die Namen von Albert Bassermann, Elisabeth Bergner, Felix Bressart, Ernst Lubitsch, Josef von Sternberg, Ernst Deutsch, Henry Fonda, Anatole Litvak, Robert Taylor, Robert Montgomery, May Robson, Norma Shearer, Robert Young, Charles Chaplin, George Cukor, William Wyler, Erich von Stroheim, Sergej

Eisenstein und Douglas Fairbanks.[13] Die deutschen Vertretungen im Ausland wurden vom Auswärtigen Amt aufgefordert, »unter der Hand zu versuchen, daß Filmen mit Darstellern oder Regisseuren, die in Hetzfilmen mitgewirkt haben, von der dortigen Zensur Schwierigkeiten bereitet werden«.[14]

Inzwischen hatte man im Reich dem amerikanischen Film einen – zunächst aus rein geschäftlichen Gründen z. T. noch getarnten – Krieg erklärt. Auf Empfehlung bzw. mit Zustimmung der Behörden wurden »Ausbrüche des Volkszorns« inszeniert. Danach, um dem deutschen Kinopublikum unliebsame Zwischenfälle zu ersparen, mußten die Lichtspieltheater den Wünschen des »erzürnten Teils der Zuschauer« nachgeben und die amerikanischen Filme vom Spielplan absetzen. »Aus Hamburg wird gemeldet« – so in einem Polizeibericht vom Februar 1940 – »daß in Programmen der Vorstadtkinos die große Zahl alter und neuer ausländischer Filme auffalle und nicht die Zustimmung der Bevölkerung finde. Insbesonders wird darüber Kritik geübt, daß die als Deutschhetzerin bekannte Jeanette MacDonald in den gegenwärtig gezeigten amerikanischen Filmen auftrete.«[15]

Praktisch wurden bis zum Sommer 1940 fast alle amerikanischen Filme aus dem Verleih im Reich und in den besetzten Gebieten zurückgezogen. Theoretisch standen bis Oktober 1940 die in Deutschland zugelassenen Filme der drei amerikanischen Gesellschaften MGM, 20th Century Fox und Paramount noch nicht unter Verbot. Die Berliner Vertretungen dieser Firmen wurden wiederholt vom ProMi aufgefordert, »die Herstellung deutsch-feindlicher Filme zu unterlassen bzw. die bereits hergestellten vom Markt zurückzuziehen«; da jedoch diese Firmen »weiterhin neue Hetzfilme schlimmster Art... auf den internationalen Markt gebracht haben«, wurde angeordnet, »daß ihre sämtlichen Filme im Reich nicht mehr vorgeführt werden dürfen«.[16] In Aktion trat auch das Auswärtige Amt. In »geeignet erscheinender Weise« sollten die deutschen Auslands-Vertretungen auf das Verbot der Einfuhr und Aufführung amerikanischer Filme hinwirken. So wurden auch »die Botschaft in Rom sowie die Gesandtschaften in Kopenhagen und Preßburg gebeten«, »entsprechende Anordnungen für die Filme« der erwähnten Firmen »in ihrem Bereich zu treffen bzw. bei den zuständigen Stellen zu erwirken«.[17] Seit 1941 wurde auf den deutschen Kinomarkt kein einziger amerikanischer Spielfilm eingeführt. Einige unterjochte Länder mußten sich am Deutschen Reich ein Beispiel nehmen. Der amerikanische Film erlitt starke Ausfuhreinbußen. Bezifferte sich sonst der Exportvertrag mit rund 40 % der Gesamteinnahmen, so sank dieser im Jahre 1940/41 (laut der deutschen Presse nach amerikanischen Zugeständnissen) auf etwa 15 %.[18] Schon vor dem Kriegseintritt der USA kam es nicht selten vor, daß die amerikanischen Filme von den sogenannten »Hetzfirmen« auf dem Transit durch das Reich angehalten wurden. Auf diese Weise wurde im Sommer 1941 die Hälfte der von Schweden in der Saison 1941/42 benötigten amerikanischen Filme auf dem Lufttransit durch das Reich beschlagnahmt. Schweden erhob zwar gegen diese Maßnahme beim AA Einspruch, drang aber mit seinen Protesten nicht durch.[19]

Die von Berlin aus gesteuerten Maßnahmen der IFK hatten den »Bereich der Vergiftung europäischer Menschen durch den amerikanischen, englischen und bolschewistischen Film« (Otto Kriegk) wesentlich eingeengt. Die deutschen Dienststellen nutzten jede Gelegenheit aus, um die Filme des Feindes zu beschlagnahmen. Wenn wir schon vor Dezember 1941 »in größerem Umfang amerikanische Filme festgehalten haben«, stellte Hans Hinkel fest, »so haben wir allen Grund, nach dem Kriegseintritt der USA in gleicher Weise mit den amerikanischen Filmen zu verfahren«.[20]

Eine besondere Ausnahme bildete allerdings der Film »The Grapes of Wrath« nach dem gleichnamigen Roman von J. Steinbeck. Das Werk war bereits 1940 bei der 20th Century Fox von John Ford gestaltet worden, mit Henry Fonda und Jane Dorwell. Erst im Herbst 1944 besichtigte das Gremium der NS-Zensurbehörde diese »Anklage gegen das Rooseveltsche Wirtschaftssystem«: »Früchte des Zorns«, in Originalfassung, aber mit bereits einkopierten deutschen Titeln. Das Gremium hielt »den eindrucksvollen Film für geeignet zum Einsatz in geschlossenen Veranstaltungen der Partei«. Eine »allgemeine Freigabe des Films zur Vorführung in den Lichtspieltheatern« empfahlen die Zensoren nicht, »da der Film ohne entsprechende politische Aufklärung Mitleid mit dem furchtbaren Schicksal der amerikanischen Farmer erwecken könnte...«[21] Man dachte auch daran, in diesem Film Änderungen vorzunehmen, um ihn danach für Propagandazwecke bei den Zwangsarbeitern zu benutzen. Es wurden russische, ukrainische und polnische (?) Versionen vorgesehen.[22] Diesen Plan hat man höchstwahrscheinlich nicht mehr realisiert.

Die Italiener waren bis 1937 nur mit vereinzelten Produkten an das deutsche Kinopublikum herangetreten. Als Bestätigung kann man hier angeben, daß im Jahre 1936 die Zuschauer in den Kinos nur einen einzigen Spielfilm italienischer Herkunft ansehen konnten und im folgenden Jahr nur drei. Aber das Jahr 1937 war schon eine Zeit des Umbruchs. Es wurden zugleich Maßnahmen getroffen, um den organisatorischen Rahmen des Vertriebs zu verstärken, was auch hieß: zu zentralisieren. Seit Januar 1939 vertrieb die Deutsch-Italienische Film-Union GmbH (Difu) in gemeinsamer Arbeit mit der Unione Nazionale Esportazione Pellicole (Unep) in Rom, die über 80 % der gesamten italienischen Filmproduzenten vereinigte, die italienischen Spielfilme sowohl in Deutschland als auch in denjenigen Ländern, die speziell als Absatzgebiete des deutschen Films galten.

Die politische, später auch die militärische Zusammenarbeit der beiden »Achsen«-Partner warf ständig ihren Schatten auf die Filmkontakte zwischen Berlin und Rom.

Als eine gewisse Visitenkarte des faschistischen Films auf dem nationalsozialistischen Kinomarkt kann man den Film »Mario« betrachten[23], einen »Film vom Kampf um das neue Italien«, der das besondere Interesse Hitlers gefunden hatte. Unter dem italienischen Titel »Vecchia Guardia« drehte man ihn auf Veranlassung Mussolinis, unter entsprechender Förderung durch den Außenminister Ciano und andere Persönlichkeiten des faschistischen Regimes. Es hießt, es handle sich um die Wiedergabe einer authentischen Begebenheit aus der Geschichte des italienischen Fascio, wobei teilweise die in dem Bildstreifen vorkommenden Personennamen unabgeändert aus der faschistischen Bewegung stammen. In einem veröffentlichten Runderlaß des Reichs- und Preußischen Ministeriums des Innern wurde – auf dienstlichem Wege (!) – allen Beamten, Angestellten und Arbeitern der Besuch dieses Films »auf das wärmste empfohlen«.[24]

In der Spielzeit 1938/39 machte in Deutschland der Itala-Film der Tobis »Drei Frauen um Verdi« Schlagzeilen. (Margherita Barezzi wurde von Germana Paolieri gespielt, Giuseppina Strepponi von Gaby Marlay und die Sängerin Teresina Stolz von Maria Cebotari dargestellt.) Fosco Giachetti spielte den großen Komponisten, und Benjamino Gigli trat als Mirato auf. Der Film brachte einen Querschnitt aus dem musikalischen Schaffen Verdis. Die deutsche Kritik, sonst warm, bemängelte allerdings die technische Qualität des Films. Unter einem Massenaufgebot von Menschen, Tieren und Material gestaltete Carmine Gallone (Regisseur und Co-Autor) den italienischen Großfilm »Scipione Afrikanus«. Dieser Film entstand in Italien nicht nur, um die Ruhmesblätter der eigenen Geschichte zu zeigen. In diesem »bedeutenden Dokument faschistischer Kunstgesinnung« wurden die beiden Gegenspieler, Scipio (von Annibale Ninchi dargestellt) und Hannibal (Camillo Pilotto) auch zur Verkörperung der weltanschaulichen Gegensätze in die Handlung hineingestellt. Das Prestigewerk der faschistischen Filmindustrie erhielt 1938 in Venedig die Coppa Mussolini. In deutscher Fassung ging das Werk vor Kriegsausbruch unter dem Titel »Karthagos Fall« in die Kinos des Reiches. In Deutschland erhielt der Streifen das Prädikat »staatspolitisch wertvoll«; über die künstlerischen Werte dieses Filmes schrieb man hier weniger.

»Hanno rapito uomo«, in Deutschland als »Die drei Lügen der Großfürstin« oder »Ein Mann wird entführt« vorgestellt, war ein Lustspielerfolg der Biennale 1938. Der Film behandelte eine Scheinehe zwischen einer russischen Großfürstin und einem italienischen Filmstar, die von Caterina Boratto und Vittorio de Sica dargestellt wurden (Regie Gennaro Righelli). Der Film wurde in einer guten deutschen Übertragung kurz vor Kriegsausbruch – also zeitgemäß – den deutschen Zuschauern gezeigt.

Ebenfalls zeitgemäß, einige Stunden vor dem Überfall auf Polen, fand im Berliner Marmorhaus die Premiere eines Films um die russische Zarin Katharina II., »Rivalin der Zarin« (»Principessa Tarankova«), statt. Der S.A.I.-Film, mit prächtigen Außenaufnahmen in Venedig (Regie Mario Soldati), erhielt die deutsche Fassung. Es spielten u. a. Annie Vernay (Steimme U. Grableys) und Anna Magnani; die Musik schuf der bekannte italienische Komponist Riccardo Zandonai. Die Deutschen honorierten den Film mit dem Prädikat »künstlerisch wertvoll«.

Der langweilige Difu-Film »Wer ist so glücklich wie ich?« war vor allem eine Plattform für den berühmten Tenor der Mailänder Scala, Tito Schipa. Es gab also eine Fülle von herrlichen Melodien. Schipa sang auch ein Schubert-Lied, das zarte »Leise flehen meine Lieder«, allerdings italienisch, und das gefiel nicht allen »nationalbewußten« Filmkritikern.

Bereits Ende 1939 berichtete die deutsche Presse: Nun komme der mit dem italienischen Staatspreis ausgezeichnete Film »Stürme über

Morreale« zu uns, ein Bild aus der Zeit der Renaissance. Der Film, ohne Frage ein hohes Lied auf den Freiheitswillen eines Volkes, sei ein bildgewordenes Beispiel für die Mentalität des italienischen Volkes. Die unter der Regie von Alessandro Blasetti entstandene Liebesromanze – als Italiens Nationalheld Ettore Fieramosca trat Gino Cervi auf – erhielt eine deutsche Fassung und bereicherte mit mäßigem Erfolg die Kinoprogramme des Reiches im Jahre 1940.

Die italienischen Produktionen, die im Jahre 1940 das Repertoire der deutschen Kinos auffrischten, waren vor allem Filme des leichteren Genres. So z. B. der Krimi im dramatischen Rahmen eines Lustspiels »Alarm im Warenhaus«. Mario Camerini realisierte diesen Film, Assia Norris spielte eine kleine Verkäuferin, mit ihr agierte Vittorio de Sica. Assia Norris wirkte auch in einer Liebes- und Hochstaplergeschichte mit: »Skandal um Dora« (»Dora Nelson«) des jungen Regisseurs Mario Soldati. Vom Regisseur Mario Bonnard stammte der stark italienisch geprägte, sensationelle Film um Sport und schöne Frauen »Gefährliche Frauen«. Filme aus Italien, das bedeutete auch musikalische Filme. Eine deutsche Version erhielt das Melodrama »Nächte in Neapel«, ein Filmdebüt des weltberühmten Tenors Tino Rossi aus der Vorkriegszeit. »Melodie der Liebe« war ein Opernfilm von Carmine Gallone mit Maria Cebotari (Mariano Stabile und Giovanni Malipiero, zwei berühmte Tenöre der Mailänder Scala, waren in den Traviata-Szenen ihre Partner) und Lucie Englisch, die man mit dem italienischen Komiker Paolo Stoppa zu einem lustigen Paar gekoppelt hatte. In dem deutsch synchronisierten Film »Die Nachtigall von San Marco« (»Il carnevale di Venezia«) war die berühmte Diva der Mailänder Scala, Toti dal Monte – obwohl nicht in der Titelrolle – Hauptanziehungskraft für die Zuschauer (Regie Giuseppe Adami und Giacomo Gentilamo). In dem musikalischen Lustspiel »Lotterie der Liebe« stand Giuseppe Lugo, der erste Tenor der Mailänder Scala, im Vordergrund. Im Kinoprogramm des Jahres 1940 gab es auch die deutsch synchronisierte Verfilmung der Novelle »Cavalleria Rusticana«. Das packende Drama von der sizilianischen Bauernehre gestaltete Amleto Palermi mit Isa Pola und Doris Durante.

Angekündigt von einem ganzen Chor italienischer Jubelstimmen, kam (mit Verspätung) Italiens großer Fliegerfilm »Luciano Serra pilota« (1938) in die deutschen Kinos, im Reich synchronisiert unter dem Titel »Zwischen Leben und Tod« (früher auch »Mein Leben für Italien«). Er erzählt vom Schicksal eines Kampfflieger-Hauptmanns und hatte eine gewisse Ähnlichkeit mit »D III 88«. Ein gewaltiges Menschenaufgebot stand den Filmgestaltern zur Verfügung. Amadeo Nazzari (dieser Film war es, der ihm in Italien eine enorme Popularität schuf) und Roberto Villa traten in den Hauptrollen auf. Goffredo Alessandrini führte Regie, er war auch Drehbuchautor, aber die Gesamtleitung lag in den Händen des Sohns des Diktators, Vittorio Mussolini. Von ihm stammte auch die Idee des Films. In Venedig erhielt das Werk die Coppa Mussolini, deutscherseits dagegen wurde er mit den Prädikaten »staatspolitisch wertvoll« und »jugendwert« geehrt. Nach einer Presse- und Interessentenaufführung (12. 2. 1940) fand am 1. 3. 1940 in Danzig die feierliche Erstaufführung statt. In Italien genoß der Film fast kultische Verehrung und machte beste Kasse. Das deutsche Publikum (und die Filmbetrachtung) nahm das Werk mit gewisser Zurückhaltung auf. Der eigene, deutsche Krieg in Europa und nicht das fast verklungene Thema des Abessinien-Krieges weckte im Reich ein größeres Interesse.

Für die Vorführung in Deutschland wurden von der Filmprüfstelle zugelassen: 1941 = 9, 1942 = 21, 1943 = 8 und 1944 = 4 italienische Produktionen. Man kann hier nur einigen von ihnen seine Aufmerksamkeit schenken.

1941 lief in Deutschland, so wie auch in einigen anderen Ländern, der Film »Mutter« (»Mamma«) in der Regie von Guido Brignone mit Benjamino Gigli als Sänger Mario Sarni, mit der berühmten Tragödin Emma Gramatica und mit Carola Höhn. Selbst wenn dieser Film nichts weiter böte als das von Gigli innig und zart gesungene Mutterlied, dann wären die Zuschauer schon beglückt, las man in den deutschen Pressestimmen.

»Mutter«
Eine Filmkritik aus der Schweiz
». . . der Sänger (Gigli) beschränkte sich auf seine engere Kunst und ließ den Schwerpunkt des Geschehens und der Darstellung auf der Gestalt seiner Mutter (E. Gramatica) ruhen. . . . Die Mutter, die ihre lebenshungrige Schwiegertochter (C. Höhn) von ihrem Liebhaber zu ihrem Gatten und zu einer tieferen Eheauffassung zurückführt. Dem Thema – Mutter- und Gattenliebe – dienen auch die Lieder, die von Verdi (Rigoletto und Othello) und C. A. Bixio stammen, wirkungsvoll motivartig ins Ganze eingebettet.«
Quelle: Der Filmberater, Luzern, Nr. 10, Oktober 1941.

831

Dagegen entsprach das Ehedrama »Die gläserne Brücke« (»Il ponte di vetro«, 1940) weniger den künstlerischen, aber auch nicht den politischen Erwartungen. Deshalb hatte der Film im Reich nicht die beste Presse.

»Alkazar«
Eine Filmkritik aus der Schweiz

»Uns Schweizer interessiert der Film auch deshalb besonders, weil der Tatsachenbericht »Die Helden von Alkazar« von Dr. Rudolf Timmermanns in der Schweiz bei Otto Walter in Olten erschienen ist und Hunderttausende von begeisterten Lesern fand... Das Buch, das ›das große Menschen- und Spaniertum, das sich in den Verteidigern des Alkazar in so hoher Form ausgeprägt hat‹, darstellt, wurde zum größten Schweizer Bucherfolg im In- und Ausland. Es wurde in zirka 10 Sprachen übersetzt... Besonderes Lob verdient der Regisseur Augusto Genina für die Massenszenen: Sie sind besser als in amerikanischen Filmen, denn sie sind kultivierter und wirklich beseelt... ein durchschlagender Erfolg. Das Publikum applaudiert am Schluß sowie konstant während der weiteren Vorführungen.«
Quelle: Der Schweizer Film-Kalender 1941. (Genf)

In der Spielzeit 1941/42 gingen rund 25 italienische Spielfilme in die deutschen Kinos. Die meisten im Verleih der Difu. Ein politischer Auftakt war der Film »Alkazar«, eine italienisch-spanische Gemeinschaftsproduktion, die längere Zeit auf das grüne Licht im Reich warten mußte. »Alkazar« (»L'Assedio dell'Alcazar«), in der Regie von Augusto Genina, entstand in der Bassoli-Produktion. Der Film wurde bereits vor dem Ausbruch des 2. Weltkrieges gedreht und sogar auf der Biennale in Venedig mit einem Pokal ausgezeichnet. Er erhielt eine deutsche Fassung, und erst jetzt wurde er im Reich erstaufgeführt.[25] Die Geschehnisse jenes Sommers 1936 in Spanien auf der Leinwand zu zeigen, galt in Deutschland in der Zeit nach August 1939 und vor Juni 1941 als propagandistisch unerwünscht. Jetzt aber schrieb die NS-Presse über die Fundamente einer neuen europäischen Ordnung, die sich über den Trümmern des Alkazar erheben. Auch ein anderer italienischer Film über den Bürgerkrieg in Spanien, »Frente de Madrid« (Regie Edgar Neville), wurde erst im November 1942 in Berlin unter dem Titel »In der roten Hölle« dem deutschen Kinopublikum gezeigt.

Die anderen italienischen Produktionen machten in der deutschen

Presse nicht so große Zeilen. Im Winter 1941/42 schrieb man etwas mehr (obwohl eine gewisse Zurückhaltung bei der Beurteilung der Konkurrenzproduktionen stets zu beobachten war) über fünf Spielfilme. Prositive Kritiken und Berichte begleiteten die stimmungsvolle Liebesromanze im Rahmen einer Nacht »Romantica Avventura« mit Assia Noris, Gino Cervi und Leonardo Cortese, ein Film, der unter dem Titel »Walzer einer Nacht« bis in das Jahr 1944 in den deutschen Kinos zu sehen war. Die romantische Abenteuergeschichte »La figlia del Corsaro Verde« (Regie Enrico Guazzoni) mit Doris Duranti, Mariello Lotti, Fosco Giachetti und Camilo Pilotto lief nicht ohne Erfolg, synchronisiert unter dem deutschen Titel »Die Tochter des Korsaren«. Eine deutsche Version erhielt das Drama »Ridi Pagliaccio« (»Vorbestraft«) mit Laura Solari und Fosco Giachetti. Das Liebesdrama »Luce nelle tenebre« (Buch und Regie Mario Mattol), in dem Fosco Giachetti als ein Mann zwischen zwei Frauen auftrat, lief in den deutschen Kinos, mit dem Prädikat »künstlerisch wertvoll« versehen, als »Die Liebeslüge« und war sogar wegen seiner erzieherischen Qualitäten für die Jugend ab 14 Jahren zugelassen. Nicht für die Jugend war dagegen das Melodrama »La Peccatrice« (Regie Amleto Palermi) mit Paola Barbara, Fosco Giachetti, Vittorio de Sica und Gino Cervi, eine alte (Film-) Geschichte vom Mädchen, das auf die schiefe Bahn gerät, aber innerlich anständig bleibt. Der deutsch synchronisierte Film lief unter dem Titel »Frau am Abgrund«.

Im März 1942 erschien im Verleih der Bavaria der deutsch synchronisierte Scalera-Film »Uomini sul fondo« (Männer auf dem Meeresgrund), ein U-Boot-Film mit reportagemäßgem Charakter. Er wurde noch vor dem Krieg im authentischen Milieu gedreht und zeigte ein U-Boot, das während der Manöver der italienischen Kriegsmarine auf den Meeresgrund ging und nicht mehr auftauchen konnte. Unter dem Titel »Einer für alle« kam der Film nach seiner deutschen Erstaufführung in Hamburg und der Berliner Premiere in die zahlreichen Theater des Reiches. Dank der guten Regie (Francesco De Robertis) war er kein Langweiler. In Deutschland erhielt er hohe Prädikate: »staatspolitisch und künstlerisch wertvoll, jugendwert«. Das U-Boot-Thema besaß zu dieser Zeit noch einen großen Propagandawert.

Der Scalera-Film »Tosca« (Verleih: Bavaria) hatte beim deutschen Publikum mehr Glück als 1941 in Venedig (Regie: Jean Renoir/Carlo Koch). Wie Puccinis Oper, nach dem gleichnamigen Drama von Victorien Sardou gestaltet, war er ein glückliches Beispiel dafür, wie man Opernmelodien in einzelnen Szenen als dramatische Begleitmusik verwenden kann (musikalische Bearbeitung von Umberto Mancini). Mit Imperio Argentina, Rossano Brazzi und Michel Simon in den Hauptrollen, gewann das Werk weitere Kreise von Liebhabern italienischer Opernmusik (E: 7.5.1942 in Wien).

Ein paar Spielfilme schilderten dem deutschen Kinopublikum den italienischen Kriegseinsatz. Alessandrinis »Giarabub« (Scalera-Film) zeigte eine italienische Mannschaft, die vier Monate lang eine Oase südlich von Tobruk verteidigte, ein Loblied auf Heldentum und Front-Kameradschaft. Unter dem Titel »Die letzten von Giarabub« erlebte der Film seine deutsche Erstaufführung im Hamburger Waterloo-Theater (26.3.1943). Ein anderer Afrika-Film, »Benghasi – das Schicksal einer Stadt« (Regie A. Genina), wurde in Deutschland angesagt, und noch am 10.5.1943 schrieb der Film-Kurier: »Der Film befindet sich in Synchronisation.« Drei Tage danach kapitulierten die deutschen und italienischen Truppen in Nordafrika. Der Film wurde zurückgestellt.[26] Dagegen wurde Roberto Rosselinis Film »Glückliche Heimkehr« (»La nava bianca«), der in Mitarbeit mit der italienischen Kriegsmarine entstand, deutsch synchronisert und am 23.7.1943 im Capitol am Zoo in Berlin erstaufgeführt.

Noch vor dem »Umbruch« gelangte in die deutschen Kinos: die Komödie »Liebesfreude-Liebesleid« (»Addio, giovinezza«, 1940) des Regisseurs Ferdinando Maria Poggioli, ein vielleicht schon zum drittenmal verfilmtes Theaterstück aus dem Studentenmilieu, der historische Film »Todfeinde« (»Giuliano de Medici«), in der Regie von Andrea Robilaut, mit Carlo Tamberlani als Lorenzo de Medici und Conchita Montenegro, und – bei einer großen Reklame – der Abenteuerfilm »Unter dem Kreuz des Südens« (Regie Guido Brignone) mit Doris Duranti. Dieser Film erhielt eine deutsche Fassung.

Diskutabel wurde die Frage der Zulässigkeit italienischer Filmproduktionen nach dem Abfall Italiens 1943. Anfangs herrschte Unsicherheit – zeitweise wurden italienische Filme auch nicht mehr vorgeführt. Nachdem jedoch Mussolini die italienische Marionetten-Republik von Saló gegründet hatte, kam auch das italienische Filmschaffen im begrenzten Rahmen, d. h. nur die Werke der »Mussolini-treuen Italiener«, wieder zum Zuge. Die Begrenzung betraf sogar den Filmvertrieb. In einer Vereinbarung zwischen der Reichsstelle für den Filmaußenhandel und der Generaldirektion für das Schauspielwesen im Saló-Volkskulturministerium vom 23.3.1944 wurde der Vertrieb der italienischen Filme in den von Deutschland besetzten und unter deutschem Einfluß stehenden Ländern grundsätzlich der Transit-Film überlassen. Die Italiener konnten selbst ihre eigenen Filme nur in den verbündeten und neutralen Ländern verkaufen.[27]

Der bereits deutsch synchronisierte Spielfilm »Dokument Z III«, der von der Difu verliehen werden sollte, wurde im Juni 1944 zurückgestellt und auch verboten. In der Begründung der Zensoren hieß es: »Zwar handelt es sich um einen publikumswirksamen Spionagefilm mit guter Besetzung, jedoch wird der sowjetische Gesandte viel zu sympathisch gezeichnet. Dazu kommt, daß der Film in Kroatien spielt, einem Gebiet also, aus dem Italien ausgeschieden ist und auf das es jeden Anspruch verwirkt hat. Die Parteigenossen (Wächter, Freis, Bacmeister, B.D.) sind der Meinung, daß wir keine Veranlassung haben, dem deutschen Publikum durch diesen Film nochmals das unrühmliche Kapitel der italienischen Politik im kroatischen Raum vor Augen zu führen, besonders wenn es in der einseitigen Darstellung dieses Films geschieht, der den italienischen Einsatz in Jugoslawien und Kroatien der historischen Wahrheit zuwider glorifiziert.«[28] Zu gleicher Zeit wurden auch die schon deutsch synchronisierten Filme »Liebesopfer« und der bekannte Streifen »Die eiserne Krone«, den die Difu gemäß der deutsch-italienischen Vereinbarung vom DFV übernommen hatte, für Deutschland verboten, was der Difu weitere finanzielle Verluste verursachte. Nicht bloß Konkurrenz lag im Hintergrund. »Es wird vom RpropMin nochmals festgestellt, daß keine grundsätzliche Ablehnung der italienischen Filme erfolge, daß lediglich die Mehrzahl der italienischen Filme unter den derzeitigen Verhältnissen für einen Einsatz in Deutschland nicht in Frage komme...«, hieß es in einer Begründung.[29] Die Zeit, in der man in Italien Filme unter dem Leitwort produzierte: »Chi teme la morte non e degno di vivere« (Wer den Tod fürchtet, ist nicht würdig zu leben), war vorbei.

Der Film aus Japan

Die sich formierende politische Partnerschaft mit Japan bewirkte nur in sehr begrenztem Umfang auf deutscher Seite ein verstärktes Interesse an japanischen Filmen. Auch der japanische Film, aus seiner nationalen Begrenzung nicht gelöst, suchte nur selten Anschluß an den Film seines politischen Partners. Der gemeinsam geführte Krieg änderte später kaum die Situation. Übrigens war es nicht leicht, die durch den Krieg entstandenen Verkehrsschwierigkeiten zu bewältigen.

Den symbolischen Auftakt bildete die deutsch-japanische Co-Produktion »Die Tochter des Samurai«. Der Film wurde, teilweise in Japans Landschaft, von Arnold Fanck, der auch das Drehbuch verfaßt hatte, gedreht (U: 23. 3. 1937; P: skw). Obwohl nur ein einfacher Spielfilm, war »Die Tochter des Samurai« ein merkwürdiges politisches Dokument, das das Klima der politischen (und rassischen) Verhältnisse zwischen dem Dritten Reich und Japan wahrheitsgetreu schilderte. Der Film zeigte die Liebe eines jungen Japaners, Absolvent einer deutschen Hochschule (hier bot sich die Gelegenheit, die hervorragende Rolle des deutschen Hochschulwesens zu zeigen), zu einem deutschen Mädchen, mit dem er sein Leben verbinden wollte, obwohl er in Japan seine Braut, die Tochter des Samurai, zurückgelassen hatte. Im Endresultat siegte jedoch die Liebe der stolzen Japanerin, was zugleich den Realisatoren des Films die Gelegenheit gab, gewandt den »Rassenkonflikt« zu vermeiden. Der junge Japaner fuhr endlich in die Mandschurei, um dort seinem Vaterland zu dienen. Für die Zeit der engeren Partnerschaft mit Japan (d. h. seit 1942) war der Film nicht geeignet. Weisungsgemäß nahm der Regisseur Fanck entsprechende Änderungen vor. Der Film wurde neu zensiert, und im Oktober 1942 ging er erneut in die Kinos[30] unter dem Titel »Die Liebe der Mitsu«.

Im Zeichen eines Wintersportthemas und der Sportkameradschaft entstand 1937/1938 die japanisch-deutsche Gemeinschaftsproduktion »Das heilige Ziel«. Der Film war als Auftakt zur Olympiade des Jahres 1940 gedacht, die in Japan stattfinden sollte, wegen des China-Konflikts aber abgeblasen wurde. Der Film wurde teils mit deutschen, teils mit japanischen Dialogen hergestellt. Es war kein Spielfilm im traditionellen Sinne. Die Kamera führte mit den eingeflochtenen Szenen aus dem japanischen Alltag nach Hokkaido, das mit seinen Bildern einen schönen Rahmen für das harte Training der beiden jungen Skispringer mit ihrem deutschen Lehrer (von Sepp Rist gespielt) abgab. Kosho Nomura war der Regisseur, eine zum Aufhorchen zwingende Musik schrieb (im europäisch-akademischen Stil) der bekannte japanische Komponist Kôsaku Yamada, der spätere Schöpfer der bekannten Orchestersuite »Kamikaze« (1944).

Nach seiner Erstaufführung im Januar 1939 in Hamburg lief im

Verleih der Degeto im Reich der japanische Spielfilm »Li ming«
(deutsch synchronisiert: »Morgenröte«), Produktion des Jahres 1938
in der Regie von Chang Mei-Sheng und Jukichi Suzuki. Der Film
zeigte (RFA): »...das Schicksal eines chinesischen Bauernpaares,
das sein Heim in Nordchina wegen der Kriegshandlungen verlassen
muß, das unterwegs vom japanischen Militär gut behandelt wird...
Der Film ist der erste, der in geistiger und technischer Zusammenarbeit des japanischen und chinesischen Volkes entstand. Die Aufnahmen fanden im Norden Chinas statt...« Das Leben japanischer
Menschen und die japanische Folklore zeigte der lange (3183 m) Unterhaltungsfilm »Der Acker« aus dem Jahre 1939, gestaltet von dem
Regisseur Uchida Tomu. RFA: »Zwei schicksalhafte Begebenheiten
des japanischen Lebens, die kardinale Tatsache des Volkes ohne
Raum und die Forderung der Sippentreue, geben dem Film sein Gesicht.«

Japans »Großfilm« (2543 m) vom Kampfgeist seiner Flieger, »Nip-
pons wilde Adler«, hergestellt im Auftrag der japanischen Heeresleitung und unter Aufsicht der Luftfahrtinspektion des japanischen
Heeres, bedeutete offiziell ein Geschenk Japans an den »Führer« und
das deutsche Volk. Er entstand nach Eintritt Japans in den Krieg und
zeigte den Unterricht und die Erziehung in einer Heeresschule für
Jungflieger – nur wenige Berufsschauspieler spielten mit, die Regie
führte Yutaka Abe – und danach den Einsatz der Schüler an der chinesischen Front. Der Botschafter Oshima, Goebbels, Rosenberg,
Rust, Lutze und andere Prominente des Regimes trafen sich am
5. 6. 1942 im Berliner Ufa-Palast, um der Uraufführung dieses Filmes
beizuwohnen. Das Leben und die Ausbildung der japanischen Mari-
neflieger schilderte »Der Weg nach Hawaii«. Dieser Film enthielt
auch die Darstellung des Angriffs auf Pearl Habour und die Versenkung der englischen Schlachtschiffe »Prince of Wales« und »Re-
pulse«. Der Film wurde in den Veranstaltungen der Deutsch-Japanischen Gesellschaft gezeigt.

Der japanische Spielfilm bildete im Repertoire der deutschen Kinos ständig eine Seltenheit. Im Dezember 1944 wurde von der NS-
Filmzensur als der letzte (?) »Ine und ihr Pferd«, in Originalfassung
mit einkopierten deutschen Titeln, für das Gebiet des Reiches freigegeben.[31] »Der technisch primitive Film zeigte das Familienleben und
die Naturverbundenheit einfacher japanischer Menschen.«[32]

Im Krieg hatte das Kinopublikum Gelegenheit, von Zeit zu Zeit
einige japanische Kulturfilme zu sehen. Bereits im Sommer 1940

liefen: »Japanische Volksschulen« und »Japanfahrt der Hitlerjugend 1938«, vom japanischen Unterrichtsministerium hergestellt und der HJ zum Geschenk gemacht. Im Dezember 1942 organisierte man in zahlreichen Kinos der Reichshauptstadt (Jahrestag des Kriegseintritts Japans) Sondervorführungen von japanischen Kulturfilmen. Sonst herrschte auch in dieser Sparte ein Mangel an Filmen. Gewisse Ergänzungen bildeten die deutschen Produktionen mit japanischen Themen.

Aus Japans Machtbereich wurden gelegentlich einige mandschurische Kulturfilme im Reich vorgeführt.

Filme aus Frankreich

Die deutsch-französische Zusammenarbeit im Bereich des Films war bis 1939 vielseitig, und die französischen Produktionen behaupteten – nach den USA und Österreich – ihren dritten Platz im deutschen Film-Import. Nicht zu vergessen: Frankreich wurde stets als ein gefährlicher Konkurrent betrachtet, und beim deutschen Ankauf von französischen Filmen war die Politik mitbestimmend. Die Filme, die die französische Gesellschaft kritisch zeigten, wurden bevorzugt; ihr Einsatz im Reich wurde sogar gefördert. So der Halbstummfilm von Sacha Guitry »Le Roman d'un Tricheur« (1936), der bis Sommer 1939 in den deutschen Kinos lief, so »Unruhe im Mädchenpensionat« (»Le Prison sans barreaux«, 1938) oder die ergreifende Tragödie einer kleinen, von aller Welt verlassenen Studentin in Paris (gespielt von Danielle Darrieux) in dem Film »Vertrauensbruch«, der seit Anfang 1939 in zahlreichen deutschen Kinos gastierte. Übrigens gewann Danielle Darrieux das deutsche Publikum und war nicht selten in den nach Deutschland eingeführten Filmen zu sehen. Zum Beispiel im Henry-Decoins-Film »Darf ein Mann so dumm sein?« nach dem Bühnenstück »Mademoiselle ma mère« von Louis Verneuil oder in dem im selben Jahr 1938 gedrehten Film »Katia«, den Maurice Tourneur realisierte. Der Film lief im Reich in deutscher Sprache als »Katja, die ungekrönte Kaiserin«. Mit der Romanvorlage der französischen Schriftstellerin Prinzessin Bibesco hatte der Film nicht mehr viel zu tun, und mit der Wirklichkeit (so auch im Vorspann) schon gar nicht. Die Story erzählte von der tragischen Liebe des Zaren Alexander II. und der Prinzessin Dolgoruki (Darrieux). Nicht die »patriotische Propaganda« für Frankreich, sondern das russische Thema selbst war der neuen politischen Stimmung in Deutschland ganz nahe. Diesen Film spielten die deutschen Kinos im Sommer 1939. Man zeigte ihn sogar – ! – noch nach der Kriegserklärung Frankreichs: ob mit Kürzungen, ist heute schwer zu prüfen. Das Lustspiel »Er und seine Schwester« (»Ma sœur de lait«), mit Meg Lemonnier in der Hauptrolle – das Regiewerk von Jean Boyer, das bis in die letzten Tage des Friedens in Deutschland lief – war ein Streifen, der im Atelier in Babelsberg entstand. Kameradschaft und Verständigung zwischen den französischen, englischen und deutschen Soldaten zeigte der Léo-Joannon-Film »Allerte en Mediterranée« (»Alarm im Mittelmeer«). Auch er gehörte zu den letzten französischen Spielfilmen, über die die deutsche Presse mehr als sonst und gut schrieb. Für diesen Film war bereits ein Sonderheft erstellt und Reklame gemacht worden, doch er wurde nicht aufgeführt, weil inzwischen der Krieg ausbrach. Die letzten französischen Kulturfilme, die vor Kriegsausbruch in Berlin gezeigt wurden, waren »Images d'Auvergne«, »Rouen« und der Bretagne-Film »La grande lueur«.

Während des Krieges vertragen die Conti-Filme den französischen Film in Deutschland (mit ganz wenigen Ausnahmen).[33] Die Continental schuf insgesamt dreißig Spielfilme, d. i. 14 % der gesamten Filmproduktion in Vichy-Frankreich. »Premier Rendezvous« war der erste Conti-Film. Henri Decoin (Buch und Regie) gestaltete ihn mit Danielle Darrieux in der Rolle eines grazilen Waisenmädchens (U: 14. 8. 1941 in Paris). Im Frühjahr 1942 kamen auf Einladung des Präsidenten der RFK französische Filmdarsteller zu Besuch nach Berlin: Danielle Darrieux, Suzy Delair, Junie Astor, Viviane Romance, Albert Préjean, René Dory. Anläßlich dieses Besuches fand in Berlin die Premiere des Films »Ihr erstes Rendezvous« (»Premier Rendezvous«) statt. 1942–1943 wurden für den deutschen Kinomarkt acht weitere Conti-Filme zugelassen. Im Jahre 1942 das heitere Märchen »Einmal im Jahr« mit Danielle Darrieux als duftige Traumprinzessin, ferner die Krimis »Sie waren sechs« (Regie Pierre Fresnay) und »Der Mörder wohnt Nr. 21« (Regie H. G. Clouzot). Im Februar 1943 gab die deutsche Zensur die Bewilligung für die Filme »Der goldene Schmetterling« (»Le club des soupisants«), in der Regie von Maurice Gleise mit Fernandel in der Hauptrolle, und »Anette und die blonde Dame« (»Anette et la dame blonde«). Jean Dréville gestaltete diese Komödie. »Das unheimliche Haus« (»Les inconnus dans la maison«), ein Krimi des Regisseurs Henri Decoin, erhielt sogar eine deutsche Fassung[34] und erlebte seine deutsche Premiere am

10. 6. 1943 in Berlin (Atrium und UT-Friedrichstraße). »Liebe im Süden« (Regie Fernandel mit Carlo Rim) und das Drama »Mademoiselle Bonaparte« (Regie Maurice Tourneur) ergänzten die Liste der genehmigten Filme. Jacques Beckers Regiedebüt »Le dernier atout« (1942), ein Kriminalreißer, erhielt 1944 eine deutsche Fassung. Als »Der letzte Trumpf« sollte er im Verleih der DFV noch nach der Landung der Alliierten erscheinen. Die Zensur äußerte keine Bedenken. Bedenken äußerte aber der Reichspropagandaminister: Die Aufführung von französischen Filmen im Großdeutschen Reich war inzwischen verboten worden.[35] Im Ausland wurden sie allerdings weiterhin vertrieben.[36]

Früher verursachte Probleme, allerdings anderer Art, der Conti-Film »La symphonie fantastique« (1942), in dem der Regisseur Christian-Jaque mit Hilfe des Hauptdarstellers Jean-Louis Barrault die Gestalt des großen Komponisten Berlioz porträtierte. Goebbels, der diesen Film sah, ließ Direktor Greven nach Berlin kommen, um diesen noch einmal daran zu erinnern, daß eine den Deutschen gehörende Firma in ihren Werken nicht den französischen nationalen Geist hervorzuheben habe.[37] Der Film war künstlerisch und technisch gut, was Goebbels bestätigen mußte. Vorher hatte auch der »Film-Kurier« (8. 5. 1942) das filmische Berlioz-Denkmal sehr gelobt. Jetzt aber wurde der Film sogar für den Export gesperrt. Dennoch: pecunia non olet. Noch im Dezember 1944 wandte sich Hinkel an Goebbels mit dem Antrag, diesen Film für den Einsatz im Ausland zuzulassen. Die in ihm, wie es hieß, »hervortretende französische Kulturpropaganda« (so etwa eine Zusammenkunft der französischen Studenten zu einer begeisterten Kundgebung für Frankreich oder die Aufnahme von Berlioz in die Ehrenlegion, die mit einer feierlichen Rede auf den Ruhm Frankreichs eingeleitet wurde) wollte man mit einigen Schnitten entfernen.[38] Goebbels hat diesen Plan zunichte gemacht.

Filme aus dem Protektorat Böhmen und Mähren

Die »kleine« Politik mit ihren Kurven beeinflußte das »Spielen« oder »Nichtspielen« von tschechischen Filmen. Diese Empfehlungen des ProMi gaben hier den Ausschlag, mehr als die wirklichen Interessen des Kinopublikums. Es gab übrigens Pläne, die nationale tschechische Filmproduktion vollständig zu liquidieren. Einige von den bewährten tschechischen Regisseuren, wie F. Čáp, O Vavra, M. Frič und J. Holmann, wollte man für das deutsche Filmschaffen übernehmen.[39] Erst zu Ende des Krieges war ein größeres Interesse des ProMi an »zuverlässigen« tschechischen Filmen zu beobachten, weil sie das verarmte Kino-Repertoire verstärken konnten.

1943 wurde das bekannte Filmdrama »Nachtfalter« (»Nočni motýl«, 1941) von František Čap synchronisiert, zensiert und aufgeführt. Die Geschichte von einem Landmädchen, das in der Stadt auf die »schiefe Bahn« geriet, also ein Film, dessen Thematik (ähnlich wie bei der »Goldenen Stadt«) für die Blu-Bo-Propaganda erwünscht war. Im Jahre 1944 schlug die Filmabteilung im ProMi vor, fünf bis sechs tschechische Spielfilme zur deutschen Synchronisation freizugeben. U. a. ging es um »Barbara Hlavsa« – »ein technisch hochwertiger Film, durchaus geeignet für einen Einsatz im Reich. Zwei unwesentliche Szenen religiösen Charakters können leicht geschnitten werden«, hieß es im Vorschlag. Der Film erzählte vom Kampf einer Bäuerin um die Wiederherstellung der Ehre ihres Namens. »Nebel über dem Moor« spielte ebenfalls im bäuerlichen Milieu. Bedenken gegen diesen hervorragend fotografierten Film (»abgesehen von einigen kurzen Szenen religiösen Charakters, die leicht zu entfernen sind«) wurden von den Zensoren nicht geäußert. Auch Goebbels war einverstanden. Im November 1944 schlug man vor, den Film »Gabriele« und Holmanns Werk »Hanns Kosinas Vergangenheit« zur Synchronisation freizugeben. Holmanns Film »Der blaue Schleier«, »eine qualitativ hochstehende Unterhaltung«, wurde bereits im Sommer 1944 zensiert, aber erst im März 1945 erlebte sie ihre Berliner Premiere. Eine deutsche Fassung erhielt Ende des Krieges »Der Weg ins Leben« (Regie F. Čáp)[40]. Im Januar 1945 wurde der tschechische Unterhaltungsfilm »Eine einzige Nacht« – ein Film, der die Erlebnisse eines kleinen Angestellten schildert, der einmal im Monat den Mann von Welt spielt – zugelassen und sogar in die Klasse II eingestuft.[41] Die letzten zwei tschechischen Spielfilme, »Der Weg ohne Wahl« und »Die zweite Schicht«, befanden sich bei der Deutschen Synchron GmbH noch im April 1945[42] in Arbeit.

841

Theoretisch bot der ungarische Film die besten Exportmöglichkeiten nach Deutschland. Im Kriege erlebte er einen ungewöhnlichen Aufschwung. Die ungarischen Filme gingen nach Italien und in die Balkanländer. Unter dem Namen »Unionsfilm« wurde im Herbst 1942 in Belgrad ein Unternehmen gegründet, das sich mit dem Vertrieb von ungarischen Filmen ins Ausland befassen sollte. Das befreundete Deutschland war allerdings auf den Kauf wenig erpicht. Kraft eines deutsch-ungarischen Abkommens (1942) galten Filme, die von einer deutschen Produktionsfirma hergestellt wurden, nicht mehr als Auslandsfilme. Diese Bestimmung umfaßte auch die ungarischen Filme in Deutschland. Entgegenstehende Bestimmungen des Kontingent-Gesetzes wurden im Falle Ungarns außer Kraft gesetzt. Deutschland nützte jedoch die beiderseitige Aufhebung der Kontingenteinschränkungen vor allem für die Steigerung der Ausfuhr seiner Filme aus. Erst seit 1943 kam eine gewisse Änderung. Der Mangel an eigenen Spielfilmen lenkte eine größere Aufmerksamkeit auf die ungarischen Produktionen.

Eine relativ gute Presse hatte der deutsch synchronisierte Film »Vision am See«, der in seinem Stil die Mitte zwischen romantischem Liebesdrama und Sensationsschauspiel hielt. Diesen Film gestaltete der bewährte Regisseur Làszlo Kalmàr mit Paul Javor in der Hauptrolle. Erst im Sommer 1944 kam in die deutschen Kinos: »Ein Mann geht seinen Weg« (»Dr. Kovács István«, 1941) von Viktor Bánky (dem jüngeren Bruder des amerikanischen Stummfilmstars Vilma Bánky), mit Antal Páger in der gutgespielten Hauptrolle eines Uni-Professors, der eine Bauerntochter heiratet und, zur Entrüstung seiner Kollegen, in der ungarischen Nationaltracht zur Arbeit geht. Die Synchronisierung war nicht die beste, und die deutsche Presse berichtete über eine geteilte Aufnahme dieses Films im Reich. Die wenigen anderen ungarischen Spielfilme wurden meistens in die III. Klasse eingestuft, manchmal von der Zensur nicht zugelassen. So erwies sich z. B. »Der goldene Pfau« »wegen der Primitivität seiner Handlungsführung und der teilweise abstoßenden Realistik der Darstellung für die deutschen Filmtheater als ungeeignet«.[43]

Auch der ungarische Kulturfilm kam, wenn auch nur selten, in die deutschen Kinos. »Hortobagy«, der das Leben in der ungarischen Pußta schilderte, wurde sogar im Rahmen des Deutschen Volksbildungswerkes (DAF) vorgeführt.

Durch das im Sommer 1944 »veränderte Verhältnis« zwischen Deutschland und Ungarn betrachtete die deutsche Seite Ungarn als »ein unter deutschem Einfluß stehendes Land«, was die volle deutsche Dominanz auch in den Filmangelegenheiten bedeutete.[44]

Von den anderen Balkanstaaten kam ein Import von Filmen nach Deutschland kaum in Frage. Ausnahmen bildeten die Dokumentar- und Kulturfilme, in den Programmen der deutschen Kinotheater eher selten, und wenn schon, dann meistens im Rahmen von politisch bedingten Veranstaltungen. Spielfilme waren absolute Seltenheit. Mit dem Film »Sie siegten« (ein patriotisches Thema, mit einer Liebesgeschichte verknüpft), dessen technische Bearbeitung in Rom vorgenommen wurde und der von der Deutsch-Bulgarischen Gesellschaft in einer Filmmatinee in Berlin gezeigt wurde, »konnte die bulgarische Filmkunst zum ersten Male ein bedeutendes Filmwerk vorstellen«, meldete der Film-Kurier (5.12.1940). Die Behauptung »zum ersten Male ein bedeutendes Filmwerk« war übrigens irreführend. Der bulgarische Film war nicht ohne Tradition. Der erste und einzige Spielfilm (mit dokumentarischen Ambitionen) aus Kroatien, »Lisinski« (Regie O. Miletić), schilderte die Lebensgeschichte des kroatischen Komponisten, des Vaters der kroatischen Nationaloper, Vartoslav Lisinski. Der mit einfachen Mitteln gestaltete Film konnte kaum das Interesse des breiten Publikums in Deutschland finden, jedoch waren die Mitglieder des Zensoren-Gremiums der Meinung, daß er sehr wohl in Sondervorstellungen gezeigt werden könne. Und da »die Kroaten die deutschen Filme in jeder Weise bevorzugt« behandelten, schlug Dr. Bacmeister vor, »den Film zur Synchronisation freizugeben«. Goebbels stimmte zu.[45] Am 3.12.1944 erlebte »Lisinski« seine deutsche Erstaufführung in Berlin.

Filme aus Skandinavien und Finnland

»Was die Verbreitung des schwedischen Films in Deutschland angeht« – schrieb die »Film-Rundschau« (18.5.1938) – »so ergibt die Statistik, daß dort die Einfuhr aus Schweden weit größer ist als in anderen Ländern. Doch hat natürlich mit der Verringerung der schwedischen Herstellung die Häufigkeit schwedischer Filme ins Ausland sehr nachgelassen. Die letzten aus Schweden zu uns gekommenen Filme waren: ›Peterson und Bendel‹, ›Der Schwur des Armas Bekins‹, ›Die Svedenhielms‹ und ›Walpurgisnacht‹«. Die folgenden

Jahre brachten keine Änderung. Zwar wuchs die schwedische Film-produktion beträchtlich, aber der Film made in Sweden blieb weiter-hin in den deutschen Kinos sehr rar. Von den nach Deutschland zur Kriegszeit eingeführten schwedischen Produktionen können wir hier in ihrer Gattung verschiedene Spielfilme erwähnen. 1941 ging, als ein Großfilm exponiert, das Werk von Schamyl Bauman »Wir zwei« (»Ve twa«) in die Kinos, ein Pendant zu dem deutschen Film »Das Leben kann so schön sein«. Auch bei den schwedischen Beiden ging es um ein Drittes, ein Kind. Man wünschte es sich, glaubte aber, es sich noch nicht leisten zu können. Im Endeffekt kam zunächst eine kleine Entfremdung, wachsende Gleichgültigkeit und schließlich ein Ab-irren der Gefühle zu einer anderen Frau. »Das Leben kann so schön sein« wurde von der Zensur nicht zugelassen, Baumans Film dagegen konnte, als warnende Stimme, die propagandistisch erwünschte Wir-kung erzielen. Dasselbe Jahr brachte den deutsch synchronisierten Abenteuerfilm »Liebe, Männer und Harpunen« (»Walfänger«) in die Kinos. Eine Walfangexpedition gab den Rahmen für die an Sensation reiche Handlung. Das Happy-End fehlte nicht. Das Lustspiel vertrat »Ihre Melodie«, von Thor L. Brooks inszeniert, mit Sonja Wigert und Sture Laherwall. Es war die Zeit einer Intensivierung der deut-schen kulturellen Expansion nach Schweden. Die deutsche Erst-aufführung fand feierlich gleichzeitig in drei Berliner Premieren-theatern statt: Tauentzien-Palast, Atrium und UT-Friedrichstraße (13. 8. 1942).

Im Sommer 1944 tauchte das Thema des von Gustaf Edgren ver-filmten Romans von Sally Salminen, »Katrina« (1942), auf. Dr. Bac-meister schlug vor, da »die Einspielergebnisse deutscher Filme in Schweden« »nach wie vor befriedigend« seien, den Film zur Synchro-nisation freizugeben. Und über die künstlerischen Werte des Films urteilte er: »Der etwas breit angelegte Film läßt sich mit dem deut-schen Film ›Annelie‹ vergleichen, ohne jedoch dessen Qualität zu erreichen.«[46]

Die dänischen Filmproduktionen waren – seit dem Sieg des Ton-films über den Stummfilm – nur selten auf den internationalen Kino-märkten zu sehen. Auch in Deutschland: Nach der NS-Machtüber-nahme kamen in der Zeit bis zum Kriegsausbruch nur vier dänische Spielfilme in die deutschen Kinos. Kurz vor Kriegsausbruch wurde das bekannte Filmdrama »Der dunkle Ruf« (»Laila«)[47], das die deut-sche Fassung erhielt, mit Erfolg in den Kinos gezeigt. Der Film er-zählte von einem reichen Lappen, dem selbst Kinder versagt waren und der ein Kind norwegischer Eltern als sein eigenes erzog. Der Film, so wie seine literarische Vorlage – ein Roman – vermied es, den Wert beider Völker miteinander zu vergleichen oder gar die Lappen als das tieferstehende hinzustellen. Bei der NS-Kritik stand allerdings bei der Betrachtung »der rassische Gegensatz zwischen Norwegern und Lappen« im Vordergrund. In der Zeit des Krieges wurden einige dänische Produktionen zur deutschen Synchronisation vorgeschlagen. Mit verschiedenen Effekten. Der Film »Meine lieben Frauen« sei »so abgeschmackt und niveaulos, daß das Gremium die Besichtigung abbrach«, berichtete Dr. Bacmeister, was bedeutete, daß der Film für die Synchronisation nicht freigegeben wurde.[48] Auch der Spielfilm »Das Ballett tanzt« wurde zur Synchronisation nicht freigegeben, »weil der Darsteller des Ballettmeisters, der eine unwesentliche Rolle spielt, offensichtlich Jude ist«, informierte am 19. 1. 1945 Dr. Bacmeister den Minister.[49] Eine deutsche Fassung erhielt der Film »Rund um die Liebe« (Konrad P. Rohnstein), eine Unterhaltung für Anspruchslose. Im Berliner Astoria-Theater wurde er am 10. 10. 1944 erstaufgeführt.

Norwegische Produktionen waren in den deutschen Kinos – außer einigen Kulturfilmen – kaum zu bemerken.

Finnland, das jüngste unter den nordischen Filmländern, war wohl das ehrgeizigste. Die einheimische finnische Filmproduktion, deren eigentliche Entwicklung erst 1936 begann, nahm in kurzer Zeit einen starken Aufschwung.[50] Es gab in den finnischen Filmen viel Politik. Die Notwendigkeit dieser Einstellung hat den finnischen Film geformt, und in seiner Abwehrhaltung gegen den Nachbarn nach Osten erkannte man den Willen, das politische Prinzip der Nation durch die Mittel der Kunst zu offerieren. Der finnische Film war in den deutschen Kinos eine Seltenheit. Vor allem aus kommerziellen Gründen. In der Zeit der guten Beziehungen des braunen Regimes zur UdSSR waren auch die politischen Gründe nicht ohne Bedeutung. Erst der gemeinsam geführte Krieg brachte neue Voraussetzungen mit sich. Aber es fehlte an Zeit, um weitergehende Pläne zu realisieren.

Im Herbst 1942 sprach der bedeutende Filmmann Finnlands, Risto Orko, vor der Nordischen Gesellschaft (das Reichskontor Berlin) in der Reichshauptstadt über die finnische Filmproduktion. Er wies auf, daß jährlich etwa 20 bis 25 Filme in Finnland entstehen, eine imponierende Zahl, zumal diese Bildstreifen von etwa 12 berufsmäßig tätigen Regisseuren und nur insgesamt 80 dem Filmschaffen dienenden Schauspielern hergestellt wurden. Die gegenwärtige Leistungsfähigkeit des finnischen Films wurde bei diesem Zusammentreffen in Ausschnitten aus folgenden Filmen deutlich: »Jääkärin morsian« (»Die Braut des Flößers«, 1938), »V.M.V.G.«, »Aktivistit« (»Die Aktivisten«, 1939), »Yli rajan« (»Über die Grenze«), einem Film in der Regie von Wilho Ilmari aus dem Jahre 1942, der im selben Jahr in Venedig preisgekrönt wurde, und »Unser Kampf 1939/1949«. Der dokumentarische Film »Unser Kampf 1939/1940« (»Taistelun tie«), der unter der Gesamtleitung von Risto Orko gestaltet wurde, zeigte zuerst die Spannung aus der Zeit des diplomatischen Vorspiels zu dem sowjetisch-finnischen Winterkrieg, ging dann zum ersten Bombardement von Helsinki am ersten Kriegstage über und schilderte die Ereignisse von der Heimatfront bis zu den vordersten Linien. Der Film klang mit der Rezitation des finnischen Nationalliedes aus. Dieser finnische Kriegsfilm vermied – so die deutsche Presse – jede Art von gehässiger Tendenz, wirkte aber politisch sehr stark. Bis Juni 1941 wurde er in Deutschland nur in geschlossenen Sonderveranstaltungen vorgeführt.

Mika Waltaris weltbekannter Roman »Ein Fremdling kam auf den Hof« (1938 und 1942 auch in deutscher Sprache erschienen) wurde kurz vor Kriegsausbruch in der Regie Wilho Ilmaris vom Finnischen Nationaltheater ins Filmische übertragen. Die ganze Atmosphäre und alle die Stimmungen eines kleinen Bauernhofes in der Einöde waren – laut der Kritik – treffend und überzeugend wiedergegeben. Akku Korhonen gab eine prachtvolle Studie eines alten Bauern, so schrieb im Januar 1939 die deutsche Filmbetrachtung. Aber erst vier Jahre später kam die deutsche Fassung dieses Filmes unter dem Titel »Karin und der Fremde« in die deutschen Kinos. Als deutsche Sprecher traten u. a. W. Süßenguth, H. Meyer-Hanno und W. Lukschy auf. Der Film erhielt auch eine eigens komponierte Musik von Walter Ulfig. In der »Kurbel« erlebte am 30. 6. 1944 der deutsch synchronisierte finnische Spielfilm »Flucht und Heimkehr« (Arbeitstitel: »Yrjö, der Läufer«) seine Berliner Premiere[51], offensichtlich zur Olympiade 1940 in Helsinki gedacht (Eine Verfilmung des Romans von Jrjö Karhumäki). Als wegen des Krieges die große Veranstaltung abgesagt werden mußte, erfuhr der Film am Schluß einige Änderungen. Sein Regisseur, Orvo Saarikivi, erhielt für seinen Film in Finnland die Goldmedaille.

Die letzte Erstaufführung eines finnischen Films im Reich fand am 20. 7. 1944 im Berliner Astor-Theater statt. Das Film-Spiel »Unsterbliche Liebe« der Suomi-Helsinki wurde von Valentin Vaala mit Irma

Seikkula und Olavie Reimas inszeniert. Der Film erhielt eine deutsche Fassung: die beiden Hauptrollen sprachen Käthe Dyckhoff und Erich Schellow.

Die Sondervorführungen von verbotenen Filmen des Auslandes

Für die in- und ausländischen Journalisten, für die Filmleute, für die Staats- und Parteifunktionäre, für die Wehrmacht, Polizei usw. gab es Sondervorführungen von ausländischen Filmen, die für die breite Öffentlichkeit verboten blieben. Diese Veranstaltungen steuerte das Pro-Mi, die Filme stellte das Reichsfilmarchiv zur Verfügung.

Da die Teilnehmer dieser Veranstaltungen in ihrer politischen Gesinnung größtenteils »problematisch« waren und keine ausreichende »geistige Steuerung« erfolgte – so mindestens meinte Goebbels – liefen diese Vorführungen allmählich, anstatt der Information der maßgebenden Filmschaffenden über den Stand der ausländischen Filmproduktion zu dienen, auf das »Genießen verbotener Früchte« hinaus. Es gab auch – insbesondere bei der Wehrmacht – unerlaubte Besichtigungen von verbotenen Filmen. Goebbels reagierte in diesen Fällen scharf. Anfang 1943 beauftragte der »Führer« ihn, sämtliche Filme ausländischen Ursprungs, die sich im Besitz von zivilen und militärischen Dienststellen und Behörden befanden, möglichst umgehend in das Reichsfilmarchiv zu überführen. Lediglich die reinen Unterrichts- und Lehrfilme wurden von dieser Anordnung ausgenommen.[52] Die Ausleihung ausländischer Filme aus dem Reichsfilmarchiv bedurfte nach Anordnung des »Führers« in jedem Einzelfall der persönlichen Genehmigung des Reichspropagandaministers.[53] Und Goebbels hat die Vorführung ausländischer Filme vor Filmschaffenden bis auf wenige, streng beschränkte Ausnahmefälle verboten.

Im Dezember 1944 beantragte Hinkel bei Goebbels eine Lockerung des Verfahrens, und zwar aus folgenden Gründen: »Es müßten alle Regisseure, Produktionsleiter, Autoren, Dramaturgen usw. über den Stand der Feindproduktion auf dem laufenden gehalten und es muß dafür gesorgt werden, daß sie alle künstlerischen und technischen Fortschritte unserer Feinde studieren können. Nur dadurch kommen wir meines Erachtens in keinem Punkt ins Hintertreffen.«[54] Die Aktion des Reichsfilmintendanten verursachte zwar eine gewisse Lockerung, aber irgendwelche ständigen Veranstaltungen – auch vor streng ausgewählten Kreisen – wurden dennoch nicht eingeführt. Die vorhandenen Quellen beweisen, daß noch im Jahre 1945, mindestens bis zum Ende März, vom Leiter des Reichsfilmarchivs an Goebbels Anträge zur Ausleihung von Filmen liefen und eine Befürwortung fanden.[55]

»Eine weltanschauliche Wirkung ist dem amerikanischen Film versagt, weil es keine amerikanische Weltanschauung gibt. Man kann, wenn man eine Weltanschauung treffen will, nur herabsetzen, indem man sich an die den Amerikanern auch fremde, gegnerische Weltanschauung hält. Ein Beispiel dafür ist der Film »Ninotschka«. Er zeigte mit Begabung für Karikatur und Parodie und mit entspannender Leichtigkeit das Schicksal einer bolschewistischen Beauftragten, die in Paris den Schmuck einer ehemaligen zaristischen Prinzessin verkaufen will. Hier war die zweifellos stark antibolschewistische Tendenz mit dem Versuch gepaart, auch gleich dem Nationalsozialismus noch eins auszuwischen, indem in manchen Szenen – meist bildhaft – Bolschewismus und Nationalismus gleichgesetzt wurden.«
Quelle: Otto Kriegk, Der deutsche Film im Spiegel der Ufa, Berlin 1943, S. 308.

Unter den verbotenen Filmen gab es Bildstreifen, die die besondere Neugier weckten, so die Walt-Disney-Filme »Schneewittchen« (1937) und »Pinocchio« (1940), der bekannte Greta-Garbo-Film »Ninotschka«, ein Werk von Ernst Lubitsch aus dem Jahre 1939, oder der rührende Film von William Wyler »Mrs. Miniver« (1942), der die Konsequenzen des »totalen Krieges« zeigte.

».. . ›Mrs. Miniver‹. Er spielt in England am Rande eines großen Militärflugplatzes in dem Landhaus einer britischen Familie. Der Film zeigt, wie diese Familie, Männer und Frauen durcheinander, sich in den Dienst der Verteidigung Englands stellt und den Bombenkrieg zu ertragen hat. Es wird aber in diesem Film niemals behauptet, daß deutsche Bomben, die auf das Landhaus fallen, ihm zugedacht gewesen seien . . . Der Film hat wegen des Kniffs, die Deutschen im Gegensatz zu der großen Produktion britischer Hetzfilme als ehrliche Soldaten hinzustellen, gerade dort Erfolg gehabt, wo man sich vom britischen Hetzfilm abwandte. Daraus erklärt sich auch seine Wirkung in einzelnen neutralen Ländern. Sie wird aber nicht mit ehrlichen Mitteln erreicht. Die Engländer sind in diesem Film die Helden. Ihre gelegent-

liche Anerkennung der Deutschen ist hohle Phrase. Die Engländer werden nicht wie etwa die Kommunisten in ›Hitlerjunge Quex‹ in ihrer echten menschlichen Bedingtheit gezeigt. Dazu reicht die darstellerische Kraft der Amerikaner nicht aus.«

Quelle: Otto Kriegk, Der deutsche Film im Spiegel der Ufa, Berlin 1943, S. 307 f.

Von den Filmschaffenden besichtigte Wolfgang Liebeneiner unzählige Streifen zu »Studienzwecken«; auf den Listen der »Auserwählten« standen die Regisseure Veit Harlan, Georg Jacoby, Arthur Maria Rabenalt und Karl Ritter, die Kameramänner Bruno Mondi und Günther Anders, die Schauspielerinnen Hilde Krahl und Kristina Söderbaum, ferner Emil Jannings wie auch die Filmtrickzeichner aus den Firmen Schmeisser und Stordell. Es gab auch zahlreiche Namen von Prominenten der Partei oder des Staates. Frau Scholtz-Klink zeigte ihr Interesse für den amerikanischen Film »The gentle sex« (genehmigter Antrag vom 2.1.1945). Die Parteikanzlei beantrage (22.1.1945) den italienischen Film »Pater Angelicus«, der das Leben des Papstes zeigte. Gauleiter Forster wollte die Filme »Grapes of wrath« und den Revue-Farbfilm »Coney Island« sehen (9.11.1944). Gauleiter Josef Wagner wünschte ebenfalls »Coney Island« (3.1.1945), ferner »Gulliver's travels« (22.1.1945). Auch Gauleiter Bracht aus Oberschlesien wollte »Gullivers Reisen« besichtigen, ferner Disneys »Schneewittchen« (15.1.1945). Wegen der plötzlich veränderten Kriegslage hatte er vielleicht diese Filme verpaßt. Zu den ständigen Kunden des Reichsfilmarchivs gehörte Reichsaußenminister von Ribbentrop. Die Liste der von ihm gewünschten Filme umfaßte u. a. den englischen Film »Prince Minister« (Oktober 1944), zu gleicher Zeit auch den sowjetischen Film »69. Breitengrad«. Im Januar und Februar 1945 besichtigte von Ribbentrop die russischen Zeichentrickfilme »Der kleine Bär« und »Der tapfere Musketier«, die sowjetischen Kurzfilme »Die Besetzung von Bulgarien« und »Die Besetzung von Warschau«, amerikanische Kurzfilme »Commond ground«, »A popular person Oddity«, ferner »Tarzans Triumph«. Am 28.3.1945 bestellte er zahlreiche amerikanische Filme wie »Det kampende Danmark« (»Das kämpfende Dänemark«), »Belgrad«, »The Victory in the South«, »American VC for Ploesti Raider«. Das OKK verlangte (25.1.1945) amerikanische Wochenschauen »Fox Movietone« und »Paramount«, für Admiral Heye und seinen Stab wurden das amerikanische Lustspiel »Merrily we live« und die französischen

Filme »Le roman d'un tricheur« und »Les perles de la couronne«
bestellt (27. 1. 1945). Der Generalstab des Heeres orderte (2. 1. 1945)
u. a. die sowjetischen Spielfilme, die auf der Welle aktueller politischer Bedürfnisse im Kriege entstanden und 1944 in der UdSSR
uraufgeführt wurden: Wladimir Petrows »Kutusow« (Churchill sah
den Film in einer Privatvorführung ebenfalls) und den bekannten
Partisanenfilm »Regenbogen« von Mark Donskoi, mit den naturali-
stischen, grausamen Szenen, die später zu zahlreichen Kontroversen
unter den Filmkritikern führten.[56] Das Luftfahrtministerium beantragte (15. 1. 1945) die Filme »Mrs. Miniver« und »Ninotschka«.

Die Vorführung der sonst verbotenen Filme war manchmal für
einen ganz besonderen Zweck bestimmt: für die Schulung der Funktionäre des RSHA, der Abwehr, Sondereinheiten der Wehrmacht,
der SS usw.

*»Der Kommandeur der SS-Jagdverbände, SS-Obersturmbannführer
Skorzeny, wurde vom Führer mit der Durchführung eines Sonderun-
ternehmens beauftragt, zu dem die Ausbildung von amerikanischen
Kampfdolmetschern notwendig ist. Er bittet für diese Aufgabe um
Überlassung von sechs bis acht amerikanischen Spielfilmen neuerer
Produktion, um den für dieses Unternehmen ausgewählten Kampfdol-
metschern Sprache, Auftreten und Leben der US-Amerikaner, insbe-
sondere der Soldaten... zu zeigen. Das Vornehmen wird sehr kurzfri-
stig vorbereitet und durchgeführt...«*
Quelle: BA, R 109 II, vorl. 14; Leiter F an Minister v. 29. 11. 1944, Geheim.

Noch am 16. 2. 1945 wurde für eine einmalige Vorführung zur Ausbildung von Kampfpropagandisten für den Einsatz im Südosten und
Osten für die »Standarte Kurt Eggers« der sowjetische Film »Der
neue Gulliver« beantragt.[57]

Bibliographie

Die folgende Zusammenstellung enthält Archivbestände, Quellenwerke und Literaturangaben, soweit sie für diese Arbeit benutzt wurden. Bis auf wenige wichtige Artikel werden hier nur die selbständigen Publikationen aufgeführt. Die Liste erhebt daher keinen Anspruch auf Vollständigkeit.

1. Archivalien, unveröffentlichte Manuskripte
(alphabetisch geordnet)

Archiwum Akt Nowych w Warszawie (AAN)
Bestand: Ambasada RP w Berlinie;
  Ministerstwo Spraw Zagranicznych;
  National Archives Microcopy. Taken from Rosenberg File (NS-Kulturgemeinde, Reichsministerium für die besetzten Ostgebiete, Kanzlei Rosenberg) (NAM)
  Regierung des Generalgouvernements in Krakau.
Archiwum Mikrofilmów Zakladu Historii Partii w Warszawie (AZHP)
Bestand: Delegatura Rzadu RP na Kraj.
Archiwum Państwowe w Gdańsku (APG)
Bestand: Landratsamt Neustadt;
  NSDAP Gauleitung Danzig.
Archiwum Państwowe w Katowicach
Bestand: Provinzialverwaltung Oberschlesien.
Archiwum Państwowe w Krakowie (APK)
Bestand: Starosta Miejski Kraków (Stadthauptmann).
Archiwum Państwowe w Olsztynie
Bestand: Verschied. Landratsämter und Städte-Verwaltungen.
Archiwum Państwowe w Poznaniu
Bestand: Reichsstatthalter Posen.
Archiwum Państwowe we Wrocławiu
Bestand: Teatry Miasta Wrocłowia.
Bundesarchiv Koblenz (BA)
Bestand: Dienstelle des Beauftragten des Führers für die Überwachung der gesamten geistigen und weltanschaulichen Schulung und Erziehung der NSDAP (NS 15);
  Kanzlei Rosenberg (NS 8);
  Oberkommando der Wehrmacht – Wehrmachtsführungsstab (RW 4) (Außenstelle des Bundesarchivs in Freiburg i. B.);
  Persönliche Adjutantur des Führers und Reichskanzlers (NS 10);
  Reichsbeauftragter für die deutsche Filmwirtschaft (R 109 III);
  Reichsfilmintendanz (R 109 II);
  Reichskanzlei (R 43 II);
  Reichsministerium für Volksaufklärung und Propaganda (R 55);
  Reichsschrifttumskammer (R 56 V);
  Universum-Film (Ufa) (R 109 I).
Forschungsstelle für die Geschichte des Nationalsozialismus in Hamburg (FH)
Bestand: Bericht: C. V. Krogmann.
Geheimes Staatsarchiv Berlin-Dahlem. Preußischer Kulturbesitz (BD)
Bestand: Gauarchiv der NSDAP Ostpreußen (Mikrofilme).

Główna Komisja do Badania Zbrodni Hitlerowskich w Polsce. Instytut Pamieci Narodowej. Warszawa (Hauptkommission zur Untersuchung der Naziverbrechen in Polen. Institut des Nationalen Gedenkens). (IPN).
Hans Heinrich Hinkel: Akta Prokuratora, Akta w sprawie karnej (Nr. 868 und 868a).
Politisches Archiv des Auswärtigen Amtes in Bonn (PA)
Bestand: Deutsche Botschaft Ankara;
   Deutsche Gesandtschaft Bern;
   Deutsche Botschaft Buenos-Aires;
   Deutsche Gesandtschaft Bukarest;
   Deutsche Botschaft Madrid;
   Deutsche Gesandtschaft Oslo;
   Deutsche Botschaft Paris;
   Deutsche Botschaft Rom.
Staatsarchiv Magdeburg (SM)
Bestand: Oberpräsidium von Sachsen;
   Regierungspräsident Merseburg;
Zentralarchiv der Deutschen Demokratischen Republik Potsdam (ZA).
Bestand: Reichsministerium für Volksaufklärung und Propaganda (ProMi).

2. Sammlungen von gedruckten Quellen. Foto- und Phono-Quellen.

Bundesarchiv Koblenz – Filmabteilung;
Deutsche Bücherei Leipzig;
Deutsches Institut für Filmkunde Frankfurt am Main;
Filmoteka Polska Warszawa;
Österreichische Nationalbibliothek – Theatersammlung Wien;
Staatliches Filmarchiv der Deutschen Demokratischen Republik Berlin;
Staatsarchiv Hamburg (Staatliche Pressestelle) Hamburg;
Státni ùstředni archiv w Praze (Zahraniční Tiskový Archiv) Praha;
Zentrale Filmbibliothek Berlin (DDR);
Außerdem wurden benutzt: Materialien aus den Bibliotheken in Berlin (DDR), Bremen, Frankfurt/M, Gdańsk, Kraków, Magdeburg, München, Olsztyn, Poznań, Praha, Szczecin, Warszawa, Wrocław und Zürich.

3. Periodica bzw. Einzelschriften dienstlichen oder instruktiven Charakters (1933–1944).

Der Film in Partei und Staat. Reichspropagandaleitung der NSDAP-Amtsleitung Film (vervielfält.).
Der Hoheitsträger. Reichsorganisationsleiter der NSDAP (vertraulich; nur für den Dienstgebrauch).
Der Jugendfilm. Reichspropagandaleitung.
Deutscher Kampffilm. Offizieller Filmdienst der Reichsleitung des Kampfbundes für deutsche Kultur.
Deutscher Kulturdienst. Informationsdienst für die deutschen Bühnen (DKB) (vervielfält. Nur für den Dienstgebrauch).
Deutscher Kulturdienst. Kulturnachrichten des Deutschen Nachrichtenbüros (DKK) (vervielfält. Nur für den Dienstgebrauch).
Die Gaufilmstelle, Mitteilungen. Wien.
Die Reichsverordnung über den Sicherheitsfilm. Nebst Durchführungsverordnung mit Einführung und Erläuterungen von J. Grassmann und O. Limpich. Berlin 1939.
Entscheidungen der Filmprüfstelle
Film der Partei. Bayreuth.
Filmdienst der NSDAP. Düsseldorf.
Filmdienst der NSDAP. Hannover.

Filmdienst der NSDAP. Köln–Aachen.
Film-Echo. Nachrichtenblatt der Gaufilmstelle Schlesien (ab 1939 u. d. T. Nachrichtenblatt-Gaufilmstelle Schlesien) Breslau.
Film und Bild (Film in Partei und Gliederungen).
Film und Bild in Wissenschaft, Erziehung und Volksbildung.
Film-Wacht. Nachrichtenblatt der NSDAP. Gaufilmstelle Niederdonau. Wien.
Informationen des Kulturpolitischen Archivs (vervielfält. vertraulich).
Kulturdienst der NS-Kulturgemeinde.
Kulturinformationen für das Ostland (vervielfält. Nur für den Dienstgebrauch).
Kulturpolitisches Mitteilungsblatt der Reichspropagandaleitung der NSDAP, Hauptkulturamt (Nur für den Dienstgebrauch).
Liste 1 des schädlichen und unerwünschten Schrifttums. Gemäß der Anordnung des Präsidenten der RSK vom 25.April 1935 bearbeitet und herausgegeben von der Reichsschrifttumskammer. Stand vom Oktober 1935 (Nur für den Dienstgebrauch).
Listen der in der Deutschen Bücherei unter Verschluß gestellten Druckschriften. Im Auftrag des Reichsministeriums für Volksaufklärung und Propaganda bearbeitet von der Deutschen Bücherei (Monatslisten ausgegeben vom 25.8.1939 bis zum 31.12.1944) (Nur für den Dienstgebrauch).
Liste des schädlichen und unerwünschten Schrittums. Stand vom 31.Dezember 1938 (Nur für den Dienstgebrauch).
Mitteilungen der Böhmisch-Mährischen Filmzentrale (Věstnik českomoravskébo Filmoveho Ústředi). Prag.
Nachrichten aus dem deutschen Kulturleben (NDK) (vervielfält. Nur für den Dienstgebrauch).
Nachrichtenblatt des Reichsministerums für Volksaufklärung und Propaganda (vervielfält.).
Bruno Pfennig: Filmrecht. Berlin 1936.
Pressedienst des Generalgouvernements. Krakau.
Reichsgesetzblatt (RGBl.).
Reichsministerialblatt für die gesamte innere Verwaltung (RMBliV.).
Staatspolitische Filme.
Sonderdienst der Reichspropagandaleitung. Hauptamt Propaganda. Amt Propagandalenkung (je nach Num.: Zur allgemeinen Kenntnis oder Nur für den Dienstgebrauch).
Verkündungsblatt des Reichskommissars für das Ostland (vervielfält.).
Verordnungsblatt des Chefs der Zivilverwaltung im Elsaß (vervielfält.).
Verordnungsblatt für Luxemburg (vervielfält.).
Verordnungsblatt des Generalgouverneurs für die besetzten polnischen Gebiete.
Verordnungsblatt für das Generalgouvernement.
Verzeichnis englischer und nordamerikanischer Schriftsteller. Herausgegeben vom Reichsministerium für Volksaufklärung und Propaganda, Abteilung Schrifttum, 1942. Verlag des Börsenvereins zu Leipzig.

4. Jahrgänge der zeitgenössischen Presse, Wochen- und Monatsschriften (außer Presseausschnitten)

Banater Beobachter (Großbetschkerek); Berliner Illustrierte Zeitung; Börsenblatt für den deutschen Buchhandel; Breslauer Neueste Nachrichten, Brüsseler Zeitung; Das Schwarze Korps; Danziger Neueste Nachrichten; Danziger Sonntags-Zeitung (Neue Danziger Zeitung, Danziger Zeitung); Der Angriff; Der Stürmer; Der Grenzbote (Pressburg–Bratislava); Deutsche Nachrichten in Griechenland (Athen); Deutsche Ukraine-Zeitung (Luck); Deutsche Zeitung (Budapest); Deutsche Zeitung in den Niederlanden (Amsterdam); Deutsche Zeitung in Kroatien (Agram-Zagreb); Deutsche Zeitung in Norwegen (Oslo); Deutsche Zeitung im Ostland (Riga); Die Zeitung (London); Donauzeitung (Belgrad); Jüdisches Nachrichtenblatt (Berlin); Königsberger Tageblatt; Krakauer Zeitung; Minsker Zeitung; Nationalsozialistische Monatshefte (NSMH); Pariser Zeitung; Pommersche Zeitung

(Stettin); Preußische Zeitung (Königsberg); Revaler Zeitung; Schlesische Zeitung (Breslau); Stettiner General-Anzeiger (Ostsee-Zeitung); Völkischer Beobachter (Berliner Ausgabe); Wernigeroder Zeitung; Wilnaer Zeitung.

5. Zeitgenössische Fachperiodica

Der deutsche Film; Der Film; Der Filmberater (Herausgegeben vom Generalsekretariat des Schweizerischen Katholischen Volksvereins); Der Film heute und morgen (Die Kogge-Blätter der Schriftleitung des Hamburger Tageblatts); Der neue Film; Der Wiener Film; Deutsche Filmzeitung; Deutsches Bühnenjahrbuch; Die Bühne; Dresdner Film-Post; Fernsehen und Tonfilm; Zeitschrift für Technik und Kultur des Fernsehwesens; Film. Wochenzeitschrift für Filmwesen, Theater und Rundfunk (Rom, dt. Ausgabe); Film für Alle; Film-Illustrierte; Film-Kalender (Genf); Film-Kurier; Film-Nachrichten; Film-Rundschau; Filmtechnik; Filmwelt; Filmwoche; International Motion Picture Almanac (New York); Jahrbuch der Reichsfilmkammer; Kinotechnik; Licht-Bild-Bühne; Mein Film in Wien; Ostmärkisches Film-Jahrbuch; Rheinisch-Westfälische Filmzeitung. Das westdeutsche Fachblatt der Filmindustrie.

6. Kataloge, Inventare, Almanache

Agfa-Sportfilme 16 mm (Agfa, 1939); Almanach der Filmschaffenden –Filmdarsteller und Filmdarstellerinnen (Berlin 1943); Alfred Bauer: Deutscher Spielfilm-Almanach 1929–1950, Neuauflage, München 1976; Peter Bucher: Wochenschau und Dokumentarfilme 1895–1950 im Bundesarchiv-Filmarchiv (16 mm Verleihkopien), Koblenz 1984 (Bundesarchiv); Das Filmschaffen in Deutschland 1935 bis 1939 (Als Manuskript gedruckt, nur für den Dienstgebrauch), bearb. A. Jason, Berlin 1940; Das Filmschaffen in Deutschland, 1940 (Als Manuskript gedruckt, nur für den Dienstgebrauch), bearb. A. Jason, Berlin 1941; Das Filmschaffen in Deutchland 1941 (Als Manuskript gedruckt, nur für den Dienstgebrauch), bearb. A. Jason, Berlin 1942; Der deutsche Film auf der VI. Internationalen Filmkunstausstellung Venedig 1938; Der deutsche Film, Erste Staffel, Berlin 1942; Der deutsche Film 1945; Kleines Film-Handbuch für die deutsche Presse, Berlin; Der Sport im Spielfilm. Eine Dokumentation zusammengestellt und mit kritischen Anmerkungen versehen von Hans C. Blumenberg. Herausgegeben und eingeleitet von H. Hoffmann, Oberhausen 1970; Der Terra-Beleuchter. Bilder und Berichte zu neuen Terra-Filmen, Berlin 1942; Deutsche Filme, Venedig 1936; Deutsche Film-Kunst 1942/43, Erste Staffel (DFG); Deutsche Film-Kunst 1943/44 (DFG); Deutsche Filmkunst 1945. Das Vertriebsprogramm 1945 der Deutschen Filmvertriebsgesellschaft; Dokumentarfilme (Inventar im BA Koblenz, Handschrift); Filme der Deutschen Reichspost, herausgegeben von der Reichspost-Filmstelle (1939–1941; Maschinenschrift); Filme und Rundfunkreportagen als Dokumente der deutschen Sportgeschichte von 1907–1945, herausgegeben von Hans-Joachim Teichler und Wolfgang Meyer-Ticheloven, Schorndorf 1982; Filmfahrt in die Rheinlande, Berlin 1930; Filmfreund, Aktueller Filmbericht 1939–40, Berlin 1939; Film-Verzeichnis 1941; Die Filme der Deutschen Reichsbahn, der Binnen- und Seeschiffahrt, der Wasserstraßen und des Kraftverkehrs mit einer Auswahl von Filmen deutscher und ausländischer Verkehrsverwaltungen, Berlin; A. Jason: Das Filmschaffen in Deutschland 1943. T. 1/2., bearb. im Dt. Institut für Wirtschaftsforschung, Berlin 1944 (Als Manuskipt gedruckt); Katalog der Kulturfilme, Auslandsausgabe 1939, Ufa (Berlin) 1939; Günther Knorr: Deutscher Kurzspielfilm 1929–1940, Eine Rekonstruktion, Ulm 1977; Kulturfilmliste des Fremdenverkehrs, Zusammenstellung empfehlenswerter Kulturfilme über Landschaft, Volkstum, Brauchtum, Kunst, bodenständiges Handwerk, nach dem Stand vom 15.November 1941, Reichsfremdenverkehrsverband, 1. Auflage; Neuaufführungen der Ufa 1930–1940, Berlin 1941; NSRL-Filme, Ausgabe 1941, Nationalsozialistischer Reichsbund für Leibesübungen (Berlin); Ostpreußens Kulturfilme, Geleitwort Fritz Puchstein, Königsberg 1928; Reichsfilmarchiv, Inventar (RFA); Reichsfilmarchiv, Verzeichnis aktueller dokumentarischer Tonfilmaufnahmen, nach dem Stand vom April 1943; Reichs-Kino-Adreßbuch 1942; Übersicht über die Arbeit der Reichsstelle für den Unterrichtsfilm des Reichserziehungsministeriums (versch. Jahrgänge); Staatspolitische Filme; Tobis-Degeto-Schmalfilme, Verleih-Katalog 1941; Vorläufiges Film-Verzeichnis der Film- und Bildstelle der Ordnungspolizei (1942, Maschinenschrift); II. Filmernte vom 29.Juli bis 4.August 1941, veranstaltet von der Böhmisch-Mährischen Filmzentrale in Zlin, Prag 1941 (auch tschech. Version).

7. Gedruckte Quellensammlungen. Dokumentationen

Heinz Boberach: Meldungen aus dem Reich, Auswahl aus den geheimen Lageberichten des Sicherheitsdienstes der SS 1939–1944. Neuwied 1965 (von dem Herausgeber stammt auch eine vollständige Ausgabe).
Willy A. Boelcke: Kriegspropaganda 1939–41. Geheime Ministerkonferenzen im Reichspropagandaministerium. Stuttgart 1966.
Willy A. Boelcke: Wollt ihr den totalen Krieg? Die geheimen Goebbels-Konferenzen 1939–1943. Stuttgart 1967.
Der Film im Dritten Reich. Eine Dokumentation. Herausg. Gerd Albrecht. Karlsruhe 1979.
Der Weg ins Dritte Reich. Deutscher Film und Weimars Ende. Eine Dokumentation. Oberhausen 1974.
Die Geheime Staatspolizei in den preußischen Ostprovinzen 1934–1936. Pommern 1934/35 im Spiegel von Gestapolageberichten und Sachakten. Köln–Berlin 1974.
Documents on German Foreign Policy 1918–1945. Series D. Washington 1954.
Film-Hinweisdienst (versch. Jahrgänge; herausgegeben vom Bundesarchiv Koblenz; vervielfält.)
Film und revolutionäre Arbeiterbewegung in Deutschland 1918–1932. Dokumente und Materialien zur Entwicklung der Filmpolitik der revolutionären Arbeiterbewegung und zu den Anfängen einer sozialistischen Filmkunst in Deutschland. Bd. 1, 2 Berlin (DDR) 1978.
Goebbels-Reden. Hrsg. von Helmut Heiber. Bd. 1. 1932–1939, Bd. 2. 1939–1945. Düsseldorf 1971, 1972.
Hans-Peter Kochenrath: Der Film im Dritten Reich. Dokumentation zu dem Seminar im Sommer-Semester 1963, Arbeitsgemeinschaft für Filmfragen an der Universität zu Köln 1963 (Vervielfältigtes Manuskript).
Joseph Wulf: Die bildenden Künste im Dritten Reich. Eine Dokumentation. Gütersloh 1963.
Joseph Wulf: Literatur und Dichtung im Dritten Reich. Eine Dokumentation. Gütersloh 1963.
Joseph Wulf: Musik im Dritten Reich. Eine Dokumentation. Gütersloh 1963.
Joseph Wulf: Presse und Funk im Dritten Reich. Eine Dokumentation. Gütersloh 1964.
Joseph Wulf: Theater und Film im Dritten Reich. Eine Dokumentation. Gütersloh 1964.

8. Erinnerungen (einschließlich Memoiren-Bearbeitung), Tagebücher (siehe auch Namenverzeichnis)

Otto Abetz: Histoire d'une politique allemande 1930–1950. Paris 1953.
Lale Andersen: Leben mit einemLied. München (dtv) 1981.
Géza von Cziffra: Das Beste aus meiner Witze- und Anekdotensammlung vom Film. München 1977.

Géza von Cziffra: Es war eine rauschende Ballnacht. Eine Sittengeschichte des deutschen Films. München–Berlin 1985.

Géza von Cziffra: Kauf dir einen bunten Luftballon. Erinnerungen an Götter und Halbgötter. München–Berlin 1975.

Das Diensttagebuch des deutschen Generalgouverneurs in Polen 1939–1945. Hrsg. Werner Präg und Wolfgang Jacobmeyer. Stuttgart 1975.

Otto Falckenberg: Mein Leben – mein Theater, nach Gesprächen und Dokumenten aufgezeichnet von Wolfgang Petzet. München–Wien–Leipzig 1944.

Elisabeth Flickenschildt: Kind mit roten Haaren. Ein Leben wie ein Traum. Hamburg 1971.

Rudolf Forster: Das Spiel – mein Leben. Berlin 1967.

Dietmar Grieser: In deinem Sinne. Begegnungen mit Künstlerwitwen. München–Wien 1985.

Gustav Fröhlich: Waren das Zeiten. Mein Film-Heldenleben. München 1984.

The Goebbels Diaries 1942–1943. Edited, translated and with an Introduction by Louis P. Lochner. Garden City–New York 1948. Auch deutsch, hg. Zürich 1948.

Joseph Goebbels: Tagebücher 1945. Die letzten Aufzeichnungen. Hamburg 1977.

Gustaf Gründgens: Briefe, Aufsätze, Reden. Hg. von Rolf Badenhausen und Peter Gründgens-Gorski. München 1970.

Käthe Haack: In Berlin und anderswo. München 1971.

Veit Harlan: Im Schatten meiner Filme. Gütersloh 1966.

Trude Hesterberg: Was ich noch sagen wollte... Autobiographische Aufzeichnungen. Berlin 1971.

Fritz Hippler – Die Verstrickung. Einstellungen und Rückblenden von F. H. ehem. Reichsfilmintendant unter Josef Goebbels. Düsseldorf 1981.

Emil Jannings: Theater, Film – das Leben und ich. Berchtesgaden 1951.

Erich Kästner: Da samma wieda! Geschichte und Geschichten. Berlin (DDR) 1969.

Ursula von Kardorff: Berliner Aufzeichnungen aus den Jahren 1942–1945. München 1962.

Viktor de Kowa: Achduliebezeit. Aus dem Libretto meines Lebens. Aufgeschnappt, aufgeschrieben, verdichtet und gedichtet. Stuttgart 1971.

Viktor de Kowa: Als ich noch Prinz war von Arkadien. Nürnberg 1955.

Werner Kraus: Das Schauspiel meines Lebens. Einem Freund erzählt. Stuttgart 1958.

Karl Laux: Nachklang. Autobiographie. Berlin (DDR) 1977.

Theo Lingen: Ich bewundere... Liebeserklärungen an das Theater. München 1969.

Herbert Maisch: Helm ab, Vorhang auf. 70 Jahre eines ungewöhnlichen Lebens. Emsdetten 1968.

Ingeborg Malek-Kohler: Im Windschatten des Dritten Reiches. Begegnungen mit Filmkünstlern und Widerstandskämpfern. Freiburg i. B. 1986.

Asta Nielsen: Die schweigende Muse. Rostock–Berlin 1961.

Wilfred von Owen: Mit Goebbels bis zum Ende. Buenos Aires 1950.

Henry Picker: Hitlers Tischgespräche im Führerhauptquartier 1941–1942. Bonn 1951.

Arthur Maria Rabenalt: Film im Zwielicht. Über den unpolitischen Film des Dritten Reiches und die Begrenzung des totalitären Anspruchs. München 1958; Hildesheim 1978.

Arthur Maria Rabenalt: Joseph Goebbels und der „großdeutsche" Film. München–Berlin 1985.

Alfred Rosenberg: Letzte Aufzeichnungen. Ideale und Idole der nationalsozialistischen Revolution. Göttingen 1955.

Adele Sandrock: Mein Leben. Erg. und hrsg. von Wilhelmine Sandrock. Berlin 1940.

Ludwig Schmitz: Verschmitztes. Mühlhausen 1941.

Hans Günther Seraphim: Das politische Tagebuch Alfred Rosenbergs. München 1956.

Kristina Söderbaum: Nichts bleibt immer so. Rückblenden auf ein Leben vor und hinter der Kamera. Bayreuth 1983.

Robert A. Stemmle: Theater und Film-Anekdoten. Berlin 1957.

Eduard Stemplinger: Von berühmten Schauspielern. Anekdoten aus authentischen Quellen gesammelt. München 1939.

Agnes Straub: Im Wirbel des neuen Jahrhunderts. Heidelberg–Berlin–Leipzig 1942.

Luis Trenker: Alles gut gegangen. Geschichten aus meinem Leben. München 1975.

Luise Ullrich: Komm auf die Schaukel, Luise. Balance eines Lebens. Percha am Starnberger See 1973.
Walter Thomas: Bis der Vorhang fiel. Nach Aufzeichnungen aus den Jahren 1940 bis 1945. Dortmund 1947.
Bertl Valentin: Du bleibst da, und zwar sofort! Mein Vater Karl Valentin. München 1971.
Harry E. Weinschenck: Unser Weg zum Theater. Berlin 1942.
Harry E. Weinschenck: Wir von Bühne und Film. Berlin 1939.
Stefan Zweig: Die Welt von gestern. Frankfurt/M. 1980.

9. Darstellungen vor 1945

Erwin Ackerknecht: Lichtspielfragen. Berlin 1928.
Sepp Allgeier: Die Jagd nach dem Bild. Stuttgart 1936.
Rudolf Arnheim: Film als Kunst. Berlin 1932. (Neuausgabe: München 1975).
Aros/d. i. Alfred Rosenthal: Gustav Fröhlich. Der Mensch und der Künstler. Berlin 1932.
Aros: Harry Liedtke. Ein Leben für den Film. Berlin 1931.
Aros: Käthe von Nagy. Die Geschichte einer Karriere mit Hindernissen. Berlin 1932.
Aros: Lil Dagover. Der Werdegang einer schönen Frau. Berlin 1932.
Aros: Lucie Englisch. Die Geschichte einer erfolgreichen Karriere. Berlin 1932.
Aros: Willy Fritsch: Die Geschichte einer glückhaften Karriere. Berlin 1931.
Béla Bálazs: Der Geist des Films. Halle 1930.
Hans Joachim Becker: Die Stellung der Filmberichterstattung im Urheberrecht. o. O. 1943 (Diss. Heidelberg; Maschinenschrift).
Curt Belling: Der Film in Staat und Partei. Berlin 1936.
Hans-Walther Betz: Weißbuch des deutschen Films. Berlin 1936.
Richard Biedrzynski: Schauspieler. Regisseure, Intendanten. Heidelberg-Berlin-Leipzig 1944.
A. Binder: Unsere Filmsterne. Berlin (o. J.).
Käthe Brinker: Das Martha-Eggerth-Buch. Berlin 1935.
Käthe Brinker: Hannelore Schroth, Käthe Haack. Berlin 1940.
Käthe Brinker: Zarah Leander. Eine große Karriere. Berlin (1937).
Das Otto-Gebühr-Buch. Hrsg. von Dr. W. G. Lohmeyer. Berlin 1927.
Deutsche Filmakademie. Aufbau-Studium, Unterrichtsordnung, Abschlußprüfung. (Als Handschrift gedruckt).
Deutsche Filmakademie mit dem Arbeitsinstitut für Kulturfilmschaffen. Babelsberg Ufastadt (1938).
Deutschlands Versorgung mit Filmen während der ersten acht Kriegsmonate. Als Manuskript gedruckt. Vertraulich. Berlin, Juni 1940.
Die Ufa. Ein Beitrag zur Entwicklungsgeschichte des deutschen Filmschaffens. Hrsg. ...von Hans Traub. Ufa-Buchverlag Berlin 1943.
Die Ufa-Lehrschau. Der Weg des Films von der Planung bis zur Vorführung. Berlin (Ufa) 1941.
Wolfgang Diewerge: Der neue Reichsgau Danzig-Westpreußen. Ein Arbeitsbericht von der Aufbauarbeit im deutschen Osten. Berlin 1940.
Dokumentarische Zeit-Chronik 1940. Berlin 1941.
Gerhard Eckert: Gestaltung eines literarischen Stoffes in Tonfilm und Hörspiel. Berlin 1936.
Europa. Handbuch der politischen, wirtschaftlichen und kulturellen Entwicklung des neuen Europa. Leipzig 1943.
Alfred Frauenfeld: Der Weg zur Bühne. Berlin 1943.
Walther Freisburger: Theater im Film – Eine Untersuchung über die Grundzüge und Wandlungen in den Beziehungen zwischen Theater und Film (Diss.). Emsdetten 1936.
25 Jahre Wochenschau der Ufa. (Ufa-Lehrschau). Berlin 1939.
Gefilmter Tanz. Folge 1.: Lilian Harvey, La Jana, Eleanor Powell, Marika Rökk. Reihe der Filmschriften. H. 1. Berlin–Leipzig 1938.

Hans Joachim Giese: Die Film-Wochenschau im Dienste der Politik. Leipzig 1940.
Kurt Goerke: Die deutschen Filmtheater. Eine wirtschaftliche Untersuchung. (Diss. Frankfurt a. M., Maschinenschrift) o. 0. 1942.
Joseph Gregor: Das Zeitalter des Films. Wien 1932.
Joseph Gregor: Meister deutscher Schauspielkunst, Krauss–Klöpfer–Jannings–George. Bremen 1939.
Günther Groll: Film, die unentdeckte Kunst. Mit einem Geleitwort von M. Wieman. München 1937.
Margarete Grolla: Entwicklung und Aufbau der deutschen Filmwirtschaft. Halle (Saale) 1943. (Diss. Maschinenschrift).
Walter Guenther: Der Film als politisches Führungsmittel. Die anderen gegen Deutschland. Leipzig 1934.
Gustav Waldau. Ein Künstlerleben unserer Zeit, erzählt von Walter Ziersch. München–Wien–Leipzig 1942.
Edith Hamann: Lilian Harvey. Ein Leben für den Film. Berlin (1937).
Paul Hatschek: Grundlagen des Tonfilms. Halle 1944.
J(iři) Havelka: Filmwirtschaft in Böhmen und Mähren 1941. Übersicht über das gesamte Filmwesen in Böhmen und Mähren im Jahre 1941 mit besonderer Berücksichtigung der Herstellungs-Statistiken, des Filmhandels und der Kinematographik. Mit einem Vorwort von Emil Sirotek... Prag 1942; Vervielf.
J(iři) Havelka: Filmwirtschaft in Böhmen und Mähren 1942. Fortsetzung der Filmwirtschaft 1941. Übersicht über das gesamte Filmwesen im Jahre 1942 mit besonderer Berücksichtigung der Herstellungs-Statistiken, des Filmhandels mit Nennung der abendfüllenden Spielfilme der Leihanstalten usw.; Prag 1943; Vervielf.
W. L. Hellwig: Olga Tschechowa. Die Karriere einer Schauspielerin. Berlin 1939.
Ludwig Heyde: Presse, Rundfunk und Film im Dienste der Volksführung. Dresden 1943.
Fritz Hippler: Betrachtungen zum Filmschaffen. Berlin 1942.
Adolf Hitler: Mein Kampf. München 1939 (Jubiläumsausgabe).
Gustav Holberg: Henny Porten. Eine Biographie unserer beliebten Filmkünstlerin. Berlin 1920.
Werner Holl: Das Buch von Magda Schneider. Berlin (1935).
Werner Holl: Gustav Fröhlich. Künstler und Mensch. Berlin 1936.
Franz Horch: Paula Wessely. Weg einer Wienerin. Wien 1937.
M. V. Hotschewar: Filmtricks und Trickfilme. Filmbücher für alle. 4. Halle 1940.
Franz Hunger: Der ideelle und psychologische Gehalt des historischen Films. Eine Untersuchung der Ideen-Beziehungen im historischen Film und der dabei sich ergebenden psychologischen und charakterologischen Zusammenhänge zwischen geschichtlichem und gegenwärtigem Dasein (Diss. Hamburg 1942; Maschinenschrift).
Alfred Ibach: Die Wessely. Wien 1943.
Herbert Ihering: Emil Jannings – Baumeister seines Lebens und seiner Filme. Heidelberg–Berlin–Leipzig 1941.
Herbert Ihering: Käthe Dorsch. München 1944.
Herbert Ihering: Von Josef Kainz bis Paula Wessely. Heidelberg–Berlin–Leipzig 1942.
Alexander Jason: Handbuch des Films. Berlin 1935/36.
Jiři Jeniček: Abeceda krátheho filmu. Knihovna Filmového kurýru. Praha 1944.
K. v. Kahlberg: Hansi Knoteck, eine deutsche Filmschauspielerin. Berlin 1936.
Oskar Kalbus: Vom Werden deutscher Filmkunst. Zweiter Teil: Der Tonfilm. Altona–Bahrenfeld 1935.
Edmund Th. Kauer: Der Film. Vom Werden einer neuen Kunstgattung. Mit Proben aus Drehbüchern und vielen Bildern. Berlin 1943.
Nicholas Kaufmann: Filmtechnik und Kultur. Stuttgart 1931.
Heinrich Koch und Heinrich Braune: Von deutscher Filmkunst. Gehalt und Gestalt. Berlin 1943.
Siegfried Kracauer: Propaganda and the Nazi War Film. Museum of Modern Art. Film Library 1942.
Otto Kriegk: Der deutsche Film im Spiegel der Ufa – 25 Jahre Kampf und Vollendung. Berlin 1943.
Richard Kuehn: Greta Garbo. Der Weg einer Frau und Künstlerin. Berlin 1941.

Rudolf Kurtz: Emil Jannings. Berlin 1942.
Hans Leip: Max und Anny, romantischer Bericht vom Aufstieg zweier Sterne. Hamburg 1935.
Walter-Gottfried Lohmeyer: Viktor de Kowa. Die Geschichte eines Aufstiegs. Berlin 1934.
Luis Trenker als Mensch und Regisseur. Hrsg. v. d. Presse- und Propaganda Abt. der Tobis... durch Günther Zoellner. Berlin (1937).
Fred Lullack: Titeltechnik. Halle (Saale) 1941.
Alois Melichar: Musikfilm und Filmmusik. In: Deutsches Musikjahrbuch. Berlin 1937.
Walter Möhl: Das deutsche Filmtheatergewerbe unter besonderer Berücksichtigung der Zusammenschlußbewegung. Berlin 1937.
Alfred Mühr: Gustaf Gründgens. Aus dem Tagewerk des Schauspielers. Hamburg 1943.
Gottfried Müller: Dramaturgie des Theaters und des Films. Mit einem Beitrag von W. Liebeneiner. Würzburg 1941.
MarleneNeumann, geb. Schwarz: Die Bedeutung des Tonfilms für die Völkercharakterologie – mit Erläuterungen aus dem italienischen Filmschaffen. Hamburg 1942 (Diss. Maschinenschrift).
Rudolf Oertel: Filmspiegel. Ein Brevier aus der Welt des Films; Wien 1941.
Hans Karl Opfermann: Das Filmen ist so schön. Halle 1941.
Organisationsbuch der NSDAP. München: 1936, 1943.
Hans Henning Pantel: Presse, Rundfunk und Film in Griechenland. Ein Beitrag zur Erforschung der Publizistik in Südosteuropa. o. O. 1941 (Diss. Leipzig; Maschinenschrift).
Walter Panowsky: Die Geburt des Films. Ein Stück Kulturgeschichte. Würzburg–Aumühle 1940.
Partner im Film, Partner fürs Leben: Jan Kiepura – Martha Eggert, Wolf Albach-Retty – Magda Schneider. Reihe der Filmschriften H. 4. Berlin–Leipzig 1938.
Wolfgang Petzet: Verbotene Filme. Eine Streitschrift. Frankfurt a. M. 1931.
Leni Riefenstahl: Hinter den Kulissen des Reichsparteitag-Films. München 1935.
Alfred Rosenberg: Der Mythos des 20. Jahrhunderts. München 1938.
Alfred Rosenberg: Gestaltung der Idee. München 1936.
Gerd Rühle: Das Dritte Reich. Dokumentarische Darstellung des Aufbaues der Nation (Jahrgänge 1934–1938).
A(gnes) U(lrike) Sander: Jugend und Film. Berlin 1944.
Ewald Sattig: Die deutsche Filmpresse. Breslau 1937.
Hans Joachim Schlamp: Hans Albers. Berlin 1939.
Hans Joachim Schlamp: Hans Söhnker. Berlin (1939).
Hans Joachim Schlamp: Käthe von Nagy. Berlin (1939).
Hans Joachim Schlamp: Karl Ludwig Diehl. Berlin 1939.
Hans Joachim Schlamp: Viktor de Kowa. Berlin (1939).
Hans Joachim Schlamp: Willy Birgel. Berlin 1939.
Annemarie Schmidt und Karl Ludwig Kraatz: Filme unter südlicher Sonne. Reihe der Filmschriften. H. 18; Leipzig 1939.
Erwin Schockel: Das politische Plakat. Eine psychologische Betrachtung. München 1939.
Walter Schubert: Das Filmrecht des nationalsozialistischen Staates (unter Ausschluß des Filmarbeitsrechts. (Diss. Maschinenschrift, Kiel 1939).
Charlott Serda: Das Farbfoto-Buch vom Film. Mit 35 Agfacolor-Farbaufnahmen. Leipzig 1941.
Stimmen, die bezaubern: Zarah Leander, Martha Eggert, Erna Sack, Jeanette Mac-Donald. Reihe der Filmschriften. H. 2. Berlin–Leipzig 1938.
Heinz Tackmann: Filmhandbuch. Als ergänzbare Sammlung hrsg. v. d. Reichsfilmkammer. Berlin 1939.
Hans Thalhammer: Luis Trenker, der Bergführer. Lilienfeld (1933).
Hans Traub: Der Film als politisches Machtmittel. München 1933.
Luis Trenker: Hinter den Kulissen der Filmregie. München 1938.
Unsere kleinen Filmlieblinge: Peter Bosse, Shirley Temple, Traudl Stark. Reihe der Filmschriften. H. 5. Berlin–Leipzig 1938.
Bernhard Volmer: Die arbeitsrechtliche Stellung der Filmschaffenden unter besonde-

859

rer Berücksichtigung ihrer schöpferischen Leistungen. o. O. 1943 (Diss. Greifswald; Maschinenschrift).

Robert Volz: Hans Söhnker. Zwischen Bühne und Film. Berlin 1938.

Harald Walter: Die Werbung für den deutschen Film durch den Einsatz publizistischer Führungsmittel. Dresden 1941.

Max Weinheber: Hollywood – Himmel und Hölle. Ein Tatsachenbericht über die amerikanische Filmmetropole. Bremen 1939.

Peter v. Werder: Trugbild und Wirklichkeit im Film. Aufgaben des Films im Umbruch der Zeit. Leipzig 1941.

Curt Wesse: Großmacht Film. Das Geschöpf von Kunst und Technik. Berlin 1928.

Wir lachen mit: Heinz Rühmann, Paul Kemp, Fita Benkhoff, Hans Moser. Reihe der Filmschriften. H. 3. Berlin–Leipzig 1938.

Wittelshöfer: Liane Haid. Werdegang einer Künstlerin. Berlin 1933.

K. Wolf: Entwicklung und Neugestaltung der deutschen Filmwirtschaft seit 1933. (Diss.) Heidelberg 1938.

Kurt Wortig: Der Film in der deutschen Tageszeitung. Frankfurt/M. 1940.

Wunderwelt Film. Künstler und Werkleute einer Weltmacht. Heidelberg–Berlin–Leipzig (1943).

Zahlen zur deutschen Filmwirtschaft 1939–1944. Aus dem Manuskript: Filmwirtschaftskunde. Tl. 1: Filmtheater. Verlag Deutsches Institut für Wirtschaftsforschung. Berlin 1945 (Vervielfältigt).

Kurt Zierold: Der Film in Schule und Hochschule. Stuttgart 1938.

Obige Zusammenstellung umfaßt nicht ca. 500 weitere Positionen von Drehbüchern, Werbeschriften, Presseanweisungen, Materialübersichten, Bild- und Textinformationen bzw. Sonderhefte zu den einzelnen abendfüllenden Spiel- oder Dokumentarfilmen. Diese Materialien befinden sich hauptsächlich in der Deutschen Bücherei (Leipzig), im Deutschen Institut für Filmkunde (Frankfurt/M. und in der Theaterabteilung der Österreichischen Nationalbibliothek (Wien).

10. Darstellungen nach 1945

Gerd Albrecht: Die Wochenschau als Instrument der Propaganda im Dritten Reich (Vortrag; vervielfältigt). Tel Aviv 1986.

Gerd Albrecht: Filmpolitik im Dritten Reich. XII. Westdeutsche Kurzfilmtage. Februar 1966 (vervielfältigt).

Gerd Albrecht: Nationalsozialistische Filmpolitik. Eine soziologische Untersuchung über die Spielfilme des Dritten Reiches. Stuttgart 1969.

Henri Amouroux: La vie des Français sous l'occupation allemande. Paris 1961.

Guido Aristarco: Kino wloskie w okresie rezimu nazistowskiego. „Etudes Cinématographiques" 1970, Nr. 82/8. Übers. in: Film na świecie. Warszawa 1983. Nr. 288/289.

Wolf-Eberhard August: Die Stellung der Schauspieler im Dritten Reich. München 1973 (Diss.).

Pio Baldelli: Wczesny Rosselini i kino Saló. „Etudes Cinématographiques" 1970, Nr. 82/83. Übers. in: Film na świecie. Warszawa 1983. Nr. 288/289.

Hans Barkhausen: Die NSDAP als Filmproduzentin. Mit Kurzübersicht: Filme der NSDAP 1927–1945. In: Zeitgeschichte im Film- und Tondokument. SS 145–176. Göttingen 1970.

Hans Barkhausen: Filmpropaganda für Deutschland im Ersten und Zweiten Weltkrieg. Hildesheim 1982.

Hermann Barkhoff: Ernst Legal. Berlin (DDR) 1965.

Sárka Bartoškova: Frida Myrtil, Jan Kolár: Československý zvukovy film 1930–1945. Praha 1965.

Wolfgang Becker: Film und Herrschaft. Organisationsprinzipien und Organisationsstrukturen der nationalsozialistischen Filmpropaganda. Berlin (West) 1973.

Helga Belach: Henny Porten. Der erste deutsche Filmstar. 1890–1960. Berlin (West) 1986.

A. Bodenstedt: Der Sonderbericht der Deutschen Wochenschau vom Überfall auf Jugoslawien und Griechenland am 6.April 1941. Ein Beispiel nationalsozialistischer Filmpropaganda im 2. Weltkrieg. Hamburg 1958.

Leopold Böhm: G. W. Pabst. Wien 1955.

Hans Borgelt: Grete Weiser. Herz mit Schnauze. Berlin 1971. Das süßeste Mädel der Welt – Die Lilian-Harvey-Story. Bayreuth 1974.

Henri Le Boterf: La vie parisienne sous l'occupation 1940–1944 (I, II). Paris 1974.

Ernest K. Bramsted: Goebbels und die nationalsozialistische Propaganda, 1925–1945 (Aus dem Engl. übers. von H. E. Strakosch). Frankfurt/M. 1971.

Martin Broszat: Nationalsozialistische Polenpolitik 1939–1945. Stuttgart 1961.

Walter Bruch: Die Fernseh-Story. Stuttgart 1969.

Gian Pierro Brunetta: Cinema italiano fra le due guerre. Fascismo e politica cinematografica. Milano 1975.

Lothar-Günther Buchheim: Die U-Boot Fahrer. München 1985.

Klaus Budzinski: Die Muse mit der scharfen Zunge. Vom Cabaret zum Kabarett. München 1961.

Pierre Cadars, Francis Courtade: Histoire du Cinéma Nazi. Paris 1972 (deutsch – gekürzt: Geschichte des Films im Dritten Reich, München–Wien 1975.

Hans Joachim Cadenbach: Hans Albers. Berlin (West) 1975.

Helmut Caspar: Deutsche Spielfilme im Dienste der faschistischen Kriegs- und Durchhaltepropaganda. Potsdam 1967 (Defa-Studio für Spielfilme; Nur zur innerbetrieblichen Verwendung; vervielfältigt).

Helmut Caspar: Kriegsapologie und Barbarei. Analysen von Spielfilmen der faschistischen Produktion. Potsdam 1970 (Defa-Studio für Spielfilme; nur zur innerbetrieblichen Verwendung; vervielfältigt).

Pierre Cézard: L'Annexion de fait de l'Alsace et de la Lorraine. In: Revue d'histoire de la deuxième guerre mondiale. Nr. 5/1952.

Cine-Graph. Lexikon zum deutschsprachigen Film. Loseblattsammlung, München 1984ff.

Cinema in Finland. Ed. by Jim Hillier. British Film Institute. London 1975.

Hans Daiber: Gerhart Hauptmann oder der letzte Klassiker. Wien–München–Zürich 1971.

Der Film im Dritten Reich. 1. Arbeitsseminar der Westdeutschen Kurzfilmtage Oberhausen.

Die Entwicklung der Wochenschau in Deutschland. Göttingen 1960ff. (Institut für den Wissenschaftlichen Film)

Die große Zeit des deutschen Films. Zeitgeschichte im Bild 1933–1945; hg. von Michele Sakkara. Landsberg a. Lech 1980.

Dokumentarfilm in Polen. Zusammenstellung und Redaktion: W. Klaue, M. Lichtenstein, E. Jahnke. Staatliches Filmarchiv der DDR. Berlin 1968.

B. Drewniak: Die Expansion der Kinematographie des Dritten Reiches in den Jahren des Zweiten Weltkrieges. In: Inter arma non silent Musae. The War and the Culture 1939–1945. Warszawa 1977.

B. Drewniak: Ekspansja kulturalna Trzeciej Rzeszy na obszarze półwyspu bałkańskiego w latach II wojny światowej. In: Państwa bałkańskie w polityce imperializmu niemieckiego. Poznań 1982.

B. Drewniak: Die deutsche Verwaltung und die rechtliche Stellung der Polen in den besetzten polnischen Gebieten (1939–1945). In: Deutsch-Polnisches Jahrbuch 1979/80. Bremen.

B. Drewniak: Oś Berlin–Rzym–Tokio – Polityczne uwarunkowania wspólpracy kulturalnej. (Achse Berlin–Rom–Tokio. Die politischen Voraussetzungen der kulturellen Zusammenarbeit). In: Studia nad faszyzmen i zbrodniami hitlerowskimi, III, Wrocław 1977.

Krzysztof Dunin-Wasowicz: Ruch oporu w hitlerowskich obozach koncentracyjnych 1933–1945. Warszawa 1979.

Joachim C. Fest: Hitler. Eine Biographie (Ullstein) 1976.

Filmplakate: Hrsg. von Franz Scheiner. Berlin (West) 1984.

Helmut Freiwald: Filmdokumente über die Jugend unter Hitler und ihre Bedeutung für die politische Bildung. In: Beiträge zur Erziehungswissenschaft. Eine Festschrift. Oldenburg 1966.

861

Oskar Maurus Fontana: Hans Moser – Volkskomiker und Menschendarsteller. Wien 1965.
Oskar Maurus Fontana: Wiener Schauspieler. Wien 1948.
C. Ford: Emil Jannings. Paris 1969.
John P. Fox: Der Fall Katyn und die Propaganda des NS-Regimes. In: Vierteljahreshefte für Zeitgeschichte. 3. Heft. Juli 1982.
Walter Fritz: Geschichte des österreichischen Films. Wien 1969.
Walter Fritz: Hans Thimig und der Film (Österr. Nationalbibliothek, Theaterabteilung. Manuskript 1962).
François Garçon: Nazi Film Propaganda in Occupied France. In: David Welch, Nazi Propaganda. London 1983.
Für französisch-deutsches Verständnis. Aus der Geschichte der Prop.-Abteilung Frankreich. In: Die Wildente, November 1957.
Guido Gerosa: Da Giarabub a Salò. Il cinema italiano durante la guerra. Milano 1963.
Wolfgang Goetz: Werner Krauss. Hamburg 1954.
Gründgens – Schauspieler, Regisseur, Theaterleiter. Hrsg. H. Rischbieter. Hannover 1963.
Gergard Grünseid: Das Filmschaffen Karl Hartls. Wien 1949 (Diss. Maschinenschrift).
Konrad Grunsky-Peper: Deutsche Volkskunde im Film. Gesellschaftliche Leitbilder im Unterrichtsfilm des Dritten Reiches. München 1978.
Wolf-Ulrich Haentsch: Thea von Harbou und der Film im Dritten Reich. Eine Autorin zwischen Politik und Unterhaltung. Frankfurt a. M. (Universität, Diplomarbeit, Maschinenschrift, vervielf.) 1986.
Walter Hagemann: Publizistik im Dritten Reich. Ein Beitrag zur Methodik der Massenführung. Hamburg 1948.
Hans Hagge: Das gab's schon zweimal... Auf den Spuren der Ufa. Berlin (DDR) 1959.
Jiři Havelka: Kronika našeho filmu 1898–1965. Praha 1967.
Jiři Havelka: Filmové hospodařstvi v zemich českých a na Slovensku 1939 až 1945. Praha 1946.
Heinrich George. Ein Schauspielerleben. Hrsg. Berta Drews. Hamburg 1959.
Helmut Heiber: Joseph Goebbels. Berlin (West) 1962.
Heinrich Heining: Goethe und der Film. Baden-Baden 1949.
Adolf Heinzlmeier, Jürgen Menningen, Bernd Schulz: Die großen Stars des deutschen Kinos. Herford 1985.
Ulrich Herbert: Fremdarbeiter. Politik und Praxis des „Ausländer-Einsatzes" in der Kriegswirtschaft des Dritten Reiches. Berlin–Bonn 1985.
Gerhard Hirschfeld: Nazi Propaganda in occupied Western Europa. The Case of the Netherlands. In: Nazi Propaganda. Ed. by David Welch, London 1983.
G. Hoffmann: NS-Propaganda in den Niederlanden. München–Berlin 1972.
Dorothea Hollstein: Antisemitische Filmpropaganda. Die Darstellung des Juden im nationalsozialistischen Spielfilm. München–Pullach–Berlin 1971.
Hans Hrusak: Einfluß von Theater und Film auf die öffentliche Meinung. Wien 1951 (Diss. Maschinenschrift).
David S. Hull: Film in the Third Reich. A Study of the German Cinema 1933–1945. berkeley und Los Angeles 1969.
Herbert Ihering: Berliner Dramaturgie. Berlin 1947.
Herbert Ihering: Die zwanziger Jahre. Berlin 1948.
Herbert Ihering: Von Reinhardt bis Brecht. Vier Jahrzehnte Theater und Film (3. Bände). Berlin (DDR) 1961.
Herbert Ihering und Eva Wisten: Eduard von Winterstein. Berlin 1968.
Illustrierter Film-Kurier 1924–1944. Dokumentation von Herbert Holba. Vorwort Eberhard Spiess. Deutsches Institut für Filmkunde 1972.
Wladysław Jewsiewicki: Filmy niemieckie na ekranach polskich kin w okresie miedzywojennym (Deutsche Filme in Polen). In: Przeglad Zachodni, Poznań 1967, Nr. 5.
Wladysław Jewsiewicki: Polska kinematografia w okresie filmu dźwiekowego (1930–1939). Lodź 1967.
Friedrich P. Kahlenberg: Film. In: W. Benz (Hg.). Die Bundesrepublik Deutschland. Geschichte in drei Bänden. Bd. 3: Kultur. Frankfurt/M. 1983.

Friedrich P. Kahlenberg: Spielfilm als historische Quelle? Das Beispiel „Andalusische Nächte". Schriften des Bundesarchivs.

Friedrich P. Kahlenberg: „Starke Herzen". Quellen-Notizen über die Produktion eines Ufa-Films im Jahre 1937. In: Wetzel/Hagemann. Zensur. Verbotene deutsche Filme. Berlin (West) 1978.

Oskar Kalbus: Gedanken zur Geschichte des deutschen Films bis 1945. München 1964 (vervielfältigt).

Karl Valentin, Volks-Sänger DaDist? Hrsg. von Schirmherr/Mosel Verlag. München 1982 (Buch und Katalog).

Rosemarie Kern: Hans Thimig und das Theater. Wien 1967 (Diss. Maschinenschrift).

Hermann Klamfoth: Literaturgeschichte des Films. 50 Jahre deutscher Film. 1.Nov. 1895 – 1.Nov. 1945. Berlin 1947 (Maschinenschrift).

Christoph Klessmann: Die Selbstbehauptung einer Nation. Nationalsozialistische Kulturpolitik und polnische Widerstandsbewegung im Generalgouvernement 1939–1945. Düsseldorf 1971.

H. J. Kliesch: Die Film- und Theaterkritik im NS-Staat. Berlin (West) 1957 (Diss.).

Ch. Klusacek: Österreichs Wissenschaftler und Künstler unter dem NS-Regime. Wien–Frankfurt–Zürich 1966.

Horst Knietzsch: Wolfgang Staudte. Berlin 1966.

Fritz Koselka: Hans Moser. Wien 1946.

Siegfried Kracauer: From Caligari to Hitler. A Psychological History to the German Film. London 1947 (deutsch gekürzt: Von Caligari bis Hitler. Ein Beitrag zur Geschichte des deutschen Films. Hamburg 1958).

Edda Kühlken: Die Klassiker-Inszenierungen von Gustaf Gründgens. Köln 1972 (Diss.).

La istoria cinematografiei în România. 1896–1948. Bucuresti 1971.

Paul Leglise: Histoire de la politique du cinéma français. Vol. 2. Le cinéma entre deux républiques 1940–1946. Paris 1977.

Erwin Leiser: Deutschland, erwache! Propaganda im Film des Dritten Reiches. Reinbek bei Hamburg 1978 (erweiterte Neuausgabe).

Erwin Leiser: Nazi Cinema. London 1974.

Pierre Leprophon: Cinquante ans du cinéma français. 1895–1945. Paris 1954.

Jay Leyda: Filme aus Filmen. Eine Studie über den Kompilationsfilm. Berlin (West) 1967.

Carlo Lizzani: Storia del cinema italiano. 1895–1961. Firenze 1961.

Manfred Lotsch:

Karl-Heinz Ludwig: Technik und Ingenieure im Dritten Reich. Düsseldorf 1979.

Will Lütgert: „Kopf hoch, Johannes!". In: Zeitgeschichtliche Filmdokumente als pädagogische Forschungsquellen. Erziehungsstile in nationalsozialistischen Jugendgruppen. Zeitgeschichte im Film- und Tondokument.

K. J. Maiwald: Filmzensur im NS-Staat. Dortmund 1983.

Ljubov M. Makarova: Buržuaznyje istoriki ob ideologičeskoj funkcii kino w fašystkoj Germanii. In: Problemy buržuaznoj istoriografii vtoroj mirovoj vojny. Jaroslavl 1974.

Materiali sul cinema iatliano 1929–1943. Quaderno informativo numero 63. Undecisima Mostra Internazionale del Nuovo Cinema. Pesaro 1975.

Fritz Maurischat: Selpin und Titanic. In: dif/filmkundliche Mitteilungen. 3. Jg. Nr. 3 und Nr. 4. Wiesbaden 1970.

Fernando Mendez-Leite: Historia del cine español. Madrid 1964.

Istvan Nemeskürty: Wort und Bild. Die Geschichte des ungarischen Films. Frankfurt a. M. 1980.

P. Nowotny: Leni Riefenstahls „Triumph des Willens". Münster 1981.

NS-Filme in der Diskussion: Wie wirkt heute das Goebbels-Gift? Frankfurt a. M. Evang. Pressedienst 1977.

Rudolf Oertel: Macht und Magie des Films. Weltgeschichte einer Massensuggestion. Wien 1959.

Paula Wessely–Attila Hörbiger. Ihr Leben, ihr Spiel, eine Text- und Bilddokumentation, herausgegeben von Edda Fuhrich und Gisela Prossnitz. München 1984.

M. Pevsner: Les actualités cinématographiques de 1940 à 1944. In: Revue d'Histoire de la Deuxième Guerre Mondial, vol. 64 (1966).

Gertrud Pichel: Paul und Attila Hörbiger. Wien 1949 (Diss. Maschinenschrift).

Erwin Piscator: Theater, Film, Politik. Ausgewählte Schriften herausg. von Ludwig Hoffmann. Berlin (DDR) 1980.

E. Pospischill: Hermann Thimig. Eine Schauspielerbiographie. Wien 1950 (Diss. Maschinenschrift).

Peter Pott: Alexander Lernet-Holenia. Gestalt, dramatisches Werk und Bühnengeschichte. Wien–Stuttgart 1972.

Herbert Prado, Siegfried Schiffner: Jud Süß. Historisches und juristisches Material zum Fall Veit Harlan. Hamburg 1949.

Propaganda und Gegenpropaganda im Film 1933–1945. Hrsg. Peter Konlechner und Peter Kubelka. Wien 1972 (Österreichisches Filmmuseum).

Joachim Radkau: Die deutsche Emigration in den USA. Ihr Einfluß auf die amerikanische Europapolitik 1933–1945. Düsseldorf 1971.

Wilhelm Reich: Die Massenpsychologie des Faschismus. Köln 1971.

Viktor Reimann: Dr. Joseph Goebbels. München 1971.

J. Rhades: Von der nationalsozialistischen ‚Filmkunstbetrachtung‘ zur Filmkritik der Gegenwart. Dargestellt an Beispielen aus der Bayerischen Presse. München 1955; (Diss.).

Horst Richter: Die nationalsozialistische Filmpublizistik im Dritten Reich. Eine zeitungswissenschaftliche Untersuchung über Einsatz von Wochenschau und Dokumentarfilm unter wesentlicher Berücksichtigung der Filmtageszeitung ‚Film-Kurier‘. Wien 1963 (Diss.).

Curt Riess: Das gab's nur einmal. Die große Zeit des deutschen Films. Wien–München 1977.

Curt Riess: Das gibt's nur einmal. Hamburg 1958.

Curt Riess: Gustaf Gründgens. Eine Biographie. Wien–München 1978.

Walter Rösler: Das Chanson im deutschen Kabarett 1901–1933. Berlin (DDR) 1980.

Georges Sadoul: Le Cinéma pendant la guerre. 1939–1945. Paris 1954.

Jan Saukup: Der Film in der Tschechoslowakei. Praha 1955.

Heiner Schmitt: Kirche und Film. Kirchliche Filmarbeit in Deutschland von ihren Anfängen bis 1945. Boppard am Rhein 1978 (Diss. Bonn).

Hans Schön: Die Gustloff-Katastrophe. Stuttgart 1984.

Hans-Jürgen Singer: Tran und Helle. Aspekte unterhaltender „Aufklärung" im Dritten Reich. „Publizistik – Vierteljahreshefte für Kommunikationsforschung", H. 3/4, Konstanz 1986.

Amy Smith: Hermine Körner. Berlin 1970.

Eberhard Spiess: Carl Meyer: Ein Filmautor zwischen Expressionismus und Idylle. Filmblätter Nr. 11. Frankfurt a. M. (o. J.).

Eberhard Spiess: Hans Albers. Eine Filmographie. Frankfurt a. M. 1977 (dort auch eine Auswahlbiographie).

Eberhard Spiess: Werbung für den Film. Ein Anfang ohne Ende. Unter besonderer Berücksichtigung des Filmplakats. In: Filmplakate. Berlin (West) 1984.

Jürgen Spiker: Film und Kapital. Der Weg der deutschen Filmwirtschaft zum nationalsozialistischen Einheitskonzern. Berlin (West) 1975.

Karl Stanzl: Willi Forst's Bühnen- und Filmarbeit. Wien 1947 (Diss.).

Dietrich Strohmann: Nationalsozialistische Literaturpolitik. Ein Beitrag zur Publizistik im Dritten Reich. Bonn 1968.

Suomen Kulturhistoria. III. Helsinki 1982.

Richard Taylor: Film Propaganda. Soviet Russia and Nazi Germany. London 1979.

Fritz Terven: Historischer Film und historisches Filmdokument. In: Geschichte in Wissenschaft und Unterricht. Nr. 7 (1956).

Fritz Terven, K. W. Wippermann: Die Entwicklung der Wochenschau in Deutschland. Begleitveröffentlichungen zu einzelnen Wochenschau-Editionen des Instituts für den wissenschaftlichen Film. Göttingen 1959ff.

Hans Alex Thomas: Die deutsche Tonfilmmusik. Von den Anfängen bis 1956. Gütersloh 1963 (früher auch als Diss.).

The Nazi Kultur in Poland. London 1945.

Jerzy Toeplitz: Geschichte des Films. Band 2: 1938–1933, Band 3: 1934–1939, Band 4: 1939–1945. Berlin (DDR) 1983. Auch zweite Auflage.

Herbert E. Tutas: NS-Propaganda und das deutsche Exil 1933–1939. Meisenheim 1974.

Von der Freiwilligen Selbstkontrolle der Filmwirtschaft freigegebene Filme. Amtl. Wegweiser 18.7.1949–31.12.1957. Bearbeitet vom Dt. Institut für Filmkunde. Wiesbaden 1959.

Fritz Walter: Hans Thimig und der Film. Wien 1962.

Fritz Walter: Geschichte des österreichischen Films. Wien 1969.

Gérard Walter: La vie à Paris sous l'occupation 1940–1944. Paris 1960.

Jutta Wardetzky: Theaterpolitik im faschistischen Deutschland. Studien und Dokumente. Berlin (DDR) 1983.

David Welch: Propaganda and the German Cinema 1933–1945. Clarendon Press 1983.

Kraft Wetzel, Peter A. Hagemann: Liebe. Tod und Technik. Kino des Phantastischen 1933–1945. Wilfried Basse. Notizen zu einem fast vergessenen Klassiker des deutschen Dokumentarfilms. Berlin (West) 1977.

Kraft Wetzel, Peter A. Hagemann: Zensur. Verbotene deutsche Filme 1933–1945. Mit Beiträgen von Friedrich P. Kahlenberg und Peter Pewas. Berlin (West) 1978.

K. W. Wippermann: Die Entwicklung der Wochenschau in Deutschland (...) Göttingen 1970.

Karsten Witte: Die Filmkomödie im Dritten Reich. In: Die deutsche Literatur im Dritten Reich. Hg. Horst Denkler und Karl Prümm. Stuttgart 1976.

Udo W. Wolff: Preußens Glanz und Gloria im Film. München 1981.

Leon Zelman: Der Film als Beeinflussungsmittel der öffentlichen Meinung. Wien 1952 (Diss. Maschinenschrift).

Zum Film über die Verhandlungen vor dem Volksgerichtshof. Bonn (1955).

Anmerkungen

(Das Register verweist nicht auf Namen in Anmerkungen und Bibliographie.)

Die Produktionsbedingungen

1. BA, R 43 II, Nr. 1149.
2. Einzelheiten darüber: Drewniak, Das Theater im NS-Staat, S. 13ff.
3. BA, R 55, Nr. 862, S. 5.
4. Ebd. Nr. 484, S. 18ff.
5. Kraft Wetzel/Peter Hagemann: Zensur. Verbotene deutsche Filme 1933–1945, Berlin 1978, S. 10. Diese wichtige Veröffentlichung wies auf 27 Zensur-Fälle hin, vor allem Unterhaltungsfilme, die von der Filmzensur des Dritten Reiches nicht zugelassen wurden. Die Zahl (und die Titel, auch Gründe) der verbotenen Kurzfilme ist noch nicht bekannt.
6. BA, R 55, Nr. 501, 1319; Korrespondenz des ProMi.
7. Gehörte dem „Verleihpionier" Gustav Althoff (Atelier Babelsberg).
8. Gesellschafter waren: Graf Taufkirchen und Baron von Hirschberg, zugleich Geschäftsführer; Die Filme finanzierte die Filmkredit-Bank.
9. Wetzel/Hagemann, Zensur, S. 7ff.
10. BA, R 43 II, Nr. 1232, S. 46ff.; Einzelheiten darüber bei Drewniak, Theater im NS-Staat, S. 288. Goebbels' Schreiben war vom 9.11.43 datiert.
11. „Film-Kurier" v. 7.1.1939.
12. BA, R 55, Nr. 79; Korrespondenz und Berichte.
13. „Film-Kurier" v. 27.5. und 31.5.1939.
14. BA, R 109 II, vorl. 15; Leiter Film an Minister v. 12.1.1945.
15. BA, RW 4/V 294; Schreiben des Reichsfilmarchivs v. 17.4.1939.
16. BA, R 109 II, vorl. 13; Leiter F an Staatssekretär v. 2.11.44.
17. BA, R 55, Nr. 498, S. 116ff.; Schreiben v. 3.8.39.
18. „Deutschlands Versorgung mit Filmen während der ersten acht Kriegsmonate" (Maschinenschr. ver.; o. J.).
19. BA, R 55, Nr. 79; Leiter der Filmprüfstelle v. 3.11.42.
20. Umfangreiche Korrespondenz darüber: BA R 55, Nr. 498, S. 88 und Nr. 1319, S. 2f. und 27.
21. Verordnung über den Sicherheitsfilm v. 30.10.39; RGBl, I, S. 2136.
22. „Film-Kurier" v. 6.5.43: „Das Arbeiten mit Nitrofilm, den die Kinotheater zur Zeit noch verwenden müssen, erfordert zweifellos ein großes Maß von Vorsicht."
23. BA, R 55, Nr. 505, S. 25ff.
24. Von den hergestellten Kurzfilmen sind zu erwähnen: „Armer Hansi", „Schnuff", „Der Nieser", „Frische Fische".
25. Die Deutsche Zeichenfilm GmbH besaß Außenstellen in Wien und München-Dachau.
26. „Film-Kurier" v. 7.1. und 7.7.44.
27. Obwohl der Chef der Sicherheitspolizei und des SD sich bemühte, aus Geheimhaltungsgründen eine eigene Filmproduktion zu gründen. Korrespondenz September–November 1944. BA, R 109 III vorl. 11.
28. Seit 19.1.1943 im Handelsregister; Die Abwicklung der Interessen dauerte noch lange Zeit nach dem Kriegsende an.
29. Schreiben von Hinkel an Goebbels v. 2.1.45; BA, R 55, Nr. 663, S. 27f.
30. Ebd.

31. BA, RW 4/V 293; Schreiben WPr. v. 12.4.1941.
32. Wetzel/Hagemann, Zensur, S. 12.
33. BA, R 55, Nr. 484, S. 18ff.
34. Albrecht, Die Wochenschau als Instrument der Propaganda im Dritten Reich, S. 2.
35. BA Koblenz besitzt die Deutsche Monatsschau bis Nr. 7 (August 1939). Im Kriege erschienen ferner: Ufa-Europa-Magazin(bis Nr. 205, Anfang 1945), Europa-Woche (bis Nr. 100, Anfang 1945) und Ufa-Schmalfilm-Magazin (vorhanden bis Nr. 75/ 1943).
36. RGBl. 1938, S. 1520; Verordnung v. 28.10.38. Im Krieg kam eine Änderung: Die Filmtheaterbesitzer mußten 3% (Brutto)-Einnahmen aus den Eintrittskarten entrichten. RGBl. 1943 I, S. 654; Verordnung v. 8.11.43.
37. BA, R 109 II, vorl. 67.
38. Albrecht, Die Wochenschau, S. 3.
39. BA, R 109 II, vorl. 48; Wochenschau-Einsatz im Ausland.
40. Picker, Hitlers Tischgespräche, S. 156; Leiter F/Reichsfilmintendant an Goebbels v. 7.12.1944, BA, R 55, Nr. 663, S. 92ff.
41. Ebd., S. 94; Hinkels Schreiben v. 7.12.44.
42. BA, R 55, Nr. 663, S. 74; Leiter Film v. 4.7.44. Ferner: BA, R 109 II, vorl. 67; Schreiben Abteilung F v. 4.7.44.
43. BA, R 55, Nr. 663, S. 76; Leiter F v. 13.7.1944.
44. Ebd. S. 81; Hinkel an Goebbels v. 3.8.1944.
45. BA, R 109 III, vorl. 8; Protokoll v. 5.1.45.
46. BA, R 109 II, vorl. 67. Dt. Wochenschau v. 25.1.1945.
47. Ebd.
48. BA, R 109 II, vorl. 31; Schreiben v. 17.2.1945.
49. Ebd. vorl. 15; Blitzvorlage an Minister v. 20.3.45.
50. Eine genaue Untersuchung zu diesem Thema unternahm Hans-Jürgen Singer in seinem Aufsatz: „Tran und Helle. Aspekte unterhaltender ‚Aufklärung' im Dritten Reich". Diese wissenschaftliche Bearbeitung befindet sich im Druck.
51. Ebd.
52. Diese Filme, jeder ca. 60 m lang, wurden im Trick-Film-Atelier Erich Waechter hergestellt (1943). Dem Verfasser sind Informationen über die Nr. 1 bis 9 bekannt.
53. Nr. 9 dieser Serie wurde im September 1944 zensiert. Die Länge betrug ca. 300 m pro Film.
54. Nr. 9 dieser Serie im August 1944 zensiert; jeder Film ca. 300 m.
55. Entsprechende Verbote betr. „Conférence- und Ansagewesens" wurden 1937 (8.12.), 1939 (6.5.), 1940 (11.12.) und 1941 (14.3.) vom ProMi im Zusammenwirken mit der Polizei angeordnet.
56. Im Bundesarchiv Koblenz ist noch die Nr. 11 aus dem Jahre 1941 vorhanden.
57. BA, R 109 II, vorl. 67; Schreiben v. 2.5.45.
58. RMBliV, 1940, S. 870.
59. Wetzel/Hagemann, Zensur, S. 108f.
60. Im Mai 1942 ordnete Hitler eine Sonderaktion an: „Wir müssen schnell rollendes Material bauen, und zwar in primitiver Form. Wenn eine Lokomotive oder ein Waggon 5 Jahre halten, so ist das vollkommen ausreichend". Im August 1943 konnte A. Speer mitteilen, daß der von Hitler geforderte Höchstausstoß an Lokomotiven erreicht wurde. „Kriegslokomotiven" (363 m) gestaltete Victor Borel. Für die öffentlichen Vorführungen wurde der Film am 31.12.1943 zugelassen (P: sw).
61. „Film-Kurier" v. 8.8.1944.
62. BA, R 109 II, vorl. 15; Leiter Film v. 15.8.44.
63. BA, R 55 Nr. 662, S. 21ff.
64. „Film-Nachrichten" v. 30.3.1945.
65. Der Film schilderte die Arbeitsvorgänge und Arbeitseinrichtungen in der Penziger Glashütte. Prod. Lex-Prag-Film; Regie und Kamera H. O. Schulze, Buch Victor Borel, Musik Hans Bullerian (424 m; P: küw, vb).
66. BA, R 109 II, vorl. 31; Schreiben v. 6.3.1945.
67. „Film-Kurier" v. 15.6.43.
68. IPN, Nr. 868, 868a; Hans Heinrich Hinkel: Akta Prokuratora, Akta w sprawie karnej. (Aus den Personalangaben).

69. „Film-Kurier" v. 4.8.44.
70. BA, R 109 II, vorl. 15; Organisationsplan für das deutsche Filmwesen.
71. BA, R 109 III, vorl. 18; Korrespondenz.
72. BA, R 109 II, vorl. 5; Wirtschaftliche Betrachtungen zur Produktion des Kalenderjahres 1945 v. 9.11.44.
73. Ebd. Hinkel an die Produktionschefs v. 16.12.44. Das „Kleine Film-Handbuch" (1945) hatte insgesamt (manche Filme befanden sich schon in der Produktion) für das Jahr 1945 angekündigt: Terra – 11 Filme, Tobis – 13, Ufa – 15, Wien-Film – 6, Bavaria – 15, Berlin-Film – 9 und Prag-Film – 3, also zusammen 72 Filme. Etwas geänderte Angaben liefert: „Deutsche Filmkunst 1945. Das Vertriebsprogramm 1945 der Deutschen Filmvertriebsgesellschaft".
74. BA, R 55, Nr. 663, S. 98ff.; Leiter F v. 11.2.1944.
75. Ebd.
76. BA, R 109 III, vorl. 18; Schreiben der Ufa v. 28.6.44.
77. BA, R 55 Nr. 663, S. 110; Leiter F an Goebbels v. 7.2.45.
78. BA, R 109 II, vorl. 27; Vermerk v. 25.9.44.
79. Wie Anmerk. 77.
80. BA, R 55 Nr. 663, S. 17f.; Leiter F/Reichsfilmintendant an Minister v. 5.12.44.
81. BA, R 109 III, vorl. 8; Protokoll v. 5.1.45.
82. BA, R 109 II, vorl. 67; Korrespondenz darüber.
83. Ebd., vorl. 19; Reichsfilmintendant v. 2.2.1945.
84. Ebd., vorl. 15; Leiter F v. 8.2.45.
85. Ebd., vorl. 31; Schreiben v. 3.4.45.
86. BA, R 55 Nr. 662, S. 26.
87. BA, R 109 II, vorl. 65.
88. Stenbock-Fermor, Der rote Graf, S. 445.
89. Am 4.5.1951 wurde er nach der Untersuchungshaft zu 4 Jahren Gefängnis verurteilt, und danach konnte er in die BRD zurückkehren, da er die Strafe während der Untersuchungshaft abgebüßt hatte.

Menschen vom Film

1. Das Thema hat bereits seine umfangreiche Literatur, die in den beiden deutschen Staaten veröffentlicht wurde. Das umfangreiche Vorhaben entstand in der DDR: „Kunst und Literatur im antifaschistischen Exil 1933–1945 in sechs Bänden", bei Philipp Reclam jun., Leipzig, veröffentlicht.
2. S. Zweig, Die Welt von Gestern, S. 264.
3. Deutsche Filmakademie mit dem Arbeitsinstitut für Kulturfilmschaffen. Babelsberg Ufastadt (1938); deutsche Filmakademie. Aufbau-Studium-Unterrichtsordnung-Abschlußprüfung. Als Handschrift gedruckt. 1938. BA, R 55, Nr. 488, S. 202ff. Skizzen und Materialien.
4. Volmer, Die arbeitsrechtliche Stellung der Filmschaffenden… passim.
5. Einzelheiten: Drewniak, Theater im NS-Staat, S. 42ff.
6. Frauenfeld, Der Weg zur Bühne, S. 181ff.
7. Erst 1944/45 wurden die Filmschauspieler aufgrund ihrer Kriegsdienstverpflichtung obligatorisch monateweise engagiert.
8. Volmer, Die arbeitsrechtliche Stellung der Filmschaffenden…, S. 34.
9. Ebd. S. 17f.
10. BA, R 109 III, vorl. 6; Winkler an Goebbels v. 29.7.44.
11. BA, R 109 II, vorl. 8; Reichsfilmintendanz v. 17.10.1944.
12. So enthielt ein Nachtrag zu dieser Liste die Namen: Otto Krohmann (Filmautor), Ludwig Schmidseder (Komponist), Alfred Stöger (Regisseur). Ebd. vorl. 26; Reichsfilmintendanz v. 6.11.44.
13. Ebd., vorl. 5; Reichsfilmintendenz v. 15.12.44.
14. Leiser, „Deutschland, erwache!", S. 20.
15. Die Zusammenarbeit mit dem Reichsbeauftragten für die Filmwirtschaft, M. Winkler, war übrigens nicht die beste. BA, R 109 II, vorl. 27. Vermerk v. 25.9.1944.

16. Bereits am 10.4.35 meldete das „Hamburger Fremdenblatt", daß Trenker den Ruf erhalten habe, das italienische Filmwesen neu aufzubauen im Rahmen einer „deutsch-italienischen Filmgesellschaft".
17. „Film-Kurier" v. 17.3.44.
18. BA, R 55, Nr. 174, S. 165; Schreiben des RSHA v. 26.4.44. Vertraulich.
19. Er war seit 1929 mit der Ungarin Elise Raab verheiratet, die jüdischer Abstammung war.
20. PA, Botschaft Paris, Nr. 1054b; Schreiben v. 20.9.38.
21. BA, R 55, Nr. 174, S. 124ff.
22. Ebd. Nr. 127, S. 2; Schreiben Winklers v. 3.1.40.
23. BA, R 109 II, vorl. 15; Frowein an Minister v. 5.1.45.
24. Ebd. vorl. 6; Niederschrift v. 30.4.42.
25. BA, R 109 I, vorl. 2397; Schreiben der Bavaria v. 3.2.43.
26. Ebd. Bavaria an Pabst (Schloß Fünfturm bei Leibnitz, Steiermark) v. 1.3.43.
27. „Bravo, kleiner Thomas". Bild- und Textinformationen. DVG 1944.
28. Wetzel/Hagemann, Zensur, S. 64.
29. Wesse, Großmacht Film, S. 22.
30. Ihering, Emil Jannings, S. 57.
31. Zit. nach: Theater-Lexikon, Berlin (Ost) 1977, S. 267.
32. Wie Anm. Nr. 30.
33. Viel darüber in G. v. Cziffras „Kauf dir einen bunten Luftballon", aber auch in den amtlichen Quellen.
34. Ausführlich darüber: Drewniak, Das Theater im NS-Staat, S. 166.
35. „Die Zeitung" (London), v. 23.4.43.
36. Ein H. H. Zerlett-Film der Bavaria (U: 10.11.42).
37. „Film" (Rom) v. 1.7.43.
38. BA, R 55, Nr. 662, S. 36f.; Hinkel an Goebbels v. 25.7.44.
39. Ebd.
40. BA, R 109 II vorl. 6; Niederschrift (vertraulich) v. 2.6.44.
41. „Die Wildente", 28. Folge, August 1966, S. 50.
42. Picker, Hitlers Tischgespäche, S. 180.
43. Tief im April 1942 vermerkte Dr. Naumann ein Telefongespräch („in heftiger Tonart") mit Olga Tschechowa. Die Star-Schauspielerin sollte erklärt haben: Wenn in Deutschland so wenig Wert auf sie gelegt werde, daß man ihr nicht einmal einen Wagen genehmige, würde sie in Zukunft im Ausland spielen. Sie wolle sich auch beim „Führer" über diese Anordnung des Propagandaministers beschweren. BA, R 55, Nr. 129, S. 79; Aktenvermerk v. 22.4.42.
44. Über ihre Stellung im Dritten Reich bei Drewniak, Theater im NS-Staat, passim.
45. Vergleich S. 67.
46. Weinschenk, Unser Weg zum Theater, S. 7.
47. Auf der „Liste II v" verzeichnet.
48. BA, R 109 II, vorl. 16; Schreiben v. 26.11.42.
49. Ebd.
50. Ebd.
51. BA, R 55, Nr. 125, S. 61; Leiter Pers. an den Staatssekretär v. 4.11.43.
52. PA, Botschaft Madrid, Nr. 567; Schreiben v. 25.8.1939.
53. BA, R 55, Nr. 124, S. 143ff.; Hinkels Korrespondenz.
54. BA, R 109 II, vorl. 10. C. Froelich hatte auch den Plan, einen Film über Aurora von Königsmarck mit der Künstlerin zu drehen.
55. BA, R 55, Nr. 118, S. 1 u. 3; Leiter Pers. v. 19.7.42 und Leiter F v. 18.6.42.
56. Ebd. S. 9; Vermerk v. 9.9.42.
57. BA, R 109 II, vorl. 6; Verl. Niederschrift v. 21.7.44.
58. Ebd.
59. Sepp Ebelseder im „Stern" 44/1969.
60. „Danziger Sonntags-Zeitung" v. 22.1.39.
61. „Schlesische Zeitung" (Breslau) v. 23.11.1941.
62. Söderbaum, Nichts bleibt immer so, S. 107.
63. BA, R 56 V, Nr. 23, S. 43.
64. Ebd. Nr. 24, S. 67.
65. Wolf-Ulrich Haentsch, Thea von Harbou, S. 163.

66. Ihering, Emil Jannings, S. 51f.
67. BA, R 109 II, vorl. 20; Schreiben v. 12.12.44.
68. Drewniak, Theater im NS-Staat, S. 341f.
69. BA, R 55, Nr. 123, S. 19ff.; Reichsfinanzminister an den Chef der Reichskanzlei v. 18.6.38.
70. Ebd. S. 337; Schreiben v. 7.9.1939.
71. Ebd. S. 338.
72. Ebd. S. 364.
73. Ebd. S. 368.
74. Ebd. S. 364.
75. Bis zu dieser Zeit erkannten die Finanzämter bei Filmschauspielern, Staatsschauspielern und bedeutenden Musikern Werbungskosten in Höhe bis zu einschließlich 20% ohne weiteres an.
76. Wie Anm. Nr. 69.
77. BA, R 55, Nr. 123, S. 189ff.; Goebbels an Lammers v. 17.5.38.
78. Ebd. S. 44; Schreiben des ProMi v. 3.1.39.
79. Ebd. S. 42; Schreiben des Reichsfinanzministers v. 28.11.38.
80. Ebd. Nr. 949; Sammelkorrespondenz.
81. Ebd. Nr. 123, S. 77; Schreiben v. 1.12.39.
82. Ebd. S. 322ff. Sammelkorrespondenz.
83. BA, R 55, Nr. 949, S. 56ff.; Zusammengestellt vom Verfasser aufgrund einer Liste v. 13.10.39.
84. BA, R 55 Nr. 448, S. 197; Inf. v. 29.9.39.
85. BA, R 55, Nr. 949; Sammelkorrespondenz.
86. Ebd. Nr. 129, S. 225; Vermerk v. 29.8.41.
87. BA, R 109 II, vorl. 24; Reichsfilmintendant v. 25.5.44.
88. Ebd. vorl. 47; Sammelkorrespondenz Februar/März 1945.
89. BA, R 55, Nr. 123, S. 87ff.; Leiter F v. 14.7.41.
90. BA, R 109 II, vorl. 49; Ufa-Zahlungen.
91. Drewniak, Theater im NS-Staat, S. 162f.
92. BA, R 55, Nr. 377; Schreiben Goebbels' v. 4.11.40 (Streng vertr.)
93. BA, R 109 II, vorl. 6; Vertr. Niederschrift v. 21.7.44.
94. BA, R 109 III, vorl. 5; Niederschrift v. 12.6.44.
95. BA, R 109 II, vorl. 32; Beschäftigungsliste.
96. Ebd., vorl. 49; Ufa-Zahlungen.
97. August, Die Stellung der Schauspieler, S. 266f.
98. BA, R 109 III, vorl. 3; Niederschrift v. 16.1.45.
99. BA, R 109 II, vorl. 5; Hinkel an Produktionschefs v. 16.12.44.
100. BA, R 55, Nr. 125, S. 80f.; Schreiben des Leiters Pers. v. Sept. 1943.
101. Ebd. S. 84f., Stand 1943.
102. Ebd. S. 87f.; Schreiben v. 1.2.43.
103. Ebd. S. 83; Reichsstatthalter v. Wien v. 8.10.43.
104. Wie Anm. Nr. 100.
105. RGBI, 1937 I, S. 725.
106. Ebd. S. 913; v. 27.8.37.
107. Ebd. S. 1137; v. 22.10.37.
108. BA, R 55, Nr. 118, S. 143; Schreiben v. 22.9.40.
109. Drewniak, Theater im NS-Staat, S. 157.
110. BA, R 56 V, Nr. 33, S. 43ff.
111. Über die Vielfältigkeit von Kunstpreisen; bei Drewniak, Theater im NS-Staat, S. 161.
112. Ebd., S. 161, 162.
113. BA, R 55, Nr. 126; S. 250ff.; Sammelkorrespondenz. Über das Verhalten Kreuders während seiner Skandinavienreise hieß es: „Der Komponist und Pianist Peter Kreuder hat durch sein schuldhaftes Verhalten in Schweden so große Verstimmung erregt, daß die Schwedische Regierung es ablehnte, ihm weitere Einreisesichtvermerke zu erteilen. Es handelt sich nicht nur um größere Hotelschulden, sondern auch um Warenrechnungen und Darlehen. Weitere Schulden hat Kreuder in Dänemark gemacht. Auf besonderen Wunsch des Auswärtigen Amtes ist er daraufhin für Auslandsgastspiele gesperrt worden..." Schreiben v. 9.12.43.

114. Ebd. Nr. 125, S. 229; Abt. T. an Goebbels v. 18.7.44.
115. August, Die Stellung der Schauspieler, S. 268.
116. BA, R 55, Nr. 125, S. 162; Schreiben v. 1.3.44.
117. August, Die Stellung der Schauspieler, S. 267.
118. Drewniak, Das Theater im NS-Staat, S. 146.
119. BA, R 109 II, vorl. 31; Vermerk v. 9.4.45.
120. „Film-Kurier" v. 1.9.44.
121. „Film-Nachrichten" v. 21.10.44; BA, R 109 II, vorl. 37, Reichsfilmintendanz v. 12.10.44.
122. BA, R 55, Nr. 1285, S. 31f.; Hinkel an Minister v. 7.10.44. Eine Reportage veröffentlichte die „Berliner Illustrierte Zeitung" v. 16.11.44.
123. BA, R 55, Nr. 1285, S. 43ff.; Hinkel an Minister v. 5.10.44.
124. BA, R 109 II, vorl. 6; Dr. Bacmeister an Hinkel v. 6.4.45.
125. „NY Staats-Ztg. u. Herold" v. 18.3.1945.
126. Sowohl K. L. Diehl als auch P. Hörbiger hatten wirklich zu Ende des Krieges einige Schwierigkeiten, – Diehl wegen Kontakten mit den „Verrätern" vom 20.7.1944 – aber es ging nicht um eine wirkliche Widerstandsaktion.
127. „New York Times" v. 8.3.45; „NY Staats-Ztg. u. Herold" v. 18.3.45.
128. Zum Tode wurde lediglich R. Düwel verurteilt, ein enger Mitarbeiter W. Liebeneiners, der viel tat, um ihn zu retten, leider vergeblich.

Deutsche Filme: Tendenzen, Richtungen, Themen

1. BA, R 55, Nr. 79; Schreiben des Leiters der Filmprüfstelle v. 3.11.1942.
2. 1933–38 betrug die Zahl der Spielfilme bis 1500 m 391. Nach Kriegsausbruch wurden diese Produktionen bis auf wenige Ausnahmen (insbesondere im Bereich der Kinderfilme) eingestellt.
3. Es gab in der Zeit des Dritten Reiches ca. 30 Spielfilme, die als eigentliche Gemeinschaftswerke mit ausländischen Produzenten anzusehen sind; die Zahl der deutschen Versionen der ausländischen Originalfassungen war ebenfalls nicht hoch und betrug lediglich etwa 40 Werke.
4. Witte, Karsten: Die Filmkomödie im Dritten Reich. In: Die deutsche Literatur im Dritten Reich (Hg. Horst Denkler und Karl Prümm), Stuttgart 1976, S. 348.
5. Nach den Feststellungen der Sachkenner Kraft Wetzel und Peter A. Hagemann gab es zur Zeit des Dritten Reiches lediglich 12 sog. Phantasiefilme (der letzte war „Münchhausen") und zwei aus der Gattung Science fiction: „Der Herr der Welt" (Regie H. Piel) und „Gold" (Regie K. Hartl), beide aus dem Jahre 1934 – im Bereich des Spielfilms. Auch im Bereich des Kulturfilms war der Science fiction-Film eine Seltenheit. Der Verfasser kann hier auf das Werk von A. Kutter hinweisen.
6. Albrecht, Die nationalsozialistische Filmpolitik, S. 186.
7. Hunger, Franz: Der ideelle und psychologische Gehalt des historischen Films. Hamburg (1941; Diss. Maschinenschrift), S. 164.
8. Hippler, Fritz: Betrachtungen zum Filmschaffen, Berlin 1942, S. 79.
9. Drewniak, Theater im NS-Staat, S. 234f.
10. Boelcke, Wollt ihr…, S. 220.
11. skbw, kuw, vw, vb; war zugleich als jugendwert anerkannt.
12. BA, R 55, Nr. 663, S. 177; Schreiben Leiter F v. 31.7.1944.
13. DFV, Filmbericht v. 2.12.1944. In: BA, R 109 II, vorl. 66.
14. Die erste Verfilmung dieses Romans unternahm bereits 1927 Gerhard Lamprecht.
15. BA, R 109 I, vorl. 2726; Dokumentation zu dem Film.
16. BA, RW 4/V 294, OKW/WPr v. 16.4.1941.
17. BA, R 55, Nr. 664, S. 2; Schreiben des Leiters Film v. 18.10.1944.
18. Ebd. S. 12.
19. Ebd. S. 13; Schreiben des Leiters Film v. 25.2.1945. Man hat auch eine zweite Negativkopie bestellt.
20. BA, R 109 III, vorl. 18; Tages-Einnahmen der Berliner Theater.

21. BA, R 109 II, vorl. 49; Preise für den Erwerb von Weltverfilmungsrechten.
22. BA, RW 4/V 294, WPr. v. 7.12.1940.
23. BA, NS 8, Nr. 187, S. 49f., Schreiben v. 25.9.1942.
24. Ebd. Nr. 242, S. 145; Schreiben v. 5.10.1942.
25. FH, Kunstbericht C. V. Krogmann.
26. Kriegk, S. 294.
27. P: skbw, kuw, vb, vw, jugendwert.
28. Die Akten blieben nach 1918 polnisches Eigentum; in Warschau hatten sie auch einen Ehrenplatz.
29. Genauer zum Thema: Friedrich Schiller im Dritten Reich in: B. Drewniak, Theater im NS-Staat, S. 171ff.
30. Hier kann man als Beispiel Mika Waltaris Schauspiel „Paracelsus in Basel" erwähnen, das Ende des Krieges auch eine deutsche Bearbeitung erhielt.
31. BA, R 109 I, vorl. 2397; Vertrag mit der Bavaria v. 31.3.1942.
32. BA, R 109 II, vorl. 55; Hinkel an Hartl v. 30.10.1944.
33. BA, R 109 II, vorl. 15.
34. BA, R 109 II, vorl. 65; Schreiben v. 7.3.1945.
35. „Film-Kalender 1941", Genf.
36. BA, R 109 II, vorl. 10.
37. 474 m; Verleih: C. Urban-Berlin; P: vb, Lehrfilm, feiertagsfrei, jugendwert.
38. „Film-Kurier" v. 23.3.1939.
39. Wetzel/Hagemann, Zensur, S. 126.
40. 1935 entstand ein Kulturfilm der Isarstadt „Münchener Bilderbogen", der aber nicht zensiert wurde.
41. Dem Verfasser gelang es, diese Informationen (nur) in der Presse zu finden.
42. Eine genaue Analyse dieses Films bei Friedrich P. Kahlenberg: „Die vom Niederrhein...", o. c.
43. Regie Dr. E. Guter, Kamera Walter Brandes und Bleck-Wagner, Musik Rudolf Perak; P: vb, feiertags- und jugendfrei.
44. „Film-Rundschau" v. 3.5.1939.
45. Wie z. B. die Dokumentarstreifen aus dem Jahre 1936: „Hitler – Besuch in Köln" oder „Grundsteinlegung zum Neubau der Universität Köln" (beide Archivtitel und im Besitz des Bundesarchivs Koblenz).
46. 1936, 1940; P: vb, küw, Lehrfilm, feiertags- und jugendfrei.
47. 148 m; P: vb, Lehrfilm, feiertags- und jugendfrei.
48. Normalton: 402, 466, 580 m; P: vb, Lehrfilm, feiertags- und jugendfrei.
49. Hellmuth Langes gleichnamiger Roman war hier die literarische Vorlage, Axel Eggebrecht und der Romanautor schrieben das Drehbuch.
50. P: küw, vb, Lehrfilm, feiertagsfrei, jugendwert.
51. 1936, 1937; P: vb, Lehrfilm, feiertagsfrei, jugendwert.
52. 1937–1941; P: vb, Lehrfilm, feiertagsfrei, jugendwert.
53. 1937–1941; P: vb, feiertagsfrei, jugendwert.
54. 1936; P: vb, Lehrfilm, feiertagsfrei, jugendwert.
55. 1937, 1941; P: vb, feiertagsfrei, jugendwert.
56. 1937; P. vb, Lehrfilm, feiertagsfrei, jugendwert.
57. Buch und Regie: Clarissa Patrix; Kamera: W. R. Lach und Müller-Sehn.
58. 1938; P: vb, Lehrfilm, feiertagsfrei, jugendwert.
59. 1938; P: vb, Lehrfilm, feiertagsfrei, jugendwert.
60. P: vb, feiertagsfrei, jugendwert.
61. 1936, 1940; P: vb, Lehrfilm, feiertagsfrei, jugendwert.
62. 1935, 1936, 1937, 1938, 1939; P: vb, feiertagsfrei, jugendwert.
63. Der Film befand sich im Verleih seines Schöpfers; P: kw, vb, Lehrfilm, feiertagsfrei, jugendwert.
64. Film aus dem Jahre 1937; P: vb, Lehrfilm, feiertagsfrei.
65. Entstand im Jahre 1938.
66. Eine Bildreportage – bereichert durch graphische Darstellungen – schilderte die Geschichte Niederschlesiens „bis zum Werden des neuen Gaues". Das Buch stammte von Horst Reidl und Ingeborg von Schütz.
67. Laut A. Bauer-Spielfilm-Almanach wurde der Film am 29.2.1940 in Trier uraufgeführt.

68. Genaue Angaben bei: Wetzel/Hagemann, Zensur, S. 86ff. und 154.
69. Das Buch stammte von W. Eplinius und G. Kampendonk, die Regie hatte C. Boese. Bald erwies sich das Thema – da es Krieg war – als zu drastisch.
70. Regie Milo Harbich. Mit: Gusti Huber, Grethe Weiser, Maria Krahn, Ralph A. Roberts, E. Ponto, W. Albach–Retty.
71. Hippler, Betrachtungen, S. 90.
72. Einen Vergleich des Romantextes mit dem Drehbuch (Fragmente) gibt: Edmund Th. Kauer, Der Film, S. 294ff.
73. „Der Film in Partei und Staat" v. 25.5.1939.
74. Jerzy Toeplitz, Geschichte des Films, Bd. 4, S. 258.
75. Einzelheiten bei E. Leiser, „Deutschland, erwache!", passim.
76. Boberach, S. 47 (Februar 1940).
77. „Der Filmberater", Luzern, Nr. 9, September 1941.
78. PA, Gesandtschaft Bern, Nr. 119/2; Schreiben des Generalkonsuls in Zürich v. 11.6.1943.
79. BA, R 109 II, vorl. 21; Korrespondenz darüber.
80. Mit den Behauptungen der neuen Fachliteratur zum Thema „Frau im Dritten Reich" (Rita Thalmann, Georg Tidl u. a.) ist der Verfasser nur zum Teil einverstanden. Die Position der Frau änderte sich im Kriege grundsätzlich.
81. 1942; Buch und Regie Wolf und Edith Hardt.
82. Im Auftrage der NSV gedreht; Regie Hardt, Kamera Erich Grohmann.
83. Lotte Brackebusch.
84. Hier kann man Kurzfilme wie „Kämpfer ohne Waffen" oder „Helfer überall" als Beispiele erwähnen; außerdem gab es im Kriege eine Serie von Unterrichtsfilmen des DRK.
85. 1959 drehte der geborene Tilsiter Wysbar den Film „Nacht fiel über Gotenhafen", in dem er die Tragödie der ostpreußischen Flüchtlinge auf der „Wilhelm Gustloff" schilderte.
86. 203 m lang, 24 m breit und 55 m hoch; an der Feier des Stapellaufes nahm Hitler teil. BA, NS 10, Nr. 44, S. 60ff.
87. Auch in der Ufa-Tonwoche Nr. 203 (25.7.1934) gezeigt.
88. „Film-Kurier" v. 17.4.1939.
89. Genau bei: Hans Schön: „Die Gustloff-Katastrophe", Stuttgart 1984.
90. 1938; 368 m; 1942 erhielt der Film eine neue Fassung.
91. Außer den an anderen Stellen des Buches erwähnten Filmen mit diesem Thema muß man noch die Wochenschau und ihre Reihe „Zeit im Bild" erwähnen (z. B. „Hinaus aufs Land" aus dem Jahre 1943).
92. Im März 1944 gab es bereits 15 Mio. Evakuierte. Spiker, S. 238.
93. Realisation von Georg Wittuhn (Pauschale: 21000 RM) und Dr. Ulrich Kayser. Musik von F. Wenneis. Produktionskosten um 740000 RM. Länge: ca. 1800 m; P: sw, vb. BA, R 109 II, vorl. 59. Schlußbericht v. 15.8.1944.
94. Karl-Heinz Ludwig: Technik und Ingenieure im Dritten Reich, Düsseldorf 1979, S. 304.
95. Ebd., S. 308.
96. Mit Harry Hardt und Karia Bennefeld.
97. Filmverzeichnis der RVM-Filmstelle.
98. 1935: „Bau der 'Ehrentempel'", stumm 158 m, und 1936: „Ewige Wache".
99. Hersteller: Horst Reidl und Ingeborg von Schüz.
100. BA, R 109 II, vorl. 15; Schreiben Dr. Bacmeisters an Minister v. 10.1.1945.
101. BA, R 55, Nr. 663, S. 53; Schreiben Leiters F v. 6.11.1944.
102. Leiser, „Deutschland, erwache!", S. 128.
103. NS 10, Nr. 44, Minutenprogramm... 20. 4. 1938.
104. „Film-Kurier" v. 27.3.1939.
105. Regie W. Malbran. Kamera: Albert Kling, Heinz Kluth und Walter Fuchs. Die Uraufführung fand im Juli 1939 in Berlin statt.
106. Mit Ria Baran und Paul Falk aus Berlin, Geschwister Ratzenhofen aus Wien, Gerda Strauch und Günter Noak – dem Siegespaar im Kunstlauf.
107. Die letzte im BA Koblenz vorhandene Nummer 9 war 304 m lang und wurde am 22.5.1944 zensiert.
108. „Film-Nachrichten" v. 24.2.1945.

109. Leiser, „Deutschland, erwache!", S. 22.
110. Mit Kürzungen wurde er auch nach dem Kriege in der BRD aufgeführt.
111. „Der Film in Partei und Staat" v. 8.6.1939.
112. Am 3.10.1982 wurde der Film im Fernsehen der BRD mit persönlichen Erinnerungen L. Trenkers vor der Kamera gezeigt.
113. Aus der Stummfilmära darf man hier „Die elf Teufel" (1926) von Zoltan Korda erwähnen.
114. Regie Dr. Friedrich Dalsheim. Buch vom Regisseur und Friedrich Spiess, Musik Wolfgang Zeller. Produktion Friedrich Dalsheim & Viktor Baron von Plessen. U: 16.2.1933.
115. In Filmkatalogen sind 2565 bzw. 2503 m Länge angegeben.
116. Gestaltet von Dr. Walter Scheuermann und Karl Mohri (Kamera), von Johannes Häußler geschnitten und von Bernd Scholz vertont.
117. „Der Film in Partei und Staat" v. 24.5.1939.
118. Albrecht, Nationalsozialistische Filmpolitik, S. 210.
119. Unterlagen zu diesem Film in den Akten: BA, R 109 I, vorl. 2725.
120. Hollstein, S. 131.
121. Der Name Österreich wurde ausgelöscht. Anfang 1942 beschloß man, auch den Ausdruck „Ostmark" verschwinden zu lassen und durch die Bezeichnung Alpen- und Donau-Reichsgaue oder am besten durch die Namen der einzelnen Gaue zu ersetzen.
122. Hollstein, S. 165.
123. BA, R 109 I, Nr. 1379; Schreiben der Bavaria v. 25.6.1941.
124. So wie die für die Öffentlichkeit nicht bestimmten Kurzfilme: „Annexion Österreichs" (Archivtitel) und „Rede des Bundeskanzlers Schuschnigg vor dem Bundestag", beide aus dem Jahre 1938.
125. Gestaltung und Kamera Rudolf Mayer–Wien; 1939, 1941; 397 m; P: sw, küw, vb.
126. Prod. Wien-Film 1940; 435 m; P: vb.
127. Prod. Dr. Zehenthofer–Wien 1941; 360 m; P: vb.
128. Prod. Wien-Film 1941; 388 m; P: vb.
129. BA, R 55 Nr. 1319, S. 29ff.; Schreiben Winklers an Goebbels v. 27.10.1939.
130. Zensur im Sommer 1944; BA, R 109 II, vorl. 13; Schreiben v. 20.9.1944.
131. Genau bei D. Hollstein. Ferner: „Film-Kurier": 17.1. und 15.7.1939.
132. Hollstein, S. 52.
133. BA, R 55, Nr. 1320, S. 117.
134. Krauss, Das Schauspiel meines Lebens, S. 199.
135. Toeplitz, Geschichte des Films, Bd. 4, S. 216.
136. „Hier allerdings schärfer im Drehbuch als bei W. Liebeneiners Regie-Arbeit." Hollstein, S. 119f.
137. „Opfer der Vergangenheit" aus dem Jahre 1937 enthielt antisemitische Akzente.
138. Leiser, „Deutschland, erwache!", S.79.
139. BA, NS 8, Nr. 172, S. 176; Sekretariat Rosenbergs, Schreiben v. 18.6.1940.
140. Toeplitz, o. c. S. 218.
141. Leiser, „Deutschland, erwache!", S.79.
142. Ebd., S. 147f.
143. Im Auftrage des ProMi bei der Ufa gedreht.
144. Hollstein, o. c.
145. Der Verfasser besichtigte eine Kopie dieses Films im BA Koblenz.
146. Genauer zum Thema dieses Films bei Helmut Caspar: Deutsche Spielfilme im Dienste der faschistischen Kriegs- und Durchhaltepropaganda. Potsdam 1967 (VEB Defa – Nur zur innerbetrieblichen Verwendung).
147. Toeplitz, o. c. S. 318.
148. Als „Sühne für den gemeinen Mord an dem Volksdeutschen Igo Sym wurde heute früh eine Anzahl der Verhafteten erschossen", hieß es in der Bekanntmachung des SS- und Polizeiführers des Distrikts Warschau v. 11.3.1941. Die Anzahl betrug 21 Männer, darunter zwei Universitäts-Professoren. Einige von den bekanntesten polnischen Schauspielern wurden außerdem nach Auschwitz geschickt.
149. Der Film enthielt auch andere antisemitische Akzente.
150. BA, R 55, Nr. 1320, S. 43; Schreiben Winklers v. 13.9.1941.
151. Veröffentlicht im Sonderheft zu diesem Film.

874

152. AAN, Regierung d. GG. Nr. 1439, S. 131.
153. Ebd.
154. Leiser, „Deutschland, erwache!", S.89.
155. BA, R 56 V, Nr. 23, S. 123; Schreiben v. 27.2.1940.
156. Ebd., SS 109–138.
157. Ebd., SS 157–160; Bossi-Fedrigottis Brief v. 26.1.1940.
158. Drewniak, Das Theater im NS-Staat, S., 259.
159. BA, R 55, Nr. 1319, S. 29ff. Schreiben v. 29.10.1939.
160. Drewniak, Das Theater im NS-Staat, S. 249ff.
161. BA, R 56 V, Nr. 23, S. 87; Bauers Brief v. 22.2.1940.
162. Toeplitz, o. c. S. 221.
163. Die „geistige Haltung" des englischen Gegners in dem dem Reich „aufgezwungene Kriege" zeigte bereits Fritz Spiesser in seinem Buch „Das Konzentrationslager" (F. Eher, München 1940). Ein „erschütterndes Bild" aus der Zeit des Kampfes des Burenvolkes um seine Freiheit im Abwehrkampf gegen seine britischen Unterdrücker. „Mit tausenden Frauen und Kinder werden sie in Konzentrationslagern unter unvorstellbaren und unmenschlichen Umständen zusammengepfercht", hieß es bei dem Autor.
164. BA, R 109 II, vorl. 31; Schreiben Hinkels v. 29.1.1945.
165. „Die Zeitung" (London) v. 15.5.1943.
166. Leiser, „Deutschland, erwache!", S.94.
167. Wetzel/Hagemann, Zensur, S. 131ff.
168. BA, R 55, Nr. 665, S. 113; Leiter F an Goebbels v. 22.11.1944.
169. Ebd., S. 74; Hinkels Schreiben an Goebbels v. 2.6.1944.
170. Das Drehbuch schrieben: W. Wassermann zusammen mit C. H. Diller, ferner E. von Salomon und H. Maisch nach dem Roman „Der Mann ohne Vaterland" von Gertrud von Brockdorff.
171. „Quellen-Notizen über die Produktion eines Ufa-Films im Jahre 1937." In: Wetzel/Hagemann, Zensur, S. 110ff.
172. Ebd., S. 121.
173. BA, NS 10, Nr. 46, S. 179; ProMi an Adjudantur des Führers v. 18.2.1939.
174. Ebd.
175. „Helden in Spanien" (1730 m; P: sw, vb, Lehrfilm, für Jugend verboten). In seiner Eigenschaft als Reichsminister der Luftfahrt hatte Göring die Bitte ausgesprochen, daß der Film „Helden in Spanien" baldigst „abgesetzt und vor dem 15.Juli in Deutschland nicht wieder aufgeführt wird, damit einer auf Grund der z. Zt. laufenden Spanienfilme möglichen Verwechslung hinsichtlich der am Kampfe Beteiligten vorgebeugt wird." BA, RW 4/V 94, Schreiben v. 9.6.1939. Nach Juni 1941 tauchten die „Helden in Spanien" in den deutschen Kinos wieder auf.
176. Der 2567 m lange Film wurde am 12.6.1939 zensiert und mit den Prädikaten sw und vb honoriert.
177. In Budapest z. B. am 12.7.1939; hier lief er u. d. T. „Condor-Legion".
178. Charakteristisch ist die Koordinierung dieses Filmvorhabens mit den Zielen der Außenpolitik des Reiches.
179. BA, R 55, Nr. 1319, S. 29ff.; Schreiben Winklers v. 27.10.1939.
180. Ebd. Die Dreharbeiten wurden hier noch nicht angefangen.
181. Berühmt war hier der Donkosakenchor unter Sergej Jaroff. Zu erwähnen ist auch der Film „Das Donkosakenlied" aus dem Jahre 1929.
182. Der Dirigent: Boris Ledkowsky.
183. 1942 kam der Film wieder als Reprise.
184. Wolfgang Mund: Die GPU. Angriff auf das Abendland. Dresden 1942 (Gedruckt in Amsterdam).
185. „Schlesische Zeitung" v. 22.2.1942.
186. Toeplitz, o. c. S. 222.
187. BA, R 55, Nr. 506, ferner R 109 III, vorl. 27; Korrespondenz und Übersichten.
188. „Mit eigenen Augen" (Regie Röll; 911 m), „Wir haben Deutschland gesehen" (1214 m; russ. und ukrain.), „Deutschland" (2500 m), „Spiegel der Zeit" (Regie E. York, 485 m), „Don-Bas-Arbeiter besuchen Deutschland" und eine Serie von ca. 50 Filmen „Blick nach Deutschland", je 300–400 m, aus den deutschen Kulturfilmen zusammengestellt (Regie Medinsky).

189. Die Liste der hergestellten Filme umfaßte folgende Produktionen: „Der 23.Juni" (Regie E. Yorck; 210 m); „Deine Hände" (Regie Puze; 300 m); „Wir fahren nach Deutschland" (Regie Dahlström/York; russ. und ukrain.; 688 m); „Wir schaffen in Deutschland" (Regie Goldmann; lett., lit., estn.; 1050 m); „Brief in die Heimat" (russ. und ukrain.; 800 m; Anfang 1940 einsatzbereit); „Das Waldarbeiterlager" (Regie A. Stöger; 882 m); „Genosse Edelstein" (Regie A. Stöger; 631 m). Hergestellt, aber (Anfang 1944) nicht zugelassen wurden ferner: „Sergeant Butylkin" (Regie Stepanoff) und „Der Wächter und sein Gefangener" (Regie Stepanoff). In Arbeit befanden sich: „Anipartisanenfilm" („Die Wölfe"; Regie E. York; russisch; ca. 2200 m – der Film war Anfang 1944 kurz vor der Fertigstellung); „Der Rückkehrer" (Regie Goldmann; ca. 2200 m); der Zeichenfilm „Friede den Hütten – Krieg den Palästen" (Regie Peroff; ca. 200 m; russ., ukrain.) und „Flüchtlinge (ca. 250 m). Aus der Reihe „Landwirtschaftliche Filme – Filme zur Leistungssteigerung" wurden hergestellt: „Bauer im Herbst" („Arbeitstag des deutschen Bauern"; Regie Kurtz, 850 m – Anfang 1944 einsatzbereit); „Bilder aus der deutschen Landwirtschaft" (russ., ukrain., weissruth.; 1350 m – einsatzbereit); „Die neue Agrarordnung"; russ. und ukrain.; einsatzbereit; hergestellt bei der Rex-Film Berlin). Eingesetzt wurden die Filme: „Schweinepech" (lett., lit. und estn. Regie Puze; 250 m) und „Sprechende Plakate" (352 m; Trickfilm-Peroff). In Vorbereitung waren die Filme „Kosakenlied" (Regie Stepanoff; 350 m), „Der Ordnungsdienst" (ca. 800 m; russ.) und als Filmplanung der Riga-Film „Lettische Legion". Für den Einsatz im Reich standen in Vorbereitung: „Krim" (220 m), „Im Land der schwarzen Erde" (ca. 700 m) – beide in der Regie von Dahlström und „Estland-Film" – à la Unterauftrag der ZFO bei der Walter-Schneider-Film in Berlin. Für das „Europa" waren in der Vorbereitung die V. Badal-Produktionen: „Der rote Nebel", „Katakomben", „Gottlosen-Film", „Kinderland" u. a.

190. Der bekannteste von den im Reich eingesetzten Streifen war „Das Sowjetparadies" (Regie Friedrich Albat), 1942 im Rahmen der RPL hergestellt, eine Zusammenstellung von PK-Aufnahmen. Der Film zeigte das Alltagsleben der Bevölkerung auf dem Lande, in den Fabriken (sehr oft in den Kirchen), die Wohnungen der Bevölkerung, zunächst auch die sowjetischen Gefangenen.

191. Es ging um die Massengräber mit den Leichen von 4143 Polen, die am Kosegory-Hügel bei Katyn, 20 km westlich von Smolensk, entdeckt worden waren. Das war ein Teil von den nach September 1939 verschollenen 15000–20000 Angehörigen der polnischen Armee. Unter ihnen befanden sich zahlreiche Vertreter der polnischen Intelligenz (als Reserveoffiziere). Goebbels notierte in seinem Tagebuch (18.4.1943): „Ich bringe die Bilder von Katyn auch nun für die Inlandswoche. Das deutsche Volk soll sehen, was der Bolschewismus ist..."

192. Im Vorspann des Films befinden sich keine genauen Angaben über die Hersteller des Films.

193. John P. Fox (s. 498) schrieb über die Einwirkungen der Katyn-Propaganda auf die polnische Bevölkerung: „In den breiten Massen der polnischen Bevölkerung haben die Nachrichten aus Katyn keine für Deutschland günstigen Auswirkungen gezeitigt. Zwar wird die Tatsache auch in den Arbeiterkreisen, soweit diese nicht kommunistisch eingestellt sind, kaum abgestritten, gleichzeitig aber darauf hingewiesen, daß die Einstellung Deutschlands den Polen gegenüber nicht besser sei." Und 1984 bemerkte Simon Wiesenthal: „Ob die Nazis und die Sowjets ihre Aktionen gegen die polnische Führungsschicht aufeinander abstimmten oder nicht – Tatsache ist, daß sie zur gleichen Zeit handelten." („Der Spiegel", Nr. 39, 24.9.1984, S. 190).

194. BA, R 55, Nr. 798, S. 5–19, 93f.; Nr. 506, S. 261ff., Korrespondenz des ProMi.

195. Die ZFO schrieb (4.2.1944): „Herr Dr. Badal wurde von uns mit der Herstellung des antibolschewistischen Propagandafilms 'Roter Nebel' beauftragt. Er hat diesen Film in deutscher Version hergestellt. Nach Vorführung im Reichsministerium für Volksaufklärung und Propaganda... entschied..., daß dieser Film in allen europäischen Ländern eingesetzt werden solle und zu diesem Zweck in den verschiedenen Sprachen synchronisiert werden müsse..." Badal fuhr zunächst nach Paris, um dort eine französische Version herzustellen. Dort sollte er auch weitere Auslandsfassungen herstellen.

BA, R 109 III, vorl. 27.
Der Film „ist ein Bericht über die einjährige Schreckensherrschaft des Bolschewismus in den baltischen Staaten, insbesondere in Lettland. In dem ersten Teil wird der Einmarsch der sowjetischen Truppen geschildert. Im zweiten Teil wird dargelegt, wie die Sowjetrussen unter Bruch ihrer Versprechungen das Land vergewaltigten und ausplünderten, wobei die Greueltaten der Bolschewisten gegen die Einwohner geschildert werden. Der letzte Teil zeigt den Einmarsch der deutschen Truppen und die begeisterte Begrüßung seitens der Bevölkerung...“. Es gab zugleich genaue Anweisungen. Für Dänemark sei die begeisterte Begrüßung der deutschen Truppen nicht angebracht („In Dänemark richtet sich die antideutsche Stimmung in erster Linie gegen das deutsche Militär, von dem gesagt wird, daß keinerlei moralische Berechtigung dafür bestehe, daß sich deutsche Truppen auf dänischem Boden befinden"), und für Spanien sollten „die Greuelbilder auf ein erträgliches Maß beschränkt" werden. Ebd. Schreiben der ZFO v. 4.2.1944.

196. BA, R 109 III, Nr. 27; Bericht v. 15.2.1944.
197. Memento-Film kaufte diesen Film, zugleich zwei andere antisowjetische Kurzfilme, verpflichtete sich ferner für 1 Mio. Lei Reklame zu machen. Man beabsichtigte, fünf Kopien zum Einsatz zu bringen, auch im Rahmen der „Erziehungsarbeit der rumänischen Wehrmacht".
198. In Ungarn hatten die privaten Verleiher die Übernahme dieses Films abgelehnt. Zunächst wurde dieser Film in Ungarn für die militärische „Erziehungsarbeit" eingesetzt. Die ungarische Wehrmacht übernahm auch die Kosten der Synchronisationsarbeiten.
199. Eine bulgarische Fassung wurde in Paris hergestellt. Es bestanden Zweifel, ob die Zensur diesen Film infolge der bestehenden diplomatischen Beziehungen mit der UdSSR zulassen werde. Jedenfalls stand der Film für die bulgarische Wehrmacht, die Deutsch-Bulgarische Gesellschaft und für die Auslandsorganisation der NSDAP zur Verfügung. Für die Slowakei wurde der Film im Rahmen eines Vertrages bei der Wien-Film hergestellt.
200. Für das Reich wurde „Der rote Nebel" im Dezember 1944 zensiert. Als Autor und Hersteller wurde Dr. Vahagen Badal (und ZFO) in Prag angegeben. Der Film war 478 m lang und erhielt das Prädikat sw. Die ausländischen Fassungen waren 1000 bis 1200 m lang.
201. Regie Goldmann. Ca. 2200 m lang.
202. BA, R 55, Nr. 663, S. 48; Schreiben v. 21.10.1944.
203. Die eigentliche U fand am 31.3.1933 in Essen statt.
204. J. Wulf, Theater und Film im Dritten Reich, S. 336.
205. BA, R 55, Nr. 321; Schreiben v. 21.11.1944.
206. 1956 wurde eine neue Version dieses Films (die Handlung wurde in die Zeit des 2. Weltkrieges verlegt) bei der Algefa in Berlin (West) von Wolfgang Liebeneiner gedreht.
207. PA, Botschaft Paris, Nr. 1054b; Schreiben der Dt. Botschaft v. 20.9.1938.
208. BA, RW 4/V 294; Vortrag v. 27.2.1939.
209. BA, RW 4/V Nr. 294; umfangreiche Korrespondenz darüber; ferner: BA, R 55, Nr. 1319, S. 37 (Schreiben v. 27.10.1939).
210. M. Winkler: „Die Fertigstellung ist durch den Krieg technisch unmöglich gemacht, weil die notwendigen Seeaufnahmen nicht mehr gedreht werden dürfen." BA, R 55, Nr. 1319, S. 33 (Schreiben v. 27.10.1939).
211. BA, R 55, Nr. 127, S. 68; Schreiben M. Winklers v. 13.3.1940.
212. Z: 20.1.1940.
213. BA, RW 4/V Nr. 294; Umfangreiche Korrespondenz vom März 1939.
214. Ebd. Schreiben WPr v. 11.12.1939.
215. Der Film wurde am 19.12.1940 militärisch zensiert; WPr v. 19.12.1940. BA, RW 4/V „94.
216. Leiser, „Deutschland, erwache!", S. 51.
217. BA, R 109 II, vorl. 15; Leiter F an Minister v. 28. 3. 1945.
218. BA, RW 4/V Nr. 294; Umfangreiche Korrespondenz darüber.
219. Hergestellt bei der Körösi & Bethge-Film; Regie E. K. Beltzig, Kamera Ludwig Zahn; P: vb; Lehrfilm, jugendfrei.
220. Regie F. Wilhelm.

877

221. Manuskript und Regie Dr. Martin Rikli; Bild: E. Bleeck-Wagner, Musik W. Winnig. Entstand in der Herstellungsgruppe N. Kaufmann.
222. Buch und Regie Dr. Martin Rikli, Musik Walter Schütze.
223. Regie E. K. Beltzig. Musik E. Kuntzen; P: sw, küw, vb, Lehrfilm.
224. Hier wurden die Szenen über die politische und militärische Zusammenarbeit mit der UdSSR entfernt.
225. Wetzel/Hagemann, Zensur, S. 62.
226. BA, R 109 II, vorl. 20; Schreiben v. 2.2.1945.
227. AP Poznań, Reichsstatthalter Posen, Nr. 2611, S. 1.
228. Auch u. d. T. „Selbstgeräte in jedem Haus" (228 m; stumm).
229. Im September 1943 der Zensur vorgelegt; Im Verleih befand sich auch ein Auftragsfilm des Reichsluftschutzbundes, insbesondere für die Jugend bestimmt: „Mädel und Jungen im Luftschutzdienst" (Schmalstumm, etwa 120 m).
230. Produktion: Epoche-Color-Film AG.
231. BA, R 55, Nr. 611, S. 153; Korrespondenz darüber.
232. Ebd., S. 161; Schreiben des Ministeramtes v. 29.11.1944.
233. BA, R 109 II, vorl. 15; Schreiben v. 12.12.1944.
234. Wetzel/Hagemann, Zensur, S. 105f.
235. A. Bauers-Spielfilmalmanach datiert die Uraufführung auf den 26.1.1942.
236. NSMH, April 1940, S. 250.
237. Drewniak, Das Theater im NS-Staat, S. 240.
238. Manfred Lotsch.
239. BA, R 109 II vorl. 15; Reichsdramaturg Frowein an Goebbels v. 13.2.1945.
240. Ebd. vorl. 20; Korrespondenz darüber.
241. Die Information zu diesem Thema – auch über die bevorstehende Uraufführung – im „Film-Kurier" v. 7.10.1939; die angegebene Filmlänge betrug 1663 m, zensiert wurden 1601 m.
242. Boberach, Meldungen, S. 47.
243. So in den Kurzfilmen „Von Danzig bis Warschau" und „Einnahme von Warschau 1939", ein „Unterrichtsfilm" (F 258) mit zahlreichen Trickaufnahmen. Ferner Wehrmachts-Lehrfilm „Der Feldzug in Polen 1939" (Operationen des Heeres), nicht zensiert.
244. BA, RW 4/V 295; umfangreiche Korrespondenz darüber.
245. Ebd. Nr. 294; umfangreiche Korrespondenz darüber.
246. Wetzel/Hagemann, Zensur, S. 69f.
247. Der Film wurde nach dem Krieg mit Kürzungen vorgeführt.
248. BA, RW 4/V 294, WPr v. 26.11.1941.
249. A. M. Rabenalt, Joseph Goebbels und der „Großdeutsche Film", München–Berlin 1985, S. 89.
250. DFV, Filmbericht v. 2.12.1944, in: BA, R 109 II, vorl. 66.
251. BA, R 109 III, vorl. 5; Niederschrift v. 24.7.1944.
252. BA, R 109 II, vorl. 53; Korrespondenz darüber.
253. BA, R 109 I, Nr. 2399; Vertrag v. 28.3.1945.
254. BA, RW 4/V 296; RWU v. 6.5.1940.
255. AP Poznań, Reichsstatthalter Posen, Nr. 2611, S. 1.
256. Ebd.
257. In diese Propagandaaktion schaltete sich auch die Dt. Wochenschau ein. Ende 1944 schuf sie den Streifen „Volkssturm-Appell in Danzig", mit Gauleiter Forster am Plan (227 m), einen Film ohne Kommentar, nur mit Musik untermalt.
258. „Film-Nachrichten" v, 23.12.1944.
259. BA, R 109 II, vorl. 15; Leiter F v. 8.2.1945.
260. Ebd. Schreiben der Filmabteilung v. 17.2.1945.
261. BA, R 55, Nr. 506; umfangreiche Korrespondenz darüber.
262. Ebd.
263. BA, R 109 III, vorl. 27. Übersicht über die Ostproduktion.
264. BA, R 55, Nr. 1231, S. 177f.
265. Leiser, „Deutschland, erwache!", S. 30.
266. Der Hauptgestalter dieser Feierlichkeiten, das beweisen die Akten des ProMi (im ZA Potsdam vorhanden), war Leopold Gutterer, bald zum Staatssekretär des Propagandaministeriums ernannt.

267. „Der Junge hatte sich bei der Verteidigung seiner Heimatstadt Lauban in Nieder-schlesien als Meldegänger hervorgetan und war dafür zusammen mit anderen Kin-dersoldaten in Berlin mit dem Eisernen Kreuz 2. Klasse ausgezeichnet worden" („Stern" v. 28.3.1985).

268. Gestaltet von Dr. Georg Alebau im Auftrage der Abt. Presse und Propaganda des Munitionsministeriums aus PK-Aufnahmen; um 200 m, nicht zensiert.

269. BA, R 109 II, vorl. 15; Schreiben Leiter F v. 14.12.1944.

270. NAM, T 454, R. 71; Schreiben Gutterers an Rosenberg v. 19.10.1942.

271. BA, R 55, Nr. 505; Schreiben v. 20.12.1941.

272. Ausführlich darüber in B. Drewniak, Das Theater im NS-Staat, S. 190ff.

273. Zu erwähnen: „Aus den Archiven des Erfinders Max Skladanowsky" (173 m, stumm), von Eduard Andres gestaltet und im Mai 1943 zensiert. „Zeitspiegel" Nr. 1: „12 Minuten am laufenden Band" (mit O. Messter) und „Zeitspiegel" Nr. 12: 12 Minuten Tonfilmstudio Carl Froelich.

274. Fragmente auch in Tobis-„Trichter" Nr. 11 aus dem Jahre 1941.

275. Noch im November 1940 berichtete die deutsche Presse über diese Pläne – Musso-lini wollte vor den Dreharbeiten Gründgens persönlich instruieren. Der Film wurde schließlich nicht realisiert.

276. Ausführlich darüber in B. Drewniak, Theater im NS-Staat, S. 278f.

277. BA, R 55, Nr. 1319, S. 32; Schreiben Winklers v. 27.10.1939.

278. BA, R 109 II, vorl. 38; Prag-Film an Hinkel v. 16.3.1945.

279. Programmhefte der Städtischen Bühnen Breslau. Heft 3, 1939/40. AP Wroclaw, Teatry Miasta Wroclawia.

280. BA, RW 4/V, Br. 289; Schreiben d. OKK v. 1.4.1940. Geheim.

281. Über die „Überzeugungskraft" berichtete der Künstler in seinen geplauderten Erinnerungen: H. E. Weinschenk, Unser Weg zum Theater, S. 120f.

282. BA, R 55, Nr. 1319, S. 34; Winklers Schreiben v. 27.10.1939.

283. Der Kurzfilm bot hier eine Hilfe: „Zollgrenzschutz im Hochgebirge", von A. Höcht bei der „Bavaria" 1943 hergestellt (P. sw), und „Der unsichtbare Schlag-baum", im Mai 1944 zensiert (P. sw).

284. Wie Anm. Nr. 282.

285. „Film-Nachrichten" v. 9.12.1944.

286. BA, R 109 II, vorl. 15.

287. Für die Regie war zunächst Paul May vorgesehen; die Dreharbeiten begannen in Prag am 14.9.1944.

288. BA, R 109 II, vorl. 33; Schreiben der Bavaria v. 2.9.1944.

289. Laut Entscheidung H. Hinkels sollte G. v. Cziffra für seinen Film erhalten: für das Drehbuch – 35000 RM, für Rechte 15000 und für Regie – 20000 RM. BA, R 109 II, vorl. 39; Korrespondenz darüber.

290. Ebd., vorl. 38; Prag-Film v. 20.2.1945.

291. Ebd.

292. Ebd. Prag-Film v. 27.3.1945.

293. B. Drewniak, Das Theater im NS-Staat, S. 117.

294. BA, R 109 II, vorl. 49; Preise für den Erwerb von Weltverfilmungsrechten.

295. „Die Zeitung" (London) v. 23.4.43.

296. B. Drewniak, Das Theater im NS-Staat, S. 66.

297. BA, R 56 V, Nr. 28; Korrespondenz darüber.

298. BA, R 55, Nr. 663, S. 198.

299. BA, R 109, II, vorl. 47; Korrespondenz über den Film.

300. BA, R 55, Nr. 1285, S. 147; Hinkels Schreiben v. 25.8.1944. Hinkel betonte, daß der Film auch die Anerkennung des „Führers" fand.

301. Filmbericht Nr. 10; vertraulich; v. 17.6.44; BA, R 109 II, vorl. 66.

302. ZA Potsdam, ProMi, Nr. 10, S. 252ff.

303. BA, R 109 III, vorl. 14; Bacmeister an Minister v. 12.12.1944.

304. BA, R 109 II, vorl. 15; Schreiben v. 14.12.1944.

305. Weil Schauplatz der Handlung Paris war, wurde der Film für den Vertrieb nicht zugelassen. BA, R 55, Nr. 1319, S. 35; Schreiben Winklers v. 27.10.1939 mit Rand-bemerkung Goebbels'.

306. Die Kulissen bei: G. v. Cziffra, Kauf dir einen bunten Luftballon, S. 257ff.

307. K. Witte, Die Filmkomödie im Dritten Reich, S. 355.

308. Eine kürzere Fassung von F. Langs Film „Siegfrieds Tod" (Bearbeitung Franz B. Biermann), eine Ufa-Produktion aus dem Jahre 1923, jetzt mit musikalischer Untermalung (Gottfried Huppertz), wurde am 29.5.1933 in Berlin uraufgeführt.
309. BA, R 109 II, vorl. 47; Schreiben Dr. Bauers v. 20.3.1945.
310. Aus den deutschen Pressestimmen. Die Presse fragte auch: War die Kürzung der Schere der Filmautorin zum Opfer gefallen?
311. Die Vertragsablösungskosten betrugen um 145000 RM. BA, R 55, Nr. 1319, S. 35; Schreiben Winklers an Goebbels v. 27.10.1939.
312. Bei seiner Neuaufführung im Jahre 1949 u. d. T. „Jede Frau hat ein süßes Geheimnis".
313. B. Drewniak, Das Theater im NS-Staat, S. 336.
314. Ebd., S. 339f.
315. BA, R 109 II, vorl. 49; Schreiben der Ufa-Filmkunst v. 28.9.1944.
316. Ebd., vorl. 31; Bericht v. 6.3.1945.
317. Ebd., vorl. 49; Preise für den Erwerb von Weltverfilmungsrechten.
318. B. Drewniak, Das Theater im NS-Staat, S. 340.
319. Ebd., S. 336ff.
320. Lehárs Werken waren jedoch drei österreichische Spielfilme aus den Jahren 1934–35 gewidmet, die auch im Reich aufgeführt wurden.
321. BA, R 109 II, vorl. 49; Preise für den Erwerb von Weltfilmverfilmungsrechten.
322. Der sonst verbotene Film „Schwarzwaldmädel" wurde jedoch noch im Krieg in den Filmveranstaltungen für kriegsgefangene Offiziere in den Lagern aufgeführt.
323. BA, R 55, Nr. 484, S. 10; Kreditantrag für den Film.
324. Im Sommer 1944 ging das Ballett in die Rüstung.
325. Im Sachstandsreferat v. 13.11.44 hieß es: „Der Film steht unter den erfolgreichsten Schwarz-Weiß-Filmen, die je in Deutschland erschienen sind, an erster Stelle." BA, R 109 II, vorl. 15.
326. Sein Film „La Kermesse héroique" aus dem Jahre 1935 erhielt eine deutsche Version (A. M. Rabenalt hatte die Dialogregie), und nach den Erfolgen in Frankreich und Venedig machte er auch eine erfolgreiche Runde in den deutschen Kinos.
327. Sein Film „Panik", an dem er von 1940–1943 gearbeitet hatte, wurde im Oktober 1943 endgültig von der Zensur verboten. Die „erdachte Panik der Tiere während eines Luftangriffes… war inzwischen der Realität so nahe, daß ein Verbot des Films nicht zu umgehen war." Wetzel/Hagemann, Zensur, S. 97ff. In einer geänderten Fassung ging der Film u. d. T. „Gesprengte Gitter" in die Kinos der BRD. Piels weiterer Film „Der Mann im Sattel" blieb unvollendet.
328. B. Drewniak, Das Theater im NS-Staat, S. 286ff.
329. BA, R 109 II, vorl. 10.
330. Salzburg zeigte während der Festspielwoche den Liebesroman „Musik in Salzburg" (Drehbuch von Otto Ernst Hesse nach einer Idee von Hermann Heinz Ortner), den Herbert Maisch (Regie) mit dem Komponisten Alois Melichar drehte; Willy Birgel und Lil Dagover in den Hauptrollen (U: 26.9.1944).
331. B. Drewniak, Theater im NS-Staat, S. 78ff.
332. Regie Kurt Rupli, Buch Edmund Smith, Kamera Hans Blaschke.
333. „Film-Nachrichten" v. 24.2.45.
334. Regie Adi Mayer, Buch Ernst Henthaler, Kamera Walter Robert Koch.
335. BA, R 109 II, vorl. 25; Hinkel an Winkler v. 9.3.45. Vertraulich.
336. Ebd., vorl. 31; Leiter F v. 19.3.1945.
337. Ebd. Bericht v. 6.3.45.
338. Ebd.
339. Ebd.
340. BA, R 109 II, vorl. 50; Schreiben der Ufa v. 6.12.44.
341. Bereits im Sommer 1944 stellte die Prag-Film Frau Rökk und Herrn Jacoby für die Dauer der Aufnahmen die Villa in Barrandov zur Verfügung. BA, R 109 III, vorl. 14; Notiz v. 8.9.1944.
342. BA, R 109 II, vorl. 20; Schreiben v. 27.1.45.
343. Ebd., vorl. 6 und 8; Korrespondenz darüber. „Der deutsche Film 1945 – Kleines Film-Handbuch" wies den „Kaufmann von Venedig" auf, dagegen „Deutsche Film-

kunst 1945". Das Vertriebsprogramm 1945 der „Deutschen Filmvertriebsgesellschaft" erwähnt nur einen Veit-Harlan-Farbfilm mit K. Söderbaum, ohne irgendeinen Filmtitel anzugeben.

344. BA, R 109 II, vorl. 47; Ufa-Filmkunst v. 26.3.1945.
345. Ebd., vorl. 31; Bericht v. 6.3.1945.
346. „Film-Nachrichten" v. 2.12.44.
347. Wetzel/Hagemann, Zensur, S. 77ff.
348. Ba, R 109 II, vorl. 36; Korrespondenz darüber.
349. K. Witte, Die Filmkomödie im Dritten Reich, S. 362.
350. Der Regisseur Engel und der Schauspieler E. Jannings beantragten noch Anfang Februar 1945 die Besichtigung des Films „Das Stahltier", – ein Dokumentarspielfilm aus dem Jahre 1935 (Idee, Regie, Kamera, Produktion von Willy Zielke), der zu den verbotenen Filmen gehörte, im Rahmen des „Belling"-Vorhabens. BA, R 109 II, vorl. 20; Schreiben v. 2.2.45.
351. BA, R 109 I, Nr. 2400. Dokumentation darüber.
352. BA, R 109 II, vorl. 21. Produktionsbericht.
353. Ebd., vorl. 38; Schreiben der Prag-Film v. 27.3.45.

Der deutsche Film und Literatur in Wechselwirkung

1. Kauer, Der Film, S. 75.
2. „Film-Kurier" v. 12.3.39.
3. BA, R 56 V, Nr. 23, S. 36ff.
4. „Goethe": 1. Werdegang, 2. Die Vollendung; 995 m; U: 18.3.32.
5. Ausführlich bei Heining, Goethe und der Film.
6. BA, R 55, Nr. 321, S. 122f; Schreiben v. 7.8.43.
7. Ebd. Döring, ein „aufstrebendes Talent", schrieb das Bühnenstück „Clavigos Erbe", das 1943 im Berliner Schauspielhaus erfolgreich uraufgeführt wurde.
8. Im Film „Eine kleine Nachtmusik" (1939); Ende 1944 stand bei der Bavaria eine Verfilmung der Novelle „Lucie Gelmeroth" im Plan.
9. „Schlesische Zeitung" v. 21.11.40.
10. Eine Analyse des Films bietet: Witte, Die Filmkomödie im Dritten Reich, S. 358f.
11. „Der Filmberater" (Luzern), Nr. 4, April 1942.
12. BA, R 109 II, vorl. 47; Schlußabrechnung.
13. V. Harlans Sohn behauptet, dieser Film sei 1943 bei einer Gala im besetzten Wilna uraufgeführt worden, als Belohnung für die Exekutionskommandos („Der Spiegel" v. 17.9.84). Eine (gleichzeitige?) Uraufführung war zunächst in Krakau geplant.
14. BA, R 109 II, vorl. 50; Kostenvoranschlag.
15. Ebd., vorl. 31; Bericht v. 6.3.45.
16. BA, R 109 I, vorl. 2393; Vertrag v. 28.11.44.
17. In einem anderen Stil wurde der Roman 1955 in der BRD als „Rosen im Herbst" verfilmt.
18. NSMH, Juni 1939, S. 74f.
19. Diesen neuen Titel erhielt der Film wähend der Dreharbeiten; „Film-Kurier" v. 2.12.44.
20. 1957 entstand bei der Peter-Ostermayer-Filmproduktion die Neuverfilmung als Farbfilm in der Regie von G. Ucicky.
21. Diese humorvolle, optimistische Lektüre erlebte auch nach 1945 in der BRD zahlreiche Auflagen und Bearbeitungen für Film, Hör- und Fernsehspiele.
22. „Film-Kurier" v. 4.5.42.
23. Einzelheiten darüber bei B. Drewniak, Das Theater im NS-Staat, passim.
24. Kriegk, Der deutsche Film, S. 238f.
25. In ihren Erinnerungen wollte K. Söderbaum diese Aspekte nicht berühren.
26. „Der Film heute und morgen", Folge 43, 10.3.1940.
27. BA, R 109 II, vorl. 49; Ufa-Filmkunst v. 28.9.44.

28. Ebd.
29. Ebd.; Bavaria-Filmkunst v. 14.11.44.
30. 1955 erhielt das Stück eine Verfilmung von Robert Siodmak mit Curd Jürgens, Maria Schell, Heidemarie Hatheyer und Gustav Knuth. Der Regisseur verlegte das Stück in die 50er Jahre.
31. Zu diesem Thema: Daiber, Gerhart Hauptmann, passim.
32. Das Thema „Gerhart Hauptmann und der Film" betrachtete Erich Ebermayer im Leitartikel des „Film-Kuriers" (7.1.43).
33. BA, R 109 II, vorl. 15; Leiter Film v. 22.12.44.
34. Sogar „Der eiserne Gustav", obwohl Goebbels den Wunsch äußerte, diesen Roman mit Jannings in der Titelrolle verfilmen zu lassen. Falladas Roman „Altes Herz geht auf die Reise" (1936) wurde zwar 1938/39 verfilmt (Buch und Regie Carl Junghans), aber von der Filmprüfstelle nicht zugelassen.
35. Seine Romanze „Frauenraub" und „Die Verbannten" standen 1935 und 1938 auf den „schwarzen Listen", sein Roman „Das Reich der Dämonen" (1941) wurde gleich nach Erscheinen verboten.
36. „‚Isabell' fand dann nach kräftiger Umwandlung ihren Weg in die Kinos". V. Cziffra, Kauf dir einen..., S. 262.
37. „Diesel", „Träumerei", „Die Brüder Noltenius".
38. Drewniak, Das Theater im NS-Staat, S. 186.
39. Sein Brief an Hanns Johst anläßlich der Weimarer Dichtertagung 1941; BA, R 56 V, Nr. 1, S. 72f.
40. 1955: „Befreite Hände. Roman einer Bildhauerin".
41. „Film-Kurier" v. 19.7.39.
42. Ebd. v. 29.11.39.
43. „Film-Kurier" v. 14.7.44.
44. BA, R 56 V, Nr. 24, S. 67ff.
45. Im Jahre 1939 standen unter den Filmprojekten in Vorbereitung u. a.: G. v. Cziffras Schauspiel „Anna von Königsmarck", Wilhelm Hauffs Novelle „Das Wirtshaus im Spessart", Hans Kysers „Der Bulle von Ueckernitz", Julianne Kays Bühnenstück „Charlotte Ackermann", Hertha von Gebhardts Roman „Zwei Ringe" und Erich Karschies Roman „Der Fischermeister". Im Januar 1940 erwarb die Cine-Allianz die Weltverfilmungsrechte sämtlicher Werke Rudolf Herzogs, von denen sie kein einziges Werk verfilmte.
46. Die Einzelheiten bei Hollstein, Antisemitische Filmpropaganda.
47. „Film-Kurier" v. 29.3.39; Die politische Lage verursachte, daß aus dem fertigen Film ein Gespräch zwischen einem deutschen und einem französischen Offizier entfernt werden mußte. BA, R 55, Nr. 1319, S. 35; Schreiben Winklers an Goebbels v. 27.10.39.
48. „Alarm" war ein zweiter Krimi nach einem Roman von C. V. Rock, von Herbert B. Fredersdorf bei der Aco-Film gedreht. In der Hauptrolle des Kriminalkommissars Petersen trat der Tilsiter Karl Martell auf (U: 31.1.1941).
49. Zum Thema „Rembrandt als Erzieher des Schauspielers" sprach im Kriege in Hamburg H. George; er plante, dort ein Rembrandt-Buch zu veröffentlichen.
50. BA, R 109 II, vorl. 14; Froweins Schreiben v. 9.11.44.
51. Die schon klassisch gewordene Komödie erhielt 1970 eine dritte Verfilmung (Farbfilm).
52. Laut Presse (Juli 1943) realisierte den Film zunächst Gerhard Lamprecht.
53. Eine Filmrezension von der Berliner Premiere brachten die „Film-Nachrichten" v. 17.3.45.
54. Zit. nach Wortig, Der Film in der deutschen Tageszeitung, S. 75.
55. Ebd., S. 78.
56. Drewniak, Das Theater im NS-Staat, S. 215.
57. Mitverfasser des Stückes war Curt Kraetz; Neubearbeitung von Werner Böhland.
58. Regie von Adolf Schlißleder.
59. Drewniak, Theater im NS-Staat, S. 221f.
60. BA, R 109 II, vorl. 13; Schreiben v. 3.10.44.
61. Mit P. Henckels (Titelrolle) und F. Benkhoff wurde „Schneider Wibbels Tod und Auferstehung" am 26.4.40 als Aufnahme vom Reichssender Königsberg gesendet.

882

62. Seit 1950 lief der Film u. d. T. „Eine Frau für Drei".
63. BA, R 109 II, vorl. 49; Preise für Weltverfilmungsrechte.
64. Wetzel/Hagemann, Zensur, S. 79f.
65. NDK v. 4.9.40.
66. Laut Pressemitteilungen wurden die Aufnahmen zu diesem Film bereits im Oktober 1944 beendet.
67. BA, R 109 II, vorl. 49; Preise für Erwerb von Weltverfilmungsrechten.
68. ZA, ProMi, Nr. 226, S. 169; Schreiben v. 23.4.41.
69. Wie Anm. Nr. 67.
70. BA, NS 15, Nr. 86, o. S.; Bericht v. 28.11.34.
71. Einzelheiten bei Drewniak, Das Theater im NS-Staat, S. 222ff.
72. Ebd.
73. Wetzel/Hagemann, Zensur, S. 93f.
74. „Film-Rundschau" v. 1.11.39.
75. Einzelheiten bei Hollstein, Antisemitische Filmpropaganda.
76. Wetzel/Hagemann, Zensur, S. 133ff.
77. Für die Regie war zunächst G. W. Pabst vorgesehen, der sogar (Sommer 1943) mit den Vorarbeiten begann.
78. BA, R 109 II, vorl. 15; Frowein an Minister v. 8.1.45.
79. Ebd., vorl. 31; Schreiben Dr. Bauers v. 4.4.45.
80. Wetzel/Hagemann, Zensur, S. 81ff.
81. Das Theaterstück „Via mala" wurde zur NS-Zeit oft gespielt; selbst die Exil-Bühne feierte im Februar 1943 die 150. Aufführung dieses Stückes.
82. Wetzel/Hagemann, Zensur, S. 143ff.
83. BA, R 109 II, vorl. 13; Frowein an Minister v. 30.10.44. In seiner Weisung vom 14.10.44 äußerte Goebbels Bedenken, daß im Film die Sprache Shakespeares in der Schlegel-Tieckschen Übersetzung gesprochen werden sollte.
84. Die Rolle Shylocks spielte Krauss im Film bereits 1923.
85. DKD, v. 19.5.43.
86. Hollstein, Antisemitische Filmpropaganda.
87. BA, R 56 V, Nr. 24, S. 21; Schreiben d. Deka v. 14.3.40.
88. Drewniak, Theater im NS-Staat, S. 255ff.
89. Ebd.
90. ZA, ProMi, Nr. 729, S. 22f.
91. Drewniak, Theater im NS-Staat, S. 260ff.
92. Einzelheiten bei Kahlenberg, Spielfilm als historische Quelle?
93. Der durchschnittliche Fertigstellungssatz betrug Anfang März 1945 95%. BA, R 109 II, vorl. 31; Bericht v. 6.3.45.
94. Drewniak, Das Theater im NS-Staat, S. 260ff.
95. Es ging um Erling Björnson, den ältesten Sohn des Dichters, der dem Faschismus sehr freundlich gegenüberstand.
96. BA, R 55, Nr. 1319, S. 33; Schreiben Winklers an Goebbels v. 27.10.39.
97. 1930 wurde die deutsche Version des schwedischen Films „Väter und Söhne" nach Bergmans Roman (der übrigens auch dramatisiert wurde) in Deutschland gezeigt.
98. „Filmberater" (Luzern), Nr. 2a, Februar 1942.
99. Drewniak, Das Theater im NS-Staat, S. 263ff.
100. BA, R 109 I, vorl. 2390; Rabenalts Schreiben v. 15.3.38.
101. „Film-Rundschau", 18.10.39.
102. Wetzel/Hagemann, Zensur, S. 77f.
103. BA, R 109 II, vorl. 14; Schreiben v. 16.11.44.
104. „Donauzeitung" v. 23.9.43.
105. Auch in Deutschland: 1931 realisierten Fedor Ozep und Erich Engel den Film „Der Mörder Dimitri Karamasoff" mit Fritz Kortner in der Hauptrolle.
106. Zunächst (wahrscheinlich) nur in Berlin; 1950 erhielt er erneut den Titel „Roman eines Schwindlers".
107. ZA, ProMi, Nr. 227, S. 337; Schreiben der Abteilung T v. 6.3.40.
108. 1930 wurde das Stück in Deutschland verfilmt.
109. Das Filmlustspiel „Ich liebe Dich" (Regie H. Selpin, Buch F. v. Eckardt & V. de Kowa), mit V. de Kowa, L. Ullrich, O. Limburg und fünf weiteren

Darstellern entstand 1938. Vielleicht war das eine geänderte Fassung von „Adam und Eva". Im Bauers-Spielfilmalmanach ist R. Niewiarowicz nicht verzeichnet.

Film und Jugend

1. 1942 wurde lediglich eine neue Zensurvorschrift geschaffen: jugendfrei, aber für Kindervorstellungen der Kinobesitzer verboten; der erste Film, auf den diese Vorschrift in Anwendung kam, war „Die große Nummer".
2. „Film-Kurier" v. 17.7.42.
3. Sander, Jugend und Film, S. 97.
4. Ebd., S. 82.
5. SAM, Rep. C 20Ib, Nr. 1360, Bd. II; OP Sachsen, Sammelkorrespondenz.
6. „Der Film in Partei und Staat" v. 10.5.39.
7. Wie Anm. Nr. 5.
8. APP, Reichsstatthalter Posen, Nr. 2611, S. 61.
9. Wie Anm. Nr. 5.
10. Zit. nach Sander, Jugend und Film, S. 73.
11. Ebd., S. 75.
12. „Film-Nachrichten" v. 10.3.45.
13. 1963 erlebte E. Kästners Werk eine dritte Verfilmung.
14. Sander, Jugend und Film, S. 42.
15. Der Film wurde am 23.1.35 neu zensiert. 1933 war E. Kästners Gesamtwerk (außer „Emil") auf den „schwarzen Listen"; auf den Listen des unerwünschten Schrifttums aus den Jahren 1935 und 1938 stand das Gesamtwerk unter dem Verbot. Die 1939 in Stockholm erschienene deutsche Ausgabe „Emil und die Detektive" wurde ebenfalls im Reich verboten. Der Film „Emil und die Detektive" wurde nur in den ersten Jahren (?) des Dritten Reiches erlaubt.
16. Den Film analysiert Will Lütgert nach seinen „erzieherischen Werten": Zeitgeschichte im Film- und Tondokument, S. 69ff.
17. Sander, Jugend und Film, S. 44f.
18. Ebd., S. 45.
19. Ebd., S. 46. Nach Archivquellen hatte der Film „Himmelhunde" bis zum 31.5.42 nur 0,56 Mio. RM Einspielergebnisse.
20. Der Film bildete zugleich eine sui generis Antwort auf den sowjetischen Film „Die Schlüssel von Berlin", worin der russische Zug nach Berlin während des Siebenjährigen Krieges geschildert wurde.
21. Albrecht, Nationalsozialistische Filmpolitik, S. 273.
22. BA, R 55, Nr. 1319, S. 29ff.; Randzeichnung Goebbels' auf dem Schreiben M. Winklers v. 27.10.39.
23. Das Buch schrieb der Filmregisseur A. Weidenmann, die Musik stammte von Horst Hans Sieber. Anläßlich der Kulturkundgebung der europäischen Jugend in Florenz im Juni 1942 erhielt der Film den Preis des Reichsministers Goebbels in der Klasse der Jugendspielfilme – eine von Prof. Klimsch geschaffene Büste des „Führers".
24. BA, R 55, Nr. 663, S. 201; Schreiben des Leiters F an Goebbels v. 5.7.44.
25. Der A. Bauer-Spielfilmalmanach gibt als Zensurdatum den 19.9.44 an, dagegen schrieb der „Film-Kurier" bereits am 29.8.44 über den schon zensierten Film.
26. Sander, Jugend und Film, S. 31, schrieb – irrtümlich – über die Mitwirkung der bayerischen Pimpfe.
27. Laut Presse hatte der Film 506 m Länge, Sander gibt 490 m an, und im BA befinden sich nur 194 m.
28. Prod. DFG, 1939; Regie J. Häußler, P: sw, vb, Lehrfilm.
29. Mit Bildern aus Posen, Graudenz, Bromberg, Marienburg und Danzig; bei der Vogt-Film Stettin hergestellt.
30. Der Film sollte auch beruhigend auf die Eltern wirken.

31. „Film-Nachrichten" v. 31.3.45.
32. Insgesamt entstanden während des Bestehens der RWU – meist als Auftragsproduktion, teils als Eigenproduktion – 317 Unterrichtsfilme für allgemeinbildende Schulen, 520 Lehrfilme für Hochschulen, 147 Filme für Berufs- und Fachschulen (davon 37 für landwirtschaftliche Schulen).
33. Übrigens wurde die Sparte Geschichte vernachlässigt.
34. Über die Arbeit der Landesbildstelle Wartheland: AAP, Reichsstatthalter Posen, Nr. 2611, S. 130ff.
35. „Film-Kurier" v. 30.10.39.
36. Später kam eine neue Fassung von F. Genschow und R. Stobrawa.
37. Auf Hitlers Wunsch kaufte man den Film Anfang 1938. NS 10, S. 152, Schreiben v. 5.2.38.
38. Versch. Anträge: BA, R 109 II, vorl. 20.
39. BA, R 55, Nr. 505, S. 2f; Vermerk v. 30.9.44.

Der deutsche Weg im Farbfilm

1. Die Ufa, S. 195ff.; Kriegk, Der deutsche Film, S. 276ff.
2. 1250 m; Regie Kurt Stefan, Musik Walter Schütze.
3. NDK v. 20.2.40.
4. Kamera Walter Suchner, Musik Hans Ebert.
5. Kamera Walter Suchner, Musik Albert Fischer.
6. BA, R 109 II, vorl. 19; Schreiben der Ufa v. 26.8.44.
7. BA, R 109 I, vorl. 2395; Vertrag v. 14.10.40.
8. BA, R 109 II, vorl. 48; Vertr. Vermerk v. 15.5.44.
9. Ebd., vorl. 6; Vertr. Niederschrift v. 14.8.42.
10. Ebd. Vertr. Niederschrift v. 2.6.44.
11. BA, R 109 II, vorl. 5; Sachstandsreferat v. 13.11.44.
12. Ebd., vorl. 25; Schreiben v. 20.3.45.
13. „Film-Rundschau" v. 21.9.38.
14. Der Film war zunächst als Schwarz-Weiß-Streifen geplant, und die Vorarbeiten wurden bereits vor dem Kriegsausbruch angefangen. U: 31.10.41; P: vw.
15. NSMH, Dezember 1941, S. 60.
16. Wulf, Theater und Film, S. 317.
17. Wetzel/Hagemann, Zensur, S. 81.
18. NDK v. 19.4.40.
19. „Berliner Börsen-Zeitung" v. 5.3.43.
20. Kriegk, Der deutsche Film, S. 278f.
21. Sie fand im Berliner Ufa-Palast statt.
22. BA, NS 8, Nr. 242, S. 222ff.; Schreiben v. 8.7.43.
23. BA, R 109 II, vorl. 47; Schlußabrechnung „Opfergang".
24. Ebd., vorl. 15; Dr. Bacmeister an Minister v. 5.1.45.
25. DFV-Filmbericht Nr. 30 v. 13.1.45.
26. BA, R 109 I, Nr. 1736; Auslandsabteilung v. 9.3.45.
27. BA, R 55, Nr. 663, S. 139ff.; Sammelkorrespondenz.
28. Wetzel/Hagemann, S. 73.
29. BA, R 109 II, vorl. 5; Sachstandsreferat v. 13.11.44.
30. BA, R 55, Nr. 1285, S. 35ff.; Schreiben Hinkels v. 6.10.44.
31. Ebd.
32. BA, R 109 II, vorl. 56; Reichsfilmintendanz v. 7.11.44.
33. BA, R 109 III, vorl. 18; Schreiben v. 27.6.44.
34. BA, R 109 II, vorl. 31.
35. Ebd., vorl. 6; Vertr. Niederschrift v. 21.7.44.
36. Ebd.
37. BA, R 109 II, vorl. 8; Produktionsplan 1944/45 v. 16.10.44.
38. Ebd., vorl. 19; Reichsfilmintendanz v. 22.8.44.
39. Ebd., vorl. 43; Tobis an Hinkel v. 23.2.45.
40. Ebd., vorl. 40; Schreiben v. 5.3.45.

41. Kamera Walter Suchner, Musik Erich Kuntzen.
42. BA, R 109 II, vorl. 19; Reichsfilmintendanz v. 25.9.44.
43. Ebd. Sonderreferat-Kulturfilm v. 23.9.44.
44. BA, R 109 I, Nr. 1702; Mars-Film v. 25.2.44 und weit. Korrespondenz.
45. Kauer, Der Film, S. 61.
46. „Film für Alle", Oktober–Dezember 1943.
47. BA, R 109 II, vorl. 5; Schr. v. 8. und 12.12.44.
48. „Film-Nachrichten" v. 24.3.45.

Filmvertrieb

1. BA, R 55, Nr. 507, S. 6 u. a.; „Film-Kurier" v. 27.5.42.
2. Ebd. Nr. 663, S. 143f.; Ebd. Nr. 507 – Sammelkorrespondenz; R 109 II, vorl. 13; Leiter F an Minister v. 27.10.44.
3. BA, R 109 III, vorl. 15; Hauptamt Film v. 1.8.44.
4. Ebd., S. 213; Schreiben Leiter F an Goebbels v. 21.4.44; J. Spiker, Film und Kapital, S. 211.
5. BA, R 109 II, vorl. 15; Sachstandsreferat v. 13.11.44.
6. Ebd., vorl. 13; Abteilung Film v. 22.9.44.
7. Ebd., vorl. 65; Schreiben v. 7.3.45.
8. Zahlen zur deutschen Filmwirtschaft 1939–1944.
9. BA, R 109 II, vorl. 15; Sachstandsbericht v. 13.11.44.
10. „Die Zeitung" (London) v. 19.5.44.
11. „Film-Kurier" v. 11.2.44.
12. ZA, ProMi, Nr. 728; Sammelkorrespondenz.
13. Zahlen zur deutschen Filmwirtschaft 1939–1944.
14. Ebd.
15. BA, R 109 III, vorl. 23; Berichte und Korrespondenz.
16. BA, R 109 II, vorl. 15.
17. APG, Landratsamt Neustadt, Nr. 494, S. 167; SAM, Rep, C 48 1e, Nr. 1150, S. 18.
18. Die Ufa, S. 114; J. Spiker, Film und Kapital, S. 221; BA, R 109 III, vorl. 23, Sammelkorrespondenz. Von diesen Theatern wurden bis zum Februar 1945 101 Stammtheater zerstört und 54 weitere wegen Beschädigung geschlossen. Spielfertig waren insgesamt nur 90 Theater (mit Ausweichtheatern) mit ca. 75000 Sitzplätzen.
19. APG, 266/I, Gauleitung der NSDAP, Nr. 11, S. 21; Schreiben v. 8.4.43. Vertraulich.
20. Ebd., S. 39; Rundschreiben G 20/1944 v. 2.10.44.
21. BA, RW 4/V, Nr. 293; Zusammenstellung ohne Datum; Ebd. Nr. 292; Sammelkorrespondenz.
22. Ebd. Nr. 294; WPr IIa, Notiz v. 11.12.39.
23. BA, R 109 II, vorl. 13; Schreiben Leiters F an Minister v. 13.10.44.
24. Die Anfänge der kirchlichen Filmarbeit reichen bis in das Jahr 1909 zurück, die Produktion in der katholischen Kirche entwickelte sich seit 1917, seit 1922 in der evangelischen Kirche. Die kirchlichen Produktionen wurden 1939 eingestellt. Das Thema hat eine grundlegende Bearbeitung: H. Schmitt, Kirche und Film.
25. APG, Gauleitung der NSDAP, Nr. 11, S. 41; Rundschreiben Nr. G/21/44 des Hauptamtes für Kommunalpolitik der Reichsleitung der NSDAP. Streng vertraulich.
26. BA, R 109 III, vorl. 19, und R 109 II, vorl. 5, 14; Sammelkorrespondenz.
27. Drewniak, Theater im NS-Staat, S. 354.
28. BA, R 109 II, vorl. 15; Leiter F v. 2.1.45.
29. Kriegk, Der deutsche Film, S. 250f.
30. Zahlen zur deutschen Filmwirtschaft 1939–1944.
31. Börsenblatt für den deutschen Buchhandel v. 22.7.41.
32. BA, R 109 II, vorl. 15; Leiter F an Minister v. 18.12.44.

33. Ebd. vorl. 66; Schreiben v. 29.11.44. Streng vertraulich.
34. Zahlen zur deutschen Filmwirtschaft 1939–1944.
35. Zit. nach Albrecht, Nationalsozialistische Filmpolitik, S. 220f.
36. „Film-Nachrichten" v. 18.11.44.
37. BA, R 109 II, vorl. 66; Schreiben v. 29.11.44. Streng vertraulich.
38. BA, R 109 III, vorl. 18; Sammelkorrespondenz.
39. „Film-Kurier" v. 4.11.44.
40. Albrecht, Nationalsozialistische Filmpolitik, S. 218.
41. Meldungen aus dem Reich des SD.
42. Pommern 1934/35. Quellen, S. 63.
43. ZA, ProMi, Nr. 729, S. 22ff.; Bericht vom Oktober 1939.
44. Einige von ihnen sind in den Akten zu finden: BA, R 109 II, vorl. 66.
45. ZA, ProMi, Nr. 729; Sammelkorrespondenz, Berichte.
46. BA, R 109 II, vorl. 15; Sachstandsbericht v. 13.11.44.
47. Ebd.
48. Joachim C. Fest, Hitler, 2. Band, S. 721.
49. BA, NS 10, Nr. 44, S. 138.
50. Picker, Hitlers Tischgespräche, S. 45.
51. BA, NS 10, Nr. 45, S. 2ff.
52. Es geht hier um die Verfilmung (1938) des bekannten gleichnamigen Stückes von J. Huth.
53. Wie Anm. Nr. 51; Bericht v. 21.11.38.
54. Ebd. Nr. 44; Bericht v. 23.6.38.
55. Albrecht, Nationalsozialistische Filmpolitik, S. 54.
56. BA, R 109 II, vorl. 15; Dr. Bacmeister an Minister v. 10.1.45.
57. Einzelheiten bei Wulf, Theater und Film.
58. „Völkischer Beobachter" v. 14.11.38.
59. In Polen enstand schon in der Stummfilmära mehr als ein Dutzend von abend-füllenden Spielfilmen in jüdischer (jiddischer) Sprache. „Dybuk" entstand 1937 als ein Tonfilm, in der Regie von Michael Waszyński. Diese „Romeo und Julia"-Geschichte war eine Verfilmung des gleichnamigen, weltbekannten Dramas.
60. Zu dieser Zeit ging es vor allem um die polnischen Offiziere, da die Mannschaft zur Zwangsarbeit „im Zivil" eingestellt wurde.
61. Die Betreuung der niederländischen Arbeitskräfte übernahm die DAF bereits im April 1941. Sie erhielten „die gleichen Rechte wie ihre deutschen Arbeitskamera-den".
62. BA, R 55, Nr. 1231, S. 93.
63. Ebd., S. 95; Schreiben v. 6.5.44.
64. Ebd., S. 99; Schreiben v. 16.6.44.
65. Eine genaue Erklärung zu diesem komplizierten Thema liefert: Ulrich Herbert, Fremdarbeiter, S. 264ff.
66. „Film-Kurier" v. 8.9.44.
67. BA, R 55, Nr. 1239, S. 20; Schreiben v. 10.7.44.
68. Bei den Spielfilm-Vorführungen wurden nur ausgewählte Streifen zugelassen; RFK v. 10.8.44, BA, R 109 I, Nr. 1751.
69. BA, R 55, Nr. 1239, Sammelkorrespondenz.
70. Ebd., S. 81.
71. Ebd., S. 122; Schreiben v. 16.12.44.
72. Ebd. Sammelkorrespondenz.
73. Ebd.
74. Ebd. Ferner Nr. 1231.
75. BA, R 55, Nr. 1231, S. 119ff.; Die Zahl der englischsprachigen Freiwilligen (insbe-sondere aus Indien) betrug nach den Behauptungen des OKW 120000.
76. PA, Dt. Botschaft Paris, Nr. 1143b; Sammelkorrespondenz.
77. K. Dunin-Wasowicz, Ruch oporu, S. 293.
78. Auf Anordnung der RPL war „Stoßtrupp 1917" bereits 1937 in großen Aktionen (NSDAP-Ortsgruppenveranstaltungen, Jugendfilmstunden etc.) zum Einsatz ge-bracht worden. BD, Gauarchiv, A Nr. 3a–3d, S. 155; Schreiben v. 6.2.1937.
79. BA, R 55, Nr. 663, S. 149ff.

80. „Film-Nachrichten" v. 28.10.44.
81. BA, R 109 II, vorl. 2; Bericht v. 24.11.44.
82. Albrecht, Nationalsozialistische Filmpropaganda, S. 115.
83. Bereits die Anordnung der RFK v. 18.10.40 empfahl, den Film „in möglichst weitem Ausmaß wieder in Theater einzusetzen." BA, R 109 I, Nr. 1751.
84. BA, R 55, Nr. 1319, S. 29ff.; Schreiben Winklers v. 27.10.39.
85. Zu diesem Thema: Kurt Wortig, Der Film in der deutschen Tageszeitung, Frankfurt a. M. 1940.
86. 1939 gab es (zusammen mit der Schweiz) 96 deutschsprachig erscheinende Fachblätter.
87. Auf eine spätere, d. h. im April 1945 erscheinende Nummer, ist der Verfasser nicht getroffen.
88. Die wichtigsten wurden in der Bibliographie dieses Buches verzeichnet.
89. NDK v. 11.1.40.
90. Aus ökonomischen, zugleich aber auch aus politischen Gründen (das Abhören von „Feindsendungen") wurde jetzt Leitungsdraht-Rundfunk gefördert.
91. Eberhard Spiess, in: Illustrierter Film-Kurier 1924–1944.
92. BA, R 109 I, vorl. 1737.
93. „Wissenschaftlicher Pressedienst" v. 6.3.35 (Nr. 55).
94. Erlaß des „Führers" v. 12.7.35; RGBI, I, Nr. 88.
95. „Völkischer Beobachter" v. 16.8.39.
96. ZA, ProMi, Nr. 15, S. 124f.; Schreiben der Abt. Rundfunk v. 30.4.42.
97. Ebd. Nach Walter Bruch (Die Fernseh-Story). „Auch dann noch blieb das Studio in Betrieb, und die Programme liefen über die vorhandenen Spezialkabel und nach einem speziellen Verfahren über die Leitungen des Telefonnetzes." S. 140.
98. BA, R 109 III, vorl. 20; Schreiben des Reichsbeauftragten v. 17.3.44.

Die Expansion des „großdeutschen" Films

1. Schweins, Die Entwicklung, S. 118.
2. (28.2.42); Zit. nach Albrecht, Nationalsozialistische Filmpolitik, S. 484f.
3. Ebd.
4. Kriegk, Der deutsche Film, S. 288.
5. BA, R 109 I, Nr. 1489; Bericht des Generaldirektors Kaelber (1944).
6. Ebd.
7. Ba, R 109 II, vorl. 15; Sachstandsreferat v. 13.11.44.
8. Ebd.
9. Ebd.
10. BA, R 55, Nr. 665, S. 102, 121.
11. BA, R 109 II, vorl. 15; Sachstandsreferat v. 13.11.44.
12. Ebd.
13. Drewniak, Oś Berlin-Rzym-Tokio, S. 291.
14. Abkommen zwischen dem Deutschen Reich und dem Königreich Italien über die kulturelle Zusammenarbeit; RGBl, 1939, II, S. 756ff.
15. NDK v. 24.7.40.
16. „Film-Kurier" v. 13.1.42.
17. Ebd. v. 28.2.42.
18. „Die Zeitung" (London) v. 7.4.42.
19. „Film-Kurier" v. 9.3.42.
20. Zit. nach Albrecht, Nationalsozialistische Filmpolitik, S. 54; Bereits am 23.4.42 ärgerte sich Goebbels in seinem Tagebuch über die deutsch-italienischen Verhältnisse im Bereich des Films („The Goebbels Diaries", S. 181).
21. BA, R 109 III, vorl. 8; Protokoll v. 5.1.45.
22. BA, R 55, Nr. 665, S. 106ff.; Leiter F v. 29.9.44.
23. Ebd.
24. Ebd., Nr. 1231, S. 3; Auslandswochenschau v. 28.12.43.
25. BA, R 109 II, vorl. 15; Sachstandsreferat v. 13.11.44.

26. BA, R 55, Nr. 665, S. 123; Leiter F an Goebbels v. 11.4.45.
27. BA, R 109 III, vorl. 23; Niederschrift v. 2.3.45.
28. Wie Anm. Nr. 26.
29. Bis 1944 wuchs die Zahl auf 1244 Kinotheater.
30. Havelka, Filmwirtschaft im Böhmen und Mähren 1942, S. 23ff.
31. BA, R 55, Nr. 498; Schreiben Winklers v. 17.5.40; R 109 II, vorl. 15; Sachstandsreferat v. 13.11.44.
32. „Film-Kurier" v. 17.2.40.
33. Havelka, Filmwirtschaft... 1942, S. 18.
34. BA, R 109 II, vorl. 15.
35. BA, R 109 III, vorl. 23; Niederschrift v. 2.3.45.
36. „Film-Kurier" v. 9.10.39.
37. NDK v. 17.4.40.
38. Wie Anm. Nr. 33.
39. BA, R 109 II, vorl. 6; Vertr. Niederschrift v. 9.10.42.
40. Ebd., vorl. 6. Nach deutschen Feststellungen kamen von den tschechischen Regisseuren vor allem in Frage: Frantisek Čap, Oscar Vaͮra, Marc Frič und Josef Holman. Ebd., vorl. 16; Schreiben v. 3.6.42.
41. BA, R 55, Nr. 498; Sammelkorrespondenz. Im April 1940 erwarb die Cautio von Havel 51%, im Jahre 1941 den restlichen Aktienteil. Ebd., S. 86.
42. Die Majorität (rund 92%) der Aktien bei der Elekta und Slavia besaß der geflüchtete Josef Auerbach. Von seinen 2320 Aktien verkaufte er in New York 2000 Aktien an David Newberg, der im Namen der Firma Optima Pictures Corporation verhandelte. Dieser Vertrag wurde selbstverständlich von der Nationalbank in Prag nicht genehmigt. Ebd., S. 145; Schreiben v. 30.1.1940.
43. BA, R 109 III, vorl. 22; Schreiben der Ufa v. 16.2.45.
44. „Film-Kurier" v. 9.9.39.
45. BA, R 55, Nr. 498, S. 115; Niederschrift v. 29.6.42.
46. Ebd., S. 116f.
47. BA, R 109 II, vorl. 38; Schreiben v. 11.4.45.
48. BA, R 109 III, vorl. 18; Sammelkorrespondenz.
49. BA, R 109 II, vorl. 37; Prag-Film v. 21.2.45.
50. L. Andersen, Leben mit einem Lied, S. 222.
51. BA, R 109 II, vorl. 38.
52. Bereits im August 1939 kam es in dem Badeort Pistyan zu den ersten deutsch-slowakischen Gesprächen über die Zusammenarbeit im Bereich des Filmwesens.
53. Leitender Direktor der „Nastup" — Slowakische Film AG – war Paul Cambala.
54. BA, R 109 II, vorl. 15; Sachstandsreferat v. 13.11.44.
55. Wegen des Mangels an Spielfilmen wurden in dem deutschen Kino „Urania" auch Kulturfilmveranstaltungen organisiert.
56. Die entsprechenden Informationen des „Film-Kuriers" (4.2., 18.7. und 11.11.44) wiesen einige Unstimmigkeiten auf; die Conti-Filme lieferte die Ufa wegen Nichtbestehens eines slowakisch-französischen Clearings; BA, R 109 III, vorl. 22, Aktennotiz v. 6.12.44.
57. Wie Anmerkung Nr. 54.
58. BA, R 109 III, vorl. 23; Niederschrift v. 2.3.45.
59. Die „Nastup" gab auch sechs Folgen des Filmmagazins „Lúč" heraus.
60. NDK v. 3.4.1940.
61. Auch u. d. T. „Hohe Zucht", Regie Eugen Mateičkọ.
62. Filmreportage aus dem Sanatorium in Hochhagy.
63. Erhielt auch deutsche Fassung.
64. Nach dem Kriege als Kino „Leningrad" aufgebaut.
65. Diewerge, Der neue Reichsgau Danzig-Westpreußen.
66. Die strikten Propaganda-Filme wurden selbstverständlich in Polen verboten. „Triumph des Willens" wurde jedoch, gemäß einer Sondergenehmigung, für die in Polen wohnende deutsche Bevölkerung zugelassen. AAN, Nr. 4814, S. 13.
67. Die Bilanzen aus der Zeit 1927–1931/32 sind vorhanden; BA, R 109 I, Nr. 483.
68. AAN, Nr. 4814, S. 2.
69. Der Film wurde am 7.9.39 offiziell von der Filmprüfstelle aus dem Verleih zurückgezogen.

70. Wie oben.

71. Eigentlich war der Film eine Ufa-Produktion, die in Zusammenarbeit mit Warszawska Spólka Kinematograficzna (eigentlich eine Ufa-Filiale in Warschau) entstand. Trotz der deutschen Vorschläge weigerte sich die polnische Seite, den Film als eine deutsch-polnische Co-Produktion anzusehen.

72. AAN, Ambasada RP Berlin, Nr. 2465, S. 32; Schreiben v. 4.2.37.

73. Das Original in polnischer Sprache verfaßt; in der polnischen Presse veröffentlicht.

74. „Film-Kurier" v. 22.9.1939.

75. Informationen zur politischen Bildung 142/143. Neudruck 1977 (Bonn).

76. Broszat, Nationalsozialistische Polenpolitik 1939–1945.

77. Dokumentarische Zeit-Chronik 1940, S. 227.

78. Der neue Reichsgau Danzig-Westpreußen, S. 89.

79. „Film-Kurier" v. 20.10.39, 10.1.42.

80. BA, R 55, Nr. 1426, S. 4.

81. AGP, Gauleitung der NSDAP, Nr. 17, S. 5; Schreiben v. 22.8.42.

82. BA, R 55, Nr. 174, S. 13ff.; Sammelkorrespondenz.

83. NDK v. 21.1.41.

84. Die Zahlen aus den Akten: BA, R 55, Nr. 507, S. 17ff. und aus dem „Film-Kurier" v. 22.9.39.

85. NDK v. 25.2.41.

86. Verordnungsblatt des Generalgouverneurs für die besetzten polnischen Gebiete (§ 1). Vergl. auch: Drewniak, Die deutsche Verwaltung und die rechtliche Stellung der Polen in den besetzten polnischen Gebieten, S. 156ff.

87. Nur zu Anfang der Besatzungszeit erlaubte man, drei Filme, deren Herstellung der Krieg unterbrochen hatte, fertigzustellen. Diese Arbeiten übernahm der „Volksdeutsche" Jan Fethke.

88. Verordnungsblatt für das Generalgouvernment.

89. Spiker, Film und Kapital, S. 190.

90. U: 16.5.43.

91. Spiker, Film und Kapital, S. 191.

92. BA, R 55, Nr. 724, S. 19; Schreiben v. 4.10.40.

93. AAN, Regierung GG, Nr. 1438, S. 1ff.; Bericht v. 9.9.41.

94. Die Filmvorführungen für die Deutschen waren auch steuerlich begünstigt. Eine Verordnung v. 29.4.41 bestimmte: „Der Unternehmer öffentlicher Filmvorführungen hat wöchentlich an die Gemeinde (Stadt- oder Landgemeinde), in welcher die Vorführung erfolgt, eine Filmsteuer in Höhe von 12 v. H. als Eintrittspreis zu entrichten; bei Vorführungen für Nichtdeutsche ist außerdem ein Zuschlag von 5 v. H. des Eintrittspreises zu zahlen." Verordnungsblatt für das Generalgouvernement. Die Kinotheater führten 15% ihrer Bruttoeinnahmen an die Ufa AG als Filmmiete ab und bezahlten die Kopien selbst.

95. Zeitweise gab es die deutschen Filmveranstaltungen auch in anderen Kinos der Stadt.

96. Drewniak, Das Theater im NS-Staat, S. 103.

97. APK, Starosta Miejski Kraków, J-8184; S. 515; Schreiben des Kulturamtes v. 17.8.43.

98. AAN, Regierung GG, Nr. 1440/1, S. 4ff.

99. Ebd., Nr. 1439, S. 10, 26.

100. Toeplitz, Geschichte des Films. Bd. 4, S. 319f.

101. Ebd. Ferner Korrespondenz darüber: AAN, Regierung GG, Nr. 1439, S. 110ff.; BA, R 109 I, Nr. 1737.

102. Spiker, Film und Kapital, S. 191.

103. So hatte z. B. „Der Postmeister" nur drei mit polnischen Titeln versehene Kopien.

104. In Krakau z. B. während der ganzen Besatzungszeit nur ein ungarischer und ein paar italienische Spielfilme.

105. Spiker, Film und Kapital, S. 191.

106. BA, R 109 I, Nr. 1737; Vertr. Schreiben v. 21.2.44.

107. BA, R 109 II, vorl. 23; Niederschrift v. 15.9.44.

108. Spiker, Film und Kapital, S. 192.

109. BA, R 55, Nr. 1319, S. 158; Schreiben v. 12.11.40.
110. ZA, ProMi, Nr. 730, S. 1ff.; Korrespondenz aus dem Jahre 1944.
111. PA, Botschaft Paris, Nr. 1054b; Sammelkorrespondenz.
112. BA, R 55, Nr. 1319, S. 29ff.; Winkler an Goebbels v. 27.10.39.
113. Ebd., Nr. 501; Reichsfinanzministerium v. 5.8.41.
114. BA, R 55, Nr. 1319, S. 169ff.; Schreiben v. 27.5.41.
115. Ebd. S. 155ff.
116. Ebd., S. 183ff.; Schreiben v. 12.8.41.
117. Ebd.
118. Ebd.
119. Ebd.
120. Ebd. S. 158ff.; Schreiben v. 12.11.40.
121. Ebd., S. 197ff.; Ufa-Film GmbH v. 19.11.42.
122. Ebd.
123. Einzelheiten über die Einführung der RKK-Gesetzgebung in Elsaß-Lothringen und Luxemburg bei Drewniak, Das Theater im NS-Staat, S. 30f.
124. NDK v. 22.1.41.
125. „Pariser Zeitung" v. 11.1.44.
126. Garçon, Nazi Film Propaganda in Occupied France, S. 166.
127. Ebd.
128. In der unbesetzten Zone Frankreichs wurden die amerikanischen Filme erst mit dem 15.10.42 verboten; DK v. 10.10.42.
129. „Film-Kurier" v. 4.4.44.
130. Über den Einsatz der deutschen Filme: PA, Dt. Botschaft Paris, Nr. 1143a; Sammelkorrespondenz. Und laut Presseveröffentlichungen: Nach dem „Bel ami" und der „Lili Marleen" war das Lied „Es geht alles vorüber" ("Tout passe dans la vie") der dritte durchschlagende Erfolg, den ein deutsches Lied in Paris erzielt hat.
131. PA, Dt. Botschaft Paris, Nr. 1144; Sammelkorrespondenz.
132. BA, R 55, Nr. 665, S. 125; Leiter F v. 11.2.44.
133. Ebd., S. 127; Leiter F v. 13.4.44.
134. Garçon, Nazi Film Propaganda, S. 175.
135. Eine zusammenfassende Darstellung bei Toeplitz, Geschichte des Films Bd. 4, S. 51ff.
136. PA, Dt. Botschaft Paris, Nr. 1143b.
137. Ebd. Sammelkorrespondenz.
138. Ebd.
139. BA, R 109 III, vorl. 22; Sammelkorrespondenz.
140. NDK v. 10.1.40.
141. BA, R 55, Nr. 1319, S. 189ff.
142. Insgesamt betrug die Zahl der aufgeführten Spielfilme 540; aus England gab es 22, Frankreich 59, Holland 18 und UdSSR 9 Filme.
143. „Film-Kurier" v. 2.11.39.
144. NDK v. 19.1.40.
145. „Film-Kurier" v. 23.1.42.
146. BA, R 55, Nr. 1319; Sammelkorrespondenz.
147. Ebd., S. 207ff. Umfangreicher Bericht über die deutschen Filminteressen in Holland.
148. Ebd.
149. Ebd.
150. „Film-Kurier" v. 8.1.43.
151. BA, R 55, Nr. 1319, S. 153; Grevens Schreiben v. 21.11.40.
152. Ebd., S. 193; Ufa-Film v. 22.6.42.
153. Hirschfeld, Nazi Propaganda, S. 148f.
154. BA, R 55, Nr. 665, S. 129, Schreiben v. 6.7.44.
155. BA, R 109 II, vorl. 15; Sachstandsreferat v. 13.11.44.
156. BA, R 109 III, vorl. 23; Niederschrift v. 2.3.45.
157. Toeplitz, Geschichte des Films, Bd. 4. S. 290.
158. Ebd.
159. Wie auch im Bereich des Theaters: Drewniak, Das Theater im NS-Staat, S. 123f.

160. Nach der Besetzung des Landes wurde der Film wiederum in die Kinos gebracht.
161. BA, R 55, Nr. 1293, S. 7; Richtlinien des ProMi v. 21.5.41.
162. Die ersten Verhandlungen der RFK mit dänischen Filmvertretern wurden im Oktober 1940 in Berlin geführt.
163. „Film-Kurier" v. 11.1.43.
164. Ebd. v. 10.2.42.
165. Nach deutschen Pressemitteilungen wurde das Atelier durch ein Großfeuer Anfang 1944 vernichtet.
166. BA, R 109 II, vorl. 15.
167. BA, R 109 III, vorl. 23; Niederschrift v. 2.3.45.
168. „Film-Nachrichten" v. 24.3.45.
169. „Film-Kurier" v. 18.6.40.
170. NDK v. 19.1.40.
171. Im Januar 1943 berichtete die Presse: L. Sinding geht zur Filmproduktion über, sein Nachfolger wird der Journalist Birger Rygh Hallan.
172. „Film-Kurier" v. 15.1.42.
173. 2058 m; P: küw, vb; In Deutschland war er seit der Premiere (9.10.38) fast bis zum Ende des Krieges im Verleih.
174. Toeplitz, Geschichte des Films, Bd. 4, S. 299.
175. BA, R 109 II, vorl. 15; Sachstandsreferat v. 13.10.44.
176. BA, R 109 III, vorl. 23; Niederschrift v. 2.3.45.
177. Nach anderen Statistiken betrug Ende 1938 die Zahl der schwedischen Kinos 1907 mit 475000 Sitzplätzen.
178. Zit. nach „Film-Kurier" v. 27.1.39.
179. Ebd. v. 6.5.40.
180. NDK v. 19.1.40.
181. BA, R 55, Nr. 665, S. 102; Schreiben Hinkels an Goebbels v. 28.9.44.
182. Ebd., S. 203; Hinkel an Goebbels v. 5.7.44.
183. BA, R 109 II, vorl. 8; Bericht v. 17./23.9.44.
184. BA, R 109 II, vorl. 8; Protokoll v. 15.9.44.
185. Ebd. Protokoll v. 27.9.44.
186. Ebd. Bericht v. 17./23.9.44.
187. Ebd.
188. BA, R 109 II, vorl. 15; Sachstandsreferat v. 13.11.44.
189. Ebd.
190. BA, R 109 III, vorl. 23; Niederschrift v. 2.3.45.
191. „Film-Kurier" v. 1.6.39, 23.2.40 und 7.4.42; Materialien über die finnische Filmwirtschaft: BA, R 109 I, Nr. 1736. 1944 betrug die Zahl der Kinos in Finnland 447.
192. 1938 = 167 und 1939 = 135 Spielfilme aus den USA.
193. BA, R 55, Nr. 665, S. 71; Abt. Dir. Propaganda v. 19.5.44.
194. Ebd., Nr. 663, S. 39; Abt. Film an Goebbels v. 18.4.44.
195. Zit. nach „Der Spiegel" v. 28.1.85, S. 131.
196. BA, R 55, Nr. 665, S. 136; Leiter F an Goebbels v. 4.10.44.
197. Ebd., S. 113; Leiter Film an Goebbels v. 22.11.44.
198. Ebd.
199. BA, R 109 I, Nr. 1683; Schweiz, Spielfilm-Import 1938.
200. NSMH, Oktober 1941.
201. „Deutsche Arbeit", Juli 1941.
202. NSMH, November 1941, S. 937.
203. BA, R 109 I, Nr. 1373; PA, Dt. Gesandtschaft Bern, Nr. 114, 121, 122; Sammelkorrespondenz.
204. PA, Dt. Gesandtschaft Bern, Nr. 119/3; Nordisk-Film v. 21.7.42.
205. „Film-Kurier" v. 12.1.42.
206. Wie Anm. Nr. 203. Die Neue-Interna war Nachfolgerin der Interna-Film.
207. Um den Absatz der deutschen Kulturfilme zu steigern, unternahm Anfang 1942 der Leiter der Abteilung Kulturfilmherstellung der Ufa, Dr. Kaufmann, eine Vortragsreise in die Schweiz.
208. Zu diesem Zweck wurde die „Deutsche Schmalfilm AG" in Zürich gegründet.
209. PA, Dt. Gesandtschaft Bern, Nr. 121; Dt. Generalkonsulat Zürich v. 22.1.40.

210. Ebd., Nr. 119/3; Gesandtschaft Bern an das AA v. 6.8.42.
211. Ebd., Nr. 119/1; Marktanalyse und Statistik.
212. Ebd., Nr. 119/3; Dt. Gesandtschaft Bern an das AA v. 6.8.42.
213. Ebd., Nr. 120; Sammelkorrespondenz.
214. BA, R 109 I, Nr. 1373; Neue-Interna-Film v. 10.12.41; „Der Pabst-Film ‚Komödianten' hatte trotz der großen Reklame und Festpremiere sehr schlechte finanzielle Ergebnisse in Zürich."
215. PA, Dt. Gesandtschaft Bern, Nr. 119/3; Schreiben an das AA v. 6.8.42.
216. „Der Filmberater" (Luzern), Nr. 8, Juli 1942.
217. BA, R 109 I, Nr. 1373.
218. „Film-Kurier" v. 4.3.43.
219. PA, Dt. Gesandtschaft Bern, Nr. 114; Agfa-Zürich v. 2.3.43.
220. Laut „Film-Nachrichten" (18.11.44) drehte die Schweiz im Jahre 1941 = 13 Spielfilme, 1942 = 11 und 1944 nur einen Film.
221. PA, Dt. Gesandtschaft Bern, Nr. 114; Sammelkorrespondenz.
222. „Film-Kurier" v. 22.2.44.
223. BA, R 55, Nr. 665, S. 86; Leiter F an Goebbels v. 14.7.44.
224. Ebd.
225. BA, R 55, Nr. 703, S. 27; ProMi v. 10.7.43.
226. BA, R 109 II, vorl. 8; Protokoll v. 4.9.44.
227. Ebd., Protokoll v. 5.12.44.
228. Im Herbst 1944 baten sowohl das AA wie das Reichswirtschaftsministerium um eine Genehmigung des ProMi für den Verkauf von 600000 m Agfa-Rohfilmmaterial für die Schweiz (das Material lag sowieso in der Schweiz), um Devisen zu bekommen. BA, R 55, Nr. 663, S. 11ff.
229. BA, R 109 II, vorl. 15; Schreiben v. 13.1.45.
230. „Film-Nachrichten" v. 24.2.45.
231. Ebd.
232. BA, R 109 III, vorl. 23; Niederschrift v. 2.3.45.
233. „Film-Nachrichten" v. 31.3.45.
234. BA, R 109 II; Sachstandsreferat v. 13.11.44.
235. Obwohl formell nicht ratifiziert, bildete das Abkommen eine rechtliche Grundlage für die beiderseitigen Beziehungen im Bereich der kulturellen Zusammenarbeit.
236. „Film-Kurier" v. 25.1. und 26.6.39; PA, Dt. Botschaft Madrid; Nr. 567.
237. Die Vertretung der Ufa war Alianza Cinematográfica Española in San Sebastian.
238. Friedrich P. Kahlenberg, Spielfilm als historische Quelle? S. 516ff.
239. NDK v. 30.4.40.
240. Vor allem im Deutschen Heim in Madrid; dort inaugurierten die deutschen Sondervorführungen die Filme „Westwall" und „Feldzug in Polen" (1940).
241. „Film-Kurier" v. 20.1.42.
242. Toeplitz, Geschichte des deutschen Films, B. 4, S. 355. In der vertraulichen Bearbeitung des Deutschen Instituts für Wirtschaftsforschung: „Spanien-Filmwirtschaft, Stand Mitte 1943", sind andere Zahlen angegeben: 1939 = 15, 1940 = 21, 1941 = 45, 1942 = 36, 1943 = 55, BA, R 109 III, vorl. 10.
243. Ebd.
244. Ebd.
245. BA, R 109 II, vorl. 8; Protokoll v. 21.7.44.
246. Ebd. Während früher das Bruttoeinkommen eines deutschen Films nicht über 400–500000 Peseten kam, erzielten u. a. „GPU" eine Bruttoverleiheinnahme von 1 Mio. Pes, „Münchhausen" und „Die Goldene Stadt" sogar je zwei Mio.
247. Ebd., vorl. 15; Sachstandsreferat v. 13.11.44.
248. Ebd.
249. Ebd., vorl. 15; Leiter F v. 27.11.44.
250. BA, R 109 II, vorl. 8; Protokoll v. 21.7.44.
251. BA, R 55, Nr. 665, S. 91; Leiter F an Goebbels v. 26.7.44.
252. BA, R 109 II, vorl. 8; Niederschrift v. 2.3.45.
253. „The Goebbels Diaries", S. 508.
254. Die Charakteristik dieser Produktion und die Fachliteratur bei: Toeplitz, Geschichte des deutschen Films, Bd. 4, S. 356f.

255. „Augsburger National Zeitung" v. 5.10.43.
256. Bis August 1944 trafen nur 13 Spielfilme in Portugal ein.
257. BA, R 55, Nr. 665, SS. 94, 116, 119; Abteilung F an Goebbels v. 27.7., 22.11. und 2.12.44.
258. BA, R 109 II, vorl. 15.
259. Ebd., vorl. 31; ProMi v. 1.3.45.
260. Ebd., Schreiben Dr. Bauers v. 19.3.45.
261. BA, R 55, Nr. 506, S. 32ff.; ins Handelsregister am 12.11.41 eingetragen.
262. Ebd. SS. 55, 61.
263. Ebd., Sammelkorrespondenz.
264. „Film-Kurier" v. 5.9.42.
265. Der Veranstalter war „Filmbetriebe Ostland", Zweigstelle Lettland.
266. Dazu gab es eine Reihe von sogenannten Mitspielstellen und einen kleinen Park von Schmalfilmeinsatzwagen.
267. Erst Anfang 1940 fand in Riga die festliche Uraufführung des ersten eigenen abendfüllenden Spielfilms „Der Sohn des Fischers" statt. Vorlage war der Roman von Vilis Lacis, die musikalische Untermalung schuf der bekannte lettische Komponist Medins.
268. „Film-Kurier" v. 2.6.39 und 24.5.40.
269. BA, R 109 I, vorl. 1672; Berichte.
270. Mit ihrem Namen zeichneten die Regisseure Eugen York, Johannes Guter, Alfred Stöger und Edgar Roll diese Filme, ferner Voldemars Puuze, Vilis Lapenieks, Eduard Zuburs, Eugen Stepanoff, Dahlström und Peroff.
271. BA, R 55, Nr. 506, SS. 110, 305ff.
272. „Film-Kurier" v. 23.10.42; die Dokumentation in den Akten: BA, R 109 I, vorl. 2155.
273. Der Geschäftsführer und danach der Liquidator war Siegfried Kyser.
274. BA, R 55, Nr. 506, S. 305ff.
275. „Deutsche Zeitung im Ostland" v. 25.7.44.
276. BA, R 109 III, vorl. 45; Korrespondenz.
277. Drewniak, Ekspansja kulturalna Trzeciej Rzeszy na obszarze półwyspu bałkańskiego w latach II wojny światowej, Poznań 1982.
278. Documents on German Foreign Policy 1918–1945. Seria D Vol. 8, Washington 1954, S. 584; BA, R 109 I, Nr. 1378. Korrespondenz.
279. „Film-Kurier" v. 30.1.42.
280. BA, R 55, Nr. 665, S. 79; Schreiben v. 5.6.44. Der Direktor der Budapester Ufa-Niederlassung war Ernst Fliegel.
281. Nemeskürty, Words and Image, S. 112.
282. Gedreht 1941 nach einem Drehbuch von Géza Palásthy und Miklós Asztalos, mit Musik von Ottó Vincze.
283. Den Film realisierten Endre Rodiguez (Regie) und István Erdélyi (künstlerische Leitung); die Musik schrieb Dénes Buday.
284. BA, R 109 III, vorl. 8; Protokoll v. 20.6.44.
285. BA, R 109 II, vorl. 8; Protokoll v. 2.9.44.
286. Ebd. Aktennotiz v. 10.10.44.
287. Im August 1944 in dem Ufa-Kino „Urania".
288. Hier u. f. T. „Ifju sasak", mit den „aufklärenden" Pressestimmen „Pester Lloyd" v. 28.9.44.
289. BA, R 109 III, vorl. 18; Korrespondenz.
290. Ebd., vorl. 23; Niederschrift v. 2.3.45.
291. „Film-Kurier" v. 27.3.39.
292. Ebd. v. 6.4.39.
293. Der 1941 in Betrieb gebrachte „Filmzug der Deutschen Volksgruppe in Rumänien" betreute auch filmisch die deutsche und rumänische Wehrmacht.
294. „Film-Kurier" v. 5.2.42.
295. 1938 hatten 14 Firmen 31 Kulturfilme, 30 Werbefilme und 2 Wochenschauen hergestellt.
296. „Film-Kurier" v. 1.11.39.
297. Ebd. v. 21.1., 10.2. und 5.3.42.
298. BA, R 109 I, vorl. 1686; Korrespondenz.

299. BA, R 55, Nr. 663, S. 48.
300. BA, R 109 I, vorl. 1686.
301. BA, R 109 II, vorl. 8; Protokoll v. 2.9.44.
302. Wie Anm. Nr. 298.
303. BA, R 109 II, vorl. 8; Protokoll v. 5.12.44.
304. „Donauzeitung" v. 2.10.43.
305. BA, R 109 III, vorl. 8; Protokoll v. 18.7.44.
306. BA, R 109 II, vorl. 15; Sachstandsreferat v. 13.11.44.
307. Die Deutschen unterhielten in Hellas 150000, ab 1944 gar 300000 Mann.
308. Noch im Frühjahr 1944 wurde ein anderes Filmunternehmen, Wega AG, gegründet, die aber aus Deutschland keine Filmgeräte, die zur Filmproduktion notwendig waren, erhielt.
309. 1915 bis 1932 wurden in Bulgarien insgesamt 23 Stummfilme gedreht.
310. „Film-Kurier" v. 5.7.39; vergl. auch: International Motion Picture Almanac 1939–1940, New York 1939, S. 928.
311. „Film-Kurier" v. 5.1.42.
312. Ebd. Um die Wende 1943/44 wurde die bulgarische Filmzentrale in Sofia durch Bomben zerstört; BA, R 109 III, Nr. 27; Schreiben v. 15.2.44.
313. Toeplitz, Geschichte des Films, Bd. 4, S. 307.
314. PA, Dt. Botschaft Ankara, Bd. 803; Schreiben v. 6.11.41.
315. Ebd. Bd. 804; Schreiben v. 3.1.43. Geheim.
316. BA, R 109 II, vorl. 8; Protokoll v. 21.7.44.
317. Jahrgänge von International Motion Picture Almanac (New York).
318. „Film-Kurier" v. 16.4.40.
319. „New York Daily Mirror" v. 11.5.41.
320. NDK v. 19.1.40.
321. BA, R 109 I, Nr. 1379; Korrespondenz mit Arthur Wittenstein in Rio de Janeiro.
322. BA, R 109 II, vorl. 15; Sachstandsreferat v. 13.11.44.
323. BA, R 109 III, vorl. 23; Niederschrift v. 2.3.45.
324. Für die Sondervorführungen, die in Tokio von dem Militär-Attaché des Reiches veranstaltet wurden, schickte man aus Deutschland, außer Kulturfilmen, folgende Spielfilme: „Drei Unteroffiziere", „13 Mann und eine Kanone", „Aufruhr in Damaskus", „Verräter", „Unternehmen Michael", „Hotel Sacher", „Pour le mérite", "Urlaub auf Ehrenwort" und „D III 88". „Unternehmen Michael" und „Hotel Sacher" wurden von der Ufa an die „Towa Shoji Goshi Kaisha" verkauft, und danach durch die japanische Marine erworben. „Aufruhr in Damaskus" – in geänderter Fassung – war für geschlossene Veranstaltungen vorgesehen. BA, RW 4/V Nr. 296; Schreiben des OKW v. 2.10.39 und des ProMi v. 31.10.39.
325. „Der Film in Partei und Staat" v. 10.5.39.
326. BA, R 55, Nr. 663, S. 205; Schreiben v. 7.10.44.
327. BA, R 109 II, vorl. 15; Sachstandsreferat v. 13.11.44.
328. BA, R 109 III, vorl. 23; Niederschrift v. 2.3.45.
329. ZA, ProMi, Nr. 162, S. 303ff.; streng vertrauliche Korrespondenz Mai–Juni 1941.
330. BA, NS 15, Nr. 165a; Sammelkorrespondenz.
331. „The Goebbels Diaries", 23.4.42.
332. DK v. 10.10.42; zum ständigen Vertreter wurde der Leiter des Sekretariats für Propaganda, Antonio Lopes Ribeiro, ernannt.
333. „Film-Kurier" v. 9. und 11.4.42.
334. Ebd. v. 30.4. und 16.5.42.
335. Europa. Handbuch der politischen, wirtschaftlichen und kulturellen Entwicklung des neuen Europa, S. 251.
336. Ein Film von Rudolf Schaad und Walter Frenz, Musik von Walter Schütze.
337. Regie Hans Springer, Buch von Dr. Heinz Mohrmann, Kamera Wolf Hart.
338. Am 20. August wurde der Film in Venedig – nach Pressestimmen – mit großem Erfolg erstaufgeführt.
339. NDK v. 27.5.40.
340. BA, R 109 II, vorl. 6; Niederschrift v. 22.5.42.
341. „Film-Kurier" v. 22.8.42.

1. RGBl, 1936, I, SS. 551, 553; RGBl, 1937, I. S. 665.
2. BA, R 55, Nr.1379, S. 180ff.
3. Schubert, Das Filmrecht des nationalsozialistischen Staates, S. 12ff.
4. Spiker, Film und Kapital, S. 223.
5. BA, R 55, Nr. 663, S. 213f.; Schreiben v. 21.4.44.
6. BA, R 56 V, Nr. 51 (Fol. 1), S. 22; Schreiben des ProMi v. 16.4.40.
7. Tobis: „Manöverliebe" („Manewry milosne", 5500 RM), „Angst" („Strachy", 7000 RM), „Robert und Bertram" (600 RM); Ufa: „Der Wunderdoktor" („Znachor", 6000 RM), „Die vergessene Melodie" („Zapomniana melodia", 6000 RM). BA, R 55, Nr. 1319, S. 36.
8. BA, R 55, Nr. 631, S. 33; Schreiben v. 3.1.44.
9. BA, R 109 II, vorl. 14; Leiter F v. 8.11.44.
10. Ebd., vorl. 29; Schreiben v. 4.7.44.
11. BA, RW 4/V 289, S. 209ff.; Schreiben des ProMi v. 23.7.40. (+ einschließlich Listen).
12. Ebd., S. 209ff.
13. PA, Dt. Botschaft Bern; Schreiben des AA v. 24.4.41.
14. Ebd.
15. Boberach, S. 48.
16. PA, Dt. Gesandtschaft Bern, Nr. 121; Schreiben des AA v. 31.10.40. Vertraulich.
17. Ebd.
18. Wulf, Theater und Film, S. 312.
19. BA, R 55, Nr. 665, S. 88; Leiter F an Goebbels v. 14.7.44.
20. Ebd.
21. BA, R 109 II, vorl. 13; Dr. Bacmeister an Minister v. 24.10.44.
22. BA, R 55, Nr. 1231, S. 176; Notiz.
23. Abgesehen von dem Polit-Kitsch der Luce „Camicia nera", der unter dem Titel „Schwarzhemden" nach seiner feierlichen Premiere im Berliner Ufa-Palast am Zoo (27.4.33) obligatorisch in zahlreichen Kinos des Reiches herausgebracht wurde.
24. RMBliV, S. 1495; Runderlaß v. 27.8.37.
25. Die festliche Uraufführung fand am 30.9.41 im Berliner Ufa-Palast statt; der Film wurde nicht sychronisiert, sondern nur mit deutschen Titeln versehen. P: skbw.
26. Toeplitz, Geschichte des Films, Bd. 4, S. 253.
27. BA, R 109 III, vorl. 18; Schreiben der Transit-Film v. 2.8.44.
28. BA, R 55, Nr. 665, S. 153; Hinkel an Goebbels v. 9.6.44.
29. BA, R 109 II, vorl. 8; Protokoll v. 21.7.44. Im November 1944 wurde der Spielfilm „Nebbia sul more" („Nebel über dem Meer") zur Synchronisation genehmigt.
30. P: sw, kw, jugendfrei.
31. BA, R 55, Nr. 665, S. 203; Leiter F v. 6.12.44.
32. Dieser Film wurde bereits im Jahre 1942 im Rahmen einer festlichen Aufführung in Salzburg dem Publikum gezeigt.
33. Zu diesen Ausnahmen gehörte der Sacha-Guitry-Film „Die Perlen der Krone" („Les Perles de la Couronne"), Co-Regie mit Christian-Jaque, ein Film aus dem Jahre 1937, in dem auch der berühmte Italiener E. Zacconi mitspielte.
34. Der Regisseur der deutschen Fassung war Hans Conradi; im Film wirkten als Schauspieler u. a. Alfred Haase, Sabine Peters und Eduard Wesener mit.
35. BA, R 55, Nr. 665, S. 166; Dr. Bacmeister an Goebbels v. 5.9.44.
36. BA, R 109 III, vorl. 22; Sammelkorrespondenz.
37. „The Goebbels Diaries", S. 221.
38. BA, R 55, Nr. 665, S. 51; Leiter F an Goebbels v. 21.12.44.
39. BA, R 109 II, vorl. 16; Schreiben Maraun an Hippler v. 3.6.42.
40. BA, R 55, Nr. 665, S. 146f.; Korrespondenz v. März–August 1944.
41. BA, R 109 II, vorl. 15; Dr. Bacmeister an Minister v. 18.1.45.
42. Ebd., vorl. 65; Reichsfilmintendanz v. 18.4.45.
43. Ebd., vorl. 15; Dr. Bacmeister an Minister v. 6.1.45.
44. BA, R 109 III, vorl. 18; Schreiben der Transit-Film v. 2.8.44.

45. BA, R 55, Nr. 665, S. 168; Leiter F v. 13.9.44.
46. BA, R 109 II, vorl. 13; Dr. Bacmeister v. 15.9.44.
47. Die Tonfassung aus dem Jahre 1937 des gleichnamigen Stummfilms; Regie George Schneevoigt.
48. BA, R 109 II, vorl. 13; Leiter F v. 21.9.44.
49. Ebd., vorl. 15.
50. Noch in den Jahren 1934 und 1935 wurden nur sechs einheimische Filme hergestellt. Diese Zahl stieg im Jahre 1936 auf zehn und 1937 auf zwölf. 1939 wurden in Finnland 21, 1940 = 22 und 1941 = 14 eigene Spielfilme uraufgeführt.
51. Die deutsche Erstaufführung des Films fand in Wien (Burg-Theater und Imperial-Theater) am 8.1.44 statt.
52. BA, R 109 II, vorl. 28; Reichsminister Lammers v. 15.1.43.
53. Ebd.
54. BA, R 109 II, vorl. 20; Hinkel an Goebbels v. 12.12.44.
55. Ebd., vorl. 15, 20; Sammelkorrespondenz.
56. Toeplitz, Geschichte des Films, Bd. 3, S. 133f.
57. BA, R 109 II, vorl. 20.

Register der Filmtitel

Das Register umfaßt die Originalfilmtitel sowie die deutschen Verleih- und Übersetzungstitel. Dabei sind nicht nur abendfüllende Spielfilme erfaßt, sondern auch kurze Spielfilme, Dokumentar- und Berichtsfilme, sowie andere Streifen, die man als Kulturfilme bezeichnen kann. Bei ausländischen Filmen wurden – nach Möglichkeit – die Originaltitel in Klammern hinzugefügt. Angaben über Uraufführungstermine (U) befinden sich im Text. Soweit die Uraufführung in Berlin stattfand, wurde auf eine gesonderte Ortsangabe verzichtet. Bei Kurzfilmen sind nach Möglichkeit das Herstellungsjahr (H) oder das Zensurdatum (Z) angegeben. Fehlt bei Filmtiteln eine genauere Angabe, so handelt es sich um die normale 35mm-Fassung. Soweit der Verfasser Angaben über die Existenz weiterer Fassungen fand, sind diese unter Verwendung der u. a. Abkürzungen in das Register integriert:

SchS = Schmalstumm
SchT = Schmalton
NT = Normalton
Sch = Schmalfassung

Bei Filmvorhaben, die sich erst im Stadium der Vorarbeiten befanden, wurde die Bezeichnung »Projekt« angegeben. Erst nach dem Krieg fertiggestellte Filme sind als »Überläufer« bezeichnet.

909

910

Kommentiertes Personenregister

Die meisten Namen – mit Ausnahme der weltbekannten – erhalten kurze biographische Angaben. Der Hauptakzent liegt dabei auf den Jahren des Dritten Reiches. Nicht immer gelang es dem Verfasser, genauere oder sogar überhaupt irgendwelche Angaben zu finden. Bei den weiblichen (nicht selten aber auch bei den männlichen) Personen kann eine Gewähr für das oft kolportierte Geburtsjahr nicht übernommen werden. Allerdings bemühte sich der Verfasser, die richtigen Daten zu finden.

918

Ambesser, Axel von, eigtl. Axel E. A. von Österreich (1910), dt. Schauspieler (1934–36 Münchner Kammerspiele, 1936–44 Deutsches Theater Berlin), seit 1935 auch im Film: bis 1945 15 Filmrollen; auch Bühnenautor; nach 1945 in Österreich und der BRD als Schauspieler und Regisseur tätig. 109, 159, 243, 481, 543

Andam, F. D., eigtl. Friedrich Dammann (1911), dt. Dramaturg, Autor, Regisseur. 142, 567

Ander, Charlotte, eigtl. Andersch (1902–1969), dt. Schauspielerin, langjährig auf Berliner Bühnen, von 1929 bis in die Nachkriegszeit bekannt auch im Film (1933–38 fünf Rollen); im Dritten Reich teilweise unter Berufsverbot. 75, 157, 452

Andergast, Maria, eigtl. Pitzer (1912), österr. Schauspielerin, Tänzerin und Sängerin, hauptsächlich mit den Bühnen in Wien und Berlin verbunden; seit 1934 auch im Film: bis 1945 36 Rollen; verh. mit Heinz Helbig; nach 1945 weiterhin im Theater und Film eine gefeierte Darstellerin. 82, 124, 156, 289, 360, 394, 400, 436, 441, 458, 467, 483, 498, 520, 522, 534, 539, 540, 550

Anders, Günter (1908–1977), dt. Kameramann, ab 1922 Lehre bei der Ufa, 1934–39 ein fester Vertrag mit der Ufa, danach bei der Wien-Film; nach 1945 erfolgreiche Tätigkeit als Kameramann; 1961 Preis der Dt. Filmkritik und Bundesfilmpreis für beste Kameraführung. 41, 94, 164, 322, 348, 360, 371, 402, 437, 441, 849

Anders, Peter (1908–1954), dt. Opernsänger (Lyrischer Tenor), ab 1937 an der Staatsoper München, 1939 bis 1948 an der Staatsoper Berlin. 457

Andersen, Hans Christian (1805–1875), dän. Dichter. 444, 445

Andersen, Lale, eigtl. Elisabeth C. H. E. Bunterberg, dt. Schauspielerin und Chansonsängerin; 1933–38 im Theater in Zürich, 1938–42 im Berliner Kabarett der Komiker; bis 1943 und nach dem Krieg zahlreiche Gastspiele: 1956 spielte sie in P. Verhoevens »Wie einst Lili Marleen« mit; sie schrieb: »Der Himmel hat viele Farben. Leben mit einem Lied« (1972). 138, 351, 709

Andreas, Fred (Alfred), (1898–1965), dt. Schriftsteller, u. a. schrieb er Romane und Drehbücher. 142, 530, 560

Andrzejewska, Jadwiga (1915–1977), poln. Schauspielerin, bekannt aus Theater- und Filmrollen. 817

Angermayer, Fred (Anton), (1889–1951), österr. Schriftsteller, seit 1921 in Berlin, schrieb hauptsächlich Bühnenwerke, war auch Übersetzer und Regisseur (Theater, Rundfunk, Film). 140, 332

Angst, Richard (1905–1984), in Zürich geborener dt. Kameramann: er zählte zu den führenden Kameraleuten Deutschlands; 1971 Filmband in Gold. 40, 94, 239, 417, 507, 526

Anton, Karl (Karel), (1898–1979), dt. Filmregisseur und Drehbuchautor tschechischer Abstammung; von 1930–1960 inszenierte er 30 deutsche Spielfilme (1936–45 = 17 Filme). 39, 165, 298, 329, 337, 346, 363, 420, 431, 455, 467, 468, 469, 473, 480, 481, 529, 530, 543, 684, 796

Anzengruber, Ludwig (1839–1889), österr. Dramatiker. 480, 546

Arden, Robert, eigtl. R. Heymann (1879–1963), dt. Schriftsteller. 514

Arent, Benno von (1898–1956), dt. Bühnenbildner; 1936 Reichsbühnenbildner; 1942 Reichsbeauftragter für Mode im ProMi; Präsident der Kameradschaft der deutschen Künstler; ab 1932 in der NSDAP; 1944 freiwillige Meldung zur Waffen-SS, SS-Oberführer im Stabe RFSS; 1945–52 in der SU, dann in Berlin (West); er starb in Bonn. 107, 175, 468, 477

Argentina, Imperio, eigtl. Magdalena Nile del Rio (1906), span. Tänzerin, Schauspielerin und Liedersängerin. 130, 151, 455, 560, 639, 765, 808, 820, 834

Arletty, eigtl. Arlette-Léonie, Bathiat (1898), franz. Schauspielerin. 168

Asby, Jens, dt. Schauspieler. 482

Astor, Junie (1912–1967), franz. Schauspielerin. 839

Asztalos, Miklos, in Deutschland Nikolaus A. (1899), ungar. Historiker; schrieb auch Romane und Bühnenwerke. 576

Attenberger, Karl dt. Kameramann. 603

Auer, Ludwig (1881–1954), österr. Schauspieler und Theaterregisseur, ab 1902 Mitglied der Exl-Bühne; 1933–51 spielte er in 7 Filmen; 1942 Goldener Ehrenring der Stadt Innsbruck. 238, 546

August II (August der Starke), (1670–1733), König von Polen und Kurfürst von Sachsen (Friedrich A. I.) 713

Aulinger, Elise (1881–1965), dt. Schauspielerin, trat auf den Bühnen Münchens auf, seit der Stummfilmära wirkte sie auch im Film mit. 119, 157, 223, 269, 451, 522, 534, 535, 594, 603
Axmann, Artur (1913), Reichsjugendführer (1940). 589, 592

Baarova, Lida, eigtl. Babkova (1914), Schauspielerin tschechischer Abstammung, 1935–38 mit dem dt. Theater und Film (9 Rollen) verbunden, mußte wegen einer Liebesaffäre mit Goebbels Deutschland verlassen; trat später im tschechischen und (1942) italienischen Film auf; nach 1945 schauspielerische Tätigkeit in der BRD als Gast. 97, 129, 151, 190, 361, 428, 437, 457, 462, 577, 632, 633, 634, 649, 707
Bab, Julius (1880–1955), dt. Schriftsteller, Dramaturg und Kritiker; emigrierte 1940 in die USA und kehrte aus dem Exil nicht zurück. 636
Baberske, Robert (1900–1958), dt. Kameramann, seit 1917 im Film; nach 1945 bei der Defa. 38, 94, 312, 498, 515
Bach, Carl Philipp Emanuel (1714–1788), dt. Komponist, der 2. Sohn von J. S. Bach, als der »Berliner« oder »Hamburger Bach« bekannt. 439
Bach, Johann Sebastian (1685–1750), dt. Komponist. 144, 438, 439
Bach, Olaf, dt. Schauspieler. 535
Bach, Wilhelm Friedemann (1710–1784), dt. Komponist. 438
Bacmeister, Arnold, Dr., ORR, 1939–45 Chef der Filmprüfstelle. 25, 26, 430, 835, 843, 844, 845
Bade, Willfried (geb. 1906), dt. Beamter, auch Kulturfilmhersteller. 365
Baecker, Otto, dt. Kameramann. 497, 714
Bahr, Hermann, (1863–1934), österr. Schriftsteller und Kritiker. 111, 547, 548
Bahr-Mildenburg, Anna (1872–1947), österr. Opernsängerin (dramatischer Sopran) und Musikpädagogin; ab 1909 war sie mit dem Schriftsteller Hermann Bahr verheiratet. 174
Baky, Josef von (1902–1966), dt. Filmregisseur ungar. Herkunft, ab 1936 im dt. Film (seit 1939 Ufa); bis 1945 realisierte er 9 Filme; nach dem Kriege erfolgreiche Filmtätigkeit in der BRD bis 1961. 38, 85, 123, 165, 167, 255, 414, 469, 517, 522, 556, 634, 647, 672, 795
Ballasko, Viktoria von (1909), aus Österreich stammdende Schauspielerin, ab 1937 Th. am Schiffbauerdamm Berlin; ab 1936 wirkte sie auch im Film mit: bis 1945 20 Rollen. 97, 124, 156, 162, 181, 202, 216, 223, 230, 242, 274, 286, 402, 510, 519, 526, 527, 529, 547, 578
Balser, Ewald (1898–1978), in Deutschland geborener österr. Schauspieler, ab 1928 auf den prominenten Bühnen in Wien, München und Berlin; ab 1935 auch im Film: bis 1945 13 Rollen; Staatsschauspieler; nach dem Kriege ununterbrochen am Burgtheater in Wien. 102, 109, 158, 162, 172, 414, 481, 492, 511, 512, 522, 540, 549, 561, 566, 694
Balz, Bruno (1902), dt. Texter zahlreicher bekannter Schlager u. Lieder. 142, 148, 243
Balzac, Honoré de (1799–1850), franz. Romancier. 561
Bán, Frigyes (1902–1969), ungar. Schauspieler und Regisseur; 1939 Debüt in Filmregie. 808
Bánky, Viktor (1899), ungar. Filmregisseur. 842
Bánky, Vilma (geb. 1903), amerik. Schauspielerin ungar. Herkunft. 842
Barábas, Pál, in Deutschland Paul B., ungar. Bühnenautor. 572
Barbara, Paola (1912), italien. Schauspielerin (Theater, Film); 1943–1949 in Spanien; 1952 bis 1968 spielte sie in italien. Filmen. 833
Bard, Maria Luise (1900–1944), dt. Schauspielerin, ab 1931 auch Filmrollen; verh.: 1931 mit Werner Krauss, 1940 mit Hannes Stelzer; Staatsschauspielerin. 99, 157, 352, 544
Barey, Andor von, dt. Kameramann. 40
Barkhausen, Hans (gqb. 1906), dt. Kulturfilmregisseur, Archivar und Filmhistoriker; 1936 Organisator von Farb- und Stereofilm-Versuchen, langjährig im Reichsfilmarchiv. 218
Barlog, Boleslaw Stanislaus (1906), dt. Regisseur und Theaterleiter; im Dritten Reich arbeitete er viel im Film, zunächst als Regieassistent; 1941–44 schuf er für die Terra und Ufa 6 Filme; nach 1945 erfolgreiche Tätigkeit im Bereich des dt. Theaters. 39, 166, 274, 481, 529, 543, 570

920

Benatzky, Ralph (1884–1957), österr. Komponist und Autor; er verließ 1933 Deutschland, lebte zeitweilig in Wien, Paris und Hollywood, verbrachte seine letzten Jahre in Zürich; er schrieb Bühnenwerke, meistens Operetten und Chansons. 135, 464

Benitz, Albert (1904), dt. Kameramann, Schüler von A. Fanck; nach dem Krieg erfolgreiche Tätigkeit in der BRD. 40

Benkhoff, Fita, Frieda, Elfriede (1901–1967), dt. Schauspielerin, ab 1933 in Berlin: Dt. Theater, Volksbühne und auch im Film: bis 1945 52 Rollen in abendfüllenden Spielfilmen; nach dem Kriege Theater und Film in der BRD. 48, 120, 155, 162, 221, 225, 242, 268, 453, 463, 465, 467, 492, 499, 522, 536, 537, 544, 550, 552, 559

Bennett, Constance (1905–1965), amerik. Schauspielerin. 823

Bennett, Joan (1910), amerik. Schauspielerin. 821

Berg, Bengt Magnus Kristoffer (1885–1967), schwed. Kulturfilmregisseur, Ornithologe, Schriftsteller; im Dritten Reich galt er als persona grata. 295

Berger, Erna (verh. Wiull), (1900), deutsch-norwegische Opern- und Konzertsängerin (Koloratursopran); Hauptstationen ihrer Laufbahn führten von der Staatsoper Dresden (1926) über die Städtische Oper in Berlin (1930) zur Staatsoper Berlin (1934); Tourneen durch beinahe alle Länder der Erde; 1959 Gesangspädagogin in Hamburg. 445, 457, 660

Berger, Ludwig (1907–1963), dt. Schauspieler, Kameramann, Regisseur. 602

Bergius, Friedrich (1884–1949), dt. Chemiker, Generaldirektor der Deutschen Bergin-AG für Kohle und Erdölchemie in Geidelberg; Nobelpreisträger 1931; er starb in Buenos Aires. 411

Bergmann, Hans, dt. Schauspieler. 377

Bergmann, Hjalmar (1883–1931), schwed. Erzähler und Dramatiker. 566

Bergmann, Ingrid (1915–1982), schwed. Schauspielerin; sie gehörte zu den großen Stars des westeuropäischen und amerikanischen Films. 113, 137, 153, 634

Bergman, Vera (1920), Schauspielerin schwed. Herkunft; 1938 Debüt im dt. Film, danach filmte sie in Italien. 468

Bergner, Elisabeth (1897–1986), dt. Schauspielerin, seit 1921 gefeierte Darstellerin auf den Bühnen Berlins; sie trat auch in bekannten Filmen auf; 1933 emigrierte sie mit ihrem Mann, dem Regisseur P. Czinner, über Wien nach London. 111, 259, 803, 825

Berlioz, Hector (1803–1869), franz. Komponist. 840

Bern, Vera (1888–1967), in Österreich geborene dt. Schauspielerin und Schriftstellerin. 230

Berndorf, Hans Rudolf (1895–1963), dt. Schriftsteller und Journalist. 142

Bernhardt, Kurt (in den USA Curtis) (1899–1981), dt. Regisseur jüdischer Abstammung, ab 1933 im Exil; starb in den USA. 65

Bertram, Hans (1906), dt. Regisseur, Drehbuchautor, von Beruf Flieger; 1927–33 als Experte in China; ab 1938 im dt. Film; 1939–41 realisierte er als Regisseur 3 Filme; nach dem Krieg in der BRD Regisseur, Schriftsteller und Verleger. 90, 335, 373, 375, 376, 377, 434, 647, 761, 786

Beste, Konrad (1890–1958), dt. Schriftsteller, Erzähler, Dramatiker (hauptsächlich Lustspielautor), arbeitete für den Film und die Presse. 142, 487, 569

Bethge, Friedrich (1891–1963), dt. Schriftsteller, seit 1935 Dramaturg und stellvertr. Intendant der Städt. Bühnen Frankfurt/M; Gaukulturwart und Leiter der RSK in Hessen-Nassau; Mitglied des Präsidialrates RTK und RSK; Reichskultursenator; ab 1932 in der NSDAP und SS. 175

Bethge, Jeanette (1876–1943), dt. Schauspielerin, mit den Bühnen Berlins verbunden; sie trat in 21 Spielfilmen auf. 117, 443

Betsch, Roland (1888–1945), dt. Schriftsteller. 142

Beumelburg, Werner (1899–1963), dt. Schriftsteller, stark nationalsozialistisch, militaristisch und antikommunistisch engagiert. 347

Beyer, Hans Joachim, dt. Filmautor. 142, 472

Beyfuss, Erika (Fries) (1901), dt. Filmdramaturgin und Autorin. 40

Bever-Mohr, Walther, dt. Kulturfilmhersteller. 422, 685

Biebrach, Rudolf, dt. Schauspieler und Regisseur, schon mit dem Stummfilm verbunden; 1922–38 spielte er in 20 abendfüllenden Spielfilmen mit. 236

Bielik, Palo (1910–1983), slowak. Regisseur, Drehbuchautor und Schauspieler (1939–42) Narodni Divadlo Bratislava); nach dem Krieg als Regisseur und Schauspieler in der Tschechoslowakei tätig. 711

Bildt, Paul (1885–1957), dt. Schauspieler, bedeutender Charakterdarsteller; ab 1905 auf Berliner Bühnen: 1926–44 Staatstheater; auch im Film: 1933–45 83 Rollen in abendfüllenden Spielfilmen. 96, 105, 159, 199, 202, 216, 334, 361, 438, 496, 497, 521, 530, 538, 683

Billinger, Richard (1890–1965), österr. Schriftsteller. 141, 298, 415, 420, 437, 446, 535, 548, 549, 563, 669

Binding, Rudolf Georg (1867–1938), dt. Schriftsteller. 529, 675

Birabeau, André (1890–1974), franz. Bühnenautor. 561

Birgel, Willy (1891–1973), dt. Schauspieler, 1924–34 in München, dann in Berlin; er trat ab 1934 auch im Film auf, womit er große Popularität gewann: 1934–45 34 Rollen in abendfüllenden Spielfilmen; nach dem Krieg künstlerische Tätigkeit in der Schweiz und BTD; 1966 Filmband in Gold. 31, 113, 115, 127, 153, 162, 167, 171, 194, 287, 299, 301, 320, 335, 346, 349, 361, 385, 386, 415, 428, 446, 448, 458, 481, 508, 529, 537, 544, 551, 552, 574, 575, 649, 714

Birr, Horst, dt. Schauspieler, bis 1942 an den Bühnen Berlins, bis 1941 im Film. 377, 415

Bismarck (-Schönhausen), Otto Fürst von (1815–1898), dt. Staatsmann, Gründer des Deutschen Reiches von 1871. 196, 197, 198, 199, 200

Bizet, Alexandre César Léopold, genannt Georges (1838–1875), franz. Komponist. 455, 560

Björnson, Björnsterne (1832–1910), norweg. Dichter und Dramatiker, 1903 Nobelpreis. 565

Blasetti, Alessandro (1900), italien. Filmregisseur, Debüt in der Übergangszeit vom Stumm- zum Tonfilm; einen großen Umfang nehmen in seinem Schaffen historische Filme ein; auch bekannt als Schöpfer von heiteren Filmen; er schuf bekannte Filme auch nach 1945. 809, 810, 830

Bleibtreu, Hedwig (verh. Paulsen) (1868–1958), österr. Schauspielerin, trat auf den Bühnen in München, Wien (Ehrenmitglied des Burgtheaters) und Berlin auf; auch im Film tätig: 1935–45 23 Rollen in abendfüllenden Spielfilmen; im Dritten Reich durch »Goethe-Medaille« und Staatsschauspielerin-Titel geehrt. 155, 174, 243, 305, 396, 577

Bloch, Willi-Peter, dt. Kameramann. 38

Blue, Maria, amerikan. Schauspielerin. 821

Blumensaat, Georg (1901–1945), dt. Marschliederkomponist, Hauptbannführer in der HJ; 1940–43 Leiter der Gaumusikschule in Posen, zugleich Staatlicher Musikberater beim Reichsstatthalter Reichsgau Wartheland. 365, 596, 597

Blunck, Hans Friedrich (1888–1961), dt. Schriftsteller, 1933–35 Präsident der RSK. 173, 176, 487

Bochmann, Werner (1900), dt. Komponist, seit 1931 bei der Ufa; ab 1934 schuf er Musiken zu den Spielfilmen und Bühnenwerken; Mitarbeit mit dem franz., italien. und engl. Film; 1967 Filmband in Gold. 40, 145, 147, 148, 396, 546

Bock, Fedor von (1880–1945), Generalfeldmarschall (1940). 391

Bock, Hans Bertram. 507

Bock-Stieber, Gernot, dt. Kulturfilmhersteller. 249, 380

Boeheim, Olly, eigtl. Olga George (1891), dt. Romanautorin. 450

Boehlen, Hermann, dt. Kurzfilmhersteller. 380

Böhm, Ekkehard (^{X}1941), Dr. phil., Redakteur an der »Hannoverschen Allgemeinen Zeitung«. 188

Böhm, Karl (1894–1981), österr. Dirigent; Dr. jur. 442, 477

Böhme, Herbert A. (1897–1984), dt. Schauspieler, Filmrollen ab 1936; nach dem Krieg künstl. Tätigkeit (vor allem Theater und Rundfunk) in der BRD. 334, 348

Böhmelt, Harald (1900–1982), dt. Dirigent und Komponist, ab 1933 erfolgreich als Filmkomponist; er schrieb auch Musik für Bühne und Rundfunk. 144, 146, 147, 164, 242, 458, 572

Boehner, Fritz (1896–1959), dt. Filmproduzent, schuf unzählige Werbe-, Kultur-, Lehr-, Wirtschafts- und Dokumentarfilme. 274, 419, 603

Boehnert, Günther, dt. Kulturfilmhersteller. 597

Boerner, Klaus Erich (1915– vermißt 1943), dt. Schriftsteller, auch Lektor und Buchhändler. 526

Boese, Carl (1887–1958), dt. Filmregisseur, auch Drehbuchautor und Publizist, ein

Meister der Gattung des leichten Unterhaltungsfilms; 1933–45 schuf er 49 Spielfilme und nahm den ersten Platz unter den im Dritten Reich wirkenden Spielfilmregisseuren ein. 38, 79, 118, 165, 229, 453, 460, 461, 467, 479, 519, 530, 533, 535, 540, 634, 714, 795

Böttcher, Maximilian (1872–1950), dt. Schriftsteller, schrieb Dramen und Romane; ab 1937 in der NSDAP. 174, 214

Bohnen, Michael (1887–1965), dt. Opernsänger (Baß, 1922–33 Metropolitan Opera New York, 1933 bis 1944 Städtische Oper (Dt. Opernhaus) Berlin; 1945–47 Intendant der Städt. Oper Berlin (West). 159, 341, 454, 655, 713

Boie, Margarete (1880–1946), dt. Schriftstellerin. 487

Bokay, János, in Deutschland Johann von B. (1892–1961), ungar. Schriftsteller (Prosa, Dramen) und Übersetzer, von der Ausbildung her ein Rechtswissenschaftler. 573

Boldt, Johannes (1885–1953), dt. Schriftsteller, von Beruf Zollbeamter. 243

Bolvary, Geza von (1897–1961), aus Ungarn stammender dt. Filmregisseur (ab 1922 in Deutschland), von der Stummfilmzeit bis 1958 im Film tätig, gestaltete von der Regie her insgesamt 70 Filme, darunter 1933–45 33 in Deutschland und Österreich; arbeitete früher auch als Filmdramaturg und Journalist; bis 1945 war er Gutsbesitzer in Ungarn. 40, 41, 82, 85, 122, 130, 134, 165, 414, 415, 416, 441, 444, 446, 453, 456, 457, 462, 463, 467, 522, 650, 795, 796

Bolz, Walter (1906–1953), dt. Filmkaufmann, Produktionsleiter bei der Ufa (1944). 38

Bonhorst, Walter von, dt. Schnittmeister. 38

Bonnard, Mario (1889–1965), italien. Schauspieler und Regisseur. 830

Bonsels, Waldemar (1881–1952), dt. Lyriker, Erzähler, Dramatiker, auch Verfasser von Märchen-, Erlebnis- und Reisebüchern. 332

Boratto, Caterina (1916), italien. Schauspielerin, ab 1936 im Film. 829

Borberg, Svend (1888–1947), dän. Bühnenautor, Kritiker und Übersetzer. 315, 799

Borchert, Ernst Wilhelm (1907), dt. Schauspieler. 447, 507

Borel, Victor, schweiz. Kulturfilmhersteller. 420

Borgmann, Hans-Otto (1901–1977), dt. Komponist und Kapellmeister, seit Anfang der 30er Jahren schuf er Musik zu zahlreichen Spiel- und Dokumentarfilmen; nach 1945 künstlerische Tätigkeit in der BRD als freischaffender Komponist für Film und Rundfunk; Prof. 38, 129, 144, 145, 164, 193, 273, 274, 453, 498, 670

Borgstädt, Jam, dt. Film-Regisseur und -produzent. 294

Borsoda, Julius von (1902–1960), österr. Filmarchitekt. 41

Borsody, Eduard von (1898–1970), österr. Kameramann, ab 1937 selbständiger Filmregisseur: bis 1945 realisierte er 7 Filme; Drehbuchautor; bis 1963 im österr. Film, danach Prof. an der Akademie für Musik und Darstellende Kunst in Wien. 41, 88, 165, 297, 298, 396, 437, 480, 483, 518, 546, 556, 684, 795

Bortfeld, Hans Robert (1905–1955), dt. Regisseur. 94, 482

Bossi-Fedrigotti, Anton Graf von Ochsenfeld (1901), in Österreich geborener dt. Schriftsteller, auch Regisseur, Drehbuchautor, im Krieg Beamter des AA; seit 1933 in der NSDAP und SA. 333, 360

Bothmer, Otto von, dt. Kulturfilmhersteller. 234

Boyd, William (1898–1972), amerik. Schauspieler. 821

Boyer, Charles (1897–1978), franz. Schauspieler, langjährig im amerik. Film. 821

Boyer, Jean (1901–1965), franz. Filmregisseur (ab 1931) und Autor; 1952 debütierte Brigitte Bardot in seinem Film »Le trou Normand«. 839

Boyer, Lucienne, eigtl. Emilienne-Henriette B. (1903), franz. Sängerin. 130

Bracht, Fritz (1899–Selbstmord 1945), Gauleiter und Oberpräsident von Oberschlesien. 849

Brain, Tom, amerik. Schauspieler. 823

Brahms, Johannes (1833–1897), dt. Komponist. 439

Brandis, Helmut, dt. Drehbuchautor. 142, 438

Brandt, Karl (1904–hingerichtet 1948), dt. Arzt, Prof.; Bevollmächtigter für die Aktion T-4. 249

Bratt, Harald (1897–1967), dt. Schriftsteller, Autor von Bühnenwerken, Drehbüchern und Hörspielen; 1940–42 Dramaturg bei der Tobis-Film; er gewann nach 1945 große Popularität als Hörspielautor im Rundfunk der BRD und im BBC. 216, 242, 250, 337, 341, 451, 453, 455, 511, 541, 551

Brauchitsch, Walter von (1881–1948), Generalfeldmarschall (1940), Oberbefehlshaber des Heeres. 192, 390, 410

Brauer, Peter Paul (1900–1959), dt. Drehbuchautor und Filmregisseur; 1938–44 Regie in 11 Spielfilmen; von April 1939 bis November 1940 Produktionschef der Terra; Mitglied der NSDAP; nach dem Krieg in der BRD (Mitarbeit mit H. Deppe). 244, 256, 313, 460, 506, 508, 541, 634, 708

Braun, Alfred Johann (1888–1978), dt. Schauspieler, Regisseur (Rundfunk, Theater), Drehbuchautor, ab 1944 auch Filmregie; nach 1945 in der BRD und Berlin: Intandant des Senders Freies Berlin. 91, 195, 481, 494, 650, 669, 675, 684

Braun, Eva (1912–1945), Lebensgefährtin Adolf Hitlers. 687

Braun, Curt Johannes (1903–1961), dt. Schriftsteller, schrieb Romane, Bühnenwerke und zahlreiche Drehbücher. 141, 142, 259, 269, 363, 453, 493, 520, 522, 539, 543, 544, 566

Braun, Frank (1895), dt. Schriftsteller, Lektor, verfaßte mehrere Kriminalromane. 519

Braun, Harald (1901–1960), dt. Journalist, seit 1938 auch Drehbuchautor und 1942 Filmregisseur: bis 1945 insgesamt 5 Filme; nach dem Krieg in der BRD als Filmregisseur und Produzent tätig. 38, 91, 166, 335, 439, 449, 470, 493, 496, 500, 564, 657

Braun, Hermann (gefallen 1945), dt. Schauspieler. 377, 541

Brauner, Per Axel (1899–1975), schwed. Regisseur. 308

Brausewetter, Hans (1899–1945), dt. Schauspiel- und Operettenakteur, mit den Bühnen Berlins verbunden; 1939 Staatsschauspieler; seit dem Stummfilm zahlreiche Rollen: 1933–45 = 54. 173, 229, 234, 243, 362, 396, 427, 458, 467, 470, 504, 508, 516, 521, 529, 535, 543, 573, 683

Brazzi, Rossano (1917), italien. Schauspieler (Theater, Film), wirkte auch im dt. Film mit. 427, 446, 653, 834

Brecht, Bert(olt) (1898–1956), dt. Dramatiker, Theatertheoretiker und Regisseur. 66, 83, 93

Brehm, Beppo (1906), dt. Schauspieler, trat auf den Bühnen Münchens auf, ab 1932 wirkte er auch oft im Film mit; im Krieg, obwohl von 1940–45 Soldat, spielte er weiterhin im Film mit; nach dem Krieg künstl. Tätigkeit in der BRD (Film, Theater, Fernsehen); 1970 Bayer. VO. 245, 430

Breidahl, Axel Daniel (1876–1948), dän. Bühnenautor, Komponist, Regisseur und Publizist. 566

Breker, Arno (1900), dt. Bildhauer und Maler. 277, 412

Bremen, Carl von (geb. 1905, gefallen 1941), dt. Schriftsteller. 487

Brennan, Walter (1894–1974), amerik. Schauspieler. 821, 824

Brennecke, Joachim (1919), dt. Schauspieler, 1938–44 Staatstheater Berlin, ab 1940 auch Film. 161, 383, 394, 395, 396, 406, 683

Brennert, Hans (1870–1942), dt. Schriftsteller (vor allem Bühne und Film), eng mit Berlin verbunden. 500

Bressart, Felix (1893–1949), »der Komiker mit der großen Nase«, vor allem aus seinen Kabarett- und Filmrollen bekannt; 1933 emigrierte er in die Schweiz, 1938 nach Hollywood. 825

Breuer, Siegfried (1906–1954), österr. Schauspieler (Theater und Film); 1939–45 22 Rollen in abendfüllenden Spielfilmen. 112, 158, 254, 259, 260, 316, 329, 417, 430, 449, 463, 467, 544, 549, 551, 555, 578, 684

Brieger, Theodor, Drehbuchautor. 307

Brignone, Guido (1887–1959), italien. Filmregisseur, im Film seit 1915. 454, 831, 834

Brink, Elga (1906), dt. Schauspielerin; seit 1929 wirkte sie auch im Film mit; 1933–45 20 Rollen in abendfüllenden Spielfilmen. 426

Britting, Georg (1891–1964), dt. Schriftsteller, schrieb erzählende Prosa, Lyrik und Dramen; zahlreiche Preise; Mitglied der Bayerischen Akademie der Schönen Künste und der Berliner Akademie der Künste; 1959 Großes Verdienstkreuz des Bundesverdienstkreuzes der BRD. 487

Brix, Hermann (1912), österr. Schauspieler, Theater, Film, Rundfunk (hier auch Regisseur). 256

Broehl-Delhaes, Christel (1904–1943), dt. Schriftstellerin. 521

Brommer, Joachim Friedrich, Drehbuchautor. 472

Bronnen, Arnolt, eigtl. Bronner (1895–1959), österr. Dramatiker, Erzähler, Publizist. 96

Brooks, Thor L. (geb. 1907), schwed. Regisseur. 844

Bruckbauer, Georg (1900), in Österreich geborener dt. Kameramann, schon im Stummfilm tätig. 39

Bruckner, Anton (1824–1896), österr. Komponist. 224, 476

Brües, Otto (1897–1967), dt. Journalist und Schriftsteller, vorwiegend Dramatiker und Erzähler. 333, 487

Brühne, M. Lothar (1900–1958), dt. Komponist, von 1937 an bis in die Nachkriegsjahre schrieb er vor allem Filmmusik. 135, 145, 147, 148, 458, 512, 574

Buch, Fritz Peter (1894–1964), dt. Regisseur (1924–33 Oberspielleiter in Frankfurt/M), Bühnen- und Filmautor, ab 1935 auch Filmregie. 84, 122, 166, 225, 265, 297, 329, 453, 481, 496, 500, 508, 526, 538, 541, 578, 589, 631, 647

Buchanan, Jack (1891–1957), engl. Schauspieler und Filmproduzent. 817

Buchholz, Gerhard T. (1898–1970), dt. Schriftsteller, Maler, Bühnenbildner, Drehbuchautor und Filmautor; er starb in Berlin. 142, 312, 499, 529, 574

Buchlow, Maria von, Schauspielerin. 460

Buckow, Friedl. Schnittmeister. 40

Buday, Dénes von (1894–1963), ungar. Komponist, seit 1937 auch Mitarbeit im Film. 414

Buder, Ernst Erich Emil (1896 oder 1891–1962), dt. Komponist und Dirigent; er schuf Bühnen- und Filmmusik, auch Kammer- und sinfonische Musik. 145, 146, 803

Bülow, Hans Guido Freiherr von (1830–1894), dt. Pianist und Dirigent. 442

Bürckel, Josef (1895–vermutl. Selbstmord 1944), Gauleiter des Gaues Rheinpfalz, seit 1935 zugleich Regierungschef des Saarlandes, im Kriege Chef der Zivilverwaltung in Lothringen, vorübergehend Reichsstatthalter in Wien. 418, 441

Bürger, Bertold – s. Kästner, Erich. 303, 672

Buhre, Werner (1901), Dr., dt. Kulturfilmregisseur und Autor. 475

Bunje, Karl (1897), dt. Schriftsteller, 1937 aus dem Beamtenberuf ausgeschieden; von der aktiven Teilnahme am plattdeutschen Theater kam er zum literarischen Schaffen. Er schrieb mehrere Bühnenstücke. 176, 533

Burg, Monika eigtl. Poulette von Suchan, (1914), in Wien geborene Tänzerin und Schauspielerin, seit 1941 im dt. Film; nach dem Krieg machte sie unter dem Namen Claude Farell eine beachtliche Karriere. 128, 162, 400, 454, 480, 530

Burgmüller, Herbert (1913–1970), dt. Bibliothekar, Journalist und Schriftsteller. 142

Burri, Emil, eigtl. Hesse (1902), dt. Autor (Theater, seit 1933 auch Film), Textdichter, Regisseur, ab 1933 freier Schriftsteller. 142, 194, 320, 474, 511, 522, 532, 551

Burte, Hermann, eigtl. Strübe (1879–1960), dt. Schriftsteller: Bühnendichtung, Lyrik, Roman, Kunst, auch ein Malerdichter. 173

Busch, Richard, franz. Filmregisseur. 820

Busse, Eris Hermann (1891–1947), dt. Schriftsteller, Komponist, von Beruf Volksschullehrer. 487

Butler, David (1894–1979), amerik. Schauspieler und Filmregisseur. 824

Buzzel, Edward (1897), amerik. Filmregisseur. 823

Caesar, Gajus Julius (100–44 v. Chr.), röm. Feldherr, Staatsmann und Schriftsteller. 413

Calzavara, Flavio (1900), italien. Regisseur, tätig auch im Film.

Camerini, Mario (1895–1981), italien. Filmregisseur. 830

Campogalliani, Carlo, italien. Filmregisseur. 805

Čap, František (Franz), (1913–1972), tschech. Drehbuchautor und Filmregisseur; nach dem Krieg Regietätigkeit in der BRD und in Jugoslawien, wo er auch starb. 841

Capra, Frank (1897), amerik. Filmregisseur. 759

Carl, Rudolf (1899), österr. Schauspieler, trat auf den Theater- und Kabarettbühnen Wiens und Berlins auf; von 1934 bis in die Nachkriegsjahre Komiker unzähliger Kinofilme; 1934–45 63 Rollen in österr. und dt. Spielfilmen, insgesamt über 250 Rollen im Film; er schrieb: »Mein Leben war lebenswert«. 112, 131, 159, 420, 431, 462, 550

Carste, Hans, eigtl. Hans Friedrich August Häring, (1909–1971), dt. Komponist, besonders erfolgreich in Film- und Mikrophon-Musik; 1961 erhielt er den »Paul-Lincke-Ring« der Paul-Lincke-Gesellschaft. 145, 146

Carstens, Lina (1892–1978), dt. Schauspielerin, seit 1915 an den Bühnen, u. a. Leipzig, Hamburg, München, 1937–44 Volksbühne Berlin; nach dem Krieg u. a. Stuttgart und München; ab 1935 auch Filmtätigkeit: bis 1942 24 Rollen in abendfüllenden Spielfilmen. 96, 121, 156, 217, 274, 500, 515, 574

Casadesus, Henri-Gustave (1879–1947), franz. Bratschist und Komponist. 269

Caspar, Horst (1913–1952), dt. Schauspieler, trat auf den Bühnen in Bochum, München (1938–40 Kammerspiele) und Berlin (1940–44 Schillerth.), ab 1942 im Burgtheater Wien auf; 1942 und 1945 zwei Filmrollen. 115, 159, 195, 203, 683, 684

Cebotari, Maria (1910–1949), österr. Sängerin (hoher Sopran), debütierte 1930 in Dresden, ab 1935 Mitglied der Berliner, ab 1947 der Wiener Staatsoper; trat auch auf der Sprechbühne und im Film – vorwiegend in sentimentalen Rollen – auf; verheiratet mit dem Schauspieler Gustav Dießel. 155, 346, 349, 413, 453, 454, 456, 828, 830

Cervi, Gino (1901–1974), italien. Schauspieler, wirkte ab 1932 im Film mit. 830, 833

Chamberlain, Joseph (Joe) (1836–1914), engl. Politiker, 1895–1903 Kolonialminister im Kabinett Salisbury; sein Programm trug zum Ausbruch des Burenkrieges bei. 338

Chang Mei-Sheng, chines. Filmregisseur. 837

Chaplin, Charlie (Charles Spencer) Sir (1889–1977), Filmschauspieler, Regisseur und Produzent. 317, 825

Chevalier, Maurice (1888–1972), franz. Schauspieler und Chansonsänger. 733, 817

Chopin, Fryderyk (Frédéric) (1810–1849), poln. Komponist. 190

Christian-Jaque (eigtl. Christian Maudet) (1904), franz. Filmregisseur. 840

Christie, Gay, dt. Schauspielerin. 225

Churchill, Winston (1874–1965), engl. Staatsmann, 1940–45 Premierminister. 593

Ciano, Galeazzo (1903–hingerichtet 1944), italien. Politiker, 1936–43 Außenminister. 828

Clair, René, eigtl. René Lucien Chomette (1898), franz. Regisseur, Filmtheoretiker und Schriftsteller. 82, 760, 817

Claudius, Marieluise (1912–1941), dt. Schauspielerin, ab 1933 am Lessing-Th. in Berlin; wirkte auch im Film mit: 1933–40 17 Rollen in abendfüllenden Spielfilmen. 151, 334, 426, 535, 563, 565

Claunigk, Erich, dt. Kameramann. 40, 152, 156

Clausen, Claus, dt. Schauspieler, seit 1919 bühnentätig, ab 1930 auch im Film; 1934–44 an den Bühnen Berlins; nach 1945 künstl. Tätigkeit in der BRD (u. a. Th. Bochum, Essen), Fernsehen; auch Regisseur. 160, 301, 334, 370

Clever, Willy (geb. 1905), dt. Autor, seit 1932 Zusammenarbeit mit Film. 259, 386

Clouzot, Henri Georges (1907–1977), franz. Regisseur, Theater- und Filmautor. 839

Collande, Gisela von (1915–1960), dt. Schauspielerin, 1934–44 Dt. Theater in Berlin; 1936–43 trat sie in 9 Filmen auf; nach dem Kriege schauspielerische und schriftstellerische Tätigkeit in der BRD. 156, 371, 672

Collande, Volker von, Bruder von Gisela v. C., eigtl. von Mitschke (1913), dt. Schauspieler, Regisseur, Theaterleiter, 1933–42 Staatstheater Berlin; auch im Film tätig als Schauspieler, Regisseur (1942–44 vier Spielfilme) und Drehbuchautor; 1965 Intendant des Stadttheaters Regensburg. 113, 161, 244, 342, 400, 574, 589, 671, 694

Colman, Ronald (1891–1958), amerik. Filmschauspieler. 821

Cooper, Gary (Frank J.) (1901–1961), amerik. Filmschauspieler. 821

Corell, Ernst Hugo (1882–1942), 1928–1939 Produktionschef bei der Ufa. 69

Corinth, Curt (1894–1960), dt. Dramatiker, Roman- und Filmschriftsteller, auch Lyriker; im Dritten Reich wurden einige seiner Werke verboten; zu dieser Zeit arbeitete er als Journalist und (1939) als Dramaturg bei der Ufa; nach dem Krieg zunächst in der BRD; 1955 übersiedelte er in die DDR. 526

Cortan, F. B., eigtl. Rudolf Beißel. (1894), dt. Schriftsteller, Übersetzer, Herausgeber; ab 1935 auch Drehbuchautor. 520

Cortese, Leonardo (1915), italien. Schauspieler und Regisseur. 833

Coubertin, Pierre Baron de (1863–1937), franz. Sportsmann. 281

Coubier, Heinz, eigtl. H. Kuhbier (1905), dt. Dramaturg und Regisseur, 1935–45, und seit 1957 freier Schriftsteller. 142, 484, 710

Cuny, Louis (1907–1962), franz. Regisseur. 269

Cremers, Paul Joseph (1897–1941), dt. Bühnen- und Filmautor. 202, 203, 204

Csathó, Kálmán, in Deutschland von C. (1881–1964), ungar. Schriftsteller: Dramen, Romane, Erzählungen. 574

Cürlis, Hans (1889–1982), dt. Kunsthistoriker, Kulturfilmregisseur. 53, 475, 655, 686

Cukor, George (1899–1983), amerik. Filmregisseur, nach 1980 der älteste noch arbeitende Hollywood-Regisseur. 558, 825

Curry, Manfred, dt. Kulturfilmhersteller. 224, 285

Czepa, Friedl, eigtl. Friederike Pfaffender-Wanka (1898–1973), österr. Schauspielerin, trat auf den Bühnen Wiens auf (1940 übernahm sie die Direktion des Wiener Stadttheaters), ab 1935 auch im Film; bis 1944 14 Rollen in österr. und dt. Filmen; nach 1945 künstl. Tätigkeit in Wien. 124, 156, 441, 463, 521, 546, 570

Cziffra, Geza von (1900), Bühnen- und Filmautor, Filmregisseur ungar. Herkunft, seit 1923 ständig in Deutschland; auch Erzähler, Übersetzer und Lyriker; 1945–48 Filmproduzent in Wien; bis 1985 führte er Regie an 73 Spielfilmen (1943–45: 4) und schrieb 138 Drehbücher; 1982 österr. Ehrenkreuz für Wissenschaft und Kunst. 11, 41, 142, 166, 242, 431, 444, 463, 465, 470, 471, 483, 484, 511, 518, 519, 522, 538, 576, 631, 657, 709

Czinner, Paul (1890–1972), aus Ungarn stammender Regisseur, nach dem 1. Weltkrieg schuf er in Deutschland bekannte Filmwerke; 1933 ging er nach England, wo er auch, als brit. Staatsangehöriger, blieb; 1967 in der BRD Filmband in Gold. 259, 558, 803

Dagover, Lil, eigtl. Martha Maria Lilitts, verh. Witt (1887–1980), dt. Schauspielerin, ab 1919 im Film; wirkte auch am Theater mit (u. a. Salzburger Festspiele, Dt. Theater Berlin, vor allem aber Gastspiele); mit ihrem Namen sind einige bedeutende deutsche Stumm- und Tonfilme verbunden (1933–44 insgesamt 23 Rollen); sie filmte auch in Hollywood und in Frankreich; hielt ihre künstlerische Position bis in die fünfziger Jahre; 1962 Filmband in Gold; 1979 erschien ihre Autobiographie: »Ich war die Dame«. 116, 117, 155, 171, 204, 302, 446, 451, 462, 543, 559, 560, 577, 633, 649, 664, 713

Dahlke, Paul (1904–1984), dt. Schauspieler, Schüler von M. Reinhardt, danach langjährig an den Bühnen Berlins (1934–44 Deutsches Th.); bedeutender, »starker« Charakterspieler; ab 1934 auch im Film: bis 1945 46 Rollen in abendfüllenden Spielfilmen; erhielt 1937 als jüngster seines Berufs den Titel Staatsschauspieler; nach 1945 Theater, Film, Fernsehen in der BRD; 1966 Kulturpreis der Pommerschen Landsmannschaft. 96, 113, 159, 230, 259, 260, 314, 427, 428, 444, 460, 479, 483, 492, 519, 530

Dahlström, dt. Regisseur (Dokumentarfilm) und Produktionsleiter; 1944 eingezogen. 407

Dahmen, Josef (1903–1985), dt. Schauspieler, seit Anfang der dreißiger Jahre an den Bühnen Berlins, ab 1931 auch im Film tätig: 1933–45 40 Rollen; nach 1945 Theater, Film und Fernsehen in der BRD; kreierte insgesamt über 100 Filmrollen; verheir. mit Gisela von Collande. 348, 378, 385, 430, 454

Dalman, Josef, eigtl. Dallmeier (1882–1944), dt. Autor. 497, 498

Dal Monte, Toti, eigtl. Antonietta Meneghelli (1899), italien. Opernsängerin (Koloratursopran), international bekannt; sang an den bedeutendsten Bühnen der Welt; ab 1943 pädagogische Tätigkeit. 830

Dammann, Anna, eigtl. Edith Geese (1912), dt. Schauspielerin, trat auf den bedeutenden Bühnen Berlins auf; auch im Film tätig; 1939–43 vier Rollen; nach 1945 künstlerische Tätigkeit in der BRD. 122, 155, 336, 502, 503, 504, 526, 528

Dammann, Gerhard, dt. Schauspieler, wirkte am Theater und seit der Stumm-Ära auch im Film mit: 1933–45 105 Filmrollen; 1934 einmalige Filmregie. 106, 216, 430

Danegger, Theodor, eigtl. Deutsch (1885/1891–1963), österr. Schauspieler, entstammte einer Schausp.familie; von 1932 bis in die Nachkriegsjahre spielte er auch im Film mit. 112, 245, 258, 460

Dannemann, Karl (1896–Freitod 1945), dt. Schauspieler, betätigte sich auch als Maler und Autor; ab 1932 im Film: bis 1945 spielte er in ca. 50 Filmen mit. 112, 336, 530

Darré, Richard Walter (1895–1953), NS-Politiker, Reichsbauernführer, Reichsernährungsminister. 391

Darrieux, Danielle (1917), franz. Schauspielerin, zählte zu den populärsten Filmschauspielerinnen Frankreichs, zunächst als die typische »Mademoiselle« des französischen Films, danach als Darstellerin reifer Frauen. 350, 728, 733, 838, 839

928

Datzig, Elfriede (1922–1946), österr. Schauspielerin. 156, 162, 498, 554
Daub, Ewald (1889–1946), dt. Kameramann, 1930–1945 beim Film. 40
Daudert, Charlott (1913–1961), dt. Schauspielerin (Theater, Kabarett), wirkte auch bis in die Nachkriegszeit im Film mit: 1934–45 trat sie in 39 abendfüllenden Filmen, ferner auch in Kurzfilmen auf. 121, 157, 659
Debar, Margit, dt. Schauspielerin, episodisch auch im Film tätig. 127
Deburau, Jean-Gaspard (auch Jean-Baptiste D.) (1796–1846), franz. Pantomime. 201
Decoin, Henri (1896–1969), franz. Regisseur und Filmautor, ab 1929 im Film (zunächst bei Tourjansky, Gallone); u. a. realisierte er bekannte Filme mit D. Darrieux. 728, 838, 839
De Curtis, Ernesto (1875–1937), italien. Komponist. 453, 454
Degrelle, Léon (1906–1979), Führer des belgischen Faschismus. 734
Deinert, Ursula, dt. Schauspielerin, Solotänzerin, von 1936–41 wirkte sie auch im Film mit. 222, 312, 378, 468
Delair, Susy, eigtl. Susanne Delaire (1917), franz. Schauspielerin. 839
Del Ruth, Roy (1895–1961), amerik. Filmregisseur. 823, 824
Delschaft, Maly (1902/1905), dt. Schauspielerin, im Film seit der Stumm-Ära; 1933–44 in 13 abendfüllenden Filmen; nach 1945 trat sie nicht selten in den Defa-Filmen auf, sonst künstlerische Tätigkeit vor allem in Berlin (West); 1970 Filmband in Gold. 225, 473
Deltgen, René (1909–1979), dt. Schauspieler; Köln, Frankfurt/M, ab 1936 Berlin (Th. in der Saarlandstraße, Volksbühne, Schiller-Th.); Filmtätigkeit ab 1935; bis 1945 34 Rollen; vor 1945 sportl.-männl. Typ; 1939 Staatsschauspieler; nach dem Krieg gehörte er zu den prominenten Schauspielern in der BRD (Theater, Film, Fernsehen); zeitweilig auch im Züricher Schauspielhaus; 1954 staatl. Filmpreis. 69, 91, 114, 159, 162, 173, 230, 255, 289, 297, 298, 299, 314, 334, 394, 399, 427, 428, 437, 473, 496, 518, 565, 566, 682
Demandowsky, Ewald von (1906–verschollen 1945), dt. Schauspieler, Autor, Theater- u. Filmreferent beim »Völkischen Beobachter«; 1937 Reichsfilmdramaturg, später Produktionschef bei der Tobis; verheiratet mit der Schauspielerin Lena Norman. 24, 39, 168, 660
Deppe, Hans (1897–1969), dt. Schauspieler, Regisseur (auch Kabarett und Puppenspiel), Bühnenautor und Publizist; 1934–45 realisierte er als Regisseur 31 abendfüllende Spielfilme. 84, 166, 225, 229, 304, 479, 480, 488, 493, 497, 498, 529, 540, 542, 633, 795
De Robertis, Francesco (1902–1959), italien. Filmregisseur. 809, 833
De Sica, Vittorio (1902–1974), italien. Filmschauspieler und Regisseur. 453, 643, 808, 829, 830, 833
Deyers, Lien, Schauspielerin, bis 1935 Star des deutschen Unterhaltungsfilms (1933–35: 13 Hauptrollen). 225, 453, 457, 461, 650
Diehl, Karl Ludwig (1896–1958), dt. Schauspieler, gehörte zu den bedeutendsten Darstellern seiner Zeit; trat an den Bühnen Münchens und Berlins auf; im Kriege nur gelegentlich am Theater (Mitglied der RFK); langjährig im Film: 1933–45 29 (meistens) Hauptrollen; 1957 Bundesverdienstkreuz 1. Kl. 90, 104, 109, 151, 153, 162, 171, 183, 199, 255, 330, 336, 341, 360, 382, 395, 445, 496, 511, 528, 556, 559
Diels, Hendrik (1901), belg. (flämische) Dirigent, Schüler von F. Weingärtner, auch Regisseur, Komponist und Kritiker; seit 1931 an der Königl. Oper in Antwerpen, im Krieg ihr Direktor, seit 1939 an der Philharmonie; Ehrendirigent der Oper in Köln; nach 1945 künstl. Tätigkeit in Holland, Frankreich, in der BRD und in Belgien. 799
Diels, Joris M. (1903), belg. (flämischer) Schauspieler und Regisseur, Bruder des Vorgenannten; auch Übersetzer; 1935 bis 1945 Koninklijke Nederlandse Schouwburg in Antwerpen, 1942 Generalintendant der Städtischen Bühnen in Antwerpen; nach 1945 in Holland. 799
Diernhammer, Hans (1899–1952), dt. Komponist, schrieb u. a. Musiken zu Kulturfilmen. 146
Diesel, Eugen (1889–1970), Sohn v. Rudolf D. und sein Biograph. 384, 385
Diesel, Rudolf (1858–1913), Erfinder des Dieselmotors. 384, 385, 386, 524
Diessl, Gustav (1899–1948), österr. Schauspieler, Ehemann von Maria Cebotari; vor

allem durch seine Filmrollen bekannt; 1933–45 27 Rollen. 107, 159, 288, 297, 329, 342, 346, 413, 425, 449, 469, 518, 683, 807

Dietrich, Marlene, adoptiert als Maria Magdalena von Losch (1901 in Berlin geborene deutsch-amerikan. Schauspielerin, errang in Vamp-Rollen Weltruhm. 66, 118, 134

Dietrich, Otto (1897–1952), Reichspressechef der NSDAP. 391

Dietz, Curt (Kurt) Reinhard (1896–1949), dt. Schriftsteller u. Journalist. 520

Diller-Neumann, Charlotte, eigtl. Bergmann, dt. Schauspielerin (Stummfilm), danach erfolgreiche Drehbuchautorin; schrieb meistens zusammen mit W. Wassermann. 202, 203, 222, 247, 254, 346, 453, 514, 518, 543, 548

Disney, Walt, eigtl. Walter Elias (1901–1966), amerik. Zeichenfilmregisseur und Produzent. 602, 635, 760, 848

Ditmar, Marina von, vereh. Dehnhardt (1914), dt. Schauspielerin, mütterlicherseits russ. Abstammung, geb. in Petersburg; wirkte an verschiedenen Bühnen, u. a. in Bremen und bis 1942 Volksbühne Berlin; ab 1933 auch im Film: bis 1945 24 Rollen; trat auch im Kurzfilm auf. 156, 211, 263, 348, 352, 378, 430, 451

Doelle, Franz (1883–1965), dt. Komponist und Kapellmeister, schrieb seit 1932 bis in die Nachkriegszeit über 80 Filmmusiken, ferner Operetten und Unterhaltungsmusik. 145, 146, 147, 148, 384, 458

Dönitz, Karl (1891–1980), dt. Großadmiral, Nachfolger Hitlers, vollzog 1945 die Kapitulation der dt. Wehrmacht. 387

Dörfler, Anton (1890–1981), dt. Schriftsteller und Journalist, von Beruf Lehrer. 487

Dörfler, Ferdinand (gest. 1965), dt. Autor, Schauspieler, ab 1940 Filmregisseur, Theaterleiter und Filmtheaterbesitzer. 535

Döring, Gerog (1914), dt. Schriftsteller. 142, 491

Dohm, Will (1897–1948), dt. Schauspieler, ab 1928 Münchner Kammerspiele, ab 1937 Staatstheater Berlin; bedeutender Charakterdarsteller; Hauptbedeutung gewann er aber als Komiker; 1942 Staatsschauspieler; ab 1932 auch im Film; 1933–45 47 Rollen; zeitweilig verheiratet mit H. Finkenzeller. 158, 283, 465, 524, 530, 547, 550, 561, 569, 671

Domgraf-Fassbänder, Willi / die Schreibweise nach Riemann-Musik-Lexikon / (1897–1948), dt. Opernsänger (Bariton), erwarb sich internationalen Ruf; ab 1930 an der Berliner Staatsoper; 1942 Kammersänger; tätig auch im Film: 1933–40 drei Rollen; nach 1945 künstl. Tätigkeit in der BRD u. a. im Fach der Opernregie. 434, 490

Domin, Friedrich (1902–1961), dt. Schauspieler, einer der bedeutendsten Darsteller der Münchner Bühnen (Kammerspiele); auch Regisseur; 1939 Staatsschauspieler; einige Rollen auch im Film. 160, 448, 451, 522, 534, 549, 555

Domina, Fritz, dt. Komponist; 1933–37 schuf er auch Musik zu den deutschen Spielfilmen. 214

Domnick, Hans (1909–1985), dt. Schnittmeister, Autor und Filmproduzent: Hans-Domnick-Produktion in Göttingen. 38

Donat, Stefan, ungar. Autor. 570, 572

Dongen, Fritz van (1903), Schauspieler holl. Abstammung, trat in holl., dt. und amerikanischen Filmen auf. 131, 153, 502

Donskoi, Mark (1901–1981), sowjet. Filmregisseur. 850

Dora, Josefina, eigtl. Emilie Skuhra, Worlitsch (1867–1944), aus Österreich stammende dt. Schauspielerin. 448

Dorsay, Robert, eigtl. R. Stampa (1899–hingerichtet 1943), dt. Schauspieler und Chansonsänger, einige Jahre an der Komischen Oper und Admiralspalast Berlin tätig, wirkte auch im Film mit (abendfüllender Spielfilm, Kurzfilm). 161, 179, 430, 714

Dorsch, Käthe (Katharina Liedtke-Dorsch) (1890–1957), dt. Schauspielerin, gewann im Bereich des deutschsprachigen Theaters außergewöhnliche Popularität, spielte an den bedeutendsten Bühnen Deutschlands und Österreichs; wirkte auch im Film mit: 1936–45 neun Rollen. 106, 117, 150, 155, 168, 254, 349, 449, 479, 518, 552, 559, 560

Dortenwald, Rudolf (1905–1962), dt. Schriftsteller, schrieb zahlreiche Romane (hauptsächlich Kriminalromane), Dramen, auch Drehbücher. 520

Dory, René, franz. Schauspieler. 839

Dostal, Nico (1895–1981), österr. Komponist, schrieb Operetten, Filmmusiken, auch populäre Unterhaltungsmusik; gilt als einer der letzten Vertreter der nachklassischen Operettenperiode. 41, 146, 238, 298, 460, 466

Dostojewskij, Fjodor Michailowitsch (1821–1881), russ. Schriftsteller. 576, 577, 634

Douglas, Melvyn (1901), amerik. Schauspielerin. 823

Doyle, Sir Arthur Conan (1859–1930), Verfasser umfangreicher Detektivliteratur aus Schottland. 424

Dreville, Jean (1906), franz. Regisseur und Autor. 839

Drew, Ellen (Terry Ray), (1915), amerik. Schauspielerin, bis 1967 im Film. 821

Drews, Bertha (1901), dt. Schauspielerin, Ehefrau von H. George; trat an den Berliner Bühnen auf; wirkte auch im Film mit: 1933–45 Rollen in 9 abendfüllenden Spielfilmen; nach 1945 künstl. Tätigkeit in der BRD; 1981 Filmband in Gold. Schrieb Erinnerungen:»Wohin des Wegs?« 120, 156, 369, 530

Dreyer, Max (1862–1946), dt. Dramatiker, Erzähler, Lyriker. 174, 488, 632

Dudow, Slatan (1903–verunglückt 1963), dt. Regisseur bulgar. Herkunft, seit 1922 in Berlin; er war Assistent bei F. Lang und G. W. Pabst, 1932 drehte er seinen ersten eigenen Film »Kuhle Wampe«, den ersten deutschen, übrigens wenig gelungenen, Tonfilm aus dem Leben der Arbeiter; nach 1933 im Exil; nach dem Krieg Zusammenarbeit mit der DEFA. 66

Dürnhöfer, Kurt, dt. Filmarchitekt. 40

Düwell, Richard H. (1902–hingerichtet 1944), dt. Theaterkritiker, Journalist, seit 1933 Reporter im Rundfunk, danach beim Film als Pressedienstleiter bei der Tobis, später bei der Ufa; nach einer Denunziation im Mai 1944 durch das RSHA festgenommen (»staatsfeindliche und defaitistische Äußerungen«) und am 28.8.44 durch den Volksgerichtshof (Senat Freisler) zum Tode verurteilt. 38, 180, 655, 659

Dumcke, Ernst (1887–1940), dt. Schauspieler und Theaterleiter (zuletzt Renaissance-Th. Berlin); ab 1931 auch im Film: 1933–40 34 Filmrollen. 106, 349

Dunskus, Erich (1890–1967), dt. Schauspieler, 1924–44 Staatstheater Berlin, ab 1919 im Film; 1933–45 91 Rollen, ferner zahlreiche Doublerollen; trat außerdem im Kurzfilm auf. 105, 161, 425, 682

Dupont, Ewald André (1891–1956), aus Deutschland stammender Filmregisseur. 286, 472

Duranti, Doris (1917), italien. Schauspielerin, von 1936 bis 1953 im Film. 653, 830, 833, 834

Dwan, Allan (1885–1985), amerik. Regisseur, 1915 bis 1961 im Film. 824

Dwinger, Edwin Erich (1898–1981), dt. Schriftsteller. 411

Dyckhoff, Käthe (1920 ?) dt. Schauspielerin, seit 1940 am Theater in Elbing, danach episodisch im Film. 127, 168, 481, 499, 506, 683, 847

Ebbecke, Berthold, dt. Schauspieler, Theaterleiter, Autor. 443

Ebermayer, Erich (1940–1970), dt. Schriftsteller, eigentlich Jurist, wirkte auch als Dramaturg und Regisseur, danach freischaffender Schriftsteller; schrieb nach 1945 Erinnerungen:»Denn heute gehört uns Deutschland« (1950), »und morgen die ganze Welt« (1966), ferner – mit Hans Roos:»Gefährtin des Teufels. Leben und Tod Magda Goebbels« (1952). 140, 142, 258, 332, 442, 447, 458, 475, 506, 511, 513, 529, 538, 554, 560, 564

Ebert, Hans (1889–1952), dt. Komponist; schrieb Lieder, Film- und Bühnenmusiken, Orchester- und Kammermusik. 144, 145, 232, 475

Ebinger, Blandine, dt. Schauspielerin; sie stellte in Chansons und Texten von Klabund, H. Vallentin und F. Holländer (dessen erste Frau sie war) auf der Kabarettbühne ein Typus eines Berliner Mädchens dar; tätig auch im Film: 1933–37 12 Rollen; 1937 Exil in den USA; nach dem Krieg künstl. Tätigkeit in der BRD einschließlich Berlin, wohin sie zurückkehrte. 506

Ebner-Eschenbach, Marie Freifrau von (1830–1916), österr. Schriftstellerin, entstammte einem tschechischen Adelsgeschlecht, ab 1863 in Wien. 547

Eckard, Max, dt. Schauspieler. 406, 494

Eckardt, Felix (1903–1979), dt. Journalist, ab 1933 auch Filmautor; 1952 als Staatssekretär Leiter des Presse- und Informationsamtes der Bundesregierung, ab 1963 der Bevollmächtigte der Bundesregierung in Berlin (West). 141, 142, 297, 329, 467, 533, 578

Fallada, Hans, eigtl. Rudolf Ditzen (1893–1947), dt. Schriftsteller. 509, 708

Fanck, Arnold (1880–1974), dt. Filmregisseur und -produzent, Drehbuchautor, Meister der Kamera (hier auch Pädagoge), beim Film seit 1913; Schöpfer von bekannten Bergfilmen; 1933–40 realisierte er als Regisseur 6 Spielfilme, ferner Kurzfilme; 1963 erhielt er den »Mannheimer Filmdukaten«, 1963 Filmband in Gold; schrieb: »Regie mit Gletschern, Stürmen und Lawinen. Ein Filmpionier«. München 1973. 79, 279, 287, 288, 294, 334, 417, 836

Fechner, Ellen, eigtl. E. Lichtenfels (1895–1951), dt. Schriftstellerin: Romane, Kindererzählung, Feuill. Drehbücher. 142, 247, 386

Fehdmer, Helene, vereh. Kayßler (1872–1939), dt. Schauspielerin, wirkte auch im Film mit: 1933–38 = 5 Rollen. 96

Fehling, Jürgen (1885–1968), dt. Regisseur, 1918–1948 mit den Bühnen Berlins verbunden; gehörte zu den führenden Regiepersönlichkeiten seiner Zeit; auch für eine Mitarbeit mit dem Film vorgesehen. 99, 113, 165, 549

Feiler, Herta, verheiratet mit Heinz Rühmann (1916–1970), aus Wien stammende dt. Schauspielerin, vor allem (ab 1937) mit dem Film verbunden: 1937–45 spielte sie in 14 abendfüllenden Filmen mit. 127, 153, 162, 304, 472, 481, 517, 525, 536, 539, 556, 744

Feiler, Max Christian (1904–1973), dt. Bühnen- und Filmautor, Schauspieler, Musiker, Pädagoge; seit 1948 Theaterkritiker in München. 142, 484, 710

Feldbinder, Else, Filmautorin. 142

Felsenstein, Walter (1901–1975), österr. Regisseur und Theaterleiter, vorwiegend in Deutschland tätig; im Krieg eine Filmregie; nach 1945 einer der bedeutendsten Regisseure am Theater der DDR. 568

Feltz, Kurt (1910–1982), dt. Autor von zahlreichen (rund 2500 veröffentlichten) Songreimen und in aller Welt bekannten Schlagertexten; Bühnenautor. 467

Fentsch, Erna (1909 ?), dt. Schauspielerin und Schriftstellerin. 142, 534

Fernandel, eigtl. F. D. J. Constantin (1903), franz. Schauspieler, ab 1930 im Film; in seiner Filmzeit gehörte er zu den führenden Komikern des internationalen Films; besonders bekannt wurd er in seiner Rolle als Don Camillo in der Filmserie »Don Camillo und Peppone«. 724, 839, 840

Fernau, Rudolf (1898–1985), dt. Schauspieler, ab 1930 am Staatstheater Stuttgart; Staatsschauspieler; nach 1945 Stuttgart und Berlin (Wets); 1963 Berliner Staatsschauspieler; 1979 Dt. Filmpreis. 114, 160, 298, 314, 425, 427, 428, 429, 496, 532, 543

Ferwers, Kurt, danach Hans Fervers (1911), dt. Journalist und Autor, war Hauptschriftleiter des Reichsjugend-Pressedeinstes, Hauptreferent der RJF in Berlin; wirkte später als Charakterologe. 333

Fethke, Johannes (in Polen Jan F.) (1903–1980), dt./poln. Filmregisseur und Autor, vor dem Krieg zunächst in Deutschland, danach (bis 1941) in Warschau, wo er verschiedene Spielfilme schuf; nach dem Krieg Regietätigkeit in Polen, in den 60er Jahren übersiedelte er in die BRD. 92, 93, 594

Feyder, Jacques Frédéric (1888–1948), franz. Filmregisseur. 471

Fidesser, Hans, Schauspieler. 160, 161, 460, 461, 535

Fiebiger, Georg (1901), Produktionsleiter bei der Bavaria. 40

Fiedler, Erich (1901–1981), dt. Schauspieler, ab 1932 auch im Film tätig. 160, 229, 710

Fiedler, Ernst Willi (Wilhelm), dt. Kameramann, ab 1934 bis in die Nachkriegsjahre im Film tätig. 40, 516, 597

Fiedler, Franz (1902), dt. Schauspieler, Regisseur, 1933–45 Kulturfilmproduzent. 219, 603

Fiedler, Journalist, Filmkritiker. 539

Finck, Werner (1902–1972), dt. Schauspieler und Autor, 1929–35 Leiter des bekannten Berliner Kabaretts »Die Katakombe«; 1939 verläufiges Berufsverbot und KZ, 1939 Ausschluß aus der RTK; 1939–45 bei der Wehrmacht; im Film ab 1932, 1933–38 28 Rollen in abendfüllenden Spielfilmen; nach 1945 künstl. Tätigkeit in der BRD, ab 1948 erneut im Film. 106, 108

Finkenzeller, Heli (Helene), vereh. 1. Dohm, 2. Bittins (1911/1914), dt. Schauspielerin, trat in München auf; ab 1935 auch im Film (bis 1945 27 Rollen), wo sie große Popularität, besonders durch Komödien, gewann. 109, 121, 155, 300, 399, 428, 436, 437, 499, 534, 535, 540, 560, 562, 671

Fischer, Albert (1896), österr. Komponist, schuf von 1934 bis in die Nachkriegsjahre auch Filmmusik. 146

Fischer, Ernst (1900–1975), dt. Komponist von Unterhaltungsmusik, seit 1926 in Berlin, nach dem Krieg in der BRD und in der Schweiz. 39

Fischer, Nausikaa, Publizistin (Kulturangelegenheiten) der Nationalsozialistischen Monatshefte. 669, 674

Fischer, Otto Wilhelm (1915), österr. Schauspieler, Regisseur, Prof. (1970); ab 1936 Filmrollen; nach 1945 rasche Filmkarriere, Ehrungen und Preise, u. a. 1960 Österr. Ehrenzeichen f. Kunst u. Wissenschaft, 1961 Europa-Preis in Gold, Filmband in Gold. 160, 431, 460, 546

Fischer-Köppe, Hugo (1890–1937), dt. Schauspieler, langjährig an den Theater- und Kabarett-Bühnen Berlins; ab 1930 auch im Tonfilm: 1933–37 15 Rollen. 268

Fischinger, Hans, dt. Experimentalfilmer (Zeichenfilm, Farbe); fiel im Krieg. 666

Fischinger, Oskar (1900–1967), dt. Filmregisseur und -produzent, Maler; in Amerika an Disney-Filmen beteiligt; starb in den USA. 666

Fjord, Olaf (1895, emigrierte in die USA), Schauspieler und Regisseur norweg. Abstammung, zahlreiche Filmrollen in Frankreich, Deutschland und in der Tschechoslowakei. 565

Flaherty, Robert J. (1884–1951), amerik. Regisseur, gehört zu den großen Pionieren des Dokumentarfilms. 53

Flaubert, Gustave (1821–1880), franz. Schriftsteller. 53

Fleming, Viktor (1883–1949), amerik. Filmregisseur. 824

Flemming, Hans, Ps. Testrup (1877–1968), dt. Journalist und Schriftsteller, schrieb Novellen, Essays, Filmtexte. 657

Flickenschildt, Elisabeth (Badenhausen), (1905–1977), dt. Schauspielerin, trat in München (1933–36), dann in Berlin auf; 1936–41 Deutsches Th., 1941–44 Staatsth.; ab 1935 auch im Film: bis 1945 insgesamt 33 Rollen; nach 1945 hauptsächlich in Düsseldorf und Hamburg. 96, 121, 153, 155, 202, 211, 233, 246, 336, 338, 346, 443, 493, 496, 498, 525, 526, 552, 561, 634, 680, 682

Flierl, Resi, eigtl. Flierl-Betzer (1913), dt. Schriftstellerin, seit 1950 in Berlin (Ost). 529

Flockner, Conrad (1891), Produktionsleiter bei der Tobis. 39

Florath, Albert (1888–1957), dt. Schauspieler und Regisseur, 1920–44 Staatstheater Berlin; 1939 Staatsschauspieler; seit 1931 im Tonfilm (1933–45 96 Rollen). 91, 105, 160, 173, 217, 229, 312, 336, 385, 503, 506, 530, 538, 564, 589, 593, 687

Florian, Friedrich Karl (1894), ab 1929 Gauleiter in Düsseldorf, Preußischer Statsrat. 440

Flotow, Friedrich Freiherr von (1812–1883), dt. Komponist. 455

Focke, Heinrich (1890–1979), dt. Flugzeug-Konstrukteur und -Bauer. 380

Foerster (Förster), Eberhard, eigtl. E. Keindorff (1902), dt. Dramatiker und Filmautor. 541

Fonda, Henry (1905–1982), amerik. Schauspieler. 821, 825, 827

Fontana, Oskar Maurus (1889–1969), österr. Erzähler, Dramatiker, Journalist und Theaterkritiker; 1959 Präsident des Österr. PEN-Clubs. 110, 126, 304, 558

Fontane, Theodor (1819–1898), dt. Dichter und einflußreicher Theaterkritiker. 216, 481, 482, 495, 486

Ford, John (1895–1973), amerik. Regisseur, 1917–68 beim Film tätig. 824, 827

Forst, Willi, eigtl. Wilhelm Froß (1903–1980), österr. Schauspieler, Regisseur und Filmproduzent, arbeitete ab 1930 fast nur für den Film; gehörte zu den bedeutendsten Regisseuren, wurde als René Clair des Wiener Films bezeichnet; 1961 Österr. Ehrenkreuz für Kunst u. Wissenschaft; 1968 in der BRD Filmband in Gold. 41, 69, 81, 83, 114, 126, 129, 141, 153, 165, 171, 242, 293, 314, 322, 412, 441, 448, 463, 483, 493, 561, 630, 632, 680, 690, 759, 795, 798

Forster, Albert (1902–hingerichtet 1952), Gauleiter der NSDAP; 1930–39 in der Freien Stadt Danzig, 1939–45 im Reichsgau Danzig-Westpreußen, zugleich Reichsstatthalter; 1948 von einem politischen Tribunal in Gdańsk zum Tode verurteilt. 275, 315, 507, 680, 849

Forster, Friedrich, eigtl. Waldfried Burggraf (1895–1958), dt. Bühnen- und Drehbuchautor, Regisseur; 1933 Direktor des Staatsschauspiels in München, später bei der Ufa. 444, 535, 603

Forster, Rudolf (1889–1968), österr. Schauspieler, ab 1920 mit Reinhardt in Berlin, 1933–37 Wien, 1937–40 in den USA, dann an den Bühnen in Berlin und Wien; wirkte auch im Film mit: 1942–45 acht Rollen in Spielfilmen. 1959 Ehrenmedaille der Stadt Wien; 1962 in der BRD Filmband in Gold. 11, 111, 162, 183, 302, 382, 448, 479, 484, 648

Forster, Walter, eigentl. Kudernatsch, dt. Autor. 142, 466

Forzano, Giovacchino (1884–1970), ital. Bühnenautor, Librettist (u. a. Oper und Operetten von Puccini, Leoncavallo, Lehár) und Theaterregisseur. 413, 567, 568, 650

Franchy, Franz Karl (1896–1972), österr. Lehrer, Journalist, seit 1932 freier Schriftsteller. 554

Franck, Walter (1896–1961), dt. Schauspieler, langjährig bis in die Nachkriegsjahre in Berlin, gehörte zu den bedeutendsten Theaterdarstellern seiner Zeit; trat auch im Film auf: 1934–44 19 Filmrollen; Mitglied der Berliner Akademie der Künste, erhielt zahlreiche Preise und Großes Bundesverdienstkreuz. 159, 513, 526

Francke, Peter, Drehbuchautor. 142, 194, 492, 529, 532, 551

Frank, Josef Maria (1895–1975), dt. Schriftsteller, schrieb Romane, Bühnenwerke und auch Drehbücher (ab 1935); Übersetzer. 142, 287, 514, 532

Frank, Waldemar, eigtl. W. Rosenbaum (1903), dt. Schriftsteller und Filmhersteller. 540

Frank, Wolfgang (1909), dt. Schriftsteller. 386

Frankfurter, David (1909–1982), in Kroatien geborener Rabbiner-Sohn, erschoß 1936 in Davos W. Gustloff; starb in Israel. 286

Fraser, Georg (1893–1964), dt. Journalist, Librettist, Drehbuchautor; im Dritten Reich mehrfache Berufsverbote und Verhaftungen. 417

Fredersdorf, Herbert B. (1899–1971), dt. Regisseur, ab 1935 auch beim Film: realisierte bis 1944 als Regisseur 5 Filme; auch Drehbuchautor. 69, 89, 166, 393, 427, 430, 453, 559, 565

Freiner, Johannes, eigtl. Johann Ferch (1879–1954), österr. Schriftsteller. 223

Fresnay, Pierre, eigtl. P. Laudenbach (1897), franz. Schauspieler und Regisseur. 839

Frey, Erik (1908), österr. Schauspieler, seit 1935 am Th. in der Josefstadt, ab 1936 auch beim Film. 263

Freybe, Jutta (1917–1971), dt. Schauspielerin. 156, 162, 371, 413, 429, 694

Frič, Ivan, Kameramann. 318

Frič, Mac (Martin Fritsch) (1902–1968), tschechoslowakischer Regisseur, der vielseitigste, erfahrenste und produktivste Filmregisseur seines Landes; Mitarbeit mit dem dt. Film. 703, 841

Frick, Wilhelm (1877–1946), 1933–43 Reichsinnenminister, seit 1943 Reichsprotektor in Böhmen und Mähren. 281

Friedl, Franz R. (1892), österr. Komponist, ab 1934 beim Film. 146, 148, 317

Friedrich I. (1657–1713), König von Preußen. 206

Friedrich II. (1712–1786), König von Preußen. 78, 190, 191, 192, 193

Friedrich Wilhelm I. (1688–1740), König von Preußen. 191

Friedrich Wilhelm III. (1797–1840), König von Preußen. 190, 195, 301

Frimml, Rudolf (1879–1972), Amerikas erfolgreichster und fruchtbarster Operettenkomponist tschechischer Herkunft. 822

Fritsch, Willy (1901–1973), dt. Schauspieler (Reinhardt-Schule), ab 1926 auch im Film: 1933–45 insgesamt 35 Rollen; einer der populärsten Darsteller im dt. Unterhaltungsfilm; nach 1945 Theater, Film und Fernsehen in der BRD (bis 1964); 1965 Filmband in Gold. 90, 97, 119, 153, 162, 171, 183, 216, 304, 334, 346, 464, 467, 526, 572, 573, 593, 633, 634, 649, 668

Fritzsche, Karl Julius (1893–1954), dt. Filmproduzent, Leiter der Tobis-Magna, 1942 Betriebsführer der Tobis. 39

Fröhlich, Gustav (1902), dt. Schauspieler, vor allem bekannt als Held von zahlreichen Filmen; 1933–45 insgesamt 41 Rollen; nach dem Krieg in Italien, in der Schweiz, auch künstl. Tätigkeit in der BRD; einige Male führte er auch Filmregie; 1973 Filmband in Gold. 98, 118, 122, 151, 153, 162, 183, 193, 214, 242, 412, 426, 457, 480, 498, 516, 522, 529, 530, 543, 544, 548, 550, 557, 575, 632, 649

Froelich, Carl (1875–1953), dt. Filmregisseur und -produzent; 1939–45 Präsident der RFK; Reichskultursenator; realisierte 1943–44 als Regisseur 23 Filme; 1945–49

Berufsverbot. 20, 38, 49, 59, 69, 75, 123, 134, 137, 165, 167, 174, 175, 176, 191, 200, 214, 225, 244, 334, 382, 406, 412, 444, 448, 449, 474, 481, 488, 498, 500, 518, 522, 535, 560, 630, 632, 633, 647, 648, 664, 798, 799, 800, 803
Frowein, Eberhardt (1881–1964), dt. Schriftsteller und Regisseur. 69, 178, 250
Frowein, Kurt, Oberregierungsrat, Reichsfilmdramaturg. 57
Fuchs, Albert, Komponist. 307
Fürbringer, Ernst Fritz (1900), dt. Schauspieler, wirkte am Theater (u. a. Hamburg, München) und beim Film mit; nach 1945 aktive künstl. Tätigkeit in der BRD. 341
Fuetterer, Werner (1907), dt. Schauspieler, langjährig in Berlin; zahlreiche Rollen im Film seit der Stummära; 1933–45 20 Rollen; nach 1945 aktive künstl. Tätigkeit in der BRD. 160, 225, 513
Furtwängler, Wilhelm (1886–1954), dt. Dirigent. 173, 175, 442
Fux, Frank, Komponist, errang in Deutschland große Popularität durch seine Filmmusiken. 146, 147, 148, 470, 550

Gabin, Jean, eigtl. Alexis Moncorgé (1904), franz. Schauspieler. 728
Gable, Clark (1901–1960), amerik. Schauspieler, in seiner Zeit in den USA »König von Hollywood« genannt. 822
Gallone, Carmine (1886–1973), ital. Filmregisseur und Drehbuchautor; Zusammenarbeit mit dem Film; 1934–39 Regie bei 9 dt. bzw. dt.-ital. Spielfilmen. 144, 454, 456, 457, 458, 474, 650, 805, 829, 830
Ganghofer, Ludwig (1855–1920), dt. Schriftsteller. 221, 497, 533, 649
Garbo, Greta, eigtl. Lovisa Gustafsson (1905), Schauspielerin. 134, 350, 758, 848
Gardan, Juliuz (1902–1945), poln. Filmregisseur. 817
Gast, Pater, langjähriger Beamter des ProMi (Ministerialrat), im Krieg persönlicher Referent des Staatssekretärs Gutterer, von Juni 1943 bis März 1944 Leiter der Abteilung Film im ProMi. 57
Gauglitz, Ulla (Ursula), dt. Schauspielerin, ab 1936 einige Rollen auch im Film. 506
Gaynor, Janet, eigtl. Laura Gainer (1906–1985), amerik. Schauspielerin. 502
Gebhardt, Hertha von (1896–1978), dt. Schriftstellerin. 142, 529
Gebühr, Hilde (1912), dt. Schauspielerin, Tochter von O. Gebühr, episodisch im Film. 370
Gebühr, Otto (1877–1954), dt. Schauspieler von hohem Rang, seit 1909 in Berlin, 1932/33 in Leipzig, später hauptsächlich im Film, mit dem er ab 1920 verbunden war; 1933–44 18 Rollen. 126, 159, 193, 429, 565, 589, 649, 812
Geczy, Barnabas von (1897–1971), U-Musik-Kapellmeister ungarischer Herkunft; lebte in Berlin, viel auf Reisen mit eig. (Jazz-)Orchester; auch Komponist von Unterhaltungsmusik; starb in München. 49, 412
Geis, Jacob (1890–1972), dt. Regisseur, Dramaturg, Bühnen- und Filmautor, seit 1935 Chefdramaturg bei der Bavaria; 1947 Mitgründer der NDF. 141, 142, 163, 360, 449, 493, 546, 547, 564
Geißler, Josef, dt. Autor. 246
Genina, Augusto (1892–1957), ital. Filmregisseur; 1935–39 auch beim dt. Film. 414, 453, 832, 834
Genschow, Fritz (1905–1977), dt. Schauspieler, Regisseur, schuf zahlreiche Filme für Kinder und Jugendliche; Anfang 1945 einberufen; nach dem Krieg hauptsächlich beim RIAS tätig, bekannt als »Onkel Tobias«. 94, 161, 229, 368, 533, 564, 567, 588, 603, 646
Gentilamo, Giacomo (1909), ital. Regisseur. 830
George, Heinrich, eigtl. Georg August Friedrich Hermann Schulz (1893–1946), trat zunächst als Heinz George, ab 1918 als Heinrich George auf. 1932 standesamtlich Heinrich George, dt. Schauspieler, Regisseur, Theaterleiter; ab 1913 auch beim Film: 1933–45 insgesamt 35 Rollen. 39, 49, 69, 90, 99, 100, 115, 120, 124, 158, 162, 173, 183, 195, 204, 206, 210, 286, 302, 313, 314, 350, 361, 401, 402, 412, 416, 429, 451, 481, 488, 500, 504, 506, 518, 531, 535, 555, 564, 578, 587, 633, 655, 693, 785, 798
Gerhard, Karl (1891–1963), schwed. Regisseur, Drehbuchautor, Schriftsteller. 136
Gerron, Kurt, eigtl. Gerson (1887–KZ Auschwitz 1944), dt. Schauspieler jüd. Abstammung, hauptsächlich vom Kabarett und Film bekannt (1933 seine zwei letzten Filmrollen), auch Regisseur. 318
Giachetti, Fosco (1904), ital. Schauspieler und Sänger. 456, 828, 833

Gigli, Benjamino (1890–1957), ital. Sänger (Tenor), Gastspiele in vielen Ländern der Welt, auch in Deutschland während des Dritten Reiches; 1935–43 trat er in 11 dt.-ital. bzw. dt. Filmen auf. 50, 130, 132, 134, 151, 153, 414, 441, 453, 454, 455

Gillmann, Karl Peter (1900), dt. Autor und Regisseur. 564

Girardi, Alexander (1850–1918), einer der größten aus der Reihe österr. Volksschauspieler; Sänger. 82

Gleise, Maurice, franz. Regisseur. 839

Gneisenau, August Graf Neidhardt von (1760–1831), preußischer Generalfeldmarschall. 195

Godden, Rudi (1907–1941), dt. Schauspieler, ein beliebter Komiker; wirkte auch im Film mit: 1936–40 13 Rollen. 115, 122, 159, 221, 244, 308, 368, 412, 466, 468, 533, 540

Goebbels, Joseph Paul (1897–1945), Reichspropagandaleiter der NSDAP, Reichsminister für Volksaufklärung und Propaganda, Gauleiter von Berlin. 17, 18, 24, 25, 28, 30, 31, 32, 34, 44, 45, 48, 52, 55, 56, 57, 58, 63, 67, 75, 86, 88, 89, 90, 91, 92, 94, 98, 100, 111, 116, 129, 136, 148, 152, 167, 168, 169, 172, 173, 174, 175, 176, 177, 178, 179, 180, 185, 190, 192, 193, 194, 197, 198, 199, 205, 214, 219, 225, 254, 255, 265, 272, 277, 281, 299, 302, 313, 314, 317, 328, 332, 333, 339, 343, 371, 381, 382, 389, 391, 395, 398, 401, 410, 429, 430, 434, 440, 442, 443, 450, 451, 464, 477, 479, 480, 483, 498, 507, 508, 509, 522, 525, 536, 555, 556, 561, 565, 573, 584, 585, 591, 592, 597, 612, 614, 619, 633, 635, 647, 672, 676, 679, 683, 686, 692, 700, 706, 707, 717, 719, 723, 725, 743, 752, 763, 769, 773, 786, 798, 799, 800, 801, 803, 806, 812, 814, 816, 837, 840, 841, 847, 848

Goedecke, Heinz (1902–1959), dt. Schauspieler, Conferencier. 395

Göring, Hermann Wilhelm (1893–Selbstmord 1946), Reichsmarschall, Preuß. Ministerpräsident, Chef des OKL. 130, 179, 278, 365, 373, 376, 389, 391, 398, 410

Goes, Gustav (1884), dt. Schriftsteller, Oberheeresarchivrat (Heeresarchiv Potsdam), Reichsvortragsredner der DAF. 333

Goethe, Johann Wolfgang von (1749–1832), dt. Dichter. 173, 212, 490

Goetz, Curt, eigtl. Kurt Götz (1888–1960), dt. Schauspieler und Bühnenautor, heiratete 1923 Valerie von Martens, mit der er gemeinsam Gastspielreisen mit eigenen Komödien unternahm und in Filmen auftrat; 1939–45 Emigration in die USA; in Hollywood beim Film als Autor, Regisseur und Schauspieler; 1946 Rückkehr, lebte in der Schweiz und Liechtenstein. 201, 510, 630, 796

Goetz, Wolfgang (1885–1955), dt. Schriftsteller, schrieb Novellen, Romane und Schauspiele; im Dritten Reich, obwohl schöpferisch tätig, lebte er in einer Art »innerer Emigration«. 140, 332

Goetzke, Bernhard (1883–1964), dt. Schauspieler, langjährig auf den Bühnen Berlins; ab 1920 auch beim Film: 1933–44 26 Rollen. 336

Gogol, Nikolai Wassiljewitsch (1809–1852), russ. Dramatiker und Erzähler ukrain. Herkunft. 576

Gold, Käthe (Katharina) (1907), österr. Schauspielerin, trat auf den Bühnen Wiens, Münchens und Berlins (1934–44 Staatstheater) auf, ab 1935 auch im Film: bis 1944 insgesamt 6 Rollen; nach 1945 weiterhin erfolgreiche künstlerische Tätigkeit in Wien, in der Schweiz und in der BRD. 91, 109, 124, 155, 412, 492, 549, 561, 649

Golling, Alexander (1905), dt. Schauspieler, ab 1934 auf den Bühnen in Heidelberg (Reichsfestspiele), Berlin und München; 1938–45 Intendant des Bayer. Staatsschauspiels; 1939 Staatsschauspieler; ab 1935 auch Filmrollen: bis 1942 in 16 Spielfilmen; nach 1945 künstl. Tätigkeit in der BRD. 114, 160, 173, 224, 361, 384

Gondrell, Adolf, eigtl. Grell (1902–1954), dt. Schauspieler, trat im Theater und Kabarett (»Bonbonniere«) auf; spielte auch in einigen Filmen mit. 108, 224, 451, 499, 534

Gordon, Wolff von (1894), dt. Autor, Dramaturg und Regisseur. 39

Gottschalk, Joachim (1904–Freitod am 7.11.1941), dt. Schauspieler, verschiedene Bühnen, zuletzt Volksbühne Berlin, tätig; ab 1938 auch in führenden Rollen im Film: bis 1941 spielte er insgesamt in 7 Filmen mit. 158, 255, 258, 362, 445, 510, 517, 634, 761

Gottwald, Fritz (1896–1945), österr. Bühnenautor. 552, 554

Grabenhorst, Georg Karl (1899), dt. Journalist, Schriftsteller, Theaterwissenschaftler, Übersetzer, Referent für Kulturpflege, langjährig in Hannover tätig. 487

Grabley, Ursula (Heyl) (1908–1977), dt. Schauspielerin, trat in zahlreichen Unterhaltungsrollen in Theater und Film auf (1933–45 insgesamt 29 Filme), populär »Ursch'l« genannt; im Krieg auch an der »Bunten Frontbühne Nadolle«. 156, 402, 427, 478, 829

Grace, Dinah, eigtl. Schmidt, vereh. Fritsch (gest. 1963), dt. Tänzerin, Schauspielerin. 97, 157

Graener, Paul (1872–1944), dt. Komponist, Dirigent und Pädagoge. 174

Graf, Suse (Graf-Langenheim), dt. Schauspielerin, bis 1944 auch beim Film. 127, 230, 362

Graff, Sigmund (1898–1979), dt. Schriftsteller, vor allem bekannt als Bühnenautor; Regierungsrat im ProMi; Rechtfertigungsversuch in »Von SM zu NS« (1963). 533

Gramatica, Emma (1875–1965), ital. Schauspielerin, zahlreiche Gastspiele in Europa und Amerika; auch beim Film nach 1950 im ital. Fernsehen tätig. 454, 831

Grau, Ernst (1890–1970), dt. Schriftsteller. 216

Grave, Erich (1891–1955), dt. Filmarchitekt, seit 1919 bis in die Nachkriegsjahre beruflich tätig. 40

Graveure, Louis, Sänger und Schauspieler. 118, 130, 131, 132, 452

Gravey, Fernand (1905–1970), franz. Schauspieler. 168

Greene, Richard (1918), amerik. Filmschauspieler. 824

Greiser, Arthur Karl (1897–hingerichtet 1946), Senatspräsident (ab 1934) in der Freien Stadt Danzig, 1939–45 Gauleiter und Reichsstatthalter in Posen; 1946 in Posen zum Tode verurteilt. 717

Greven, Alfred, dt. Filmkaufmann. 723, 724, 725, 726, 728, 742, 840

Gribitz, Franz (1894–1969), österr. Schriftsteller, vor allem Bühnen- und Filmautor. 141, 142, 546, 547, 549, 550, 552, 680

Griese, Friedrich (1890–1975), dt. Schriftsteller; im Dritten Reich wurde er mit seinen Werken (Romane, Erzählungen, Dramen) als »Blu-Bo«-Repräsentant gefeiert. 488

Grisebach, Ludolf, Schnittmeister und Regie-Assistent im dt. Film. 40

Groh, Herbert Ernst (um 1906–1982), dt. Sänger (Tenor) und auch Schauspieler. 453, 520

Groh, Otto Emerich (1905–1978), österr. Schauspieler, Dramaturg, Regisseur, Theaterleiter und Schriftsteller. 545, 551, 552

Groll, Günther (1914–1982), dt. Schriftsteller, Herausgeber, Theaterwissenschaftler (Dr.), ab 1938 Zusammenarbeit mit dem Film; 1972 Filmband in Gold. 40

Groll, Peter, eigtl. Tibos Yost, Dioszeghy, Filmautor. 142

Gronostay, Walter (1906–1937), dt. Komponist, bekannt vor allem als Filmkomponist. 220, 234, 282

Groschopp, Richard (1906), dt. Filmregisseur und Autor, zunächst Schmalfilmamateur, danach Kurzfilmgestalter; nach 1945 realisierte er Kurz- und Spielfilme in der DDR. 293, 588

Grote, Hermann Werner (1904), dt. Flug- und Sportlehrer, auch Schriftsteller. 372

Grothe, (Johannes August) Franz (1908–1982), dt. Dirigent und Komponist, im Krieg Leiter des bekannten Unterhaltungsorchesters des »Großdeutschen Rundfunks«; schrieb ab 1930 Filmmusik; 1975 Filmband in Gold. 39, 40, 50, 131, 139, 145, 147, 148, 164, 414, 426, 445, 447, 454, 457, 458, 465, 470, 507, 538, 668, 678, 714

Gründgens, Gustaf (1899–1963), dt. Schauspieler, Regisseur und Theaterleiter, eine der wichtigsten, zugleich aber widerspruchvollsten Erscheinungen in der Geschichte des dt. Theaters; ab 1930 im Film als Schauspieler (1933–41 14 Filmrollen); 1934–40 gestaltete er als Regisseur 4 Spielfilme; nach dem Krieg erfolgreiche Tätigkeit in der BRD, vor allem im Bereich des Theaters; 1961 Filmband in Gold. 73, 99, 104, 118, 120, 121, 124, 153, 162, 165, 175, 179, 194, 201, 300, 314, 338, 349, 406, 412, 413, 438, 439, 448, 455, 495, 496, 547, 558, 559, 566, 568, 576, 634, 636, 649, 761

Grund, Hermann (1893–1953), ursprünglich Lehrer, ab 1920 Aufnahmeleiter und Produktions-Assistent, 1927–44 Produktionsleiter bei der Terra, ab 1944 Firmenchef bei der Berlin-Film; seit 1931 Mitglied der NSDAP. 39

Guazzoni, Enrico (1876–1949), ital. Filmregisseur, bekannt vor allem aus seinem Stummfilm (»Quo vadis«); ab 1941 drehte er leichte Unterhaltungsfilme. 833

Gülstorff, Max (1882–1947), dt. Schauspieler; ab 1930 beim Tonfilm: 1933–45 spielte in 81 Filmen mit. 96, 105, 159, 427, 543, 561, 572

Gürt, Elisabeth (1917), österr. Schriftstellerin (Roman, Essay, Film, Hörspiele), ursprünglich Lehrerin. 142, 554

Gürtner, Franz (1881–1941), Reichsjustizminister. 197

Guitry, Alexandre-Georges-Pierre, gen. Sacha (1885–1957), franz. Schauspieler, Bühnenautor, auch Regisseur, gilt als einer der Hauptautoren des zeitgen. franz. Boulevardtheaters; auch beim Film tätig. 733, 838

Gulbransson, Olaf (1873–1958), norweg.-dt. Zeichner und Maler, seit 1902 lebte er in Bayern, wo er auch starb; 1916 Mitglied der Preuß. Akademie der Künste in Berlin und 1929 Prof. in München. 411

Gustloff, Wilhelm, Leiter der Landesgruppe Schweiz der NSDAP. 268

Guter, Johannes (1882–1982), dt. Filmregisseur und -produzent; wirkte beim Film seit der Stummfilmära (1917), zunächst als Autor. 48, 76, 97

Gutscher, Rudolf, dt. Kameramann. 418

Gutterer, Leopold (1902), dt. Journalist, ab 1930 Propagandaangestellter in der NSDAP, dann im ProMi; vom 16. 5. 1941 bis April 1944 Staatssekretär; ab 1925 in der NSDAP, Reichskultursenator. 54, 163, 179, 688

Haack, Käthe, verh. Schroth (1892/1897), dt. Schauspielerin, 1934–44 Staatstheater Berlin; 1939 Staatsschauspielerin; ab 1930 auch beim Film: 1933–45 insgesamt 55 Rollen. 119, 122, 156, 173, 222, 229, 230, 246, 247, 255, 258, 286, 370, 481, 496, 514, 519, 541, 542, 548, 673, 684

Haagen, Margarete (1889–1966), dt. Schauspielerin, seit 1930 an den Bühnen Münchens; 1940 bis in die Nachkriegsjahre auch Film. 529

Hackebell, Gertrud, Filmautorin. 142

Hadamowsky, Eugen (1904–gefallen 1945), NS-Propagandist, 1933 Reichssendeleiter, seit 1942 Stabsleiter in der RPL; Reichskultursenator. 270, 618

Haeflin, Trude (Gertrud) (geb. 1914), dt. Schauspielerin, trat auf den Berliner Bühnen auf; ab 1932 beim Film: 1933–43 spielte sie in 21 abendfüllenden Filmen; trat ferner im Kurzfilm auf. 249

Haentzschel (Häntzschel), Georg Friedrich Esaias (1907), dt. Komponist (vor allem U- und Film-Musik), Pianist und Dirigent. 39, 146, 255, 673

Häussler, Johannes, dt. Regisseur, schuf zahlreiche Dokumentar- und Kulturfilme. 417, 419

Häußler, Richard (1908–1964), dt. Schauspieler, von 1936 bis 1959 beim Film; ab 1951 auch Regisseur. 160, 263, 421, 449, 482, 557, 596, 672, 694

Hafner, A., Kameramann. 317

Hagemann, Peter. 220

Hagen, Peter, s. Krause, Willi. 200, 344, 541, 577, 630, 632

Haid, Liane (Juliane), (1895), österr. Tänzerin und Schauspielerin, schon im Stummfilm; 1933–37 und 1940 spielte sie in 16 dt. und österr. Filmen mit; 1969 Filmband in Gold; 1985 lebte sie in Wien. 157, 461

Hainisch, Leopold (1891–1979), österr. Regisseur und Schauspieler, 1936–38 im Berliner Rundfunk und Fernsehen, an 1939 beim Film: bis 1945 realisierte er als Regisseur 6 Filme; nach 1945 in derselben Sparte in Österreich und in der BRD tätig, zuletzt Schauspieler am Hamburger Thalia-Th.; Prof.; für Kino und Fernsehen drehte er insgesamt über 100 Filme. 90, 166, 238, 420, 436, 437, 455, 459, 546

Halbe, Max (1865–1944), dt. Dramatiker, Romancier; Ehrenbürger der Freien Stadt Danzig. 137, 173, 506, 507, 508

Hall, Alexander (1894–1968), amerik. Filmregisseur. 821

Halvorsen, Marion, Autorin. 417, 799

Hampel-Conradi, Erich, Autor. 142

Hamsun (†1939), unter dem Namen ihres Vaters auftretende Tochter von Knut H.; heiratete den dt. Regisseur R. Schneider-Edenkoben. 749

Hamsun, Knut, eigtl. Pedersen (1859–1952), norweg. Schriftsteller. 137, 173, 565

Handschumacher, Heini (1907–beim Luftangriff 1944), dt. Schauspieler, trat im Theater in Leipzig, dann in München auf, wo er auch 1940–1944 in 5 Filmen mitspielte. 242

Hanke, Karl (1903–verschollen 1945), NS-Parteifunktionär, 1933–41 in ProMi, ab 1938 als Staatssekretär; 1941–45 Gauleiter und Oberpräsident der Provinz Schlesien; SS-Obergruppenführer, 1945 laut Hitlers Testament Nachfolger Himmlers. 59

Revuen; 1965 erhielt sie das Filmband in Gold. Horst Geisler schrieb: »Harvey. Ein Star und seine Zeit«. 72, 76, 97, 119, 155, 322, 414, 448, 464, 572, 633, 649, 775

Hasler, Emil (1901–1986), dt. Bühnenbildner und Filmarchitekt (über 150 Filme); nach 1945 auch beim Fernsehen in der BRD; 1976 Filmband in Gold. 38, 201, 217, 673

Hass (Haß), Hans (1919), österr. Forscher (Zoologe), bis 1964 Kulturfilmhersteller, ab 1937 Unterwasserforscher; 1952 1. Preis in Venedig; 1959 Oscar-Preis. 292

Hasse, Otto Ernst (1903–1978), dt. Schauspieler, trat auf den Bühnen in Breslau, München (1930–39 Kammerspiele), dann in Prag auf, ab 1941 auch im Film; nach 1945 Theater in Berlin, vor allem aber im Film in der BRD, Frankreich und den USA, wo er große Erfolge erzielte. 161, 378, 447, 527

Hasselbach, Ernst (1905), dt. Schauspieler, Dramaturg, Drehbuchautor und Filmproduzent. 39, 492, 530

Hathaway, Henry (1898–1985), amerik. Regisseur, Hollywood-Pionier. 821

Hatheyer, Heidemarie (1918), österr. Schauspielerin, auf den Bühnen in Wien (1936–38), Kammerspiele München (1938–41) und dann bis 1944 am Berliner Staatstheater; ab 1935 auch im Film zu sehen: bis 1945 12 Rollen; nach dem Krieg aktive künstl. Tätigkeit in der BRD, in der Schweiz und Österreich. 1961 Kainz-Medaille, 1963 Berliner Staatsschauspielerin, 1963 Grillparzer-Ring, 1977 außerordentl. Mitglied der Akademie der Künste Berlin. 92, 127, 156, 162, 237, 238, 249, 414, 451, 464, 482, 497, 513, 522, 538, 555, 751

Hauff, Angelika, eigtl. Alice Paula Marie Suchanek (1923–1983), österr. Schauspielerin und Tänzerin, wirkte an der Staatsoper Wien, in Salzburg und ab 1955 am Burgtheater mit; spielte in insgesamt 40 Filmen. 473, 481, 544, 549, 682, 684

Hauff, Wilhelm (1802–1827), dt. Schriftsteller. 313, 314

Hauptmann, Gerhart (1862–1946), dt. Dichter. 100, 101, 173, 412, 505, 506, 513, 633, 641

Havel, Miloš, Hauptaktionär der AB-Film in Prag. 706

Hebbel, Friedrich (1813–1863), dt. Dramatiker, Lyriker, Erzähler. 127, 502

Heck, Lutz (1892–1983), dt. Forscher, Tiergärtner, Prof., Leiter des Zoologischen Gartens Berlin, schrieb zahlreiche Veröffentlichungen, Reiseberichte; Filmhersteller. 296

Hedenstjerna, Alfred von, Schriftsteller. 529

Heere, Friedrich Carl, dt. Kameramann. 317

Heesters, Johannes (1902), aus Holland stammender österr. Schauspieler und Operettensänger, eng mit dem dt. Theaterleben verbunden; ab 1936 auch im dt. Film: bis 1945 insgesamt 20 Hauptrollen; nach dem Kriege Theater, Film, Fernsehen in der BRD und in Österreich; zahlreiche Gastspielreisen. 106, 115, 147, 148, 159, 162, 427, 449, 458, 460, 462, 467, 471, 482, 529, 537, 550, 650, 653, 681, 684, 693

Hege, Walter (1893–1955), dt. Photograph, Kameramann und Regisseur; 1930 Prof. für Photographie an der Kunstschule in Weimar; nach 1945 lebte er in Karlsruhe; er starb in Weimar. 84, 276, 277, 412, 649, 688, 812

Heger, Robert (1886–1978), dt. Dirigent und Komponist; 1933–45 an der Berliner Staatsoper, gleichzeitig Staatstheater Kassel und Waldoper Zoppot. 197, 411

Hehn, Albert (1908), Schauspieler. 153

Heiberg, Kirsten, vereh. Grothe (1912–1976), dt. Schauspielerin norweg. Abstammung (ihr Großvater war der Schriftsteller Gunnar H.); trat auf den Wiener Bühnen auf, später in Deutschland; ab 1938 auch im dt. Film: bis 1945 insgesamt 13 Rollen; sie starb in Norwegen. 50, 118, 139, 156, 162, 426, 428, 429, 443, 454, 482, 510

Heidemann, Paul (1888–1968), dt. Schauspieler und Regisseur; 1917 bis in die Nachkriegsjahre auch im Film: 1933–39 insgesamt 31 Rollen in abendfüllenden Spielfilmen. 161, 166, 214, 533, 542

Hein, Josef (1901), leitender Angestellter bei der Prag-Film, ab 30. 4. 1943 Verwaltungsmitglied und Betriebsführer. 169, 708

Heining, Heinrich (1902–1960), dt. Filmjournalist, auch Schriftsteller und Literaturkritiker. 657

Heinkel, Ernst Heinrich (1888–1958), dt. Flugzeugkonstrukteur und -bauer. 377

Heinrich VIII. (1491–1547), König von England. 200

Heise, Hans (1895–1971), dt. Erzähler. 516

Helbig, Heinz (1902), österr. Regisseur und Autor; verheiratet mit M. Andergast. 305, 551, 647

Helke, Fritz (1905–1967), dt. Erzähler und Dramatiker, auch Übersetzer und Bearbeiter von Jugendbüchern; bis 1945 Leiter des Hauptreferats Schrifttum im Kulturamt der RJF; im Kriege betätigte er sich ferner als Theaterkritiker. 176

Hellberg, Ruth, eigtl. Holl (1906), dt. Schauspielerin, ab 1931 auf den Bühnen Berlins (1938–44 Staatstheater); sie wirkte auch im Film mit: 1938–42 insgesamt 12 Rollen; zeitweilig verheiratet mit W. Liebeneiner. 152, 156, 325, 368, 427, 454, 543

Helm, Brigitte, eigtl. Gisela Eva Schlittenhelm (1908–1968), dt. Schauspielerin, ab 1926 auch im Film: 1933–35 insgesamt 8 Rollen; 1935 verursachte sie einen Autounfall, wurde verurteilt und beendete ihre glänzende Filmkarriere; Filmband in Gold. 214, 286, 559, 649

Helmis, Arno, dt. Sportjournalist; fiel im Krieg. 284

Helve, Doris, Schauspielerin. 128

Helwig, Paul (1893–1963), dt. Erzähler, Dramatiker, Übersetzer. 142, 542

Henckels, Paul (1885–1967), dt. Schauspieler und Theaterleiter, langjährig an den Bühnen Berlins (1936–44 Staatstheater); seit der Stummfilm- bis in die Nachkriegszeit zahlreiche Filmrollen: 1933–45 insgesamt 97; 1960 Bundesverdienstkreuz 1. Kl.; 1962 Filmband in Gold. 106, 158, 183, 214, 226, 244, 402, 464, 465, 467, 480, 493, 536, 538, 550, 555, 593, 603

Henie, Sonja (1912–1969), norweg./amerik. Eiskunstläuferin, Schauspielerin. 824

Henke, Paul Hans, dt. Filmautor. 219

Henlein, Peter (1480–1542), dt. Schlosser, stellte um 1511 die erste Taschenuhr her. 531

Henning, Hans (1874), dt. Schriftsteller und Übersetzer. 333

Herbell, Erich Walter (1893), Leiter der technischen Betriebe der Tobis, ab 20. 4. 38 Firmenchef und Betriebsführer der Bavaria. 40

Herczeg, Ferenc (1863–1954), ungar. Schriftsteller dt. Herkunft; nach 1920 auch politische Tätigkeit mit Programm eines »Großungarn«. 574, 575

Hergel, Knud, norweg. Theatermann. 136

Herking, Ursula, eigtl. Ursula Natalia Klein (1912–1974), dt. Schauspielerin, herausragende Komikerin, trat in Theater, Film (insgesamt über 120 Rollen) und vor 1944 vor allem im Kabarett auf; bis 1935 im Kabarett »Katakombe« in Berlin; nach 1945 spielte sie an verschiedenen Bühnen in der BRD und im Film. 157, 669

Herlth, Robert (1893), Filmarchitekt, ab 1922 im dt. Film, Kunstmaler. 40

Herrmann, Willi A.; dt. Filmarchitekt. 40

Herse, Henrik, eigtl. Hahn (1895–1953), dt. Erzähler, Dramatiker, Dramaturg, Regisseur, aktiv auch im polit. Schrifttum; SS-Obersturmführer. 176, 488

Herzog, Rudolf (1869–1943), dt. Unterhaltungsschriftsteller, schrieb auch Dramen, Lyrik, Reiseschilderungen und Memoiren. 174, 225

Heß, Emil (1889–März 1945), dt. Schauspieler, langjährig am Theater in Stuttgart, ab 1940 in Berlin, wo er auch beim Film begann: bis 1945 spielte er in 22 Filmen mit. 160, 445

Heß, Rudolf Walther Richard (1894), 1933 bis zu seinem Flug nach England 1941 Stellvertreter des Führers in der NSDAP. 373

Hesse, Otto Ernst (1891–1946), dt. (ab 1941 freischaffender) Schriftsteller, vor allem Bühnen- und Filmautor, Kritiker. 140, 142, 332, 473, 500, 508, 554

Hesterberg, Trude (Schönherr) (1897–1967), dt. Schauspielerin, ab 1912 auf den Bühnen Berlins, zunächst eine Operettensoubrette; 1921 gründete sie das Kabarett »Wilde Bühne«; ab 1930 auch beim Film: 1933–43 20 Rollen in abendfüllenden Spielfilmen; 1962 Filmband in Gold. 119, 156, 225, 458, 553, 589

Heuberger, Richard 1850–1914), österr. Komponist. 463

Heuser, Adolf (1907), dt. Berufsboxer seit 1929; 1932 Europameister. 285

Heuser, Kurt (1903–1965), dt. Schriftsteller (Romane, Erzählungen, Bühnenwerke); schrieb zahlreiche Filmdrehbücher. 141, 143, 204, 216, 337, 428, 446, 472, 504, 525, 708

Heyden, Eberhard von der, Kameramann. 347

Heydenreich, Fritz (1910?–1985), dt. Biologe, Filmproduzent, bis Kriegsende bei der Ufa. 382, 805

Heydrich, Reinhard (1904–1942 durch Attentat); SS-Obergruppenführer, 1932–42 Chef des Sicherheitsdienstes der SS; 1939 bis 1942 Leiter des RSHA; 1941/42 amtierender Reichsprotektor von Böhmen und Mähren. 411

Heye, Hellmuth, Vize-Admiral der Kriegsmarine. 849

Heynicke, Kurt (1891), dt. Schriftleiter, Dramaturg, Regisseur und Schriftleiter; schrieb Lyrik, Romane, Dramen. Verfasser von zahlreichen Hörspielen, Dialogbearbeitungen vieler Filme, Filmdrehbücher (1933–45 insgesamt 6), nach 1945 auch Manuskripte für das Fernsehen; zahlreiche Ehrungen mit literar. Preisen. 140, 332, 496

Heyser, Karl Peter (1903), dt. Schauspieler, Spielleiter, Theaterleiter (u. a. 1940–43 Intendant in Posen), ab 1943 bei der Terra. 39

Hielscher, Margot (1919), dt. Schauspielerin und Schlagersängerin, ursprünglich Modezeichnerin und Kostümberaterin (Ufa); ab 1940 auch beim Film, bis zum Kriegsende insgesamt 10 Rollen. 128, 483, 694

Hierl, Konstantin (1875–1955), Führer des RAD, Staatssekretär. 391

Hildebrand, Hilde Emma Minna (1897–1976), dt. Schauspielerin, trat langjährig auf Berliner Kabarett- und Theaterbühnen auf; ab 1930 bis in die 60er Jahre beim Film, 1933–45 insgesamt 55 Rollen; nach dem Krieg aktive künstlerische Tätigkeit in der BRD und Berlin (West); 1964 Filmband in Gold. 118, 155, 223, 412, 427, 454, 467, 540, 542, 550, 551, 682

Hildebrandt, Fred (1892–1963), dt. Schriftsteller, Theaterkritiker, Drehbuchautor. 140, 332, 371

Hillern, Wilhelmine von (1836–1916), dt. Schauspielerin und Erzählerin, mit München verbunden. 237, 238

Hillers, Hans Wolfgang (1901–1952), dt. Schriftsteller und Drehbuchautor. 340, 484, 710

Hilpert, Heinz (1890–1967), dt. Schauspieler, Regisseur und Theaterleiter; 1934–45 Direktor des Deutschen Theaters in Berlin, zugleich des Theaters in der Josefstadt Wien; Reichskultursenator; ab 1931 gestaltete er als Regisseur auch einige Filme (1933–39 insgesamt 4); nach dem Krieg in der Schweiz und BRD, 1958–66 Theaterdirektor in Göttingen; 1965 Ehrenmitglied des Deutschen Theaters Berlin (West); schrieb u. a. Erinnerungen:»Liebe zum Theater« (1967). 83, 106, 111, 112, 113, 121, 122, 124, 126, 127, 175, 359, 561

Himboldt, Karin (1920), dt. Schauspielerin, Schülerin v. L. Höflich, ab 1940 auch beim Film: bis 1945 insgesamt 6 Rollen. 127, 128, 528

Himmler, Heinrich (1900–Selbstmord 1945), Reichsführer SS und Chef der Deutschen Polizei, ab 1943 auch Reichsinnenminister. 176, 178, 292, 315, 389

Hinkel, Hans Heinrich (1901–1960), eine der berüchtigsten Gestalten im Bereich der NS-Kulturverwaltung; ab 1921 in der NS-Bewegung (vorl. Nr. 287), ab 6.6. 1925 erneut bei der NSDAP (Blutordensträger); ab 14.9.30 ständig MdR; 1930 gründete er das erste Gaupresseamt der NSDAP in Berlin; 1933–35 Staatskommissar im Preuß. Ministerium f. Wiss., Kunst und Volksbildung, dann leitende Funktionen in der RKK (Geschäftsführer bis 1943, Generalsekretär, Vizipräsident und im ProMi; Sonderbeauftragter für die Überwachung und Beaufsichtigung der Betätigung aller im Reichsgebiet lebenden nichtarischen Staatsangehörigen auf künstlerischem und geistigem Gebiet, Leiter der Abteilung für besondere Kulturaufgaben; 1940 Ministerialdirektor; ab 1.4.44 Reichsfilmintendant, zugleich Leiter der Film-Abt., außerdem weiterhin leitende Funktionen in der RKK; Mitglied der SS (Nr. 9148), im Krieg im Stabe des Reichsführers, am 20.4.43 von Hitler zum SS-Gruppenführer befördert; 1945–52 interniert, vorübergehend auch in Polen, wo er verurteilt wurde; 1952 kehrte er aus Warschauer Gefängnis nach Deutschland zurück; in der BRD schuf er einen Hinkel-Nachlaß. 35, 57, 58, 62, 63, 116, 132, 136, 142, 148, 154, 164, 169, 175, 177, 181, 195, 205, 343, 431, 478, 620, 656, 668, 682, 708, 755, 763, 771, 780, 798, 827, 840, 847

Hinrich, Hans, eigtl. Hans Hinrich Prager (1903), dt. Schauspieler, Regisseur und Intendant; ab 1932 Filmregisseur; 1933–38 drehte er 6 Filme; nach 1945 künstlerisch tätig in der BRD. 120, 233

Hinrichs, August (1879–1956), dt. Schriftsteller (Drama, Roman, Drehbuch, Erzählung, Lyrik) in hoch- und ndt. Sprache (z. T. in Doppelfassungen). 174, 176, 268, 488, 535, 536

Hintz, Werner Erich (1907), dt. Schriftsteller, schrieb Romane, Hör- und Fernsehspiele, ferner Filmmanuskripte. 443

Hinz, Werner (1903–1985), dt. Schauspieler, ab 1932 in Hamburg, ab 1939 in Berlin;

Staatsschauspieler; verheiratet mit Staatsschauspielerin Ehmi Bessel; ab 1935 auch beim Film: bis 1945 insgesamt 17 Rollen; nach 1945 gefeierter Darsteller im Theater (Hamb. Staatsschauspieler), Film, Rundfunk und Fernsehen in der BRD; er starb in Hamburg. 96, 113, 158, 171, 199, 205, 217, 336, 338, 346, 416, 446, 480, 519, 530, 556, 578, 632

Hippler, Fritz (1909), NS-Funktionär, ab 25.8.1939 Leiter der Filmabteilung im ProMi, zugleich 1942–43 Reichsfilmintendant, im Oktober 1942 zum Ministerialdirigenten ernannt; auch regieliche und schriftstellerische Tätigkeit, in der BRD veröffentlichte Erinnerungen. 56, 57, 68, 90, 92, 167, 189, 198, 245, 278, 316, 317, 388, 437, 649, 689, 705, 812

Hirt, Fritz (1879, gestorben), dt. Ingenieur, 1932 von Bonn nach Wien verzogen; seit 1933 in der NSDAP; Generaldirektor der Wien-Film; 1939 Beirat für kulturelle Angelegenheiten der Stadt Wien. 22, 41, 164

Hitler, Adolf (1889–Selbstmord 1945), Reichskanzler, Führer des Dritten Reiches. 11, 21, 25, 45, 68, 75, 77, 85, 100, 101, 117, 135, 139, 151, 167, 172, 173, 175, 176, 177, 178, 179, 180, 192, 198, 199, 201, 203, 206, 251, 267, 272, 273, 274, 275, 276, 278, 282, 291, 295, 299, 302, 305, 307, 326, 339, 347, 351, 357, 364, 365, 367, 372, 373, 375, 376, 388, 389, 394, 408, 409, 410, 411, 418, 476, 560, 562, 572, 596, 632, 633, 634, 635, 687, 781, 828

Hochbaum, Werner (1899–1946), dt. Regisseur und Drehbuchautor, 1932–39 Zusammenarbeit mit dem dt. und österr. Film (1933–39 insgesamt 10 Filme). 68, 84, 139, 233, 368, 634

Höcht, Bertl (Albert) (1906), dt. Kameramann mit großen Erfahrungen auf dem Gebiet des Sportfilms; ab 1939 bis in die Nachkriegsjahre zahlreiche Filme. 40, 265, 304, 383, 595

Höflich, Lucie, eigtl. L. von Holwede (1883–1956), dt. Schauspielerin, Theaterleiterin; trat auf den bedeutendsten Bühnen Berlins auf, jahrelang auch im Film: 1933–43 insgesamt 20 Rollen; sehr bekannt auch als Pädagogin; nach 1945 zunächst in der DDR, 1946 Ehrenmitglied des Deutschen Theaters, 1950 Prof., siedelte nach Berlin (West) über; gehört zu den wichtigen Gestalten in der Geschichte des dt. Theaters. 96, 117, 120, 155, 171, 173, 202, 336, 338, 346, 469, 563, 578

Höhn, Carola (Karoline) (1910), dt. Schauspielerin, ab 1934 auch beim Film, meistens in Hauptrollen; bis 1945 spielte sie in 33 Filmen mit. 82, 121, 151, 152, 156, 157, 162, 246, 305, 413, 431, 453, 462, 519, 529, 543, 559, 831

Hölderlin, Johann Christian, Friedrich (1770–1843), dt. Dichter. 377

Höpfner, Hedi und Margot (vereh. Benzon), Schwestern, Solotänzerinnen der Oper in Berlin; ab 1934 beim Film. 121, 468

Hoepner, Rudolf, Schriftsteller. 529

Hörbiger, Attila (1896), österr. Schauspieler, 1928–50 Theater in der Josefstadt Wien; zugleich 1934–44 am Dt. Theater Berlin; seit 1935 Salzburger Festspiele; seit 1950 am Burgtheater; wirkte auch im Film mit: 1933–45 insgesamt 29 Rollen; verheir. mit P. Wessely; 1959 Kainz-Medaille. 111, 158, 162, 171, 223, 233, 239, 260, 286, 325, 342, 414, 426, 469, 483, 516, 546, 554, 569, 807, 809

Hörbiger, Paul (1894–1981), »der letzte große Wiener Volksschauspieler« (»Der Spiegel«), Bruder des Vorigen, ab 1926 auf Berliner Bühnen, später in Wien, 1940–46 und ab 1963 Burgtheater; ab 1928 auch beim Film: 1933–45 73 Rollen, insgesamt spielte er in ca. 300 Filmen mit. 1969 Filmband in Gold, 1981 »Nestroy-Ring«; schrieb Memoiren: Ich habe für euch gespielt, mit TV-Dokumentation. 68, 110, 111, 118, 131, 158, 183, 254, 305, 349, 397, 399, 420, 425, 436, 437, 440, 441, 453, 455, 457, 458, 459, 460, 461, 462, 463, 467, 472, 520, 538, 545, 546, 547, 550, 570, 575, 781

Hoemann, Albert (1899–1980), dt. Schauspieler, Regisseur, Autor. 515

Hoesch, Eduard (1890–1983), österr. Filmer, gehört zu den Pionieren des österr. Films; 1930–45 hauptsächlich Kameraarbeit; nach dem Krieg im österreichischen Film; 1959 Goldenes Ehrenzeichen für Verdienste um die Republik Österreich. 39, 95, 394

Hoffmann, Carl (1881–1947), dt. Kameramann mit Weltruf, ab 1902 im Fach: Zusammenarbeit mit bedeutendsten Regisseuren; 1935–38 gestaltete er selbst als Regisseur 5 Filme; Ende des Krieges arbeitete er an Farbfilmprojekten, die nicht mehr realisiert wurden. 38, 68, 89, 95, 565, 630, 680

Hoffmann, Kurt (1910), dt. Filmregisseur, Sohn des Vorigen, ab 1938/39 selbständige

Filmregie; nach 1945 gehörte er zu den führenden Regisseuren der BRD, vielmals erhielten seine Arbeiten Bundesfilmpreise. 89, 243, 245, 265, 372, 573, 795

Hoffmann, Paul (1902), dt. Schauspieler, 1927–46 mit Staatstheater Dresden verbunden, ferner Gastspiele in anderen Städten Deutschlands und Österreichs; beim Film ab 1936: bis 1942 insgesamt 15 Rollen; nach 1945 künstl. Tätigkeit in der BRD (Theater, Film, Fernsehen, Rundfunk), ferner ausl. Gastspiele. 216, 517

Hoffmann, Ruth, vereh. Scheye (1893–1974), dt. Autorin, auch Malerin und Graphikerin, 1936–45 Publikationsverbot, ihr Mann wurde 1943 in Auschwitz umgebracht. 603

Hofmann, Bernd (1904–1940), Nachwuchsregisseur, kam vom Theater, für das er ein paar Stücke schrieb, über das Drehbuch zur Filmregie: 1939–40 realisierte er für die Bavaria 3 Filme. 141, 363, 383, 426, 454, 536, 543, 559, 560, 795

Hogan, James (1891–1943), amerik. Filmregisseur. 821, 822

Holberg, Harald, eigtl. Hofmann (1919), dt. Schauspieler, 1944–45 auch 5 Filmrollen. 529

Holder, Erich (1901), dt. Regisseur, ab 1921 im Film; 1933–45 Produktionsleiter bei der Ufa. 38

Hollander, Walther von (1892–1973), dt. Schriftsteller, Theaterkritiker, schrieb u. a. Hörspiele und zahlreiche Drehbücher. 143, 450

Hollstein, Dorothea. 314

Holman, Josef Alfred (1901), tschech. Autor und Regisseur, 1930–45 gestaltete er ca. 18 tschech. Spielfilme und zahlreiche Kulturfilme; Zusammenarbeit mit dem dt. Film; 1948 emigrierte er nach England und starb im Exil. 708, 841

Holst, Maria, eigtl. M. Cziczek (1917–1980), österr. Schauspielerin, 1944 heiratete sie Graf Eugen Ledebour; 1938–45 am Burgtheater; 1936–44 spielte sie in 6 Wiener Filmen mit; nach 1945 erlebte sie einige Erfolge im Film; sie starb arm und einsam in Salzburg. 126, 162, 172, 463, 464

Holt, Hans, eigtl. Karl Johann Hödl (1909), österr. Schauspieler, Regisseur, auch Schriftsteller; 1940–52 am Josefstadttheater, 1952–54 am Burgtheater in Wien; von 1935 bis in die Nachkriegsjahre oft im Film (bis 1945 insgesamt 34 Rollen); 1964 Kainz-Medaille; erhielt ferner die Große Medaille der Stadt Wien. 112, 160, 223, 254, 300, 437, 440, 441, 458, 460, 467, 469, 534, 541, 545, 546, 561, 569, 684

Holzmann, Olly (Olga) (1916), österr. Schauspielerin, vor allem als Eiskunsttänzerin bekannt; 1939–45 spielte sie in 16 Filmen mit. 127, 156, 162, 471, 479, 483, 550, 553

Holzmeister, Judith Anna Maria Elisabeth (1917/20), österr. Schauspielerin, spielte zunächst in Linz, danach in Wien; 1940 Filmdebüt in »Der Feuerteufel«; nach 1945 Burgtheater in Wien, Salzburger Festspiele und aktive Filmtätigkeit; 1983 Ehrenkreuz für Kunst und Wissenschaft. 301

Holzschuh, Lizzi (1908), österr. Schauspielerin, trat zunächst als Soubrette an den Bühnen Wiens auf; wirkte auch im österr. und ab 1934 auch im dt. Film. 131, 157, 459, 461, 554

Hoppe, Fritz, (1910), Produktionsleiter bei der Tobis. 39

Hoppe, Marianne (1904/1911), dt. Schauspielerin, trat 1930–32 in Frankfurt/M., 1932–34 in München, 1935–44 am Staatstheater Berlin auf; als jüngste Dame des deutschen Theaters erhielt sie den Titel »Staatsschauspielerin«; seit 1933 auch beim Film: bis 1945 insgesamt 21 (fast ausschließlich) Hauptrollen; nach 1945 erfolgreiche künstl. Tätigkeit in der BRD: Theater, Film und ab 1961 Fernsehen; 1971 Berliner Kunstpreis; zeitweilig mit G. Gründgens verheiratet. 96, 109, 120, 155, 162, 183, 194, 258, 259, 299, 300, 402, 480, 493, 495, 499

Hopwood, Avery (1882–1928), amerik. Schriftsteller. 246, 559

Horch, August (1868–1951), dt. Automobil-Konstrukteur. 411

Horn, Camilla (1903/1906), dt. Schauspielerin und Tänzerin, langjährig im Film, 1927–29 in Hollywood; 1933–44 insgesamt 26 Rollen in dt. Filmen; nach 1945 bis 1953 im Film der BRD. 119, 131, 132, 156, 286, 346, 413, 438, 454, 460, 461, 471, 520, 540, 575

Horn, Peter A. (1901–1967), dt. Schauspieler, Regisseur und Autor. 655

Horney, Brigitte (1911), dt. Schauspielerin, ab 1930 auch beim Film: 1933–43 insgesamt 24 Hauptrollen; sie ging 1950 in die USA, weiterhin Gastspiele in der BRD, dann siedelte sie nach München über; 1940 heiratete sie den Kameramann K. Irmen-Tschet; 1972 Filmband in Gold; 1983 Goldene Kamera »Hörzu«. In der BRD immer noch aktiv beim Fernsehen tätig. 119, 153, 162, 320, 329, 349, 360, 362, 449, 483, 500, 509, 510, 511, 512, 517

Horvath, Artur Józef, poln. Schauspieler; im Krieg spielte er in den von den dt. Besatzungsbehörden zugelassenen »Klein-Kunst-Bühnen« in Warschau; 1944 verhaftet und unter ungeklärten Umständen ermordet. 325

Hotter, Hans (1909), dt. Opern- und Konzertsänger (Heldenbariton), 1934 an der Staatsoper Hamburg, 1937 München und ab 1939 Wien; zahlreiche Gastspiele im Ausland. 161, 460

Howard, John (1913), amerik. Filmschauspieler. 822

Hruby, Viktor (1894), österr. Komponist. 307

Huber, Gusti (Köchert), österr. Schauspielerin und Liedersängerin (Sopran), 1940–44 am Burgtheater in Wien; besonders bekannt durch den Film, wo sie fast immer in Hauptrollen auftrat; 1935–45 insgesamt 20 Rollen in österr. und dt. Filmen; nach dem Krieg trat sie in amerik. Filmen auf. 109, 124, 153, 162, 427, 483, 537, 541

Hubschmid, Paul (1917), österr. Schauspieler, 1940–48 am Wiener Josefstadttheater; langjährig beim Film; 1980 Filmband in Gold. 159, 162, 530

Huch, Ricarda (1864–1947), dt. Schriftstellerin; 1944 Wilhelm-Raabe-Preis der Stadt Braunschweig. 508

Hübler-Kahla, Johann Alexander (1902–1965), österr. Regisseur, Drehbuchautor und Filmproduzent (Wien, München); 1933–36 gestaltete er 10 österr. und dt. Spielfilme. 214

Hübner, Bruno (1899–1983), dt. Schauspieler, 1934–44 Deutsches Theater Berlin, ab 1938 auch Theater in der Josefstadt in Wien; ab 1939 auch Regisseur und beim Film; 1946–51 in München und seither an verschiedenen Bühnen als Gast; 1981 Filmband in Gold; er starb in München.

Hübner, Herbert, (1889–1972), dt. Schauspieler; 1964 feierte er sein 60jähriges Theater- und 50jähriges Filmjubiläum; seit dem Stummfilm bis zu Ende des Dritten Reiches rund 100 Rollen; nach dem Krieg künstl. Tätigkeit in der BRD. 159, 201, 302, 309, 427

Hübner, Wilhelm (1929), nach dem Krieg Automonteur in Landshut. 410

Hühnlein, Adolf (1881–1942), Korpsführer der NSKK, 1933 Präsident der Obersten Nationalen Sportbehörde für den deutschen Kraftfahrsport; 1936 erhielt er den Rang eines Generalmajors. 283, 391

Hugenberg, Alfred (1865 – 1951). Industrieller und Politiker (DNVP), besaß großen Einfluß in den Medien. 19, 175

Hullub, Ernst, Kulturfilmregisseur. 41

Hunte, Otto (1881), dt. Architekt und Kunstmaler, ab 1919 beim Film. 39

Huppertz, Toni, dt. Autor, schrieb ab 1936 Drehbücher, 1936 und 1938 gestaltete er als Regisseur 2 Filme. 143, 289, 304, 336, 362, 479, 588

Hurdaleck, Georg (1906), Filmautor und Regisseur. 143

Hussels, Jupp (1901–1986), dt. Schauspieler, begann beim Kabarett in Köln, dann in Berlin; auch Bühnenautor; ab 1933 beim Film: bis 1943 18 Rollen in abendfüllenden Spielfilmen, ferner in Kurzfilmen; nach dem Krieg künstl. Tätigkeit in der BRD, darunter auch beim Film im neuen Zyklus »Clever und Schussel«. 48, 49, 50, 161, 217, 225, 227, 247, 412

Huth, Jochen, Bühnenschriftsteller und Drehbuchautor 137, 141, 222, 448

Hymmen, Friedrich Wilhelm (1913), dt. Schriftsteller und Journalist. 176, 412

Ibsen, Henrik (1828–1906), norw. Dichter. 562, 564

Igelhoff, Peter (1904–1978), aus Österreich stammender Komponist und Vortragskünstler, ab 1936 freischaffend; er schuf etwa 1000 Lieder und Chansons, darunter weitbekannte Schlager; 1969 Prof. 146, 458, 541

Ihering, Georg Albrecht von (1901), dt. Romanautor, Übersetzer, Dialogbearbeiter zahlreicher Filme. 516

Illiard, Eliza, Schauspielerin und Sängerin. 462

Ilmari, Wilho (1888–1983), finn. Schauspieler, Regisseur, gehörte zu den bedeutendsten Repräsentanten des finn. Theaters; seit 1937 wirkte er auch beim Film mit; sehr bekannt als Theaterpädagoge; er schrieb seine Erinnerungen: »Teatterimiehen loki-kirja«. Helsinki 1971. 846

Imhoff, Fritz, eigtl. Friedrich Arnold Heinrich Jeschke (1891–1961), österr. Schauspieler, trat an verschiedenen Bühnen Wiens auf (auch Operette und Kabarett), bekannt und beliebt beim Publikum als Komiker; ab 1933 beim Film: er spielte insgesamt in 160 Filmen mit, darunter 1933–45 in 42 Rollen. 112, 160, 437, 441, 457, 551

Immermann, Eva, dt. Schauspielerin, spielte 1939–43 auch in 4 Filmen mit. 127, 384

Impekoven, Toni, eigtl. Anton (1881–1947), dt. Bühnenautor (Lustspiele, Schwank, Posse), auch Schauspieler; machte sich mit über 40 Theaterstücken einen Namen. 460, 480, 542, 681

Ioannopulos, Demetrios, griech. Regisseur. 791

Irmen-Tschet (auch Tschet), Konstantin, eig. Tschetwerikoff (1902–1977), in Moskau geborener dt. Kameramann, ab 1930 beim Film, wo er zu den besten seines Faches zählte; starb in München. 38, 95, 470, 572, 669, 673, 678, 684

Ivers, Axel (1902–1964), dt. Schauspieler, Regisseur und Bühnenautor, gebürtiger Danziger; Chefdramaturg am Deutschen Th. Wiesbaden. 425, 542

Jacob, Peter, dt. Regisseur, im Kriege Wehrdienst; zeitweilig der Gatte von L. Riefenstahl. 83

Jacobs, Werner (1909), dt. Schnittmeister, Regieassist. und nach 1956 Filmregisseur in der BRD. 40

Jacoby, Georg (1882–1964), österr. Filmregisseur, schuf den ersten österr. Tonfilm; realisierte 1933–44 30 dt. und österr. Filme, ab 1936 oft mit seiner Frau M. Rökk; nach dem Krieg bis 1959 weitere 8 Filme. 38, 80, 106, 115, 139, 165, 183, 248, 287, 458, 461, 462, 470, 480, 481, 573, 576, 634, 650, 668, 678, 684, 849

Jaeger, Malte (1911), dt. Schauspieler, auch Regisseur. 314, 507

Jahn, Friedrich Ludwig (1778–1852), Begründer der dt. Turn- und Sportbewegung; seit 1961 ist die Friedrich-Ludwig-Jahn-Medaille höchste Auszeichnung des DTSB (DDR). 279

Jahn, Otto Heinz (1906 – verunglückt 1953), dt. Kulturfilmregisseur, Drehbuchautor, Produktionschef der Berlin-Film. 305

Jannings, Emil, eigtl. T. F. Emil Janez (1884–1950), dt. Schauspieler, im Dritten Reich hauptsächlich im Film: 1934–45 trat er in 9 vollendeten Spielfilmen auf; 28. 11. 1936 Reichskultursenator, 18. 10. 1937 Staatsschauspieler, 1939 Goethe-Medaille, 1941 Filmring; nach 1945 blieb er der Bühne und dem Film fern, zeitweise im Ausland, kehrte danach nach Deutschland zurück; schrieb Erinnerungen. 50, 73, 80, 96, 97, 113, 117, 124, 140, 153, 168, 171, 172, 174, 175, 176, 180, 183, 191, 198, 199, 202, 247, 259, 314, 338, 363, 364, 472, 483, 490, 561, 632, 633, 649, 693, 698, 712, 737, 746, 762, 798, 804, 849

Janson, Viktor (1884–1960), Regisseur, wirkte beim Film von 1919 bis 1939; 1933–39 realisierte er 13 (darunter 2 österr.) Spielfilme; 1930–54 war er auch als Schauspieler tätig. 79, 112, 160, 246, 316, 349, 453, 465, 796

Jansen, Walter (1887–1976), österr. Schauspieler, Regisseur und Theaterleiter; schon im Stummfilm tätig: 1933–45 insgesamt 51 Rollen, hauptsächlich in dt. Filmen; ab 1934 auch Filmregie, öfters als Dialogregisseur. 114, 160, 248, 462, 541, 548, 795

Jaray, Hans (1906), österr. Schauspieler, schon im Stummfilm tätig, bekannter Charakterdarsteller; 1938–48 in den USA; nach dem Krieg in Wien; auch Regisseur und Bühnenschriftsteller; Prof. 82

Jary, Michael, eigtl. Maximilian Michael Jarczyk (1906), dt. Komponist, schuf ab 1936 selbständige Filmmusiken; zu den Interpreten seiner zahlreichen Evergreens gehörten Z. Leander, R. Serrano, E. Künneke, M. Rökk, H. Rühmann, J. Heesters u. a., die Texte stammten zumeist von seinem Freund Bruno Bolz; 1981 Filmband in Gold. 41, 145, 147, 148, 243, 259, 397, 466, 467, 472, 537, 714

Javor, Pál, Schauspieler und Sänger. 153, 781, 842

Jaworsky, Heinz von (1912), dt. Kameramann, ab 1935 beim Film, Spezialist für Luftaufnahmen; 1946–48 Chefkameramann der Defa-Wochenschau, ab 1952 Filmtätigkeit in den USA. 278, 371, 372, 373, 375

Jelusich, Mirko (Vojmir) (1886–1969), österr. Schriftsteller: Roman, Essay, Lyrik, Bühnendichtung; auch Filmdramaturg und Journalist; 1942 Grillparzer-Preis der Stadt Wien; nach dem Krieg 5 Jahre interniert. 309, 312

Jerven, Walter, dt. Autor, Regisseur, eröffnete 1923 in München ein Filmarchiv. 380

Jeschke, Gerhard, Leiter des Filmarchivs der Persönlichkeiten. 411

948

Kamare, Stefan von, eigtl. Stephan Čokorač von Kamare (1880–1945), österr. Dramatiker, Lyriker, Novellist, von Beruf Jurist, Direktor eines Industriekonzerns; 1939–44 verfaßte er auch 2 Filmdrehbücher. 143, 420, 550

Kampendonk, Gustav (1909–1966), dt. Journalist, vor allem als Drehbuchautor bekannt; schrieb bis in die Nachkriesgzeit rund 100 Drehbücher zu dt. Spielfilmen; 1937–39 Dramaturg bei der Ufa, später bei der Berlin-Film. 143, 230, 497, 526, 528

Kampers, Fritz (1891–1950), dt. Schauspieler, gewann größere Popularität in Berlin, langjährig an der Volksbühne; 1939 Staatsschauspieler; seit der Stummfilmzeit zahlreiche Rollen: 1933–45 insgesamt 69; realisierte 1934 zwei Filme als Regisseur. 151, 152, 160, 173, 221, 225, 301, 309, 334, 346, 348, 362, 369, 457, 462, 492, 519, 544, 546, 577

Kampi, Ines, Schauspielerin. 226

Kant, Immanuel (1724–1804), einer der größten dt. Denker, ab 1770 Prof. in Königsberg/Ostpr. 232, 233

Karajan, Herbert von (1908), österr. Dirigent. 455

Karchow, Ernst (1892–1953), dt. Schauspieler und Regisseur, langjährig in Berlin, ab 1935 Oberspielleiter, dann Schauspieldirektor am Deutschen Th.; 1945–49 Frankfurt/M. und Bremen, 1950–53 Leiter der Freien Volksbühne Berlin (West). 160, 173, 342

Karhumäki, Urbo (1891–1947), finn. Schriftsteller. 846

Karl X. (1757–1836), König von Frankreich. 201

Karl Alexander, (1684–1737), Herzog von Württemberg. 313, 314

Karlstadt, Liesl, eigtl. Elisabeth Wellano (1892–1960), dt. Schauspielerin, gewann große Popularität als Partnerin von K. Valentin in Kabarettvorstellungen in München; ab 1932 auch im Tonfilm: 1933–44 insgesamt 13 Rollen in abendfüllenden Spielfilmen. 157, 222, 522

Karlweis, Oscar (1894–1956), österr. Schauspieler, trat auf zahlreichen Bühnen (u. a. auch Operette und Kabarett) in Wien, München und Berlin auf; tätig auch beim Film, 1933/34 spielte er seine letzten drei Rollen in dt. und österr. Filmen vor der Emigration nach den USA, nach 1945 gastweise in Berlin und Wien. 548

Karrasch, Alfred (1893–1973), dt. Schriftsteller und Journalist, nach 1933 schrieb er »im Geiste der Zeit«; starb in der DDR. 229, 530

Karschies, Erich (1909 – gefallen 1942), dt. Schriftsteller, ursprünglich Lehrer; Kreisleiter der NSDAP Memel-Land. 230

Katt, Geraldine, eigtl. Kattnig (1921), österr. Schauspielerin, wirkte auch im Film mit: 1936–43 insgesamt 10 Rollen, auch nach 1945. 157, 454, 508, 521, 535, 574

Kattnigg, Rudolf (1895–1955), österr. Komponist, seit 1934 in Berlin, ab 1939 in Wien, dort auch Dirigent; schrieb Konzert- und Opernwerke, Operetten und Filmmusiken. 220, 546

Kaufmann, Nicholas (1892–1970), dt. Forscher, ursprünglich Arzt, langjähriger Leiter der Kulturfilmabteilung der Ufa; Kulturfilmregisseur, Fachschriftsteller im Bereich des Films. 76, 219, 269, 419, 490, 685, 686

Kaweczynski, Hugo von, dt. Kameramann. 378, 497

Kay, Juliane, eigtl. Erna Baumann (Ernestine Streker), 1899/1904–1968), österr. Schauspielerin, Regisseurin, Roman-, Schauspiel- und (ab 1939) Drehbuchautorin. 142, 143, 517

Kayser, Charles Willy (1881–1942), dt. Schauspieler, 1938 gestaltete er auch regielich einen Spielfilm. 360

Kayser, Ulrich, Filmregisseur und -autor. 22, 224, 477, 812

Kayßler, Christian Friedrich (1898–1944), dt. Schauspieler, Sohn v. Friedrich K.; Staatsschauspieler; trat auf den Bühnen Berlins, zuletzt Deutsches Th. auf; wirkte auch im Film: 1937–42 insgesamt 11 Rollen. 101, 115, 160, 199, 377, 416, 565

Kayßler, Friedrich (1874–1945), dt. Schauspieler, Regisseur, Theaterleiter und Schriftsteller (Drama, Gedichte, Märchen), seit 1918 in Berlin, ab 1933 am Staatstheater (1944: Ehrenmitglied); Staatsschauspieler, Reichskultursenator; ab 1930 beim Tonfilm: 1934–45 insgesamt 23 Rollen. 96, 101, 102, 129, 158, 174, 175, 194, 196, 197, 204, 336, 344, 361, 373, 402, 424, 426, 454

Keienburg, Ernst (1893–1970), dt. Wissenschaftler und Schriftsteller, auch Film- und Rundfunkautor; starb in der DDR. 143

Keilberth, Joseph (1908–1968), dt. Dirigent, ab 1940 Leiter des Philharmonischen Orchesters Prag; ab 1951 im Konzertwesen der BRD tätig. 476, 477
Keimer, Peter-Paul (1906), dt. Dramaturg, Drehbuchautor, Produktionsleiter beim Film. 38
Keindorff, Eberhard (1902), dt. Dramatiker und Filmautor. 143, 425
Keitel, Wilhelm (1882 – hingerichtet 1946), Generalfeldmarschall, Chef des OKW. 192, 389, 391, 411
Keller, Gottfried (1819–1890), schweiz. Dichter. 555, 671, 809
Kellermann, Bernhard (1879–1951), dt. Schriftsteller; nach dem Krieg in der DDR. 65
Kemp, Paul (1899–1953), dt. Schauspieler, herausragender Komiker, seit 1929 auf den Bühnen Berlins, ab 1930 vorwiegend Filmtätigkeit: 1933–45 insgesamt 46 Rollen. 107, 131, 158, 162, 171, 427, 431, 454, 458, 467, 522, 537, 547, 559, 560, 568
Kempowski, Walter (1929), dt. Schriftsteller. 592
Keppler, Hannes, dt. Schauspieler. 377
Kerckhoff, Susanne (1918 – Freitod 1950), dt. Erzählerin und Lyrikerin, nach 1945 Journalistin. 517
Kern, Adele (1902–1980), dt. Sängerin (Koloratursopran), ab 1924 an der Münchner Oper; zahlreiche Gastspiele an anderen deutschen Bühnen und im Ausland. 224
Kernmayr, Hans Gustl (1900/1906–1977), österr. Kabarettist, Sänger, in verschiedenen Berufen tätig, danach schriftstellerische Tätigkeit; ab 1934 schrieb er Drehbücher und gehörte zu den meistbeschäftigten Filmautoren im Dritten Reich. 143, 555, 657
Kerrl, Hans (1887–1941), Reichsminister für kirchliche Angelegenheiten. 197, 391
Kerutt, Horst (1913), dt. Schriftsteller und Herausgeber, Oberbannführer im Stabe der RJF; Dramaturg bei der Tobis; nach 1945 in der DDR. 39, 590
Kesselring, Albert (1885–1960), Generalfeldmarschall (1940). 373
Kettelhut, Erich (1893), dt. Filmarchitekt, wirkte von 1919 bis in die Nachkriegsjahre an zahlreichen Spielfilmen mit; ab 1921 Mitarbeiter der Ufa. 38, 669
Kiepura, Jan (1902–1966), poln. Sänger (Tenor); debütierte in Polen, 1926–28 an der Wiener Staatsoper, danach auf Reisen in Europa (auch NS-Deutschland), Süd- und Nordamerika (u. a. Metropolitan Opera New York); die Schönheit seiner Stimme brachte ihm internationalen Ruf ein; auch Rollen im Film (1933–37 fünf österr. und dt. Filme) und Operette; ab 1940 in USA, wo er auch starb. Die Behauptung einiger Autoren, daß J. K. der Sohn eines jüdischen Bäckers gewesen sei, entspricht nicht den Tatsachen; seine Mutter war eine getaufte Jüdin. 118, 130, 131, 151, 346, 452, 453, 456
Kimmich, Max W. (1893/1898), dt. Filmregisseur, -autor und -produzent, auch in anderen Genres schriftstellerisch tätig; zeitweise in Hollywood; schrieb seit 1932 in Deutschland Drehbücher; gestaltete 1939–43 im Reich vier abendfüllende Spielfilme. 41, 89, 165, 335, 336, 340, 360, 363, 430, 483, 519, 528, 647, 655
Kindermann, Heinz (1894), österr. Literatur- und Theaterwissenschaftler, nach 1933 stark nationalsozialistisch orientiert. 544
King, Louis (1898–1962), amerik. Filmregisseur. 822
King, Henry (1888–1982), amerik. Schauspieler, Filmregisseur und -produzent; schon in der Stummfilmzeit eroberte er sich die erste Etappe seines späteren Weltruhms. 760, 823
Kinz, Franziska (1897–1980), dt. Schauspielerin (geb. in Tirol), trat an den Bühnen Wiens, Berlins und vor allem Münchens auf; Staatsschauspielerin; im Tonfilm ab 1930: 1933–45 spielte sie in 13 abendfüllenden Filmen mit; nach 1945 Theater, Film und Fernsehen in BRD und Österreich. 122, 123, 129, 155, 171, 223, 256, 521
Kipling, Joseph Rudyard (1865–1936), engl. Schriftsteller. 827
Kirchner, Herti (1913–1939), dt. Schauspielerin. 246
Kirchoff, Fritz (Friedrich) (1901–1953), dt. Theater- und (ab 1936) Filmregisseur: bis 1945 gestaltete er 14 Filme. 38, 88, 129, 165, 269, 333, 394, 426, 481, 515, 529, 565, 650
Kitayama, Junyu, japan. Wissenschaftler. 417
Klagemann, Eugen, Kameramann. 39
Klaren, Georg C., eigtl. Klarič (1910–1962), dt. Dramaturg und Filmautor; nach 1945 Chefdramaturg bei der Defa. 141, 143, 297, 428, 446, 495, 496, 506, 564

951

Klass, Gert von (1892–1971), dt. Schriftsteller (Drama, Roman, Erzählung) und Journalist. 143, 445

Klein, Charles, eigtl. Karl Friedrich Klein (1898), dt. Erzähler, Film- und Bühnenautor; gestaltete 1933–40 als Regisseur drei Spielfilme, ferner Dialogregisseur nach dem Krieg in der BRD. 426, 519, 522, 655

Kleist, Heinrich von (1777–1811), dt. Dichter. 81, 492, 633

Klemperer, Otto (1885–1973), dt. Dirigent, 1927–33 mit Opernbühnen in Berlin verbunden, später im Exil. 173

Klenau, Paul August von (1883–1946), dän. Komponist und Dirigent. 799

Klinger, Paul, dt. Schauspieler. 112, 160, 223, 240, 263, 305, 394, 448, 473, 479, 482, 494, 495, 508, 529, 570, 670, 714

Klingler, Werner (1904–1972), dt. Filmregisseur und Drehbuchautor; 1936–45 gestaltete er regielich 10 Spielfilme. 39, 166, 286, 341, 360, 401, 429, 447, 481, 554, 647, 795

Klipstein, Ernst von (1908), dt. Schauspieler, wirkte ab 1939 auch beim Film mit: bis 1945 insgesamt 23 Rollen; verheiratet mit der Schauspielerin Lotte Koch. 115, 159, 162, 230, 362, 370, 378, 421, 428, 479, 482, 496, 499, 504, 517

Klitzsch, Ludwig (1881–1954), Generaldirektor der Ufa; Reichskultursenator; 1942 Dr. h. c. der Universität Halle-Wittenberg. 19, 36, 90, 164, 175, 180

Klöpfer, Eugen (1886–1950), dt. Schauspieler, Regisseur und Theaterleiter: 1936–44 Intendant der Volksbühne Berlin; Staatsschauspieler, Reichskultursenator, ab 1935 stellvertr. Vorsitzender der RTK. 106, 158, 175, 179, 181, 313, 314, 438, 439, 442, 447, 489, 499, 509, 515, 516, 549, 556, 577, 589, 670, 672, 682

Klotzsch, Fritz (1896–1971), Produktionsleiter bei der Tobis (ab 1.4.1940), vorher und nach 1945 langjährig in der Filmbranche. 39, 684

Kluge, Kurt (1886–1940), dt. Schriftsteller, Erzgießer, Bildhauer. 447, 529

Kluth, Heinz, dt. Kameramann (Wochenschau, Kultur- und Dokumentarfilm). 317

Knappertsbusch, Hans (1888–1965), bedeutender dt. Dirigent. 436, 442

Knef, Hildegard, eigtl. Albertina Palastanga (1925), dt. Schauspielerin, Chansonsängerin, auch im Film tätig; 1942 Ausbildungsvertrag bei der Berlin-Film, 1944 schauspieler. Debüt im dt. Film; nach dem Krieg zwei »angelsächsische Heiraten«; Theater- und Filmtätigkeit in der BRD und den USA, wo sie wieder wohnt; betätigt sich auch schriftstellerisch (schrieb u. a. ein Buch über Romy Schneider »Romy«, 1983). 128, 478, 479, 684

Kneip, Gustav (1905), dt. Komponist und Kapellmeister. 423

Knight, Jane (1913), amerik. Filmschauspielerin. 817

Knittel, John (Hermann) (1891–1970), schweiz. Schriftsteller. 556

Knoteck, Hansi (Johanna) (1914), in Österreich geborene Schauspielerin, vor allem mit dem Film verbunden: 1934–45 insgesamt 25 Rollen; verheiratet mit V. Staal. 94, 114, 121, 156, 223, 244, 349, 462, 466, 482, 497, 498, 534, 566

Knott, Else (1910–1975), dt. Schauspielerin, trat auf den Bühnen in Frankfurt/M., Berlin und 1942–44 im Stadttheater Straßburg/Elsaß auf; ab 1933 auch Filmrollen. 255

Knuth, Gustav (1901–1987), dt. Schauspieler, 1933–36 in Hamburg, 1936/37 Volksbühne Berlin, 1937–44 Staatstheater Berlin; Staatsschauspieler; ab 1935 auch im Film: bis 1945 insgesamt 18 Rollen; 1945–49 spielte er in Hamburg und ab 1949 im Schauspielhaus Zürich, ferner zahlreiche Rollen im Showgeschäft. 114, 160, 162, 183, 229, 274, 289, 298, 402, 426, 438, 478, 479, 510, 514, 527

Kobbe, Friedrich Karl (1892–1957), Dramaturg bei der Bavaria. 40

Kobler, Erich (1910), dt. Filmer, zunächst Schnittmeister, dann Regisseur und Autor. 38

Koch, Adolf, Farbfilmspezialist; Dr. 689

Koch, Carl, dt. Kameramann, Filmregisseur und -autor. 808, 833

Koch, Erich (1896–1986), 1928 Gauleiter in Ostpreußen, 1933 zugleich Oberpräsident dieser Provinz und 1941 Reichskommissar der Ukraine; als Kriegsverbrecher in Polen zum Tode verurteilt; die Hinrichtung fand lt. amtl. Aussage wegen der Krankheit des Verurteilten nicht statt; starb im poln. Gefängnis. 772

Koch, Franz (gest. 1959), dt. Kameramann, 1930 bis 1958 berufstätig, langjährig bei Peter-Ostermayer-Film. 40

Koch, Lotte (Luise Charlotte, vereh. von Klipstein) (1913), dt. Schauspielerin, ab

1937 auch beim Film; nach 1945 künstl. Tätigkeit in der BRD. 92, 94, 127, 162, 333, 482, 507, 574, 694
Koch-Neusser, Fritz, Produktionsleiter bei der Bavaria. 40
Köck, Eduard (1882–1961), österr. Volksschauspieler, Mitbegründer der Exilbühne und bis zu ihrer Auflösung Oberspielleiter; 1934 zum erstenmal im Film; auch Filmautor. 1963 in der BRD Filmband in Gold. 237, 238, 546, 551
Köhn, Carl Martin (1895), dt. Journalist, Drehbuchautor, Satiriker (u. a. Zusammenarbeit mit »Brennessel«) und Dramaturg; NS-orientiert, arbeitete ab 1927 mit »Angriff« zusammen. 312
Köllner, Hans-Fritz (1896–1976), dt. Schriftsteller, auch Filmautor und -regisseur. 128, 143, 216, 383, 453, 555
Kölwel, Eduard (1882–1966), dt. Schriftsteller und Sprachlehrer; Hochschuldozent. 488
König, Eberhard (1871–1949), dt. Schriftsteller. 173
König, Wilhelm, dt. Schauspieler, langjährig an den Bühnen Berlins, ab 1935 auch im Film. 427
Körber, Hilde (Hildegard Gertrude Lilly, vereh. Harlan) (1906–1969), aus Wien stammende dt. Schauspielerin, Schriftstellerin, Pädagogin; ab 1936 bis in die Nachkriegsjahre auch im Film: bis 1945 insgesamt 27 Rollen; nach dem Krieg künstl. und pädagogische Tätigkeit in der BRD; starb in Berlin (West). 96, 126, 138, 155, 193, 202, 222, 402, 427, 479
Körner, Herbert (1902), dt. Kameramann, 1941–45 bei der Ufa, nach 1945 freiarbeitend. 38
Körner, Hermine (1878–1960), dt. Schauspielerin, Regisseurin, Theaterleiterin; 1933–44 Schauspielerin am Staatstheater Berlin; episodisch im Film. 155, 438, 566
Körösi, Herbert, dt. Kameramann und Kulturfilmproduzent. 292, 603
Köster, Reinhard (1885–1956), dt. Schriftsteller, Übersetzer, schrieb auch für Rundfunk und Film. 514
Köstlin, Karl, österr. Schauspieler, Regisseur, auch beim Film. 547
Kolbenheyer, Erwin Guido (1878–1962), österr. Schriftsteller; nach 1945 wegen seiner völkischen Gesinnung und antikirchlichen Einstellung als ideologischer Sympathisant des NS zunächst Berufsverbot. 173
Kollo, Walter, eigtl. Elimar Walter Kollodziejski (1878–1940), dt. Operettenkomponist. 214, 216, 217, 220
Kollo, Willi (1904/1905), dt. Komponist, Operettentexter, Musikverleger, schrieb ab 1930 auch Filmmusiken ab 1937 Drehbücher; 1958 gestaltete er den Film »Solang noch untern Linden«. 146, 400, 469
Komar, Dora, eigtl. Komarek (1914), österr. Schauspielerin (Tanz, Chansons), 1935–44 an der Wiener Staatsoper; tätig auch beim Film: 1940 bis 45 spielte sie in 5 Filmen mit; nach dem Krieg künstl. Tätigkeit in Österreich. 460, 463, 467
Konradt, Otto, Komponist. 335
Kopernikus, Nikolaus (in Polen Mikołaj Kopernik) (1473–1543), Astronom. 212
Kopp, Mila (Emilie, vereh. Kayßler) (1904–1973), aus Wien stammende Schauspielerin, seit 1925 an den Bühnen in Deutschland, 1941–44 Schiller-Th. Berlin; ab 1942 auch im Film tätig. 206, 210
Koppenhöfer, Maria (1901–1948), dt. Schauspielerin, 1926–44 Staatstheater Berlin, im Krieg auch für Nachwuchsfragen zuständig; Staatsschauspielerin; wirkte auch im Film mit: 1933–45 insgesamt 33 Rollen; 1945–48 Staatsschauspiel München. 91, 96, 119, 335, 446, 511, 530, 554, 570
Kopsch, Julius (1887–1970), dt. Dirigent und Komponist; Präsidialratsmitglied der RMK, langjähriger Leiter der Genossenschaft deutscher Tonsetzer. 68
Korda, Alexander Sir (1893–1956), engl. Filmregisseur und -produzent, gehört zu den Pionieren der Kinematographie. 81, 525, 757, 760, 817
Korhonen, Akku (1892–1960), finn. Schauspieler. 846
Kortner, Fritz, eigtl. Fritz Nathan Kohn (1892–1970), österr. Schauspieler, Regisseur, meist in Deutschland wirkend; 1933–47 Emigration; Autobiographie: »Aller Tage Abend« (1959). 81, 99, 113
Kortwich, Werner (1898–1965), dt. Journalist, Schriftsteller, Kritiker, Drehbuchautor; zeitweilig in der Filmkreditbank; 1938–41 Produktionsleiter bei der Tobis, 1941–44 Dramaturg bei der Prag-Film; nach 1945 wirkte er in der BRD. 344, 390

953

Kosterlitz, Hermann (in USA Henry Koster), Filmregisseur dt. Herkunft; verließ 1933 Deutschland und ging 1936 über Italien in die USA. 65

Koselka, Fritz (Friedrich) (1905), österr. Bühnen- und Filmautor, auch Journalist; schrieb ab 1936 Drehbücher. 110, 141, 143, 223, 305, 460, 553

Kowa, Viktor de, eigtl. Kowalczyk (1904–1973), dt. Schauspieler, Regisseur und Theaterleiter, ab 1929 auf den Bühnen Berlins: 1935–43 Staatstheater, 1943 künstl. Leiter d. Th. am Kurfürstendamm; ab 1930 auch im Film: 1933–45 insgesamt 36 Rollen, außerdem gestaltete er als Regisseur 3 Filme; 1939 Staatsschauspieler; nach 1945 künstl. Tätigkeit in der BRD, zeitweilig Präsident der Deutschen Union der Filmschaffenden; in langjähriger Ehe mit der japan. Autorin und Sängerin Michiko Tanaka verheiratet. 107, 153, 162, 216, 242, 286, 298, 349, 350, 360, 402, 452, 458, 530, 536, 544, 550, 566, 573, 578, 588, 589, 633, 694

Krahl, Hilde, eigtl. Kolačny (vereh. Liebeneiner) (1914), Schauspielerin kroat./österr. Herkunft, mit österr. und dt. Theater und Film verbunden; 1936–55 Theater in der Josefstadt Wien, 1938–44 zugleich Deutsches Th. in Berlin; im Film ab 1936: bis 1945 insgesamt 19 Rollen; erhielt 1961 in der BRD Bundesfilmpreis als die beste Hauptdarstellerin, 1964 in Wien die Kainz-Medaille. 126, 153, 162, 168, 217, 264, 304, 402, 416, 439, 440, 449, 451, 493, 511, 530, 550, 578, 657, 693, 807, 849

Krause, Georg, dt. Kameramann. 40, 373

Krause, Hermann (1908–1954), dt. Erzähler, Film- und Rundfunkautor. 143

Krause, Willi, Ps. Peter Hagen (1907), dt. Journalist und Schriftsteller (Roman, Lyrik, Bühnenwerke, Drehbücher); 1934–36 Reichsfilmdramaturg, 1935–38 auch Regie an drei Spielfilmen. 24

Krauss, Clemens Heinrich (1893–1954), österr. Dirigent, 1929–34 Direktor der Wiener Staatsoper, dann Staatsoper Berlin, 1937–45 Leiter der Staatsoper München, zugleich ab 1939 Leiter der Festspiele und des Mozarteums in Salzburg; nach 1945 in Wien. 175

Krauss, Werner (1884–1959), berühmter Schauspieler des deutschsprachigen Theaters, zur Zeit des Dritten Reiches vorwiegend auf den Bühnen Wiens (Burgtheater) und Berlins (Staatstheater); ab 1916 im dt. Film, 1935–43 Rollen in acht Filmen; ab 1948 künstl. Tätigkeit in Österreich und in der BRD; zahlreiche Ehrungen wurden ihm zuteil, u. a. Großes Bundesverdienstkreuz, Iffland-Ring und 1959 Ehrenring der Stadt Wien. 81, 99, 158, 172, 173, 179, 199, 202, 204, 255, 313, 314, 316, 363, 448, 480, 493

Krawicz, Mieczysław (–1944), poln. Regisseur, seit der Stummfilmzeit schuf bis zum Kriegsausbruch zahlreiche Spielfilme. 817

Kreuder, Peter (1905–1981), dt. U-Komponist; neben zahlreichen Schlagern schuf er über 150 Filmmusiken, drei Operetten und eine Oper; 1945–50 in Südamerika; schrieb zusammen mit A. Sailer die Autobiographie: »Schön war die Zeit« (1955). 115, 129, 145, 147, 177, 178, 360, 361, 447, 449, 463, 470, 471, 472, 494, 526, 532

Kreutzberg, Harald (1902–1968), dt. Tänzer, Schüler von Laban und M. Wigman, international bekannter Solotänzer, Choreograph und Pädagoge; nach 1945 langjährig in der Schweiz, wo er auch starb. 204

Kreysler, Dorit, eigtl. Dorothea Kreisler (1909), dt. Schauspielerin, ab 1934 auch im Film; bis 1945 spielte sie in 17 Filmen mit. 156, 443, 573

Krieg, Hans (1888–1970), dt. Naturwissenschaftler, Prof.; veröffentlichte zahlreiche Publikationen aus dem Bereich der Tierkunde, unternahm Expeditionen; Direktor der Zoologischen Sammlung in München; Schöpfer von Kulturfilmen. 291, 649

Krieger, Arnold (1904–1965), dt. Erzähler, Dramatiker, Hörspielautor, Lyriker, Nachdichter und Publizist von großer Produktivität; einige seiner Werke wurden in viele Sprachen übersetzt. 337

Kriegk, Otto, Publizist und Kritiker. 200, 500, 682

Krien, Werner (1912–1975), dt. Kameramann, ab 1936 selbständig im Fach. 38, 673, 684

Kritz, Hugo Maria, eigtl. Gustav Hugo Maria Krizkovsky (1905), dt. Schriftsteller, Journalist, schrieb auch Drehbücher. 143, 286, 522, 569

Kroll, Werner, dt. Schauspieler und Kabarettist, bekannter Parodist. 50

Krosigk, Johann Ludwig Graf Schwerin von (1887–1977), Reichsfinanzminister. 391

Krüger, Paulus (1825–1904), südafrik. Staatsmann. 337

Krug, Wilhelm, Filmautor. 143
Kubat, Eduard (1894), Produktionsleiter bei der Terra. 39
Külb, Karl Georg (1901), dt. Schriftsteller, ursprünglich Jurist; schrieb ab 1937 Filmdrehbücher, führte ab 1939 auch Regie: bis 1942 drei Filme; 1950–56 Regisseur von 6 Filmen in der BRD, bis 1964 auch Regie für das Fernsehen; Mitglied des Ehrenrates des Verbandes Deutscher Filmautoren. 141, 458, 514, 542, 562, 668, 795
Künkel, Hans (1896–1956), dt. Schriftsteller. 332
Künneke, Eduard (1885–1953), dt. Komponist, vor allem bekannt durch seine Operetten. 461
Künneke, Evelyn (1921), Tochter des Vorigen, Sängerin, nach dem Krieg die (West-) Berliner »Swing-Nachtigall«; ihre Erinnerungen wurden von Walter Haas (1982) in Szene gesetzt. 148, 460, 565
Künzel, Karl (1889–1945), Produktionsleiter bei der Wien-Film. 41
Küssel, Robert (1895), dt. Komponist und Dirigent, schrieb ab 1933 auch Filmmusik.
Kuhle, Willy, dt. Kameramann. 40
Kuhlmann, Carl (Charles) (1899–1962), dt. Schauspieler, 1937–43 an der Volksbühne Berlin: bis in die Nachkriegszeit auch beim Film tätig. 160, 302, 312, 453, 499, 513
Kuhlmey, Jochen (Hans Joachim) (1912–1973), dt. Schauspieler und Autor, schrieb von 1942 bis in die Nachkriegszeit auch Drehbücher. 143, 498
Kuhnert, Adolf-Arthur (auch Adolpho) (1905–1958), dt. Schriftsteller (Roman, Erzählung, Hörspiel), 1935–40 Rundfunkreporter, 1940–45 Drehbuchautor bei der Terra. 143, 238
Kuntze, Reimar (1902–1949), dt. Kameramann, seit der Stummfilmzeit bis 1949 berufstätig. 38
Kuntzen, Erich, dt. Komponist. 292, 476
Kunz, Alfred (1894–1961), Kostümberater, Bühnenbildner, Filmarchitekt; langjährig Lehrer und Direktor an der Modeschule in Wien. 41
Kupfer, Margarete, eigtl. Kupferschmidt (1881–1953), dt. Schauspielerin, langjährig auf den Bühnen Berlins und im Film; nach 1945 in der DDR. 118
Kurzmayer (auch Kurtzmayer), Carl (1901), österr. Lichtbildner, ab 1918 als Kameramann in der Produktion; PK-Filmberichter bei den Polen- und Frankreich-Feldzügen, auch Regisseur und Drehbuchautor bei mehreren Kulturfilmen. 41
Kusserow, Ingeborg von, dt. Schauspielerin. 157
Kutter, Anton (–1985), dt. Filmregisseur und -autor. 76, 251, 366
Kyrath, Ekkehart (1909), dt. Kameramann, 1928–45 bei der Ufa und Terra. 38, 479
Kyser, Hans (1882–1940), dt. Schriftsteller, auch Drehbuchautor und Regisseur. 490

Labiche, Eugène-Martin (1815–1888), franz. Bühnenautor. 562
Lach, Walter Robert (1901), österr. Kameramann, 1941–45 bei der Wien-Film, Kulturfilmproduzent. 41
Laforgue, Leo de (1902–1980), dt. Filmproduzent, Regisseur, Kameramann, Drehbuchautor, auch Roman- und Bühnenschriftsteller; ab 1933 bei der Ufa; nach 1945 Tätigkeit in Berlin (West) und BRD. 22, 76, 220, 307, 408, 478, 490
Lagerlöf, Selma (1858–1940), schwed. Schriftstellerin; 1909 Nobelpreis. 244, 566
Lagoric, Alexander von (1890), in Warschau geborener dt. Kameramann, bis 1941 berufstätig. 669
Laherwall, Sture (1908–1964), schwed. Schauspieler. 844
La Jana, eigtl. Henriette M. Hiebel (1905–1940), österr. Tänzerin und Schauspielerin; wirkte schon im Stummfilm als Tänzerin mit; 1936–40 spielte sie in 6 dt. Filmen mit. 123, 156, 412, 468, 469
Lamac, Carl, eigtl. Karel Lamač (1897–1952), Filmregisseur und -produzent tschech. Abstammung; debütierte im tschech. Film, schuf 1929–38 österr. und dt. Filme (z. T. bei der Ondra-Lamač-Film); gestaltete 1933–38 insgesamt 27 dt. und österr. Filme; bis 1933 einige Filmrollen; nach 1945 in der BRD. 114, 129, 286, 424, 453, 462, 463, 464
Lammers, Hans-Heinrich (1879–1962), 1933–45 Chef der Reichskanzlei, ab 1937 als Reichsminister. 197
Lamour, Dorothy, eigtl. D. Kaumeyer (1914), amerik. Schauspielerin, tätig beim Film bis in die 60er Jahre. 821

955

Lamprecht, Gerhard (1897–1974), dt. Filmregisseur, seit 1924 (ab 1920 als Regisseur) bis 1955 im Film tätig; 1933–45 Regie an 20 Spielfilmen; auch Filmhistoriker; 1967 Filmband in Gold. 38, 78, 165, 193, 194, 216, 263, 385, 457, 479, 560, 574, 577, 630, 632, 634

Landau, K. von, Kulturfilmregisseur. 41

Landi, eigtl. Elizabeth Kuhnelt (1904–1948), amerik. Filmschauspielerin. 821

Landrock, Maria (1923), dt. Schauspielerin, auf den Berliner Bühnen (1941/42 Volksbühne), ab 1940 auch im Film: bis 1943 6 Rollen. 156, 247, 521, 566, 567

Lang, Fritz (1890–1976), österr. Filmregisseur von internationalem Ruf; verließ Deutschland 1933. 65, 74, 98, 110, 141, 810

Lange, Hellmut (auch Hellmuth) (1903), schrieb Romane, Bühnenwerke, Drehbücher, Herausgeber von Schmalfilmen. 521

Lange, Walter (1886), dt. Bühnenautor. 198

Langen, Vera von, dt. Schauspielerin. 297

Langenbeck, Curt (1906–1953), dt. Schriftsteller (Bühnendichtung, Lyrik, Essay), Dramaturg und Regisseur; Chefdramaturg am Münchner Schauspielhaus. 387, 480

Lanner, Susi (1914), Schauspielerin (Revue, Operette), ab 1934 auch Film: bis 1937 insgesamt 13 Rollen. 157, 350

Lauckner, Rolf (1885–1954), dt. Bühnen- und Drehbuchautor (aus seiner Feder stammten über 40 Dramen, ferner mehrere Filmmanuskripte), Librettist und Übersetzer, auch Lyriker; geboren in Königsberg; war Stiefsohn Sudermanns; einige seiner früheren Werke wurden nach 1933 von der Bühne verbannt. 140, 176, 196, 436, 657

Laughton, Charles (1899–1962), amerik. Schauspieler. 525

Laurenze, Ernst, Dramaturg bei der Bavaria. 40

Lausch, Heinz (1920), Schauspieler. 683

Laux, Karl (1896–1978), dt. Musikkritiker und Schriftsteller; nach dem Krieg in der DDR; schrieb Erinnerungen. 439

Lawrence, Thomas Edward (1888–1935), engl. Sprach- und Altertumsforscher, Führer des Araberaufstandes im Weltkrieg. 330

Leander, Zarah, eigtl. Sara Hedberg, 1. vereh. Leander (1902–1981), schwed. Schauspielerin; 1937–43 trat sie in Deutschland in 11 Filmen auf; schrieb Erinnerungen; über Z. L. veröffentlichte Paul Seiler zwei Bücher: »Zarah Leander« und »Zarah Diva« (1985). 10, 31, 50, 66, 72, 75, 118, 127, 134, 135, 136, 137, 147, 148, 151, 153, 154, 167, 298, 334, 335, 397, 398, 399, 412, 427, 444, 449, 458, 464, 500, 574, 630, 634, 693, 698, 729, 750, 751, 758, 759

Leberecht, Frank (–1970), Regisseur und Autor von Kulturfilmen. 290

Leckebusch, Walter (1902), Kulturfilmproduzent; Bundesfilmpreis 1954. 423

Ledebur, Leopold Freiherr von (1876–1955), dt. Schauspieler, langjährig am Berliner Staatstheater; ab Stummfilm zahlreiche Rollen. 161

Ledermann, D. Ross, amerik. Regisseur. 821

Leeb, Wilhelm Ritter von (1876–1956), Generalfeldmarschall. 391

Leers, Johann von (seit den 50er Jahren Omar Amin) (1902), dt. Jurist, Politologe, 1940 Prof. für dt. Geschichte in Jena; nach 1945 in Argentinien, ab 1956 in Ägypten. 332

Legal, Ernst (1881–1955), dt. Schauspieler, bedeutender Charakterdarsteller, jahrelang bis in die Nachkriegsjahre mit Berlin verbunden, auch Regisseur und Theaterleiter. 106, 160, 236, 401, 402, 503, 564, 567

Lehár, Franz (1870–1948), Operettenkomponist. 113, 174, 412, 465

Lehmann, Fritz, Kameramann. 292

Lehmann, Fritz, Schauspieler. 440

Lehmann, Hans (1906), Produktionsleiter. 41

Lehmann, Otto (1889), Produktionsleiter. 39

Lehmann, Walter, Produktionsleiter. 40

Lehnich, Oswald (1895–1961), dt. Ökonomist, Uni-Prof.; Mitglied der NSDAP und SS (1939 SS-Oberführer); 1935–39 Präsident der RFK. 164

Leibelt, Hans (1885–1974), dt. Schauspieler und Regisseur, 1928–44 am Berliner Staatstheater; Staatsschauspieler; aktive Tätigkeit beim Film; 1933–45 insgesamt 80 Rollen; zahlreiche Filmrollen nach 1945 in der BRD; 1962 Filmband in Gold; 1963 Verdienstkreuz 1. Klasse des Verdienstordens der BRD. 105, 119, 159, 263, 305, 492

Leidmann, Eva Maria (1888–1938), dt. Schriftstellerin, einige von ihren Werken wurden nach 1933 polizeilich beschlagnahmt. 216, 448, 577

Leip, Hans (1893–1983), dt. Schriftsteller (Drama, Lyrik, Roman, Novelle, Essay, Drehbuch, Hörspiel) und Graphiker. 176, 363, 565

Leiser, Erwin, Publizist. 206, 330, 357, 409

Leistenschneider, Robert, Produktionsleiter. 39

Leiter, Karl Hans (1890–1957), österr. Dramaturg, Regisseur und Autor, seit 1913 beim Film; 1933–38 bei der Ufa, dann bei der Wien-Film und Bavaria; nach 1945 Drehbucharbeiten. 22, 223

Lemare, Jacques (1912), franz. Kameramann, Kulturfilmhersteller, nach 1945 Kameraarbeit beim Spielfilm. 269

Lemmonier, Meg, eigtl. Marguerite Clark (1908); franz. Schauspielerin; auch beim Film; nach 1945 spielte sie nur in drei franz. Filmen mit. 839

Lemnitz, Tiana (1897), dt. Opernsängerin (Sopran), 1934–57 mit der Staatsoper Berlin verbunden; 1937 Kammersängerin; sang an zahlreichen Opernbühnen des Auslands. 247, 457

Lennep, Walter von, Schauspieler und Sänger. 461

Lenz (Schwanzara), Leo (1878–1962), dt. Autor vieler erfolgreicher Lustspiele, auch Übersetzer. 540

Leonardo da Vinci (1452–1519), italien. Maler, Bildhauer, Baumeister, Mathematiker, Schriftsteller und Forscher. 212

Leonard, Robert Z. (1889–1968), amerik. Filmregisseur, 1916–56 beim Film. 822, 823

Leoncavallo, Ruggiero (1858–1919), ital. Komponist. 455

Lerbs, Karl (1893–1946), dt. Schriftsteller (Romane, Erzählungen, Bühnenwerke, Drehbücher, die berühmten Bremer Anekdoten) und Übersetzer; Dramaturg am Bremer Schauspielhaus, im Dritten Reich unter Sondergenehmigung der RSK. 537, 559

Lernet-Holenia, Alexander (1897–1976), österr. Schriftsteller; im Krieg nach Verwundung an der Front Chefdramaturg bei der Heeresfilmstelle; schrieb einige Filmmanuskripte; 1969–72 Präsident des österr. PEN-Clubs. 142, 360, 397

Le Roy, Mervyn (1900), amerik. Regisseur, bis 1965 Regietätigkeit beim Film; auch Filmproduzent. 760

Lessing, Gotthold Ephraim (1729–1781), dt. Dichter. 492, 757

Lettow, Hans A., Filmautor. 292

Leux, Leo, eigtl. Gottlieb L. Leucks (1873–1951), dt. Komponist, schuf 1930–51 Musik zu zahlreichen Unterhaltungsfilmen; lebte und starb in Berlin. 40, 145, 147, 148, 220, 309, 499

Ley, Robert (1890 – Selbstmord 1945), ab 1932 Reichsorganisationsleiter der NSDAP, Gründer und Leiter der DAF und der NS-Gemeinschaft »KdF«. 277, 391, 411, 635

Lezius, Martin (1884–1941), dt. Schriftsteller und Politologe. 333

Lichtnecker, Friedrich (1903–1950), österr. Bühnenautor, Dramaturg am Volkstheater in Wien. 543

Liebeneiner, Wolfgang (1905), dt. Schauspieler und Regisseur, 1936–44 am Staatstheater Berlin; ab 1931 Filmschauspieler (1933–41 insgesamt 20 Rollen), ab 1937 auch Regisseur (bis 1945: 13 Filme); 1938–44 künstl. Leiter der Filmakademie; 1942–45 Produktionschef der Ufa; 1945–54 Kammerspiele in Hamburg, ab 1954 Th. in der Josefstadt Wien; Gastregie an zahlreichen Bühnen. 38, 68, 80, 86, 88, 89, 90, 109, 116, 163, 165, 168, 175, 180, 196, 197, 200, 217, 246, 264, 268, 316, 340, 370, 387, 401, 402, 438, 439, 444, 479, 480, 490, 513, 547, 560, 562, 633, 634, 646, 647, 648, 658, 751, 849

Lieberenz, Paul (1893–1954), dt. Kameramann (1927 bei Sven Hedin), Kulturfilmregisseur und Weltfahrer. 232, 294, 295, 296, 297, 366

Lieck, Walter (gest. 1944), dt. Schauspieler und Bühnenautor; als Schauspieler beim Film ab 1934, ab 1943 auch Drehbuchautor. 143, 161, 255, 309, 346, 526, 550, 680

Liedtke, Harry (1882–28.4.1945), dt. Schauspieler, in Königsberg/Ostpr. geboren, langjährige Tätigkeit am Deutschen Th. Berlin; gehörte zu den beliebtesten Schauspielern der zwanziger Jahre, vor allem in seinen Stummfilmrollen; spielte 1933–44 in 11 Filmen mit; fand mit seiner Frau tragischen Tod bei den Frontkämpfen in der Nähe von Berlin. 97, 129, 159, 171, 247, 309, 542, 548

Lieven, Albert (1906–1971), dt. Schauspieler, wirkte auch im Film mit: 1933–36 insgesamt 13 Rollen im dt. Film, dann im engl. Film; errang besonders nach 1945 große Popularität. 225, 535, 555

Liewehr, Fred (1909), österr. Schauspieler, trat an bedeutendsten Bühnen Wiens auf; wirkte auch, vor allem nach 1945, im Film mit; Prof. 440

Lilienfein, Heinrich (1879–1952), dt. Erzähler, Dramatiker, Biograph. 488

Limburg, Olga (1881/1887–1970), dt. Schauspielerin, langjährig an den Bühnen Berlins; ab 1930 auch beim Film; 1933–45 Rollen in 58 abendfüllenden Spielfilmen; nach 1945 künstl. Tätigkeit in der BRD. 119, 157, 443, 553

Lincke, Paul (1866–1946), dt. Komponist, Meister der Berliner Operette; 1942 Prof.; Ehrenbürger der Stadt Berlin. 49, 174, 216, 220, 412, 465

Lind, Jenny (1820–1887), schwed. dramatische Sängerin von Weltruf. 445

Lindtberg, Leopold, eigtl. Lemberger (1902–1984), schweiz. Regisseur, geb. in Wien, einige Jahre in Deutschland als Theaterregisseur, ab 1933 Theater in Zürich, nach 1945 oft am Wiener Burgtheater; ab 1932 auch Filmregie; 1962 Ehrenmedaille der Stadt Wien; Kainz-Medaille: 1965 Grillparzer-Ring. 810

Lingen, Theo, eigtl. Franz Theodor Schmitz (1903–1978), dt./österr. Schauspieler, 1936–44 am Berliner Staatstheater; ab 1930 im Film als Schauspieler (einer der bekanntesten Komiker, ausgezeichneter Techniker der Mimik); 1933–45 insgesamt 96 Rollen in abendfüllenden Spielfilmen, ferner Rollen im Kurzfilm; gestaltete in Deutschland als Regisseur 10 Filme; auch Bühnen- und Drehbuchautor; schrieb Memoiren: »Ich über mich« (1963). 39, 109, 110, 131, 132, 158, 162, 165, 349, 426, 453, 454, 458, 462, 463, 464, 465, 467, 481, 492, 520, 522, 538

Linke, Johannes (1900 – im Osten vermißt 1945), dt. Schriftsteller (Roman, Lyrik), berufstätig als Lehrer. 515

Linnekogel, Otto, dt. Autor und Kunstmaler, schrieb ab 1937 Drehbücher, gestaltete 1939–40 als Regisseur zwei Spielfilme. 521

Lion, Margo (1904), franz. Schauspielerin, Star der Berliner Kabarett-Bühnen der 20er Jahre, bis 1933 auch einige Rollen im dt. Film; bis 1961 mit Film verbunden. 118

Lippert, Albert (1901–1978), dt. Schauspieler. 312

Lippl, Alois Johannes (1903–1957), dt. Schriftsteller und Theaterleiter; Verfasser einer Reihe von Laienspielen und volkstümlicher Komödien in der Tradition des bayerischen Barock; Drehbuchautor und Filmregisseur (1937–44 sieben Spielfilme); 1948–53 Intendant des Bayerischen Staatsschauspiels. 88, 223, 226, 238, 304, 428, 493, 533, 534, 539

Lipski, Józef (1894–1958), poln. Botschafter in Berlin (1934–39). 713

Liselotte, Elisabeth Charlotte (1652–1722), Prinzessin, Herzogin v. Orleans. 200, 251

Lisinski, Vaírtoslav (1819–1854), kroatischer Komponist. 788, 843

List, Friedrich (1789 – Freitod 1846), dt. Volkswirtschaftler, Prof. in Tübingen, 1825–31 Emigrant in den USA; trat entschieden gegen die staatl. Zerrissenheit Deutschlands auf. 205, 509, 524

List, Inge (1917), österr. Schauspielerin, ab 1949 in den USA. 157, 361, 550

List, Karl (1902–1971), dt. Komponist. 655

Liszt, Cosima (1837–1930), Tochter von Franz L., Gattin von Richard Wagner. 442

Liszt, Franz (1811–1886), ungar. Komponist. 315, 436, 439, 457

Livingston, Margaret (1900), amerik. Schauspielerin, hauptsächlich aus ihren Rollen im Stummfilm bekannt. 502

Lloyd, Frank (1889–1960), amerik. Filmregisseur. 821

Loder, Dietrich (1900), dt. Journalist, Dramatiker, Film- und Hörspielautor. 543

Löck, Carsta (1902), dt. Schauspielerin, ab 1933 an den Bühnen Berlins (1938–43 Kammerspiele, 1943/44 Soldatenbühne); ab 1933 auch im Film: bis 1945 insgesamt 49 Rollen; nach 1945 künstl. Tätigkeit in Berlin (West) und BRD. 120, 156, 229, 244, 348, 350, 371, 377, 383, 400, 402, 514, 522, 564, 589

Loerzer, Bruno (1891–1960), Präsident des Dt. Luftsportverbandes, Generaloberst der Luftwaffe; im Krieg Chef des Luftwaffe-Personalamtes. 370, 373

Loewenstein, Ursula von, dt. Lichtbildnerin, arbeitete im Krieg mit W. Hege zusammen; 1944 Opfer eines Luftangriffs. 84, 412, 688

Lohmann, Max (1884), dt. Schauspieler. 249

Lohse, Hinrich (1896–1964), ab 1925 Gauleiter, ab 1933 auch Oberpräsident in Schleswig-Holstein; 1941 Reichskommissar für das Ostland. 772

Loja, Maria, eigtl. Hirsch (1890–1953), dt. Schauspielerin. 430
Loos, Theodor (1883–1954), dt. Schauspieler, 1911–45 auf den Bühnen Berlins, Staatsschauspieler, Reichskultursenator, Präsidialratsmitglied der RFK; schon im Stumm-
film tätig: 1933–45 insgesamt 55 Rollen; nach dem Krieg in der BRD. 96, 105, 159,
173, 175, 199, 206, 212, 229, 230, 246, 346, 419, 442, 490, 511, 530, 542, 549, 682
Lorenz, Hans, eigtl. Margarete Paulick (1869–1964), dt. Bühnenautorin. 460, 543
Lorenz, Max, eigtl. Sülzenfuß (1901–1975), dt. Sänger (Tenor), war vor allem als
Wagner-Interpret bekannt; weltberühmt, sang an allen wichtigsten Zentren des euro-
päischen und amerikanischen Musiklebens. 247
Lothar, Mark, eigtl. Lothar Hundertmark (1902–1985), dt. Komponist und Dirigent,
Leiter des Musikwesens am Theater der Jugend, am Deutschen Theater und
(1934–44) am Staatstheater in Berlin; 1945–55 am Bayerischen Staatsschauspiel in
München; schrieb u. a. zahlr. Bühnen-, Film- und Hörspielmusiken. 146, 438, 496
Lotti, Mariella, eigtl. Anna Maria Pianotti (1921), italien. Schauspielerin; wirkte bis
1952 beim Film mit. 653, 833
Loy, Myrna (Myrna Williams) (1902/1905), amerikanische Schauspielerin, tätig beim
Film bis in die 70er Jahre. 822, 823
Lubitsch, Ernst (1892–1947), dt. Filmregisseur; Anfang der zwanziger Jahre ging er
nach Hollywood. 66, 74, 760, 825, 848
Ludwig, Otto (1813–1865), dt. Schriftsteller und Literaturtheoretiker. 91, 493
Lüders, Günther Karl Georg (1905–1975), dt. Schauspieler, ab 1934 auch oft im Film,
auch Regisseur. 384, 530, 533
Lüdtke, Franz (1882–1945), dt. Schriftsteller: Lyrik, Roman, Feuilleton, Hörspiele
und Bühnenwerke; trotz der ehemaligen Logenzugehörigkeit ab 1932 in der NSDAP
(Nr. 1 229 042), auch als Parteiredner. 176
Lueger, Karl (1844–1910), österr. Politiker, Rechtsanwalt von Beruf, 1897–1910 Bür-
germeister von Wien. 302, 303
Lürgen, Bernd, Schauspieler und Dramaturg. 41
Luethy, Arthur, Filmautor. 320
Lüthge, Bobby E. (1891–1964), dt. Autor, schrieb insgesamt über 200 Filmdreh-
bücher. 141, 242, 286, 461, 536, 714
Lützkendorf, Felix Ernst Adolf Arno (1906), dt. Schriftsteller (Roman, Drama, Dreh-
buch), Chefdramaturg an der Volksbühne Berlin; im Kriege SS-Kriegsberichterstat-
ter bei der Leibstandarte Adolf Hitler; nach 1945 zeitweise Veröffentlichungsver-
bot. 176, 222, 348, 352, 369, 377, 395, 396, 406, 542, 569, 591
Luft, Friedrich (John) (Pseud. Urbanus) (1911), dt. Schriftsteller, Kulturfilmautor,
Film- und Theaterkritiker; 1976 Prof.; 1978 Ricarda-Huch-Preis. 220
Lugo, Giuseppe (1899), italien. Sänger (Tenor) und Schauspieler. 830
Lukschy, Wolfgang (1905–1983), dt. Schauspieler, 1936–39 Landesth. Hannover, ab
1939 Schillerth. Berlin; nach 1945 künstl. Tätigkeit in der BRD. 115, 160, 479, 678,
846
Luserke, Martin (1880–1968), dt. Schriftsteller, Förderer der Laienspielbewe-
gung. 488
Lutz, Ingrid (Margo Irene) (1924), dt. Schauspielerin, ab 1943 auch beim Film. 529
Lutze, Viktor (1890 – verunglückt 1943), Stabschef der SA ab 1934. 391, 837

MacDonald, Jeanette (1903–1965), singende (Sopran), weltberühmte amerikan. Film-
schauspielerin. 758, 822, 826
Machus, Karl (gest. 1944), dt. Filmbildner, zunächst Theatermaler, danach 27 Jahre
beim Film. 38
Mackeben, Theo (1897–1953), dt. Komponist und Dirigent, vor allem im Bereich der
Bühnen- und (ab 1930) Filmmusik. 39, 69, 82, 135, 145, 147, 148, 151, 222, 243, 335,
444, 449, 453, 548, 561
Madl, Gottlieb, Schnittmeister. 40
Mahn, G., Filmamateur. 666
Maisch, Herbert (1890–1974), dt. Theater- und Filmregisseur; 1935–44 gestaltete er 15
Spielfilme und schrieb einige Drehbücher. 38, 84, 90, 165, 203, 204, 205, 206, 210,
336, 341, 346, 372, 373, 447, 455, 457, 458, 480, 529, 647, 658
Malasomma, Nunzio (1894), ital. Filmregisseur, wirkte auch beim dt. Film mit (1934–42
gestaltete er acht dt. Spielfilme); bis 1968 Filmregie. 520, 532, 650

Malbran, Werner, eigtl. Hellmuth Werner Hoffmann (1900), dt. Schauspieler, Operettensänger, Regisseur, 1937–45 Produktionsleiter bei der Tobis; nach 1945 in der Filmbranche in der BRD. 49, 412
Malipiero, Giovanni, ital. Sänger (Tenor); trat auch im Film auf. 830
Mamoulian, Rouben (1898), amerik. Filmregisseur, von den 60er Jahren an beim Theater. 760
Mancini, Umberto, ital. Komponist. 834
Mann, Thomas (1875–1955), dt. Schriftsteller; 1929 Nobelpreis. 508
Mannheim, Lucie (1899–1976), dt. Schauspielerin, ab 1919 an den Bühnen Berlins; 1933–49 Emigration in England. 81
Márai, Sándor Alexander (1900–1979), ungar. Schriftsteller, seit 1948 im Exil, seit 1952 in den USA. 574
Mardayn, Christl, eigtl. Christine Mardein (1896–1971), österr. Schauspielerin und Sängerin (Alt), trat in Wien hauptsächlich in Musikkomödien auf; ab 1930 auch im Film; 1934–45 insgesamt 21 Rollen. 123, 157, 162, 420, 436, 464, 469, 483, 549, 550
Marenbach, Leny, vereh. Pindtner (1909–1984), dt. Schauspielerin, ab 1935 auch im Film (oft mit H. Rühmann): bis 1945 21 Rollen: nach 1945 künstl. Tätigkeit in der BRD. 121, 151, 156, 162, 222, 225, 226, 229, 371, 438, 473, 479, 520, 528, 540, 541, 560, 574, 684
Marian, Ferdinand, eigtl. F. Haschkowetz (1902–1946), in Wien gebürtiger Schauspieler, wirkte auch beim Film mit: 1933–45 insgesamt 21 Rollen. 109, 112, 153, 162, 168, 222, 259, 260, 314, 315, 335, 338, 431, 454, 474, 482, 518, 519, 521, 530, 566, 673, 684, 694

Marion, Oskar (1894), dt. Schauspieler, 1919–35 beim Film, danach Produktionsleiter, 1938–40 Expeditionsleiter Süd-Amerika (mit A. Fanck). 40
Marischka, Ernst (1893–1963), österr. Film- und Theaterautor, auch Regisseur und Produzent; mehr als 100 Titel basierten auf seinen Drehbüchern; Bruder des Folgenden. 82, 130, 131, 143, 441, 444, 453, 456, 458, 462, 464, 465, 467
Marischka, Hubert (1882–1959), österr. Schauspieler, Film- und Theaterregisseur, Theaterleiter; im Reich gestaltete er 1939–45 13 Spielfilme; nach 1945 künstl. Tätigkeit in Österreich; Prof. 82, 141, 166, 305, 460, 483, 520, 537, 538, 540, 549
Markus, Winnie (Winfried) (1921), österr. Schauspielerin, seit 1939 am Josefstadttheater Wien und im Film: bis 1945 insgesamt 20 Rollen; nach 1945 an verschiedenen Bühnen Wiens, Berlins und Münchens. 127, 162, 223, 237, 242, 298, 437, 451, 474, 482, 496, 544, 545
Marlen, Trude, eigtl. Gertrude Posch (1912), österr. Schauspielerin, trat u. a. auf den Bühnen Berlins und Wiens (1941–44 Burgtheater) auf; von 1933 bis in die Nachkriegszeit beim Film: 1933–43 spielte sie in 18 Filmen mit. 124, 157, 243
Marr, Hans, eigtl. Johann Julius Richter (1878–1949), dt. Schauspieler, schon im Stummfilm einige Rollen, 1934 auch eine Spielfilmregie. 194
Marschall, Hanns, eigtl. Johannes Ickes (1896–1966), dt. Schriftsteller, schrieb Romane, Bühnenwerke und Filmmanuskripte. 428, 453
Marseille, Hans-Joachim (1919–1942), Hauptmann der Luftwaffe, der erfolgreichste dt. Jagdflieger in Nordafrika (158 Luftsiege), Träger des Ritterkreuzes mit Eichenlaub, Schwertern und Brillanten. 598
Marszalek, Franz (1900–1975), dt. Komponist und Dirigent. 146
Martell, Karl Hermann (1906–1966), dt. Schauspieler, geb. Tilsiter, von 1936 bis in die Nachkriegsjahre auch beim Film. 159, 519
Marten, Rose, eigtl. Rose Eva Staß, dt. Schauspielerin, Kabarettistin, 1941 bis 1945 episodisch im Film. 556
Martens, Hellmut, dt. Kulturfilmregisseur und Autor. 292
Martin, Ernst (1891–1954), dt. Regisseur, Theaterleiter, Filmautor; gestaltete 1939 einen Spielfilm; nach 1945 eine Filmregie. 466, 795
Martin, Karl Heinz (1888–1948), dt. Theaterregisseur, ab 1934 auch Filmregie; im Dritten Reich eine beschränkte Zulassung zu der Berufsausübung beim Theater; drehte 1934–45 13 Spielfilme. 83, 300, 453, 454, 519, 707
Martin, Paul Walter (1899–1967), dt. Filmregisseur (realisierte 1935–44 in Deutschland 15 Spielfilme) und Drehbuchautor. 84, 165, 190, 298, 427, 448, 466, 481, 528, 537, 572, 573, 633, 649, 795

960

Martini, Otto, dt. Kameramann beim Spiel- und Kulturfilm. 367, 380
Mascagni, Pietro (1863–1945), ital. Komponist. 453
Matterstock, Albert (1909–1960), dt. Schauspieler, spielte auf verschiedenen Theaterbühnen Deutschlands; ab 1937 auch im Film: bis 1945 22 Rollen, weitere fünf nach dem Kriege; Narkomanie vernichtete seine künstlerische Karriere. 79, 94, 115, 153, 162, 221, 246, 371, 482, 493, 537, 538, 543, 550, 560
Mattolf, Mario (1898), ital. Theater- und Filmregisseur. 833
Maupassant, Guy de (1850–1893), franz. Schriftsteller. 82, 560, 561
Maurischat, Fritz (1893), dt. Architekt, seit 1922 beim Film. 39
May, Joe, eigtl. Josef Mandel (1880–1954), dt. Filmregisseur- und Produzent; nach der NS-Machtübernahme ging er nach Frankreich, dann in die USA, wo er auch starb. 119, 452
May, Paul, eigtl. Paul Ostermayr (1909–1976), dt. Filmregisseur (ab 1938) und Drehbuchautor (ab 1942); nach 1945 künstl. Tätigkeit in der BRD. 166, 521, 526
Mayen, Herta, eigtl. Mayer (1922), österr. Tänzerin und Schauspielerin; 1939–44 Admiralspalast und Metropol-Th. Berlin; ab 1939 wirkte sie auch im Film mit. 504
Mayer, Carl (1894–1944), in Österreich geb. dt. Filmautor; starb im Exil in London. 218
Mayer, Hermann L., Musiker. 476
Mayerhofer, Elfie (Lauterbach) (1923 ?), österr. Opern- und Operettensängerin (Koloratursopran), bedeutende Johann-Strauß-Interpretin; von 1938 bis in die Nachkriegszeit auch im Film: 1938–45 insgesamt 7 Rollen. 156, 162, 247, 460, 547
Mayring, Philipp Lothar (1879–1948), ursprünglich Schauspieler und Regisseur, danach einer der meistbeschäftigten Filmautoren, ab 1931 fast ausschließlich für den Film tätig: schrieb 1922 auch ein Bühnenstück. 141, 143, 166, 223, 362, 369, 400, 415, 426, 472, 499, 517, 560, 566, 570
McCrea, Joel (1905), amerik. Schauspieler, bis in die 70er Jahre beim Film. 823
Mederow, Paul (1899), dt. Schauspieler, Regie-Assistent und Schnittmeister. 430, 588
Medin, Hans, Schriftsteller. 518, 519
Meinert, Rudolf (1882 – nach 1945 in England), dt. Schauspieler, Filmregisseur und Drehbuchautor. 194
Meisel, Kurt (1912), dt. Schauspieler, ab 1935 auch beim Film; nach 1945 künstl. Tätigkeit in der BRD. 160, 183, 329, 494, 670, 680
Meisel, Will (August Wilhelm) (1897–1967), dt. Komponist, Musikverleger, zeitweilig auch Filmproduzent; schrieb zahlreiche Filmmusiken (oft zusammen mit F. Domina); auch schriftstellerische Betätigung; erhielt 1964 Paul-Lincke-Ring. 146, 150, 214, 457
Meissner, Otto (1880–1953), ab 1920 Leiter des Büros des Reichspräsidenten; 1934–45 Chef der Präsidialkanzlei (ab 1937 als Reichsminister); schrieb Erinnerungen. 135, 173, 197, 643
Melichar, Alois (1896–1976), österr. Komponist und Dirigent, auch Musikkritiker, lebte und wirkte vor allem in Deutschland; ab 1935 bis in die Nachkriegszeit besonders erfolgreich als Filmkomponist; schrieb: »Musik in der Zwangsjacke« (Wien und Stuttgart 1958) 39, 144, 145, 148, 164, 211, 212, 292, 415, 436, 437, 440, 442, 447, 453, 454, 457, 458, 459, 462, 467, 530
Mell, Max (1882–1971), österr. Schriftsteller. 143
Mellin, Max, dt. Filmarchitekt. 40
Melzer, Karl (1897), dt. Filmmann; in der Leitung der RFK als Geschäftsführer, danach RFK-Vizepräsident; Präsident des Bundes Deutscher Filmamateure; im Krieg Generalsekretär der IFK; Mitglied der NSDAP und SS; nach 1945 im Filmwesen der BRD. 63, 799, 800, 809
Mendes, Lothar (1894–1974), dt./engl. Filmregisseur; im engl. Film bis in die 40er Jahre tätig. 313
Menzel, Adolph von (1815–1905), dt. Maler, Graphiker und Zeichner, Hauptvertreter des bürgerl. Realismus im 19. Jh. in Deutschland. 210
Menzel, Erich (1909), dt. Kameramann und Kulturfilmproduzent; 1940/44 Wehrdienst. 234, 365, 421
Menzel, Herybert (1906 – gefallen 1945), dt. Autor, stark NS-orientiert. 41, 135, 140, 141, 143, 167, 202, 203, 205, 254, 258, 260, 302, 320, 322, 382, 402, 416, 483, 578, 807

Messerschmitt, Willy (Wilhelm) (1898–1978), Prof. Dr., Flugzeugbauer und Wirtschaftsführer; 1938 Nationalpreis. 374

Meßter, Oskar (1866–1943), dt. Kinotechniker, Pionier des dt. Films; baute 1896 seinen ersten Kinematographen und drehte die ersten deutschen Spielfilme; schrieb: Mein Weg mit dem Film (Berlin 1936). 49, 116, 174, 412

Metzger, Ludwig (1898–1948), dt. Schriftsteller, schrieb Bühnenwerke, Hörspiele und zahlreiche Drehbücher. 143, 313, 431, 438, 441

Metzner, Gerhard (1914), dt. Dramaturg, Regisseur, Theaterleiter, auch Filmautor. 143

Meyen, Gertrud, dt. Schauspielerin, ab 1939 auch im Film. 400, 431, 460

Meyendorff, Irene Freiin von (1916), dt. Schauspielerin; 1937–44 an den Bühnen Berlins (hauptsächlich Volksbühne); ab 1936 auch im Film: bis 1945 insgesamt 19 Rollen in abendfüllenden Spielfilmen. 122, 162, 242, 437, 443, 448, 465, 471, 530, 536, 551, 634, 675, 676, 677, 678

Meyer, Eduard, dt. Kameramann. 39

Meyer, Johannes (gest. 1976), dt. Regisseur, ab 1923 bis in die Nachkriegszeit gestaltete er zahlreiche Filme; 1933–54 realisierte er insgesamt 24 abendfüllende Spielfilme. 78, 126, 131, 165, 191, 194, 222, 244, 344, 360, 361, 431, 454, 457, 482, 499, 519, 540, 543, 574, 645, 647

Meyer, Rolf (1911–1963), dt. Filmautor, auch Filmregisseur und -produzent. 143, 334, 543, 670

Meyerbeer, Giacomo, eigtl. Jacob Liebmann Meyer Beer (1791–1864), dt. Komponist, galt im Dritten Reich als unerwünschter Komponist. 453

Meyer-Hanno, Hans (erschossen 1945), dt. Schauspieler, trat auf den Bühnen Berlins auf; wirkte auch im Film mit: 1934–44 insgesamt 40 Rollen in abendfüllenden Spielfilmen; Opfer des NS-Terrors. 63, 113, 161, 229, 346, 352, 366, 526, 589, 846

Meyerinck, Hubert von (1896–1971), dt. Schauspieler, 1921–44 auf den Bühnen Berlins (1940 Metropol-Th.); trat ab 1930 und nach dem Kriege ab 1950 in über 200 Spielfilmen auf (1933–45 insgesamt 83 Rollen); 1968 Filmband in Gold. 108, 180, 312, 682

Michaëlis, Sophus (1865–1932), dän. Schriftsteller. 566

Michelangelo, eigtl. Michelagniolo Buonarroti (1475–1564), ital. Bildhauer, Maler, Baumeister und Dichter. 83, 211, 212

Miegel, Agnes (1879–1964), dt. Schriftstellerin, im Schaffen mit Ostpreußen verbunden. 231

Milch, Erhard (1892–1972), Generalfeldmarschall (1940), Staatssekretär im Reichsluftfahrtministerium. 373

Milde-Meissner, Hansom, eigtl. Johannes Paul Friedrich Milde (1899), dt. Dirigent und Komponist, später auch Kulturfilmproduzent und -regisseur; 1929 bis in die Nachkriegszeit schrieb er zahlreiche Filmmusiken. 144, 146, 368

Miletić, Oktavijan (1902), jugosl. (kroat.) Kameramann und Regisseur. 788, 843

Millöcker, Karl (1842–1899), österr. Kapellmeister und Komponist. 462, 463, 467, 547

Minetti, Bernhard (Theodor Henry) (1905), dt. Schauspieler, auch Regisseur, 1930–44 am Staatstheater Berlin; ab 1931 auch beim Film: 1934–45 insgesamt 17 Rollen; nach 1945 erfolgreiche künstl. Tätigkeit in der BRD. 96, 105, 160, 202, 312, 360, 456

Miranda, Isa, eigtl. Ines Sampietro (1909/1912–1982), ital. Sängerin und Schauspielerin, der Star der 30er Jahre des ital. Films; 1936 spielte sie in Deutschland in »Du bist mein Glück«; 1973 kreierte sie nach langer Zeit ihre letzte Filmrolle. 342, 453, 653

Moebius, Rolf (1915), dt. Schauspieler, ab 1936 auch beim Film. 360, 368, 516

Möllendorff, Else von (1912), dt. Schauspielerin, ab 1935 auch beim Film. 510, 541

Möllendorf, Horst von, Leiter der Zeichenfilmabteilung bei der Prag-Film. 686

Möller, Alfred (1876–1952), österr. Bühnenautor, auch Schauspieler und Regisseur. 543

Möller, Eberhard Wolfgang (1906–1972), dt. Schriftsteller (Bühnenwerke, Lyrik, Roman, Drehbücher); zunächst Dramaturg in Königsberg (Ostpr.), später Sachbearbeiter in der Theaterabteilung des ProMi, im Kriege SS-Kriegsberichter; ab 1.3.1932 bei der NSDAP; 1934 Gebietsführer im Stab der RJF. 175, 309, 313, 314, 332

Murphy, Ralph (1895–1967), amerik. Filmregisseur. 821
Muschner, Georg, dt. Kameramann und Kulturfilmregisseur. 366
Musset, Alfred de (1810–1957), franz. Schriftsteller. 569
Mussolini, Benito (1883 – hingerichtet 1945), ital. Ministerpräsident. 77, 410, 413, 414, 532, 791, 803, 828, 834
Mussolini, Vittorio, Sohn des Vorigen, Drehbuchautor. 567, 568, 650, 831
Mutschmann, Martin (1879–1945), ab 1925 Gauleiter der NSDAP, 1933–45 zugleich Reichsstatthalter in Sachsen. 439, 440

Nadler, Josef (1884–1963), Literaturhistoriker und Herausgeber, 1931–45 Prof. in Wien. 228, 515
Nagy, Käthe von, oder K. de Nagy (1910–1973), Schauspielerin ungar. Abstammung, 1927 debütierte sie im dt. Film; 1933–39 Rollen in 14 dt. Filmen. Starb in den USA. 122, 246, 454, 517, 550, 560, 632, 634
Naidenhoff, Assen (1899), bulg. Dirigent, ab 1940 Chefdirigent an der Staatsoper Sofia.
Napoleon I. Bonaparte (1769–1821), franz. Kaiser. 200, 510
Naso, Eckart von (1888–1976), dt. Schriftsteller; 1916–44 Leiter des Dramaturgischen Büros des Staatstheaters Berlin. 143, 332, 438, 495
Naumann, Werner (1909–1982), NS-Propagandabeamter, nach 1933 Leiter des RPA Breslau, seit 1937 im ProMi: Chef des Ministeramtes, im Aprl 1944 zum Staatssekretär und Vizepräsidenten der RKK ernannt; SS-Brigadeführer; im April 1945 von Hitler zum Reichspropagandaminister designiert. 47
Nazzari, Amadeo, eigtl. Salvatore Amedeo Buffa (1907), italien. Schauspieler. 831
Neal, Max (1865–1941), dt. Schriftsteller, vor allem als Bühnenautor bekannt. 534
Nedden, Otto Carl August zur (1902), dt. Theater- und Musikwissenschaftler, auch Bühnenautor. 535
Nehrke, Kurt, Kurzfilmregisseur. 430
Nergaard, Nebbe (1901–1955), dän. Schriftsteller. 136
Negri, Pola, eigtl. Barbara Apolonia Chałupieo (1897), intern. Filmstar polnischer Herkunft; bekannt im dt. Stummfilm, spielte sie auch 1935–38 in 6 dt. Tonfilmen; lebt in den USA; in der BRD 1964 Filmband in Gold. 82, 129, 134, 151, 153, 560, 632, 634, 648, 650
Nelissen-Haken, Bruno (1901–1975), dt. Schriftsteller, vorwiegend Erzähler 1941 episodische Mitarbeit beim Film. 488
Nelken, Dinah (Bernardina) (1900), dt. Erzählerin, Film-, Fernseh- und Funkautorin; übersiedelte 1936 nach Wien, Ende des Krieges illegal in Rom; lebte ab 1950 als freischaffende Schriftstellerin in Berlin (West). 458, 517
Nestroy, Johann (1801–1862), Wiener Schauspieler und Bühnenautor. 544
Netto, Hadrian M. (1885), dt. Schauspieler und Autor, ab 1930 im Tonfilm; spielte 1933–45 in 29 abendfüllenden Filmen. 406
Neuber, Friederike Caroline, gen. »die Neuberin« (1697–1760), dt. Schauspielerin, Prinzipalin einer Wandertruppe. 449
Neuber, Kurt, dt. Kameramann. 383
Neufeld, Max (1887), österr. Regisseur und Drehbuchautor; 1938–45 im Exil. 453
Neugebauer, Alfred (1888–1957), österr. Schauspieler, 1926–46 am Theater der Josefstadt in Wien; von der Stummfilmära bis in die Nachkriegszeit auch beim Film; Prof. 161, 223, 243
Neumeister, Wolf (Wolfgang) (1897), dt. Schriftsteller, ab 1933 vornehmlich Drehbuchautor, gastweise auch als Schauspieler und Regisseur tätig. 143, 335, 372, 373, 377, 529, 533
Neusser, Erich von (1902–1957), österr. Filmmann, absolvierte die Ufa-Filmschule; 1938 stellvertr. Produktionsleiter bei der Wien-Film, später stellvertr. Produktionschef bei der Prag-Film; gründete 1952 in Wien seine eigene Produktionsfirma. 320, 322, 431
Neville, Edgar, eigtl. Graf Berlanga de Duero (1899), span. Filmregisseur, von 1935 bis in die Nachkriegszeit beim span. Film. 832
Newlinski, Michael Ritter von (1891), in Wien gebOrt. dt. Schauspieler, Tänzer, Akrobat, Kabarettist, ab 1930 auch beim Film: 1933–45 insgesamt 40 Filmrollen, während des Krieges hauptsächlich bei der Truppenbetreuung. 112, 161, 378, 430, 469

Nick, Edmund (1891–1974), dt. Komponist; 1933–35 beim Kabarett »Katakombe« in Berlin, 1936–40 musik. Leiter am Theater des Volkes Berlin; 1949 Prof. an der Münchner Musikhochschule; schrieb zahlreiche Bühnen- und Filmmusiken. 146, 475

Nicolai, Otto Carl Ehrenfried (1810–1849), dt. Komponist. 459

Nicolas, Richard, Filmautor. 143, 513

Nicoletti, Susi, eigtl. Susanne Habersack (1918), Schauspielerin und Tänzerin, langjährig am Theater in München, wo sie geboren wurde, ab 1940 Burgtheater; wirkte auch beim Film mit; Prof. in Wien. 157, 254

Niedermoser, Otto Wilhelm (1903), österr. Architekt, Bühnenbildner, Filmarchitekt bei der Wien-Film; Akad.-Prof. in Wien. 41

Niederstrass, Gerhard, Kulturfilmregisseur. 417

Niel, Herms, eigtl. Hermann Nielebock (1888–1954), dt. Kapellmeister und Komponist; langjährig Führer des Reichsmusikzugs des RAD in Potsdam; Prof. 146

Nielsen, Hans-Albert (1911–1965), dt. Schauspieler, Schüler von A. Schoenhals, von 1937 bis in die Nachkriegszeit zahlreiche Filmrollen.159, 162, 222, 341, 362, 459, 542, 681

Nierentz, Hans Jürgen (1909 – vermutlich gefallen 1945), dt. Autor und Publizist, 1931–34 beim »Angriff«, ab 1936 zeitweise Reichsfilmdramaturg; 1937 Intendant des Fernsehsenders Berlin; verfaßte zahlreiche Spiele und Gedichte mit NS-Tendenz; seit 1.11.1930 in der NSDAP. 24

Niewiarowicz, Roman (1902–1972), poln. Schauspieler, Regisseur und Bühnenautor. 578

Ninchi, Annibale (1887–1967), italien. Schauspieler. 829

Noldan, Svend (1893), dt. Kameramann, Film-Regisseur und Produzent; seit 1920 bei der UFA (Trickabteilung), gründete 1922 in Berlin ein eigenes Atelier. 76, 77, 388, 390

Nomura, Kosho, japan. Filmregisseur. 836

Nordhaus, Gösta (1899), dt. Regisseur und Autor. 366

Noris, Assia, eigtl. Anastasia Noris von Gerzfeld (1912), ital. Schauspielerin, wirkte bis 1964 beim Film mit. 168, 830, 833

Norman, Roger Graf von, dt. Regisseur, seit 1938 beim dt. Film: 1938–44 gestaltete er vier Filme; einige Filme nach 1945. 27, 122, 166, 297, 516, 590

Noss, Rudolf van der, Regisseur; realisierte 1934–40 in Deutschland 6 Spielfilme. 427, 428, 434, 518

Nowina-Przybylski, Jan (1904–1938), poln. Filmregisseur. 817

Obal, Max, eigtl. Max David Gotthelf Sroke (1881–1949), Regisseur, ab 1914 beim Film; gestaltete 1933–36 7 dt. Spielfilme. 225, 497

Oberberg, Igor (1907), dt. Kameramann, seit 1927 beim Film; 1960 Preis der Dt. Filmkritik für die beste Fotografie. 38

O'Brien, George (1900), amerik. Schauspieler, bis 1964 beim Film. 502

Odemar, Fritz (1890–1955), dt. Schauspieler, gewann Popularität sowohl im Theater (insbesondere in München) als auch im Film; im Tonfilm wirkte er von 1930 bis in die Nachkriegsjahre mit: 1933–45 insgesamt 92 Rollen. 159, 216, 412, 451, 572

Oertel, Curt (1890–1960), dt. Filmregisseur und -produzent, berühmt als Kulturfilmregisseur; Dr. phil.; 1949 Ehrenvorsitzender der SPIO. 83, 211, 212, 493, 588, 757

Oertel, Franz (1891–1978), Bruder des Vorigen und sein Mitarbeiter. 211

Oertel, Rudolf (1902), österr. Filmautor, 1939–45 Dramaturg bei der Wien-Film. 41

Oertzen, Jaspar von (1912), dt. Schauspieler, seit 1934 auch beim Film tätig. 161, 402, 553

Offenbach, Jacques (Jacob) (1819–1880), Komponist. 318, 457, 461, 632

Ohnesorge, Wilhelm (1872–1962), 1936–45 Reichspostminister. 197

Olden, Hans, eigtl. Josef Brandl, (1892–1975), österr. Schauspieler (Charakterkomiker), ab 1932 auch im Tonfilm. 159, 483

Ondra, Anny, eigtl. Anna Sophia Ondrakova, vereh. Schmeling (1908–1987), dt. Schauspielerin und ab 1930 (zusammen mit dem Regisseur C. Lamač) Filmproduzentin; 1933–43 Hauptrollen in 19 Spielfilmen; 1970 Filmband in Gold. 114, 129, 155, 171, 284, 286, 457, 509, 524

Ophüls, Max, eigtl. M. Oppenheimer (1902–1957), dt. Filmregisseur, nach 1933 in

Italien und Frankreich, 1939–48 in den USA, danach im westeuropäischen Film tätig. 225, 547

Orko, Risto Eliel William (1899), finn. Filmregisseur und -produzent, ab 1933 Chef der »SuomoFilmi Oy«, der bekannteste finn. Filmer seiner Zeit. 845, 846

Orlovius, Heinz (1900), dt. Publizist und Autor (vor allem Fliegerthemen), 1926–33 Pressechef bei der Deutschen Lufthansa, später dieselbe Stellung im Reichsluftfahrtministerium. 373, 377

Oshima, Baron Hiroshi (1886–1975), japan. General, 1938–39 und 1940–45 japanischer Botschafter in Berlin; 1942 Ehrensenator der Universität Köln. 593, 637

Oss, Edith, Schauspielerin. 158

Osten, Franz, eigtl. Ostermayr (1877–1956), dt. Regisseur, schon beim Stummfilm tätig; im Dritten Reich realisierte er nur drei Spielfilme (1933/34); 1939–45 bei der Ufa-Verwaltung. 279, 300

Osten-Sacken, Marie von der (1887), dt. Autorin. 143

Ostermayr, Ottmar (1886–1958), Produktionsleiter bei der Ufa, Terra, Bavaria und 1950/57 bei Peter Ostermayr-Film in München. 40

Ostermayr, Paul (1909–1976), dt. Kameramann, Regisseur, Drehbuchautor und Filmproduzent. 222, 497, 557, 649

Oswald, Richard, eigtl. Oswald-Ornstein (1880–1963), Filmregisseur und -produzent, einer der Pioniere des dt. Films; ging 1938 in die USA; nach 1945 weitere Filme, auch in der BRD und Israel. 130, 452, 461

Osward, Max, dt. Kulturfilmhersteller. 319

Otto, Hans, dt. Schauspieler, ab 1924 KPD-Mitglied, 1930–33 am Staatstheater Berlin; 1933 verhaftet und ermordet. 64

Otto, Paul (1878–1943), dt. Schauspieler, langjährig an den Bühnen Berlins, Staatsschauspieler; Präsidialmitglied der RTK, ab 1943 Leiter der Fachschaft Bühne in der RTK; ab 1930 auch beim Tonfilm: 1933–40 insgesamt 32 Rollen. 96, 106, 173, 336

Pabst, Georg Wilhelm (1885–1967), österr. Regisseur, 1921 stieß er in Berlin zum Film, zunächst als Darsteller, Autor und Regieassistent, danach als Regisseur; filmte auch in Frankreich und den USA; 1940–45 erneut Mitarbeit beim dt. Film; erhielt 1963 in der BRD Filmband in Gold. 66, 91, 92, 116, 165, 204, 288, 450, 451, 530, 760, 809

Paetzmann, Erich, Bühnen- und Filmautor. 143, 543

Páger, Antal (1899), eine der bedeutendsten ungar. Schauspielerpersönlichkeiten; vor allem mit dem Theater verbunden, spielte er auch ab 1930 in vielen ungar. Filmen mit; 1944–56 in Argentinien, danach in Ungarn. 842

Pagnol, Marcel (1895–1974), franz. Schriftsteller, Übersetzer, später vor allem als Filmautor und -regisseur tätig; 1945 Mitglied der Acad. Française. 561

Palermi, Amleto (1889–1941), ital. Filmregisseur. 830, 833

Palmerston, John Temple, Viscount (1784–1865), brit. Staatsmann. 413

Paolieri, Germana (1906), ital. Schauspielerin. 828

Paque, Kurt, dt. Autor und Regisseur (Rundfunk, Fernsehen). 655, 660

Paracelsus Theophrastus Bombastur von Hohenheim (1493–1541), dt. Arzt, Naturforscher, Philosoph, Wegbereiter der neuzeitl. Medizin. 204

Paris, Justus (1885–1942), dt. Schauspieler, langjährig in München; trat auch im Film auf. 430

Patti, Adelina (1843–1919), ital. Koloratursängerin. 820

Pauck, Heinz (1904), dt. Schriftsteller, Journalist, Drehbuchautor; ab 1942 Chefdramaturg bei der Ufa; 1960 Berliner Kunstpreis (Film). 38

Patzig, Eva, Filmautorin. 143

Paudler, Maria (1903), Schauspielerin, versch. Bühnen Berlins und Wiens, Rundfunk- und Filmtätigkeit; 1979 Adalbert-Stifter-Medaille. 157

Paul, Heinz (Heinrich) (1893–1983), dt. Filmregisseur und -produzent, Drehbuchautor, ab 1920 beim Film; 1934–44 realisierte er als Regisseur 11 Spielfilme; nach 1945 künstl. Tätigkeit in der BRD. 79, 88, 225, 287, 347, 362, 370, 420, 490

Paulsen, Harald, (1895–1954), bedeutender Darsteller der Berliner Sprech-, Kabarett- und Operettenbühnen, Regisseur und Theaterleiter; ab 1930 wirkte er auch im Film mit: 1933–45 spielte er in 60 abendfüllenden Filmen und gestaltete zwei Spielfilme als Regisseur. 96, 107, 158, 275, 297, 361, 426, 429, 431, 463, 464, 516, 530, 533, 573, 634, 682

Pauly, Hedwig, vereh. von Wangenheim (1866–1965), dt. Schauspielerin, die Gattin E. V. Wintersteins. 102

Pauspertl, Karl (1897–1963), österr. Komponist und Kapellmeister, leitete die Deutschmeister-Kapelle in Wien und Radiokonzerte. 41

Pavolini, Alessandro (1903 – erschossen 1945), ital. Schriftsteller, Journalist, ursprünglich Jurist; Dezember 1939 – Februar 1943 Minister für Volkskultur, ferner Präsident der Konföderation der geistigen und künstlerischen Berufe; in der Republik von Salò Parteisekretär. 806, 807, 810, 812

Pellon, Gabriel (1900), dt. Filmarchitekt. 39

Perak, Rudolf (1891), aus Wien stammender Komponist und Dirigent, 1931–45 bei der Ufa; schrieb zahlreiche Musiken zu dt. und ausl. Spiel-, Kultur- und Dokumentarfilmen; im Spielfilm debütierte er 1932 als Komponist; nach 1945 erfolgreiche küstl. Tätigkeit, u. a. Mitarbeit beim Fernsehen. 283, 364, 408, 597

Perkonig, Josef Friedrich (1890–1959), österr. Schriftsteller und Pädagoge. 489

Perojo, González Benito (1894–1974), span. Filmregisseur und -produzent, arbeitete in Spanien, Deutschland und Argentinien (1942–1948), danach Filmproduzent in Spanien. 810

Perzanowska, Stanisława (1898–1982), poln. Schauspielerin, ab 1919 an bedeutenden polnischen Bühnen; wirkte auch im poln. Film mit. 817

Pestalozza, Albert Graf von, dt. Kulturfilmhersteller. 400

Peters, Karl Heinz (1900), dt. Schauspieler. 603

Peters, Sabine, dt. Schauspielerin, Gattin von W. Domgraf-Fassbaender; ab 1932 Rollen im Film. 79, 137, 157, 400, 438, 460, 479, 530, 533

Petersen, Peter, eigtl. Max Paulsen (1876–1956), österr. Schauspieler, langjährig am Burgtheater (hier zeitweilig auch Direktor); wirkte auch im Film mit: 1934–43 insgesamt 8 Rollen in österr. und dt. Spielfilmen; verheiratet mit H. Bleibtreu. 159, 324, 340, 577

Petri, Ilse (1918/22), dt. Schauspielerin, ab 1935 auch beim Film; nach 1945 Bühne, Film, Funk, Fernsehen in der BRD. 401

Petrovich, Ivan (1896–1962), Schauspieler und Sänger jugosl.-ungarischer Herkunft, trat im franz., amerik., ab 1931 auch dt. Film auf; 1933–43 insgesamt 34 Rollen in abendfüllenden Spielfilmen. 161, 320, 349, 453, 461, 465, 519, 542, 808

Petrow, Wladimir (1896–1966), sowjet. Filmregisseur. 850

Petterson-Giertz, Herold (1904), Schriftsteller. 143

Peukert, Leo (1886–1944), dt. Schauspieler, trat zunächst auf den Kabarettbühnen, dann im sogen. leichten Repertoire und Volksstücken auf; wirkte auch im Film mit; 1933–43 insgesamt 70 Rollen. 106, 385, 449, 466, 520, 573, 589, 669

Pewas, Peter, eigtl. Walter Schulz (1904–1984), dt. Filmregisseur, zunächst Assistent bei W. Liebeneiner, ab 1944 selbständig; 1967 Filmband Silber. 39, 69, 93, 555

Pfeiffer, Hermann (1902), dt. Schauspieler, ab 1936 im Film; 1939–40 hatte er auch Regie in drei Spielfilmen; nach 1945 künstl. Tätigkeit in der BRD. 89, 90, 226, 426, 443, 533, 536

Pfeiffer, Max (1881), Produktionsleiter bei der Ufa. 38

Pfennig, Bruno (1901), dt. Jurist, ab 1930 Mitarbeiter in der Ufa, später verschiedene Funktionen im Filmwesen insbesondere bei der RFK und in der Cautio, auch bei der Prag-Film. 707

Pfitzner, Hans (1869–1949), dt. Komponist. 173, 175

Pflughaupt, Friedrich (1892), Produktionsleiter, ab 1930 enger Mitarbeiter C. Froelichs, Sachverständiger für Filmfragen, Präsidialratmitglied der RFK. 38

Philipp, Gerd, Autor, Kameramann und Regisseur von Kulturfilmen. 290, 291

Pichert, Martin, dt. Filmer, begann 1913 bei O. Meßter, im Krieg Produktionsleiter und persönlicher Referent des Produktionschefs bei der Bavaria. 40

Piel, Harry (Heinrich) (1892–1963), dt. Filmschauspieler und Regisseur, auch Produzent und Drehbuchautor; 107 Filme, vor allem Stummfilme, sind mit seinem Namen verbunden; 1933–45 Regie an 12 Filmen, ferner 11 Rollen. 31, 97, 165, 287, 471, 481, 648

Pilotto, Camillo (1890–1963), italien. Schauspieler, tätig am Theater und beim Film. 829, 833

Pinder, Wilhelm (1878–1947), dt. Kunsthistoriker, Prof., ab 1935 in Berlin. 411

Pittermann, Otto, Filmregisseur. 460

Planck, Max (1858–1947), dt. Physiker, Nobelpreisträger. 77

Platen, Flockina von, dt. Schauspielerin, vielseitige Darstellerin, ab 1927 in Berlin; ab 1931 auch beim Tonfilm: 1935–45 spielte sie in 10 abendfüllenden Filmen mit. 157, 338, 466, 538

Platen, Karl (1877–1952), dt. Schauspieler, ab Stummfilmära zahlreiche Rollen; 1933–45 insgesamt 69 Rollen in abendfüllenden Spielfilmen, ferner Rollen in Kurzfilmen. 84

Platte, Rudolf (1904–1984), dt. Schauspieler, trat langjährig auf den Theater- und Kabarettbühnen Berlins auf; 1940 Intendant des Th. in der Behrenstraße; ab 1931 beim Tonfilm; spielte 1933–44 in 71 abendfüllenden Filmen mit; nach 1945 erfolgreiche und vielseitige künstl. Tätigkeit in der BRD; 1978 Filmband in Gold. 106, 159, 264, 350, 443, 453, 454, 458, 461, 462, 540, 559, 572, 574, 660

Plessen, Viktor Baron von, Gutsbesitzer in Schleswig-Holstein, Forschungsreisender. 290

Pleyer, Wilhelm (1901–1974), dt. Schriftsteller und Journalist, u. a. Schriftleiter der »Sudentendeutschen Monatshefte«. 176

Plicka, Karl, Kunsthistoriker. 420

Podehl, Fritz, Produktionsleiter. 41

Poggioli, Ferdinando Maria (1897–1945), bekannter italien. Schnittmeister und ab 1931 auch Filmregisseur. 834

Pohl, Klaus (1883), aus Österreich stammender Schauspieler, seit der Stummfilmära zahlreiche Rollen im Film. 110

Pola, Isa, eigtl. Maria Luisa Betti di Montesano (1909–1984), ital. Schauspielerin, bis 1958 auch beim Film. 830

Ponto, Erich Johannes Bruno (1884–1957), dt. Schauspieler, einer der bedeutendsten Charakterdarsteller der 20er und 30er Jahre, 1914 bis 1945 hauptsächlich in Dresden; Staatsschauspieler; ab 1946 Stuttgart, Göttingen und Gastspiele; ab 1931 auch im Film: 1934–45 insgesamt 41 Rollen. 137, 159, 210, 216, 301, 312, 334, 335, 342, 361, 385, 426, 442, 446, 451, 464, 481, 492, 521, 530, 536, 566, 568, 683

Porten, Henny (1890–1960), dt. Schauspielerin, gehörte zu den populärsten dt. Filmdarstellerinnen ihrer Zeit, besonders durch den Stummfilm bekannt, 1933–44 spielte sie in nur neun Filmen. 75, 107, 115, 156, 214, 237, 434, 449, 451, 481, 498, 505, 519, 565, 694, 798, 807

Possendorf, Hans, eigtl. H. Mahner-Mons (1883–1956), dt. Schriftsteller. 518

Powell, Eleanor (1912–1982), amerik. Tänzerin und Schauspielerin, durch ihre Filme international bekannt. 821

Power, Tyrone (1913–1958), amerik. Filmschauspieler. 823

Prack, Rudolf (1902–1981), österr./dt. Schauspieler, ab 1937 auch beim Film; nach dem Krieg erfolgreiche künstl. Tätigkeit; erhielt 1951 als beliebtester dt. Filmschauspieler den »Bambi«; starb in Wien. 94, 112, 159, 238, 254, 430, 431, 447, 473, 483, 526, 547, 670

Prager, Wilhelm (1876–1955), dt. Schauspieler, Regisseur und Drehbuchautor, 1919–45 Kulturfilmregisseur; 1936 Goldmedaille in Paris. 232, 366, 476

Praetorius, Emil (1883–1968), bedeutender dt. Bühnenausstatter, Graphiker, Illustrator; Prof., 1933–41 Ausstattungschef der Bayreuther Festspiele. 174

Preiss, Ludwig, dt. Komponist, episodisch auch beim Film. 590

Préjean, Albert (1894/98), franz. Filmschauspieler, zunächst Sänger und Akrobat; weitbekannt durch seine Rollen als Kommissar Maigret. 839

Preminger, Otto (1905–1986), österr./amerik. »einfühlsamer Meister-Regisseur mit einem Drang zu künstlerischen und politischen Risiken« (»Der Spiegel«). 65

Prieberg, Fred K. (1928), dt. Musikwissenschaftler; Buchpublikationen zum Themenkreis Musikpolitik und Neue Musik, darunter Msuik im NS-Staat (1982). 335, 590

Profes, Anton (1898/1898), österr. Komponist und Dirigent, seit 1921 Operetten-, seit 1930 (bis 1958) Film- und Schlagerkompositionen. 41, 145, 416, 460

Puccini, Giacomo (1858–1924), ital. Komponist. 130, 134, 454, 833

Püttjer, Gustav (1886–1959), dt. Schauspieler, seit 1930 an den Bühnen Berlins; beim Film seit 1913 (Mitarbeit bei F. Lang und G. W. Pabst), ab 1930 als Schauspieler;

1933–45 spielte er in 55 Filmen mit; nach 1945 wurde er als Schauspieler in zahlreichen Defa-Filmen eingesetzt. 336, 530

Puhlmann, Willy, kindlicher Filmdarsteller. 603

Puschkin, Alexander Sergejewitsch (1799–1837), russ. Dichter. 576, 577

Putti, Lya de, eigtl. Amalia Edle von Putti (1901), dt. Schauspielerin, bekannt durch ihre Rollen im Stummfilm. 472

Putzek, Josef, Kameramann. 41

Puuze, Voldemars (1907), lett. Filmer, ursprünglich Theater- und Opernregisseur (Riga), seit 1933 als Filmregisseur im Dienst des lettischen Propagandaministeriums; ging 1944 nach Deutschland. 353

Quadflieg, Will (Friedrich Wilhelm) (1914), dt. Schauspieler, seit 1933 beim Theater; 1937–40 Volksbühne und Theater der Jugend, 1940–44 Schiller-Th. in Berlin; wirkte auch im Film mit: 1938–44 insgesamt 10 Rollen; nach 1945 künstl. Tätigkeit in der BRD; schrieb:»Wir spielen immer« (1976). 115, 159, 336, 352, 416, 442, 447, 451, 470, 694

Queri, Georg (1879–1919), dt. Schriftsteller, Journalist, Kulturschilderer Bayerns. 223

Rabenalt, Arthur Maria (1905), in Wien geborener dt. Opern-, Theater-, Film- und Fernsehregisseur; schrieb auch Drehbücher und veröffentlichte mehrere Schriften zu film- und theaterhistorischen Themen: 1934–45 gestaltete er als Regisseur 24 dt. und österr. Filme; nach 1945 vielseitige künstlerische und schriftstellerische Tätigkeit. 11, 39, 84, 127, 165, 217, 247, 287, 342, 399, 428, 465, 472, 473, 488, 504, 508, 517, 555, 570, 647, 682, 684, 796, 849

Raddatz, Carl (1912), dt. Schauspieler, ab 1932 an verschiedenen Provinzbühnen, danach in Berlin; ab 1937 Filmtätigkeit; bis 1945 insgesamt 20 Rollen; nach 1945 erfolgreiche künstl. Tätigkeit in der BRD. 115, 161, 162, 325, 369, 378, 394, 396, 427, 469, 478, 481, 494, 522, 528, 530, 554, 675, 676, 678, 684, 694

Radványi, Géza, eigtl. C. Grosschmid (1907), ungar. Filmregisseur und Drehbuchautor, seit 1948 im Exil. 781

Radziwiłł (dt. Radziwill), Fürstengeschlecht. 190

Raeder, Erich (1876–1960), Großadmiral. 365

Räder, Gustav (1810–1868), dt. Schauspieler, einer der bedeutendsten Komiker seiner Zeit, auch Bühnenautor (vorwiegend Lustspiele). 308

Raft, George, eigtl. G. Ranft (1895–1980), amerik. Filmschauspieler. 821

Rahl, Mady, eigtl. E. G. Meta Raschke (1915), dt. Schauspielerin und Tänzerin, ab 1935 beim Theater, von 1936 bis 1961 auch beim Film: bis 1945 spielte sie in 32 Filmen mit. 91, 121, 157, 214, 217, 263, 412, 431, 474, 542

Raimund, Ferdinand (1790–1836), Wiener Schauspieler und Bühnenschriftsteller. 524, 544, 545

Ralph, Louis, eigtl. Ludwig Musik (gest. 1952), dt. Schauspieler, seit der Stummfilmära auch im Film: 1934–44 insgesamt 19 Rollen; wirkte auch als Drehbuchautor und führte episodisch Filmregie. 360

Ramin, Günther (1898–1956), dt. Organist, Chorleiter und Komponist, u. a. leitete er 1933–42 den Philharmonischen Chor in Berlin, ab 1939 die Thomaner, 1945–51 den Gewandthauschor in Leipzig. 438, 475

Randolf, Rolf, eigtl. Rudolf Zanbauer (1878–1941), österr./dt. Schauspieler, Regisseur und Filmproduzent; gestaltete 1934/35 als Regisseur in eigener Firma drei Spielfilme; starb in Wien. 229, 474

Raschke, Martin, dt. Erzähler, Journalist; fiel im Krieg an der Ostfront als Kriegsberichterstatter. 488

Rasp, Fritz (1891–1976), dt. Schauspieler, 1936–44 an der Volksbühne Berlin; seit der Stummfilmära auch Filmdarsteller; 1933–43 spielte er in 18 Filmen mit; nach 1945 künstl. Tätigkeit in der BRD; 1963 Filmband in Gold. 106, 160, 236, 300, 444

Rathenau, Walther (1867 – ermordet 1922), dt. Politiker. 317

Rau, Marte, Schnittmeisterin. 38

Rautenfeld, Claus von (1909), dt. Kameramann; nach 1945 in der BRD mehrmalige Preise und Ehrungen. 38

Raymond, Fred, eigtl. Raimund Friedrich Vesely (1900–1954), österr. Komponist,

243, 244, 245, 246, 247, 349, 372, 396, 453, 457, 481, 524, 528, 537, 539, 540, 541, 553, 556, 560, 562, 573, 630, 632, 633, 634, 636, 693, 744, 746, 751, 755, 761, 803
Rundstedt, Gerd von (1875–1953), Generalfeldmarschall (1940). 391
Rupli, Kurt (1900–1960), dt. Theaterschauspieler, Bühnen- und Filmautor, Regisseur und Filmproduzent; 1942 Gründer und Leiter der Kulturfilmabteilung bei der Prag-Film. 212, 213, 219, 226, 235, 276, 422, 430, 476, 588, 686
Ruppel, Karl Ludwig, dt. Kameramann und Schnittmeister. 269, 393
Rust, Bernhard (1883–1944), 1933 Preußischer Kulturminister, seit 1934 außerdem Reichsminister für Wissenschaft, Erziehung und Volksbildung. 837
Rust, Carla (1908), dt. Schauspielerin, ab 1936 auch im Film; bis 1944 insgesamt 21 Rollen; vereh. mit Sepp Rist. 77, 121, 157, 309, 429, 454, 468, 506, 533
Ruttmann, Walter (1888–1942), dt. Filmregisseur, schuf seit der Stummfilmära bekannte Kulturfilme. 76, 218, 234, 236, 364, 365, 367

Saarikivi, Orvo (1905–1970), finn. Filmregisseur. 846
Sabo, Oscar (1881–1969), in Österreich geb. Schauspieler, langjährig an dt. Theater- und Kabarettbühnen, hauptsächlich in Berlin; 1915–61 zahlreiche Rollen im dt. Film. 110, 161, 216, 449, 498, 553
Sack, Erna Dorothea (1898–1972), dt. Opern- und Konzertsängerin (Koloratursopran); 1936 Kammersängerin. 155, 458
Särkkä, Toivo J(almari) (1890–1975), finn. Filmregisseur und -produzent, seit 1934 und danach über 30 Jahre Chef der Oy Suomen Filmiteollisuus (Finnische Filmindustrie); schuf zahlreiche Filme und ist in seinem Land als der größte Filmregisseur anerkannt. 808
Salfner, Heinz (1877–1945), dt. Schauspieler, langjährig an Berliner Bühnen, ab 1931 auch im Film. 159
Salloker, Angela, eigtl. Habersbrunner (1913), aus Österreich stammende Schauspielerin, wirkte an zahlreichen Bühnen in Deutschland (1934–49 am Deutschen Th. Berlin) und Österreich; beim Film ab 1934: bis 1939 spielte sie in 6 abendfüllenden Filmen mit. 97, 124, 156, 349, 561, 569
Salminen, Sally (1906–1976), finn./schwed. Schriftstellerin. 844
Salomon, Ernst von (1902–1972), dt. Schriftsteller. 143, 297, 298, 299, 499, 509, 518, 530, 552
Samborski, Bogusław (1897), poln. Schauspieler, vor 1939 im poln. Theater und Film, im Krieg Zusammenarbeit mit dem NS-Film: Ende des Krieges in Wien und Prag; 1946 Relegation aus der poln. Schauspielerschaft, 1946 in contumaciam zu lebenslänglichem Gefängnis verurteilt; nach 1945 in Südamerika, im dt. Film unter Pseudonym Gottlieb Sambor. 322, 324, 483, 682
Sandauer, Heinz (1911–1979), österr. Komponist, Dirigent und Pädagoge; schrieb vor allem U-Musik, ferner Bühnen- und (1936–58) Filmmusik. 146
Sandmeier, Julius (1881–1941), dt. Schriftsteller, auch Filmregisseur und -autor. 649, 749
Sandrock, Adele (1864–1937), dt. Schauspielerin, bekannt aus zahlreichen Theater- und Kabarett-Rollen, aber auch wegen ihrer Extravaganz; ab 1920 wirkte sie auch im Film mit: 1933–36 42 Rollen in österr. und dt. Filmen. 50, 117, 131, 132, 412, 461, 649
Sarasate, Pablo de (P. Martin Méliton S.y. Navascuez) (1844–1908), span. Violinist von Weltruf. 820
Sardou, Victorien (1831–1908), franz. Bühnenautor. 834
Sassmann, Hanns (auch Saßmann) (1882–1944), österr. Schriftsteller, Literaturkritiker, schrieb u. a. für Theater und Film. 301, 441, 657
Sauer, Fred (Alfred) (1885–1952), Schauspieler, Regisseur und Drehbuchautor österr. Herkunft, 1915–37 beim Film; gestaltete 1933–37 als Regisseur 11 Spielfilme. 78, 225, 286
Schaard, Rudolf, Kulturfilmhersteller. 475
Schacht, Roland (1888–1961), dt. Schriftsteller, vor allem als Bühnen- und Filmautor bekannt, auch Übersetzer. 463, 519, 568, 706
Schäfer, Annemarie, Schauspielerin. 443
Schäfer, Ernst, dt. Forschungsreisender, SS-Sturmbannführer. 292
Schaefer, Hellmuth, Filmkaufmann. 735

Schäfer, Walter Erich (1901–1981), dt. Dramaturg (1928–47; Stuttgart, Mannheim, Kassel), Theaterleiter, Bühnenautor und Kritiker. 460, 543

Schaeffers, Willi (1884–1962), dt. Schauspieler, seit 1938 Leiter des Berliner »Kabaretts der Komiker«, ab 1931 auch beim Film: 1934–38 in 26 abendfüllenden Filmen; nach 1945 in Berlin (West), ab 1959 Leiter des Kabaretts »Tingel-Tangel«. Siehe E. Ebermayer: »Tingeltangel«, ein Leben für die Kleinkunst (Hamburg 1959). 161

Schafheitlin, Franz (1895–1980), dt. Schauspieler, langjährig an den Berliner Bühnen (1937–44 Volksbühne); zahlreiche Filmrollen von 1930 bis in die Nachkriegszeit; 1933–45 spielte er in 69 Filmen mit; 1970 Filmband in Gold. 160, 329, 338, 438, 541

Schaufuß, Hans Hermann (1893–1982), dt. Schauspieler, 1922–47 an den Bühnen Berlins, danach in München; Staatsschauspieler; bekannt auch aus Rundfunksendungen und von 1930 bis in die Nachkriegsjahre vom Film: 1933–45 Mitspieler in 60 abendfüllenden Filmen; erhielt 1962 in Bayern den Titel Staatsschauspieler. 108, 338, 498

Schaufuss, Hans Joachim (1919 – gefallen 1941), dt. Schauspieler, Sohn des Vorigen; wirkte auch im Film mit: 1933–40 insgesamt 11 Rollen. 107

Scheinpflug, Richard, Filmkaufmann und Kulturfilmgestalter.273, 411

Schellhammer, Edmund, österr. Schauspieler. 463

Schellow, Erich, Schauspieler. 847

Scheunemann, Walter, Kulturfilmregisseur. 366, 419

Schiestl-Bentlage, Margarete (1891–1954), dt. Schriftstellerin, Vertreterin des niederdt. Sprachbereichs: 1943 Leipziger Kantate-Preis. 489

Schill, Ferdinand von (1776 – gefallen 1809), preuß. Major, versuchte 1809, Preußen zum nationalen Befreiungskampf gegen Napoleon mitzureißen. 194, 301

Schiller, Friedrich von (1759–1805), dt. Dichter. 203, 490

Schiller, Willy, dt. Filmarchitekt. 39

Schipa, Tito (1889–1965), italien. Opernsänger, gehörte zu den besten lyrischen Tenören seiner Zeit. 829

Schirach, Baldur von (1907–1974), 1930 bis 1940 Reichsjugendführer der NSDAP als Reichsleiter; 1940–45 Gauleiter und Reichsstatthalter von Wien. 326

Schleif, Wolfgang (1912–1982), 1935–45 Schnittmeister und Regie-Ass. bei der Ufa; nach 1945 zunächst Regisseur bei der Defa danach in der BRD; gestaltete insgesamt mehr als 200 Spiel- und Fernsehfilme. 38

Schlenck, Hans (1901 – gefallen 13. 11. 1944), dt. Schauspieler, Regisseur, Theaterleiter; Generalintendant des Landestheaters Oldenburg, am 31.8.41 übernahm der die Generalintendanz in Breslau; SS-Hauptsturmführer, gehörte dem persönlichen Stab des Reichsführers SS an; bei Kriegsausbruch und 1944 Frontdienst; fiel als Oberleutnant und Kompanieführer an der Ostfront; wirkte auch im Film mit: 1933–42 insgesamt 11 Rollen. 557

Schlettow, Hans Adalbert, eigtl. H. A. Droescher (1888–30.4.1945), dt. Schauspieler, ab 1919 vor allem im Film: 1933–45 insgesamt 59 Rollen in abendfüllenden Spielfilmen; starb tragisch bei den Kämpfen um Berlin. 225, 350, 498

Schlichting, Werner (1904), österr. Filmarchitekt. 41

Schlösser, Rainer (1899 – erschossen Mai 1945), dt. Publizist, Kritiker und Autor; seit 1933 Reichsdramaturg, 1935–44 zugleich Leiter der Abteilung Theater, und 1944–45 Abteilung Kultur im ProMi; 1939 Chef des Kulturamtes der HJ. 74, 105, 106, 167

Schlüter, Andreas (um 1664–1714), dt. Bildhauer und Baumeister. 206, 210, 524

Schlusnus, Heinrich (1888–1952), dt. Sänger (lyr. Bariton), 1917–45 Staatsoper Berlin; einer der gefeiertsten Sänger seiner Zeit. 174

Schmalstich, Clemens (1880–1960), dt. Dirigent, Komponist, 1938 Prof. an der Berliner Musikhochschule. 146, 276, 490

Schmeling, Max (1905), erfolgreichster und populärster deutscher Boxer; Weltmeisterschaft im Schwergewicht. 129, 284, 285, 286

Schmidseder, Ludwig (1904–1971), österr. Operetten- und Filmkomponist; lebte in Deutschland. 39, 146, 305

Schmidt, Bernhardt P. (1904), Geschäftsführer der Euphono-Film, Produktionsleiter bei der Tobis. 39

Schmidt, Eberhard (1908), Produktionsleiter bei der Ufa. 38

Schmidt, Georg (1907), Kinobesitzer, bis 30. 4. 41 Dienststellenleiter der Hauptstelle

Schönherr, Karl (1867–1943), österr. Dramatiker, Lyriker und Erzähler. 173, 300
Schönmetzler, Hans (1901), Produktionsleiter. 38
Scholtis, August (1901–1969), dt. Schriftsteller. 332
Scholtz-Klink, Gertrud (1902), Reichsfrauenführerin. 252, 849
Scholz, Wilhelm von (1874–1969), dt. Schriftsteller. 173, 489, 674
Schomburgk, Hans (1880–1967), dt. Forscher, Weltreisender, Autor, Filmregisseur und -produzent. 294
Schonger, Hubert (1897–1978), dt. Filmproduzent (seit 1923), unternahm zahlreiche Expeditionen, schuf viele Kurzfilme. 231, 602
Schrammel, Johann (Hanns) (1850–1893) und Josef (1852–1895), österr. Komponisten und Violinisten. 441
Schreiber, Helmut (1903–1963), seit Juni 1942 Produktionschef der Bavaria; ab 1.5.39 Mitglied der NSDAP. 40, 635
Schreiber, Karl Ludwig (1910–1961), dt. Schauspieler. 234
Schreiner, Annemarie, Schauspielerin. 430
Schreiner, Lieselotte (1904/1909), österr. Schauspielerin, 1940–44 Volksbühne Berlin und Burgtheater Wien; episodisch im Film; Kammerschauspielerin; 1963 Österr. Ehrenkreuz für Wissenschaft und Kunst. 127
Schreyvogel, Friedrich (1899–1976), österr. Erzähler, Dramatiker, Lyriker und Essayist. 141, 143, 440, 467, 576
Schröder, Arnulf (1903–1961), dt. Schauspieler (Drama, Kabarett), Regisseur, Pädagoge (Prof.); wirkte auch im Film mit: 1934–45 insgesamt 20 Rollen; nach 1945 künstl. Tätigkeit in der BRD. 224, 450
Schröder, Franz, Kulturfilmregisseur. 290, 423
Schröder, Friedrich (1910–1972), aus der Schweiz stammender Komponist; fast das ganze Leben, bis zum Tode, verlebte er in Deutschland; schrieb Chansons, Tanzmelodien, Filmmusiken und Operetten. 145, 148, 467
Schröder, Karl (1912), dt. Kameramann, Kulturfilm- und ab 1953 Spielfilmregisseur. 38
Schröder, Kurt (1888–1962), dt. Dirigent und Komponist, 1933–34 vorübergehend in London, danach bis 1945 in Berlin; ab 1935 Mitarbeit beim Film. 146, 442, 446, 448, 460, 476, 530
Schroth, Hannelore (1922), dt. Schauspielerin, zunächst vor allem vom Film bekannt; 1938–45 spielte sie in 19 abendfüllenden Filmen mit; 1944 heiratete sie Carl Raddatz. 122, 156, 162, 247, 329, 478, 516, 526, 541, 552, 554, 570
Schubert, Franz (1797–1828), Komponist. 82, 436
Schübrig, Käte, Filmautorin. 143
Schüler, Johannes (1894–1966), dt. Dirigent; 1938 Staatskapellmeister. 315
Schünzel, Reinhold (1888–1954), dt. Schauspieler, Regisseur, Film- und Bühnenautor; schon im Stummfilm tätig; gestaltete 1933–37 in Deutschland 6 Spielfilme, danach Exil in den USA. 65, 89, 114, 115, 286, 467, 633, 649
Schütz, Hans Georg (1912), dt. Komponist, Dirigent, Pianist und Akkordeonist, seit 1937 freischaffender Komponist; 1942–44 beim Soldatensender Belgrad; Mitarbeit beim Film. 443
Schütze, Walter (1898), dt. Komponist, Pianist und Dirigent; 1933–39 schuf er 5 Spielfilmmusiken, schrieb ferner Musik zu zahlreichen Kulturfilmen. 367, 380
Schuller, Walter, kindl. Filmdarsteller. 244
Schultze, Norbert (1911), dt. Komponist; von seinen Werken seien genannt: Opern, Pantomimen, Operette, viele Chansons und Lieder (darunter Soldatenlieder) und Filmmusiken; 1943 heiratete er die Filmschauspielerin und Autorin Iwa Wanja. 39, 144, 145, 147, 195, 250, 376, 377, 383, 387, 393, 402, 431, 434, 602, 603, 661
Schulz, Karl (1895–1983), dt. Filmherstellungsleiter, 1939–42 Chef des dt. Filmwesens in Prag; bis 1957 in der Filmbranche (BRD). 706, 707, 708
Schulz, Ulrich K(arl) T(raugott) (1897–1983), dt. Biologe, einer der Pioniere des dt. Kulturfilms, 1920–45 bei der Ufa; Leiter der Biologischen Herstellungsgruppe in der Kulturfilmabteilung der Ufa; Mitglied der NSDAP. 56, 76, 232, 665, 685, 802
Schulz, Siegfried (1866), Komponist. 419
Schulz-Kampfhenkel, Otto (1910), dt. Forschungsreisender und Autor. 290
Schumacher, Eugen (1906–1973), dt. Kameramann, Schöpfer von Kulturfilmen. 40

Schumann, Clara (1819–1896), dt. Pianistin, Ehefrau von Robert Sch. 439, 440
Schumann, Gerhard (1911), dt. Schriftsteller und Dramaturg, vor 1945 NS-engagiert. 175
Schumann, Robert (1810–1956), Komponist. 439, 440
Schur, Willi (1888–1940), dt. Schauspieler, ab 1933 vor allem im Film tätig: 1933–1940 insgesamt 60 Rollen in abendfüllenden Filmen. 415, 469, 500, 540, 553, 588
Schurek, Paul (1890–1962), dt. Schriftsteller, zählt zu den »Klassikern« der niederdt. Bühnenliteratur. 533
Schwark, Günther (1903), dt. Journalist, 1. 4. 35 bis Januar 43 Hauptschriftleiter des »Film-Kuriers«, danach Leiter der Pressestelle Inland bei der Ufa; seit 1931 in der NSDAP; Dr.; 1943 eingezogen. 68, 212, 367
Schwarzkopf, Elisabeth (1915), dt. Sängerin (Koloratursopran und lyr. Sopran) von Weltruf. 368, 429, 443, 457
Schwede-Coburg, Franz (bis 1935 Schwede) (1888–1960), 1934–45 Gauleiter der NSDAP und Oberpräsident der Provinz Pommern. 198
Schweikart, Hans (1895–1975), dt. Schauspieler, Regisseur, Theaterleiter und Bühnenautor; 1938 bis Mai 1942 Produktionschef der Bavaria; 1938–45 gestaltete er als Regisseur 12 Filme; nach 1945 erfolgreiche künstl. Tätigkeit in der BRD. 40, 88, 90, 165, 168, 194, 221, 430, 481, 482, 492, 509, 510, 512, 530, 536, 537, 647, 795
Schwenzen, Per (1899–1984), dt. Schauspieler (bis 1926), Schriftsteller (Komödie, Novelle, Hörspiel) und ab 1936 bis 1961 Filmautor. 142, 143, 445, 516, 530, 543, 549, 565
Schwiefert, Fritz (1890–1961), dt. Bühnen- und Filmautor, Theaterleiter. 143, 541
Schwitzke, Heinz (1908), dt. Schriftsteller, »Hörspielpapst« in der BRD. 530
Seeck, Adelheid (1913–1973), dt. Schauspielerin. 92, 127, 216
Seefelder, Max, dt. Filmarchitekt. 40
Seeliger, Emil Gerhard (1877–1955), Schriftsteller. 530
Seidel, Heinrich Wolfgang (1876–1945), dt. Schriftsteller, verheiratet mit der Schriftstellerin Ina S. 489
Seifert, Kurt (1903–1950), dt. Schauspieler, ab 1932 in Berlin; 1934–50 auch beim Film. 113, 309
Seikkula, Irna (1914), finn. Schauspielerin. 847
Seiler, Heinrich, Schriftsteller. 472
Seitz, Franz (1888–1952), dt. Regisseur, Drehbuchautor und Filmproduzent: gestaltete 1933–42 als Regisseur 21 Spielfilme. 83, 84, 216, 223, 533, 539, 543, 796
Sellnick, Kurt (1894), dt. Dramaturg, Bühnen- und Filmautor. 286
Selpin, Herbert (1902 – 1. 8. 1942), dt. Regisseur und Drehbuchautor; 1933–42 realisierte er als Regisseur 19 Spielfilme; hat in der gerichtlichen Untersuchung seinem Leben durch Erhängen ein Ende gemacht. 69, 84, 113, 225, 296, 299, 341, 350, 384, 511, 514, 521, 532, 552, 559, 578, 647
Serda, Julia, Schauspielerin. 305
Serrano, Rosita, chilenische Chansonsängerin und Schauspielerin. 129, 130, 147, 148, 305, 468
Servaes, Dagny (1894–1971), in Berlin geborene Schauspielerin, langjährig an den Bühnen Wiens; 1932–59 auch beim Film. 156, 431, 440, 455, 508, 534
Seyfert, Willfried (1908–1954), dt. Schauspieler, einer der besten Komiker »aus der Provinz«; 1938–45 spielte er in 15 abendfüllenden Filmen mit. 430
Shakespeare, William (1564–1616), engl. Dichter. 558
Shaw, George, Bernard (1856–1950), ir. Schriftsteller. 333, 558, 559
Shearer, Norma (1901–1983), Filmstar im Hollywood-Kino, gebürtige Kanadierin. 100, 825
Siebel, Lisa (1919), dt. Schauspielerin, ab 1942 auch beim Film: bis 1944 spielte sie in 5 Filmen mit. 430
Sieber, Horst Hanns (1898–1952), dt. Komponist. 219, 268, 390
Sieber, Josef (1900–1962), dt. Schauspieler; ab 1933 in Berlin; von 1934 bis in die Nachkriegszeit (BRD) spielte er in 30 Filmen mit. 96, 113, 159, 243, 244, 274, 329, 363, 385, 396, 421, 530, 593
Siedel, Erhard (1895–1979), dt. Schauspieler, Regisseur und Bühnenautor; starb in der Schweiz; Filmrollen 1933–58. 362
Sierck, Hans Detlef (in den USA Douglas Sirk) (1897/1900–1987), Regisseur, bis 1937

mit dt. Theater und Film verbunden; realisierte 1935–37 als Regisseur 7 dt. Filme. 66, 90, 115, 134, 244, 446, 564, 566, 681

Sierck, Klaus Detlef (1925 – 22. 5. 1944 gefallen), dt. Schauspieler, Sohn des Vorigen; ab 1938 als Knabe im Film, trat bis 1942 in ca. 10 Spiel- und Kulturfilmen auf. 66, 190, 295, 494, 589, 591, 648

Silcher, Philipp Friedrich (1789–1860), dt. Komponist, Volksliedsammler, Pädagoge. 441

Sima, Oskar (1900–1969), österr. Schauspieler, trat auf verschiedenen Bühnen in Österreich und Deutschland (auch Berlin) auf; seit dem Stummfilm sehr bekannt als Charakter- und Komödiendarsteller; spielte bis in die Nachkriegsjahre in sehr viel Filmen mit; 1969 Filmband in Gold. 106, 110, 131, 159, 223, 369, 427, 431, 499, 550, 554

Simon, Michel (1895–1975), schweiz./franz. Schauspieler, zahlreiche bekannte Filmrollen. 834

Simson, Marianne (1920 – gestorben), dt. Schauspielerin und Tänzerin (Schülerin von Victor Gsovsky), 1934–44 an Berliner Bühnen; nach 1945 wegen Denunziation zur Rechenschaft gezogen; 1945–52 im sowj. Lager; ab 1953 tätig am Theater in Eßlingen und Karlsruhe (Regie für Tanz). 128, 156, 206, 406, 480, 544, 602, 673

Sinding, Leif, norweg. Filmregisseur, im Krieg Anhänger und Mitarbeiter der quislingischen Behörden im Bereich des Filmwesens; 1944 Mitglied des »Norwegischen Kulturrates«. 748, 799

Siodmak, Robert (1900–1973), Filmregisseur, 1925 Assist. bei Kurt Bernhardt, wirkte 1929 bei dessen erstem Spielfilm mit; emigrierte 1933 nach Frankreich, 1940 in die USA, wo er auch die amerik. Staatsbürgerschaft erhielt. 65

Sirotek, Emil (1899–1971), tschech. Filmkaufmann, im Krieg zeitweilig Vorsitzender der Böühm.-Mährischen Filmzentrale; nach dem Krieg Vertreter des tschech. Films in Warschau. 704

Skalden, Kurt Erich (1895), dt. Schauspieler, Regisseur und Filmproduzent. 229

Skladanowsky, Max (1863–1939), Pionier des dt. Films, ursprünglich Schauspieler. 17, 412

Skorzeny, Otto (1908–1975), SS-Obersturmbannführer. 850

Skowronnek, Richard (1862–1932), dt. Schriftsteller, sein Leben und sein literarisches Werk waren mit Masuren verbunden. 229

Skraup, Karl (1898–1958), österr. Schauspieler; Theater und Film; spielte 1933–45 in 31 Filmen mit. 112, 441

Slezak, Leo (1873–1946), österr. Sänger (Tenor), seit 1901 an der Oper in Wien, dazu Gastspiele in Europa und Amerika; trat später als Filmschauspieler auf: spielte 1934–43 in 37 österr. und dt. Filmen mit; auch schriftstellerisch tätig, schrieb u. a. »Mein Lebensmärchen« (posthum München, 1948). 106, 135, 137, 159, 444, 453, 457, 458, 460, 462, 463

Smetana, Bedřich (1824–1884), tschech. Komponist. 670, 703

Söderbaum, Kristine, vereh. Harlan (1918), dt. Schauspielerin schwed. Herkunft, 1936–45 hatte sie insgesamt 11 Rollen in abendfüllenden dt. Filmen; nach 1945 spielte sie bis 1959 weiterhin in Filmen ihres Mannes mit, danach betätigte sie sich beruflich als Fotografin. 122, 137, 138, 139, 153, 162, 171, 193, 195, 313, 315, 494, 502, 503, 655, 659, 669, 670, 675, 676, 677, 683, 693, 751, 770, 812, 849

Söhnker, Hans (1903–1981), dt. Schauspieler, ab 1933 auch beim Film: bis 1945 insgesamt 43 Rollen; nach 1945 künstl. Tätigkeit in der BRD. 112, 137, 153, 162, 171, 247, 254, 298, 370, 414, 449, 457, 458, 461, 463, 465, 472, 507, 514, 528, 539, 541, 560, 570, 679, 694

Sohnle, Hans (1895), dt. Filmarchitekt, seit 1918 beim Film. 40

Schohnrey, Heinrich (1859–1948), dt. Schriftsteller. 489

Solari, Laura, eigtl. L. Camaur (1913), italienische Schauspielerin. 352, 460, 833

Soldati, Mario (1906–1986), italien. Filmregisseur und Autor. 829, 830

Somborn, Hans (1904), Produktionsleiter. 41

Speelmans, Hermann (1902–1960), dt. Schauspieler, 1928–39 auf den Bühnen Berlins, hauptsächlich in Komödienrollen; rege Tätigkeit beim Rundfunk; ab 1930 beim Film: 1933–45 insgesamt 34 Rollen; nach 1945 nach einer Pause (Krankheit) künstl. Tätigkeit in der BRD bis 1959. 107, 160, 274, 533

Speer, Albert (1905–1981), dt. Architekt, Reichsminister für Rüstung und Kriegsproduktion. 271, 276, 911

978

Sperber, Wilhelm (1908), Produktionsleiter; heiratete 1952 Mady Rahl. 38
Spiel, Hilde, eigtl. Hilde Maria Eva de Mendelssohn (1911), österr. Schriftstellerin, Journalistin, Theaterkritikerin, 1936–46 Exil in England. 299
Spira, Camilla, vereh. Eisner (1906), dt. Schauspielerin, ab 1922 am Theater, zunächst im sog. leichten Repertoire, bis 1933 auch Filmrollen; nach der NS-Machtübernahme Tätigkeit am Th. des Jüd. Kulturbundes in Berlin; 1938–47 im Exil (Holland, USA); 1971 Berliner Staatsschauspielerin. 300
Spoerl, Heinrich (1887–1955), dt. Schriftsteller. 140, 143, 151, 152, 225, 264, 486, 522, 524, 528, 657
Spollort, Johannes von, Schriftsteller. 544
Spranger, Eduard (1882–1963), dt. Philosoph und Psychologe, Prof. in Leipzig und Berlin. 411
Springer, Hanns, Kulturfilmregisseur. 366
Staal, Viktor (1909–1982), dt. Schauspieler, seit 1936 auch beim Film: bis 1945 26 Rollen; nach 1945 künstl. Tätigkeit in der BRD, beim Film bis 1977. 114, 162, 229, 248, 397, 399, 427, 458, 470, 482, 497, 519, 554, 564, 573, 574
Stabile, Mariano (1888–1968), italien. Sänger, wirkte auch im Film mit. 830
Stahl-Nachbaur, Ernst, eigtl. Ernst J. E. Guggenheimer (1886–1960), dt. Schauspieler und Regisseur; 1933 aus rassischen Gründen vom Königsberger Schauspielhaus entlassen, später begrenzte Tätigkeit am Theater und beim Film (10 Filmrollen). 161, 341
Stallich, Jan, seit 1934 beim dt. Film, nach 1945 beim tschech. Film. 41
Stanchina, Peter (1899), dt. Regisseur und Intendant. 474
Stang, Walter (1895–1945), dt. Autor und NS-Funktionär; Leiter des Hauptamtes Kunstpflege in der Dienststelle A. Rosenberg. 199
Stanke, Kurt (1903), dt. Kameramann, Regisseur, Autor, Kulturfilmhersteller. 285, 286, 366
Stanwyck, Barbara, eigtl. Ruby Stevens (1907), amerik. Schauspielerin, bis 1965 beim Film. 823, 824
Stauch, Richard (1901–1968), dt. Komponist. 417
Staudte, Wolfgang (1906–1984), dt. Schauspieler, ab 1943 auch Filmregisseur; nach 1945 zunächst bei der Defa, danach in der BRD, wo er zu den führenden Filmschöpfern zählte. 39, 93, 348, 368, 474, 480, 481
Stech, Willi (1904), dt. Pianist und Dirigent. 444
Stefan, Kurt, Kulturfilmregisseur. 418
Steguweit, Heinz (1897–1964), dt. Schriftsteller, Publizist, Theaterkritiker; Leiter der Landesstelle der RSK in Köln. 332
Steigerwald, Peter (1898), österr. Kulturfilmregisseur. 41
Steimel, Adolf (1907), österr. Komponist. 39, 146, 224, 458
Steinbeck, John (1902–1968), amerik. Schriftsteller; 1962 Nobelpreis. 343, 827
Steinbeck, Walter (1884–1942), dt. Schauspieler, langjährig an den Bühnen Berlins, ab 1930 zahlreiche Rollen im Tonfilm; 1933–42 spielte er in 84 abendfüllenden Filmen mit. 106, 425, 426
Steinhoff, Hans (1882–1945, im abgeschossenen Flugzeug), dt. Filmregisseur (ab 1930) und Drehbuchautor (ab Stummfilm); 1933–45 drehte er 20 Spielfilme. 31, 40, 80, 89, 165, 191, 201, 202, 238, 305, 337, 456, 488, 525, 549, 559, 564, 587, 632, 634, 647, 648, 682, 698
Steinkopf, Hans, Komponist. 597
Steinmann, Fritz, Komponist. 220
Stelzer, Hannes (1910–1944, Fliegertod an der Front), dt. Schauspieler, wirkte auch im Film mit; 1936–43 insgesamt 19 Rollen. 96, 115, 159, 162, 217, 222, 316, 361, 378, 436, 437, 471, 500, 534, 539, 552, 559, 565, 590, 632, 634
Stemmle, Robert A. (1903–1974), dt. Regisseur und Schriftsteller; Bühnenwerke, Drehbücher, Hörspiele, Kritik, Publizistik; 1934–45 realisierte er als Regisseur 20 Spielfilme; nach 1945 künstl. Tätigkeit vor allem in der BRD; erhielt 1963 den Preis des »Blauen Bandes« (USA). 40, 84, 141, 165, 223, 274, 289, 304, 372, 480, 483, 522, 535
Stephan, Bruno (1907), dt. Kameramann, seit 1940 im Film. 40
Stevens, George (1904–1975), amerik. Filmregisseur. 760
Stevens, Gösta (1897–1964), schwed. Regisseur und Autor, bis 1949 beim Film. 810

979

Stevenson, Robert Louis Balfour (1850–1894), schott.-engl. Schriftsteller. 825
Stewart, James (1908), amerik. Schauspieler, bis in die 70er Jahre beim Film. 823
Stiebner, Hans (1898–1958), dt. Schauspieler. 236, 308, 427, 450
Stinde, Julius (1841–1905), dt. Schriftsteller. 498
Stobrawa, Ilse, Schauspielerin. 296, 453
Stobrawa, Renée (Renate) (1898–1971), dt. Schauspielerin, gehörte 1928–33 der linken »Gruppe junger Schauspieler« u. a. mit F. Genschow an. 158, 401, 588
Stöckel, Joe (Joseph) (1894–1959), dt. Schauspieler und Regisseur, mit der Folklore Bayerns verknüpft; tätig auch beim Film als Schauspieler (1933–44 31 Rollen in abendfüllenden Filmen) und Regisseur (1936–45 insgesamt 15 Spielfilme). 40, 108, 160, 166, 223, 229, 238, 242, 245, 362, 499, 533, 550
Stöger, Alfred (1900–1962), österr. Schauspieler, Regisseur und Filmproduzent, Initiator und Gestalter der Dokumentarfilme von Burgtheater-Inszenierungen; Filmregie seit 1937, episodisch auch Drehbuchautor; 1961 Lehrbeauftragter am Theaterwissensch. Institut der Universität Wien. 318, 353, 373, 430, 484, 521, 597
Stöppler, Wilhelm, dt. Regisseur, Autor, Kulturfilmhersteller. 343, 375, 383, 393, 418
Stöve, Friedrich-Wilhelm August (1920), Filmtechniker. 456
Stoll, Bob, dt. Schauspieler, Regisseur, Autor, auch Filmproduzent. 283
Stolp, Hannes Peter, Schriftsteller. 521
Stolz, Hilde vom, eigtl. Helen Steels (1903–1973), dt. Schauspielerin, langjährig auch beim Film: 1933–45 insgesamt 39 Rollen; nach 1945 zunächst bei der Defa (bis 1953), danach in der BRD. 156, 301, 342, 385, 573
Stolz, Robert (1880–1975), österr. Operettenkomponist; neben Operetten und Bühnenmusik schrieb er auch etwa 100 Filmmusiken; die NS-Zeit verbrachte er im Exil; 1969 Filmband in Gold. 83, 130, 453, 458
Stolzhammer, Franz, österr. Volksdichter. 111
Stoppa, Paolo (1906), einer der führenden Charakterschauspieler des ital. Theaters und Films. 830
Stordel, Kurt, dt. Kunstmaler, Filmproduzent. 603
Storm, Theodor (1817–1888), dt. Schriftsteller. 83, 493, 494, 495, 632, 781
Stoye, Johannes, dt. Schriftsteller. 333
Straub, Agnes (1890 – infolge eines Autounfalls 1941), dt. Schauspielerin, hörte zu den bekanntesten Charakterdarstellerinnen ihrer Zeit; nach 1933 zeitweise begrenzte Möglichkeiten in der Berufsausübung; wirkte auch im Film mit: 1934–38 in 5 Filmen; schrieb Autobiographie: »Im Wirbel des neuen Jahrhunderts« (posthum 1942). 117, 155, 346, 578
Straus, Oscar (1870–1954), österr. Operettenkomponist, 1938–48 im Exil. 461
Strauß, Emil (1866–1960), dt. Schriftsteller. 173, 489
Strauß, Johann (Vater) (1804–1849), österr. Komponist. 349, 440, 462, 463, 464, 467
Strauss, Richard (1864–1949), dt. Komponist. 144, 224, 442
Streicher, Franz, Bühnenautor. 244
Streicher, Julius (1885 – hingerichtet 1946), Gauleiter der NSDAP von Mittelfranken. 531
Streuvels, Stijn, eigtl. Frank Lateur (1871–1969), belg. Schriftsteller, schrieb in westfläm. Mundart, auch Übersetzer der dt. Literatur; 1941 erhielt er von der Universität Münster den Titel Dr. h. c. 569
Strindberg, Johan August (1849–1912), schwed. Schriftsteller. 101
Stroheim, Erich von, eigtl. E. Oswald von Nordenwall (1885–1957), in Wien geborener Schauspieler und Regisseur, filmte in Hollywood und Frankreich. 752, 825
Strohl, E., Kameramann. 317
Stroux, Karl-Heinz (1908–1985), dt. Theaterregisseur und Theaterleiter, eine der wichtigsten Gestalten des deutschsprachigen Theaters. 99, 518, 795
Struve, Viktor von (1892–1964), dt. Filmproduzent und Produktionsleiter. 1938 Herstellungsgruppenleiter der Terra; gründete 1951 eine eigene Filmproduktion in Wiesbaden. 39
Strzygowski, Edmund, Autor und Dramaturg. 41
Stüwe, Hans (1901–1976), dt. Schauspieler, ab 1926 auch beim Film; spielte 1933–44 in 19 abendfüllenden Filmen mit. 160, 162, 248, 427, 444, 449
Sturm, Hans (1874–1933), dt. Regisseur und Autor. 540

Suchner, Walter, dt. Kameramann, bedeutender Spezialist für Mikrokameraaufnahmen. 56, 95

Sudermann, Hermann (1857–1938), dt. Schriftsteller. 119, 194, 228, 500, 502, 504, 505

Süssenguth, Walter (1903–1963), dt. Schauspieler. 316, 846

Suppé, Franz von, eigtl. Francesco Ezechiele Ermenegildo Cavaliere Suppe Demelli (1819–1895), österr. Komponist. 463

Supper, Auguste (1867–1951), dt. Schriftstellerin. 489

Susa, Charlotte, vereh. Engelmann (1898–1976), dt. Schauspielerin, bis 1941 auch beim Film; starb in der Schweiz. 157, 532

Suzuki, Jukichi, japan. Filmregisseur. 837

Sym, Igo, eigtl. Karl Julius (in Polen Julian) (1896 – erschossen 1941), in Innsbruck geborener Schauspieler poln./österr. Abstammung. 322, 494

Symo, Margit (1913), Tänzerin und Schauspielerin ungar. Abstammung; 1934–45 18 Rollen in dt. Filmen; 1946–51 künstl. Tätigkeit in Schweden. 156, 414

Tabody, Clara (1915) ungar. Schauspielerin und Sängerin, einige Jahre an Berliner Bühnen, 1940–42 Rollen in 3 dt. Filmen. 466, 474

Tackmann, Heinz (1901), dt. Beamter, ab 1934 Abteilungsleiter der RFK, ab Juni 1939 deren Geschäftsführer; danach bei der Ufa als Firmenchef und zugleich (ab November 1944) stellvertr. Produktionschef, außerdem ab 1.5.44 kommiss. Leiter des Hauptamtes Film in der RPL; seit 1931 in der NSDAP, SS-Obersturmbannführer. 38

Talich, Václav (1883–1961), tschech. Dirigent, 1935–45 leitete er die National Oper in Prag; im Krieg Gastspiele in Deutschland. 457, 703

Tamberlani, Carlo, ital. Schauspieler. 834

Tapley, Colin (1911), amerik. Schauspieler. 821

Tasnády, Mária von, vereh. Radványi (1899–1977), ungar Schauspielerin, debütierte 1922 am Budapester Renaissance-Theater, ab 1932 auch beim Film; Gastspiele in Italien und Deutschland; starb in Budapest. 157, 346, 446, 458, 649, 781, 808

Tauber, Richard, eigtl. Ernst Seiffert (1898–1948), in Österreich geborener dt. Schauspieler und Sänger (Oper, Operette, Film); ging nach 1933 ins Exil, erhielt 1940 die britische Staatsangehörigkeit; auch in engl. und amerik. Filmen. 130, 317, 451

Taubert, Eberhard, Propagandabeamter im ProMi und Autor; als Spezialist in antijüdischer und antikommunistischer Propaganda »Dr. Anti« genannt; nach 1945 im Vorstand »Volksbund für Frieden und Freiheit« (BRD). 316, 317

Taurog, Norman (1899–1981), amerik. Filmregisseur. 760

Taylor, Kent, eigtl. Louis Weiss (1907), amerik. Filmschauspieler. 821

Taylor, Robert (1911–1969), amerik. Filmschauspieler mit Weltruhm. 823, 824, 825

Techow, Ernst Günther, dt. Filmkaufmann und Produktionsleiter. 39

Tegener, Hildegard, Schnittmeisterin. 38

Teich, Otto (1866–1955), Komponist. 220

Teichs, Alf (Adolf) (1904), dt. Dramaturg, Autor und Übersetzer, Chefdramaturg und Produktionschef der Terra; Präsidialrat der RFK; nach 1945 im Filmwesen in der BRD tätig. 39

Terno, Gerda Maria, dt. Schauspielerin, 1937–44 am Theater der Jugend und Schillertheater in Berlin. 158, 243

Testrup, siehe Flemming, Hans. 298, 657

Tetting, Carl W., auch Karl, eigtl. Charles Wilhelm (1890/1896), 1938–41 Produktionsleiter bei Tobis und Bavaria, ab Januar 1942 bis April 1944 Produktionschef bei der Prag-Film, danach stellvertr. Produktionschef bei der Wien-Film bis 1.2.45; vor 1935 auch einige Filmrollen; 1948/49 Kulturfilmproduzent, ab 1952 Geschäftsführer bei der Rotary-Film München. 41, 708

Thallmayer, Herbert (1912), Kameramann. 41, 213, 686

Theimer, Gretl (1910–1972), dt. Operettenschauspielerin und Tänzerin, trat im Film schon als Kind auf. 156, 436, 441, 462, 781

Theiß, Konrad (1905), dt. Journalist, Zeitungs- und Buchverleger. 319

Thelemann, Erika von (1908), dt. Schauspielerin, ab 1927 an Berliner Bühnen, ab 1935 bis in die Nachkriegszeit zahlreiche Filmrollen. 156, 305

Thiele, Hertha (1908/1912–1984), dt. Schauspielerin, ab 1930 auch beim Film; nach 1945 in der DDR. 128, 157, 469,

Thiery, Fritz (1899), dt. Regisseur, Produktionsleiter. 38

Thies, Hans Artur (1893–1954), dt. Schriftsteller. 384

Thiess, Frank (1890–1977), dt. Schriftsteller. 143, 444, 511

Thimig, Hans (1900), österr. Schauspieler und Regisseur, der jüngste aus der »Thimig Familien-Dynastie«; wirkte auch beim Film mit: ab 1930 als Schauspieler (1934–43 insgesamt 9 Rollen), als Regisseur (1941–45 arbeitete er an 8 Filmen), schrieb 1942–45 auch 3 Filmdrehbücher. 41, 112, 483, 545, 546, 554, 569

Thimig, Hermann (1890–1982), österr. Schauspieler; wirkte auch beim Film mit: 1933–45 insgesamt 21 Rollen in dt. und österr. Filmen; 1969 Filmband in Gold. 112, 159, 458, 461, 464, 541, 542, 545, 546, 569, 577

Thimig, Hugo (1854–1944), österr. Schauspieler, Regisseur und Theaterleiter, Gründer der »Theater-Dynastie-Thimig« (Helene, Hermann, Hans); auch bekannter Sammler von Theaterbüchern, die später der Österr. Nationalbibliothek (Theatersammlung) eingegliedert wurden; episodisch im Film. 112, 174

Thoma, Ludwig (1867–1921), dt. Schriftsteller. 499

Thomas, Brandon (1849–1914), engl. Schauspieler und Bühnenautor. 559

Thomas, Hans, eigtl. H. Zehrer (1899–1966), dt. Autor, Journalist. 521

Thoms, Toni (1880–1941), dt. Schauspieler, Volkssänger, Komponist, eng mit der Folklore Bayerns verbunden; schrieb auch Bühnen- und Filmmusik. 146

Thorak, Josef (1889–1952), aus Österreich stammender Bildhauer, seit 1937 Prof. an der Kunstakademie in München; gehörte zu den Hauptrepräsentanten der »NS-Kunst«. 277

Thorpe, Richard (1896), amerik. Regisseur, bis 1967 beim Film. 759

Thun, Rudolf, Leiter der filmtechnischen Fakultät an der Filmakademie. 68

Tiedtke, Jacob (1875–1960), dt. Schauspieler, 1933–44 VolksbOhne Berlin; Staatsschauspieler; eng mit dem Film verbunden: spielte 1933–45 in 71 abendfüllenden Spielfilmen; nach 1945 künstl. Tätigkeit in der BRD. 96, 106, 160, 173, 179, 216, 449, 498, 503, 682

Tiethjen, Heinz (1881–1967), dt. Regisseur, Dirigent und Theaterleiter; Preußischer Staatsrat, Reichskultursenator; 1927–45 Chef der Preußischen Staatstheater und Generalintendant der Staatsoper Berlin; 1931–44 künstl. Leiter in Bayreuth. 174, 175, 412

Tilden, Jane, eigtl. Marianne Wilhelmine Tuch (1910), österr. Schauspielerin; ab 1936 auch beim Film. 157, 575

Tiska, Bernhard von, Schnittmeister. 347

Tiso, Josef (1887 – hingerichtet 1947), slowak. Staatspräsident (1939–45). 391

Tjadens, Herbert (1897–1981), Autor. 671

Todt, Fritz (1891 – verunglOckt 1942), dt. Ingenieur, seit 1922 mit der NS-Bewegung verbunden; 1933 Generalinspektor für das dt. Straßenwesen; Leiter des Hauptamtes für Technik in der Reichsleitung der NSDAP; Leiter des Amtes für technische Wissenschaft bei der DAP und Führer des NS-Bundes Deutscher Technik; 1938 SA-Obergruppenführer und Nationalpreisträger; 1939 Generalmajor der Luftwaffe; 1940 Reichsminister für Bewaffnung und Munition; 1941 Generalinspektor für Wasser und Energie. 32, 180, 272, 391, 410, 748

Töller, Hans, kindl. Darsteller im dt. Film. 594

Toeplitz, Jerzy (1909), poln. Filmkritiker und Historiker, Prof. in der Poln. Akademie für Wissenschaften und Filmhochschule in Lódź, zeitweilig deren Rektor; 1967 Gastprof. an der University of California in Los Angeles; 1972/73 Prof. an der La Trobe University in Melbourne, danach Gründer und bis 1979 Direktor der Australian Film and Television School in Sydney. 315, 352

Tornius, Valerian (1883–1970), dt. Schriftsteller, Essayist und Übersetzer, nach 1945 in der DDR. 525

Tost, Hans (1907), Produktionsleiter. 39

Tourjanski, Viktor (Wjatscheslaw) (1891–1976), dt. Regisseur und (ab 1940) Drehbuchautor ukrain. Herkunft; 1935–45 realisierte er 14 Filme; nach dem Krieg 3 Jahre in Spanien, ab 1949 Regietätigkeit in der BRD. 38, 40, 79, 165, 319, 320, 430, 449, 458, 474, 482, 517, 526, 552, 574, 633, 684, 795

Tourneur, Maurice (1876–1961), franz. Schauspieler und Regisseur, filmte ab 1912; Vater des bekannten franz. Regisseurs Jacques T. 838, 840

Tracy, Spencer (1900–1967), amerik. Filmschauspieler von Weltruf. 822, 824

Traub, Hans (1902–1944), Privatdozent an der Universität Greifswald, Angestellter

982

des Deutschen Instituts für Zeitungskunde Berlin, danach wissenschaftl. Leiter der Ufa-Lehrschau. 11, 20

Treff, Alice, vereh. Schomaker ('906), dt. Schauspielerin, ab 1932 bis in die Nachkriegsjahre zahlreiche Filmrollen. 157

Trenker, Luis (Alois) (1892), dt. Schauspieler, Regisseur und Filmproduzent, schuf vor dem Krieg bekannte Bergfilme; mit dem Kino seit der Stummfilmzeit verbunden; 1934–45 realisierte er 7 Filme als Regisseur, in 10 Filmen trat er als Schauspieler auf; auch schriftstellerische Tätigkeit. 69, 77, 78, 124, 127, 144, 153, 171, 288, 300, 301, 304, 343, 366, 413, 632, 633, 647, 648, 698, 783, 795

Tressler, Otto, eigtl. O. Mayer (1871–1965), österr. Schauspieler; Staatsschauspieler; bis 1939 aktiv beim Film. 110, 158, 174, 420, 425, 551, 681, 683

Trippel, Otto (1891), dt. Kulturfilmhersteller. 226, 307, 649

Trotz, Adolf, dt. Regisseur, seit dem Stummkino bis 1933 Tätigkeit beim dt. Film. 349

Tschaikowsky, Pjotr Iljitsch (1840–1893), russ. Komponist. 135, 444, 511, 785, 805

Tschammer und Osten, Hans von (1887–1943), Reichssportführer. 279

Tschechow, Anton Pawlowitsch (1860–1904), russ. Schriftsteller. 117

Tschechowa, Ada, Schauspielerin, Tochter von Olga T. 117

Tschechowa, Olga, geb. Knipper (1897–1977), dt. Schauspielerin, besonders vom Film bekannt, in dem sie ab 1921 auftrat; 1933–45 insgesamt 46 und bis in die Nachkriegszeit hinein über 200 Filmrollen; 1939 Staatsschauspielerin; 1962 Filmband in Gold; SPIO-Ehrenmedaille. 89, 117, 153, 162, 171, 206, 248, 286, 329, 336, 426, 447, 448, 512, 542, 544, 547, 548, 549, 555, 561, 634, 684

Tügel, Ludwig (1889–1972), dt. Erzähler, auch Dramatiker und Funkautor. 489

Türck, Walter (1899), dt. Kameramann, Regisseur, Kulturfilmhersteller. 476

Tuka, Vojtěch (1880 – hingerichtet 1946), slowak. Politiker, Ministerpräsident. 391

Tutein,Karl (1887), dt. Dirigent, 1940–44 musikalischer Oberleiter am Danziger Staatstheater, 1924–43 Mitarbeit an den R. Wagner-Festspielen in Zoppot; ab 1950 künstl. Tätigkeit in München. 315

Ucicky, Gustav (1899–1961), österr. Filmregisseur, auch Drehbuchautor, langjährig beim dt. Fil- (ab 1938 in Wien); gestaltete 1933–44 als Regisseur 16 Spielfilme, ferner Mitarbeit an anderen Filmen. 41, 80, 81, 85, 89, 90, 122, 124, 165, 167, 168, 205, 254, 258, 260, 305, 320, 322, 349, 362, 368, 382, 386, 483, 484, 492, 550, 557, 578, 652, 633, 634, 647, 648, 649, 743, 795, 807, 809

Udet, Ernst (1896 – Freitod 1941), erfolgreichster Überlebender dt. Jagdflieger des 1. Weltkrieges (62 Luftsiege), erhielt »Pour le mérite«; Akrobatflieger; General der Luftwaffe. 288, 370, 373

Uhl, Renate, eigtl. Erika von Zobeltitz, geb. Hoffmann (1892), dt. Schriftstellerin. 521

Uhlen, Gisela, eigtl. Gisela Friedlinde Schreck (1919), dt. Schauspielerin und Tänzerin, ab 1936 auch beim Film: bis 1945 17 Filmrollen. 122, 155, 210, 274, 312, 338, 363, 416, 447, 493, 496, 514, 518, 525

Uhlendol, Karl Heinz, Fernsehregisseur. 659

Uhlig, Anneliese (1939 vereh. Waitzmann) (1918), dt. Schauspielerin und Filmjournalistin, Thea von Harbous »Entdeckung«; ab 1937 beim Film: bis 1945 14 Rollen; wirkte auch im ital. Film wie z. B. im antibrit. »Ferdinand« aus dem Jahre 1943 mit; ging nach 1945 in die USA. 122, 157, 370, 413, 447, 481, 519, 521

Ulbrich, Franz Ludwig (1885–1950), dt. Theaterregisseur und Theaterleiter, auch Dramatiker. 173

Ulbrich, Walter (1910), dt. Autor und Produktionsleiter. 38

Ulfig, Walter (1901), dt. Komponist, schuf zahlr. Musiken zu Spiel- und Dokumentarfilmen. 846

Ullrich, Hans Herbert (1886–1971), dt. Produktionsleiter. 443

Ullrich, Luise (1910–1985), aus Wien stammende dt. Schauspielerin; ab 1932 in Berlin, auch im Film: 1933–45 spielte sie in 20 Filmen mit; 1942 Staatsschauspielerin; auch schriftstellerische Betätigung. 124, 155, 167, 171, 255, 256, 266, 458, 479, 490, 547, 555, 556, 564, 565, 578, 633, 653, 751, 759, 807, 809

Unger, Hellmuth (1891–1953), dt. Schriftsteller, übte bis 1929 den Arztberuf aus. 202, 203, 250, 340

film auch Filmdarsteller: 1933–45 insgesamt 66 Rollen. 104, 159, 183, 334, 444, 456, 561, 577, 589, 680, 682

Wagner, Elsa (Elisabeth) Karoline Auguste (1881–1975), dt. Schauspielerin, stammte aus Estland, 1921–44 am Staatstheater Berlin; beim Film seit 1929 (1933–45 insgesamt 51 Rollen); nach dem Krieg in Berlin (West); 1959 Berliner Künstlerpreis; 1966 Filmband in Gold. 81, 157, 216, 431, 567

Wagner, Fritz Arno (1889–1958), dt. Kameramann. Lehre bei Charles Pathé in Paris; begann 1919 seine große Karriere im dt. Film; bis 1958 photographierte er über 200 Filme. 39, 79, 95, 152, 247, 320, 335, 363, 681, 684

Wagner, Oskar (1901), österr. Komponist, seit 1940 schrieb er bis in die Nachkriegszeit auch Filmmusik. 40, 146, 238, 547

Wagner, Richard (1813–1883), dt. Komponist. 134, 144, 439, 442, 454, 455, 474, 475, 620

Wagner, Winifred (1897–1980), Gattin Siegfried Wagners;; 1931–45 Leiterin der Bayreuther Festspiele. 455

Wagner-Saar, Karl, Kulturfilmregisseur. 419

Wald, Betty (1857–1945), dt. Schauspielerin. 172

Waldau, Gustav, eigtl. Gustav T. C. R. Freiherr von Rummel (1871–1958), dt. Schauspieler, 1899 bis 1956 an den Bühnen Münchens; 1941 Ehrenmitglied der Bayer. Staatstheater; Staatsschauspieler; auch im Film: 1933–45 insgesamt 63 Rollen in abendfüllenden Spielfilmen. 108, 109, 160, 174, 223, 258, 269, 384, 427, 451, 479, 492, 493, 534, 603, 673

Waldmüller, Lizzi (1904 – durch Kriegseinwirkung 1945), dt. Schauspielerin und Sängerin, trat vor allem in den Stücken des leicht. Genres auf; wirkte auch im Film mit: 1933–44 insgesamt 13 Rollen in abendfüllenden Filmen. 119, 225, 242, 412, 446, 460, 464, 465, 471, 529, 550, 561, 660

Waldow, Ernst, eigtl. de Wolff (1893–1964), dt. Schauspieler, vor allem vom Film bekannt; von 1935 bis in die Nachkriegszeit über 200 (1935–45 waren es 66) Rollen; starb in Hamburg. 113, 159, 216, 246, 268, 361, 427, 466, 479, 506, 514, 534, 573, 680

Wallburg, Otto, eigtl. Wasserzieher, dt. Schauspieler jüdischer Abstammung, bekannt vor allem aus seinen Kabarett- und Filmrollen; 1933–34 spielte er noch in 11 Filmen mit; danach Exil in Holland, im Krieg Verhaftung; starb in Auschwitz. 75, 535

Walleck, Oskar (1890–1976), dt. Schauspieler, Regisseur, Theaterleiter. 175

Wallner, Max (1891), dt. Schriftsteller. 467

Waltari, Mika Toimi (1908–1979), finn. Schriftsteller. 846

Walter, Kurt E. (1908–1960), dt. Schriftsteller, schrieb zahlreiche Filmdrehbücher. 393, 434, 480

Wangel, Hedwig, eigtl. Sikon (1875–1961), dt. Schauspielerin, 1935–43 Kammerspiele München; seit dem Stummfilm bis 1956 auch beim Film. 338, 479

Wangenheim, Gustav von (1895–1975), dt. Schauspieler, Regisseur, Bühnenautor, Drehbuchautor, Theaterleiter, auch politische Betätigung; 1933–45 Exil in der SU; nach dem Krieg in der DDR. 102, 113

Wanka, Rolf (Rudolf) (1901/1908–1982), österr. Schauspieler, seit 1935 auch beim Film: bis 1945 insgesamt 17 Rollen; heiratete 1943 die Schauspielerin Friedl Czepa; aktive künstl. Tätigkeit nach 1945. 112, 161, 483, 551, 574

Waschneck, Erich (1887–1970), dt. Graphiker, Kameramann, Drehbuchautor, ab 1926 Filmregisseur; auch Filmproduzent; gestaltete 1933–45 als Regisseur 23 abendfüllende Spielfilme. 79, 137, 165, 193, 210, 216, 228, 234, 263, 312, 360, 482, 514, 519, 528, 555, 647, 649

Wassermann, Walter (1883–1944), dt. Autor, langjährige und erfolgreiche Zusammenarbeit mit dem Film. 141, 143, 202, 203, 222, 247, 254, 346, 453, 514, 519, 543, 548

Waszyński, Michał (1904–1965), poln. Filmregisseur. 817

Watzlik, Hans (1879–1948), (sudeten)deutscher Schriftsteller. 489

Wayne, John (1907–1979), amerik. Filmschauspieler. 821

Weber, Anton, Filmarchitekt. 38

Weber, Carl Maria von (1786–1826), dt. Komponist. 419, 434

Weber, Franz (1888–1972), dt. Schauspieler, 1926–1944 am Staatstheater Berlin; nach 1945 weiterhin in Berlin (West); 1930 bis in die Nachkriegszeit zahlreiche Filmrollen: spielte 1933–45 in 81 abendfüllenden Filmen mit. 105, 336, 443

Weber, Gerhild, dt. Schauspielerin, 1941–45 4 Filmrollen. 127, 287, 807

Wedekind, Frank (1864–1918), dt. Schriftsteller und Schauspieler, Mitarbeiter des »Simplicissimus« und des Kabaretts »Elf Scharfrichter« in München; Vorläufer des Expressionismus. 126, 222

Wedekind, Pamela (1906), dt. Schauspielerin, Tochter des Vorigen. 222

Wedel, Hasso von (1898–1961), General, Chef der Abteilung Wehrmachtspropaganda im OKW. 45

Wegener, Alfred (1880–1930), dt. Geograph, Forschungsreisender; Prof. 77

Wegener, Paul (1874–1948), dt. Schauspieler und Regisseur, seit 1905 in Berlin, wo er zu den Spitzenkräften am Deutschen Theater und 1938–44 am Schiller-Th. gehörte; seit 1913 auch beim Film als Schauspieler (1933–45 21 Rollen) und Regisseur: 1934–37 sieben Filme. 91, 101, 158, 162, 193, 214, 229, 350, 386, 427, 504, 510, 530, 570, 649, 650, 655, 683, 713

Wehner, Josef Magnus (1891–1973), dt. Schriftsteller. 332, 489

Wehrum, Wolfgang (1907), Schnittmeister und Filmregisseur. 38

Weichand, Philipp (1875–1941), dt. Schauspieler und Bühnenautor. 534

Weidemann, Heinrich (1899), dt. Filmarchitekt. 40

Weidenmann, Alfred (1916), dt. Autor und Filmregisseur. 38, 94, 343, 479, 530, 589, 592, 595, 597, 598, 632

Weih, Rolf (1906–1969), dt. Schauspieler. 482

Weihmayr, Franz (1903), dt. Kameramann, seit 1923 beim Film; langjährig bei der Ufa (Chefkameramann), filmte auch im Ausland. 38, 230

Weirauch, Anna Elisabeth (1887–1970), dt. Schriftstellerin. 529

Weis, Thea (1924), österr. Schauspielerin, seit 1941 auch im Film. 694

Weisenborn, Günther (1902–1969), dt. Schriftsteller. 203, 509, 540

Weiser, Grethe, eigtl. Mathilde E. D. M. Nowka, vereh. Schwerin (1903 – verunglückt 1970), dt. Schauspielerin, trat im Theater und Kabarett auf, sehr bekannt und beliebt auch durch den Film: zahlreiche Rollen seit der Stummfilmära; 1933–45 spielte sie in 60 abendfüllenden Filmen mit; nach 1945 künstl. Tätigkeit in der BRD. 118, 155, 216, 448, 459, 498, 519, 538, 540, 543, 550, 572, 660, 682

Weiss, Gustav, dt. Kameramann. 40

Weiß, Helmut (1907–1969), dt. Schauspieler, Bühnen- und Filmautor, seit 1944 auch Filmregisseur (1944–45 vier Spielfilme); nach 1945 künstl. Tätigkeit in der BRD. 40, 166, 372, 481, 528, 539, 541, 573

Weiß-Ferdl, eigtl. Ferdinand Weisheitinger (1883–1949), bayer. Volkskomiker: Kabarett, Theater und ab 1930 Tonfilm; 1933–39 spielte er in 10 abendfüllenden Filmen mit; im Krieg fehlte sein Name auf der Liste der zugelassenen Filmschauspieler. 108, 159, 224, 286, 396, 499, 632

Weissmüller, Jonny (1904–1984), amerik. Sportler, 5facher Olympia-Sieger im Schwimmen, weltbekannt auch als Tarzan-Darsteller. 823

Weissner, Hilde, eigtl. Hildegard Weissbrodt (Häring, im Juni 1940 heiratete sie den Piloten Peter Holm) (1909), dt. Schauspielerin, ab 1933 an den Berliner Bühnen und ab 1939 hauptsächlich im Film; 1934–45 spielte sie in 26 Filmen mit; seit 1950 Inhaberin eines Modesalons in Hamburg. 96, 152, 155, 221, 233, 293, 312, 341, 385, 386, 441, 454, 521, 537, 540, 552

Welles, Orson (1915–1985), amerik. Schauspieler und Regisseur, wirkte am Theater und beim Film mit: auch Filmproduzent. 74, 760

Welzel, Heinz, dt. Schauspieler, 1932–57 auch beim Film. 373

Wenck, Eduard H. (1891–1981), dt. Schauspieler, auf den Berliner Bühnen im sog. leichten Repertoire; seit 1930 bis in die Nachkriegszeit Filmrollen. 161, 588

Wendhausen, Fritz (in England F. R. Wendhousen) (1891–1962), dt. Filmregisseur und Drehbuchautor, beim Film seit der Stummfilmära; 1933–36 realisierte er in Deutschland 5 Spielfilme; emigrierte 1938 nach England. 65, 490, 509, 561, 563

Wendt, Elisabeth, dt. Schauspielerin, ab 1932 auch beim Film. 156, 519, 569, 602

Wenneis, Fritz (1889–1969), dt. Komponist, Dirigent und Pädagoge; schrieb Begleitmusik zu den Stummfilmen, danach Zusammenarbeit beim Tonfilm mit der Ufa und Tobis; insgesamt schrieb er Musik zu rund 100 Spielfilmen und über 500 Kurzfilmen; nach 1945 in der BRD tätig. 145, 296, 365, 471, 603

Wentzel, Bernhard, dt. Kameramann und Filmproduzent. 443

Wenzler, Franz, dt. Regisseur, 1930–35 auch beim Film; 1933–35 realisierte er vier Filme. 288, 307, 567, 650

986

Werker, Alfred Louis (1896), amerik. Regisseur, bis 1957 beim Film. 825

Werkmeister, Lotte (gest. 1970), dt. Schauspielerin. 48, 157, 263

Werner, Ilse, eigtl. I. Still (1921), dt. Schauspielerin, ab 1938 bis 1945 17 Rollen im Film. 122, 153, 162, 167, 222, 244, 245, 263, 383, 396, 445, 458, 481, 504, 517, 518, 557, 561, 660, 673, 679, 680, 684, 693, 731, 798, 807

Werner, Walter (1883–1956), dt. Schauspieler, langjährig, bis in die Nachkriegszeit, auf den Bühnen Berlins, 1919–44 am Staatstheater; ab 1931 zahlreiche Filmrollen. 96

Wernicke, Otto (1893–1965), wirkte seit 1921 in München. 1934–44 in Berlin, wo er zu den Spitzenkräften des Deutschen Theaters und Staatstheaters gehörte; Kammerschauspieler; von 1931 bis in die Nachkriegsjahre beim Film: 1933–45 57 Rollen. 105, 159, 160, 162, 193, 256, 338, 341, 346, 361, 438, 500, 504, 514, 529, 566

Wernicke, Rolf (1903), dt. Rundfunksprecher und Journalist (bis 1935), Rundfunkreporter, 1938 und 1942 zwei Rollen im Film. 347

Wertheimer, Martha, Briefautorin aus Frankfurt/M. 636

Werther, Kurt, dt. Schauspieler, 1944 auch Spielfilmregie. 94, 479

Wesener, Eduard, dt. Schauspieler; 1933–42 18 Rollen im Film. 161

Wesse, Curt (1884), dt. Filmautor, auch Kulturfilmregisseur. 64, 84, 95, 143

Wessely, Paula (vereh. Hörbiger) (1908), österr. Schauspielerin, 1929–45 am Josefstadttheater Wien, gleichzeitig 1934–44 Deutsches Theater Berlin; seit 1934 überall populär im Film: 1934–43 11 Rollen in österr. und dt. Filmen; Staatsschauspielerin; nach 1945 künstl. Tätigkeit in Österreich, vor allem am Burgtheater (1967 Ehrenmitglied); zahlreiche andere Ehrungen und Preise. 31, 81, 82, 83, 124, 126, 153, 162, 173, 205, 258, 260, 300, 316, 324, 326, 412, 415, 448, 483, 513, 569, 632, 758, 759, 807

Wessling, Berndt W. (1935), dt. Journalist, Autor von zahlreichen essayistischen, dramatischen und biographischen Bearbeitungen. 439

Westerkamp, Fritz, dt. Drehbuchautor, Werbefilmhersteller. 379

Westermeier, Paul (1892–1972), dt. Schauspieler, langjährig auf den Bühnen Berlins, ab 1939 am Metropol-Th.; seit dem Stummfilm bis in die Nachkriegsjahre beim Film: 1933–45 81 Filme; 1967 Filmband in Gold. 106, 161, 305, 362, 498, 503

Wieck, Dorothea (1908–1986), dt. Schauspielerin, debütierte 1924 am Josefstadttheater in Wien, danach im Stummfilm und Tonfilm (»Mädchen in Uniform«, 1931) in Deutschland (1933–45 14 Rollen), zeitweise in Hollywood; nach 1945 künstl. Tätigkeit in der BRD einschl. Berlin (West), wo sie starb. 109, 152, 153, 157, 206, 519, 589

Wieck, Friedrich (1785–1873), dt. Musikpädagoge, C. Schumanns Vater. 440

Wieman, Mathias (1902–1969), dt. Schauspieler, seit 1929 auch beim Film: 1933–45 in 23 Filmen; 1937 Staatsschauspieler; nach 1945 künstl. Tätigkeit in der BRD. 90, 104, 153, 173, 204, 205, 211, 212, 250, 264, 361, 439, 440, 456, 479, 493, 522, 565, 569, 591, 633

Wieser, Eduard (1910–1959), österr. Regisseur und Autor, war beteiligt an Produktion und Regie zahlreicher Kulturfilme. 143, 162, 595

Wigert, Sonja, schwed. Schauspielerin. 844

Wilberg, Helmuth 194x(1941 verunglückt), dt. General der Flieger. 348, 373

Wilde, Oscar (1854–1900), brit. Schriftsteller. 113, 403, 559

Wildenbruch, Ernst von (1845–1909), dt. Schriftsteller. 499

Wilder, Billy (1906), amerik. Filmregisseur österr. Herkunft; 1985 Österr. Gr. Staatspreis für Filmkunst. 65

Wilhelm II (1895–1941), dt. Kaiser und König von Preußen. 199

Wilk, Herbert (1905–1977), dt. Schauspieler, von 1936 bis in die Nachkriegsjahre auch beim Film. 161, 383

Wille, Hanns Julius (1895), dt. Autor, Verfasser von Kultur- und Spielfilmen, Filmdramaturg. 490, 598

Winckler, Josef (1881–1966), dt. Schriftsteller, Journalist und Herausgeber, von Beruf Zahnarzt; seit 1932 freischaffender Schriftsteller. 225

Windt, Herbert (1894–1965), dt. Komponist, schuf Musik für Bühne und Rundfunk, vor allem aber – seit 1932 – für den Film; nach 1945 künstl. Tätigkeit in der BRD. 39, 144, 145, 147, 204, 282, 292, 347, 352, 360, 369, 371, 389, 390, 392, 409, 447, 592

Winkler, Max (1875–1961), dt. Beamter, Bürgermeister von Graudenz (1940 Ehren-
bürger), Finanzmann, ab 1933 Direktor der Filmkreditbank, im Krieg Chef der Treu-
handstelle und Reichsbeauftragter für die deutsche Filmwirtschaft, als solcher »graue
Eminenz« des dt. Films; nach 1945 vorübergehend verhaftet, danach Inhaber der
Kultur- und Wirtschaftsfilm GmbH in Düsseldorf. 19, 30, 36, 57, 58, 68, 171, 174,
270, 326, 650, 656, 668, 717, 723, 724, 726
Winnig, Walter (1892–1974), dt. Komponist und Dirigent, seit 1921 in Berlin; schuf
Musik zu hunderten von Dokumentar- und Kulturfilmen. 145
Winterfeld, H., Kameramann. 317
Winterstein, Eduard von, eigtl. E. Freiherr von Wangenheim (1871–1961), dt. Schau-
spieler, von 1905 bis in die Nachkriegszeit an den führenden Berliner Bühnen;
1911–58 ausgedehnte Filmtätigkeit: 1933–45 insgesamt 65 Rollen; nach 1945 gefeier-
ter Schauspieler in der DDR, Nationalpreis und zahlreiche andere Ehrungen; schrieb
Erinnerungen. 96, 101, 102, 160, 202, 206, 229, 255, 338, 378, 442, 469, 492, 493, 500,
503, 527, 541, 566, 567, 589
Winterstein, Willy (Wilhelm) (1895), dt. Kameramann, begann beim österr. Stumm-
film. 40, 95, 216, 504
Wischniewsky, Walter (1912), Schnittmeister und Regie-Assistent, seit 1930 in der
Filmbranche. 38
Witzleben, Erwin von (1881 – hingerichtet 1944), Generalfeldmarschall. 391
Witt, Georg (1912–1973), 1932–42 Inhaber G. Witt-Film in München, danach Produk-
tionsleiter; verheir. mit Lil Dagover. 38, 559
Witt, Herbert (1900–1980), dt. Filmautor. 143
Wittuhn, Fr. Georg, dt. Regisseur und Autor. 442
Woedtke, Fritz von (1906–1959), dt. Schriftsteller. 143, 530, 541
Wohlbrück, Adolf (in England Anton Walbrook) (1900–1967), dt. Schauspieler, seit
1936 Exil (1947 engl. Staatsbürger); 1930–35 an den Berliner Bühnen, 1933–36 auch
in 14 dt. Spielfilmen; 1967 Filmband in Gold. 462, 555, 753
Wolf, Gusti, österr. Schauspielerin, 1937–39 in München. 1939–44 Volksbühne Berlin;
ab 1937 beim Film: bis 1944 8 Rollen; nach 1945 künstl. Tätigkeit in Berlin. 157, 242,
458
Wolff, Carl Heinz (1883–1942), dt. Regisseur, realisierte 1933–40 6 dt. Spielfilme. 553,
655
Wolff, Kurt (1987–1963), dt. Regisseur (Kulturfilme). 422
Wollangk, Fritz (Friedrich), Kulturfilmregisseur. 365
Wolle, Gertrud (1891–1952), dt. Schauspielerin, seit dem Stummfilm bis in die Nach-
kriegszeit Rollen im Film; 1933–45 spielte sie in 47 Filmen mit. 118
Wood, Sam (1885–1949), amerik. Filmregisseur. 823, 824
Wortig, Kurt (1913–1979), dt. Dramaturg. 39
Wozak, Bruno, Kulturfilmhersteller. 22
Wuellner, Rudolf, Produktionsleiter. 39
Wüst, Ida (1884–1958), dt. Schauspielerin, langjährig auf den Bühnen Berlins, ab 1912
auch im Film; 1933–45 spielte sie in 53 Filmen mit; sie schrieb auch für die Bühne und
führte Regie. 117, 155, 211, 214, 244, 396, 406, 457, 458, 461, 506, 538, 559, 573
Wüstenhagen, Karl (1893–1950), dt. Schauspieler, Regisseur und Theaterleiter,
1932–45 Intendant des Staatl. Schauspielhauses in Hamburg. 69
Wurm, Gisela (1885–1957), österr. Schauspielerin. 158
Wurmbrand, Irmgard Barbara (1906), österr. Schriftstellerin. 554
Wyler, William (1902–1981), amerik. Filmregisseur. 760, 825, 848
Wysbar, Frank, seit 1938 F. Wisbar (1899–1967), dt. Filmregisseur und Filmautor, ab
1931 führte er selbständig Filmregie; 1933–37 drehte er in Deutschland 7 Filme,
danach ging er ins Exil; 1939 bis 1956 zahlreiche Filme (auch für das Fernsehen) in den
USA; nach 1945 auch Filmarbeiten in der BRD; starb in Deutschland. 66, 69, 370,
495, 555, 630, 633, 634, 646, 650

Yamada, Kosaku (1886–1965), japan. Komponist und Dirigent, 1914 gründete er in
Tokio Japans erstes Symphonieorchester; er gehörte zu den Vorkämpfern der natio-
nalistischen Bewegung in Japan. 836
York, Eugen (1912), dt. Filmregisseur, drehte zunächst Kurzfilme, danach mit Spielfilmen beschäftigt; auch episodisch Schauspieler. 94, 305, 352, 353, 407, 421, 422, 482

989

Der Autor dankt all denen, die ihm geholfen haben, die umfangreichen und mühevollen Nachforschungen zu den biographischen Fakten – bis auf relativ wenige Ausnahmen – erfolgreich zu bewältigen. Ohne das Verständnis und die Bereitwilligkeit der Einzelpersonen, aber auch zahlreicher Institutionen – Institute, Archive, Museen, Bibliotheken, diplomatischen bzw. konsularischen Vertretungen, Kirchengemeinden, Standesämter – hätte diese das Buch abschließende Arbeit nicht zu einem guten Ende geführt werden können.

B. Drewniak

Das Theater im NS-Staat

Szenarium deutscher Zeitgeschichte 1933–1945
456 Seiten, Efatin mit Schutzumschlag

In jahrelanger Forschungsarbeit hat ein polnischer Wissenschaftler, Dr. Bogusław Drewniak, seit 1971 Professor für Geschichte an der Universität Danzig, die Rolle des Theaters in
der Politik und Propaganda des nationalsozialistischen Systems
aufzudecken gesucht, die Rolle derer, die auf dem Theater und
hinter den Kulissen des Theaterlebens agierten. Aus einer
Fülle erstmals erschlossener Materialien und Dokumente, so
des Propagandaministeriums und der Dienststelle Rosenberg,
aus Archiven in Ost und West, entstand mit der Geschichte der
NS-Theater-Lenkung im Dritten Reich zugleich ein Szenarium
deutscher Zeitgeschichte von 1933 bis 1945, das Namen und
Ereignisse jener Jahre in bewegter Dramatik und bislang kaum
gekannten Zusammenhängen sehen läßt.

Droste Verlag

Droste Geschichts-Kalendarium
Chronik deutscher Zeitgeschichte (1918–1949)
Politik – Wirtschaft – Kultur

Manfred Overesch/Friedrich Wilhelm Saal
Bd. 1:
Die Weimarer Republik
688 Seiten, Lexikonformat

Manfred Overesch/Friedrich Wilhelm Saal
Bd. 2/I:
Das Dritte Reich 1933–1939
624 Seiten, Lexikonformat

Manfred Overesch
Bd. 2/II:
Das Dritte Reich 1939–1945
644 Seiten, Lexikonformat

Band 3/I
Manfred Overesch
Das besetzte Deutschland 1945–1947
Unter Mitarbeit von Jork Artelt
448 Seiten, Lexikonformat
(Register in Bd. 3/II)

Band 3/II
Manfred Overesch
Das besetzte Deutschland 1948–1949
Unter Mitarbeit von Jork Artelt
448 Seiten, Lexikonformat
(mit Register der Bände 3/I–II)
Als Kassette (3 in 5 Bänden) 2852 Seiten. DM 528,–

Droste Verlag